MATHÉMATIQUES
discrètes

Édition révisée

Kenneth H. Rosen

American Telephone and Telegraph Company
Bell Laboratories Division

AT&T

Consultants à l'édition française
Richard Labonté
Pierre Auger

Traduit de l'américain par
Pierre Desaunettes
Louise Durocher
Suzanne Geoffrion

**Achetez
en ligne ou
en librairie**
En tout temps,
simple et rapide!
www.cheneliere.ca

CHENELIÈRE
ÉDUCATION

Mathématiques discrètes, Édition révisée

Kenneth H. Rosen

Traduction de : *Discrete Mathematics and its Applications*
(ISBN 0-07-053965-0), de Kenneth H. Rosen
© 1995, 1991, 1988 American
Telephone and Telegraph Company.

© 2002 Les Éditions de la Chenelière inc.

Éditeur : Michel Poulin
Coordination : Samuel Rosa
Révision linguistique : Ginette Laliberté
Correction d'épreuves : Rémi Tremblay et Lucie Lefebvre
Infographie : Rive-Sud Typo Service inc.
Couverture : Michel Bérard

Données de catalogage avant publication (Canada)

Rosen, Kenneth H.

   Mathématiques discrètes

   Éd. rév.

   Traduction de la 3ᵉ éd. de : Discrete Mathematics and its
Applications.

   Comprend un index.
   Pour les étudiants du niveau universitaire.

   ISBN 2-89461-642-2

   1. Mathématiques. 2. Informatique – Mathématiques.
I. Titre.

QA39.2.R65414 2001   511   C2001-940947-8

**CHENELIÈRE
ÉDUCATION**

5800, rue Saint-Denis, bureau 900
Montréal (Québec) H2S 3L5 Canada
Téléphone : 514 273-1066
Télécopieur : 514 276-0324 ou 1 800 814-0324
info@cheneliere.ca

ISBN-13 : 978-2-89461-642-0
ISBN-10 : 2-89461-642-2

Dépôt légal : 1ᵉʳ trimestre 2002
Bibliothèque nationale du Québec
Bibliothèque nationale du Canada

Imprimé au Canada

10 11 12 13 14 M 24 23 22 21 20

Ce projet est financé en partie par le gouvernement du Canada |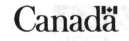

Kenneth H. Rosen est membre de l'équipe technique du secteur architecture d'AT&T Bell Laboratories de Holmdel, au New Jersey. Il a obtenu son baccalauréat en mathématiques à l'Université du Michigan, en 1972, et son Ph.D. en mathématiques au MIT en 1976, avec la présentation d'une thèse portant sur la théorie des nombres, sous la direction d'Harold Stark. Avant de joindre AT&T Bell Laboratories en 1982, il a occupé des chaires d'enseignement à l'Université du Colorado, à Boulder, à l'Université de l'État de l'Ohio et à l'Université du Maine, à Orono, où il était professeur associé en mathématiques. Alors qu'il travaillait pour AT&T Bell Laboratories, il a aussi enseigné les mathématiques discrètes, la théorie du codage et la sécurité des systèmes, dans le cadre d'un cours d'informatique au Collège Monmouth.

L'auteur a publié de nombreux articles dans des journaux scientifiques sur la théorie des nombres et la modélisation mathématique. Il est l'auteur des ouvrages *Elementary Number Theory and its Applications* (troisième édition, Addison-Wesley) et *Discrete Mathematics and its Applications* (troisième édition, McGraw-Hill). Ces deux livres sont utilisés dans plus de 200 universités. Kenneth H. Rosen est aussi le coauteur du manuel *UNIX System V Release 4: An Introduction*, vendu à plus de 90 000 exemplaires et traduit en espagnol et en allemand, ainsi que de *Best UNIX Tips Ever*, publié par Osborne McGraw-Hill. Enfin, Kenneth H. Rosen est aussi l'éditeur de la nouvelle publication *Handbook of Discrete Mathematics*, publiée par CRC Press et l'éditeur de la série CRC sur les mathématiques discrètes. Actuellement, il travaille avec Waterloo MAPLE Software sur la manière d'intégrer les logiciels mathématiques en éducation et dans les divers secteurs professionnels.

Dans son travail pour AT&T Bell Laboratories, M. Rosen s'est penché sur une vaste gamme de problèmes, notamment sur des études en recherche opérationnelle sur la planification de chaînes de montage d'ordinateurs et sur le matériel de communication de données. Il a participé à l'élaboration de produits et de services d'AT&T Bell Laboratories dans le domaine du multimédia, des communications vidéo, de la reconnaissance vocale et des réseaux-images. L'une de ses contributions les plus intéressants a été de participer à l'évaluation technologique de la nouvelle attraction d'AT&T au EPCOT Center.

Que sont les mathématiques discrètes ? Cette branche des mathématiques porte sur l'étude des objets discrets, c'est-à-dire des objets composés d'éléments distincts et disparates. Parmi les types de problèmes résolus en mathématiques discrètes, on peut citer des problèmes tels que ceux-ci : De combien de façons est-il possible de choisir un mot de passe valide pour lancer un programme ? Quelle est la probabilité de gagner à la loterie ? Existe-t-il un lien entre deux ordinateurs d'un réseau ? Quel est le plus court chemin entre deux villes si on utilise les transports en commun ? Comment peut-on trier une liste de nombres entiers afin qu'ils apparaissent en ordre croissant et combien d'étapes comprendra ce tri ? Comment peut-on concevoir un circuit qui fera l'addition de deux nombres ?

De façon plus générale, les mathématiques discrètes interviennent chaque fois qu'on veut dénombrer des objets, qu'on étudie des relations entre des ensembles finis ou qu'on analyse des procédés comprenant un nombre fini d'étapes. De nos jours, le recours aux mathématiques discrètes est indispensable du fait que l'information est stockée et traitée par des ordinateurs de manière aléatoire.

Plusieurs raisons justifient l'étude des mathématiques discrètes. Tout d'abord, ce cours permettra l'acquisition d'une maturité mathématique, c'est-à-dire d'une habileté à comprendre et à créer des arguments mathématiques. En outre, les mathématiques discrètes servent de passerelle vers des cours plus avancés dans tous les domaines des mathématiques. Elles font appel à la logique, à la théorie des nombres, à la théorie des ensembles, à l'algèbre linéaire, à l'algèbre abstraite, aux théories combinatoires, à la théorie des graphes et, enfin, aux probabilités elles-mêmes (la portion discrète des mathématiques). Les mathématiques discrètes constituent le fondement mathématique de l'informatique. On y a recours dans l'étude des structures de données, des algorithmes, des bases de données, de l'automatisation, des langages formels, des compilateurs, de la sécurité des systèmes et des systèmes d'exploitation. (Une étudiante m'a même envoyé un courrier électronique pour me dire qu'elle se référait à mon livre pour tous ses cours d'informatique.)

Les mathématiques discrètes sont aussi utiles en recherche opérationnelle (par exemple, dans les nombreuses méthodes aléatoires d'optimisation), en chimie, en ingénierie, en biologie, etc. Plusieurs applications sont présentées dans ce manuel.

Enfin, ce livre propose plusieurs conseils pertinents sur la meilleure façon d'étudier les mathématiques discrètes. Je suggère à l'étudiant de faire le plus d'exercices possible, à la fois ceux qui sont à la fin des sections et ceux à la fin des chapitres. L'étudiant a évidemment intérêt à résoudre le problème avant de regarder la solution (à la fin du livre). Celle-ci n'est utile que lorsque l'étudiant veut vérifier sa solution ou qu'une impasse l'empêche de poursuivre. Le degré de difficulté est précisé de la manière décrite ci-dessous.

Degré de difficulté des exercices

(Aucun)	Facile
★	Moyennement difficile
★★	Très difficile
☞	Réponse dans le texte
(Calcul différentiel et intégral requis)	La solution nécessite l'usage de la notion de limite.

Kenneth H. Rosen

La rédaction de ce livre a été guidée par mon expérience en mathématiques discrètes et par l'intérêt soutenu que j'accorde à cette matière. Le but recherché est de présenter les techniques et les concepts de façon précise et compréhensible. De plus, je souhaite en démontrer l'aspect pratique et utile.

Les étudiants en sciences informatiques y trouveront les bases nécessaires à leurs futures études, et ceux en mathématiques seront amenés à comprendre les concepts fondamentaux et leur importance dans les diverses applications. En outre, les professeurs se familiariseront avec des techniques pédagogiques éprouvées en mathématiques et du matériel didactique efficace.

Le contenu de ce livre est conçu de manière à pouvoir être enseigné en une ou deux sessions d'introduction aux mathématiques discrètes, selon qu'il s'adresse aux étudiants en informatique, en ingénierie ou en mathématiques. Le seul préalable est la connaissance de l'algèbre de niveau préuniversitaire.

Objectifs d'un cours de mathématiques discrètes

Un cours de mathématiques discrètes poursuit plusieurs objectifs à la fois. Les étudiants doivent comprendre un ensemble de faits mathématiques et apprendre à les appliquer. De plus, ce cours vise à développer un raisonnement mathématique. Dans ce but, le texte insiste sur le raisonnement et les différentes résolutions de problèmes. Cinq thèmes s'y côtoient : le raisonnement mathématique, l'analyse combinatoire, les structures discrètes, les applications et leur modélisation et, finalement, la conception des algorithmes. Un cours de mathématiques discrètes n'atteint son objectif que s'il combine harmonieusement ces cinq aspects.

1. *Le raisonnement mathématique :* Les étudiants doivent développer leur raisonnement mathématique s'ils veulent construire des argumentations mathématiques. Le texte débute par une discussion sur la logique mathématique, qui sert de base aux discussions subséquentes sur les méthodes de démonstration. La technique de l'induction mathématique est illustrée par de nombreux exemples. On y explique aussi pourquoi l'induction mathématique est une technique de démonstration valide.

2. *L'analyse combinatoire :* Une bonne aptitude pour résoudre les problèmes réside dans l'habileté à savoir compter et énumérer des objets. L'exposé sur l'énumération commence donc par les techniques fondamentales de dénombrement. Il ne s'agit pas simplement d'appliquer des formules, mais de savoir se servir de l'analyse combinatoire pour résoudre des problèmes de dénombrement.

3. *Les structures discrètes :* L'enseignement des mathématiques discrètes doit montrer aux étudiants comment travailler avec les structures discrètes, c'est-à-dire les structures mathématiques abstraites qui représentent les objets discrets et les relations entre ces objets. Ces structures comprennent les ensembles, les permutations, les graphes de relations, les arborescences et les machines à états finis.

4. *Les applications et la modélisation :* Les mathématiques discrètes trouvent leur application dans presque tous les domaines scientifiques. Dans le présent manuel, on trouvera évidemment des applications en informatique, mais aussi en chimie, en botanique, en zoologie, en linguistique, en géographie et en sciences administratives. Toutes ces applications représentent des usages courants des mathématiques discrètes et ne sont pas artificielles. La modélisation par les mathématiques discrètes est une technique usuelle de résolution que les étudiants auront l'occasion d'expérimenter en construisant leurs propres modèles, comme le demandent divers exercices.

5. *La conception des algorithmes :* Certains types de problèmes sont résolus à l'aide d'un algorithme spécifique. Après avoir développé un algorithme, on peut construire un programme informatique qui permettra de l'implanter. On expliquera la partie mathématique de cette activité, c'est-à-dire la construction de l'algorithme, la vérification ainsi que l'analyse de la capacité de mémoire requise et du temps d'exécution. Les algorithmes sont décrits à la fois en mode texte et en mode pseudocode.

Caractéristiques

L'ACCESSIBILITÉ   Il n'y a aucun préalable à ce livre, si ce n'est la connaissance de l'algèbre de niveau préuniversitaire. Les rares endroits où il est nécessaire de connaître le calcul différentiel et intégral sont clairement indiqués. La plupart des étudiants comprendront le pseudocode des algorithmes, même s'ils n'ont pas appris les langages de programmation. Aucun préalable en informatique n'est exigé.

Chaque chapitre commence à un niveau de compréhension naturelle. Après avoir exposé les concepts mathématiques du chapitre, on aborde les sujets plus complexes et les applications aux autres domaines.

LA SOUPLESSE   La souplesse a été une préoccupation dans la rédaction de cet ouvrage. Elle se traduit par une dépendance minimisée d'un chapitre par rapport aux précédents. Chaque chapitre est divisé en sections de taille équivalente et chaque section en sous-sections, le tout formant des blocs didactiques commodes.

LE STYLE Le style de cet ouvrage est direct et pragmatique. On y emploie un langage mathématique précis, sans abstraction ou formalisme excessifs. Des notes sont ajoutées à l'occasion pour clarifier certains points.

LA RIGUEUR ET LA PRÉCISION MATHÉMATIQUES Les énoncés des théorèmes et les définitions citées dans ce manuel ont été rédigés avec rigueur et précision. Les démonstrations sont fondées et présentées, étape par étape. Les définitions récursives sont expliquées avec soin et sont largement utilisées.

LES FIGURES ET LES TABLEAUX Ce texte contient plus de 550 figures, qui illustrent les principaux concepts et les étapes de démonstration. Les tableaux servent à récapituler les concepts fondamentaux et à mettre en évidence les relations quantitatives.

DES EXEMPLES PRATIQUES Plus de 600 exemples illustrent les exposés des divers sujets et applications. Tout exemple commence par une question, puis la solution est donnée avec les explications nécessaires.

LES APPLICATIONS Les applications incluses dans le texte démontrent l'utilité des mathématiques discrètes pour la solution de problèmes concrets. Le texte comprend des applications à une variété de domaines tels que l'informatique, la psychologie, la chimie, la linguistique, la biologie et la gestion administrative.

LES ALGORITHMES Les résultats en mathématiques discrètes s'expriment souvent sous forme d'algorithmes. On trouvera donc des algorithmes clés dans chaque chapitre. Ces derniers sont exprimés sous forme de mots et de pseudocodes structurés qui sont facilement compréhensibles (voir l'annexe 2). La complexité informatique des algorithmes du texte est aussi analysée à un niveau élémentaire.

LES EXERCICES Ce manuel comprend plus de 2500 exercices avec divers types de questions. On trouve un nombre considérable d'exercices faciles qui permettent de vérifier la compréhension de base, un grand nombre d'exercices intermédiaires et un nombre suffisant d'exercices complexes. L'énoncé des questions est clair et précis, et un code indique le niveau de difficulté. Des groupes d'exercices abordent de nouveaux concepts non couverts dans le texte même, ce qui permet d'étendre les connaissances des étudiants. Les exercices de niveau intermédiaire sont marqués d'une étoile et ceux de niveau expert sont marqués de deux étoiles. Les exercices dont la solution exige le calcul différentiel ou intégral sont indiqués clairement. Les exercices qui conduisent à des résultats utilisés dans le texte sont marqués du symbole ☞. Les solutions des exercices de numéros impairs sont données à la fin du texte, ainsi que les étapes qui conduisent au résultat.

LES QUESTIONS DE RÉVISION Un ensemble de questions à la fin de chaque chapitre sert à récapituler les techniques et les concepts les plus importants de la matière étudiée. Pour répondre à ces questions, l'étudiant devra non seulement effectuer des calculs ou donner la réponse mais aussi détailler son raisonnement.

LES EXERCICES SUPPLÉMENTAIRES   Après chaque chapitre, on trouvera une variété d'exercices supplémentaires, plus difficiles en général que ceux qui accompagnent le chapitre. Ces exercices visent à renforcer les concepts présentés dans le chapitre et à mieux intégrer la matière.

Comment utiliser ce manuel

Ce texte a été rédigé avec soin pour expliquer les mathématiques discrètes à divers niveaux. Le tableau ci-après identifie la matière de base et les parties facultatives. Pour un cours d'introduction aux mathématiques discrètes d'une session, la matière de base suffit et les parties facultatives peuvent être ajoutées au besoin. Pour un cours de deux sessions, il faudrait ajouter les parties facultatives. Enfin, dans un cours ayant une orientation informatique, on pourrait utiliser les sections facultatives concernant l'informatique.

Chapitre	*Matière de base*	*Parties facultatives (en informatique)*	*Parties facultatives (en mathématiques)*
1	1.1 - 1.9 (au besoin)		
2	2.1 - 2.3, 2.6 (au besoin)	2.4	2.5
3	3.1 - 3.3	3.4, 3.5	
4	4.1 - 4.4	4.7	4.5, 4.6
5	5.1, 5.4	5.3	5.2, 5.5
6	6.1, 6.3, 6.5	6.2	6.4, 6.6
7	7.1 - 7.5		7.6 - 7.8
8	8.1	8.2 - 8.4	8.5, 8.6
9		9.1 - 9.4	
10		10.1 - 10.5	

Les professeurs peuvent adapter le niveau de difficulté de leur enseignement en omettant, par exemple, les exemples ou les exercices les plus difficiles. Les corrélations entre les divers chapitres sont illustrées dans l'organigramme ci-dessous.

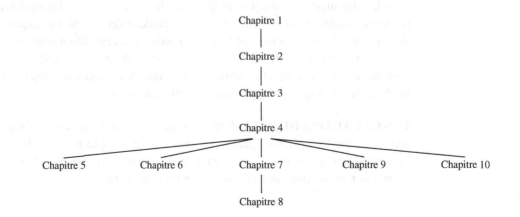

REMERCIEMENTS

L'Éditeur tient à remercier tous ceux et celles qui nous ont signalé des corrections à apporter au manuel *Mathématiques discrètes* de K. H. Rosen et qui nous ont permis de préparer cette édition révisée. Nous tenons à remercier plus particulièrement Monsieur Timothy Walsh, de l'Université du Québec à Montréal, Madame Marie-France Thibault, de l'Université du Québec à Trois-Rivières, et Monsieur Claude Lévesque, de l'Université Laval.

TABLE DES MATIÈRES

10

Modélisation computationnelle 615

Annexe

Dans ce chapitre, on revoit les fondements des mathématiques discrètes. On y traite de trois sujets importants : la logique, les ensembles et les fonctions. Les règles de logique donnent le sens exact des énoncés mathématiques, par exemple pour des énoncés tels que « Il existe un nombre entier plus grand que 100 qui est une puissance de 2. » ou « Pour tout nombre entier n la somme des nombres positifs qui n'excèdent pas n est $n(n + 1)/2$. » La logique est à la base du raisonnement mathématique, et elle est appliquée, entre autres, dans la conception des ordinateurs.

La plus grande partie des mathématiques discrètes est consacrée à l'étude des structures discrètes qui servent à représenter des objets discrets. Toutes les structures discrètes sont construites à partir d'ensembles, c'est-à-dire de collections d'objets. Parmi ces dernières, on trouve notamment : les combinaisons, qui sont des collections d'objets très souvent utilisées dans les problèmes de dénombrement ; les relations, qui sont des ensembles de paires ordonnées représentant des rapports entre les objets ; les graphes, qui sont des ensembles de sommets et d'arêtes qui relient ces sommets ; et les automates qui servent à la modélisation des ordinateurs.

La fonction est un concept très important en mathématiques discrètes. Une fonction affecte à chaque élément d'un ensemble exactement un élément d'un autre ensemble. Des structures très utiles telles que les suites et les chaînes représentent des fonctions particulières. Les fonctions permettent aussi de symboliser le nombre d'étapes que requiert un algorithme pour résoudre un problème. L'analyse des algorithmes utilise la terminologie et les concepts relatifs à la croissance des fonctions. Les fonctions récursives, dont les valeurs pour des nombres entiers positifs sont définies en fonction de valeurs pour des nombres entiers positifs inférieurs, permettent de résoudre de multiples problèmes de dénombrement.

1.1

Logique

INTRODUCTION

Les règles de logique donnent un sens précis aux énoncés mathématiques. Ces règles servent à distinguer les raisonnements valables de ceux qui ne le sont pas. L'un des buts de cet ouvrage étant d'enseigner la manière de construire des raisonnements mathématiques, il est normal que l'on commence l'étude des mathématiques discrètes par une introduction à la logique.

En plus du fait que la logique aide à comprendre les raisonnements mathématiques, elle connaît de nombreuses applications en informatique, notamment dans la conception des circuits informatiques, la construction des programmes, leur vérification, etc. Ces applications seront abordées dans les chapitres suivants.

PROPOSITIONS

Cette étude commence par une introduction aux éléments fondamentaux de la logique, les propositions. Une **proposition** est un énoncé qui peut être vrai ou faux, mais non les deux à la fois.

EXEMPLE 1   Les énoncés suivants sont des propositions :

1. Washington est la capitale des États-Unis.

2. Toronto est la capitale du Canada.

3. $1 + 1 = 2$.

4. $2 + 2 = 3$.

Les propositions 1 et 3 sont vraies, tandis que les propositions 2 et 4 sont fausses.   ■

L'exemple 2 présente des phrases qui ne sont pas des propositions.

EXEMPLE 2   *1.* Quelle heure est-il ?

2. Lisez ceci attentivement.

3. $x + 1 = 2$.

4. $x + y = z$.

Les phrases 1 et 2 ne sont pas des propositions, car elles ne sont pas des énoncés. Les phrases 3 et 4 ne sont pas non plus des propositions, car elles ne sont ni vraies ni fausses, puisqu'on n'a attribué aucune valeur aux variables. À la section 3 de ce chapitre, on étudiera comment former des propositions à partir de telles phrases.   ■

Les lettres servent à désigner des propositions de la même façon qu'elles servent à désigner des variables. Les lettres habituellement utilisées à cet effet sont $p, q, r, s, \ldots$ La **valeur de vérité** d'une proposition est « vrai » (notée V) si cette proposition est vérifiée ; la valeur de vérité est « faux » (notée F) dans le cas contraire.

Certaines méthodes permettent de produire de nouvelles propositions à partir de celles qu'on a déjà. C'est le mathématicien George Boole, en 1854, qui a établi les règles du raisonnement, dans son livre intitulé *The Laws of Thought*. Bien des énoncés mathématiques sont construits en combinant plusieurs propositions ; ces combinaisons forment alors ce qu'on appelle des **propositions composées,** lesquelles sont reliées par des opérateurs logiques.

> **DÉFINITION 1.** Soit p une proposition. L'énoncé
>
> « Il n'est pas vrai que p. »
>
> est une autre proposition, appelée *négation* de p, qui est notée $\neg p$. La proposition $\neg p$ se lit « non p ».

EXEMPLE 3 Trouvez la négation de la proposition

« Aujourd'hui, nous sommes vendredi. »

Solution : La négation de cette proposition est

« Il n'est pas vrai qu'aujourd'hui nous sommes vendredi. »

Autrement dit, « Aujourd'hui, nous ne sommes pas vendredi. » ■

TABLEAU 1
Table de vérité de la négation d'une proposition

p	$\neg p$
V	F
F	V

Une **table de vérité** présente les relations entre les valeurs de vérité de plusieurs propositions. Ces tables sont très utiles dans le cas de propositions construites à partir de propositions plus simples. Le tableau 1 présente les valeurs de vérité d'une proposition et de la négation de celle-ci.

La négation d'une proposition peut aussi être considérée comme le résultat d'une opération effectuée à l'aide de l'**opérateur de négation**. Cet opérateur permet de construire une nouvelle proposition à partir d'une proposition donnée. Voyons maintenant les opérateurs logiques qui permettent de former de nouvelles propositions à partir de deux propositions ou plus. Ces opérateurs sont appelés des **connecteurs**.

> **DÉFINITION 2.** Soit p et q deux propositions. La proposition « p et q », notée $p \wedge q$, est vraie si à la fois p et q sont vraies. Elle est fausse dans tous les autres cas. Cette proposition est appelée *conjonction* de p et de q.

Le tableau 2 illustre les valeurs de vérité de $p \wedge q$. Il est à noter que ce tableau comporte quatre lignes, une pour chaque combinaison possible des valeurs de vérité des propositions p et q.

TABLEAU 2   Table de vérité de la conjonction de deux propositions

p	q	$p \wedge q$
V	V	V
V	F	F
F	V	F
F	F	F

EXEMPLE 4   Trouvez la conjonction des propositions p et q si p est la proposition « Aujourd'hui, nous sommes vendredi. » et q, la proposition « Il pleut aujourd'hui. »

Solution : La conjonction de p et de q est la proposition « Nous sommes aujourd'hui vendredi et il pleut. » La proposition est vraie pour les vendredis pluvieux. Elle est fausse pour tous les autres jours de la semaine et les vendredis de beau temps.   ■

> **DÉFINITION 3.**   Soit p et q deux propositions. La proposition « p ou q », notée $p \lor q$, est fausse si p et q sont fausses. Elle est vraie dans tous les autres cas. La proposition $p \lor q$ est appelée *disjonction* de p et de q.

Le tableau 3 présente les valeurs de vérité de $p \lor q$.

TABLEAU 3 Table de vérité de la disjonction de deux propositions		
p	q	$p \lor q$
V	V	V
V	F	V
F	V	V
F	F	F

L'usage du connecteur *ou* dans une **disjonction** correspond à l'un des deux sens que prend la conjonction *ou* dans la langue française. On parle alors de sens inclusif. Une disjonction est vraie que l'une ou l'autre des propositions soit vraie, ou que les deux le soient. Par exemple, le *ou inclusif* est employé dans l'énoncé suivant :

> « Les étudiants qui ont suivi un cours de calcul ou un cours d'informatique sont admis dans cette classe. »

Cela signifie que les étudiants qui ont suivi les deux cours et ceux qui n'en ont suivi qu'un seul sont acceptés.

Par contre, il s'agit d'une **disjonction exclusive** (*ou exclusif*), lorsqu'on dit :

> « Les étudiants qui ont suivi un cours de calcul ou un cours d'informatique, mais non les deux, sont admis dans cette classe. »

Cette fois, cela signifie que les étudiants qui ont suivi l'un de ces deux cours sont acceptés, mais pas ceux qui ont suivi les deux.

De la même façon, sur un menu de restaurant, quand on offre « soupe ou salade avec entrée », cela signifie qu'on peut prendre l'un ou l'autre mets, mais non les deux. Donc, il s'agit d'une disjonction exclusive (*ou exclusif*) plutôt que d'une disjonction (*ou inclusif*).

EXEMPLE 5   Quelle est la disjonction des deux propositions p et q si on reprend les mêmes propositions que dans l'exemple 4 ?

Solution : La disjonction de p et de q, soit $p \lor q$, est alors la proposition suivante :

« Aujourd'hui, nous sommes vendredi ou c'est un jour de pluie. »

Cette proposition est vraie tous les vendredis ou tous les jours de pluie (y compris les vendredis pluvieux). Elle est fausse seulement si ce n'est pas vendredi et qu'il ne pleut pas. ∎

Comme on l'a dit précédemment, l'emploi du connecteur *ou* dans une disjonction correspond à l'une des deux manières d'employer le terme *ou* dans le langage courant. Une disjonction (*ou inclusif*) est vraie si l'une des deux propositions est vraie ou si les deux sont vraies. Par contre, une disjonction exclusive (*ou exclusif*) est vraie seulement si p est vraie et q est fausse ou inversement. Elle est fausse si p et q sont fausses. Elle est fausse encore si p et q sont toutes deux vraies.

DÉFINITION 4. Soit p et q deux propositions. La proposition « p *ou exclusif* q », notée $p \oplus q$, est vraie si soit p, soit q est vraie. Elle est fausse dans tous les autres cas.

Le tableau 4 présente la table de vérité de la disjonction exclusive de deux propositions. On présentera ultérieurement d'autres manières importantes de combiner des propositions.

TABLEAU 4 Table de vérité de la disjonction exclusive de deux propositions

p	q	$p \oplus q$
V	V	F
V	F	V
F	V	V
F	F	F

TABLEAU 5 Table de vérité de l'implication $p \to q$

p	q	$p \to q$
V	V	V
V	F	F
F	V	V
F	F	V

DÉFINITION 5. Soit p et q deux propositions. L'*implication* $p \to q$ est une proposition qui est fausse quand p est vraie et q fausse, et qui est vraie dans tous les autres cas. Dans cette implication, p est appelée l'*hypothèse* (ou l'*antécédent* ou la *prémisse*) et q, la *conclusion* (ou la *conséquence*).

Le tableau 5 présente la table de vérité de l'implication $p \to q$.

Comme les implications apparaissent constamment en mathématiques, il existe plusieurs façons d'exprimer $p \to q$. Voici les plus courantes :

- « si p alors q » ;
- « p implique q » ;
- « p seulement si q » ;
- « p est suffisant pour que s'applique q » ;

- « q si p » ;
- « q dès que p » ;
- « q est nécessaire pour p ».

Notons que l'implication $p \rightarrow q$ est fausse seulement dans le cas où p est vraie et q fausse. Elle est donc vraie si p et q sont vraies et si p est fausse (q étant vraie ou fausse). Dans le présent ouvrage, la manière de définir une implication est plus générale que le sens courant donné à ce mot. Par exemple, l'implication

« S'il fait beau aujourd'hui, nous irons à la plage. »

est une implication en langage courant, car il y a une relation entre l'hypothèse et la conclusion. De plus, cette implication est considérée comme valide, à moins qu'il ne fasse beau aujourd'hui et que, néanmoins, on n'aille pas à la plage. Par contre, l'implication

« Si nous sommes vendredi, alors $2 + 3 = 5$. »

est vraie compte tenu de la définition de l'implication, puisque sa conclusion est vraie. Dans ce cas, la valeur de l'hypothèse est sans objet. Et l'implication

« Si nous sommes vendredi, alors $2 + 3 = 6$. »

est vraie tous les jours excepté vendredi, même si $2 + 3 = 6$ est faux.

En langage courant, on n'utilisera pas ces deux dernières implications, car il n'y a aucune relation entre l'hypothèse et la conclusion. Par contre, dans un raisonnement mathématique, on considérera des implications de type plus général que celles qui sont utilisées dans le langage courant. En fait, le concept mathématique d'implication ne dépend pas d'une relation de cause à effet entre l'hypothèse et la conclusion.

Malheureusement, la construction *si... alors* utilisée dans bien des langages de programmation est différente de celle qui est utilisée en logique. La plupart des langages de programmation contiennent des énoncés tels que **si** p **alors** S, où p est une proposition et S, un segment de programme (un ou plusieurs énoncés à exécuter). Quand l'exécution d'un programme rencontre un tel énoncé, S s'exécute si p est vraie. Néanmoins, si p est fausse, S ne s'exécute pas. L'exemple 6 illustre ce cas.

EXEMPLE 6   Quelle est la valeur de la variable x après l'exécution de l'énoncé

« **Si** $2 + 2 = 4$, **alors** $x := x + 1$ »

si on a $x = 0$ avant cette exécution ? (L'expression := symbolise une attribution ; l'énoncé $x := x + 1$ signifie donc l'attribution de la valeur $x + 1$ à x.)

Solution : Puisque $2 + 2 = 4$ est vrai, l'attribution $x := x + 1$ sera exécutée. Ainsi, x a la valeur $0 + 1 = 1$ après cette exécution.   ■

On peut construire des propositions composées en utilisant l'opérateur de négation et les divers connecteurs dont on a déjà parlé. On utilise les parenthèses pour spécifier l'ordre de traitement des divers opérateurs logiques d'une proposition composée. Ainsi, les opérateurs des parenthèses plus à l'intérieur sont calculés les premiers. Par exemple $(p \lor q) \land (\neg r)$ est la conjonction de $p \lor q$ et de $\neg r$. Pour réduire le nombre de parenthèses, on convient que l'opérateur de négation est appliqué avant tous les autres opérateurs logiques. Cela signifie que $\neg p \land q$ est la conjonction de $\neg p$ et de q, c'est-à-dire $(\neg p) \land q$, et non la négation de la conjonction de p et de q, c'est-à-dire $\neg (p \land q)$.

Il existe certaines implications découlant de la proposition $p \to q$. La proposition $q \to p$ est appelée la **réciproque** de $p \to q$. La **contraposée** de $p \to q$ est la proposition $\neg p \to \neg q$.

EXEMPLE 7   Trouvez la réciproque et la contraposée de l'implication

« Si nous sommes jeudi, alors je dois passer un examen aujourd'hui. »

Solution : La réciproque est

« Si je dois passer un examen aujourd'hui, alors nous sommes jeudi. »,

et la contraposée de cette implication est

« Si je ne dois pas passer un examen aujourd'hui, alors nous ne sommes pas jeudi. » ∎

Voici maintenant une nouvelle manière de combiner des propositions.

DÉFINITION 6.   Soit p et q deux propositions. La *biconditionnelle* $p \leftrightarrow q$ est une proposition qui est vraie quand p et q ont les mêmes valeurs de vérité et qui est fausse dans les autres cas.

TABLEAU 6
Table de vérité de la biconditionnelle $p \leftrightarrow q$

p	q	$p \leftrightarrow q$
V	V	V
V	F	F
F	V	F
F	F	V

Le tableau 6 présente la table de vérité de la proposition $p \leftrightarrow q$. Notons que la biconditionnelle $p \leftrightarrow q$ n'est vraie que si $p \to q$ et $q \to p$ sont vraies. Pour cette raison, on utilise la formulation

« p si et seulement si q »

pour cette biconditionnelle. On trouvera aussi les terminologies suivantes pour exprimer la proposition $p \leftrightarrow q$: « p est nécessaire et suffisante pour q. » et « si p alors q et réciproquement ».

TRADUCTION DE PHRASES DU LANGAGE COURANT

Il y a bien des raisons de vouloir traduire le langage courant en expressions mathématiques formées à l'aide de variables propositionnelles et de connecteurs logiques. Souvent, le langage courant est ambigu. La traduction de phrases en expressions logiques permet d'éliminer cette ambiguïté. Notons qu'on doit alors faire un certain nombre de suppositions quant à la signification de la phrase. Une fois ces phrases traduites en expressions logiques, on peut alors analyser leurs valeurs de vérité, les manipuler et appliquer les règles d'inférence (abordées au chapitre 3). L'exemple 8 décrit ce processus de traduction en expressions logiques.

EXEMPLE 8   Traduisez la phrase suivante en une expression logique :

« Vous ne pouvez pas aller sur les montagnes russes à moins de mesurer 1,30 m et d'avoir au moins 16 ans. »

Solution : Il y a plusieurs manières de traduire cette phrase en une expression logique. La plus simple mais la moins utile est de désigner la phrase par une simple lettre, telle *p*. Ce n'est pas faux, mais cela ne permet pas de l'analyser. Il est plus approprié de désigner chacune des parties de la phrase par des variables et de joindre ces variables par les connecteurs appropriés. Utilisons les lettres *q*, *r* et *s* pour symboliser les affirmations « Vous pouvez monter sur les montagnes russes. », « Vous mesurez moins de 1,30 m. » et « Vous avez plus de 16 ans. » La phrase globale peut donc être traduite comme suit :

$(r \wedge \neg s) \rightarrow \neg q$.

Il existe d'autres façons de représenter la phrase originale, mais l'expression logique qu'on a choisie est satisfaisante. ∎

LOGIQUE ET OPÉRATIONS SUR LES BITS

Les ordinateurs représentent les données à l'aide de bits. Un **bit** est un élément qui admet deux valeurs possibles : zéro ou un. Le terme « bit » provient de la contraction *bi*nary dig*it*, c'est-à-dire chiffre binaire. Ce mode n'utilise que les chiffres 0 et 1 pour représenter les nombres. C'est le statisticien bien connu John Tukey qui a introduit ce terme en 1946. Un bit peut représenter une valeur de vérité puisqu'il ne peut avoir que deux valeurs : vrai ou faux. Par convention, on a adopté la règle suivante : 1 correspond à vrai et 0, à faux. Une variable sera nommée **variable booléenne** si elle ne peut avoir que deux valeurs, vrai ou faux. Par conséquent, une variable booléenne peut être représentée par un bit.

Les **opérations binaires** qui sont effectuées par les ordinateurs correspondent aux connecteurs logiques. En remplaçant vrai par 1 et faux par 0 dans les tables de vérité des opérateurs $\wedge$, $\vee$ et $\oplus$, on obtient le tableau 7 pour les opérations sur les bits. On utilisera alors les notations *OU*, *ET* et *OU exclusif* à la place des opérateurs $\vee$, $\wedge$ et $\oplus$, comme c'est l'usage en programmation.

L'information est souvent représentée au moyen de chaînes de bits, c'est-à-dire de séquences de 0 et de 1. Ces chaînes, une fois qu'elles sont constituées, permettent de manipuler cette information.

TABLEAU 7   Tables de vérité des opérateurs binaires *OU*, *ET* et *OU exclusif*

$\vee$	0	1		$\wedge$	0	1		$\oplus$	0	1
0	0	1		0	0	0		0	0	1
1	1	1		1	0	1		1	1	0

> **DÉFINITION 7.** Une *chaîne binaire* est une séquence de bits qui peut possiblement en contenir aucun. La *longueur* de cette chaîne est le nombre de bits qu'elle contient.

EXEMPLE 9   101010011 est une chaîne binaire de longueur 9.   ■

On peut donc étendre aux chaînes binaires les opérations sur les bits. Ainsi, on définit les **opérateurs *OU*, *ET* et *OU exclusif*** de deux chaînes de même longueur comme les chaînes qui en résultent, chaque bit étant le résultat respectif de l'opération *OU*, *ET* ou *OU exclusif* sur les bits correspondants. On utilisera les symboles ∨, ∧ et ⊕ pour représenter ces trois nouvelles opérations. L'exemple 10 présente des opérations sur les bits appliquées aux chaînes binaires.

EXEMPLE 10   Appliquez les opérateurs *OU, ET* et *OU exclusif* aux chaînes binaires 01101 10110 et 11000 11101. (Dans cet exemple et partout dans le manuel, les chaînes binaires sont découpées en blocs de cinq bits pour faciliter la lecture.)

Solution : Les opérateurs *OU, ET* et *OU exclusif* de ces chaînes sont obtenus en prenant respectivement le *OU*, le *ET* et le *OU exclusif* des bits correspondants. On obtient :

```
01101 10110
11000 11101
───────────
11101 11111        opérateur OU
01000 10100        opérateur ET
10101 01011        opérateur OU exclusif
```
■

Exercices

1. Parmi les phrases suivantes, lesquelles sont des propositions ? Quelles sont les valeurs de vérité des phrases qui sont des propositions ?
   a) Boston est la capitale du Massachusetts.
   b) Miami est la capitale de la Floride.
   c) $2 + 3 = 5$.
   d) $5 + 7 = 10$.
   e) $x + 2 = 11$.
   f) Répondez à cette question.
   g) $x + y = y + x$ pour toutes les paires de nombres réels x et y.

2. Parmi les phrases suivantes, lesquelles sont des propositions ? Quelles sont les valeurs de vérité des phrases qui sont des propositions ?
   a) Ne passez pas par la case départ.
   b) Quelle heure est-il ?
   c) Il n'y a pas de mouches noires dans le Maine.
   d) $4 + x = 5$.
   e) $x + 1 = 5$ si $x = 1$.
   f) $x + y = y + z$ si $x = z$.

3. Quelle est la négation de chacune des propositions suivantes ?
   a) Nous sommes jeudi.
   b) Il n'y a pas de pollution au New Jersey.
   c) $2 + 1 = 3$.
   d) L'été dans le Maine est chaud et ensoleillé.

4. Soit p et q les propositions :

   p : J'ai acheté un billet de loterie cette semaine.
   q : J'ai gagné le gros lot d'un million vendredi.

Exprimez chacune des propositions suivantes en langage courant.

a) $\neg p$ **b)** $p \vee q$

c) $p \rightarrow q$ **d)** $p \wedge q$

e) $p \leftrightarrow q$ **f)** $\neg p \rightarrow \neg q$

g) $\neg p \wedge \neg q$ **h)** $\neg p \vee (p \wedge q)$

5. Soit p et q les propositions :

     p : Il fait en dessous de zéro.

     q : Il neige.

Écrivez les propositions suivantes à l'aide seulement de p, de q et des opérateurs logiques.

a) Il fait en dessous de zéro et il neige.

b) Il fait en dessous de zéro, mais il ne neige pas.

c) Il ne fait pas en dessous de zéro et il ne neige pas.

d) Il fait en dessous de zéro ou il neige (ou les deux).

e) S'il fait en dessous de zéro, il neige.

f) Il fait en dessous de zéro ou il neige, mais il ne neige pas s'il fait en dessous de zéro.

g) Il est nécessaire et suffisant qu'il fasse en dessous de zéro pour qu'il neige.

6. Soit p, q et r les propositions

     p : Vous avez la grippe.

     q : Vous avez manqué l'examen final.

     r : Vous avez réussi votre cours.

Exprimez chacune des propositions suivantes en langage courant.

a) $p \rightarrow q$ **b)** $\neg q \leftrightarrow r$

c) $q \rightarrow \neg r$ **d)** $p \vee q \vee r$

e) $(p \rightarrow \neg r) \vee (q \rightarrow \neg r)$

f) $(p \wedge q) \vee (\neg q \wedge r)$

7. Soit p et q les propositions

     p : Vous conduisez à plus de 120 km/h.

     q : Vous avez une contravention.

Écrivez les propositions suivantes à l'aide seulement de p, de q et des opérateurs logiques.

a) Vous ne conduisez pas à plus de 120 km/h.

b) Vous conduisez à plus de 120 km/h, mais vous n'avez pas de contravention.

c) Vous aurez une contravention si vous conduisez à plus de 120 km/h.

d) Si vous ne conduisez pas à plus de 120 km/h, alors vous n'aurez pas de contravention.

e) Conduire à 120 km/h est suffisant pour avoir une contravention.

f) Vous avez eu une contravention, mais vous ne conduisiez pas à plus de 120 km/h.

g) Chaque fois que vous avez une contravention, vous conduisez à plus de 120 km/h.

8. Soit p, q et r les propositions

     p : Vous obtenez la note A à l'examen final.

     q : Vous faites tous les exercices de ce livre.

     r : Vous obtenez la note A pour ce cours.

Écrivez les propositions suivantes au moyen de p, de q, de r ainsi que des connecteurs logiques.

a) Vous obtenez la note A pour ce cours, mais vous ne faites pas tous les exercices du livre.

b) Vous obtenez la note A à l'examen final, vous faites tous les exercices de ce livre et vous obtenez la note A pour ce cours.

c) Afin d'obtenir la note A pour ce cours, il est nécessaire d'avoir la note A à l'examen final.

d) Vous obtenez la note A à l'examen final, mais vous ne faites pas tous les exercices du livre ; néanmoins, vous obtenez la note A pour ce cours.

e) Avoir la note A à l'examen final et faire tous les exercices de ce livre est suffisant pour avoir la note A pour ce cours.

f) Vous obtiendrez la note A pour ce cours si et seulement si vous faites tous les exercices de ce livre ou vous avez obtenu la note A à l'examen final.

9. Donnez la signification de chacune des phrases suivantes selon que le connecteur *ou* est un *ou inclusif* (c'est-à-dire une disjonction) ou un *ou exclusif* (c'est-à-dire une disjonction exclusive). Indiquez le sens courant du connecteur *ou* pour chacune de ces phrases.

a) Pour suivre les cours de mathématiques discrètes, vous devez avoir suivi un cours de calcul ou un cours d'informatique.

b) Lorsque vous achetez une nouvelle voiture de la compagnie ABC, vous obtenez une remise de 2 000 $ comptant ou un prêt à 2 %.

c) Le repas pour deux comprend deux mets de la colonne A ou trois de la colonne B.

d) L'école sera fermée s'il est tombé plus de 50 cm de neige ou si le facteur vent est en dessous de -100.

10. Un explorateur est capturé par une tribu de cannibales. Dans cette tribu, il y a deux sortes de cannibales : ceux qui disent toujours la vérité et ceux qui mentent toujours. Les cannibales mangeront l'explorateur, à moins que celui-ci n'arrive à déterminer si un cannibale en particulier dit toujours la vérité ou ment toujours. Il n'est autorisé à poser qu'une seule question au cannibale.

a) Expliquez pourquoi la question « Êtes-vous un menteur ? » ne lui donnera pas la solution.

b) Trouvez une question que l'explorateur pourrait poser au cannibale pour déterminer si le cannibale dit toujours la vérité ou ment toujours.

11. Écrivez chacune des phrases suivantes sous la forme « si p, alors q » en langage courant. (*Conseil :* Reportez-vous à la liste des différentes manières d'exprimer des implications, donnée dans la présente section.)

a) Il neige chaque fois que le vent souffle du nord-est.

b) Les pommiers fleuriront si le temps reste chaud pendant toute une semaine.

c) Le fait que les Bleus gagnent le championnat implique qu'ils ont vaincu les Rouges.

d) Il faut marcher 15 km pour atteindre le sommet du mont Tremblant.

e) Pour devenir professeur dans cette université, il suffit d'être célèbre.

f) Si vous conduisez pendant plus de 600 km, vous devrez refaire le plein.

g) Votre garantie est valable seulement si vous avez acheté votre chaîne stéréo depuis moins de 90 jours.

12. Rédigez chacune des propositions suivantes sous la forme « *p* si et seulement si *q* » en langage courant.

a) Pour obtenir la note A à ce cours, il est nécessaire et suffisant que vous appreniez à résoudre les problèmes de mathématiques discrètes.

b) Si vous lisez le journal tous les jours, vous serez informé, et réciproquement.

c) Il pleut si c'est un jour de fin de semaine et c'est un jour de fin de semaine s'il pleut.

d) Vous ne pourrez voir le magicien que s'il n'est pas dans la caisse, et le magicien n'est pas dans la caisse seulement si vous pouvez le voir.

13. Exprimez la réciproque et la contraposée de chacune des implications suivantes :

a) S'il neige aujourd'hui, je ferai du ski demain.

b) Je viens en classe chaque fois qu'il va y avoir un test.

c) Un entier positif est un nombre premier seulement s'il n'a pour diviseur que 1 et lui-même.

14. Exprimez la réciproque et la contraposée de chacune des implications suivantes :

a) S'il neige ce soir, je resterai à la maison.

b) Je vais à la plage chaque fois qu'il fait soleil.

c) Lorsque je me couche tard, je dois dormir jusqu'à midi.

15. Construisez une table de vérité pour chacune des propositions composées suivantes :

a) $p \land \neg p$.

b) $p \lor \neg p$.

c) $(p \lor \neg q) \to q$.

d) $(p \lor q) \to (p \land q)$.

e) $(p \to q) \leftrightarrow (\neg q \to \neg p)$.

f) $(p \to q) \to (q \to p)$.

16. Construisez une table de vérité pour chacune des propositions composées suivantes :

a) $p \oplus p$.　　　　**b)** $p \oplus \neg p$.

c) $p \oplus \neg q$.　　　　**d)** $\neg p \oplus \neg q$.

e) $(p \oplus q) \lor (p \oplus \neg q)$.　**f)** $(p \oplus q) \land (p \oplus \neg q)$.

17. Construisez une table de vérité pour chacune des propositions composées suivantes :

a) $p \to \neg q$.

b) $\neg p \leftrightarrow q$.

c) $(p \to q) \lor (\neg p \to q)$.

d) $(p \to q) \land (\neg p \to q)$.

e) $(p \leftrightarrow q) \lor (\neg p \leftrightarrow q)$.

f) $(\neg p \leftrightarrow \neg q) \leftrightarrow (p \leftrightarrow q)$.

18. Construisez une table de vérité pour chacune des propositions composées suivantes :

a) $(p \lor q) \lor r$.　　　**b)** $(p \lor q) \land r$.

c) $(p \land q) \lor r$.　　　**d)** $(p \land q) \land r$.

e) $(p \lor q) \land \neg r$.　　**f)** $(p \land q) \lor \neg r$.

19. Construisez une table de vérité pour chacune des propositions composées suivantes :

a) $p \to (\neg q \lor r)$.

b) $\neg p \to (q \to r)$.

c) $(p \to q) \lor (\neg p \to r)$.

d) $(p \to q) \land (\neg p \to r)$.

e) $(p \leftrightarrow q) \lor (\neg q \leftrightarrow r)$.

f) $(\neg p \leftrightarrow \neg q) \leftrightarrow (q \leftrightarrow r)$.

20. Quelle est la valeur de *x* après l'exécution de chacune des instructions suivantes ? On suppose que $x = 1$ initialement.

a) **Si** $1 + 2 = 3$, **alors** $x := x + 1$.

b) **Si** $1 + 1 = 3$ *OU* $(2 + 2 = 3)$, **alors** $x := x + 1$.

c) **Si** $2 + 3 = 5$ *ET* $(3 + 4 = 7)$, **alors** $x := x + 1$.

d) **Si** $1 + 1 = 2$ *OU exclusif* $(1 + 2 = 3)$, **alors** $x := x + 1$.

e) **Si** $x < 2$, **alors** $x := x + 1$.

21. Appliquez les opérateurs *OU*, *ET* et *OU exclusif* à chacune des paires de chaînes binaires suivantes :

a) 10 11110, 01 00001.

b) 111 10000, 101 01010.

c) 00011 10001, 10010 01000.

d) 11111 11111, 00000 00000.

22. Évaluez chacune des expressions suivantes :

a) $11000 \land (01011 \lor 11011)$.

b) $(01111 \land 10101) \lor 01000$.

c) $(01010 \oplus 11011) \oplus 01000$.

d) $(11011 \lor 01010) \land (10001 \lor 11011)$.

La **logique floue** est utilisée en intelligence artificielle. En logique floue, la valeur de vérité d'une proposition est un nombre compris entre 0 et 1 inclusivement. Une proposition dont la valeur de vérité est 0 est fausse et une proposition dont la valeur de vérité est 1 est vraie. Les valeurs de vérité comprises entre 0 et 1 représentent divers degrés de vérité. Par exemple, la valeur 0,8 attribuée à l'énoncé «Frédéric est content.» signifie que Frédéric est content la plupart du temps tandis que la valeur de vérité 0,4 attribuée à l'énoncé «Jean est content.» signifie que Jean est content moins de la moitié du temps.

23. En logique floue, la valeur de vérité de la négation d'une proposition est égale à 1 moins la valeur de vérité de la proposition elle-même. Quelles sont les valeurs de vérité des énoncés «Frédéric n'est pas content.» et «Jean n'est pas content.» ?

24. En logique floue, la valeur de vérité de la conjonction de deux propositions est égale au minimum de la valeur de vérité de chacune des deux propositions. Quelles sont les valeurs de vérité des énoncés «Frédéric et Jean sont contents.» et «Ni Frédéric ni Jean ne sont contents.» ?

25. En logique floue, la valeur de vérité de la disjonction de deux propositions est égale au maximum de la valeur de vérité de chacune des deux propositions. Quelles sont les valeurs de vérité des énoncés «Frédéric est content ou Jean est content.» et «Frédéric n'est pas content ou Jean n'est pas content.» ?

26. L'affirmation «Cet énoncé est faux.» est-elle une proposition ?

On dira qu'un ensemble de propositions est **cohérent** s'il existe une affectation de valeurs de vérité aux variables de ces propositions qui rende toutes les propositions de cet ensemble vraies. Dans le cas notamment de la conception d'un système informatique, il est important que les spécifications soient cohérentes.

27. Les spécifications suivantes sont-elles cohérentes ? «Le système est en mode multiusager si et seulement s'il fonctionne normalement. Si le système fonctionne normalement, le noyau résident fonctionne. Le noyau résident ne fonctionne pas ou le système est en mode d'interruption. Si le système n'est pas en mode multiusager, alors il est en mode d'interruption. Le système n'est pas en mode d'interruption.»

28. Les spécifications suivantes sont-elles cohérentes ? «Si le système de fichiers n'est pas verrouillé, alors les nouveaux messages seront mis dans une file d'attente. Si le système de fichiers n'est pas verrouillé, alors le système fonctionne normalement, et réciproquement. Si de nouveaux messages ne sont pas mis dans une file d'attente, alors ils seront envoyés dans la mémoire tampon des messages. Si le système de fichiers n'est pas verrouillé, alors les nouveaux messages seront envoyés dans la mémoire tampon des messages. Les nouveaux messages ne seront pas envoyés dans la mémoire tampon des messages.»

1.2

Équivalences propositionnelles

INTRODUCTION

Substituer à un énoncé un autre énoncé ayant la même valeur de vérité constitue une opération importante de tout raisonnement mathématique.

Cette étude commence par la classification des propositions composées en fonction de leurs valeurs de vérité respectives.

DÉFINITION 1.   Une proposition composée qui est toujours vraie, quelles que soient les valeurs de vérité des propositions qui la composent, est appelée une *tautologie*. Une proposition composée qui est toujours fausse est appelée une *contradiction*. Finalement, une proposition qui n'est ni une tautologie ni une contradiction est appelée une *contingence*.

Les tautologies et les contradictions jouent un rôle important dans le raisonnement mathématique. L'exemple 1 présente ces différents types de propositions.

EXEMPLE 1   On peut construire des exemples de tautologies et de contradictions avec une seule proposition. Soit les tables de vérité de $p \lor \neg p$ et de $p \land \neg p$, présentées au tableau 1. Puisque $p \lor \neg p$ est toujours vraie, il s'agit d'une tautologie ; puisque $p \land \neg p$ est toujours fausse, il s'agit d'une contradiction. ∎

TABLEAU 1   Exemples d'une tautologie et d'une contradiction

p	$\neg p$	$p \lor \neg p$	$p \land \neg p$
V	F	V	F
F	V	V	F

ÉQUIVALENCES LOGIQUES

Les propositions composées qui ont toujours la même valeur de vérité sont dites **logiquement équivalentes**. On peut également définir cette notion comme suit.

DÉFINITION 2.   Les propositions p et q sont *logiquement équivalentes* si $p \leftrightarrow q$ est une tautologie. La notation $p \Leftrightarrow q$ signifie que p et q sont logiquement équivalentes.

Pour déterminer si deux propositions sont équivalentes, on peut utiliser une table de vérité. Plus précisément, les propositions p et q sont équivalentes si et seulement si les colonnes dans lesquelles figurent leurs valeurs de vérité concordent. L'exemple 2 illustre cette méthode.

EXEMPLE 2   Démontrez que les deux propositions $\neg(p \lor q)$ et $\neg p \land \neg q$ sont logiquement équivalentes. Cette équivalence est l'une des *lois de De Morgan* concernant les propositions. Celles-ci portent le nom du mathématicien anglais Augustus De Morgan, qui vivait au milieu du XIXe siècle.

Solution : Le tableau 2 présente les tables de vérité de ces propositions. Puisque les valeurs de vérité des propositions $\neg(p \lor q)$ et $\neg p \land \neg q$ concordent pour toutes les combinaisons possibles des valeurs de vérité de p et de q, il s'ensuit que ces propositions sont logiquement équivalentes. ∎

TABLEAU 2   Tables de vérité de $\neg(p \lor q)$ et de $\neg p \land \neg q$

p	q	$p \lor q$	$\neg(p \lor q)$	$\neg p$	$\neg q$	$\neg p \land \neg q$
V	V	V	F	F	F	F
V	F	V	F	F	V	F
F	V	V	F	V	F	F
F	F	F	V	V	V	V

EXEMPLE 3   Démontrez que les propositions $p \rightarrow q$ et $\neg p \lor q$ sont logiquement équivalentes.

Solution : On construit les tables de vérité de ces propositions (tableau 3). Puisque les valeurs de vérité de $\neg p \lor q$ et de $p \rightarrow q$ concordent, ces propositions sont logiquement équivalentes.   ■

TABLEAU 3	**Tables de vérité de** $\neg p \lor q$ **et de** $p \rightarrow q$			
p	q	$\neg p$	$\neg p \lor q$	$p \rightarrow q$
V	V	F	V	V
V	F	F	F	F
F	V	V	V	V
F	F	V	V	V

EXEMPLE 4   Démontrez que les propositions $p \lor (q \land r)$ et $(p \lor q) \land (p \lor r)$ sont logiquement équivalentes. Il s'agit de la distributivité de la disjonction sur la conjonction.

Solution : On donne les tables de vérité de ces propositions au tableau 4. Puisque les valeurs de vérité de $p \lor (q \land r)$ et de $(p \lor q) \land (p \lor r)$ concordent, ces propositions sont logiquement équivalentes.

TABLEAU 4		**Démonstration du fait que** $p \lor (q \land r)$ **et** $(p \lor q) \land (p \lor r)$ **sont logiquement équivalentes**					
p	q	r	$q \land r$	$p \lor (q \land r)$	$p \lor q$	$p \lor r$	$(p \lor q) \land (p \lor r)$
V	V	V	V	V	V	V	V
V	V	F	F	V	V	V	V
V	F	V	F	V	V	V	V
V	F	F	F	V	V	V	V
F	V	V	V	V	V	V	V
F	V	F	F	F	V	F	F
F	F	V	F	F	F	V	F
F	F	F	F	F	F	F	F

Remarque : Une table de vérité d'une proposition composée formée de trois propositions différentes exige huit lignes, une pour chaque combinaison possible des valeurs de vérité des trois propositions. Il faudra 2^n lignes si une proposition composée comprend n propositions.   ■

Le tableau 5 contient des équivalences importantes. Dans ce tableau **V** désigne toute proposition vraie et **F,** toute proposition fausse. On peut vérifier ces équivalences en faisant les exercices à la fin de la section.

TABLEAU 5 Équivalences logiques	
Équivalence	*Nom*
$p \wedge \mathbf{V} \Leftrightarrow p$ $p \vee \mathbf{F} \Leftrightarrow p$	Identité
$p \vee \mathbf{V} \Leftrightarrow \mathbf{V}$ $p \wedge \mathbf{F} \Leftrightarrow \mathbf{F}$	Domination
$p \vee p \Leftrightarrow p$ $p \wedge p \Leftrightarrow p$	Idempotence
$\neg(\neg p) \Leftrightarrow p$	Loi de la double négation
$p \vee q \Leftrightarrow q \vee p$ $p \wedge q \Leftrightarrow q \wedge p$	Commutativité
$(p \vee q) \vee r \Leftrightarrow p \vee (q \vee r)$ $(p \wedge q) \wedge r \Leftrightarrow p \wedge (q \wedge r)$	Associativité
$p \vee (q \wedge r) \Leftrightarrow (p \vee q) \wedge (p \vee r)$ $p \wedge (q \vee r) \Leftrightarrow (p \wedge q) \vee (p \wedge r)$	Distributivité
$\neg(p \wedge q) \Leftrightarrow \neg p \vee \neg q$ $\neg(p \vee q) \Leftrightarrow \neg p \wedge \neg q$	Lois de De Morgan

L'associativité de la disjonction montre que l'expression $p \vee q \vee r$ est bien définie, car il importe peu qu'on prenne d'abord la disjonction de p et de q, et ensuite celle de $p \vee q$ avec r ; ou qu'on prenne d'abord la disjonction de q et de r, et ensuite celle de p et de $q \vee r$. De même, l'expression $p \wedge q \wedge r$ est bien définie. En poursuivant ce raisonnement, il s'ensuit que $p_1 \vee p_2 \vee \ldots \vee p_n$ et $p_1 \wedge p_2 \wedge \ldots \wedge p_n$ sont bien définies lorsque $p_1, p_2, \ldots, p_n$ sont des propositions. De plus, en appliquant les lois de De Morgan, on obtient

$$\neg(p_1 \vee p_2 \ldots \vee p_n) \Leftrightarrow (\neg p_1 \wedge \neg p_2 \wedge \ldots \wedge \neg p_n)$$

et

$$\neg(p_1 \wedge p_2 \ldots \wedge p_n) \Leftrightarrow (\neg p_1 \vee \neg p_2 \vee \ldots \vee \neg p_n).$$

(On trouvera au chapitre 3 les méthodes de démonstration de ces identités.)

On peut utiliser les équivalences logiques du tableau 5 ainsi que toutes les autres équivalences déjà établies (celles du tableau 6, par exemple) pour construire des équivalences logiques supplémentaires. En effet, dans une proposition composée, on peut remplacer une proposition par une autre proposition qui lui est logiquement équivalente, et ce, sans changer la valeur de vérité de la proposition composée. Cette technique est illustrée avec les exemples 5 et 6, où l'on se fonde sur le fait que si p et q sont logiquement équivalentes et que q et r sont logiquement équivalentes, alors p et r sont logiquement équivalentes (voir l'exercice 40).

TABLEAU 6   Équivalences logiques utiles
$p \vee \neg p \Leftrightarrow \mathbf{V}$ $p \wedge \neg p \Leftrightarrow \mathbf{F}$ $(p \rightarrow q) \Leftrightarrow (\neg p \vee q)$

EXEMPLE 5   Démontrez que les propositions $\neg(p \vee (\neg p \wedge q))$ et $\neg p \wedge \neg q$ sont logiquement équivalentes.

Solution : On pourrait utiliser une table de vérité pour démontrer que ces propositions composées sont équivalentes. Cependant, on établira plutôt cette équivalence en élaborant une suite d'équivalences logiques à l'aide des équivalences énumérées au tableau 5. Pour ce faire, on les utilise une à la fois en commençant par $\neg(p \vee (\neg p \wedge q))$ et en terminant par $\neg p \wedge \neg q$. On a les équivalences suivantes :

$$\neg(p \vee (\neg p \wedge q)) \Leftrightarrow \neg p \wedge \neg(\neg p \wedge q) \quad \text{selon la deuxième loi de De Morgan,}$$
$$\Leftrightarrow \neg p \wedge [\neg(\neg p) \vee \neg q] \quad \text{selon la première loi de De Morgan,}$$
$$\Leftrightarrow \neg p \wedge (p \vee \neg q) \quad \text{selon la loi de double négation,}$$
$$\Leftrightarrow (\neg p \wedge p) \vee (\neg p \wedge \neg q) \quad \text{selon la distributivité,}$$
$$\Leftrightarrow \mathbf{F} \vee (\neg p \wedge \neg q) \quad \text{puisque } \neg p \wedge p \Leftrightarrow \mathbf{F},$$
$$\Leftrightarrow (\neg p \wedge \neg q) \vee \mathbf{F} \quad \text{selon la commutativité de la disjonction,}$$
$$\Leftrightarrow \neg p \wedge \neg q \quad \text{selon l'identité pour } \mathbf{F}.$$

Par conséquent, les propositions $\neg(p \vee (\neg p \wedge q))$ et $\neg p \wedge \neg q$ sont logiquement équivalentes.   ■

EXEMPLE 6   Démontrez que l'énoncé $(p \wedge q) \to (p \vee q)$ est une tautologie.

Solution : Pour démontrer que cet énoncé est une tautologie, on utilise les équivalences logiques afin de montrer que cet énoncé est logiquement équivalent à $\mathbf{V}$. (*Remarque :* On peut aussi y parvenir à l'aide d'une table de vérité.)

$$(p \wedge q) \to (p \vee q) \Leftrightarrow \neg(p \wedge q) \vee (p \vee q) \quad \text{selon l'exemple 3,}$$
$$\Leftrightarrow (\neg p \vee \neg q) \vee (p \vee q) \quad \text{selon la première loi de De Morgan,}$$
$$\Leftrightarrow (\neg p \vee p) \vee (\neg q \vee q) \quad \text{selon l'associativité et la commutativité de la disjonction,}$$
$$\Leftrightarrow \mathbf{V} \vee \mathbf{V} \quad \text{selon l'exemple 1 et la commutativité de la disjonction,}$$
$$\Leftrightarrow \mathbf{V} \quad \text{selon la domination.}   ■$$

Exercices

1. Utilisez les tables de vérité pour vérifier les équivalences suivantes :
   a) $p \wedge \mathbf{V} \Leftrightarrow p$.
   b) $p \vee \mathbf{F} \Leftrightarrow p$.
   c) $p \wedge \mathbf{F} \Leftrightarrow \mathbf{F}$.
   d) $p \vee \mathbf{V} \Leftrightarrow \mathbf{V}$.
   e) $p \vee p \Leftrightarrow p$.
   f) $p \wedge p \Leftrightarrow p$.

2. Démontrez que les propositions $\neg(\neg p)$ et p sont logiquement équivalentes.

3. Utilisez des tables de vérité pour vérifier les lois de commutativité.
   a) $p \vee q \Leftrightarrow q \vee p$ **b)** $p \wedge q \Leftrightarrow q \wedge p$

4. Utilisez des tables de vérité pour vérifier les lois d'associativité.
   a) $(p \vee q) \vee r \Leftrightarrow p \vee (q \vee r)$
   b) $(p \wedge q) \wedge r \Leftrightarrow p \wedge (q \wedge r)$

5. Utilisez des tables de vérité pour vérifier la loi de distributivité $p \wedge (q \vee r) \Leftrightarrow (p \wedge q) \vee (p \wedge r)$.

6. Utilisez une table de vérité pour vérifier l'équivalence $\neg (p \wedge q) \Leftrightarrow \neg p \vee \neg q$.

7. Utilisez des tables de vérité pour démontrer que chacune des implications suivantes est une tautologie.
   a) $(p \wedge q) \to p$
   b) $p \to (p \vee q)$
   c) $\neg p \to (p \to q)$
   d) $(p \wedge q) \to (p \to q)$
   e) $\neg (p \to q) \to p$
   f) $\neg (p \to q) \to \neg q$

8. Utilisez des tables de vérité pour démontrer que chacune des implications suivantes est une tautologie.
   a) $[\neg p \wedge (p \vee q)] \to q$
   b) $[(p \to q) \wedge (q \to r)] \to (p \to r)$
   c) $[p \wedge (p \to q)] \to q$
   d) $[(p \vee q) \wedge (p \to r) \wedge (q \to r)] \to r$

9. Sans utiliser de tables de vérité, démontrez que chaque implication de l'exercice 7 est une tautologie.

10. Sans utiliser de tables de vérité, démontrez que chaque implication de l'exercice 8 est une tautologie.

11. Vérifiez les équivalences suivantes, connues sous le nom de **lois d'absorption.**
   a) $[p \vee (p \wedge q)] \Leftrightarrow p$
   b) $[p \wedge (p \vee q)] \Leftrightarrow p$

12. Déterminez si $(\neg p \wedge (p \to q)) \to \neg q$ est une tautologie.

13. Déterminez si $(\neg q \wedge (p \to q)) \to \neg p$ est une tautologie.

14. Démontrez que $p \leftrightarrow q$ et $(p \wedge q) \vee (\neg p \wedge \neg q)$ sont logiquement équivalentes.

15. Démontrez que $(p \to q) \to r$ et $p \to (q \to r)$ ne sont pas équivalentes.

16. Démontrez que $(p \to q)$ et $\neg q \to \neg p$ sont logiquement équivalentes.

17. Démontrez que $\neg p \leftrightarrow q$ et $p \leftrightarrow \neg q$ sont logiquement équivalentes.

18. Démontrez que $\neg (p \oplus q)$ et $p \leftrightarrow q$ sont logiquement équivalentes.

19. Démontrez que $\neg (p \leftrightarrow q)$ et $\neg p \leftrightarrow q$ sont logiquement équivalentes.

L'**expression duale** d'une proposition composée qui contient uniquement les opérateurs logiques $\vee$, $\wedge$ et $\neg$ est la proposition qu'on obtient en remplaçant chaque connecteur $\vee$ par $\wedge$, chaque connecteur $\wedge$ par $\vee$, chaque valeur **V** par **F** et chaque valeur **F** par **V**. L'expression duale de s est notée s^*.

20. Trouvez l'expression duale de chacune des propositions suivantes :
   a) $p \wedge \neg q \wedge \neg r$.

   b) $(p \wedge q \wedge r) \vee s$.
   c) $(p \vee \mathbf{F}) \wedge (q \vee \mathbf{V})$.

21. Démontrez que $(s^*)^* = s$.

22. Démontrez que les équivalences logiques du tableau 5 (sauf celles qui concernent la loi de la double négation) viennent par paires. Chaque paire contient des propositions qui sont des expressions duales l'une de l'autre.

★★23. Pourquoi les expressions duales de deux propositions composées équivalentes sont-elles également équivalentes lorsque ces propositions composées contiennent uniquement les opérateurs $\vee$, $\wedge$ et $\neg$?

24. Trouvez une proposition composée formée des propositions p, q et r qui est vraie quand p et q sont vraies et r est fausse, mais qui est fausse dans tous les autres cas. (*Conseil :* Utilisez une conjonction de chaque proposition ou sa négation.)

25. Trouvez une proposition composée formée des propositions p, q et r qui est vraie quand exactement deux des propositions p, q et r sont vraies, mais qui est fausse dans tous les autres cas. (*Conseil :* Construisez une disjonction de conjonctions. Ajoutez une conjonction pour chaque combinaison de valeurs pour laquelle la proposition est vraie. Chaque conjonction doit comporter chacune des trois propositions ou sa négation.)

26. Supposons donnée la table de vérité d'une proposition P formée des variables propositionnelles q_1, q_2, q_3, …, q_n. Montrez que l'on peut construire une disjonction de conjonctions des q_i ou de leurs négations qui soit équivalente à p et où le nombre de conjonctions est égal au nombre d'affectations de valeurs de vérité aux q_i qui rendent p vraie. Cette proposition s'appelle alors la forme normale disjonctive.

Un ensemble d'opérateurs logiques est dit **fonctionnellement complet** si toute proposition composée est logiquement équivalente à une proposition composée utilisant seulement ces opérateurs logiques.

27. Démontrez que $\neg$, $\wedge$ et $\vee$ forment un ensemble fonctionnellement complet d'opérateurs logiques. (*Conseil :* Tenez compte du fait que chaque proposition est logiquement équivalente à une proposition sous forme normale disjonctive, comme le montre l'exercice 26.)

★28. Démontrez que $\neg$ et $\wedge$ forment un ensemble fonctionnellement complet d'opérateurs logiques. (*Conseil :* Utilisez d'abord la loi de De Morgan pour démontrer que $p \vee q$ est équivalente à $\neg(\neg p \wedge \neg q)$.)

★29. Démontrez que $\neg$ et $\vee$ forment un ensemble fonctionnellement complet d'opérateurs logiques.

Les exercices suivants comprennent les opérateurs logiques NON-ET et NON-OU. La proposition p NON-ET q est vraie si p ou q ou les deux sont fausses ; elle est fausse lorsque p et q sont vraies. La proposition p NON-OU q est vraie lorsque p et q sont fausses ; autrement, elle est fausse. Les propositions p NON-ET q et p NON-OU q sont désignées respectivement par $p \mid q$ et $p \downarrow q$.

30. Construisez une table de vérité pour l'opérateur logique NON-ET.

31. Démontrez que $p \mid q$ est logiquement équivalente à $\neg(p \land q)$.

32. Construisez une table de vérité pour l'opérateur logique NON-OU.

33. Démontrez que $p \downarrow q$ est logiquement équivalente à $\neg(p \lor q)$.

34. Dans cet exercice, vous devez démontrer que $\{\downarrow\}$ est un ensemble fonctionnellement complet d'opérateurs logiques.
    a) Démontrez que $p \downarrow p$ est logiquement équivalente à $\neg p$.
    b) Démontrez que $(p \downarrow q) \downarrow (p \downarrow q)$ est logiquement équivalente à $p \lor q$.
    c) À l'aide des parties a) et b), et de l'exercice 29, démontrez que $\{\downarrow\}$ est un ensemble fonctionnellement complet d'opérateurs logiques.

★35. Trouvez une proposition équivalente à $p \rightarrow q$ en utilisant uniquement l'opérateur logique $\downarrow$.

36. Démontrez que $\{\mid\}$ est un ensemble fonctionnellement complet d'opérateurs logiques.

37. Démontrez que $p \mid q$ et $q \mid p$ sont équivalentes.

38. Démontrez que $p \mid (q \mid r)$ et $(p \mid q) \mid r$ ne sont pas équivalentes, c'est-à-dire que l'opérateur logique $\mid$ n'est pas associatif.

★39. Combien existe-t-il de tables de vérité de propositions composées différentes qui comportent les propositions p et q ?

40. Démontrez que si p, q et r sont des propositions composées, de telle sorte que p et q soient logiquement équivalentes et que q et r soient logiquement équivalentes, alors p et r sont logiquement équivalentes.

41. La phrase suivante est extraite des caractéristiques techniques d'un système téléphonique : « Si la base de données du répertoire est ouverte, alors le moniteur est placé en état fermé, si le système n'est pas à son état initial. » Cette caractéristique est difficile à comprendre puisqu'elle comporte deux implications. Trouvez une spécification équivalente plus compréhensible qui comprendrait des disjonctions et des négations mais aucune implication.

1.3

Prédicats et quantificateurs

INTRODUCTION

On trouve souvent des énoncés comportant des variables, comme

$$\text{« } x > 3 \text{ »}, \text{« } x = y + 3 \text{ » et « } x + y = z \text{ »},$$

dans des assertions mathématiques ou des algorithmes. Ces énoncés ne sont ni vrais ni faux tant que les valeurs des variables ne sont pas précisées. Dans la présente section, on discutera des méthodes permettant d'obtenir des propositions à partir de tels énoncés.

L'énoncé « x est plus grand que 3. » comporte deux parties. La première partie, la variable x, est le sujet de l'énoncé ; la deuxième partie — le **prédicat** « est plus grand que 3 » — désigne une propriété que peut avoir le sujet de l'énoncé. On peut désigner l'énoncé « x est plus grand que 3. » par $P(x)$, où P exprime le prédicat « est plus grand que 3 » et x, la variable. On dit alors que l'énoncé $P(x)$ est une **fonction propositionnelle**. Une fois qu'une valeur est attribuée à la variable x, l'énoncé $P(x)$ acquiert une valeur de vérité. Considérez l'exemple 1.

EXEMPLE 1   Soit $P(x)$ la fonction propositionnelle « $x > 3$ ». Quelles sont les valeurs de vérité de $P(4)$ et de $P(2)$?

Solution : La proposition $P(4)$ s'obtient en substituant $x = 4$ dans l'énoncé « $x > 3$ ». Donc, $P(4)$ est l'énoncé « $4 > 3$ », qui est vrai. Toutefois, $P(2)$, qui est l'énoncé de « $2 > 3$ », est faux.   ∎

Certains énoncés comportent plus d'une variable. Par exemple, considérez l'énoncé « $x = y + 3$ ». On peut désigner cet énoncé par $Q(x, y)$, où x et y sont des variables et Q, le prédicat. Lorsqu'on affecte des valeurs aux variables x et y, l'énoncé $Q(x, y)$ a une valeur de vérité.

EXEMPLE 2   Supposez que $Q(x, y)$ désigne l'énoncé « $x = y + 3$ ». Quelles sont les valeurs de vérité des propositions $Q(1, 2)$ et $Q(3, 0)$?

Solution : Pour obtenir $Q(1, 2)$, on pose $x = 1$ et $y = 2$ dans l'énoncé $Q(x, y)$. Donc, $Q(1, 2)$ est la proposition « $1 = 2 + 3$ », qui est fausse. L'énoncé $Q(3, 0)$ est la proposition « $3 = 0 + 3$ », qui est vraie.   ∎

De même, soit $R(x, y, z)$ l'énoncé « $x + y = z$ ». Lorsque des valeurs sont attribuées aux variables x, y et z, cet énoncé a une valeur de vérité.

EXEMPLE 3   Quelles sont les valeurs de vérité des propositions $R(1, 2, 3)$ et $R(0, 0, 1)$?

Solution : La proposition $R(1, 2, 3)$ s'obtient en posant $x = 1$, $y = 2$ et $z = 3$ dans l'énoncé $R(x, y, z)$. On a donc que $R(1, 2, 3)$ est la proposition « $1 + 2 = 3$ », qui est vraie. À noter également que $R(0, 0, 1)$, la proposition « $0 + 0 = 1$ », est fausse.   ∎

En général, on peut désigner un énoncé comportant n variables $x_1, x_2, ..., x_n$ par

$P(x_1, x_2, ..., x_n)$.

Un énoncé de la forme $P(x_1, x_2, ..., x_n)$ est la valeur de la **fonction propositionnelle** P au n-tuple $(x_1, x_2, ..., x_n)$, et P est également appelé un *prédicat*.

On trouve souvent des fonctions propositionnelles dans des programmes, comme le montre l'exemple 4.

EXEMPLE 4   Considérez l'énoncé

Si $x > 0$ **alors** $x := x + 1$.

Lorsqu'un programme rencontre cet énoncé au cours de son exécution, la valeur de la variable x est insérée dans $P(x)$, qui est « $x > 0$ ». Si $P(x)$ est vrai pour cette valeur de x, l'instruction d'affectation $x := x + 1$ s'exécute et, par conséquent, la valeur de x s'incrémente de 1. Si $P(x)$ est faux pour cette valeur de x, l'instruction d'affectation ne s'exécute pas et, par conséquent, la valeur de x n'est pas modifiée.   ■

QUANTIFICATEURS

Lorsque l'on a substitué des valeurs aux variables d'une fonction propositionnelle, l'énoncé obtenu a une valeur de vérité. Toutefois, on peut utiliser une autre méthode pour changer les fonctions propositionnelles en propositions : la **quantification**. On étudiera ici deux types de quantification, la quantification universelle et la quantification existentielle.

De nombreux énoncés mathématiques affirment qu'une propriété est vraie pour toutes les valeurs d'une variable appartenant à un certain domaine, appelé l'**univers du discours**. Ces énoncés s'expriment à l'aide d'une quantification universelle. La quantification universelle d'une proposition forme la proposition qui est vraie si et seulement si $P(x)$ est vraie pour toutes les valeurs de x qui se trouvent dans l'univers du discours. L'univers du discours précise les valeurs possibles de la variable x.

> **DÉFINITION 3.**   La *quantification universelle* de $P(x)$ est la proposition
>
> « $P(x)$ est vraie pour toutes les valeurs de x dans l'univers du discours. »

La notation

$$\forall x\, P(x)$$

désigne la quantification universelle de $P(x)$. La proposition $\forall x\, P(x)$ s'exprime également comme suit :

« pour tout x, $P(x)$ »

ou

« quel que soit x, $P(x)$ ».

EXEMPLE 5   Exprimez l'énoncé

« Tous les étudiants de cette classe ont étudié le calcul intégral. »

à l'aide d'une quantification universelle.

Solution : Soit $P(x)$ l'énoncé

« x a étudié le calcul intégral. »

Alors l'énoncé « Tous les étudiants de la classe ont étudié le calcul intégral. » peut s'écrire $\forall x\, P(x)$, où l'univers du discours est constitué des étudiants de cette classe.

Cet énoncé peut également s'exprimer sous la forme

$$\forall x\, (S(x) \to P(x))$$

où $S(x)$ est l'énoncé

« x fait partie de cette classe. »

$P(x)$ a le même sens qu'avant, et l'univers du discours est l'ensemble de tous les étudiants. ∎

L'exemple 5 a illustré le fait qu'il existe souvent plus d'une manière correcte d'exprimer une quantification.

EXEMPLE 6   Soit $P(x)$ l'énoncé « $x + 1 > x$ ». Quelle est la valeur de vérité de la quantification $\forall x\, P(x)$ lorsque l'univers du discours est l'ensemble des nombres réels ?

Solution : Puisque $P(x)$ est vrai pour tous les nombres réels x, la quantification

$$\forall x\, P(x)$$

est vraie. ∎

EXEMPLE 7   Soit $Q(x)$ l'énoncé « $x < 2$ ». Quelle est la valeur de vérité de la quantification $\forall x\, Q(x)$ lorsque l'univers du discours est l'ensemble des nombres réels ?

Solution : $Q(x)$ n'est pas vrai pour tous les nombres réels x puisque, par exemple, $Q(3)$ est faux. Par conséquent,

$$\forall x\, Q(x)$$

est faux. ∎

Lorsqu'il est possible d'énumérer tous les éléments de l'univers du discours, disons x_1, x_2, …, x_n, il s'ensuit que la quantification universelle $\forall x\, P(x)$ équivaut logiquement à la conjonction

$$P(x_1) \wedge P(x_2) \wedge \dots \wedge P(x_n),$$

puisque cette conjonction est vraie si et seulement si $P(x_1)$, $P(x_2)$, …, $P(x_n)$ sont toutes vraies.

EXEMPLE 8   Quelle est la valeur de vérité de $\forall x\, P(x)$, où $P(x)$ est l'énoncé « $x^2 < 10$ » et où l'univers du discours est constitué des entiers positifs inférieurs ou égaux à 4 ?

Solution : L'énoncé $\forall x\, P(x)$ est le même que la conjonction

$$P(1) \wedge P(2) \wedge P(3) \wedge P(4),$$

puisque l'univers du discours est constitué des entiers 1, 2, 3 et 4. Puisque $P(4)$, qui est l'énoncé « $4^2 < 10$ », est faux, il s'ensuit que $\forall x\, P(x)$ est faux.   ∎

De nombreux énoncés mathématiques affirment qu'il existe un élément qui possède une certaine propriété. Ces énoncés sont exprimés en utilisant une quantification existentielle. Avec la quantification existentielle, on forme une proposition qui est vraie si et seulement si $P(x)$ est vrai pour au moins une valeur de x dans l'univers du discours.

DÉFINITION 4.   La *quantification existentielle* de $P(x)$ est la proposition « Il existe un élément x dans l'univers du discours tel que $P(x)$ soit vraie. »

On utilise la notation

$\exists x\, P(x)$

pour la quantification existentielle de $P(x)$. La quantification existentielle $\exists x\, P(x)$ s'exprime également comme suit :

« Il existe un élément x tel que $P(x)$. »
« Il existe au moins un élément x tel que $P(x)$. »

ou

« Pour un certain x, $P(x)$ ».

EXEMPLE 9   Soit $P(x)$ l'énoncé « $x > 3$ ». Quelle est la valeur de vérité de la quantification $\exists x\, P(x)$ si l'univers du discours est l'ensemble des nombres réels ?

Solution : Puisque « $x > 3$ » est vrai (par exemple lorsque $x = 4$), la quantification existentielle de $P(x)$, qui est $\exists x\, P(x)$, est vraie.   ∎

EXEMPLE 10   Soit $Q(x)$ l'énoncé « $x = x + 1$ ». Quelle est la valeur de vérité de la quantification $\exists x\, Q(x)$ si l'univers du discours est l'ensemble des nombres réels ?

Solution : Puisque $Q(x)$ est faux pour tous les nombres réels x, la quantification existentielle $\exists x\, Q(x)$ est fausse.   ∎

Lorsqu'il est possible d'énumérer tous les éléments de l'univers du discours, disons x_1, x_2, ..., x_n, la quantification universelle $\exists x\, P(x)$ équivaut logiquement à la disjonction

$P(x_1) \lor P(x_2) \lor \ldots \lor P(x_n),$

puisque cette disjonction est vraie si et seulement si au moins un des $P(x_1)$, $P(x_2)$, ..., $P(x_n)$ est vrai.

EXEMPLE 11   Quelle est la valeur de vérité de $\exists x\, P(x)$, où $P(x)$ est l'énoncé « $x^2 > 10$ » et où l'univers du discours est constitué des entiers positifs inférieurs ou égaux à 4 ?

Solution : Puisque l'univers du discours est $\{1, 2, 3, 4\}$, la proposition $\exists x\, P(x)$ est la même que la disjonction

$$P(1) \vee P(2) \vee P(3) \vee P(4).$$

Puisque $P(4)$, qui est l'énoncé « $4^2 > 10$ », est vrai, il s'ensuit que $\exists x\, P(x)$ est vrai.   ■

Le tableau 1 résume la signification des quantificateurs universels et existentiels.

TABLEAU 1 **Quantificateurs**		
Énoncé	*Cet énoncé est-il vrai ?*	*Cet énoncé est-il faux ?*
$\forall x\, P(x)$ $\exists x\, P(x)$	$P(x)$ est vrai pour tout x. Il existe un x pour lequel $P(x)$ est vrai.	Il existe un x pour lequel $P(x)$ est faux. $P(x)$ est faux pour tout x.

Il est parfois intéressant de raisonner à l'aide d'itérations et de recherches lorsqu'on tente de déterminer la valeur de vérité d'une quantification. On suppose qu'il existe n objets dans l'univers du discours de la variable x. Pour déterminer si $\forall x\, P(x)$ est vrai, on peut parcourir toutes les valeurs n de x pour savoir si $P(x)$ est toujours vrai. Si on rencontre une valeur x pour laquelle $P(x)$ est faux, alors on a démontré que $\forall x\, P(x)$ était faux. Sinon, $\forall x\, P(x)$ est vrai. Pour savoir si $\exists x\, P(x)$ est vrai, on parcourt les valeurs de x à la recherche d'une valeur pour laquelle $P(x)$ est vrai. Le cas échéant, $\exists x\, P(x)$ est vrai. Si on ne trouve jamais de telle valeur, on a déterminé que $\exists x\, P(x)$ est faux. (À noter que cette procédure de recherche ne s'applique pas s'il existe un nombre infini de valeurs dans l'univers du discours. Cette méthode demeure toutefois une manière pratique de trouver les valeurs de vérité des quantifications.)

TRADUCTION DE PHRASES EN EXPRESSIONS LOGIQUES

Dans la section 1.1, on a illustré le processus de traduction de phrases du langage courant en expressions logiques comportant des propositions et des connecteurs logiques. Maintenant qu'on a étudié les quantificateurs, on peut exprimer une plus grande variété de phrases en utilisant des expressions logiques. Ce faisant, il sera possible d'éliminer les ambiguïtés, et on pourra construire un raisonnement avec ces phrases. (La section 3.1 traite des règles d'inférence du raisonnement avec des expressions logiques.)

Les exemples 12 et 13 illustrent la manière d'utiliser des opérateurs logiques et des quantificateurs pour exprimer des phrases du langage courant. Ces phrases sont similaires à celles qu'on trouve dans les énoncés mathématiques requis en programmation ou en intelligence artificielle.

EXEMPLE 12   Exprimez l'énoncé « Tout le monde a un et un seul meilleur ami. » sous forme d'expression logique.

Solution : Soit $B(x, y)$ l'énoncé « y est le meilleur ami de x. » Notons que cette phrase signifie que, pour chaque personne x il existe une autre personne y, telle que y est le meilleur ami de x et que, si z est une personne différente de y, alors z n'est pas le meilleur ami de x. Par conséquent, on peut traduire la phrase comme suit :

$$\forall x \, \exists y \, \forall z \, (B(x, y) \land ((z \neq y) \rightarrow \neg B(x, z))).$$ ■

EXEMPLE 13   Exprimez l'énoncé « Si une personne est une femme et un parent, alors cette personne est la mère de quelqu'un. » sous forme d'expression logique.

Solution : Soit $F(x)$ l'énoncé « x est une femme. », $P(x)$ l'énoncé « x est un parent. » et $M(x, y)$ l'énoncé « x est la mère de y. » Puisque l'énoncé de l'exemple concerne tout le monde, on peut l'écrire symboliquement comme suit :

$$\forall x \, ((F(x) \land P(x)) \rightarrow \exists y \, M(x, y)).$$ ■

EXEMPLES DE LEWIS CARROLL (facultatif)

Lewis Carroll, de son vrai nom Charles Lutwidge Dodgson, est l'auteur d'*Alice au pays des merveilles*. Il est également l'auteur de différents ouvrages de logique symbolique. Ses ouvrages contiennent de nombreux exemples de raisonnement utilisant des quantificateurs. Les exemples 14 et 15 sont tirés de son ouvrage *Symbolic Logic* ; d'autres exemples tirés de ce même livre sont donnés dans les exercices à la fin de cette section. Ces exemples illustrent la manière dont les quantificateurs servent à exprimer différents types d'énoncés.

EXEMPLE 14   Considérez les énoncés suivants. Les deux premiers sont appelés les *prémisses* et le troisième, la *conclusion*. L'ensemble s'appelle l'*argument*.

« Tous les lions sont féroces. »
« Certains lions ne boivent pas de café. »
« Certaines créatures féroces ne boivent pas de café. »

(Dans la section 3.1, on verra comment déterminer si la conclusion est une conséquence valide des prémisses. Dans cet exemple, c'est le cas.) Soit $P(x)$, $Q(x)$ et $R(x)$ les énoncés respectifs « x est un lion. », « x est féroce. » et « x boit du café. » En supposant que l'univers du discours est l'ensemble de toutes les créatures, exprimez les énoncés de l'argument en utilisant des quantificateurs ainsi que $P(x)$, $Q(x)$ et $R(x)$.

Solution : On peut exprimer ces énoncés comme suit :

$$\forall x \, (P(x) \rightarrow Q(x)),$$

$\exists x\,(P(x) \land \neg R(x))$,
$\exists x\,(Q(x) \land \neg R(x))$.

Notons que le deuxième énoncé ne peut s'écrire $\exists x\,(P(x) \to \neg R(x))$, parce que $P(x) \to \neg R(x))$ est vrai dès que x n'est pas un lion. Ainsi, $\exists x\,(P(x) \to \neg(R(x))$ est vrai s'il y a au moins une créature qui n'est pas un lion, même si chaque lion boit du café. De même, le troisième énoncé ne peut s'écrire comme suit :

$\exists x\,(Q(x) \to \neg R(x))$.   ■

EXEMPLE 15   Considérez les énoncés suivants, dans lesquels les trois premiers sont des prémisses et le quatrième, une conclusion valable.

« Tous les colibris ont des couleurs vives. »
« Aucun gros oiseau ne mange du miel. »
« Les oiseaux qui ne mangent pas de miel ont des couleurs fades. »
« Les colibris sont petits. »

$P(x)$, $Q(x)$, $R(x)$ et $S(x)$ sont les énoncés respectifs de « x est un colibri. », de « x est gros. », de « x mange du miel. » et de « x a des couleurs vives. » Supposez que l'univers du discours est l'ensemble de tous les oiseaux, et exprimez les énoncés de l'argument en utilisant des quantificateurs ainsi que $P(x)$, $Q(x)$, $R(x)$ et $S(x)$.

Solution : On peut exprimer les énoncés dans l'argument comme suit :

$\forall x\,(P(x) \to S(x))$,
$\neg\,\exists x\,(Q(x) \land R(x))$,
$\forall x\,(\neg R(x) \to \neg S(x))$,
$\forall x\,(P(x) \to \neg Q(x))$.

(On a présumé que « petit » signifiait « pas gros » et que « couleurs fades » signifiait « pas de couleurs vives ». Pour démontrer que le quatrième énoncé est une conclusion valable des trois premiers, il faut utiliser les règles d'inférence qu'on étudiera à la section 3.1.)   ■

VARIABLES LIÉES

Lorsqu'on applique un quantificateur à une variable x ou lorsqu'on attribue une valeur à cette variable, on dit que cette occurrence de la variable est **liée**. On dit que l'occurrence d'une variable est **libre** si elle n'est ni liée par un quantificateur ni égale à une valeur particulière. Lorsque toutes les variables qui composent une fonction propositionnelle sont liées, elle devient une proposition. Pour ce faire, on peut utiliser une combinaison de quantificateurs universels, de quantificateurs existentiels et d'affectations.

De nombreux énoncés mathématiques nécessitent plusieurs quantificateurs appliqués à des fonctions propositionnelles comportant plus d'une variable. Il est important de noter que l'ordre des quantificateurs est important, à moins que les quantificateurs soient tous universels ou tous existentiels (voir les exemples 16, 17 et 18). Dans chacun des exemples suivants, l'univers du discours de chacune des variables est l'ensemble des nombres réels.

EXEMPLE 16   Soit $P(x, y)$ l'énoncé « $x + y = y + x$ ». Quelle est la valeur de vérité de la quantification $\forall x\ \forall y\ P(x, y)$?

Solution : La quantification

$$\forall x\ \forall y\ P(x, y)$$

désigne la proposition

« Pour tous les nombres réels x et pour tous les nombres réels y, il est vrai que $x + y = y + x$. »

Puisque $P(x, y)$ est vraie pour tous les nombres réels x et y, la proposition $\forall x\ \forall y\ P(x, y)$ est vraie.   ∎

EXEMPLE 17   Soit $Q(x, y)$ l'énoncé « $x + y = 0$ ». Quelles sont les valeurs de vérité des quantifications $\exists y\ \forall x\ Q(x, y)$ et $\forall x\ \exists y\ Q(x, y)$?

Solution : La quantification

$$\exists y\ \forall x\ Q(x, y)$$

désigne la proposition

« Il existe un nombre réel y tel que pour tout nombre réel x, $Q(x, y)$ est vrai. »

Quelle que soit la valeur de y choisie, il n'existe qu'une seule valeur de x pour laquelle $x + y = 0$. Puisqu'il n'existe pas de nombre réel y tel que $x + y = 0$ pour tous les nombres réels x, l'énoncé $\exists y\ \forall x\ Q(x, y)$ est faux.

La quantification

$$\forall x\ \exists y\ Q(x, y)$$

désigne la proposition

« Pour tout nombre réel x, il existe un nombre réel y tel que $Q(x, y)$ est vrai. »

Étant donné un nombre réel x, il existe un nombre réel y tel que $x + y = 0$; notamment, $y = -x$. Donc, l'énoncé $\forall x\ \exists y\ Q(x, y)$ est vrai.   ∎

Ce dernier exemple montre l'importance de l'ordre dans lequel les quantificateurs apparaissent. Les énoncés $\exists x\ \forall y\ P(x, y)$ et $\forall y\ \exists x\ P(x, y)$ ne sont pas logiquement équivalents. L'énoncé $\exists x\ \forall y\ P(x, y)$ est vrai s'il existe un x qui rend $P(x, y)$ vrai pour tout y. Ainsi, pour que cet énoncé soit vrai, il doit exister une valeur particulière de x pour laquelle $P(x, y)$ est vrai, peu importe le choix de y. Par ailleurs, l'énoncé $\forall y\ \exists x\ P(x, y)$ est vrai si et seulement si pour toute valeur de y, il existe une valeur de x pour laquelle $P(x, y)$ est vrai. Ainsi, pour que cet énoncé soit vrai, peu importe y, il doit y avoir une valeur de x (qui pourrait dépendre de y) pour laquelle $P(x, y)$ est vrai. En d'autres termes, dans le deuxième cas, x peut dépendre de y, alors que dans le premier cas, x est une constante indépendante de y.

À partir de ces observations, il s'ensuit que si $\exists x\ \forall y\ P(x, y)$ est vrai, alors $\forall y\ \exists x\ P(x, y)$ doit également être vrai. Toutefois, si $\forall y\ \exists x\ P(x, y)$ est vrai, il n'est pas nécessaire que $\exists x\ \forall y\ P(x, y)$ soit vrai (voir les exercices complémentaires 8 et 10 à la fin du chapitre).

Lorsqu'on travaille avec plusieurs quantificateurs appliqués à plusieurs variables, il est parfois utile de raisonner en termes de boucles imbriquées. (Sauf, bien sûr, s'il y a un nombre infini d'éléments dans l'univers du discours de certaines variables. Cette manière de raisonner aide à comprendre les quantificateurs imbriqués.) Par exemple, pour savoir si $\forall x\ \forall y\ P(x, y)$ est vrai, on itère les valeurs de x et, pour chaque x, on itère les valeurs de y. Si on découvre que $P(x, y)$ est vrai pour toutes les valeurs de x et de y, on a déterminé que $\forall x\ \forall y\ P(x, y)$ est vrai. Si on trouve une valeur x pour laquelle on a une valeur de y pour laquelle $P(x, y)$ est faux, alors on a démontré que $\forall x\ \forall y\ P(x, y)$ est faux.

De même, pour déterminer si $\forall x\ \exists y\ P(x, y)$ est vrai, on itère les valeurs de x. Pour chaque x, on itère les valeurs de y jusqu'à ce qu'on trouve une telle valeur de y pour laquelle $P(x, y)$ est vrai. Si, pour toutes les valeurs de x, on trouve une telle valeur de y, alors $\forall x\ \exists y\ P(x, y)$ est vrai ; si, au contraire, on rencontre une valeur de x pour laquelle aucune des valeurs de y rencontrées ne satisfait $P(x, y)$ alors, $\forall x\ \exists y\ P(x, y)$ est faux.

Pour savoir si $\exists x\ \forall y\ P(x, y)$ est vrai, on itère les valeurs de x jusqu'à ce qu'on trouve une valeur de x pour laquelle $P(x, y)$ est toujours vrai lorsqu'on itère toutes les valeurs de y. Quand on trouve cette valeur de x, on sait que $\exists x\ \forall y\ P(x, y)$ est vrai. Si on ne trouve jamais une telle valeur de x, alors on sait que $\exists x\ \forall y\ P(x, y)$ est faux.

Finalement, pour savoir si $\exists x\ \exists y\ P(x, y)$ est vrai, on itère les valeurs de x, où pour chaque x on itère les valeurs de y jusqu'à ce qu'on trouve une valeur de y pour laquelle $P(x, y)$ est vrai. L'énoncé $\exists x\ \exists y\ P(x, y)$ est faux seulement si on ne trouve jamais une valeur de x pour laquelle y vérifie que $P(x, y)$ est vrai.

Le tableau 2 résume les significations des différentes quantifications possibles comportant deux variables.

TABLEAU 2 **Quantifications de deux variables**		
Énoncé	*Quand cet énoncé est-il vrai ?*	*Quand cet énoncé est-il faux ?*
$\forall x\ \forall y\ P(x, y)$ $\forall y\ \forall x\ P(x, y)$	$P(x, y)$ est vrai pour chaque paire x, y.	Il existe une paire x, y pour laquelle $P(x, y)$ est faux.
$\forall x\ \exists y\ P(x, y)$	Pour chaque x, il existe un y pour lequel $P(x, y)$ est vrai.	Il existe un x tel que $P(x, y)$ est faux pour chaque x.
$\exists x\ \forall y\ P(x, y)$	Il existe un x pour lequel $P(x, y)$ est vrai pour chaque y.	Pour chaque x, il existe un y pour lequel $P(x, y)$ est faux.
$\exists x\ \exists y\ P(x, y)$ $\exists y\ \exists x\ P(x, y)$	Il existe une paire x, y pour laquelle $P(x, y)$ est vrai.	$P(x, y)$ est faux pour chaque paire x, y.

Les quantifications de plus de deux variables sont également courantes, comme le montre l'exemple 18.

EXEMPLE 18   Soit $Q(x, y, z)$ l'énoncé « $x + y = z$ ». Quelles sont les valeurs de vérité des énoncés $\forall x \, \forall y \, \exists z \, Q(x, y, z)$ et $\exists z \, \forall x \, \forall y \, Q(x, y, z)$?

Solution : On suppose qu'on a affecté des valeurs à x et à y. Alors, il existe un nombre réel z tel que $x + y = z$. Par conséquent, la quantification

$$\forall x \, \forall y \, \exists z \, Q(x, y, z),$$

qui est l'énoncé

« Pour tous les nombres réels x et pour tous les nombres réels y, il existe un nombre réel z tel que $x + y = z$. »

est vrai. Ici l'ordre des quantificateurs est essentiel, puisque l'expression

$$\exists z \, \forall x \, \forall y \, Q(x, y, z),$$

qui désigne l'énoncé

« Il existe un nombre réel z tel que, pour tous les nombres réels x et pour tous les nombres réels y, il est vrai que $x + y = z$. »

est faux, puisqu'il n'y a aucune valeur de z qui satisfait à l'équation $x + y = z$ pour toutes les valeurs de x et de y. ∎

L'exemple 19 illustre comment les quantificateurs peuvent servir à exprimer des énoncés comprenant plusieurs variables. Comme on peut le voir, il existe normalement plus d'une manière d'utiliser les quantificateurs pour exprimer un énoncé.

EXEMPLE 19   Utilisez les quantificateurs pour symboliser l'énoncé « Il y a une femme qui a réservé une place sur un vol de toutes les compagnies aériennes du monde. »

Solution : Soit $P(w, f)$ qui est « w a réservé f. » et $Q(f, a)$, qui est « f est sur le vol a. ». On peut exprimer l'énoncé comme suit :

$$\exists w \, \forall a \, (f \, (P(w, f) \wedge Q(f, a)),$$

où l'univers du discours de w, de f et de a est respectivement constitué de toutes les femmes du monde, de toutes les places sur un vol et de toutes les compagnies aériennes du monde.

On pourrait également exprimer l'énoncé comme suit :

$$\exists w \, \forall a \, \exists f \, R(w, f, a),$$

où $R(w, f, a)$ est « w a réservé f de a ». Bien que cet énoncé soit plus concis, il rend néanmoins la relation entre les variables plus confuse. Par conséquent, la première solution est généralement préférable. ∎

Les quantificateurs sont souvent utilisés dans la définition des concepts mathématiques. Un exemple bien connu est le concept de limite, qui est important dans le calcul différentiel et intégral.

EXEMPLE 20 (Pour comprendre cet exemple, la connaissance du calcul différentiel et intégral est requise.) Exprimez la définition d'une limite en utilisant des quantificateurs.

Solution : Il ne faut pas oublier que la définition de l'énoncé

$$\lim_{x \to a} f(x) = L$$

est : Pour chaque nombre réel $\varepsilon > 0$, il existe un nombre réel $\delta > 0$ tel que $|f(x) - L| < \varepsilon$ lorsque $0 < |x - a| < \delta$. Cette définition de limite peut être formulée à l'aide de quantificateurs par l'expression

$$\forall \varepsilon \ \exists \delta \ \forall x (0 < |x - a| < \delta \to |f(x) - L| < \varepsilon),$$

où l'univers du discours pour les variables δ et ε est l'ensemble des nombres réels positifs et pour x, l'ensemble des nombres réels. ∎

Il sera souvent nécessaire de considérer la négation d'une expression quantifiée. Par exemple, soit la négation de l'énoncé

« Tous les étudiants de ce cours ont suivi un cours de calcul. »

Cet énoncé est une quantification universelle, notamment

$$\forall x \, P(x),$$

où $P(x)$ est l'énoncé « x a suivi un cours de calcul. » La négation de cet énoncé est « Ce n'est pas le cas que tous les étudiants de la classe ont suivi un cours de calcul. » Cette négation équivaut à « Il existe un étudiant de la classe qui n'a pas suivi de cours de calcul. » Il s'agit simplement de la quantification existentielle de la négation de la fonction propositionnelle originale, soit

$$\exists x \ \neg P(x).$$

Cet exemple illustre l'équivalence suivante :

$$\neg \, \forall x \, P(x) \Leftrightarrow \exists x \ \neg P(x).$$

On suppose qu'on recherche la négation d'une quantification existentielle. Par exemple, on considère la proposition « Il existe un étudiant de cette classe qui a suivi un cours de calcul. » Cette proposition s'exprime alors sous la forme

$$\exists x \, Q(x),$$

où $Q(x)$ est l'énoncé « x a suivi un cours de calcul. » La négation de cet énoncé est la proposition « Ce n'est pas le cas qu'il y a un étudiant de cette classe qui a suivi un cours de calcul. » Cette négation équivaut à « Aucun des étudiants de cette classe n'a suivi de cours de calcul. », ce qui est simplement la quantification universelle de la négation de la fonction propositionnelle originale. Si cette négation est formulée dans le langage des quantificateurs, on a

$$\forall x \ \neg Q(x).$$

Cet exemple permet d'illustrer l'équivalence

$$\neg \, \exists x \, Q(x) \Leftrightarrow \forall x \ \neg Q(x).$$

Le tableau 3 résume la négation des quantificateurs.

TABLEAU 3	Négation des quantificateurs		
Négation	*Énoncé équivalent*	*Quand la négation est-elle vraie ?*	*Quand la négation est-elle fausse ?*
$\neg\,\exists x\,P(x)$	$\forall x\,\neg\,P(x)$	$P(x)$ est faux pour tout x.	Il existe un x pour lequel $P(x)$ est vrai.
$\neg\,\forall x\,P(x)$	$\exists x\,\neg\,P(x)$	Il existe un x pour lequel $P(x)$ est faux.	$P(x)$ est vrai pour chaque x.

Exercices

1. Soit $P(x)$ l'énoncé « $x \leq 4$ ». Quelles sont les valeurs de vérité des propositions suivantes ?

a) $P(0)$ **b)** $P(4)$ **c)** $P(6)$

2. Soit $P(x)$ l'énoncé « Le mot x contient la lettre a. » Quelles sont les valeurs de vérité des propositions suivantes ?

a) P(orange)   **b)** P(citron)
c) P(vrai)   **d)** P(faux)

3. Soit $Q(x,\ y)$ l'énoncé « x est la capitale de y. » Quelles sont les valeurs de vérité des propositions suivantes ?

a) Q(Denver, Colorado)
b) Q(Détroit, Michigan)
c) Q(Massachusetts, Boston)
d) Q(New York, New York)

4. Énoncez la valeur de x après que l'énoncé **si** $P(x)$ **alors** $x := 1$ ait été exécuté, où $P(x)$ est l'énoncé « $x > 1$ » si la valeur de x, lorsqu'on arrive à cet énoncé, est

a) $x = 0$ **b)** $x = 1$ **c)** $x = 2$

5. Soit $P(x)$ l'énoncé « x passe plus de cinq heures par jour en classe. », où l'univers du discours de x est l'ensemble des étudiants. Exprimez chacune des quantifications suivantes en langage courant.

a) $\exists x\,P(x)$ **b)** $\forall x\,P(x)$
c) $\exists x\,\neg\,P(x)$ **d)** $\forall x\,\neg\,P(x)$

6. Soit $P(x, y)$ l'énoncé « x a suivi le cours y. », où l'univers du discours de x est l'ensemble de tous les étudiants de la classe et pour y, l'ensemble de tous les cours d'informatique qu'offre l'école. Exprimez chacune des quantifications suivantes en langage courant.

a) $\exists x\,\exists y\,P(x, y)$ **b)** $\exists x\,\forall y\,P(x, y)$
c) $\forall x\,\exists y\,P(x, y)$ **d)** $\exists y\,\forall x\,P(x, y)$
e) $\forall y\,\exists x\,P(x, y)$ **f)** $\forall x\,\forall y\,P(x, y)$

7. Soit $P(x)$ l'énoncé « x peut parler le russe. » et soit $Q(x)$ l'énoncé « x connaît le langage informatique C++. » Exprimez chacune des phrases suivantes en fonction de $P(x)$, de $Q(x)$, de quantificateurs et de connecteurs logiques. Comme univers du discours, prenez l'ensemble de tous les étudiants de votre école.

a) Il existe un étudiant de votre école qui peut parler le russe et qui connaît le langage informatique C++.

b) Il existe un étudiant de votre école qui peut parler le russe mais qui ne connaît pas le langage informatique C++.

c) Tous les étudiants de votre école peuvent parler le russe ou connaissent le langage informatique C++.

d) Aucun étudiant de votre école ne parle le russe ou ne connaît le langage informatique C++.

8. Soit $Q(x, y)$ l'énoncé « x a participé à un jeu télévisé y. » Exprimez chacune des phrases suivantes en fonction de $Q(x, y)$, de quantificateurs et de connecteurs logiques, où l'univers du discours de x est l'ensemble de tous les étudiants de votre école et y, l'ensemble de tous les jeux télévisés.

a) Il existe un étudiant de votre école qui a participé à un jeu télévisé.

b) Aucun étudiant de votre école n'a participé à un jeu télévisé.

c) Il existe un étudiant de votre école qui a participé à *Jeopardy* et à *Roue de fortune*.

d) Tous les jeux télévisés ont eu un étudiant de votre école comme participant.

e) Au moins deux étudiants de votre école ont participé à *Jeopardy*.

9. Soit $L(x, y)$ l'énoncé « x aime y. », où l'univers du discours de x et de y est l'ensemble de tous les habitants de la Terre. Utilisez des quantificateurs pour exprimer chacun des énoncés suivants :

a) Tout le monde aime Georges.

b) Tout le monde aime quelqu'un.

c) Il y a quelqu'un que tout le monde aime.

d) Personne n'aime tout le monde.

e) Il y a quelqu'un que Lydia n'aime pas.

f) Il y a quelqu'un que personne n'aime.

g) Il y a exactement une personne que tout le monde aime.

h) Il y a exactement deux personnes que Lyne aime.

i) Chaque personne s'aime.

j) Il y a une personne qui n'aime personne, mis à part elle-même.

10. Soit $F(x, y)$ l'énoncé « x peut duper y. », où l'univers du discours de x et de y est l'ensemble de tous les habitants de la Terre. Utilisez des quantificateurs pour exprimer chacun des énoncés suivants :

a) Tout le monde peut duper Frédéric.

b) Évelyne peut duper tout le monde.

c) Tout le monde peut duper quelqu'un.

d) Personne ne peut duper tout le monde.

e) Tout le monde peut être dupé par quelqu'un.

f) Personne ne peut duper Frédéric et Georges.

g) Lucie peut duper exactement deux personnes.

h) Il y a exactement une personne que tout le monde peut duper.

i) Personne ne peut se duper soi-même.

j) Il y a une personne qui peut duper exactement une personne, mis à part soi.

11. Utilisez des quantificateurs pour exprimer chacun des énoncés suivants :

a) Tous les étudiants en informatique doivent suivre un cours de mathématiques discrètes.

b) Un étudiant de cette classe possède un ordinateur personnel.

c) Tous les étudiants de cette classe ont suivi au moins un cours d'informatique.

d) Un étudiant de cette classe a suivi au moins un cours d'informatique.

e) Tous les étudiants de cette classe ont été dans tous les bâtiments du campus.

f) Un étudiant de cette classe a été dans toutes les salles d'au moins un bâtiment du campus.

g) Tous les étudiants de cette classe ont été dans au moins une salle de chacun des bâtiments du campus.

12. Dans une classe de mathématiques discrètes, il y a 1 étudiant en mathématiques de première année, 12 étudiants en mathématiques de deuxième année, 15 étudiants en informatique de deuxième année, 2 étudiants en mathématiques de troisième année, 2 étudiants en informatique de troisième année et 1 étudiant en informatique de niveau baccalauréat. Utilisez des quantificateurs pour exprimer chacun des énoncés suivants et déterminez leur valeur de vérité.

a) Dans la classe, il y a un étudiant de troisième année.

b) Tous les étudiants de la classe sont en informatique.

c) Un étudiant de la classe n'est ni en mathématiques ni en troisième année.

d) Tous les étudiants de la classe sont soit des étudiants de deuxième année, soit des étudiants en informatique.

e) Il existe une spécialisation telle qu'il y a un étudiant de la classe pour chaque année d'étude qui étudie dans cette spécialisation.

13. Soit $P(x)$ l'énoncé « $x = x^2$ ». Si l'univers du discours est l'ensemble des entiers, quelles sont les valeurs de vérité des propositions suivantes ?

a) $P(0)$ **b)** $P(1)$ **c)** $P(2)$

d) $P(-1)$ **e)** $\exists x\, P(x)$ **f)** $\forall x\, P(x)$

14. Soit $Q(x, y)$ l'énoncé « $x + y = x - y$ ». Si l'univers du discours des deux variables est l'ensemble des nombres entiers, quelles sont les valeurs de vérité des propositions suivantes ?

a) $Q(1, 1)$ **b)** $Q(2, 0)$

c) $\forall y\, Q(1, y)$ **d)** $\exists x\, Q(x, 2)$

e) $\exists x\, \exists y\, Q(x, y)$ **f)** $\forall x\, \exists y\, Q(x, y)$

g) $\exists x\, \forall y\, Q(x, y)$ **h)** $\forall y\, \exists x\, Q(x, y)$

i) $\forall y\, \forall x\, Q(x, y)$

15. Supposez que l'univers du discours de la fonction propositionnelle $P(x, y)$ est constitué des paires x et y, où x est 1, 2 ou 3 et où y est 1, 2 ou 3. Formulez les propositions suivantes en utilisant des disjonctions et des conjonctions.

a) $\exists x\, P(x, 3)$ **b)** $\forall y\, P(1, y)$

c) $\forall x\, \forall y\, P(x, y)$ **d)** $\exists x\, \exists y\, P(x, y)$

e) $\exists x\, \forall y\, P(x, y)$ **f)** $\forall y\, \exists x\, P(x, y)$

16. Exprimez les négations des propositions suivantes en utilisant des quantificateurs. De plus, exprimez ces négations en langage courant.

a) Tous les étudiants de cette classe aiment les mathématiques.

b) Il y a un étudiant de cette classe qui n'a jamais vu d'ordinateur.

c) Il y a un étudiant de cette classe qui a suivi tous les cours de mathématiques offerts par cette école.

d) Il y a un étudiant de cette classe qui a été dans au moins une salle de chacun des bâtiments du campus.

Les exercices 17 à 20 sont basés sur des questions du livre *Symbolic Logic* de Lewis Carroll.

17. Soit $P(x)$, $Q(x)$ et $R(x)$ les énoncés respectifs « x est un professeur. », « x est ignorant. » et « x est vaniteux. » Exprimez chacun des énoncés suivants à l'aide de quantificateurs, de connecteurs logiques, de $P(x)$, $Q(x)$ et $R(x)$, où l'univers du discours est l'ensemble de tous les habitants de la Terre.

  a) Aucun professeur n'est ignorant.

  b) Toutes les personnes ignorantes sont vaniteuses.

  c) Aucun professeur n'est vaniteux.

  ★ **d)** L'affirmation c) découle-t-elle de a) et b) ? Sinon, existe-t-il une conclusion correcte ?

18. Soit $P(x)$, $Q(x)$ et $R(x)$ les énoncés respectifs de « x est une explication claire. », de « x est satisfaisant. » et de « x est une excuse. » Supposez que l'univers du discours de x est l'ensemble de tous les textes français. Exprimez chacun des énoncés suivants à l'aide de quantificateurs, de connecteurs logiques, et de $P(x)$, $Q(x)$ et $R(x)$.

  a) Toutes les explications claires sont satisfaisantes.

  b) Certaines excuses sont insatisfaisantes.

  c) Certaines excuses ne sont pas des explications claires.

  ★ **d)** L'affirmation c) découle-t-elle de a) et b) ? Sinon, existe-t-il une conclusion correcte ?

19. Soit $P(x)$, $Q(x)$ et $R(x)$ les énoncés respectifs de « x est un bébé. », de « x est logique. », de « x sait apprivoiser un crocodile. » et de « x est méprisé. » Supposez que l'univers du discours de x est l'ensemble de tous les habitants de la Terre. Exprimez chacun des énoncés suivants à l'aide de quantificateurs, de connecteurs logiques, et de $P(x)$, $Q(x)$ et $R(x)$.

  a) Les bébés sont illogiques.

  b) Une personne qui sait apprivoiser un crocodile ne peut être méprisée.

  c) Les personnes illogiques sont méprisées.

  d) Les bébés ne savent pas apprivoiser les crocodiles.

  ★ **e)** L'affirmation d) découle-t-elle de a), b) et c) ? Sinon, existe-t-il une conclusion correcte ?

20. Soit $P(x)$, $Q(x)$, $R(x)$ et $S(x)$ les énoncés respectifs de « x est un canard. », de « x est un animal de mon poulailler. », de « x est un officier. » et de « x veut danser la valse. » Exprimez chacun des énoncés suivants à l'aide de quantificateurs, de connecteurs logiques, et de $P(x)$, $Q(x)$ et $R(x)$.

  a) Aucun canard ne veut danser la valse.

  b) Aucun officier ne refuse de danser la valse.

  c) Tous les animaux de mon poulailler sont des canards.

  d) Mes volailles ne sont pas des officiers.

  ✱ **e)** L'affirmation d) découle-t-elle de a), b) et c) ? Sinon, existe-t-il une conclusion correcte ?

21. Démontrez que les énoncés $\neg\,\exists x\,\forall y\,P(x,\,y)$ et $\forall x\,\exists y\,\neg\,P(x,\,y)$ ont la même valeur de vérité.

22. Démontrez que $\forall x\,(P(x) \wedge Q(x))$ et $\forall x\,P(x) \wedge \forall x\,Q(x)$ ont la même valeur de vérité.

23. Démontrez que $\exists x\,(P(x) \vee Q(x))$ et $\exists x\,P(x) \vee \exists x\,Q(x)$ ont la même valeur de vérité.

24. Établissez les équivalences logiques suivantes, où A est une proposition qui ne comporte aucun quantificateur.

  a) $(\forall x\,P(x)) \vee A \Leftrightarrow \forall x\,(P(x) \vee A)$

  b) $(\exists x\,P(x)) \vee A \Leftrightarrow \exists x\,(P(x) \vee A)$

25. Établissez les équivalences logiques suivantes, où A est une proposition qui ne comporte aucun quantificateur.

  a) $(\forall x\,P(x)) \wedge A \Leftrightarrow \forall x\,(P(x) \wedge A)$

  b) $(\exists x\,P(x)) \wedge A \Leftrightarrow \exists x\,(P(x) \vee A)$

26. Démontrez que $\forall x\,P(x) \vee \forall x\,Q(x)$ et $\forall x\,(P(x) \vee Q(x))$ ne sont pas logiquement équivalents.

27. Démontrez que $\exists x\,P(x) \wedge \exists x\,Q(x)$ et $\exists x\,(P(x) \wedge Q(x))$ ne sont pas logiquement équivalents.

★**28.** Démontrez que $\forall x\,P(x) \vee \forall x\,Q(x)$ et $\forall x\,\forall y\,(P(x) \vee Q(y))$ sont logiquement équivalents. (La nouvelle variable y est utilisée pour combiner correctement les quantifications.)

★**29. a)** Démontrez que $\forall x\,P(x) \wedge \exists x\,Q(x)$ et $\forall x\,\exists y\,(P(x) \wedge Q(y))$ sont logiquement équivalents.

  b) Démontrez que $\forall x\,P(x) \vee \exists x\,Q(x)$ et $\forall x\,\exists y\,(P(x) \vee Q(y))$ sont logiquement équivalents.

30. La notation $\exists!x\,P(x)$ désigne la proposition « Il existe un et un seul x tel que $P(x)$ soit vrai. »

  Si l'univers du discours est l'ensemble des entiers, quelles sont les valeurs de vérité des propositions suivantes :

  a) $\exists!\,x\,(x > 1)$. **b)** $\exists!\,x\,(x^2 = 1)$.

  c) $\exists!\,x\,(x + 3 = 2x)$. **d)** $\exists!\,x\,(x = x - 1)$.

31. Quelles sont les valeurs de vérité des énoncés suivants ?

  a) $\exists!\,x\,P(x) \rightarrow \exists x\,P(x)$.

  b) $\forall x\,P(x) \rightarrow \exists!\,x\,P(x)$.

  c) $\exists!\,x\,\neg P(x) \rightarrow \neg\,\forall x\,P(x)$.

32. Formulez la proposition $\exists!\,x\,P(x)$, où l'univers du discours est constitué des entiers 1, 2 et 3, en fonction de négations, de conjonctions et de disjonctions.

★**33.** Exprimez la quantification $\exists!\,x\,P(x)$ à l'aide de quantifications universelles, de quantifications existentielles et d'opérateurs logiques.

Un énoncé est sous *forme normale prénexe* (FNP) si et seulement s'il est de la forme

$$Q_1 x_1 Q_2 x_2 \ldots Q_k x_k P(x_1, x_2, \ldots, x_k),$$

où chaque Q_i, $i = 1, 2, \ldots, k$, est soit le quantificateur existentiel, soit le quantificateur universel, et où $P(x_1, \ldots, x_k)$ est un prédicat ne comportant aucun quantificateur. Par exemple, $\exists x \, \forall y \, (P(x, y) \wedge Q(y))$ est sous forme normale prénexe, mais $\exists x \, (P(x) \vee \forall x \, Q(x))$ ne l'est pas (puisque les quantificateurs n'apparaissent pas tous au début).

Tous les énoncés formés à partir de variables propositionnelles, de prédicats, de **V** et de **F** en utilisant des connecteurs logiques et des quantificateurs sont équivalents à un énoncé sous forme normale prénexe. Dans l'exercice 35, vous devrez prouver cette assertion.

★**34.** Mettez les énoncés suivants sous forme normale prénexe. (*Conseil :* Utilisez l'équivalence logique des tableaux 5 et 6 de la section 1.2, ainsi que le tableau 2 et les exercices 22 à 25, 28 et 29 de la présente section.)
  a) $\exists x \, (P(x) \vee \exists x \, Q(x)) \vee A$, où A est une proposition ne comportant aucun quantificateur.
  b) $\neg (\forall x \, P(x) \vee \forall x \, Q(x))$
  c) $\exists x \, P(x) \rightarrow \exists x \, Q(x)$

★★**35.** Démontrez comment transformer un énoncé arbitraire en énoncé sous forme normale prénexe logiquement équivalent à l'énoncé donné.

1.4

Ensembles

INTRODUCTION

Dans cet ouvrage, on étudiera une grande variété de structures discrètes. Celles-ci comprennent les relations, qui sont constituées de paires ordonnées d'éléments ; les combinaisons, qui sont des ensembles d'éléments non ordonnés ; les graphes, qui sont des ensembles de sommets et d'arêtes les reliant. On verra comment utiliser notamment ces structures discrètes dans la modélisation et la résolution de problèmes. De plus, des exemples seront présentés sur les structures discrètes utilisées pour le stockage, la transmission et la manipulation des données. Dans la présente section, on étudiera la structure discrète fondamentale à partir de laquelle toutes les autres structures discrètes sont construites, à savoir les ensembles.

Les ensembles servent à regrouper des objets. Souvent, les objets d'un ensemble ont des propriétés similaires. Par exemple, tous les étudiants actuellement inscrits à votre école constituent un ensemble. De même, tous les étudiants qui suivent actuellement un cours de mathématiques discrètes forment un ensemble. Donc, les étudiants inscrits à votre école et qui suivent un cours de mathématiques discrètes forment aussi un ensemble qu'on peut obtenir en prenant les éléments communs aux deux premiers ensembles. Le langage des ensembles constitue un moyen d'étudier ces collections d'objets de manière structurée.

À noter que le terme *objet* a été utilisé sans qu'on l'ait défini au préalable. La description d'un ensemble en tant que collection d'objets, selon la notion intuitive de ce qu'est un objet, fut d'abord énoncée en 1895 par le mathématicien allemand Georg Cantor. La théorie découlant de cette définition intuitive d'un ensemble a conduit à des **paradoxes**, ou incohérences logiques, comme le démontra le philosophe anglais Bertrand Russell en 1902 (voir l'exercice 24 pour la description de l'un de ces paradoxes). On peut éviter ces incohérences logiques en échafaudant la théorie des ensembles à partir d'hypothèses, nommées **axiomes**. On utilisera la version originale de la théorie des ensembles de Cantor, appelée **théorie naïve des ensembles**, sans élaborer une version axiomatique de la théorie des ensembles, puisqu'on peut traiter de manière cohérente tous les ensembles analysés dans cet ouvrage à l'aide de la théorie originale de Cantor.

> **DÉFINITION 1.**   Les objets qui constituent un ensemble sont également appelés *éléments*, ou *membres,* d'un ensemble. On dit des éléments d'un ensemble qu'ils *appartiennent* à cet ensemble, ou encore que cet ensemble est formé de ses éléments.

Il existe plusieurs manières de décrire un ensemble. La première consiste à dresser la liste de tous les éléments d'un ensemble. Dans ce cas, on utilise une notation qui permet d'énumérer tous les éléments d'un ensemble entre des accolades. Par exemple, la notation $\{a, b, c, d\}$ représente l'ensemble contenant les quatre éléments a, b, c et d.

EXEMPLE 1   L'ensemble V de toutes les voyelles de l'alphabet français peut s'écrire $V = \{a, e, i, o, u, y\}$. ■

EXEMPLE 2   L'ensemble 0 des entiers positifs impairs inférieurs à 10 peut s'exprimer par $0 = \{1, 3, 5, 7, 9\}$. ■

EXEMPLE 3   Bien que les ensembles soient habituellement utilisés pour regrouper des éléments ayant des propriétés communes, un ensemble peut aussi contenir des éléments qui ne semblent pas reliés. Par exemple, $\{a, 2, \text{Frédéric}, \text{Montréal}\}$ est l'ensemble contenant les quatre éléments a, 2, Frédéric et Montréal. ■

On utilise habituellement des lettres majuscules pour désigner des ensembles. Les lettres en caractères gras **N**, **Z** et **R** sont réservées pour symboliser respectivement l'ensemble des nombres naturels $\{0, 1, 2, 3, …\}$, l'ensemble des nombres entiers $\{…, -2, -1, 0, 1, 2, …\}$ et l'ensemble des nombres réels. On utilise occasionnellement la notation $\mathbf{Z}^+$ pour désigner l'ensemble des entiers positifs.

On emploie aussi la notation entre accolades pour décrire un ensemble sans en énumérer tous les éléments. On précise les premiers éléments de l'ensemble, puis on insère trois points de suspension (…) lorsque le modèle global des éléments est évident.

EXEMPLE 4   On peut désigner l'ensemble des entiers strictement positifs inférieurs à 100 par $\{1, 2, 3, …, 99\}$. ■

Puisqu'un grand nombre d'énoncés mathématiques affirment que deux collections d'objets distincts sont en réalité le même ensemble, il faut comprendre ce que signifie pour deux ensembles le fait d'être égaux.

> **DÉFINITION 2.** Deux ensembles sont *égaux* si et seulement s'ils sont formés des mêmes éléments.

EXEMPLE 5 Les ensembles {1, 3, 5} et {3, 5, 1} sont égaux puisqu'ils sont formés des mêmes éléments. À noter que l'ordre dans lequel les éléments d'un ensemble sont énumérés n'a pas d'importance. À remarquer aussi qu'il n'est pas nécessaire qu'un élément d'un ensemble soit énuméré à plus d'une reprise, donc {1, 3, 3, 3, 5, 5, 5, 5} est le même ensemble que {1, 3, 5} puisque ces deux ensembles sont constitués des mêmes éléments. ∎

On peut aussi décrire un ensemble en utilisant la définition **en compréhension de l'ensemble.** On définit alors tous les éléments dans l'ensemble en énonçant la ou les propriétés qu'ils doivent avoir pour en faire partie. Par exemple, l'ensemble 0 de tous les entiers positifs impairs inférieurs à 10 peut s'exprimer comme suit :

$0 = \{x \mid x$ est un entier positif impair inférieur à 10$\}$.

On utilise souvent ce type de notation pour décrire un ensemble lorsqu'il est impossible d'en énumérer tous les éléments. Par exemple, l'ensemble de tous les nombres réels peut s'exprimer comme suit :

$\mathbf{R} = \{x \mid x$ est un nombre réel$\}$.

On peut aussi représenter schématiquement les ensembles en utilisant un diagramme de Venn, du nom du mathématicien anglais John Venn, qui les introduisit en 1881. Dans un diagramme de Venn, l'**ensemble universel** U, qui contient tous les objets analysés, est représenté par un rectangle. À l'intérieur de ce rectangle, des cercles ou d'autres figures géométriques servent à représenter les ensembles. On utilise parfois des points pour symboliser les éléments particuliers d'un ensemble. Un diagramme de Venn sert souvent à représenter une relation entre des ensembles. L'exemple 6 montre l'utilisation du diagramme de Venn.

EXEMPLE 6 Tracez un diagramme de Venn qui représente V, l'ensemble des voyelles de l'alphabet français.

Solution : On dessine un rectangle pour désigner l'ensemble universel U des 26 lettres de l'alphabet français. À l'intérieur du rectangle, on trace un cercle pour représenter V. À l'intérieur du cercle, on représente les éléments de V avec des points (voir la figure 1). ∎

Voyons maintenant la notation utilisée pour désigner la relation d'appartenance. On écrit $a \in A$ pour énoncer que a est un élément de l'ensemble A. La notation $a \notin A$ signifie que a n'est pas un élément de l'ensemble A. À noter que des lettres minuscules sont généralement utilisées pour désigner les éléments des ensembles.

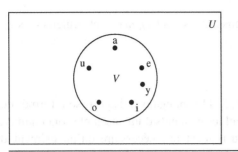

FIGURE 1   Diagramme de Venn pour l'ensemble des voyelles

Il existe un ensemble spécifique qui ne comporte aucun élément. Cet ensemble est appelé **ensemble vide**. Il est représenté par $\varnothing$, ou encore par { }. Il arrive souvent qu'un ensemble d'éléments admettant certaines propriétés se révèle être l'ensemble vide. Par exemple, l'ensemble de tous les entiers positifs plus grands que leur carré est vide.

DÉFINITION 3.   On dit que l'ensemble A est un *sous-ensemble* de B si et seulement si tous les éléments de A sont également des éléments de B. On utilise la notation $A \subseteq B$ pour indiquer que A est un sous-ensemble de l'ensemble B.

On constate que $A \subseteq B$ si et seulement si la proposition

$$\forall x(x \in A \to x \in B)$$

est vraie. Par exemple, l'ensemble de tous les entiers positifs impairs inférieurs à 10 est un sous-ensemble de tous les entiers positifs inférieurs à 10. L'ensemble de tous les étudiants en informatique d'une école est un sous-ensemble de l'ensemble de tous les étudiants de cette école.

L'ensemble vide est un sous-ensemble de tous les ensembles, c'est-à-dire

$$\varnothing \subseteq S, \text{ quel que soit l'ensemble } S.$$

Pour démontrer que l'ensemble vide est un sous-ensemble de S, il faut démontrer que chaque élément de l'ensemble vide se trouve également dans S. En d'autres termes, il faut prouver que l'implication « Si $x \in \varnothing$ alors $x \in S$ » est toujours vraie. Il suffit ici de noter que l'hypothèse de cette implication — notamment « $x \in \varnothing$ » — est toujours fausse pour réaliser que cette implication est toujours vraie. Ainsi, l'ensemble vide est un sous-ensemble de tous les ensembles. De plus, chaque ensemble est un sous-ensemble de lui-même (le lecteur doit vérifier cette assertion). Par conséquent, quel que soit l'ensemble P, on a $\varnothing \subseteq P$ et $P \subseteq P$.

Lorsqu'on veut insister sur le fait que l'ensemble A est un sous-ensemble de B, mais que $A \neq B$, on écrit $A \subset B$ et on dit que A est un **sous-ensemble propre** de B. On peut utiliser un diagramme de Venn pour représenter le fait qu'un ensemble A est un sous-ensemble de B. On dessine un rectangle pour représenter l'ensemble universel U. À l'intérieur de ce rectangle, on trace un cercle pour représenter B. Puisque A est un sous-ensemble de B, on trace le cercle pour A à l'intérieur du cercle correspondant à B. Cette relation est illustrée à la figure 2.

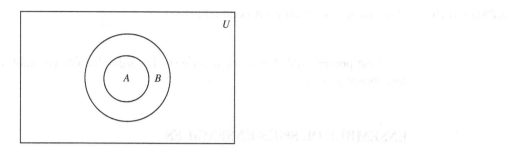

FIGURE 2 Diagramme de Venn représentant le fait que A est un sous-ensemble de B

On peut démontrer que deux ensembles ont les mêmes éléments en montrant que chaque ensemble est un sous-ensemble de l'autre. En d'autres termes, on peut démontrer que si A et B sont des ensembles, avec $A \subseteq B$ et $B \subseteq A$, alors $A = B$. C'est une manière pratique de démontrer que deux ensembles sont égaux.

Les ensembles peuvent avoir d'autres ensembles comme éléments. Par exemple,

$$\{\varnothing, \{a\}, \{b\}, \{a, b\}\}$$

et

$$\{x \mid x \text{ est un sous-ensemble de l'ensemble } \{a, b\}\}$$

admettent des ensembles comme éléments. À remarquer que ces deux ensembles sont égaux.

Souvent, dans des problèmes de dénombrement, on devra déterminer le nombre d'éléments d'un ensemble.

DÉFINITION 4. Soit S un ensemble. Si S admet exactement n éléments, où n est un entier non négatif, on dit que S est un *ensemble fini* et que n est la *cardinalité* de S. La cardinalité de S est désignée par $|S|$.

EXEMPLE 7   Soit A l'ensemble des entiers positifs impairs inférieurs à 10. Alors, $|A| = 5$.   ■

EXEMPLE 8   Soit S l'ensemble des lettres de l'alphabet français. Alors, $|S| = 26$.   ■

EXEMPLE 9   Puisque l'ensemble vide n'a pas d'éléments, il s'ensuit que $|\varnothing| = 0$.   ■

On peut aussi considérer les ensembles qui ne sont pas finis.

DÉFINITION 5.   On dit qu'un ensemble est *infini* s'il n'est pas fini.

EXEMPLE 10   L'ensemble des entiers positifs est infini.   ∎

Il est possible d'élaborer une théorie sur la cardinalité des ensembles infinis. Le sujet sera abordé à la section 1.7.

ENSEMBLE DE SOUS-ENSEMBLES

Plusieurs problèmes nécessitent l'examen de nombreux sous-ensembles d'un ensemble S pour savoir s'ils satisfont à certaines propriétés. Pour considérer de tels problèmes, on construit un nouvel ensemble qui comporte comme éléments tous les sous-ensembles de S.

> **DÉFINITION 6.**   Étant donné l'ensemble S, l'ensemble des parties de S (ou puissance de S) est l'ensemble de tous les sous-ensembles de S. L'ensemble des sous-ensembles de S est noté $P(S)$.

EXEMPLE 11   Quel est l'ensemble des parties de l'ensemble $\{0, 1, 2\}$?

Solution : L'ensemble des parties $P(\{0, 1, 2\})$ est l'ensemble de tous les sous-ensembles de $\{0, 1, 2\}$. Ainsi,

$$P(\{0, 1, 2\}) = \{\varnothing, \{0\}, \{1\}, \{2\}, \{0, 1\}, \{0, 2\}, \{1, 2\}, \{0, 1, 2\}\}.$$

À noter que l'ensemble vide et l'ensemble lui-même sont des éléments de l'ensemble des parties de tout ensemble.   ∎

EXEMPLE 12   Quel est l'ensemble des sous-ensembles de l'ensemble vide $P(\varnothing)$? Quel est $P(\{\varnothing\})$?

Solution : L'ensemble vide a exactement un sous-ensemble : lui-même. Par conséquent,

$$P(\varnothing) = \{\varnothing\}.$$

L'ensemble $\{\varnothing\}$ comporte, quant à lui, deux sous-ensembles $\varnothing$ et l'ensemble $\{\varnothing\}$ lui-même. Par conséquent,

$$P(\{\varnothing\}) = \{\varnothing, \{\varnothing\}\}.$$ ∎

Si un ensemble comporte n éléments, alors l'ensemble de ses parties comporte 2^n éléments. Ce fait sera démontré de différentes manières dans les sections suivantes.

PRODUITS CARTÉSIENS

Dans une collection, l'ordre dans lequel les éléments apparaissent est souvent important. Puisque les ensembles ne sont pas ordonnés, une structure différente est nécessaire pour représenter les collections ordonnées. On l'appelle un ***n*-tuplet ordonné.**

> **DÉFINITION 7.** Le *n-uplet* $(a_1, a_2, ..., a_n)$ est la collection ordonnée admettant a_1 comme premier élément, a_2 comme deuxième élément, ..., a_n comme *n*-ième élément.

On dit que deux *n*-uplets sont égaux si et seulement si les éléments correspondants sont égaux. En d'autres termes, $(a_1, a_2, ..., a_n) = (b_1, b_2, ..., b_n)$ si et seulement si $a_i = b_i$ pour $i = 1, 2, ..., n$. On appelle 2-tuplets des **couples** ou des **paires ordonnées**. Les couples (a, b) et (c, d) sont égaux si et seulement si $a = c$ et $b = d$. À noter que les couples (a, b) et (b, a) sont différents sauf si $a = b$.

Plusieurs structures discrètes qui sont étudiées dans les chapitres suivants reposent sur la notion de *produit cartésien* de deux ensembles (nommé ainsi en souvenir de René Descartes). Voici d'abord la définition du produit cartésien de deux ensembles.

> **DÉFINITION 8.** Soit A et B deux ensembles. Le *produit cartésien* de A et B, noté $A \times B$, est l'ensemble de tous les couples (a, b), où $a \in A$ et $b \in B$. Ainsi,
>
> $$A \times B = \{(a, b) \mid a \in A \land b \in B\}.$$

EXEMPLE 13   Soit A l'ensemble de tous les étudiants à l'université et B, l'ensemble de tous les cours offerts à l'université. Quel est le produit cartésien de $A \times B$?

Solution : Le produit cartésien $A \times B$ est constitué de tous les couples (a, b), où a est un étudiant à l'université et b, un cours offert à l'université. On peut utiliser l'ensemble $A \times B$ pour représenter toutes les possibilités d'inscription d'étudiants dans tous les cours à l'université. ∎

EXEMPLE 14   Quel est le produit cartésien de $A = \{1, 2\}$ et $B = \{a, b, c\}$?

Solution : Le produit cartésien $A \times B$ est

$$A \times B = \{(1, a), (1, b), (1, c), (2, a), (2, b), (2, c)\}.$$ ∎

Les produits cartésiens $A \times B$ et $B \times A$ ne sont pas égaux, sauf si $A = \varnothing$ ou $B = \varnothing$ (on a alors $A \times B = \varnothing$) ou $A = B$ (voir l'exercice 22, à la fin de la présente section). Cela est illustré dans l'exemple 15.

EXEMPLE 15   Démontrez que le produit cartésien $B \times A$ n'est pas égal au produit cartésien $A \times B$, où A et B sont les mêmes ensembles qu'à l'exemple 14.

Solution : Le produit cartésien $B \times A$ est

$$B \times A = \{(a, 1), (a, 2), (b, 1), (b, 2), (c, 1), (c, 2)\}.$$

Ce produit n'est pas égal à $A \times B$, qu'on a trouvé à l'exemple 14.   ■

On peut également définir le produit cartésien de plus de deux ensembles.

DÉFINITION 9.   Le *produit cartésien* des ensembles $A_1, A_2, ..., A_n$, noté $A_1 \times A_2 \times ... \times A_n$, est l'ensemble des n-uplets $(a_1, a_2, ..., a_n)$, où a_i appartient à A_i, pour $i = 1, 2, ..., n$. En d'autres termes,

$$A_1 \times A_2 \times ... \times A_n = \{(a_1, a_2, ..., a_n) \mid a_i \in A_i, \text{ pour } i = 1, 2, ..., n\}.$$

EXEMPLE 16   Quel est le produit cartésien $A \times B \times C$, où $A = \{0, 1\}$, $B = \{1, 2\}$ et $C = \{0, 1, 2\}$?

Solution : Le produit cartésien $A \times B \times C$ est constitué de tous les triplets (a, b, c), où $a \in A$, $b \in B$ et $c \in C$. Ainsi,

$$A \times B \times C = \{(0, 1, 0), (0, 1, 1), (0, 1, 2), (0, 2, 0), (0, 2, 1), (0, 2, 2), (1, 1, 0), (1, 1, 1), (1, 1, 2), (1, 2, 0), (1, 2, 1), (1, 2, 2)\}.$$ ■

Exercices

1. Énumérez les éléments des ensembles suivants :
   a) $\{x \mid x$ est un nombre réel tel que $x^2 = 1.\}$
   b) $\{x \mid x$ est un entier positif inférieur à 12.$\}$
   c) $\{x \mid x$ est le carré d'un entier et $x < 100.\}$
   d) $\{x \mid x$ est un entier tel que $x^2 = 2.\}$

2. Utilisez la définition en compréhension d'un ensemble pour décrire chacun des ensembles suivants :
   a) $\{0, 3, 6, 9, 12\}$.
   b) $\{-3, -2, -1, 0, 1, 2, 3\}$.
   c) $\{m, n, o, p\}$.

3. Dans chacun des cas suivants, déterminez si les deux ensembles sont égaux.
   a) $\{1, 3, 3, 3, 5, 5, 5, 5, 5\}, \{5, 3, 1\}$
   b) $\{\{1\}\}, \{1, \{1\}\}$
   c) $\varnothing, \{\varnothing\}$

4. Supposez que $A = \{2, 4, 6\}$, $B = \{2, 6\}$, $C = \{4, 6\}$ et $D = \{4, 6, 8\}$. Parmi ces ensembles, déterminez lesquels constituent des sous-ensembles des autres.

5. Déterminez si chacun des énoncés suivants est vrai ou faux.
   a) $x \in \{x\}$ b) $\{x\} \subseteq \{x\}$ c) $\{x\} \in \{x\}$
   d) $\{x\} \in \{\{x\}\}$ e) $\varnothing \subseteq \{x\}$ f) $\varnothing \in \{x\}$

6. Utilisez un diagramme de Venn pour illustrer la relation $A \subseteq B$ et $B \subseteq C$.

7. Supposez que A, B et C sont des ensembles tels que $A \subseteq B$ et $B \subseteq C$. Démontrez que $A \subseteq C$.

8. Trouvez deux ensembles A et B tels que $A \in B$ et $A \subseteq B$.

9. Quelle est la cardinalité de chacun des ensembles suivants ?
   a) $\{a\}$ b) $\{\{a\}\}$
   c) $\{a, \{a\}\}$ d) $\{a, \{a\}, \{a, \{a\}\}\}$

10. Quelle est la cardinalité de chacun des ensembles suivants ?
    a) $\varnothing$ b) $\{\varnothing\}$
    c) $\{\varnothing, \{\varnothing\}\}$ d) $\{\varnothing, \{\varnothing\}, \{\varnothing, \{\varnothing\}\}\}$

11. Trouvez l'ensemble des parties de chacun des ensembles suivants :
a) $\{a\}$. **b)** $\{a, b\}$. **c)** $\{\varnothing, \{\varnothing\}\}$.

12. Pouvez-vous conclure que $A = B$ si A et B sont deux ensembles ayant le même ensemble de sous-ensembles ?

13. Combien d'éléments chacun des ensembles suivants comprend-il ?
a) $P(\{a, b, \{a, b\}\})$ **b)** $P(\{\varnothing, a, \{a\}, \{\{a\}\}\})$
c) $P(P((\varnothing))$

14. Déterminez si chacun des ensembles suivants est l'ensemble des parties d'un ensemble.
a) $\varnothing$ **b)** $\{\varnothing, \{a\}\}$
c) $\{\varnothing, \{a\}, \{\varnothing, a\}\}$ **d)** $\{\varnothing, \{a\}, \{b\}, \{a, b\}\}$

15. Soit $A = \{a, b, c, d\}$ et $B = \{y, z\}$. Trouvez
a) $A \times B$. **b)** $B \times A$.

16. Quel est le produit cartésien de $A \times B$, où A est l'ensemble des cours offerts par le département de mathématiques d'une université et B, l'ensemble des professeurs de mathématiques de cette université ?

17. Quel est le produit cartésien de $A \times B \times C$, où A est l'ensemble de toutes les compagnies aériennes et B et C, les ensembles de toutes les villes du Canada ?

18. Supposez que $A \times B = \varnothing$, où A et B sont des ensembles. Que pouvez-vous en conclure ?

19. Soit A un ensemble. Démontrez que $\varnothing \times A = A \times \varnothing = \varnothing$.

20. Soit $A = \{a, b, c\}$, $B = \{x, y\}$ et $C = \{0, 1\}$. Trouvez
a) $A \times B \times C$. **b)** $C \times B \times A$.
c) $C \times A \times B$. **d)** $B \times B \times B$.

21. Combien d'éléments $A \times B$ ont-ils si A comporte m éléments et B, n éléments ?

22. Soit A et B deux ensembles non vides. Démontrez que $A \times B \neq B \times A$, sauf si $A = B$.

⋆23. Démontrez que le couple (a, b) peut être défini en fonction d'ensembles comme $\{\{a\}, \{a, b\}\}$. (*Conseil*: Démontrez d'abord que $\{\{a\}, \{a, b\}\} = \{\{c\}, \{c, d\}\}$ si et seulement si $a = c$ et $b = d$.)

⋆24. Cet exercice fait intervenir le **paradoxe de Russell**. Soit S l'ensemble qui contient un ensemble x si l'ensemble x n'appartient pas à lui-même. Ainsi, $S = \{x \mid x \notin x\}$.
a) Démontrez que l'hypothèse « S est un élément de S. » conduit à une contradiction.
b) Démontrez que l'hypothèse « S n'est pas un élément de S. » conduit à une contradiction.

À partir des démonstrations a) et b), il s'ensuit que l'ensemble S ne peut être défini tel qu'il l'était. On peut éviter ce paradoxe en restreignant les types d'éléments que peuvent comporter les ensembles.

⋆25. Décrivez une procédure d'énumération de tous les sous-ensembles d'un ensemble fini.

1.5

Opérations sur les ensembles

INTRODUCTION

On peut combiner deux ensembles de différentes manières. Par exemple, à partir de l'ensemble des étudiants en mathématiques et de l'ensemble des étudiants en informatique d'une école, on peut former l'ensemble des étudiants en mathématiques ou en informatique, l'ensemble des étudiants en mathématiques et en informatique, l'ensemble de tous les étudiants qui n'étudient pas en mathématiques, et ainsi de suite.

DÉFINITION 1. Soit A et B des ensembles. L'*union* des ensembles A et B, notée $A \cup B$, est l'ensemble qui contient les éléments qui sont soit dans A, soit dans B, ou dans les deux.

Un élément x appartient à l'union des ensembles A et B si et seulement si x appartient à A ou x appartient à B. Autrement dit,

$$A \cup B = \{x \mid x \in A \lor x \in B\}.$$

Le diagramme de Venn de la figure 1 représente l'union de deux ensembles A et B. La zone en grisé à l'intérieur des cercles A et B représente l'union de A et de B.

Voici un exemple de l'union d'ensembles.

EXEMPLE 1   L'union des ensembles $\{1, 3, 5\}$ et $\{1, 2, 3\}$ est l'ensemble $\{1, 2, 3, 5\}$, soit $\{1, 3, 5\} \cup \{1, 2, 3\} = \{1, 2, 3, 5\}$. ∎

EXEMPLE 2   L'union de l'ensemble de tous les étudiants en informatique de votre école et de l'ensemble de tous les étudiants en mathématiques de votre école est l'ensemble des étudiants de votre école qui étudient soit en mathématiques, soit en informatique (ou les deux). ∎

DÉFINITION 2.   Soit A et B des ensembles. L'intersection des ensembles A et B, notée $A \cap B$, est l'ensemble contenant les éléments appartenant à la fois à A et à B.

Un élément x appartient à l'intersection des ensembles A et B si et seulement si x appartient à A et x appartient à B. Par conséquent,

$$A \cap B = \{x \mid x \in A \land x \in B\}.$$

Le diagramme de Venn de la figure 2 représente l'intersection de deux ensembles A et B. La zone en grisé à l'intérieur des deux cercles A et B représente l'intersection de A et de B.

Voici un exemple d'intersection d'ensembles.

EXEMPLE 3   L'intersection des ensembles $\{1, 3, 5\}$ et $\{1, 2, 3\}$ est l'ensemble $\{1, 3\}$, soit $\{1, 3, 5\} \cap \{1, 2, 3\} = \{1, 3\}$. ∎

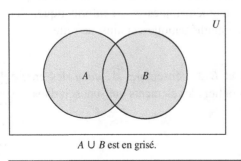

$A \cup B$ est en grisé.

FIGURE 1   Diagramme de Venn représentant l'union de A et de B

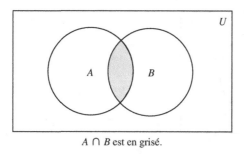

$A \cap B$ est en grisé.

FIGURE 2   **Diagramme de Venn représentant l'intersection de A et de B**

EXEMPLE 4   L'intersection de l'ensemble de tous les étudiants en informatique de votre école et de l'ensemble de tous les étudiants en mathématiques est l'ensemble des étudiants qui étudient à la fois les mathématiques et l'informatique.   ∎

> **DÉFINITION 3.**   Deux ensembles sont *disjoints* ou mutuellement exclusifs si leur intersection est l'ensemble vide.

EXEMPLE 5   Soit $A = \{1, 3, 5, 7, 9\}$ et $B = \{2, 4, 6, 8, 10\}$. Puisque $A \cap B = \varnothing$, A et B sont disjoints.   ∎

Il est souvent nécessaire de trouver la cardinalité de l'union d'ensembles. Pour trouver le nombre d'éléments dans l'union de deux ensembles finis A et B, on note que $|A| + |B|$ dénombre chaque élément qui se trouve exactement une fois dans A mais pas dans B ou dans B mais pas dans A, ainsi que chaque élément qui se trouve exactement deux fois dans A et dans B. Ainsi, le nombre d'éléments qui sont à la fois dans A et B est soustrait de $|A| + |B|$; les éléments dans $A \cap B$ seront dénombrés seulement une fois. Ainsi,

$$|A \cup B| = |A| + |B| - |A \cap B|.$$

La généralisation de ce résultat des unions d'un nombre arbitraire d'ensembles est appelée **principe de l'inclusion-exclusion**. Ce principe est une technique largement utilisée dans les problèmes de dénombrement. Ce principe et d'autres techniques de dénombrement seront abordés plus en détail aux chapitres 4 et 5.

Il existe d'autres manières de combiner des ensembles.

> **DÉFINITION 4.**   Soit A et B des ensembles. La *différence* de A et B, notée $A - B$, est l'ensemble contenant les éléments qui se trouvent dans A mais non dans B. La différence de A et B est également appelée *complément relatif de A par rapport à B*.

Un élément x appartient à la différence de A et B si et seulement si $x \in A$ et $x \notin B$. Autrement dit, on a

$$A - B = \{x \mid x \in A \wedge x \notin B\}.$$

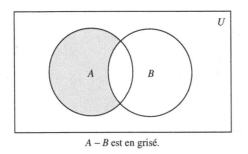

A − B est en grisé.

FIGURE 3 **Diagramme de Venn représentant la différence de A et B**

Le diagramme de Venn de la figure 3 illustre la différence des ensembles A et B. La zone en grisé à l'intérieur du cercle qui représente A et à l'extérieur du cercle qui représente B est la zone qui désigne A − B.

Les exemples 6 et 7 illustrent la différence ensembliste.

EXEMPLE 6   La différence de {1, 3, 5} et {1, 2, 3} est l'ensemble {5}, soit {1, 3, 5} − {1, 2, 3} = {5}. Cette différence diffère de celle de {1, 2, 3} et {1, 3, 5}, qui est l'ensemble {2}.   ■

EXEMPLE 7   La différence de l'ensemble des étudiants en informatique de votre école et de l'ensemble des étudiants en mathématiques de votre école est l'ensemble de tous les étudiants en informatique de votre école qui ne sont pas aussi des étudiants en mathématiques.   ■

Une fois l'ensemble universel U bien défini, on peut définir le **complément** d'un ensemble.

> **DÉFINITION 5.**   Soit U l'ensemble universel. Le *complément* de l'ensemble A, noté $\overline{A}$ ou A^c est le complément de A dans U. En d'autres termes, le complément de l'ensemble A est U − A.

Un élément appartient à $\overline{A}$ si et seulement si $x \notin A$. Par conséquent,

$$\overline{A} = \{x \mid x \notin A\}.$$

Dans la figure 4, la zone en grisé à l'extérieur du cercle qui représente A représente $\overline{A}$.

Les exemples 8 et 9 illustrent le complément d'un ensemble.

EXEMPLE 8   Soit A = {a, e, i, o, u} (où l'ensemble universel est l'ensemble des lettres de l'alphabet français). Alors, $\overline{A}$ = {b, c, d, f, g, h, j, k, l, m, n, p, q, r, s, t, v, w, x, y, z}.   ■

EXEMPLE 9   Soit A l'ensemble des entiers positifs supérieurs à 10 (et l'ensemble universel, l'ensemble de tous les entiers strictement positifs). Alors, $\overline{A}$ = {1, 2, 3, 4, 5, 6, 7, 8, 9, 10}.   ■

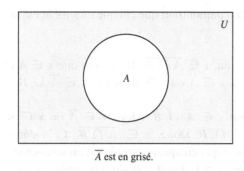

$\overline{A}$ est en grisé.

FIGURE 4 Diagramme de Venn représentant le complément de l'ensemble *A*

PROPRIÉTÉS DES OPÉRATIONS SUR LES ENSEMBLES

Le tableau 1 dresse la liste des plus importantes identités. On démontrera ici plusieurs de ces identités au moyen de trois méthodes. Ces méthodes sont présentées pour illustrer le fait qu'il existe souvent plusieurs approches à la résolution d'un problème. Il faudra prouver le reste des identités en faisant les exercices prévus à cet effet. Le lecteur doit noter la similitude entre ces identités et les équivalences logiques qui ont été discutées à la section 1.2. En fait, les identités sur les ensembles peuvent être prouvées directement à partir des équivalences logiques correspondantes. De plus, ces deux types d'identités sont des cas spéciaux d'identités qui s'appliquent à l'algèbre booléenne (qui sera abordée au chapitre 9).

On peut prouver que deux ensembles sont égaux en démontrant que l'un des ensembles est un sous-ensemble de l'autre, et inversement. Ce type de preuve est démontré en établissant la deuxième loi de De Morgan.

TABLEAU 1 Propriétés des opérations sur les ensembles	
Identité	*Nom*
$A \cup \varnothing = A$ $A \cap U = A$	Identité
$A \cup U = U$ $A \cap \varnothing = \varnothing$	Domination
$A \cup A = A$ $A \cap A = A$	Idempotence
$\overline{(\overline{A})} = A$	Complémentarité
$A \cup B = B \cup A$ $A \cap B = B \cap A$	Commutativité
$A \cup (B \cup C) = (A \cup B) \cup C$ $A \cap (B \cap C) = (A \cap B) \cap C$	Associativité
$A \cap (B \cup C) = (A \cap B) \cup (A \cap C)$ $A \cup (B \cap C) = (A \cup B) \cap (A \cup C)$	Distributivité
$\overline{A \cup B} = \overline{A} \cap \overline{B}$ $\overline{A \cap B} = \overline{A} \cup \overline{B}$	Lois de De Morgan

EXEMPLE 10   Prouvez que $\overline{A \cap B} = \overline{A} \cup \overline{B}$ en démontrant que chaque ensemble est un sous-ensemble de l'autre.

Solution : D'abord, on suppose que $x \in \overline{A \cap B}$. Il s'ensuit que $x \notin A \cap B$, ce qui montre que $x \notin A$ ou que $x \notin B$. Alors, $x \in \overline{A}$ ou $x \in \overline{B}$. Ainsi, $x \in \overline{A} \cup \overline{B}$. Cela démontre que $\overline{A \cap B} \subseteq \overline{A} \cup \overline{B}$.

On suppose maintenant que $x \in \overline{A} \cup \overline{B}$. Alors, $x \in \overline{A}$ ou $x \in \overline{B}$. Il s'ensuit que $x \notin A$ ou $x \notin B$. Ainsi, $x \notin A \cap B$. Donc, $x \in \overline{A \cap B}$. Cela démontre que $\overline{A} \cup \overline{B} \subseteq \overline{A \cap B}$. Puisqu'on a démontré que chaque ensemble est un sous-ensemble de l'autre, ces deux ensembles doivent être égaux et l'identité est alors prouvée. ∎

On peut aussi vérifier les identités des ensembles en utilisant la notation en compréhension d'un ensemble et les règles de logique. On donne, dans l'exemple suivant, la preuve de la deuxième loi de De Morgan.

EXEMPLE 11   Utilisez une définition en compréhension d'un ensemble et des équivalences logiques pour démontrer que $\overline{A \cap B} = \overline{A} \cup \overline{B}$.

Solution : L'enchaînement d'égalités qui suit permet de démontrer cette identité.

$$
\begin{aligned}
\overline{A \cap B} &= \{x \mid x \notin A \cap B\} \\
&= \{x \mid \neg(x \in (A \cap B))\} \\
&= \{x \mid \neg(x \in A \wedge x \in B)\} \\
&= \{x \mid x \notin A \vee x \notin B\} \\
&= \{x \mid x \in \overline{A} \vee x \in \overline{B}\} \\
&= \{x \mid x \in \overline{A} \cup \overline{B}\}
\end{aligned}
$$

À noter qu'on a utilisé la deuxième loi de De Morgan pour les équivalences logiques dans la quatrième égalité de cette suite. ∎

On peut également démontrer les identités sur les ensembles en utilisant des **tableaux d'appartenance**. On considère chaque combinaison d'ensembles à laquelle un élément peut appartenir, et on vérifie si les éléments dans les mêmes combinaisons d'ensembles appartiennent aux deux ensembles dans l'identité. Pour indiquer qu'un élément est dans un ensemble, on indique 1 ; pour désigner qu'un élément n'est pas dans un ensemble, on indique 0. (Le lecteur constatera la similarité entre les tableaux d'appartenance et les tables de vérité.)

EXEMPLE 12   Utilisez un tableau d'appartenance pour démontrer que $A \cap (B \cup C) = (A \cap B) \cup (A \cap C)$.

Solution : Le tableau 2, qui comporte huit lignes, présente le tableau d'appartenance pour ces combinaisons d'ensembles. Puisque les colonnes $A \cap (B \cup C)$ et $(A \cap B) \cup (A \cap C)$ sont les mêmes, l'identité est valide. ∎

TABLEAU 2	Tableau d'appartenance pour la distributivité						
A	B	C	$B \cup C$	$A \cap (B \cup C)$	$A \cap B$	$A \cap C$	$(A \cap B) \cup (A \cap C)$
1	1	1	1	1	1	1	1
1	1	0	1	1	1	0	1
1	0	1	1	1	0	1	1
1	0	0	0	0	0	0	0
0	1	1	1	0	0	0	0
0	1	0	1	0	0	0	0
0	0	1	1	0	0	0	0
0	0	0	0	0	0	0	0

On peut établir des identités additionnelles en utilisant celles qu'on a déjà prouvées. Voyons l'exemple 13.

EXEMPLE 13   Soit A, B et C des ensembles. Démontrez que

$$\overline{A \cup (B \cap C)} = (\overline{C} \cup \overline{B}) \cap \overline{A}.$$

Solution : On a

$$
\begin{aligned}
\overline{A \cup (B \cap C)} &= \overline{A} \cap \overline{B \cap C} && \text{selon la première loi de De Morgan,} \\
&= \overline{A} \cap (\overline{B} \cup \overline{C}) && \text{selon la deuxième loi de De Morgan,} \\
&= (\overline{B} \cup \overline{C}) \cap \overline{A} && \text{selon la commutativité de l'intersection,} \\
&= (\overline{C} \cup \overline{B}) \cap \overline{A} && \text{selon la commutativité de l'union.} \quad ∎
\end{aligned}
$$

UNIONS ET INTERSECTIONS GÉNÉRALISÉES

Puisque l'union et l'intersection d'ensembles sont associatives, les ensembles $A \cup B \cup C$ et $A \cap B \cap C$ sont clairement définis lorsque A, B et C sont des ensembles. À noter que $A \cup B \cup C$ contient les éléments qui se trouvent dans au moins un des ensembles A, B et C et que $A \cap B \cap C$ comporte les éléments qui sont simultanément dans A, B et C. Ces combinaisons des trois ensembles A, B et C sont présentées à la figure 5.

EXEMPLE 14   Soit $A = \{0, 2, 4, 6, 8\}$, $B = \{0, 1, 2, 3, 4\}$ et $C = \{0, 3, 6, 9\}$. Déterminez $A \cup B \cup C$ et $A \cap B \cap C$.

Solution : L'ensemble $A \cup B \cup C$ contient les éléments qui apparaissent dans au moins un des ensembles A, B et C. Ainsi,

$$A \cup B \cup C = \{0, 1, 2, 3, 4, 6, 8, 9\}.$$

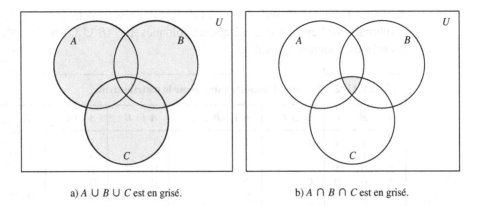

a) $A \cup B \cup C$ est en grisé.   b) $A \cap B \cap C$ est en grisé.

**FIGURE 5   a) La zone $A \cup B \cup C$ est en grisé.   b) La zone $A \cap B \cap C$ est en grisé.
Union et intersection de A, B et C**

L'ensemble $A \cap B \cap C$ contient les éléments apparaissant simultanément dans A, B et C.
Ainsi,

$$A \cap B \cap C = \{0\}. \qquad\qquad\qquad\qquad\blacksquare$$

On peut aussi considérer les unions et les intersections d'un nombre arbitraire d'ensembles. On utilise alors les définitions 6 et 7.

DÉFINITION 6.   L'*union* d'une collection d'ensembles est l'ensemble contenant les éléments qui appartiennent à au moins un ensemble dans la collection.

On utilise la notation

$$A_1 \cup A_2 \cup \cdots \cup A_n = \bigcup_{i=1}^{n} A_i$$

pour désigner l'union des ensembles $A_1, A_2, \ldots, A_n$.

DÉFINITION 7.   L'*intersection* d'une collection d'ensembles est l'ensemble contenant les éléments qui appartiennent simultanément à chacun des ensembles.

On utilise la notation

$$A_1 \cap A_2 \cap \cdots \cap A_n = \bigcap_{i=1}^{n} A_i$$

pour désigner l'intersection des ensembles $A_1, A_2, \ldots, A_n$. L'exemple 15 illustre les unions et les intersections généralisées.

EXEMPLE 15   Soit $A_i = \{i, i+1, i+2, \dots\}$. Alors,

$$\bigcup_{i=1}^{n} A_i = \bigcup_{i=1}^{n} \{i, i+1, i+2, \dots\} = \{1, 2, 3, \dots\},$$

et

$$\bigcap_{i=1}^{n} A_i = \bigcap_{i=1}^{n} \{i, i+1, i+2, \dots\} = \{n, n+1, n+2, \dots\}. \qquad \blacksquare$$

REPRÉSENTATION INFORMATIQUE DES ENSEMBLES

Il existe de nombreuses manières de représenter les ensembles avec un ordinateur. Une méthode consiste à stocker les éléments d'un ensemble en vrac. Toutefois, les opérations du calcul de l'union, de l'intersection ou de la différence de deux ensembles pourraient être lentes, parce que chacune de ces opérations exigerait une longue recherche d'éléments. Une méthode de stockage des éléments sera présentée où l'on utilisera un ordonnancement arbitraire des éléments de l'ensemble universel. Cette méthode de représentation des ensembles facilite l'application des opérations.

On suppose que l'ensemble universel U est fini (et de taille raisonnable pour que le nombre d'éléments de U ne soit pas plus grand que la taille de la mémoire de l'ordinateur utilisé). D'abord, on précise un ordonnancement arbitraire des éléments de U, par exemple $a_1, a_2, \dots, a_n$. On représente ensuite un sous-ensemble A de U avec la chaîne binaire de longueur n, où le i-ième bit de cette chaîne est 1 si a_i appartient à A, et est 0 si a_i n'appartient pas à A. L'exemple 16 présente cette technique.

EXEMPLE 16   Soit $U = \{1, 2, 3, 4, 5, 6, 7, 8, 9, 10\}$ avec ses éléments ordonnés en ordre croissant : $a_i = i$. Quelle chaîne binaire représente le sous-ensemble des entiers impairs dans U, le sous-ensemble des entiers pairs dans U et le sous-ensemble des entiers inférieurs ou égaux à 5 dans U ?

Solution : La chaîne binaire qui représente l'ensemble des entiers impairs dans U, notamment $\{1, 3, 5, 7, 9\}$, comporte un bit 1 dans la première, la troisième, la cinquième, la septième et la neuvième position et un 0 ailleurs. Cette chaîne est

   10101 01010.

(Comme il a été convenu, on a divisé la chaîne binaire de 10 bits en deux blocs de 5 bits pour en faciliter la lecture). De même, on représente le sous-ensemble des entiers pairs dans U, notamment $\{2, 4, 6, 8, 10\}$, par la chaîne

   01010 10101.

L'ensemble des entiers dans U inférieurs ou égaux à 5, notamment $\{1, 2, 3, 4, 5\}$, est représenté par la chaîne

   11111 00000. $\qquad \blacksquare$

En utilisant les chaînes binaires pour représenter les ensembles, il est facile de trouver le complément d'un ensemble ainsi que l'union, l'intersection et la différence de deux ensembles. Pour trouver la chaîne binaire pour le complément d'un ensemble, on remplace simplement chaque 1 par 0 et chaque 0 par 1, puisque $x \in A$ si et seulement si $x \notin \overline{A}$. À noter que cette opération est la même que si on prenait le complément de chaque bit.

EXEMPLE 17   On a vu que la chaîne binaire pour l'ensemble $\{1, 3, 5, 7, 9\}$ (avec l'ensemble universel $\{1, 2, 3, 4, 5, 6, 7, 8, 9, 10\}$ est

10101 01010.

Quelle est la chaîne binaire pour le complément de cet ensemble ?

Solution : On obtient la chaîne binaire pour le complément de cet ensemble en remplaçant les 0 par les 1, et inversement. On obtient donc la chaîne

01010 10101,

qui correspond à l'ensemble $\{2, 4, 6, 8, 10\}$.   ■

Pour obtenir la chaîne binaire correspondant à l'union et à l'intersection des deux ensembles, on effectue les opérations booléennes sur les chaînes binaires représentant les deux ensembles. Le bit à la i-ième position de la chaîne binaire de l'union est 1 si l'un des bits à la i-ième position dans les deux chaînes est 1, et est 0 lorsque ces deux bits sont 0. Ainsi, la chaîne binaire de l'union est l'opérateur *OU* des chaînes binaires des deux ensembles. Le bit à la i-ième position de la chaîne binaire de l'intersection est 1 lorsque les bits de position correspondante dans les deux chaînes sont tous les deux 1. Il est 0 lorsque l'un des deux bits est 0 (ou que les deux le sont). Ainsi, la chaîne binaire de l'intersection est l'opérateur *ET* des chaînes binaires pour les deux ensembles.

EXEMPLE 18   Les chaînes binaires des ensembles $\{1, 2, 3, 4, 5\}$ et $\{1, 3, 5, 7, 9\}$ sont respectivement 11111 00000 et 10101 01010. Utilisez les chaînes binaires pour trouver l'union et l'intersection de ces deux ensembles avec $U = \{1, 2, 3, 4, 5, 6, 7, 8, 9, 10\}$.

Solution : La chaîne binaire pour l'union de ces ensembles est

11111 00000 $\vee$ 10101 01010 = 11111 01010,

qui correspond à l'ensemble $\{1, 2, 3, 4, 5, 7, 9\}$. La chaîne binaire pour l'intersection de ces ensembles est

11111 00000 $\wedge$ 10101 01010 = 10101 00000,

qui correspond à l'ensemble $\{1, 3, 5\}$.   ■

Exercices

1. Soit A l'ensemble des étudiants qui habitent à moins de 1 km de l'école et B, l'ensemble des étudiants qui marchent pour se rendre à l'école. Décrivez les étudiants dans chacun des ensembles suivants :
   a) $A \cap B$. b) $A \cup B$.
   c) $A - B$. d) $B - A$.

2. Supposez que A est l'ensemble des étudiants de deuxième année et B, l'ensemble des étudiants en mathématiques discrètes. Exprimez chacun des ensembles suivants en fonction de A et B.
   a) L'ensemble des étudiants de deuxième année suivant le cours de mathématiques discrètes.
   b) L'ensemble des étudiants de deuxième année ne suivant pas le cours de mathématiques discrètes.
   c) L'ensemble des étudiants qui sont des étudiants de deuxième année ou qui suivent le cours de mathématiques discrètes.
   d) L'ensemble des étudiants qui ne sont pas des étudiants de deuxième année ou qui ne suivent pas le cours de mathématiques discrètes.

3. Soit $A = \{1, 2, 3, 4, 5\}$ et $B = \{0, 3, 6\}$. Trouvez
   a) $A \cup B$. b) $A \cap B$.
   c) $A - B$. d) $B - A$.

4. Soit $A = \{a, b, c, d, e\}$ et $B = \{a, b, c, d, e, f, g, h\}$. Trouvez
   a) $A \cup B$. b) $A \cap B$.
   c) $A - B$. d) $B - A$.

5. Soit A un ensemble. Démontrez que $\overline{\overline{A}} = A$.

6. Soit A un ensemble. Démontrez que
   a) $A \cup \varnothing = A$. b) $A \cap \varnothing = \varnothing$.
   c) $A \cup A = A$. d) $A \cap A = A$.
   e) $A - \varnothing = A$. f) $A \cup U = U$.
   g) $A \cap U = A$. h) $\varnothing - A = \varnothing$.

7. Soit A et B des ensembles. Démontrez que
   a) $A \cup B = B \cup A$. b) $A \cap B = B \cap A$.

8. Trouvez les ensembles A et B si $A - B = \{1, 5, 7, 8\}$, $B - A = \{2, 10\}$ et $A \cap B = \{3, 6, 9\}$.

9. Démontrez que si A et B sont des ensembles, alors $\overline{A \cup B} = \overline{A} \cap \overline{B}$.
   a) Démontrez que chaque ensemble est un sous-ensemble de l'autre.
   b) Utilisez un tableau d'appartenance.

10. Soit A et B des ensembles. Démontrez que
    a) $(A \cap B) \subseteq A$.
    b) $A \subseteq (A \cup B)$.
    c) $A - B \subseteq A$.
    d) $A \cap (B - A) = \varnothing$.
    e) $A \cup (B - A) = A \cup B$.

11. Démontrez que si A, B et C sont des ensembles, alors $\overline{A \cap B \cap C} = \overline{A} \cup \overline{B} \cup \overline{C}$.
    a) Démontrez que chaque ensemble est un sous-ensemble de l'autre.
    b) Utilisez un tableau d'appartenance.

12. Soit A, B et C des ensembles. Démontrez que
    a) $(A \cup B) \subseteq (A \cup B \cup C)$.
    b) $(A \cup B \cap C) \subseteq (A \cap B)$.
    c) $(A - B) - C \subseteq A - C$.
    d) $(A - C) \cap (C - B) = \varnothing$.
    e) $(B - A) \cup (C - A) = (B \cup C) - A$.

13. Démontrez que si A et B sont des ensembles, alors $A - B = A \cap \overline{B}$.

14. Démontrez que si A et B sont des ensembles, alors $(A \cap B) \cup (A \cap \overline{B}) = A$.

15. Soit A, B et C des ensembles. Démontrez que
    a) $A \cup (B \cup C) = (A \cup B) \cup C$.
    b) $A \cap (B \cap C) = (A \cap B) \cap C$.
    c) $A \cup (B \cap C) = (A \cup B) \cap (A \cup C)$.

16. Soit A, B et C des ensembles. Démontrez que $(A - B) - C = (A - C) - (B - C)$.

17. Soit $A = \{0, 2, 4, 6, 8, 10\}$, $B = \{0, 1, 2, 3, 4, 5, 6\}$ et $C = \{4, 5, 6, 7, 8, 9, 10\}$. Trouvez
    a) $A \cap B \cap C$. b) $A \cup B \cup C$.
    c) $(A \cup B) \cap C$. d) $(A \cap B) \cup C$.

18. Pour chacun des cas suivants, dessinez le diagramme de Venn correspondant.
    a) $A \cap (B \cup C)$ b) $\overline{A} \cap \overline{B} \cap \overline{C}$
    c) $(A - B) \cup (A - C) \cup (B - C)$

19. Que pouvez-vous dire des ensembles A et B si les affirmations suivantes sont vraies ?
    a) $A \cup B = A$ b) $A \cap B = A$
    c) $A - B = A$ d) $A \cap B = B \cap A$
    e) $A - B = B - A$

20. Pouvez-vous conclure que $A = B$ si A, B et C sont des ensembles tels que
    a) $A \cup C = B \cup C$?
    b) $A \cap C = B \cap C$?

21. Soit A et B des sous-ensembles d'un ensemble universel U. Démontrez que $A \subseteq B$ si et seulement si $\overline{B} \subseteq \overline{A}$.

La **différence symétrique** de A et B, notée $A \oplus B$, est un ensemble contenant des éléments de A ou B, mais non de A et B.

22. Trouvez la différence symétrique de $\{1, 3, 5\}$ et $\{1, 2, 3\}$.

23. Trouvez la différence symétrique de l'ensemble des étudiants en informatique d'une école et l'ensemble des étudiants en mathématiques de cette école.

24. Dessinez le diagramme de Venn pour la différence symétrique des ensembles A et B.

25. Démontrez que $A \oplus B = (A \cup B) - (A \cap B)$.

26. Démontrez que $A \oplus B = (A - B) \cup (B - A)$.

27. Démontrez que si A est un sous-ensemble de l'ensemble universel U, alors

  a) $A \oplus A = \varnothing$.   **b)** $A \oplus \varnothing = A$.

  c) $A \oplus U = \overline{A}$.   **d)** $A \oplus \overline{A} = U$.

28. Démontrez que si A et B sont des ensembles, alors

  a) $A \oplus B = B \oplus A$.   **b)** $(A \oplus B) \oplus B = A$.

29. Que pouvez-vous dire des ensembles A et B si $A \oplus B = A$?

★**30.** Déterminez si la différence symétrique est associative. Autrement dit, si A, B et C sont des ensembles, a-t-on $A \oplus (B \oplus C) = (A \oplus B) \oplus C$?

★**31.** Supposez que A, B et C sont des ensembles tels que $A \oplus C = B \oplus C$. Est-il nécessairement vrai que $A = B$?

32. Si A, B, C et D sont des ensembles, a-t-on $(A \oplus B) \oplus (C \oplus D) = (A \oplus C) \oplus (B \oplus D)$?

33. Si A, B, C et D sont des ensembles, a-t-on $(A \oplus B) \oplus (C \oplus D) = (A \oplus D) \oplus (B \oplus C)$?

★**34.** Démontrez que si A, B et C sont des ensembles, alors
$$|A \cup B \cup C| = |A| + |B| + |C| - |A \cap B| - |A \cap C| - |B \cap C| + |A \cap B \cap C|.$$

(Il s'agit d'un cas particulier du principe d'inclusion-exclusion qui sera abordé au chapitre 5.)

35. Soit $A_i = \{1, 2, 3, \ldots, i\}$ pour $i = 1, 2, 3, \ldots$ Trouvez

  a) $\displaystyle\bigcup_{i=1}^{n} A_i$.   **b)** $\displaystyle\bigcap_{i=1}^{n} A_i$.

36. Soit $A_i = \{i, i + 1, i + 2, \ldots\}$. Trouvez

  a) $\displaystyle\bigcup_{i=1}^{n} A_i$.   **b)** $\displaystyle\bigcap_{i=1}^{n} A_i$.

37. Soit A_i l'ensemble des chaînes binaires non vides (supposez que ces chaînes binaires sont d'une longueur minimale de 1), mais dont la longueur n'excède pas i. Trouvez

  a) $\displaystyle\bigcup_{i=1}^{n} A_i$.   **b)** $\displaystyle\bigcap_{i=1}^{n} A_i$.

38. Supposez que l'ensemble universel est $U = \{1, 2, 3, 4, 5, 6, 7, 8, 9, 10\}$. Exprimez chacun des ensembles suivants avec des chaînes binaires où le i-ième bit de la chaîne est 1, si i se trouve dans l'ensemble, et 0 dans le cas contraire.

  a) $\{3, 4, 5\}$ **b)** $\{1, 3, 6, 10\}$

  c) $\{2, 3, 4, 7, 8, 9\}$

39. En utilisant l'ensemble universel du dernier problème, trouvez l'ensemble défini par chacune des chaînes binaires suivantes :

  a) 11110 01111.   **b)** 01011 11000.

  c) 10000 00001.

40. Quels sous-ensembles d'un ensemble universel fini les chaînes binaires suivantes définissent-elles ?

  a) La chaîne formée uniquement de 0.

  b) La chaîne formée uniquement de 1.

41. Quelle chaîne binaire correspond à la différence de deux ensembles ?

42. Quelle chaîne binaire correspond à la différence symétrique de deux ensembles ?

43. Démontrez comment vous pouvez utiliser les opérations appliquées aux chaînes binaires pour trouver les combinaisons suivantes des ensembles $A = \{a, b, c, d, e\}$, $B = \{b, c, d, g, p, t, v\}$, $C = \{c, e, i, o, u, x, y, z\}$ et $D = \{d, e, h, i, n, o, t, u, x, y\}$.

  a) $A \cup B$ **b)** $A \cap B$

  c) $(A \cup D) \cap (B \cup C)$ **d)** $A \cup B \cup C \cap D$

44. Comment pouvez-vous trouver l'union et l'intersection de n ensembles qui sont tous des sous-ensembles de l'ensemble universel U en utilisant des chaînes binaires ?

45. Le **successeur** de l'ensemble A est l'ensemble $A \cup \{A\}$. Trouvez les successeurs des ensembles suivants :

  a) $\{1, 2, 3\}$.   **b)** $\varnothing$.

  c) $\{\varnothing\}$.   **d)** $\{\varnothing, \{\varnothing\}\}$.

46. Combien d'éléments le successeur d'un ensemble ayant n éléments a-t-il ?

Dans certains cas, le nombre de fois qu'un élément se trouve dans une collection ordonnée peut avoir de l'importance. Les **multi-ensembles** sont des collections non ordonnées d'éléments dans lesquelles un élément peut se répéter plusieurs fois. La notation $\{m_1 \cdot a_1, m_2 \cdot a_2, \ldots, m_r \cdot a_r\}$ désigne le multi-ensemble où l'élément a_1 apparaît m_1 fois, l'élément a_2 apparaît m_2 fois, et ainsi de suite. Les nombres m_i, $i = 1, 2, \ldots, r$ sont appelés les **multiplicités** des éléments a_i, $i = 1, 2, \ldots, r$.

Soit P et Q des multi-ensembles. L'**union** des multi-ensembles P et Q constitue le multi-ensemble où la multiplicité d'un élément est le maximum de ses multiplicités dans P et Q. L'**intersection** de P et Q est le multi-ensemble où la multiplicité d'un élément est le minimum de ses multiplicités dans P et Q. La **différence** de P et Q est le multi-ensemble où la multiplicité d'un élément est la multiplicité de l'élément dans P moins sa multiplicité dans Q à moins que cette différence soit négative, auquel cas la multiplicité est 0. La **somme** de P et Q est la multiplicité où la multiplicité d'un élément est la somme des multiplicités dans P et Q. L'union, l'intersection et la différence de P et

Q sont désignées respectivement par $P \cup Q$, $P \cap Q$ et $P - Q$ (il ne faut pas confondre ces opérations avec les opérations analogiques pour les ensembles). La somme de P et Q est désignée par $P + Q$.

47. Soit A et B les multi-ensembles respectifs de $\{3 \cdot a, 2 \cdot b, 1 \cdot c\}$ et de $\{2 \cdot a, 3 \cdot b, 4 \cdot d\}$. Trouvez

a) $A \cup B$.   b) $A \cap B$.   c) $A - B$.

d) $B - A$.   e) $A + B$.

48. Supposez que A est le multi-ensemble qui a pour éléments le matériel informatique nécessaire pour un département de l'université, où les multiplicités sont la quantité de chaque appareil nécessaire et B, le multi-ensemble analogique pour un deuxième département de l'université. Par exemple, A pourrait être le multi-ensemble $\{107 \cdot$ ordinateurs personnels, $44 \cdot$ modems, $6 \cdot$ mini-ordinateurs$\}$ et B pourrait être le multi-ensemble $\{14 \cdot$ ordinateurs personnels, $6 \cdot$ modems, $2 \cdot$ processeurs centraux$\}$.

a) Quelles combinaisons de A et B représentent le matériel que l'université doit acheter en supposant que les deux départements utilisent le même matériel ?

b) Quelles combinaisons de A et B représentent le matériel qui sera utilisé par les deux départements s'ils utilisent tous les deux le même matériel ?

c) Quelles combinaisons de A et B représentent le matériel qu'utilise le deuxième département mais pas le premier, si les deux départements utilisent le même matériel ?

d) Quelles combinaisons de A et B représentent le matériel que l'université doit acheter si les départements ne partagent pas le matériel ?

Les **ensembles flous** sont utilisés en intelligence artificielle. Chaque élément dans l'ensemble universel U a un **degré d'appartenance** qui est un nombre réel compris entre 0 et 1 (inclusivement), dans un ensemble flou S. On désigne l'ensemble flou S en énumérant les éléments avec leur degré d'appartenance (les éléments avec 0 degré d'appartenance sont ignorés). Par exemple, on écrit $\{0,6$ Alice, $0,9$ Bernard, $0,4$ Frédérique, $0,1$ Oscar, $0,5$ Rita$\}$ pour l'ensemble F (des personnes célèbres) pour énoncer qu'Alice a $0,6$ degré d'appartenance dans F, Bernard a $0,9$ degré d'appartenance dans F, Frédérique a $0,4$ degré d'appartenance dans F, Oscar a $0,1$ degré d'appartenance dans F et Rita a $0,5$ degré d'appartenance dans F. (Ainsi, Bernard est la personne la plus célèbre et Oscar, la moins célèbre.) On peut aussi supposer que R est l'ensemble des personnes riches avec $R = \{0,4$ Alice, $0,8$ Bernard, $0,2$ Frédérique, $0,9$ Oscar, $0,7$ Rita$\}$.

49. Le **complément** d'un ensemble flou S est l'ensemble $\overline{S}$, où le degré d'appartenance de cet élément dans $\overline{S}$ est égal à 1 moins le degré d'appartenance de cet élément dans S. Trouvez $\overline{F}$ (l'ensemble flou des personnes qui ne sont pas célèbres) et $\overline{R}$ (l'ensemble flou des personnes qui ne sont pas riches).

50. L'**union** de deux ensembles flous S et T est l'ensemble flou $S \cup T$, où le degré d'appartenance d'un élément dans $S \cup U$ est le maximum des degrés d'appartenance de cet élément dans S et T. Trouvez l'ensemble flou $F \cup R$ des personnes riches ou célèbres.

51. L'**intersection** de deux ensembles flous S et T est l'ensemble flou $S \cap T$, où le degré d'appartenance d'un élément dans $S \cap U$ est le minimum des degrés d'appartenance de cet élément dans S et T. Trouvez l'ensemble flou $F \cap R$ des personnes riches et célèbres.

1.6

Fonctions

INTRODUCTION

Il arrive souvent qu'on fasse correspondre à chacun des éléments d'un ensemble donné un certain élément d'un deuxième ensemble (qui peut très bien être le même que le premier). Par exemple, on suppose que chaque étudiant d'un cours de mathématiques discrètes reçoit une note appartenant à l'ensemble $\{A, B, C, D, E\}$, et que les notes sont A pour Adam, C pour Charles, B pour Bernard, A pour Rodrigue et E pour Stéphane (voir la figure 1).

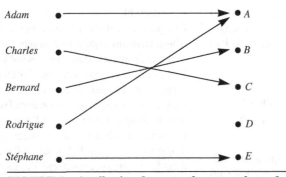

FIGURE 1   Attribution des notes dans une classe de mathématiques discrètes

Cette attribution de notes illustre le concept de fonction si important en mathématiques discrètes. Les fonctions servent à définir des structures discrètes, comme les suites ou les chaînes. Les fonctions permettent aussi de représenter le temps nécessaire à un ordinateur pour résoudre des problèmes d'une taille donnée. Au chapitre 3, on étudiera les fonctions récursives, qui sont utilisées couramment en informatique. Dans la présente section, on se limitera à réviser les concepts fondamentaux des fonctions qui sont nécessaires à l'application des mathématiques discrètes.

DÉFINITION 1.   Soit A et B deux ensembles. On appelle *fonction f* de A dans B l'affectation d'exactement un élément de B à chaque élément de A. On écrit $f(a) = b$ si b est le seul élément de B attribué par la fonction f à l'élément a de A. Si f est une fonction de A dans B, on écrit $f : A \rightarrow B$.

Il existe plusieurs façons de définir des fonctions. On énonce parfois explicitement les affectations. Plus souvent, on donne une formule comme $f(x) = x + 1$ pour définir une fonction. Dans d'autres cas, on utilise un programme informatique pour préciser une fonction.

DÉFINITION 2.   Si f est une fonction de A dans B, on dit que A est le *domaine* de f et B, le *codomaine* de f. Si $f(a) = b$, on dit que b est l'*image* de a et que a est une *préimage* de b. La *portée* de f est l'ensemble de toutes les images des éléments de A. De même, si f est une fonction de A dans B, on dit que f fait *correspondre A à B*.

La figure 2 présente une fonction f de A dans B.

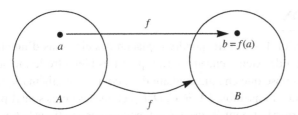

FIGURE 2   La fonction f fait correspondre A à B

Reprenons l'exemple du début de cette section. Soit G la fonction qui attribue une note à chacun des étudiants d'une classe de mathématiques discrètes. À noter par exemple que G (Adam) = A. Le domaine de G est l'ensemble {Adam, Charles, Bernard, Rodrigue, Stéphane}, et le codomaine est l'ensemble {A, B, C, D, E}. La portée de G est l'ensemble {A, B, C, E} parce que la note D n'a été attribuée à aucun étudiant. Considérons maintenant les exemples suivants.

EXEMPLE 1   Soit f la fonction qui associe à une chaîne binaire de longueur 2 ou plus ses deux derniers bits. Dans ce cas, le domaine de f est l'ensemble de toutes les chaînes binaires de longueur 2 ou plus ; le codomaine et la portée sont tous les deux représentés par l'ensemble {00, 01, 10, 11}.   ■

EXEMPLE 2   Soit f la fonction de **Z** dans **Z** qui associe le carré d'un nombre entier à celui-ci. Alors, $f(x) = x^2$, le domaine de f étant représenté par l'ensemble de tous les nombres entiers, le codomaine de f étant également l'ensemble de tous les nombres entiers et la portée de f étant l'ensemble de tous les nombres entiers positifs qui sont des carrés parfaits, c'est-à-dire {0, 1, 4, 9, ...}.   ■

EXEMPLE 3   (Cet exemple s'adresse aux étudiants qui connaissent le langage Pascal.) Le domaine et le codomaine des fonctions sont souvent spécifiés en programmation. Par exemple, l'énoncé en Pascal

   function *plancher* (x : real) : integer

établit que le domaine de la fonction *plancher* est l'ensemble des nombres réels et que son codomaine est l'ensemble des nombres entiers.   ■

Deux fonctions à valeurs réelles ayant le même domaine peuvent être additionnées et multipliées.

> **DÉFINITION 3.**   Soit f_1 et f_2 les fonctions de A dans **R**. Dans ce cas, $f_1 + f_2$ et $f_1 f_2$ sont aussi des fonctions de A dans **R** définies par
>
> $$(f_1 + f_2)(x) = f_1(x) + f_2(x)$$
> $$(f_1 f_2)(x) = f_1(x) \, f_2(x).$$

À noter que les fonctions $f_1 + f_2$ et $f_1 f_2$ ont été définies en spécifiant leurs valeurs grâce aux valeurs de f_1 et de f_2 par rapport à x.

EXEMPLE 4   Soit f_1 et f_2 les fonctions de **R** dans **R** telles que $f_1(x) = x^2$ et $f_2(x) = x - x^2$. Quelles sont les fonctions $f_1 + f_2$ et $f_1 f_2$?

Solution : En se basant sur la définition de la somme et du produit de fonctions, on a

$$(f_1 + f_2)\,(x) = f_1(x) + f_2(x) = x^2 + (x - x^2) = x$$

et

$$(f_1 f_2)\,(x) = x^2(x - x^2) = x^3 - x^4.$$ ∎

Lorsque f est une fonction de l'ensemble A dans l'ensemble B, on définit comme suit l'image d'un sous-ensemble de A.

> **DÉFINITION 4.**   Soit f une fonction de l'ensemble A dans l'ensemble B et soit S un sous-ensemble de A. L'*image* de S est un sous-ensemble de B qui comprend les images des éléments de S. On désigne l'image de S par $f(S)$. Ainsi,
>
> $$f(S) = \{\,f(s)\mid s \in S\,\}.$$

EXEMPLE 5   Soit $A = \{a, b, c, d, e\}$ et $B = \{1, 2, 3, 4\}$ avec $f(a) = 2$, $f(b) = 1$, $f(c) = 4$, $f(d) = 1$ et $f(e) = 1$. L'image du sous-ensemble $S = \{b, c, d\}$ est l'ensemble $f(S) = \{1, 4\}$.   ∎

FONCTIONS INJECTIVES ET FONCTIONS SURJECTIVES

Certaines fonctions ont la propriété de faire correspondre des images distinctes à des éléments distincts de leur domaine. On les appelle des fonctions **injectives**.

> **DÉFINITION 5.**   Une fonction f est *injective* si et seulement si $f(x) = f(y)$ implique que $x = y$ pour toutes les valeurs de x et de y dans le domaine de f. On appelle cette application une *injection*.

Remarque : Une fonction f est injective si et seulement si $f(x) \neq (y)$ dès que $x \neq y$. Cette définition d'une injection est obtenue en prenant la contraposée de l'implication dans la définition.

Ce concept sera illustré par des exemples de fonctions qui sont injectives ou non.

EXEMPLE 6   Déterminez si la fonction f de $\{a, b, c, d\}$ dans $\{1, 2, 3, 4, 5\}$ avec $f(a) = 4$, $f(b) = 5$, $f(c) = 1$ et dans $f(d) = 3$ est injective.

Solution : La fonction f est injective puisque f prend différentes valeurs selon les quatre éléments de son domaine. La figure 3 présente ce cas.   ■

EXEMPLE 7   Déterminez si la fonction $f(x) = x^2$ de l'ensemble des nombres entiers dans lui-même est injective.

Solution : La fonction $f(x) = x^2$ n'est pas injective parce que, par exemple, $f(1) = f(-1) = 1$ mais que $1 \neq -1$.   ■

EXEMPLE 8   Déterminez si la fonction $f(x) = x + 1$ est injective.

Solution : La fonction $f(x) = x + 1$ est injective, car $x + 1 \neq y + 1$ quand $x \neq y$.   ■

Voici des conditions qui garantissent qu'une fonction est injective.

DÉFINITION 6.   Une fonction f dont le domaine et le codomaine sont des sous-ensembles de l'ensemble des nombres réels est *strictement croissante* si $f(x) < f(y)$ dès que $x < y$, x et y appartenant au domaine de f. De la même façon, f est *strictement décroissante* si $f(x) > f(y)$ dès que $x < y$, x et y appartenant au domaine de f.

À partir de ces définitions, on voit qu'une fonction qui est strictement croissante ou strictement décroissante est une fonction injective.

Pour certaines fonctions, la portée et le codomaine sont identiques, ce qui signifie que tous les membres du codomaine sont les images de certains éléments du domaine. Les fonctions ayant cette propriété sont appelées des fonctions **surjectives**.

DÉFINITION 7.   La fonction f de A dans B est *surjective* si et seulement si, pour chaque élément de $b \in B$, il existe un élément $a \in A$ tel que $f(a) = b$. On appelle cette application une *surjection*.

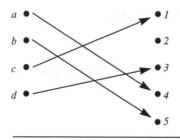

FIGURE 3   **Fonction injective**

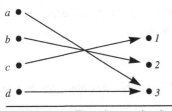

FIGURE 4   Fonction surjective

Voici maintenant quelques exemples de fonctions surjectives et de fonctions qui ne le sont pas.

EXEMPLE 9   Soit f une fonction de $\{a, b, c, d\}$ dans $\{1, 2, 3\}$ définie par $f(a) = 3$, $f(b) = 2$, $f(c) = 1$ et $f(d) = 3$. La fonction f est-elle surjective ?

Solution : Puisque les trois éléments du codomaine sont des images des éléments du domaine, f est une fonction surjective. La figure 4 illustre ce cas.   ■

EXEMPLE 10   La fonction $f(x) = x^2$ de l'ensemble des nombres entiers dans lui-même est-elle surjective ?

Solution : La fonction f n'est pas surjective, car il n'existe aucun entier x tel que $x^2 = -1$, par exemple.   ■

EXEMPLE 11   La fonction $f(x) = x + 1$ de l'ensemble des nombres entiers dans lui-même est-elle surjective ?

Solution : Cette fonction est surjective puisque, pour chaque nombre entier y, il existe un nombre entier x tel que $f(x) = y$. En effet, $f(x) = y$ si et seulement si $x + 1 = y$, ce qui se vérifie si et seulement si $x = y - 1$.   ■

DÉFINITION 8.   On dit qu'une fonction est *bijective*, ou encore que c'est une *bijection*, si f est à la fois injective et surjective.

Les exemples 12 et 13 illustrent la notion de bijection.

EXEMPLE 12   Soit f la fonction de $\{a, b, c, d\}$ dans $\{1, 2, 3, 4\}$ avec $f(a) = 4$, $f(b) = 2$, $f(c) = 1$ et $f(d) = 3$. La fonction f est-elle bijective ?

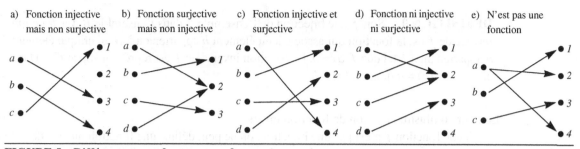

a) Fonction injective
mais non surjective

b) Fonction surjective
mais non injective

c) Fonction injective et
surjective

d) Fonction ni injective
ni surjective

e) N'est pas une
fonction

FIGURE 5 **Différents types de correspondance**

Solution : La fonction f est à la fois injective et surjective. Elle est injective puisque la fonction prend des valeurs distinctes ; elle est surjective puisque les quatre éléments du codomaine sont des images des éléments du domaine. Donc, la fonction f est une bijection. ∎

La figure 5 illustre quatre fonctions. La première est une fonction injective mais non surjective, la deuxième est une fonction surjective mais non injective, la troisième est à la fois une fonction injective et surjective et la quatrième n'est ni l'une ni l'autre. La cinquième application de la figure 5 n'est pas une fonction, puisqu'elle fait correspondre un élément à deux éléments différents.

On suppose que f est une fonction de l'ensemble A dans lui-même. Si A est fini, alors f est une fonction injective si et seulement si elle est également une fonction surjective. (Ce résultat est déduit des conclusions de l'exercice 38 à la fin de cette section.) Cette situation n'est pas vérifiée si A est infini (comme on le verra à la section 1.7).

EXEMPLE 13   Soit A un ensemble. La *fonction identité* dans A est la fonction $\iota_A : A \to A$,

où $\iota_A(x) = x,$

quel que soit $x \in A$. En d'autres termes, la fonction identité ι_A est la fonction qui affecte tout élément à lui-même. La fonction ι_A est une fonction injective et surjective. Donc, il s'agit d'une bijection. ∎

FONCTIONS INVERSES ET COMPOSITIONS DE FONCTIONS

On considère maintenant une bijection f de l'ensemble A dans l'ensemble B. Puisque f est une fonction surjective, chaque élément de B est l'image d'un élément de A. De plus, puisque f est également une fonction injective, chaque élément de B est l'image d'un élément *unique* de A. Par conséquent, on peut définir une nouvelle fonction de B dans A qui inverse la correspondance donnée par f. On obtient donc la définition 9.

> **DÉFINITION 9.**   Soit f une bijection de l'ensemble A dans l'ensemble B. La *fonction inverse* de f est la fonction qui associe à un élément b appartenant à B un unique élément a appartenant à A tel que $f(a) = b$. La fonction inverse de f est représentée par f^{-1}. Dans ce cas, $f^{-1}(b) = a$ quand $f(a) = b$.

La figure 6 illustre la notion de fonction inverse.

Si une fonction f n'est pas une bijection, on ne peut définir une fonction inverse de f. Si f n'est pas une bijection, cela signifie qu'elle n'est pas une fonction injective ou qu'elle n'est pas une fonction surjective. Si f n'est pas injective, un certain élément b du codomaine est l'image de plus d'un élément du domaine. Si f n'est pas une surjection, un certain élément b du codomaine n'aura aucune correspondance a dans le domaine qui satisfera à $f(a) = b$. Par conséquent, si f n'est pas une bijection, on ne peut associer à chaque élément b du codomaine un élément a unique du domaine qui satisfait la relation $f(a) = b$ (parce que pour certains éléments b, il y aura plusieurs éléments a ou aucun élément a).

Une bijection est **inversible**, car on peut toujours définir son inverse. Une fonction est **non inversible** s'il ne s'agit pas d'une bijection comme telle, puisque l'inverse d'une telle fonction n'existe pas.

EXEMPLE 14   Soit f la fonction de $\{a, b, c\}$ dans $\{1, 2, 3\}$ telle que $f(a) = 2$, $f(b) = 3$ et $f(c) = 1$. La fonction f est-elle inversible et, si oui, quel est son inverse ?

Solution : La fonction f est inversible puisqu'elle est bijective. La fonction inverse f^{-1} inverse la correspondance donnée par f de telle sorte que $f^{-1}(1) = c$, $f^{-1}(2) = a$ et $f^{-1}(3) = b$. ■

EXEMPLE 15   Soit f la fonction de l'ensemble des entiers dans lui-même de manière telle que $f(x) = x + 1$. La fonction f est-elle inversible et, si oui, quel est son inverse ?

Solution : La fonction f a un inverse puisque c'est une bijection, comme on l'a montré. Pour inverser la correspondance, on suppose que y est l'image de x, c'est-à-dire que

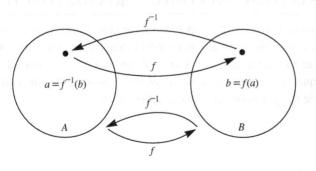

FIGURE 6   La fonction f^{-1} est la fonction inverse de f

$y = x + 1$. Alors, $x = y - 1$. Donc, $y - 1$ est l'unique élément de $\mathbf{Z}$ correspondant à y par f. En conséquence, $f^{-1}(y) = y - 1$. ∎

EXEMPLE 16   Soit f la fonction de $\mathbf{Z}$ dans $\mathbf{Z}$ telle que $f(x) = x^2$. La fonction f est-elle inversible ?

Solution : Puisque $f(-1) = f(1) = 1$, la fonction f n'est pas bijective. Si une fonction inverse existait, il faudrait faire correspondre deux éléments à 1. Par suite, f n'est pas inversible.

> **DÉFINITION 10.**   Soit g une fonction de l'ensemble A dans l'ensemble B, et soit f une fonction de l'ensemble B dans l'ensemble C. La *composition* des fonctions f et g, représentée par $f \circ g$, est définie par
>
> $$(f \circ g)(a) = f(g(a)).$$

En d'autres termes, $f \circ g$ est la fonction qui associe à l'élément a de A l'élément associé par f à $g(a)$. À noter que la composition $f \circ g$ ne peut être définie à moins que la portée de g soit un sous-ensemble du domaine de f. La figure 7 illustre la notion de composition de fonctions. ∎

EXEMPLE 17   Soit g la fonction de l'ensemble $\{a, b, c\}$ dans lui-même, telle que $g(a) = b$, $g(b) = c$ et $g(c) = a$. Soit f la fonction de l'ensemble $\{a, b, c\}$ dans l'ensemble $\{1, 2, 3\}$ telle que $f(a) = 3$, $f(b) = 2$ et $f(c) = 1$. Quelle est la composition de f et g ? Quelle est la composition de g et f ?

Solution : La composition $f \circ g$ est définie par $(f \circ g)(a) = f(g(a)) = f(b) = 2$, $(f \circ g)(b) = f(g(b)) = f(c) = 1$ et $(f \circ g)(c) = f(g(c)) = f(a) = 3$.

À noter que $g \circ f$ n'est pas définie parce que la portée de f n'est pas un sous-ensemble du domaine de g. ∎

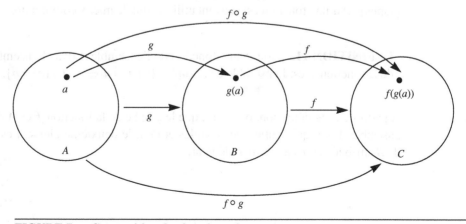

FIGURE 7   **Composition des fonctions f et g**

EXEMPLE 18   Soit f et g les fonctions de l'ensemble des entiers dans lui-même définies par $f(x) = 2x + 3$ et $g(x) = 3x + 2$. Quelle est la composition de f et g ? Quelle est la composition de g et f ?

Solution : Les compositions $f \circ g$ et $g \circ f$ sont définies. De plus,

$$(f \circ g)(x) = f(g(x)) = f(3x + 2) = 2(3x + 2) + 3 = 6x + 7$$

et

$$(g \circ f)(x) = g(f(x)) = g(2x + 3) = 3(2x + 3) + 2 = 6x + 11. \qquad \blacksquare$$

Remarque : Même si les compositions $f \circ g$ et $g \circ f$ sont définies pour les fonctions f et g dans l'exemple 18, $f \circ g$ et $g \circ f$ ne sont pas égales. En d'autres termes, la commutativité ne s'applique pas pour la composition des fonctions.

Quand on forme la composition d'une fonction et son inverse, peu importe dans quel ordre, on obtient une fonction identique. Pour le démontrer, on suppose que f est une bijection de l'ensemble A dans l'ensemble B. La fonction inverse f^{-1} existe, et elle est une bijection de l'ensemble B dans l'ensemble A. La fonction inverse permet d'inverser la correspondance de la fonction originale de telle sorte que $f^{-1}(b) = a$ quand $f(a) = b$ et que $f(a) = b$ quand $f^{-1}(b) = a$. Par conséquent,

$$(f^{-1} \circ f)(a) = (f^{-1}(f(a)) = f^{-1}(b) = a$$

et

$$(f \circ f^{-1})(b) = f(f^{-1}(b)) = f(a) = b.$$

Donc, $f^{-1} \circ f = \iota_A$ et $f \circ f^{-1} = \iota_B$, où ι_A et ι_B sont des fonctions identités des ensembles A et B, respectivement. Autrement dit, $(f^{-1})^{-1} = f$.

GRAPHES DES FONCTIONS

On peut associer un ensemble de paires dans $A \times B$ à chaque fonction de A dans B. Cet ensemble de paires est appelé le **graphe** de la fonction. Une représentation du graphe (le graphique) d'une fonction est souvent utilisée afin de mieux comprendre son comportement.

> **DÉFINITION 11.**   Soit f une fonction de l'ensemble A dans l'ensemble B. Le graphe de la fonction f est l'ensemble des couples $\{(a, b) \mid a \in A$ et $f(a) = b\}$.

À partir de cette définition, on déduit que le graphe de la fonction f de A dans B est le sous-ensemble $A \times B$ qui contient les couples et dont le deuxième élément est égal à l'élément de B attribué par f au premier élément.

EXEMPLE 19   Dessinez le graphe de la fonction $f(n) = 2n + 1$ de l'ensemble des nombres entiers dans l'ensemble des nombres entiers.

Solution : Le graphe de f est l'ensemble des couples de la forme $(n, 2n + 1)$, où n est un nombre entier. Le graphique est illustré à la figure 8. ∎

EXEMPLE 20   Dessinez le graphe de la fonction $f(x) = x^2$ de l'ensemble des entiers dans l'ensemble des entiers.

Solution : Le graphe de f est l'ensemble des paires ordonnées de la forme $(x, f(x)) = (x, x^2)$, où x est un nombre entier. Le graphique est illustré à la figure 9. ∎

FONCTIONS IMPORTANTES

On présente maintenant deux fonctions importantes en mathématiques discrètes : la fonction plancher et la fonction plafond. Soit x un nombre réel. La fonction plancher arrondit x à la plus grande valeur entière plus petite que x ou égale à celui-ci, et la fonction plafond arrondit x à la plus petite valeur entière plus grande que x ou égale à celui-ci. Ces fonctions sont souvent utilisées dans le dénombrement d'objets. Elles jouent un rôle essentiel pour analyser le nombre d'étapes des procédures de résolution de problèmes ayant des tailles particulières.

> **DÉFINITION 12.**   La *fonction plancher* attribue à un nombre réel x le nombre entier le plus grand qui est plus petit que x ou égal à celui-ci. La valeur de la fonction plancher de x est symbolisée par $\lfloor x \rfloor$. La *fonction plafond* attribue à un nombre réel x le nombre entier le plus petit qui est plus grand que x ou égal à celui-ci. La valeur de la fonction plafond de x est symbolisée par $\lceil x \rceil$.

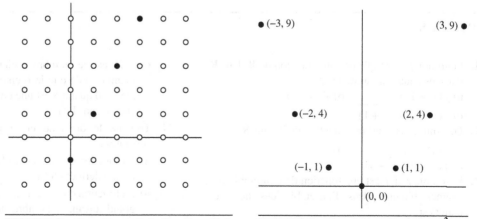

FIGURE 8   Graphique de la fonction $f(n)$ $= 2n + 1$ de l'ensemble Z dans l'ensemble Z

FIGURE 9   Graphique de $f(x) = x^2$ de l'ensemble Z dans l'ensemble Z

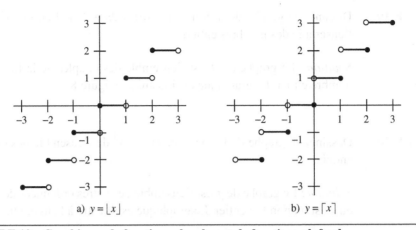

a) $y = \lfloor x \rfloor$ b) $y = \lceil x \rceil$

FIGURE 10   Graphiques de fonctions plancher et de fonctions plafond

Remarque : La fonction plancher est aussi appelée *partie entière* et représentée par [x].

EXEMPLE 21   Les valeurs suivantes représentent des résultats de fonctions plancher et plafond :

$$\left\lfloor \frac{1}{2} \right\rfloor = 0, \left\lceil \frac{1}{2} \right\rceil = 1, \left\lfloor -\frac{1}{2} \right\rfloor = -1, \left\lceil -\frac{1}{2} \right\rceil = 0, \lfloor 3,1 \rfloor = 3, \lceil 3,1 \rceil = 4, \lfloor 7 \rfloor$$

$$= 7, \lceil 7 \rceil = 7.$$ ■

La figure 10 illustre des fonctions plancher et des fonctions plafond.

Dans le présent manuel, on fera aussi appel à d'autres fonctions. Au nombre de celles-ci, on peut citer les polynômes, les logarithmes et les fonctions exponentielles. Le lecteur trouvera une brève présentation des propriétés de ces fonctions à l'annexe 1. Dans ce manuel, on se servira de la notation $\log x$ pour représenter le logarithme en base 2 de x, puisque c'est celui qu'on utilisera le plus souvent. De la même façon, on représentera par $\log_b x$ les logarithmes en base b, b représentant un nombre réel plus grand que 1.

Exercices

1. Pourquoi f n'est-elle pas une fonction de **R** dans **R** dans les équations suivantes ?
a) $f(x) = 1/x$ **b)** $f(x) = \sqrt{x}$
c) $f(x) = \pm\sqrt{(x^2 + 1)}$

2. Déterminez si f est une fonction de **Z** dans **R** si
a) $f(n) = \pm n$.   **b)** $f(n) = \sqrt{(n^2 + 1)}$.
c) $f(n) = 1/(n^2 - 4)$.

3. Déterminez si f est une fonction de l'ensemble des chaînes binaires dans l'ensemble des nombres entiers si
a) $f(S)$ est la position d'un bit 0 dans S.
b) $f(S)$ est le nombre de bits 1 dans S.

c) $f(S)$ est le nombre entier i le plus petit, de manière telle que le i-ième bit de S est 1 et que $f(S) = 0$ quand S est une chaîne binaire vide (une chaîne sans bit).

4. Trouvez le domaine et la portée des fonctions suivantes :
a) La fonction qui associe à chaque entier non négatif son dernier chiffre.
b) La fonction qui associe à un nombre entier le plus grand suivant un nombre entier positif.
c) La fonction qui associe à une chaîne binaire le nombre de bits 1 de cette chaîne.

d) La fonction qui associe à une chaîne binaire le nombre de bits de cette chaîne.

5. Trouvez les valeurs suivantes :

a) $\lceil \frac{3}{4} \rceil$ **b)** $\lfloor \frac{7}{8} \rfloor$ **c)** $\lceil -\frac{3}{4} \rceil$

d) $\lfloor -\frac{7}{8} \rfloor$ **e)** $\lceil 3 \rceil$ **f)** $\lfloor -1 \rfloor$

6. Parmi les fonctions suivantes, déterminez quelles fonctions de l'ensemble $\{a, b, c, d\}$ dans lui-même sont des fonctions injectives.
a) $f(a) = b,\ f(b) = a,\ f(c) = c,\ f(d) = d$
b) $f(a) = b,\ f(b) = b,\ f(c) = d,\ f(d) = c$
c) $f(a) = d,\ f(b) = b,\ f(c) = c,\ f(d) = d$

7. Parmi les fonctions de l'exercice 6, lesquelles sont surjectives ?

8. Déterminez si les fonctions suivantes de l'ensemble **Z** dans **Z** sont injectives.
a) $f(n) = n - 1$ **b)** $f(n) = n^2 + 1$
c) $f(n) = n^3$ **d)** $f(n) = \lceil n/2 \rceil$

9. Parmi les fonctions de l'exercice 8, lesquelles sont surjectives ?

10. Donnez un exemple d'une fonction **N** dans **N** qui soit
a) injective mais non surjective.
b) surjective mais non injective.
c) à la fois surjective et injective (mais différente de la fonction d'identité).
d) ni l'une ni l'autre.

11. Parmi les fonctions suivantes, déterminez lesquelles sont des bijections de **R** dans **R**.
a) $f(x) = 2x + 1$ **b)** $f(x) = x^2 + 1$
c) $f(x) = x^3$
d) $f(x) = (x^2 + 1)/(x^2 + 2)$

12. Soit $S = \{-1, 0, 2, 4, 7\}$. Trouvez $f(S)$ si
a) $f(x) = 1$.   **b)** $f(x) = 2x + 1$.
c) $f(x) = \lceil x/5 \rceil$.   **d)** $f(x) = \lfloor (x^2 + 1)/3 \rfloor$.

13. Soit $f(x) = \lfloor x^2/3 \rfloor$. Trouvez $f(S)$ si
a) $S = \{-2, -1, 0, 1, 2, 3\}$ **b)** $S = \{0, 1, 2, 3, 4, 5\}$.
c) $S = \{1, 5, 7, 11\}$.   **d)** $S = \{2, 6, 10, 14\}$.

14. Soit $f(x) = 2x$. Trouvez
a) $f(\mathbf{Z})$.   **b)** $f(\mathbf{N})$.   **c)** $f(\mathbf{R})$.

15. Supposez que g est une fonction de A dans B et que f est une fonction de B dans C.
a) Montrez que si f et g sont injectives, alors $f \circ g$ est également injective.
b) Montrez que si f et g sont surjectives, alors $f \circ g$ est surjective.

⋆16. Si f et $f \circ g$ sont des fonctions injectives, g est-elle également injective ? Expliquez.

⋆17. Si f et $f \circ g$ sont des fonctions surjectives, g est-elle également surjective ? Expliquez.

18. Trouvez $f \circ g$ et $g \circ f$ si f et g sont les fonctions de **R** dans **R** définies par $f(x) = x^2 + 1$ et $g(x) = x + 2$.

19. Trouvez $f + g$ et fg pour les fonctions f et g données à l'exercice 18.

20. Soit $f(x) = ax + b$ et $g(x) = cx + d$, où a, b, c et d sont des constantes. Déterminez pour quelles constantes a, b, c, d on a $f \circ g = g \circ f$.

21. Montrez que la fonction $f(x) = ax + b$ de **R** dans **R** est inversible si $a \neq 0$ et trouvez l'inverse de f.

22. Soit f une fonction de l'ensemble A dans l'ensemble B. Soit S et T deux sous-ensembles de A. Montrez que
a) $f(S \cup T) = f(S) \cup f(T)$.
b) $f(S \cap T) \subseteq f(S) \cap f(T)$.

23. Donnez un exemple qui démontre que l'inclusion dans la partie b) de l'exercice 22 peut être propre.

Soit f une fonction de l'ensemble A dans l'ensemble B. Soit f un sous-ensemble de B. On définira l'**image inverse** de S comme le sous-ensemble de A contenant toutes les pré-images de tous les éléments de S. On représente l'image inverse de S par $f^{-1}(S)$, de telle sorte que $f^{-1}(S) = \{a \in A \mid f(a) \in S\}$.

24. Soit f la fonction de **R** dans **R** définie par $f(x) = x^2$. Trouvez
a) $f^{-1}(\{1\})$.   **b)** $f^{-1}(\{x \mid 0 < x < 1\})$.
c) $f^{-1}(\{x \mid x > 4\})$.

25. Soit $g(x) = \lfloor x \rfloor$. Trouvez
a) $g^{-1}(\{0\})$.   **b)** $g^{-1}(\{-1, 0, 1\})$.
c) $g^{-1}(\{x \mid 0 < x < 1\})$.

26. Soit f une fonction de A dans B. Soit S et T des sous-ensembles de B. Démontrez que
a) $f^{-1}(S \cup T) = f^{-1}(S) \cup f^{-1}(T)$.
b) $f^{-1}(S \cap T) = f^{-1}(S) \cap f^{-1} T)$.

27. Soit f une fonction de A dans B. Soit S un sous-ensemble de B. Montrez que $f^{-1}(\overline{S}) = \overline{f^{-1}(S)}$.

28. Démontrez que $\lceil x \rceil = -\lfloor -x \rfloor$.

29. Soit x un nombre réel. Démontrez que $\lfloor 2x \rfloor = \lfloor x \rfloor + \lfloor x + \frac{1}{2} \rfloor$.

30. Dessinez le graphique de la fonction $f(n) = 1 - n^2$ de **Z** dans **Z**.

31. Dessinez le graphique de la fonction $f(x) = \lfloor 2x \rfloor$ de **R** dans **R**.

32. Dessinez le graphique de la fonction $f(x) = \lfloor x/2 \rfloor$ de **R** dans **R**.

33. Dessinez le graphique de la fonction $f(x) = \lfloor x \rfloor + \lfloor x/2 \rfloor$ de **R** dans **R**.

34. Dessinez le graphique de la fonction $f(x) = \lceil x \rceil + \lfloor x/2 \rfloor$ de **R** dans **R**.

35. Trouvez la fonction inverse de $f(x) = x^3 + 1$.

36. Supposez que f est une fonction inversible de Y dans Z et g, une fonction inversible de X dans Y. Démontrez que l'inverse de la composition $f \circ g$ est donné par $(f \circ g)^{-1} = g^{-1} \circ f^{-1}$.

37. Soit S un sous-ensemble de l'ensemble universel U. La **fonction caractéristique** de fs de S est la fonction de U dans l'ensemble $\{0, 1\}$, telle que $fs\,(x) = 1$ si x appartient à S et $fs\,(x) = 0$ si x n'appartient pas à S. Soit A et B des ensembles. Démontrez que pour tout x,

a) $f_{A \cap B}(x) = f_A(x) \cdot f_B(x)$.

b) $f_{A \cup B}(x) = f_A(x) + f_B(x) - f_A(x) \cdot f_B(x)$.

c) $f_{\overline{A}}(x) = 1 - f_A(x)$.

d) $f_{A \oplus B}(x) = f_A(x) + f_B(x) - 2f_A(x)f_B(x)$.

38. Supposez que f est une fonction de A dans B, où A et B sont des ensembles finis et $|A| = |B|$. Démontrez que f est une fonction injective si et seulement si elle est une fonction surjective.

Il arrive quelquefois qu'un programme conçu pour évaluer une fonction ne calcule pas la valeur correcte de la fonction pour tous les éléments du domaine de cette fonction. Par exemple, le programme pourrait ne pas donner une valeur exacte parce qu'en cherchant à évaluer cette fonction, il entre dans une boucle sans fin ou le traitement entraîne un dépassement de capacité.

Afin d'étudier ces situations, on utilise le concept de fonction partielle. La **fonction partielle** f de l'ensemble A dans B est une attribution de chaque élément a d'un sous-ensemble de a appelée le **domaine de définition** de f d'un unique élément b de l'ensemble B. Les ensembles A et B sont appelés respectivement le **domaine** et le **codomaine** de f. On dit que f est **indéfinie** pour les éléments de A qui ne

sont pas dans le domaine de définition de f, ce qui s'écrit $f : A \to B$, pour désigner que f est une fonction partielle de A dans B. (On reprend la même notation que pour les fonctions. C'est le contexte d'utilisation de la notation qui détermine si f est une fonction partielle ou une fonction totale.) Quand le domaine de définition de f est égal à A, on dit que f est une **fonction totale**.

39. Pour chacune des fonctions partielles suivantes, déterminez le domaine, le codomaine, le domaine de définition et l'ensemble des valeurs pour lesquelles elle est indéfinie. Déterminez également s'il s'agit d'une fonction totale.

a) $f : \mathbf{Z} \to \mathbf{R}$, $f(n) = 1/n$

b) $f : \mathbf{Z} \to \mathbf{Z}$, $f(n) = \lceil n/2 \rceil$

c) $f : \mathbf{Z} \times \mathbf{Z} \to \mathbf{Q}$, $f(m, n) = m/n$

d) $f : \mathbf{Z} \times \mathbf{Z} \to \mathbf{Z}$, $f(m, n) = mn$

e) $f : \mathbf{Z} \times \mathbf{Z} \to \mathbf{Z}$, $f(m, n) = m - n$ si $m > n$

40. a) Démontrez qu'une fonction partielle de A dans B peut être considérée comme une fonction $f*$ de A dans $B \cup \{u\}$, où u n'est pas un élément de B et

$$f*(a) = \begin{cases} f(a) & \text{si } a \text{ appartient au domaine de} \\ & \text{définition de } f, \\ u & \text{si } f \text{ est indéfinie pour } a. \end{cases}$$

b) En utilisant la partie a), trouvez la fonction $f*$ qui correspond à chaque fonction partielle de l'exercice 39.

1.7

Suites et sommes

INTRODUCTION

Les suites servent à représenter des listes ordonnées d'éléments. Elles interviennent en mathématiques discrètes de plusieurs façons. Par exemple, elles permettent de représenter les solutions de certains problèmes de dénombrement, comme on le verra au chapitre 5. Les suites constituent également une structure de données importante en informatique. Cette section présente les concepts fondamentaux d'une fonction ainsi que la notation utilisée pour représenter les suites et les sommes des éléments de celles-ci.

Quand on peut énumérer les éléments d'un ensemble infini, on dit que cet ensemble est dénombrable. Cette section se terminera par une discussion sur les ensembles dénombrables ou non dénombrables.

SUITES

Une suite est une structure discrète utilisée pour représenter une liste ordonnée.

DÉFINITION 1.   Une *suite* est une fonction définie sur un sous-ensemble de l'ensemble des entiers (habituellement l'ensemble $\{0, 1, 2, ...\}$ ou l'ensemble $\{1, 2, 3, ...\}$) dans l'ensemble S. On utilisera la notation a_n pour représenter l'image du nombre entier n. On appelle a_n un élément de la suite.

On utilise la notation $\{a_n\}$ pour désigner une suite. (À noter que a_n représente un élément individuel de la suite $\{a_n\}$, et que la représentation $\{a_n\}$ d'une suite est en contradiction avec la notation d'un ensemble. Pour éviter cette confusion, le contexte sera précisé afin de déterminer s'il s'agit d'ensembles ou de suites.)

On décrit une suite en énumérant ses éléments par ordre croissant d'indices.

EXEMPLE 1   Considérez la suite $\{a_n\}$, où

$$a_n = 1/n.$$

La liste des éléments de cette suite qui débute par a_1, notamment

$$a_1, a_2, a_3, a_4, ...$$

commence avec

$$1, \frac{1}{2}, \frac{1}{3}, \frac{1}{4}, ...$$ ∎

EXEMPLE 2   Considérez la suite $\{b_n\}$ avec $b_n = (-1)^n$. La liste des éléments de cette suite, soit $b_0, b_1, b_2, b_3, ...$ commence avec

$$1, -1, 1, -1, 1, ...$$ ∎

EXEMPLE 3   Considérez la suite $c_n = 5^n$. La liste des termes de la séquence $c_0, c_1, c_2, c_3, c_4, c_5, ...$ commence avec

$$1, 5, 25, 125, 625, 3125, ...$$ ∎

Les suites de la forme

$$a_1, a_2, ..., a_n$$

sont souvent utilisées en informatique. Ces suites finies sont également appelées des **chaînes**. Une chaîne est aussi représentée par $a_1, a_2, ..., a_n$. (On peut se référer aux chaînes binaires, qui sont des suites finies de bits, de la section 1.1.) La **longueur** de la chaîne S est donnée par le nombre d'éléments de cette chaîne. Une **chaîne vide** est une chaîne qui ne contient aucun terme ; elle est donc de longueur 0.

EXEMPLE 4   La chaîne *abcd* est une chaîne de longueur 4.   ■

SOMMES

On aborde maintenant la **représentation d'une somme**. La notation servant à exprimer la somme des éléments de la suite $\{a_n\}$ est

$$\sum_{j=m}^{n} a_j$$

qui signifie

$$a_m + a_{m+1} + \ldots + a_n.$$

Ici, la variable j est appelée l'**indice de sommation.** Le choix de la lettre j comme indice est arbitraire. On pourrait utiliser une autre lettre telle que i ou k, comme dans la notation suivante :

$$\sum_{j=m}^{n} a_j = \sum_{i=m}^{n} a_i = \sum_{k=m}^{n} a_k.$$

À noter que l'indice de la somme inclut tous les nombres entiers commençant par la **limite inférieure** m et se terminant par la **limite supérieure** n. La lettre grecque sigma majuscule Σ sert à symboliser la somme. Voici quelques exemples.

EXEMPLE 5   Exprimez la somme des 100 premiers termes de la suite $\{a_n\}$, où $a_n = 1/n$ pour $n = 1, 2, 3, \ldots$

Solution : La limite inférieure de l'indice de cette somme est 1 et sa limite supérieure est 100. On écrit cette somme sous la forme

$$\sum_{j=1}^{100} (1/j).$$ ■

EXEMPLE 6   Quelle est la valeur de $\sum_{j=1}^{5} j^2$?

Solution : On a
$$
\begin{aligned}
\sum_{j=1}^{5} j^2 &= 1^2 + 2^2 + 3^2 + 4^2 + 5^2 \\
&= 1 + 4 + 9 + 16 + 25 \\
&= 55.
\end{aligned}
$$
∎

EXEMPLE 7   Quelle est la valeur de $\sum_{k=4}^{8} (-1)^k$?

Solution : On a
$$
\begin{aligned}
\sum_{k=4}^{8} (-1)^k &= (-1)^4 + (-1)^5 + (-1)^6 + (-1)^7 + (-1)^8 \\
&= 1 + (-1) + 1 + (-1) + 1 \\
&= 1.
\end{aligned}
$$
∎

EXEMPLE 8   Une *progression géométrique* est une suite de la forme

$$a, ar, ar^2, ar^3, \ldots, ar^k,$$

où a (l'élément initial) et r (la raison) sont des nombres réels. En général, les sommes d'éléments de progressions géométriques sont courantes. De telles sommes sont appelées des *séries géométriques*. On trouvera une formule pour représenter S, la somme des premiers $n + 1$ éléments d'une progression géométrique avec l'élément initial a et la raison non nulle r, soit

$$S = \sum_{j=0}^{n} ar^j.$$

Pour calculer S, il faut d'abord multiplier les deux parties de l'équation par r, puis manipuler la somme résultante comme suit :

$$
\begin{aligned}
rS &= r \sum_{j=0}^{n} ar^j \\
&= \sum_{j=0}^{n} ar^{j+1} \\
&= \sum_{k=1}^{n+1} ar^k \qquad \text{\textbf{(Cette équation est obtenue en déplaçant l'indice}} \\
&\qquad\qquad\quad \text{\textbf{de sommation, puis en établissant } } k = j+1.\text{\textbf{)}} \\
&= \sum_{k=0}^{n} ar^k + (ar^{n+1} - a) \\
&= S + (ar^{n+1} - a).
\end{aligned}
$$

À partir de ces égalités, on constate que

$$rS = S + (ar^{n+1} - a).$$

En résolvant l'équation précédente par rapport à S, on obtient

$$S = \frac{ar^{n+1} - a}{r-1}.$$

Si $r = 1$, alors il est clair que la somme est égale à $(n+1)a$.   ■

EXEMPLE 9   Dans plusieurs cas, on trouve des doubles sommes. Voici un exemple de double somme :

$$\sum_{i=1}^{4} \sum_{j=1}^{3} ij.$$

Pour évaluer cette somme, il faut d'abord calculer la somme intérieure, puis continuer en calculant la somme extérieure :

$$\sum_{i=1}^{4} \sum_{j=1}^{3} ij = \sum_{i=1}^{4} (i + 2i + 3i)$$

$$= \sum_{i=1}^{4} 6i$$

$$= 6 + 12 + 18 + 24 = 60.$$ ■

On peut aussi utiliser la notion Σ pour additionner toutes les valeurs d'une fonction, ou les éléments d'un ensemble, où l'indice de sommation prend toutes les valeurs d'un ensemble. Ainsi, on écrira

$$\sum_{s \in S} f(s)$$

pour représenter la somme des valeurs $f(s)$ pour tous les éléments s de l'ensemble S.

EXEMPLE 10   Quelle est la valeur de $\sum_{s \in \{0,2,4\}} s$?

Solution : Puisque $\sum_{s \in \{0,2,4\}} s$ représente la somme des valeurs de s pour tous les éléments de l'ensemble $\{0, 2, 4\}$, il s'ensuit que

$$\sum_{s \in \{0,2,4\}} s = 0 + 2 + 4 = 6.$$ ■

CARDINALITÉ (facultatif)

À la section 1.4, la cardinalité d'un ensemble fini a été définie comme le nombre d'éléments appartenant à cet ensemble. On peut étendre ce concept à tous les ensembles, qu'ils soient finis ou infinis, en utilisant la définition suivante.

DÉFINITION 2. Les ensembles A et B sont de même *cardinalité* si et seulement s'il existe une bijection de A dans B.

Pour vérifier que cette définition est cohérente avec la définition précédente de la cardinalité d'un ensemble fini (comme le nombre d'éléments contenus dans cet ensemble), il suffit de remarquer qu'il y a une bijection entre n'importe quelle paire d'ensembles finis contenant n éléments, où n est un nombre entier non négatif.

On divise les ensembles infinis en deux groupes : ceux qui ont la même cardinalité que l'ensemble des nombres naturels et ceux qui ont une cardinalité différente.

DÉFINITION 3. Un ensemble qui est fini ou qui a la même cardinalité que l'ensemble des nombres naturels est appelé un ensemble *dénombrable*. Un ensemble qui n'est pas dénombrable est appelé un ensemble non dénombrable.

Voici un exemple d'ensemble dénombrable.

EXEMPLE 11 Montrez que l'ensemble des entiers positifs impairs est dénombrable.

Solution : On démontrera que cet ensemble est dénombrable en mettant en évidence une bijection entre cet ensemble et l'ensemble des nombres naturels. On considère la fonction

$$f(n) = 2n - 1$$

de l'ensemble **N** dans l'ensemble des entiers positifs impairs. On montre que f est une bijection en démontrant qu'elle est à la fois injective et surjective. Pour démontrer que f est une fonction injective, on suppose que $f(n) = f(m)$. Dans ce cas, $2n - 1 = 2m - 1$, de telle sorte que $n = m$. Pour démontrer que f est une fonction surjective, on suppose que t est un nombre entier positif impair. Dans ce cas, t est égal à 1 de moins que le nombre entier pair $2k$, où k est un nombre naturel. Alors, $t = 2k - 1 = f(k)$. Cette correspondance est illustrée à la figure 1. ∎

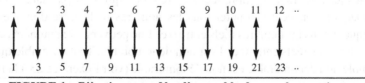

FIGURE 1 **Bijection entre N et l'ensemble des nombres entiers positifs impairs**

Un ensemble infini est dénombrable si et seulement s'il est possible d'énumérer les éléments de l'ensemble dans une suite (indicée par les nombres naturels), car une bijection f d'un ensemble de nombres naturels dans un ensemble S peut justement s'exprimer sous la forme d'une suite $a_1, a_2, \ldots a_n, \ldots$ où $a_1 = f(1)$, $a_2 = f(2)$, $\ldots$, $a_n = f(n)$, $\ldots$ Par exemple, l'ensemble des nombres impairs peut être énuméré sous la forme d'une séquence $a_1, a_2, \ldots, a_n, \ldots$ où $a_1 = 2n - 1$.

Voici maintenant un exemple d'ensemble non dénombrable.

EXEMPLE 12   Démontrez que l'ensemble des nombres réels est non dénombrable.

Solution : Pour démontrer que cet ensemble est non dénombrable, on suppose que l'ensemble des nombres réels est dénombrable et on arrive à une contradiction. Dans ce cas, le sous-ensemble de tous les nombres réels entre 0 et 1 serait également dénombrable (puisque tout sous-ensemble d'un ensemble dénombrable est également dénombrable ; voir l'exercice 20 à la fin de cette section). En admettant cette hypothèse, les nombres réels entre 0 et 1 pourraient être énumérés dans un certain ordre, soit $r_1, r_2, r_3, \ldots$ On suppose que la représentation décimale de ces nombres réels est

$$r_1 = 0, d_{11} d_{12} d_{13} d_{14} \ldots$$
$$r_2 = 0, d_{21} d_{22} d_{23} d_{24} \ldots$$
$$r_3 = 0, d_{31} d_{32} d_{33} d_{34} \ldots$$
$$r_4 = 0, d_{41} d_{42} d_{43} d_{44} \ldots$$
$$\vdots$$

où $d_{ij} \in \{0, 1, 2, 3, 4, 5, 6, 7, 8, 9\}$. (Par exemple, si $r_1 = 0{,}237\,941\,02\ldots$, on aura $d_{11} = 2$, $d_{12} = 3$, $d_{13} = 7$, etc.) On forme alors un nouveau nombre réel $r = 0, d_1 d_2 d_3 d_4 \ldots$, dont les chiffres sont définis par la règle suivante :

$$d_i = \begin{cases} 4 & \text{si } d_{ii} \neq 4 \\ 5 & \text{si } d_{ii} = 4. \end{cases}$$

(À titre d'exemple, on suppose que $r_1 = 0{,}237\,941\,02\ldots$, $r_2 = 0{,}445\,901\,38\ldots$, $r_3 = 0{,}091\,187\,64\ldots$, $r_4 = 0{,}805\,539\,00\ldots$, etc. Dans ce cas, $r = 0, d_1 d_2 d_3 d_4 \ldots = 0{,}454\,4\ldots$ où $d_1 = 4$ puisque $d_{11} \neq 4$, $d_2 = 5$ puisque $d_{22} = 4$, $d_3 = 4$ puisque $d_{33} \neq 4$, $d_4 = 4$ puisque $d_{44} \neq 4$, etc.)

Tout nombre réel a un développement décimal unique (quand on exclut la possibilité que ce développement ait une valeur terminale composée entièrement de 9). Dans ce cas, le nombre réel r n'est pas égal à l'une des quelconques valeurs de $r_1, r_2, \ldots$, puisque le développement décimal de r est différent du développement décimal de r_i en i-ième position à droite de la virgule décimale, et ce, pour chacune des valeurs de i.

Puisqu'il existe un nombre réel r entre 0 et 1 qui n'est pas dans cette liste, l'hypothèse selon laquelle on peut énumérer tous les nombres réels entre 0 et 1 est donc fausse. Par conséquent, tous les nombres réels entre 0 et 1 ne peuvent être énumérés et, ainsi, l'ensemble de ces nombres réels entre 0 et 1 est non dénombrable. Tout ensemble qui contient un sous-ensemble non dénombrable est non dénombrable (voir l'exercice 23 à la fin de cette section). Par conséquent, l'ensemble des nombres réels est un ensemble non dénombrable.

Exercices

1. Trouvez les éléments suivants de la suite $\{a_n\}$, où $a_n = 2 \cdot (-3)^n + 5^n$.

   a) a_0 **b)** a_1

   c) a_4 **d)** a_5

2. Quel est l'élément a_8 de la suite $\{a_n\}$ si a_n égale

   a) 2^{n-1} ?   **b)** 7 ?

   c) $1 + (-1)^n$?   **d)** $-(-2)^n$?

3. Quels sont les éléments a_0, a_1, a_2 et a_3 de la suite $\{a_n\}$, où a_n égale

   a) $2^n + 1$?   **b)** $(n+1)^{n+1}$?

   c) $\lfloor n/2 \rfloor$?   **d)** $\lfloor n/2 \rfloor + \lceil n/2 \rceil$?

4. Quels sont les éléments a_0, a_1, a_2 et a_3 de la suite $\{a_n\}$, où a_n égale

   a) $(-2)^n$?   **b)** 3 ?

   c) $7 + 4^n$?   **d)** $2^n + (-2)^n$?

5. Quelles sont les valeurs des sommes suivantes ?

   a) $\displaystyle\sum_{k=1}^{5} (k+1)$ **b)** $\displaystyle\sum_{j=0}^{4} (-2)^j$

   c) $\displaystyle\sum_{i=1}^{10} 3$ **d)** $\displaystyle\sum_{j=0}^{8} (2^{j+1} - 2^j)$

6. Quelles sont les valeurs des sommes suivantes, où $S = \{1, 3, 5, 7\}$?

   a) $\displaystyle\sum_{j \in S} j$ **b)** $\displaystyle\sum_{j \in S} j^2$

   c) $\displaystyle\sum_{j \in S} (1/j)$ **d)** $\displaystyle\sum_{j \in S} 1$

7. Quelle est la valeur de chacune des sommes suivantes des éléments d'une progression géométrique ?

   a) $\displaystyle\sum_{j=0}^{8} 3 \cdot 2^j$ **b)** $\displaystyle\sum_{j=1}^{8} 2^j$

   c) $\displaystyle\sum_{j=2}^{8} (-3)^j$ **d)** $\displaystyle\sum_{j=0}^{8} 2 \cdot (-3)^j$

8. Trouvez la valeur de chacune des sommes suivantes :

   a) $\displaystyle\sum_{j=0}^{8} (1 + (-1)^j)$.   **b)** $\displaystyle\sum_{j=0}^{8} (3^j - 2^j)$.

   c) $\displaystyle\sum_{j=0}^{8} (2 \cdot 3^j + 3 \cdot 2^j)$.   **d)** $\displaystyle\sum_{j=0}^{8} (2^{j+1} - 2^j)$.

9. Calculez chacune des sommes doubles suivantes :

   a) $\displaystyle\sum_{i=1}^{2} \sum_{j=1}^{3} (i+j)$.   **b)** $\displaystyle\sum_{i=0}^{2} \sum_{j=0}^{3} (2i + 3j)$.

   c) $\displaystyle\sum_{i=1}^{3} \sum_{j=0}^{2} i$.   **d)** $\displaystyle\sum_{i=0}^{2} \sum_{j=1}^{3} ij$.

10. Calculez chacune des sommes doubles suivantes :

    a) $\displaystyle\sum_{i=1}^{3} \sum_{j=1}^{2} (i-j)$.   **b)** $\displaystyle\sum_{i=0}^{3} \sum_{j=0}^{2} (3i + 2j)$.

    c) $\displaystyle\sum_{i=1}^{3} \sum_{j=0}^{2} j$.   **d)** $\displaystyle\sum_{i=0}^{2} \sum_{j=0}^{3} i^2 j^3$.

11. Démontrez que l'expression $\sum_{j=1}^{n} (a_j - a_{j-1}) = a_n - a_0$ où a_0, a_1, ... a_n est une suite de nombres réels. Ce type de somme est appelé **somme téléscopique.**

12. Utilisez l'identité $1/(k(k+1)) = 1/k - 1/(k+1)$ et l'exercice 11 pour calculer $\sum_{k=1}^{n} 1/(k(k+1))$.

13. Effectuez la somme des expressions se trouvant des deux côtés de l'identité $k^2 - (k-1)^2 = 2k - 1$ de $k = 1$ à $k = n$ et reportez-vous à l'exercice 11 pour trouver

    a) une formule pour $\sum_{k=1}^{n} (2k - 1)$ (la somme des premiers nombres naturels impairs n).

    b) une formule pour $\sum_{k=1}^{n} k$.

*14. Utilisez la technique indiquée à l'exercice 11 avec les résultats de l'exercice 13 b) pour trouver une formule pour calculer $\sum_{k=1}^{n} k^2$.

Il existe aussi une notation spécifique pour représenter les produits. Le produit de a_m, a_{m+1}, ..., a_n est noté :

$$\prod_{j=m}^{n} a_j.$$

15. Quelles sont les valeurs des produits suivants ?

    a) $\prod_{i=0}^{10} i$ **b)** $\prod_{i=5}^{8} i$

    c) $\prod_{i=1}^{100} (-1)^i$ **d)** $\prod_{i=1}^{10} 2$

La valeur de la **fonction factorielle** par rapport au nombre entier n, symbolisée par $n!$, est le produit des nombres entiers positifs de 1 à n inclusivement. Également, on définit $0! = 1$.

16. Exprimez $n!$ en utilisant la notation d'un produit.

17. Trouvez $\sum_{j=0}^{4} j!$.

18. Trouvez $\prod_{j=0}^{4} j!$.

19. Déterminez si les ensembles suivants sont dénombrables ou non dénombrables. Dans le cas où l'ensemble est dénombrable, trouvez une bijection entre l'ensemble des nombres naturels et cet ensemble.

   a) les nombres entiers négatifs

   b) les nombres entiers pairs

   c) les nombres réels entre 0 et $\frac{1}{2}$

   d) les nombres entiers multiples de 7

★20. Déterminez si les ensembles suivants sont dénombrables ou non dénombrables. Pour ceux qui sont dénombrables, montrez la bijection entre l'ensemble des nombres naturels et cet ensemble.

   a) les nombres entiers non divisibles par 3

   b) les nombres entiers divisibles par 5 mais non divisibles par 7

   c) les nombres réels dont la représentation décimale se compose uniquement de 1

   d) les nombres réels dont la représentation décimale se compose de 1 ou de 9

21. Si A est un ensemble non dénombrable et si B est un ensemble dénombrable, la différence $A - B$ est-elle non dénombrable ?

22. Démontrez que tout sous-ensemble d'un ensemble dénombrable est également dénombrable.

23. Démontrez que si A est un ensemble non dénombrable et si $A \subseteq B$, alors B est un ensemble non dénombrable.

★24. Démontrez que l'union de deux ensembles dénombrables est aussi dénombrable.

★★25. Démontrez que l'union d'un nombre dénombrable d'ensembles dénombrables est également dénombrable.

★26. Un nombre est **rationnel** s'il peut être représenté comme le quotient de deux nombres entiers. Démontrez que l'ensemble des nombres rationnels compris entre 0 et 1 est un ensemble dénombrable. (*Suggestion :* Énumérez les éléments de cet ensemble en ordre croissant de la valeur de $p + q$, où p est le numérateur et q, le dénominateur de la fraction p/q réduite au plus petit dénominateur.)

★27. Démontrez que l'ensemble de toutes les chaînes binaires est dénombrable.

★28. Démontrez que l'ensemble des nombres réels qui permettent de résoudre les équations quadratiques $ax^2 + bx + c = 0$, où a, b et c sont des nombres entiers, est un ensemble dénombrable.

★29. Démontrez que l'ensemble de tous les programmes informatiques d'un langage particulier est dénombrable. (*Suggestion :* Un programme informatique écrit en langage de programmation peut être décomposé en une chaîne de symboles à partir d'un alphabet fini.)

★30. Démontrez que l'ensemble des fonctions des nombres entiers positifs dans l'ensemble $\{0, 1, 2, 3, 4, 5, 6, 7, 8, 9\}$ est indénombrable. (*Suggestion :* Commencez par établir une bijection entre l'ensemble des nombres réels entre 0 et 1 et un sous-ensemble de ces fonctions. Associez au nombre réel $0,d_1 d_2 \ldots d_n \ldots$ la fonction f avec $f(n) = d_n$.)

★31. On dit qu'une fonction est **calculable** s'il existe un programme informatique capable de calculer les valeurs de cette fonction. Référez-vous aux exercices 29 et 30 pour démontrer que certaines fonctions ne sont pas calculables.

1.8

Comportement asymptotique des fonctions

INTRODUCTION

On suppose qu'un programme informatique permet de ranger en ordre croissant une liste de n nombres entiers. On voudrait connaître le temps qui est nécessaire à l'ordinateur pour effectuer cette opération. Une analyse démontre que le temps nécessaire pour ordonner une liste de n nombres entiers (on convient que ces nombres ont une taille inférieure à une taille spécifiée) est inférieur à $f(n)$ microsecondes, où $f(n) = 100n \log n + 25n + 9$. Pour connaître l'efficacité de ce programme, il faut comprendre la relation entre la croissance de la fonction $f(n)$ par rapport à la croissance de n. Dans cette section, on étudiera des méthodes qui permettent d'évaluer la croissance des fonctions. On se servira de la notation la plus communément utilisée dans l'analyse de la croissance des fonctions, soit la notation asymptotique. À l'aide de cette notation, on obtiendra des résultats intéressants sur la croissance des fonctions.

NOTATION ASYMPTOTIQUE

Le comportement asymptotique des fonctions est souvent décrit au moyen de la notation qui est définie ci-après.

DÉFINITION 1. Soit f et g des fonctions de l'ensemble des nombres entiers ou de l'ensemble des nombres réels dans l'ensemble des nombres réels. On dit que $f(x)$ est $O(g(x))$ s'il existe des constantes C et k telles que

$$|f(x)| \leq C|g(x)|$$

dès que $x > k$. (Cette notation se lit $f(x)$ est « *grand O* » de $g(x)$).

Remarque : Pour démontrer que $f(x)$ est $O(g(x))$, il suffit de prouver qu'*une* paire de constantes C et k vérifient l'inéquation $|f(x)| \leq C|g(x)|$ si $x > k$. Cependant, cette paire C, k, qui satisfait la définition, n'est *jamais* unique. Si une telle paire existe, cela signifie qu'il en existe une *infinité d'autres*. Pour le prouver, on remarque simplement que si C, k est une telle paire, toute paire C', k' avec $C < C'$ et $k < k'$ satisfait aussi cette définition, puisque $|f(x)| \leq C|g(x)| \leq C'|g(x)|$ dès que $x > k' > k$.

EXEMPLE 1   Démontrez que $f(x) = x^2 + 2x + 1$ est $O(x^2)$.

Solution : Puisque $0 \leq x^2 + 2x + 1 \leq x^2 + 2x^2 + x^2 = 4x^2$ dès que $x > 1$, il s'ensuit que $f(x)$ est $O(x^2)$. (On applique ici la définition de grand O, avec $C = 4$ et $k = 1$. Il n'est pas nécessaire d'utiliser de valeurs absolues, puisque toutes les fonctions de ces égalités sont positives quand x est positif.)

On voit aussi que lorsque $x > 2$, il s'ensuit que $2x \leq x^2$. En conséquence, si $x > 2$, on a

$$0 \leq x^2 + 2x + 1 \leq x^2 + x^2 + x^2 = 3x^2.$$

(On applique la définition avec $C = 3$ et $k = 2$.)

Observez que dans la relation $f(x)$ est $O(x^2)$, x^2 peut être remplacé par toute fonction ayant des valeurs supérieures à x^2, par exemple $f(x)$ est $O(x^3)$, $f(x)$ est $O(x^2 + 2x + 7)$, etc. Il est également vrai que x^2 est $O(x^2 + 2x + 1)$, puisque $x^2 < x^2 + 2x + 1$ chaque fois que $x \geq 1$.

La figure 1 illustre que $x^2 + 2x + 1$ est égale à $O(x^2)$. ■

À noter que dans l'exemple 1, on a deux fonctions $f(x) = x^2 + 2x + 1$ et $g(x) = x^2$ telles que $f(x)$ est $O(g(x))$ et $g(x)$ est $O(f(x))$. La dernière affirmation provient de l'inégalité $x^2 \leq x^2 + 2x + 1$ qui s'applique à tous les nombres réels non négatifs x. On dit que deux fonctions $f(x)$

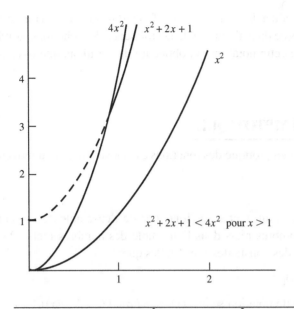

FIGURE 1   La fonction $x^2 + 2x + 1$ est $O(x^2)$.

et $g(x)$ qui satisfont toutes deux des relations grand O sont des fonctions du *même ordre* (voir les exercices 22 à 25).

Remarque : On écrit parfois $f(x)$ *est* $O(g(x))$ sous la forme $f(x) = O(g(x))$. Dans cette notation, le signe d'égalité *ne représente pas* formellement une égalité. Au contraire, cette notation indique une inégalité entre les valeurs des fonctions f et g pour des valeurs assez grandes dans les domaines de ces fonctions.

La notation grand O est utilisée en mathématiques depuis presque un siècle. En informatique, elle est largement utilisée dans l'analyse des algorithmes, comme on le verra au chapitre 2. C'est le mathématicien allemand Paul Bachmann qui introduisit cette notation pour la première fois en 1892 dans un livre sur la théorie des nombres. Le symbole grand O est quelquefois appelé **symbole de Landau**, du nom du mathématicien allemand Edmund Landau, qui l'utilisa dans ses travaux.

Quand $f(x)$ est $O(g(x))$ et $h(x)$ est une fonction qui comprend des valeurs absolues plus grandes que $g(x)$ dans le cas où x prend de grandes valeurs, il s'ensuit que $f(x)$ est $O(h(x))$. En d'autres termes, la fonction $g(x)$ dans la relation $f(x)$ est $O(g(x))$ peut être remplacée par une fonction contenant des valeurs absolues plus grandes. Pour le démontrer, on note que si

$$|f(x)| \leq C|g(x)| \qquad \text{lorsque } x > k,$$

et si $|h(x)| > |g(x)|$ pour tous les $x > k$, alors

$$|f(x)| \leq C|g(x)| \qquad \text{lorsque } x > k.$$

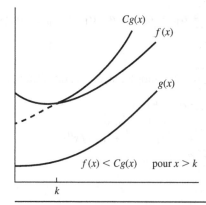

FIGURE 2   Fonction $f(x)$ est $O(g(x))$

En conséquence, $f(x)$ est $O(h(x))$.

Quand on utilise la notation grand O, la fonction g dont la relation $f(x)$ est $O(g(x))$ est choisie comme la plus petite possible (quelquefois à partir d'un ensemble de fonctions de référence du type x^n, où n est un nombre entier positif).

Pour la suite de cette section, on s'occupera seulement des fonctions ayant des valeurs positives. Toutes les références aux valeurs absolues peuvent alors être abandonnées quand on étudie le comportement asymptotique de ces fonctions. La figure 2 illustre la relation $f(x)$ est $O(g(x))$.

L'exemple 2 illustre la façon dont la notation asymptotique permet d'évaluer la croissance des fonctions.

EXEMPLE 2   Démontrez que $7x^2$ est $O(x^3)$.

Solution : L'inégalité $7x^2 < x^3$ est valide dès que $x > 7$. (On le comprend en divisant les deux côtés de cette inégalité par x^2.) Par suite, $7x^2$ est $O(x^3)$ en prenant $C = 1$ et $k = 7$ dans la définition de la notation asymptotique.   ∎

EXEMPLE 3   L'exemple 2 a démontré que $7x^2$ est $O(x^3)$. Est-il également vrai que x^3 est $O(7x^2)$?

Solution : Pour déterminer si x^3 est $O(7x^2)$, il est nécessaire de déterminer s'il existe des constantes C et k qui satisfont la relation $x^3 \le C(7x^2)$ chaque fois que $x > k$. Cette inégalité est équivalente à l'inégalité $x < 7C$, qui est obtenue en divisant les deux côtés de x^2. Comme il n'existe pas un tel C puisque x peut être aussi grand qu'on le désire, x^3 n'est donc *pas $O(7x^2)$*.   ∎

On utilise souvent des polynômes pour évaluer la croissance des fonctions. Pour ce faire, on utilise le théorème 1, qui démontre que le premier terme du polynôme déterminera sa croissance en affirmant qu'un polynôme de degré n (ou moins) est $O(x^n)$.

THÉORÈME 1   Soit $f(x) = a_n x^n + a_{n-1} x^{n-1} + \cdots + a_1 x + a_0$, où $a_0, a_1, \cdots a_{n-1}, a_n$ sont des nombres réels. Alors, $f(x)$ est $O(x^n)$.

Démonstration : En vertu de l'inégalité du triangle, si $x > 1$, on obtient :

$$|f(x)| = |a_n x^n + a_{n-1} x^{n-1} + \cdots + a_1 x + a_0|$$
$$\leq |a_n| x^n + |a_{n-1}| x^{n-1} + \cdots + |a_1| x + |a_0|$$
$$= x^n (|a_n| + |a_{n-1}|/x + \cdots + |a_1|/x^{n-1} + |a_0|/x^n)$$
$$\leq x^n (|a_n| + |a_{n-1}| + \cdots + |a_1| + |a_0|).$$

Ainsi, on a, pour $x > 1$,

$$|f(x)| \leq C x^n,$$

où $C = |a_n| + |a_{n-1}| + \ldots + |a_0|$ chaque fois que $x > 1$. Alors, $f(x)$ est $O(x^n)$.   □

Voici quelques exemples où interviennent des fonctions dont le domaine est l'ensemble des entiers positifs.

EXEMPLE 4   Comment pourriez-vous utiliser la notation grand O pour évaluer la somme des n premiers nombres entiers ?

Solution : Puisque chacun des nombres entiers de la somme des n premiers nombres entiers n'excède pas n, il s'ensuit que

$$1 + 2 + \cdots + n \leq n + n + \cdots + n = n^2.$$

À partir de cette inégalité, il s'ensuit que $1 + 2 + 3 + \cdots + n$ est $O(n^2)$ si on prend $C = 1$ et $k = 1$ dans la définition de la notation grand O. (Dans cet exemple, les domaines des fonctions de la relation grand O sont l'ensemble des nombres entiers positifs.)   ■

Dans l'exemple 5, on évaluera le comportement asymptotique pour la fonction factorielle et son logarithme. Ces évaluations permettent d'analyser le nombre d'étapes nécessaires à une procédure de tri.

EXEMPLE 5   Évaluez le comportement asymptotique de la fonction factorielle et le logarithme de cette fonction quand la fonction factorielle $f(n) = n!$ est définie par

$$n! = 1 \cdot 2 \cdot 3 \cdot \cdots \cdot n,$$

où n est un nombre entier positif et $0! = 1$. Par exemple,

$$1! = 1, \qquad 2! = 1 \cdot 2 = 2, \qquad 3! = 1 \cdot 2 \cdot 3 = 6, \qquad 4! = 1 \cdot 2 \cdot 3 \cdot 4 = 24.$$

À noter que la fonction $n!$ croît rapidement. Par exemple,

$$20! = 2432\,902\,008\,176\,640\,000$$

Solution : Une évaluation du comportement asymptotique de $n!$ peut être obtenue en notant que chaque élément du produit n'excédera pas n. Ainsi, on a

$$n! = 1 \cdot 2 \cdot 3 \cdot \cdots \cdot n$$
$$\leq n \cdot n \cdot n \cdot \cdots \cdot n$$
$$= n^n.$$

Cette inégalité démontre que $n!$ est $O(n^n)$. En prenant les logarithmes des deux membres de cette inégalité, on obtient

$$\log n! \leq \log n^n = n \log n.$$

En conséquence, $\log n!$ est $O(n \log n)$.   ■

EXEMPLE 6   À la section 3.2, on démontrera que

$$n < 2^n$$

chaque fois que n est un nombre entier positif. En utilisant cette inégalité, on peut conclure que n est $O(2^n)$ (en prenant $k = C = 1$ dans la définition de la notation grand O). Puisque le logarithme est une fonction croissante, en prenant les logarithmes (en base 2) des deux membres de l'inégalité on montre que

$$\log n < n.$$

Il s'ensuit que

$$\log n \text{ est } O(n).$$

(Encore une fois, on prend $C = k = 1$ dans la définition de la notation grand O.)

Si on prend les logarithmes en base b (b étant différent de 2), on trouve la relation $\log_b n$ est $O(n)$, puisque

$$\log_b n = \frac{\log n}{\log_b 2} < \frac{n}{\log_b 2}$$

chaque fois que n est un nombre entier positif. (On a utilisé le théorème 3 de l'annexe 1 pour démontrer que $\log_b n = \log n / \log_b 2$.)   ■

CROISSANCE ET COMBINAISONS DE FONCTIONS

La plupart des algorithmes sont constitués de plusieurs sous-procédures distinctes. Le nombre d'étapes pour résoudre un problème à l'aide d'un tel algorithme correspond à la somme du nombre d'étapes utilisées par ces sous-procédures. Ainsi, pour calculer l'évaluation asymptotique du nombre d'étapes nécessaires, il suffit de calculer les évaluations asymptotiques du nombre d'étapes de chacune des sous-procédures puis de les combiner. Les estimations asymptotiques de combinaisons de fonctions s'obtiennent si on porte une attention particulière quand différentes évaluations asymptotiques sont combinées. Cette combinaison doit cependant être faite avec soin. Par exemple, il est souvent nécessaire d'estimer la croissance de la somme ou du produit de deux fonctions. Que peut-on dire si on connaît le comportement asymptotique de chacune des deux fonctions ? Pour y répondre, on suppose que $f_1(x)$ est $O(g_1(x))$ et que f_2x est $O(g_2(x))$.

À partir de la définition de la notation grand O, on a des constantes C_1, C_2, k_1 et k_2 telles que

$$|f_1(x)| \leq C_1|g_1(x)|$$

pour $x > k_1$, et

$$|f_2(x)| \leq C_2|g_2(x)|$$

pour $x > k_2$. Pour estimer la somme de $f_1(x)$ et $f_2(x)$, on note que

$$|(f_1 + f_2)(x)| = f_1(x) + f_2(x)|$$
$$\leq |f_1(x)| + |f_2(x)| \text{ (en utilisant l'inégalité du triangle } |a + b| \leq |a| + |b|).$$

Quand x est plus grand que k_1 et k_2 à la fois, il s'ensuit, en vertu des inégalités pour $|f_1(x)|$ et $|f_2(x)|$, que

$$|f_1(x)| + |f_2(x)| \leq C_1|g_1(x)| + C_2|g_2(x)|$$
$$\leq C_1|g(x)| + C_2|g(x)|$$
$$= (C_1 + C_2)|g(x)|$$
$$= C|g(x)|,$$

quand $C = C_1 + C_2$ et $g(x) = \max(|g_1(x)|, |g_2(x)|)$. (Dans ce cas, $\max(a, b)$ désigne le maximum de a et b.

Cette inégalité démontre que $|(f_1 + f_2)(x)| \leq C|g(x)|$ dès que $x > k$, où $k = \max(k_1, k_2)$.

THÉORÈME 2   Si $f_1(x)$ est $O(g_1(x))$ et que $f_2(x)$ est $O(g_2(x))$, alors $(f_1 + f_2)(x)$ est $O(\max(g_1(x), g_2(x)))$.

On aura souvent des évaluations asymptotiques pour f_1 et f_2 dans les mêmes termes que la fonction g. Dans cette situation, le théorème 2 servira à démontrer que $(f_1 + f_2)(x)$ est aussi $O(g(x))$, puisque $\max(g(x), g(x)) = g(x)$. Ce résultat est repris dans le corollaire 1.

COROLLAIRE 1   Si $f_1(x)$ et $f_2(x)$ sont toutes deux $O(g(x))$, alors $(f_1 + f_2)(x)$ est $O(g(x))$.

De manière similaire, les évaluations asymptotiques peuvent être dérivées du produit des fonctions f_1 et f_2. Quand x est plus grand que $\max(k_1, k_2)$, il s'ensuit que

$$|(f_1f_2)(x)| = |f_1(x)||f_2(x)|$$
$$\leq C_1|g_1(x)|C_2|g_2(x)|$$
$$\leq C_1C_2|(g_1g_2)(x)|$$
$$\leq C|(g_1g_2)(x)|,$$

où $C = C_1 C_2$. À partir de cette inégalité, il s'ensuit que $f_1(x) f_2(x)$ est $O(g_1 g_2)$, puisqu'il existe des constantes C et k, notamment $C = C_1 C_2$ et $k = \max (k_1, k_2)$, telles que $|(f_1 f_2)(x)| \leq C |(g_1(x) g_2(x)|$ chaque fois que $x > k$. Ce résultat est repris dans le théorème 3.   □

THÉORÈME 3   Si $f_1(x)$ est $O(g_1(x))$ et si $f_2(x)$ est $O(g_2(x))$, alors $(f_1 f_2)(x)$ est $O(g_1(x) g_2(x))$.

Lorsqu'on étudie le comportement asymptotique d'une fonction fixe, on recherche une fonction $g(x)$ qui ne croît pas trop rapidement. Les exemples suivants illustrent comment le théorème 2 et le théorème 3 permettent d'y parvenir. Ce type d'analyse est souvent effectué en informatique pour calculer le temps nécessaire à la résolution de problèmes.

EXEMPLE 7   Évaluez le comportement asymptotique de $f(n) = 3n \log (n!) + (n^2 + 3) \log n$, où n est un nombre entier positif.

Solution : Premièrement, on calculera le produit $3n \log (n!)$. À partir de l'exemple 5, on voit que $\log (n!)$ est $O(n \log n)$. À partir de ce résultat et du fait que $3n$ est $O(n)$, le théorème 3 permet de dire que $3n \log (n!)$ est $O(n^2 \log n)$.

On calcule ensuite le produit $(n^2 + 3) \log n$. Puisque $(n^2 + 3) < 2n^2$ quand $n > 2$, il s'ensuit que $n^2 + 3$ est $O(n^2)$. En appliquant le théorème 3, on déduit que $(n^2 + 3) \log n$ est $O(n^2 \log n)$. En utilisant le théorème 2 pour combiner les deux évaluations asymptotiques du produit, on arrive à la conclusion que $f(n) = 3n \log(n!) + n^2 \log n$ est $O(n^2 \log n)$.   ■

EXEMPLE 8   Évaluez le comportement asymptotique de $f(x) = (x + 1) \log(x^2 + 1) + 3x^2$.

Solution : On trouve d'abord une évaluation asymptotique de $(x + 1) \log(x^2 + 1)$. À noter que $(x + 1)$ est $O(x)$. De plus, $x^2 + 1 \leq 2x^2$ quand $x > 1$. Alors,

$$\log (x^2 + 1) \leq \log (2x^2) = \log 2 + \log x^2 = \log 2 + 2 \log x \leq 3 \log x,$$

si $x > 2$, ce qui démontre que $\log (x^2 + 1)$ est $O(\log x)$.

À partir du théorème 3, on déduit que $(x + 1) \log (x^2 + 1)$ est $O(x \log x)$. Puisque $3x^2$ est $O(x^2)$, le théorème 2 permet de dire que $f(x)$ est $O(\max (x \log x, x^2))$. Puisque $x \log x \leq x^2$, pour $x > 1$, il s'ensuit que $f(x)$ est $O(x^2)$.   ■

Comme on l'a vu précédemment, la notation asymptotique permet d'estimer, à l'aide d'un algorithme ou d'une procédure précise, le nombre d'opérations comprises dans la résolution d'un problème. La fonction utilisée dans ce type d'évaluation inclut souvent les notations suivantes :

$$1, \quad \log n, \quad n, \quad n \log n, \quad n^2, \quad 2^n, \quad n!.$$

En utilisant le calcul différentiel et intégral, on peut démontrer que chaque fonction de cette liste est plus petite que la fonction suivante, dans le sens que le ratio d'une fonction et de la

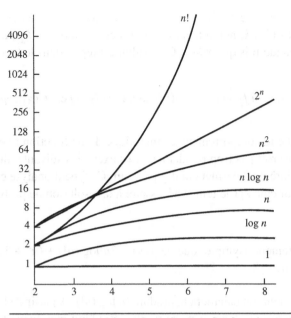

FIGURE 3   Graphique de croissance des fonctions utilisées couramment en analyse asymptotique

fonction suivante tend vers 0 lorsque n tend vers l'infini. La figure 3 montre le graphique de ces fonctions, l'axe des ordonnées étant exprimé selon l'exponentielle en base 2.

Exercices

1. Déterminez si les fonctions suivantes sont $O(x)$.
   a) $f(x) = 10$ **b)** $f(x) = 3x + 7$
   c) $f(x) = x^2 + x + 1$ **d)** $f(x) = 5 \log x$
   e) $f(x) = \lfloor x \rfloor$ **f)** $f(x) = \lceil x/2 \rceil$

2. Déterminez si les fonctions suivantes sont $O(x^2)$.
   a) $f(x) = 17x + 11$ **b)** $f(x) = x^2 + 1000$
   c) $f(x) = x \log x$ **d)** $f(x) = x^4/2$
   e) $f(x) = 2^x$ **f)** $f(x) = \lfloor x \rfloor \cdot \lceil x \rceil$

3. Utilisez la définition de la notation $f(x)$ est $O(g(x))$ pour démontrer que $x^4 + 9x^3 + 4x + 7$ est $O(x^4)$.

4. Utilisez la définition de la notation $f(x)$ est $O(g(x))$ pour démontrer que $2^x + 17$ est $O(3^x)$.

5. Démontrez que $(x^2 + 1)/(x + 1)$ est $O(x)$.

6. Démontrez que $(x^3 + 2x)/2x + 1)$ est $O(x^2)$.

7. Trouvez le nombre entier n le plus petit qui vérifie que $f(x)$ est $O(x^n)$ pour chacune des fonctions suivantes :
   a) $f(x) = 2x^3 + x^2 \log x$.
   b) $f(x) = 3x^3 + (\log x)^4$.
   c) $f(x) = (x^4 + x^2 + 1)/(x^3 + 1)$.
   d) $f(x) = (x^4 + 5 \log x)/(x^4 + 1)$.

8. Trouvez le plus petit nombre entier n pour lequel $f(x)$ est $O(x^n)$ pour chacune des fonctions suivantes :
   a) $f(x) = 2x^2 + x^3 \log x$.
   b) $f(x) = 3x^5 + (\log x)^4$.
   c) $f(x) = (x^4 + x^2 + 1)/(x^4 + 1)$.
   d) $f(x) = (x^3 + 5 \log x)/(x^4 + 1)$.

9. Démontrez que $x^2 + 4x + 17$ est $O(x^3)$, mais que x^3 n'est pas $O(x^2 + 4x + 17)$.

10. Démontrez que x^3 est $O(x^4)$, mais que x^4 n'est pas $O(x^3)$.

11. Démontrez que $3x^4 + 1$ est $O(x^4/2)$ et que $x^4/2$ est $O(3x^4 + 1)$.

12. Démontrez que $\log x$ est $O(x^2)$, mais que x^2 n'est pas $O(x \log x)$.

13. Démontrez que 2^n est $O(3^n)$, mais que 3^n n'est pas $O(2^n)$.

14. Est-il exact que x^3 est $O(g(x))$ si g est l'une des fonctions suivantes ? (Par exemple, si $g(x) = x + 1$, est-il vrai que x^3 est $O(x + 1)$?)

   a) $g(x) = x^2$ **b)** $g(x) = x^3$

   c) $g(x) = x^2 + x^3$ **d)** $g(x) = x^2 + x^4$

   e) $g(x) = 3x$ **f)** $g(x) = x^3/2$

15. Expliquez ce que signifie pour une fonction d'être $O(1)$.

16. Démontrez que si $f(x)$ est $O(x)$, alors $f(x)$ est $O(x^2)$.

17. Supposez que $f(x)$, $g(x)$ et $h(x)$ sont des fonctions qui vérifient que $f(x)$ est $O(g(x))$ et que $g(x)$ est $O(h(x))$. Démontrez alors que $f(x)$ est $O(h(x))$.

18. Soit k un nombre entier positif. Démontrez que $1^k + 2^k + \cdots + n^k$ est $O(n^{k+1})$.

19. Trouvez la meilleure évaluation asymptotique possible pour chacune des fonctions suivantes :

   a) $(n^2 + 8)(n + 1)$.

   b) $(n \log n + n^2)(n^3 + 2)$.

   c) $(n! + 2^n)(n^3 + \log (n^2 + 1))$.

20. Donnez l'évaluation asymptotique pour chacune des fonctions suivantes. Pour la fonction g dans l'évaluation $f(x)$ est $O(g)$, utilisez la fonction d'ordre le plus petit de g.

   a) $(n^3 + n^2 \log n)(\log n + 1) + (17 \log n + 19)(n^3 + 2)$

   b) $(2^n + n^2)(n^3 + 3^n)$

   c) $(n^n + n^{2n} + 5^n)(n! + 5^n)$

21. Évaluez le comportement asymptotique de chacune des fonctions suivantes. En écrivant $f(x)$ est $O(g(x))$, choisissez g de telle sorte qu'elle soit la plus petite possible.

   a) $n \log (n^2 + 1) + n^2 \log n$

   b) $(n \log n + 1)^2 + (\log n + 1)(n^2 + 1)$

   c) $n^{2^n} + n^{n^2}$

Soit $f(x)$ et $g(x)$ des fonctions de l'ensemble des nombres réels ou de l'ensemble des nombres entiers positifs dans l'ensemble des nombres réels. On écrit $f(x)$ est $\Theta g(x)$) quand il existe des nombres réels positifs C_1 et C_2 et un nombre entier k qui vérifient

$$C_1 |g(x)| \le |f(x)| \le C_2 |g(x)|$$

chaque fois que $x > k$.

22. **a)** Démontrez que $3x + 7$ est $\Theta(x)$.

   b) Démontrez que $2x^2 + x - 7$ est $\Theta(x^2)$.

   c) Démontrez que $\lfloor x + 1/2 \rfloor$ est $\Theta(x)$.

   d) Démontrez que $\log (x^2 + 1)$ est $\Theta(\log_2 x)$.

   e) Démontrez que $\log_{10} x$ est $\Theta(\log_2 x)$.

23. Démontrez que $f(x)$ est $\Theta(g(x))$ si et seulement si $f(x)$ est $O(g(x))$ et que $g(x)$ est $O(f(x))$.

24. **a)** Démontrez que $3x^2 + x + 1$ est $\Theta(3x^2)$.

   b) Exprimez la relation de la partie a) en utilisant un graphique qui illustre les fonctions $3x^2 + x + 1$,

$C_1 \cdot 3x^2$ et $C_2 \cdot 3x^2$, ainsi que la constante k sur l'axe des x, où C_1, C_2 et k sont les constantes trouvées à la partie a). Démontrez ainsi que $3x^2 + x + 1$ est $\Theta(3x^2)$.

25. Exprimez la relation $f(x)$ est $\Theta(g(x))$ en utilisant un graphe. Tracez les graphiques des fonctions $f(x)$, $C_1|g(x)|$ et $C_2|g(x)|$, ainsi que de la constante k sur l'axe des x.

26. Donnez une évaluation asymptotique du produit des n premiers nombres entiers impairs positifs.

27. Démontrez que si f et g sont des fonctions en valeurs réelles qui vérifient que $f(x)$ est $O(g(x))$, alors $f^k(x)$ est $O(g^k(x))$. (Remarquez que $f^k(x) = f(x)^k$.)

28. Démontrez que si $f(x)$ est $O(\log_b x)$ quand $b > 1$, alors $f(x)$ est $O(\log_a x)$ quand $a > 1$.

29. Supposez que $f(x)$ est $O(g(x))$ quand f et g sont des fonctions croissantes et non limitées. Démontrez que $\log |f(x)|$ est $O(\log |g(x)|)$.

30. Supposez que $f(x)$ est $O(g(x))$. S'ensuit-il que $2^{f(x)}$ est $O(2^{g(x)})$?

Les problèmes suivants se rapportent à un autre type de notation asymptotique appelée notation **petit o**. Cette notation petit o étant fondée sur le concept des limites, il faut avoir des notions de calcul intégral et différentiel pour résoudre ces problèmes. On dit que $f(x)$ est $o(g(x))$. Il faut lire $f(x)$ est petit o de $g(x)$) quand

$$\lim_{x \to \infty} \frac{f(x)}{g(x)} = 0 .$$

31. (Calcul différentiel et intégral requis.) Démontrez que

   a) x^2 est $o(x^3)$.   **b)** $x \log x$ est $o(x^2)$.

   c) x^2 est $o(2^x)$.   **d)** $x^2 + x + 1$ n'est pas $o(x^2)$.

32. (Calcul différentiel et intégral requis.)

   a) Démontrez que si $f(x)$ et $g(x)$ sont des fonctions telles que $f(x)$ est $o(g(x))$, et si c est une constante, alors $c f(x)$ est $o(g(x))$ où $(c f)(x) = c f(x)$.

   b) Démontrez que si $f_1 x$, $f_2 x$ et $g(x)$ sont des fonctions qui vérifient que $f_1 x$ est $o(g(x))$ et que $f_2 x$ est $o(g(x))$, alors $(f_1 + f_2)(x)$ est $o(g(x))$ où $(f_1 + f_2)(x) = f_1(x) + f_2(x)$.

33. (Calcul différentiel et intégral requis.) Montrez graphiquement que $x \log x$ est $o(x^2)$ en traçant $x \log x$, x^2 et $x \log x/x^2$. Expliquez pourquoi ce graphique démontre que $x \log x$ est $o(x^2)$.

34. (Calcul différentiel et intégral requis.) Exprimez la relation $f(x)$ est $o(g(x))$ à l'aide d'un graphique. Tracez le graphique de $f(x)$, de $g(x)$ et de $f(x)/g(x)$.

★35. (Calcul différentiel et intégral requis.) Supposez que $f(x)$ est $o(g(x))$. S'ensuit-il que $2^{f(x)}$ est $o(2^{g(x)})$?

★**36.** (Calcul différentiel et intégral requis.) Supposez que $f(x)$ est $o(g(x))$. S'ensuit-il que $\log|f(x)|$ est $o(\log|g(x)|)$?

37. (Calcul différentiel et intégral requis.) Les deux parties de cet exercice décrivent la relation entre les notations petit o et grand O.

   a) Démontrez que si $f(x)$ et $g(x)$ sont des fonctions telles que $f(x)$ est $o(g(x))$, alors $f(x)$ est $O(g(x))$.

   b) Démontrez que si $f(x)$ et $g(x)$ sont des fonctions telles que $f(x)$ est $O(g(x))$, il ne s'ensuit pas nécessairement que $f(x)$ est $o(g(x))$.

38. (Calcul différentiel et intégral requis.) Démontrez que si $f(x)$ est un polynôme de degré n et que $g(x)$ est un polynôme de degré m où $m > n$, alors $f(x)$ est $o(g(x))$.

39. (Calcul différentiel et intégral requis.) Démontrez que si $f_1(x)$ est $O(g(x))$ et que $f_2(x)$ est $o(g(x))$, alors $f_1(x) + f_2(x)$ est $O(g(x))$.

40. (Calcul différentiel et intégral requis.) Soit H_n le n-ième nombre **harmonique**

$$H_n = 1 + \frac{1}{2} + \frac{1}{3} + \ldots + \frac{1}{n}.$$

Démontrez que H_n est $O(\log n)$. (*Conseil :* Établissez d'abord l'inégalité suivante :

$$\sum_{j=2}^{n} \frac{1}{j} < \int_1^n \frac{1}{x} dx$$

en démontrant que la somme des aires du rectangle de hauteur $1/j$ et de base $j-1$ à j, pour $j = 2, 3 \ldots n$ est plus petite que l'aire sous la courbe $y = 1/x$ de 2 jusqu'à n).

★**41.** Démontrez que $n \log n$ est $O(\log n!)$.

42. Déterminez si $\log(n!)$ est $O(n \log n)$. Justifiez votre réponse.

Questions de révision

1. a) Définissez la négation d'une proposition.

   b) Quelle est la négation de l'énoncé « Ce cours est ennuyeux. » ?

2. a) À l'aide de tables de vérité, définissez la disjonction, la conjonction, le *ou exclusif*, la conditionnelle et la biconditionnelle des propositions p et q.

   b) Quelle est la disjonction, la conjonction, le *ou exclusif*, l'implication et la biconditionnelle des propositions suivantes : « J'irai au cinéma ce soir. » et « Je finirai mes exercices de mathématiques discrètes. » ?

3. a) Énoncez au moins cinq manières différentes d'exprimer l'implication $p \rightarrow q$ en langue courante.

   b) Définissez la réciproque et la contraposée d'une implication.

   c) Énoncez la réciproque et la contraposée de l'implication suivante : « S'il fait beau demain, j'irai faire une promenade dans les bois. »

4. a) Que signifie, pour deux propositions, d'être logiquement équivalentes ?

   b) Décrivez les différentes façons de montrer que deux propositions composées sont logiquement équivalentes.

   c) Démontrez au moins de deux manières différentes que les propositions composées $\neg p \vee (r \rightarrow \neg q)$ et $\neg p \vee \neg q \vee \neg r$ sont équivalentes.

5. (*Cette question se réfère à l'ensemble des exercices de la section 1.2.*)

   a) À l'aide d'une table de vérité, expliquez comment on utilise la forme disjonctive normale pour construire une proposition composée avec cette table de vérité.

   b) Expliquez pourquoi la partie a) démontre que l'ensemble des opérateurs $\wedge$, $\vee$ et $\neg$ est fonctionnellement complet.

   c) Existe-t-il un opérateur qui rende l'ensemble contenant seulement cet opérateur fonctionnellement complet ?

6. Quelles sont les quantifications universelles et existentielles du prédicat $P(x)$? Quelles sont leurs négations ?

7. a) Quelle est la différence entre les quantifications $\exists x\,\forall y\,P(x,y)$ et $\forall y\,\exists x\,P(x,y)$ quand $P(x,y)$ est un prédicat ?

   b) Donnez un exemple du prédicat de $P(x,y)$, tel que $\exists x\,\forall y\,P(x,y)$ et $\forall y\,\exists x\,P(x,y)$ ont des valeurs de vérité différentes.

8. a) Définissez l'union, l'intersection, la différence et la différence symétrique de deux ensembles.

   b) Quelles sont les unions, les intersections, les différences et les différences symétriques de l'ensemble des nombres entiers positifs et de l'ensemble des nombres entiers impairs ?

9. **a)** Expliquez ce que signifie l'égalité de deux ensembles.

   b) Décrivez les manières de démontrer que deux ensembles sont égaux.

   c) Démontrez au moins de deux manières différentes que les ensembles $A - (B \cap C)$ et $(A - B) \cup (A - C)$ sont égaux.

10. Expliquez la relation entre les équivalences logiques et les identités d'ensemble.

11. **a)** Définissez $|S|$ en tant que cardinalité de l'ensemble S.

   b) Donnez une formule pour $|A \cup B|$ où A et B sont des ensembles.

12. **a)** Définissez l'ensemble des parties d'un ensemble S.

   b) Quand trouve-t-on un ensemble vide dans l'ensemble des parties d'un ensemble S ?

   c) Combien y a-t-il d'éléments dans l'ensemble des parties d'un ensemble S qui contient n éléments ?

13. **a)** Définissez le domaine, le codomaine et la portée d'une fonction.

   b) Soit $f(n)$ la fonction de l'ensemble des nombres entiers dans l'ensemble des nombres entiers, telle que $f(n) = n^2 + 1$. Quels sont le domaine, le codomaine et la portée de cette fonction ?

14. **a)** Expliquez ce que signifie, pour une fonction de l'ensemble des nombres entiers positifs dans l'ensemble des nombres entiers positifs, d'être une fonction injective.

   b) Expliquez ce que signifie, pour une fonction de l'ensemble des nombres entiers positifs dans l'ensemble des nombres entiers positifs, d'être une fonction surjective.

   c) Donnez un exemple d'une fonction de l'ensemble des nombres entiers positifs dans l'ensemble des nombres entiers positifs qui soit à la fois injective et surjective.

   d) Donnez un exemple d'une fonction de l'ensemble des nombres entiers positifs dans l'ensemble des nombres entiers positifs qui soit injective mais non surjective.

   e) Donnez un exemple d'une fonction de l'ensemble des nombres entiers positifs dans l'ensemble des nombres entiers positifs qui ne soit pas injective mais qui soit surjective.

   f) Donnez un exemple d'une fonction de l'ensemble des nombres entiers dans l'ensemble des nombres entiers positifs qui n'est ni injective ni surjective.

15. **a)** Définissez l'inverse d'une fonction.

   b) Dans quel cas une fonction a-t-elle un inverse ?

   c) La fonction $f(n) = 10 - n$ de l'ensemble des nombres entiers dans l'ensemble des nombres entiers a-t-elle un inverse ? Si oui, quel est-il ?

16. **a)** Définissez la fonction plancher et la fonction plafond de l'ensemble des nombres réels dans l'ensemble des nombres entiers.

   b) Pour quels nombres réels x est-il vrai que $\lfloor x \rfloor = \lceil x \rceil$?

17. **a)** Utilisez la notation de somme pour exprimer la somme des puissances de 2, de 2^0 à 2^n.

   b) Quelle est la valeur de la somme de la partie a) ?

18. **a)** Que signifie pour un ensemble d'être dénombrable ? Expliquez à l'aide d'une définition précise.

   b) L'ensemble des nombres entiers négatifs est-il dénombrable ? Justifiez votre réponse.

   c) L'ensemble des nombres rationnels ayant un dénominateur plus grand que 3 est-il dénombrable ? Justifiez votre réponse.

   d) L'ensemble des nombres réels entre 2 et 3 est-il dénombrable ? Justifiez votre réponse.

19. **a)** Donnez la définition de la notation $f(n)$ est $O(g(n))$ quand $f(n)$ et $g(n)$ sont des fonctions de l'ensemble des nombres entiers positifs dans l'ensemble des nombres réels.

   b) Utilisez la définition de la notation $f(n)$ est $O(g(n))$ pour démontrer ou faire la preuve contraire que $n^2 + 18n + 107$ est $O(n^3)$.

   c) Utilisez la définition de la notation $f(n)$ est $O(g(n))$ pour faire la preuve ou la preuve contraire que n^3 est $O(n^2 + 18n + 107)$.

20. **a)** Comment pouvez-vous évaluer le comportement asymptotique d'une fonction qui est la somme d'éléments différents où chaque élément est le produit de plusieurs fonctions ?

   b) Évaluez le comportement asymptotique de la fonction $f(n) = (n! + 1)(2^n + 1) + (n^{n-2} + 8^{n-3})(n^3 + 2^n)$. En écrivant $f(x)$ est $O(g(x))$, choisissez g pour qu'elle soit du plus petit ordre possible.

Exercices supplémentaires

1. Soit p la proposition « Je ferai tous les exercices du livre. » et q la proposition « J'obtiendrai la note A pour ce cours. » Exprimez chacune des combinaisons suivantes de p et de q.
   a) J'obtiendrai la note A pour ce cours seulement si je fais tous les exercices du livre.
   b) J'obtiendrai la note A pour ce cours et je ferai tous les exercices du livre.
   c) Soit j'obtiendrai la note A pour ce cours, soit je ne ferai pas tous les exercices du livre.
   d) Afin d'obtenir la note A pour ce cours, il est nécessaire et suffisant que je fasse tous les exercices du livre.

2. Trouvez la table de vérité de la proposition composée $(p \vee q) \to (p \wedge \neg r)$.

3. Démontrez que les propositions suivantes sont des tautologies.
   a) $(\neg q \wedge (p \to q)) \to \neg p$
   b) $((p \vee q) \wedge \neg p) \to q$

4. Donnez la réciproque et la contraposée des applications suivantes :
   a) S'il pleut aujourd'hui, je prendrai la voiture.
   b) Si $|x| = x$ alors $x \geq 0$.
   c) Si n est plus grand que 3, alors n^2 est plus grand que 9.

5. Trouvez la proposition composée comprenant les propositions p, q, r et s qui est vraie chaque fois qu'exactement trois de ces variables sont vraies et qui est fausse autrement.

6. Soit $P(x)$ l'énoncé « L'étudiant x a étudié les intégrales. » et soit $Q(y)$ l'énoncé « La classe y comprend un étudiant qui a étudié les intégrales. » Exprimez chacune des propositions suivantes comme une quantification de $P(x)$ et de $Q(y)$.
   a) Certains étudiants connaissent les intégrales.
   b) Tous les étudiants ne connaissent pas les intégrales.
   c) Chaque classe a un étudiant qui connaît les intégrales.
   d) Tous les étudiants de chaque classe connaissent les intégrales.
   e) Il existe au moins une classe où aucun étudiant ne connaît les intégrales.

7. Soit $P(m, n)$ l'énoncé « m divise n. », où l'univers du discours pour les deux variables est l'ensemble des nombres entiers positifs. Déterminez les valeurs de vérité de chacune des propositions suivantes :
   a) $P(4, 5)$.
   b) $P(2, 4)$.
   c) $\forall m \ \forall n \ P(m, n)$.
   d) $\exists m \ \forall n \ P(m, n)$.
   e) $\exists n \ \forall m \ P(m, n)$.
   f) $\forall n \ P(1, n)$.

8. Soit $P(x, y)$ une fonction propositionnelle. Démontrez que l'implication $\exists x \ \forall y \ P(x, y) \to \forall y \ \exists x, P(x, y)$ est une tautologie.

9. Soit $P(x)$ et $Q(x)$ des fonctions propositionnelles. Démontrez que $\exists x \ (P(x) \to Q(x))$ et $\forall x \ P(x) \to \exists x \ Q(x)$ ont toujours la même valeur de vérité.

10. Si $\forall y \ \exists x \ P(x, y)$ est vraie, s'ensuit-il nécessairement que $\exists x \ \forall y \ P(x, y)$ est également vraie ?

11. Si $\forall x \ \exists y \ P(x, y)$ est vraie, s'ensuit-il nécessairement que $\exists x \ \forall y \ P(x, y)$ est également vraie ?

12. Trouvez la négation des énoncés suivants :
    a) S'il neige aujourd'hui, j'irai skier demain.
    b) Toute personne de cette classe comprend l'induction mathématique.
    c) Certains étudiants de cette classe n'aiment pas les mathématiques discrètes.
    d) Dans toute classe de mathématiques, des étudiants s'endorment pendant le cours.

13. Exprimez les énoncés suivants en utilisant les quantificateurs : « Tous les étudiants de cette classe ont suivi au moins un des cours offerts par chacun des départements de cette école scientifique. »

14. Exprimez l'énoncé suivant à l'aide des quantificateurs : « Il existe un bâtiment sur au moins un campus au Canada qui a une salle peinte en blanc. »

15. Soit A l'ensemble des mots français qui contiennent la lettre x, et soit B l'ensemble des mots français qui contiennent la lettre q. Exprimez les ensembles suivants comme une combinaison de A et de B.
    a) L'ensemble des mots français qui ne contiennent pas la lettre x.
    b) L'ensemble des mots français qui contiennent à la fois la lettre x et la lettre q.
    c) L'ensemble des mots français qui contiennent x, mais qui ne contiennent pas q.
    d) L'ensemble des mots français qui ne contiennent ni x ni q.
    e) L'ensemble des mots français qui contiennent x ou q mais pas les deux.

16. Démontrez que si A est un sous-ensemble de B, alors l'ensemble des parties de A est un sous-ensemble de l'ensemble des parties de B.

17. Supposez que A et B sont des ensembles tels que l'ensemble des parties de A est un sous-ensemble de l'ensemble des parties de B. S'ensuit-il que A est un sous-ensemble de B ?

18. Soit **E** l'ensemble des nombres entiers pairs, **O** l'ensemble des nombres entiers impairs et soit **Z**,

comme d'habitude, l'ensemble de tous les nombres entiers. Décrivez chacun des ensembles suivants :

a) $E \cup O$. **b)** $E \cap O$.

c) $Z - E$. **d)** $Z - O$.

19. Démontrez que si A est un ensemble et si U est l'ensemble universel, alors

a) $A \cap \overline{A} = \varnothing$. **b)** $A \cup \overline{A} = U$.

20. Démontrez que si A et B sont des ensembles, alors

a) $A = A \cap (A \cup B)$.

b) $A = A \cup (A \cap B)$.

21. Démontrez que si A et B sont des ensembles, alors $A - (A - B) = A \cap B$.

22. Soit A et B des ensembles. Démontrez que $A \subseteq B$ si et seulement si $A \cap B = A$.

23. Soit A, B et C des ensembles. Démontrez que $(A - B) - C$ n'est pas nécessairement égal à $A - (B - C)$.

24. Supposez que A, B et C sont des ensembles. Faites la preuve ou la preuve contraire que $(A - B) - C = (A - C) - B$.

25. Supposez que A, B, C et D sont des ensembles. Faites la preuve ou la preuve contraire que $(A - B) - (C - D) = (A - C) - (B - D)$.

26. Démontrez que si A et B sont des ensembles finis, alors $|A \cap B| \leq |A \cup B|$. Déterminez quand cette relation est une égalité.

27. Soit A et B des ensembles dans l'ensemble fini U. Classez les éléments suivants en ordre croissant (selon la cardinalité).

a) $|A|$, $|A \cup B|$, $|A \cap B|$, $|U|$, $|\varnothing|$

b) $|A - B|$, $|A \oplus B|$, $|A|$, $|B|$, $|A \cup B|$, $|\varnothing|$

28. Soit A et B des ensembles de l'ensemble universel fini U. Démontrez que $|\overline{A} \cap \overline{B}| = |U| - |A| - |B| + |A \cap B|$.

29. Soit f et g les fonctions respectives de $\{1, 2, 3, 4\}$ dans $\{a, b, c, d\}$ et de $\{a, b, c, d,\}$ dans $\{1, 2, 3, 4\}$ telles que $f(1) = d$, $f(2) = c$, $f(3) = a$, $f(4) = b$ et $g(a) = 2$, $g(b) = 1$, $g(c) = 3$, $g(d) = 2$.

a) La fonction f est-elle injective ? La fonction g est-elle injective ?

b) La fonction f est-elle surjective ? La fonction g est-elle surjective ?

c) Les fonctions f et g ont-elles un inverse ? Si oui, trouvez-le.

30. Soit f une fonction injective de l'ensemble A dans l'ensemble B. Soit S et T des sous-ensembles de A. Démontrez que $f(S \cap T) = f(S) \cap f(T)$.

31. Donnez un exemple qui démontre que l'égalité dans l'exercice 30 ne tient plus si f n'est pas une fonction injective.

32. Démontrez que $\lceil x + 1 \rceil = \lceil x \rceil + 1$ chaque fois que x est un nombre réel.

33. Trouvez les valeurs des quantités suivantes :

a) $\sum_{i=0}^{3} \left(\sum_{j=0}^{4} ij \right)$. **b)** $\prod_{j=1}^{4} \left(\sum_{i=0}^{3} j \right)$.

c) $\sum_{i=1}^{5} \left(\sum_{j=0}^{i} 1 \right)$. **d)** $\prod_{i=1}^{3} \left(\prod_{j=0}^{i} j \right)$.

34. L'ensemble des nombres irrationnels entre 0 et 1 est-il dénombrable ? Justifiez votre réponse.

★★35. Un nombre réel est appelé **algébrique** s'il est la racine d'un polynôme avec des coefficients entiers. Démontrez qu'il existe un nombre dénombrable de nombres algébriques. (*Conseil :* Partez du fait qu'un polynôme de degré n a au moins n racines distinctes.)

36. Démontrez que $8x^3 + 12x + 100 \log x$ est $O(x^3)$.

37. Évaluez le comportement asymptotique de $(x^2 + x (\log x)^3) \cdot (2^x + x^3)$.

38. Évaluez le comportement asymptotique de $\sum_{j=1}^{n} j(j + 1)$.

★39. Démontrez que $n!$ n'est pas $O(2^n)$.

★40. Démontrez que n^n n'est pas $O(n!)$.

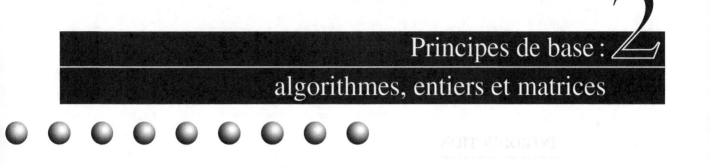

On peut résoudre de nombreux problèmes en les considérant comme des cas particuliers de problèmes généraux. Par exemple, rechercher le plus grand entier dans la suite 101, 12, 144, 212, 98 est un cas particulier de la recherche du plus grand entier dans une suite d'entiers. Pour résoudre un tel problème, il faut trouver un algorithme qui permettra de préciser une série d'étapes pouvant conduire au résultat. Dans ce manuel, on étudiera les algorithmes en vue de résoudre différentes sortes de problèmes. On cherchera notamment à trouver le plus grand commun diviseur de deux entiers, à produire tous les ordonnancements d'un ensemble fini, à faire une recherche dans une liste ou à trouver le chemin le plus court entre deux sommets d'un réseau. En ce qui concerne la complexité des calculs, on cherche à déterminer les ressources informatiques qui permettent d'utiliser un algorithme pour résoudre un problème de taille définie. Dans le présent chapitre, on analysera le degré de complexité des algorithmes.

L'ensemble des entiers joue un rôle fondamental en mathématiques discrètes. En particulier, le concept de division des entiers est essentiel dans l'arithmétique informatique. On passera brièvement en revue certains concepts importants de la théorie des nombres, soit l'étude des entiers et leurs propriétés. On étudiera aussi des algorithmes appliqués aux entiers, notamment l'algorithme euclidien pour le calcul du plus grand commun diviseur, lequel fut introduit pour la première fois il y a des milliers d'années. Tous les entiers peuvent être représentés à partir d'un entier positif plus grand que 1, ce dernier servant de base. Les représentations binaires communément employées en informatique sont des représentations admettant 2 comme base. Dans ce chapitre, on discutera de la représentation d'un entier en base b et on décrira un algorithme permettant de la trouver. On analysera également les algorithmes pour effectuer des calculs arithmétiques sur les entiers, ceux-ci ayant été les premières procédures appelées algorithmes. De plus, on présentera différentes applications de la théorie des nombres. Par exemple, on utilisera la théorie des nombres pour encoder des messages, générer des nombres pseudo-aléatoires et affecter des adresses mémoire aux fichiers d'ordinateur.

En mathématiques discrètes, on utilise les matrices pour représenter plusieurs types de structures discrètes. On passera en revue les notions de base sur les matrices et leur arithmétique, car elles sont appropriées pour représenter les relations et les graphes. On aura recours à l'arithmétique matricielle dans de nombreux algorithmes appliqués à ces structures.

2.1

Algorithmes

INTRODUCTION

Il existe de nombreuses classes de problèmes qui découlent des mathématiques discrètes. On trouve, par exemple, le type de problèmes suivants :

- étant donné une suite d'entiers, trouvez le plus grand ;
- étant donné un ensemble, énumérez-en tous les sous-ensembles ;
- étant donné un ensemble d'entiers, placez-les en ordre croissant ;
- étant donné un réseau, trouvez le chemin le plus court entre deux sommets.

Pour résoudre de tels problèmes, la première étape consiste à construire un modèle qui situe le problème dans un contexte mathématique. Les structures discrètes utilisées dans de tels modèles comprennent les ensembles, les suites et les fonctions, c'est-à-dire les structures qui ont été abordées au chapitre 1, ainsi que d'autres structures telles que les permutations, les relations, les graphes, les arbres, les réseaux et les machines à états finis. Tous ces concepts seront abordés dans les prochains chapitres.

L'élaboration du modèle mathématique approprié ne constitue qu'une partie de la solution. Pour compléter celle-ci, on doit disposer d'une méthode qui permettra de résoudre le problème d'ordre général à partir du modèle. Idéalement, on doit recourir à une procédure, laquelle devra exécuter une série d'étapes qui permettra d'obtenir la réponse désirée. Cette série d'étapes s'appelle un **algorithme**.

> **DÉFINITION 1.**   Un *algorithme* est une procédure précise qui sert à résoudre un problème à l'aide d'un nombre fini d'étapes.

Le terme *algorithme* vient d'*al-Khowarizmi*, nom d'un mathématicien arabe du IXe siècle, dont le livre sur les nombres hindous constitue la base de la notation décimale moderne. Au départ, le mot *algorisme* désignait les règles nécessaires pour effectuer des calculs arithmétiques en utilisant la notation décimale. Ce terme a été remplacé par le terme *algorithme* au XVIIIe siècle. L'usage croissant des ordinateurs n'a fait qu'attribuer un sens plus général au concept d'algorithme pour y inclure toutes les procédures permettant de résoudre les problèmes, et non plus simplement les procédures pour effectuer des calculs arithmétiques. (On présentera les algorithmes pour les calculs arithmétiques avec des entiers dans la section 2.4.)

Dans ce manuel, on étudiera des algorithmes qui permettent de résoudre une grande variété de problèmes. Dans la présente section, on recherchera le plus grand nombre entier dans une suite finie d'entiers afin d'illustrer le concept de l'algorithme et de ses propriétés. De plus, on décrira les algorithmes de fouille d'un élément particulier dans un ensemble fini.

Dans les sections suivantes, on discutera des procédures de recherche du plus grand commun diviseur de deux entiers, du chemin le plus court entre deux points dans un réseau, de la multiplication des matrices, etc.

EXEMPLE 1   Décrivez un algorithme permettant de trouver l'élément le plus grand d'une suite finie d'entiers.

Même si un tel problème de recherche est relativement facile à résoudre, il illustre bien le concept d'algorithme. Aussi, dans plusieurs cas, il faut reconnaître le plus grand entier d'une suite finie d'entiers. Par exemple, une université pourrait avoir besoin de connaître la note la plus élevée dans un ensemble d'examens subis par des milliers d'étudiants. Ou encore une organisation sportive pourrait vouloir déterminer le joueur ayant le score le plus élevé chaque mois. Il faut donc utiliser un algorithme pour résoudre le problème de la recherche du plus grand élément dans une suite finie d'entiers.

On peut définir une procédure pour résoudre ce problème de plusieurs façons. L'une de ces méthodes est d'exprimer en langage courant la suite d'étapes utilisées.

Solution de l'exemple 1 : On effectue les étapes ci-après.

1. On définit l'élément maximal provisoire comme celui qui est égal au premier entier de la suite. (L'élément maximal provisoire sera le plus grand entier examiné à toute étape de la procédure.)

2. On compare l'entier suivant de la suite à l'élément maximal provisoire et, s'il est plus grand que l'élément maximal provisoire, on définit l'élément maximal provisoire pour qu'il soit égal à cet entier.

3. On répète l'étape précédente pour chacun des autres entiers de la suite.

4. On arrête lorsqu'il ne reste plus d'entiers dans la suite. À cette étape, l'élément maximal provisoire est le plus grand entier de la suite. ∎

On peut également décrire un algorithme à l'aide d'expressions informatiques. Cependant, une fois l'algorithme décrit, on ne pourra utiliser que les instructions autorisées dans le langage de programmation choisi. Cette procédure engendre souvent une description compliquée de l'algorithme, qui reste difficile à comprendre. De plus, puisqu'il existe une variété de langages de programmation, il ne serait pas souhaitable de choisir un langage en particulier. Donc, plutôt que d'utiliser un langage informatique pour préciser les algorithmes, dans le présent manuel, on aura recours à un **pseudocode**. (En outre, tous les algorithmes seront décrits en langue française.) Le pseudocode constitue une forme intermédiaire d'expression entre la description de l'algorithme en langage courant et sa mise en application en langage de programmation.

On précise les étapes de l'algorithme à l'aide d'instructions similaires à celles qui sont utilisées dans les langages de programmation. Cependant, en pseudocode, les instructions peuvent inclure toute opération ou tout énoncé bien défini. On peut alors créer un programme dans n'importe quel langage informatique en prenant la description en pseudocode comme point de départ.

Le pseudocode utilisé dans le présent manuel est plus ou moins basé sur le langage de programmation Pascal. Toutefois, on dérogera à la syntaxe en Pascal (ou à celle de tout autre langage de programmation). De plus, on pourra y introduire toute autre instruction à la condition de bien la définir. Les détails du pseudocode utilisé ici sont donnés à l'annexe 2. Le lecteur se référera à cette annexe au besoin.

La description du pseudocode de l'algorithme qui permet de trouver l'élément maximal d'une suite finie est donnée ci-après.

ALGORITHME 1   Recherche de l'élément maximal d'une suite finie

procédure $max(a_1, a_2, ..., a_n :$ entiers)
$max := a_1$
pour $i := 2$ à n
    si $max < a_i$ **alors** $max := a_i$
$\{max$ est l'élément le plus grand$\}$

Dans cet algorithme, on attribue d'abord la condition initiale de la suite, a_1, à la variable *max*. On utilise la boucle « pour » afin d'examiner successivement tous les éléments de la suite. Si un élément est plus grand que la valeur actuelle de *max*, cet élément devient la nouvelle valeur de *max*.

Les algorithmes partagent généralement plusieurs propriétés. Il est utile de les connaître avant de créer un nouvel algorithme. Ces propriétés sont :

- *l'entrée* : un algorithme a des valeurs d'entrée à partir d'un ensemble défini ;
- *la sortie* : à partir de chaque ensemble de valeurs d'entrée, un algorithme produit des valeurs de sortie à partir d'un ensemble défini. Les valeurs de sortie constituent la solution du problème ;
- *la précision* : il faut définir les étapes d'un algorithme avec précision ;
- *la finitude* : un algorithme doit produire la sortie souhaitée après un nombre fini (mais sans doute grand) d'étapes pour toute entrée possible.
- *l'efficacité* : il doit être possible d'effectuer chaque étape d'un algorithme avec précision et dans un temps fini ;
- *la généralité* : la procédure doit pouvoir s'appliquer à tous les problèmes de la forme désirée et non uniquement à un ensemble particulier de valeurs d'entrée.

EXEMPLE 2   Démontrez que l'algorithme 1, nécessaire pour trouver l'élément maximal d'une suite finie d'entiers, possède toutes les propriétés susmentionnées.

Solution : L'entrée de l'algorithme 1 est une suite d'entiers. La sortie est le plus grand entier de la suite. Chaque étape de l'algorithme est définie avec précision, puisqu'on y trouve seulement des affectations, une boucle finie et des énoncés conditionnels. L'algorithme utilise un nombre fini d'étapes, puisqu'il se termine par l'examen de tous les entiers de la suite. On peut effectuer l'algorithme dans un temps fini, car chaque étape est soit une comparaison, soit une affectation. Finalement, l'algorithme 1 est général puisqu'on peut l'utiliser pour trouver l'élément maximal de toute suite finie d'entiers.   ■

ALGORITHMES DE FOUILLE

Le problème de la recherche d'un élément dans une liste ordonnée survient dans de nombreux contextes. Par exemple, un logiciel de vérification d'orthographe recherche les mots dans un dictionnaire composé d'une liste ordonnée de mots. Les problèmes de ce type sont appelés des **problèmes de fouille**. On discutera de plusieurs algorithmes de fouille dans la présente section. On étudiera le nombre d'étapes utilisées par chacun de ces algorithmes dans la section 2.2.

Le problème général de fouille consiste donc à trouver un élément x dans une liste d'éléments distincts $a_1, a_2, ..., a_n$, ou à déterminer qu'il ne fait pas partie de la liste. La solution à ce problème de fouille revient à trouver la position de l'élément de cette liste qui est égal à x (autrement dit, i est la solution si $x = a_i$) ou qui est égal à 0 si x n'est pas dans la liste.

Le premier algorithme présenté s'appelle l'algorithme de **fouille linéaire** ou de **fouille séquentielle**. L'algorithme de fouille linéaire commence par une comparaison de x et de a_1. Lorsque $x = a_1$, la solution est à l'emplacement a_1, notamment 1. Si $x \neq a_1$, on compare x à a_2. Si $x = a_2$, la solution est à l'emplacement a_2, notamment 2. Si $x \neq a_2$, on compare x à a_3. On poursuit ce processus en comparant x successivement à chaque élément de la liste jusqu'à ce qu'on trouve une correspondance (dans ce cas, la solution est à l'emplacement de cet élément), à moins qu'il n'y ait aucune correspondance. Si on a effectué une fouille sur tous les éléments de la liste sans trouver x, la solution est 0. Le pseudocode de l'algorithme de fouille linéaire est illustré par l'algorithme 2.

ALGORITHME 2   **Algorithme de fouille linéaire**

procédure *fouille linéaire*(x : entier, $a_1, a_2, ..., a_n$: entiers distincts)
$i := 1$
tant que ($i \leq n$ et $x \neq a_i$)
     $i := i + 1$
si $i \leq n$ **alors** *emplacement* := i
sinon *emplacement* : = 0
{*emplacement* est l'indice de l'élément qui est égal à x, ou est 0 si x n'est pas dans
     la suite}

On étudie maintenant un autre algorithme de fouille qu'on peut utiliser lorsque la liste comporte des éléments ordonnés (par exemple, si les éléments sont des nombres, ils sont énumérés en ordre non décroissant ; s'il s'agit de mots, ils sont énumérés en ordre alphabétique). Ce deuxième algorithme s'appelle l'**algorithme de fouille binaire**. Il compare l'élément à repérer à l'élément au centre de la liste. La liste est ensuite divisée en deux sous-listes plus petites, de la même taille ou l'une d'elles avec un élément en moins. La fouille se poursuit tout en se limitant à la sous-liste appropriée en fonction de la comparaison de l'élément à repérer avec l'élément central. Dans la section suivante, on démontrera comment l'algorithme de fouille binaire est beaucoup plus efficace que l'algorithme de fouille linéaire. L'exemple 3 montre comment fonctionne la fouille binaire.

EXEMPLE 3   Pour rechercher le nombre 19 dans la liste

1 2 3 5 6 7 8 10 12 13 15 16 18 19 20 22,

on divise d'abord la liste, qui comporte 16 éléments, en deux listes plus petites comprenant chacune 8 éléments, notamment

1 2 3 5 6 7 8 10   12 13 15 16 18 19 20 22.

Puis, on compare 19 et l'élément le plus grand dans la première liste. Puisque $10 < 19$, la recherche de 19 peut se limiter à la liste contenant les 9-ième au 16-ième éléments de la liste originale. Ensuite, on divise cette liste, qui comporte 8 éléments, en deux listes plus petites de 4 éléments chacune, notamment

12 13 15 16   18 19 20 22.

Puisque $16 < 19$ (19 étant comparé avec l'élément le plus grand de la première liste), la recherche est limitée à la deuxième de ces listes, laquelle contient les 13-ième au 16-ième éléments de la liste initiale. La liste 18 19 20 22 est divisée encore en deux listes, notamment

18 19   20 22.

Puisque 19 n'est pas plus grand que le plus grand élément de la première de ces deux listes, qui est également 19, la recherche est limitée à la première liste : 18 19, qui contient les 13-ième et 14-ième éléments de la liste initiale. Ensuite, on doit diviser la liste de deux éléments en deux listes de un élément chacun : 18 et 19. Puisque $18 < 19$, la recherche est limitée à la deuxième liste : soit la liste contenant le 14-ième élément de la liste, qui est 19. Puisque la recherche se limite à un élément, on doit effectuer une comparaison et on trouve que 19 est le 14-ième élément de la liste initiale.   ∎

On aborde maintenant les étapes de l'algorithme de fouille binaire. Pour rechercher l'entier x dans une liste $a_1, a_2, ..., a_n$, où $a_1 < a_2 < ... < a_n$, on commence par comparer x à l'élément central de la suite a_m, où $m = \lfloor (n + 1)/2 \rfloor$. (Il ne faut pas oublier que $\lfloor x \rfloor$ est le plus grand entier ne dépassant pas x.) Si $x > a_m$, la recherche de x peut se limiter à la deuxième moitié de la suite, qui est $a_{m+1}, a_{m+2}, ..., a_n$. Si x n'est pas plus grand que a_m, la recherche de x peut se limiter à la première moitié de la suite, laquelle est $a_1, a_2, ..., a_m$.

La recherche a été limitée à une liste qui ne contient pas plus de $\lceil n/2 \rceil$ éléments. En utilisant la même procédure, on compare x à l'élément central de la liste réduite. Puis, on limite la recherche à la première ou à la deuxième moitié de la liste. On répète ce processus jusqu'à ce qu'on obtienne une liste comprenant un élément. On détermine ensuite si cet élément est x. Le pseudocode de l'algorithme de fouille binaire est illustré par l'algorithme 3.

ALGORITHME 3   Algorithme de fouille binaire

procédure *fouille binaire*(x : entier, a_1, a_2, ..., a_n : entiers croissants)
$i := 1$ {i est l'extrémité gauche de l'intervalle de recherche}
$j := n$ {j est l'extrémité droite de l'intervalle de recherche}
tant que $i < j$
début
    $m := \lfloor (i+j)/2 \rfloor$
    si $x > a_m$ **alors** $i := m + 1$
    sinon $j := m$
fin
si $x = a_i$ **alors** *emplacement* $:= i$
sinon *emplacement* $:= 0$
{*emplacement* est l'indice de l'élément égal à x ou est 0 si x n'est pas trouvé}

L'algorithme 3 s'effectue en réduisant successivement la partie de la suite qui fait l'objet de la fouille. À chaque étape, seuls les éléments commençant par a_i et se terminant par a_j sont analysés. Autrement dit, i et j sont respectivement les indices le plus petit et le plus grand des éléments restants. L'algorithme 3 se poursuit en réduisant de plus en plus la section de la suite jusqu'à ce qu'il ne reste qu'un seul élément dans la suite. Le cas échéant, une comparaison est effectuée pour savoir si cet élément est égal à x.

Exercices

1. Énumérez toutes les étapes de l'algorithme 1 permettant de trouver l'élément maximal de la liste 1, 8, 12, 9, 11, 2, 14, 5, 10, 4.

2. Pour chacune des procédures suivantes, précisez quelles sont les propriétés présentes ou manquantes.

   a) **procédure** *doubler*(n : entier positif)
       tant que $n > 0$
           $n := 2n$

   b) **procédure** *diviser*(n : entier positif)
       tant que $n \geq 0$
       début
           $m := 1/n$
           $n := n - 1$
       fin

   c) **procédure** *additionner*(n : entier positif)
       somme $:= 0$
       tant que $i < 10$
           somme $:=$ *somme* $+ i$

   d) **procédure** *choisir*(a, b : entiers)
       $x :=$ soit a, soit b

3. Créez un algorithme qui permet de trouver la somme de tous les entiers d'une liste.

4. Trouvez un algorithme qui permet de calculer x^n, où x est un nombre réel et n, un entier. (*Conseil* : Établissez d'abord une procédure de calcul de x^n lorsque n est non négatif en multipliant successivement par x et en commençant par 1. Puis, étendez cette procédure et calculez x^n lorsque n est négatif avec $x^{-n} = 1/x^n$.

5. Décrivez un algorithme qui permet de permuter les valeurs des variables x et y en utilisant uniquement des affectations. Quel est le nombre minimal d'instructions d'affectation nécessaire pour y arriver ?

6. Décrivez un algorithme n'utilisant que les instructions d'affectation qui remplacent le triplet (x, y, z) par (y, z, x). Quel est le nombre minimal d'instructions d'affectation nécessaire pour y arriver ?

7. Énumérez toutes les étapes qui permettent de rechercher 9 dans la suite 1, 3, 4, 5, 6, 8, 9, 11 en procédant avec

   a) une fouille linéaire.

   b) une fouille binaire.

8. Énumérez toutes les étapes qui permettent de rechercher 7 dans la suite donnée à l'exercice 7.

9. Décrivez un algorithme qui permet d'insérer un entier x à l'emplacement approprié de la liste $a_1, a_2, ..., a_n$ d'entiers apparaissant en ordre non décroissant.

10. Décrivez un algorithme qui permet de trouver l'entier le plus petit dans une suite finie de nombres naturels.

11. Décrivez un algorithme qui permet de trouver la première occurrence de l'élément le plus grand dans une liste d'entiers, où les entiers ne sont pas nécessairement distincts.

12. Décrivez un algorithme qui permet de trouver la dernière occurrence de l'élément le plus petit dans une liste d'entiers, où les entiers ne sont pas nécessairement distincts.

13. Décrivez un algorithme qui donne l'élément maximal, la médiane, la moyenne et l'élément minimal d'un ensemble de trois entiers. (La **médiane** d'un ensemble d'entiers est l'élément central de la liste lorsque ces entiers sont énumérés en ordre non décroissant. La **moyenne** d'un ensemble d'entiers est la somme des entiers divisée par le nombre d'entiers dans l'ensemble.)

14. Décrivez un algorithme qui permet de trouver l'entier le plus grand ainsi que le plus petit d'une suite finie d'entiers.

15. Décrivez un algorithme qui permet de placer les trois premiers éléments d'une suite d'entiers de longueur arbitraire en ordre croissant.

16. Décrivez un algorithme qui permet de trouver le mot le plus long dans une phrase en français (où un mot est une chaîne de lettres et une phrase, une liste de mots séparés par des espaces).

17. Décrivez un algorithme qui permet de déterminer si une fonction d'un ensemble fini dans un autre ensemble fini est surjective.

18. Décrivez un algorithme qui permet de déterminer si la fonction d'un ensemble fini dans un autre ensemble fini est injective.

19. Décrivez un algorithme qui permet de compter le nombre de 1 dans une chaîne binaire en examinant chaque bit de la chaîne pour déterminer s'il s'agit d'un bit 1.

20. Changez l'algorithme 3 de telle sorte que la procédure de fouille binaire compare x à a_m à chaque étape de l'algorithme et que l'algorithme se termine si $x = a_m$. Quel est l'avantage de cette version de l'algorithme ?

21. L'**algorithme de fouille trichotomique** permet de repérer un élément dans une liste d'entiers en ordre non décroissant en divisant successivement la liste en trois sous-listes de taille égale (ou aussi égale que possible) et en limitant la fouille à la sous-liste appropriée. Décrivez les étapes de cet algorithme.

22. Décrivez les étapes d'un algorithme qui permet de repérer un élément dans une liste d'entiers en ordre non décroissant en divisant successivement la liste en quatre sous-listes de taille égale (ou aussi égales que possible) et en limitant la fouille à la sous-liste appropriée.

23. Un **mode** dans une liste d'entiers est un élément qui survient au moins aussi souvent que chacun des autres éléments. Créez un algorithme qui permet de trouver un mode dans une liste d'entiers en ordre non décroissant.

24. Créez un algorithme qui permet de trouver tous les modes (voir l'exercice 23) dans une liste d'entiers en ordre non décroissant.

25. Créez un algorithme qui permet de trouver le premier élément d'une suite d'entiers qui est égal à un élément précédent dans la suite.

26. Créez un algorithme qui permet de trouver tous les éléments d'une suite finie d'entiers qui sont plus grands que la somme de tous les éléments précédents de la suite.

27. Créez un algorithme qui permet de trouver le premier élément d'une suite d'entiers positifs qui est inférieur à l'élément qui le précède immédiatement dans la suite.

2.2

Complexité des algorithmes

INTRODUCTION

Comment peut-on savoir si un algorithme permet de résoudre un problème de façon satisfaisante ? Premièrement, l'algorithme doit toujours donner la bonne réponse. On verra comment le démontrer au chapitre 3. Deuxièmement, il doit être efficace. C'est ce dont on discutera dans cette section.

Comment peut-on mesurer l'efficacité d'un algorithme ? D'abord, lorsque les valeurs d'entrée ont une taille précise, l'évaluation du temps machine nécessaire pour résoudre un problème constitue une première mesure. Ensuite, l'estimation de la quantité requise d'espace mémoire d'un ordinateur représente une deuxième mesure.

Ces deux questions font référence à la **complexité des calculs** de l'algorithme. En effet, une analyse du temps requis pour résoudre un problème d'une taille précise touche la **complexité temporelle** d'un algorithme, et une analyse de la mémoire de l'ordinateur touche la **complexité spatiale** de l'algorithme. Les considérations relatives à la complexité temporelle et spatiale d'un algorithme sont essentielles lors de l'élaboration des algorithmes. Il est évidemment important de savoir si un algorithme donnera la réponse dans une microseconde, une minute ou un milliard d'années. De même, la mémoire requise doit être disponible, ce qui oblige à considérer la complexité spatiale.

Les considérations relatives à la complexité spatiale sont directement reliées à la structure de données utilisée pour tirer parti de l'algorithme. Puisqu'on ne traitera pas en détail les structures de données dans le présent ouvrage, on n'étudiera pas la complexité spatiale de l'algorithme. On se concentrera plutôt sur sa complexité temporelle.

On peut exprimer la complexité temporelle d'un algorithme en fonction du nombre d'opérations que l'algorithme effectue lorsque l'entrée a une taille spécifique. Les opérations utilisées pour mesurer la complexité temporelle peuvent comprendre la comparaison, l'addition, la multiplication ou la division des entiers, ainsi que d'autres opérations élémentaires.

La complexité temporelle est décrite en fonction du nombre d'opérations requises plutôt que du temps machine, car les temps d'exécution des opérations de base des différents types d'ordinateurs diffèrent beaucoup. De plus, il est difficile de décomposer les opérations de l'ordinateur en opérations binaires de base. En effet, les ordinateurs les plus rapides exécuteront ces opérations (par exemple, l'addition, la multiplication, la comparaison ou l'échange de deux bits) en 10^{-9} seconde (1 nanoseconde), alors que les ordinateurs personnels demanderont 10^{-6} seconde (1 microseconde), ce qui est 1000 fois plus lent.

Pour illustrer la manière dont on analyse la complexité temporelle d'un algorithme, on considère l'algorithme 1 de la section 2.1, qui permet de trouver l'élément maximal d'un ensemble fini d'entiers.

EXEMPLE 1   Décrivez la complexité temporelle de l'algorithme 1 de la section 2.1, qui permet de trouver l'élément maximal d'un ensemble.

Solution : On utilisera le nombre de comparaisons nécessaires pour mesurer la complexité temporelle d'un algorithme, puisque les comparaisons sont les opérations de base.

Pour trouver l'élément maximal d'un ensemble comportant n éléments, énumérés de façon arbitraire, il faut que l'élément maximal provisoire soit d'abord égal à l'élément initial de la liste. Puis, après avoir effectué une comparaison pour déterminer si la fin de la liste a été atteinte, on effectue une comparaison entre l'élément maximal provisoire et le deuxième élément en donnant à l'élément maximal provisoire la valeur du deuxième élément si ce dernier est le plus grand. La procédure se poursuit ainsi en faisant deux comparaisons additionnelles pour chaque élément dans la liste — une pour savoir si la fin de la liste est atteinte et l'autre, pour déterminer s'il est nécessaire de modifier l'élément maximal provisoire. Ensuite, on effectue deux comparaisons pour chacun des deuxièmes éléments jusqu'au n-ième élément et une comparaison de plus pour quitter la boucle lorsque $i = n + 1$. On utilise exactement $2(n-1) + 1 = 2n - 1$ comparaisons dans cet algorithme. Ainsi, l'algorithme de fouille de l'élément maximal d'un ensemble de n éléments a une complexité temporelle

$$O(n),$$

mesurée en fonction du nombre de comparaisons utilisées.   ■

La complexité temporelle des algorithmes de fouille est analysée ci-après.

EXEMPLE 2   Décrivez la complexité temporelle de l'algorithme de fouille linéaire.

Solution : Le nombre de comparaisons utilisées par l'algorithme sera pris en considération pour mesurer la complexité temporelle. À chaque étape de la boucle de l'algorithme, on effectue deux comparaisons — l'une pour savoir si la fin de la liste est atteinte et l'autre, pour comparer l'élément x à un élément dans la liste. Finalement, on fait une comparaison de plus à l'extérieur de la boucle. Par conséquent, si $x = a_i$, on utilise $2i + 1$ comparaisons. Le plus grand nombre de comparaisons, soit $2n + 2$, est nécessaire lorsque l'élément ne se trouve pas dans la liste. Dans ce cas, on se sert de $2n$ comparaisons pour déterminer que x n'est pas a_i pour $i = 1, 2, …, n$. On utilise une comparaison additionnelle pour quitter la boucle et on effectue une comparaison à l'extérieur de la boucle. Donc, lorsque x ne se trouve pas dans la liste, on utilise un total de $2n + 2$ comparaisons. Ainsi, une fouille linéaire exige au plus $O(n)$ comparaisons.   ■

L'analyse de complexité effectuée dans l'exemple 2 est une analyse du **pire cas**. Par temps d'exécution du pire cas d'un algorithme, on entend le plus grand nombre d'opérations nécessaires pour résoudre le problème donné en utilisant l'algorithme avec un élément de taille précise. L'analyse du pire cas indique le nombre d'opérations maximal qu'un algorithme prend pour trouver la solution.

EXEMPLE 3   Décrivez la complexité temporelle de l'algorithme de fouille binaire.

Solution : Pour simplifier, on suppose qu'il y a $n = 2^k$ éléments dans la liste $a_1, a_2, …, a_n$, où k est un entier non négatif. À noter que $k = \log n$. (Si n, le nombre d'éléments dans la liste, n'est pas une puissance de 2, on peut considérer que la liste fait partie d'une liste plus grande ayant 2^{k+1} éléments, où $2^k < n < 2^{k+1}$. Ici 2^{k+1} est la plus petite puissance entière de 2 plus grande que n.)

À chaque étape de l'algorithme, i et j, les emplacements du premier élément et du dernier élément de la sous-liste à cette étape, sont comparés pour savoir si la liste réduite comporte plus de un élément. Si $i < j$, une comparaison est effectuée pour déterminer si x est plus grand que l'élément central de la liste réduite.

À la première étape, la recherche se limite à une liste ayant 2^{k-1} éléments. Jusqu'à présent, on a fait deux comparaisons. La procédure se poursuit. On fait deux comparaisons à chaque étape pour limiter la recherche à une liste ayant moitié moins d'éléments. En d'autres termes, on utilise deux comparaisons à la première étape de l'algorithme lorsque la liste a 2^k éléments, deux de plus lorsque la recherche a été réduite à une liste ayant 2^{k-1} éléments, deux de plus lorsque la recherche a été limitée à une liste ayant 2^{k-2} éléments, et ainsi de suite, jusqu'à ce qu'on n'ait plus que deux comparaisons lorsque la recherche a été réduite à une liste ayant $2^1 = 2$ éléments. Finalement, lorsqu'il ne reste qu'un élément dans la liste, une dernière comparaison indique qu'il ne reste plus d'éléments additionnels et une comparaison supplémentaire est faite pour déterminer si cet élément est x.

Ainsi, $2k + 2 = 2\log n + 2$ comparaisons sont nécessaires, tout au plus, pour effectuer une fouille binaire lorsque la liste recherchée comporte 2^k éléments. (Si n n'est pas une puissance de 2, la liste initiale est agrandie pour produire une liste ayant 2^{k+1} éléments, où $k = \lfloor \log n \rfloor$, et la recherche exige au plus $2\lceil \log n \rceil + 2$ comparaisons.) Par conséquent, la fouille binaire exige au plus

$$O(\log n)$$

comparaisons. À partir de cette analyse, il s'ensuit que l'algorithme de fouille binaire est plus efficace, dans le pire cas, que celui de la fouille linéaire. ∎

Un autre type d'analyse de complexité important, mis à part l'analyse du pire cas, s'appelle l'**analyse en moyenne**. Ce type d'analyse vise à trouver le nombre moyen d'opérations requises pour résoudre un problème par rapport à tous les éléments d'une taille donnée. L'analyse du temps d'exécution moyen est normalement beaucoup plus compliquée que l'analyse du pire cas. Toutefois, l'analyse en moyenne pour l'algorithme de fouille linéaire peut se faire sans difficulté, comme le montre l'exemple 4.

EXEMPLE 4   Trouvez le temps d'exécution en moyenne de l'algorithme de fouille linéaire, en présumant que l'élément x se trouve dans la liste.

Solution : Il existe n emplacements possibles lorsqu'on sait que x fait partie de la liste. Si x est le premier élément de la liste, trois comparaisons sont nécessaires :

- pour déterminer si la fin de la liste est atteinte ;
- pour comparer x et le premier élément ;
- pour effectuer une comparaison à l'extérieur de la boucle.

Si x est le deuxième élément de la liste, deux comparaisons de plus sont nécessaires ; on utilise alors un total de cinq comparaisons. En général, si x est le i-ième élément de la liste, on utilisera deux comparaisons à chacune des i étapes de la boucle et une comparaison à l'extérieur de la boucle, pour un total de $2i + 1$ comparaisons. Ainsi, le nombre moyen de comparaisons utilisées est égal à

$$\frac{3 + 5 + 7 + \cdots + (2n + 1)}{n} = \frac{2(1 + 2 + 3 + \cdots + n) + n}{n}.$$

Dans la section 3.2, on démontrera que

$$1 + 2 + 3 + \cdots + n = \frac{n(n + 1)}{2}.$$

Donc, le nombre moyen de comparaisons utilisées par l'algorithme de recherche linéaire (lorsqu'on sait que x fait partie de la liste) est

$$\frac{2[n(n + 1)/2]}{n} + 1 = n + 2,$$

soit $O(n)$.

Remarque : Dans cette analyse, on présume que x se trouve dans la liste recherchée et qu'il se situe probablement n'importe où. Il est aussi possible d'effectuer une analyse en moyenne sur cet algorithme au cas où x ne serait pas dans cette liste (reportez-vous à l'exercice 13 à la fin de la présente section). ■

Le tableau 1 présente les termes couramment employés pour décrire la complexité temporelle des algorithmes. Par exemple, on dit qu'un algorithme est de **complexité exponentielle** s'il est de complexité temporelle $O(b^n)$ où $b > 1$, mesurée en fonction d'un type précis d'opération. De même, on dit qu'un algorithme ayant une complexité temporelle $O(n^b)$ est de **complexité polynomiale**. L'algorithme de fouille linéaire est de **complexité linéaire** (dans le pire cas ou en moyenne) et l'algorithme de fouille binaire, de **complexité logarithmique** (dans le pire cas) mesurée en fonction du nombre de comparaisons utilisées.

TABLEAU 1 Termes couramment utilisés pour décrire la complexité des algorithmes	
Complexité des algorithmes	*Terme*
$O(1)$	Complexité constante
$O(\log n)$	Complexité logarithmique
$O(n)$	Complexité linéaire
$O(n \log n)$	Complexité $n \log n$
$O(n^b)$	Complexité polynomiale
$O(b^n)$, où b > 1	Complexité exponentielle
$O(n!)$	Complexité factorielle

L'estimation grand O de la complexité temporelle d'un algorithme exprime la variation du temps permettant de résoudre un problème au fur et à mesure que la taille de l'entrée grandit. En pratique, on utilise la meilleure estimation (avec la fonction de plus petit ordre) qu'on peut démontrer. Toutefois, les estimations grand O de la complexité temporelle ne peuvent se traduire directement par la véritable quantité de temps machine requis. En effet, une estimation grand $O f(n)$ est $O(g(n))$, où $f(n)$ est la complexité temporelle d'un algorithme et $g(n)$, une fonction de référence quand $f(n) \le C\, g(n)$ lorsque $n > k$, où C et k

sont des constantes. Donc, sans connaître les constantes C et k dans l'inégalité, on ne peut utiliser cette estimation afin de déterminer une borne supérieure pour le nombre d'opérations utilisées. De plus, comme on l'a souligné précédemment, le temps machine nécessaire pour exécuter une opération dépend du type d'opération et de la rapidité de l'ordinateur.

Cependant, on peut déterminer le temps requis par un algorithme pour résoudre un problème d'une taille donnée si on peut réduire toutes les opérations à des opérations binaires qui seront utilisées par l'ordinateur. Le tableau 2 présente le temps nécessaire pour résoudre des problèmes de différentes tailles avec un algorithme, en ayant recours au nombre indiqué d'opérations binaires. Les temps de plus de 10^{100} années sont représentés par un astérisque. (Dans la section 2.4, on discutera du nombre d'opérations binaires requises pour additionner ou multiplier deux entiers.) Dans le tableau 2, on présume que chaque opération binaire prendra 10^{-9} seconde, soit le temps machine requis pour exécuter une opération binaire par les ordinateurs les plus rapides sur le marché. Ces temps sont appelés à diminuer au fur et à mesure que des ordinateurs plus performants seront mis au point.

TABLEAU 2 Temps machine requis par les algorithmes						
Taille du problème	*Opérations binaires utilisées*					
n	$\log n$	n	$n \log n$	n^2	2^n	$n!$
10	3×10^{-9} s	10^{-8} s	3×10^{-8} s	10^{-7} s	10^{-6} s	3×10^{-3} s
10^2	7×10^{-9} s	10^{-7} s	7×10^{-7} s	10^{-5} s	4×10^{13} années	*
10^3	$1,0 \times 10^{-8}$ s	10^{-6} s	1×10^{-5} s	10^{-3} s	*	*
10^4	$1,3 \times 10^{-8}$ s	10^{-5} s	1×10^{-4} s	10^{-1} s	*	*
10^5	$1,7 \times 10^{-8}$ s	10^{-4} s	2×10^{-3} s	10 s	*	*
10^6	2×10^{-8} s	10^{-3} s	2×10^{-2} s	17 min	*	*

Il est important de connaître le temps nécessaire à l'exécution d'un problème. Par exemple, si un algorithme exige 10 heures, on peut décider d'utiliser le temps machine (et de dépenser l'argent) nécessaire pour l'exécuter. Par contre, si un algorithme exige 10 milliards d'années pour résoudre un problème, il serait déraisonnable de l'appliquer. La forte croissance sur le plan de la vitesse et de l'espace mémoire des ordinateurs constitue l'un des phénomènes les plus intéressants de la technologie moderne. Un autre facteur important qui permet de diminuer le temps nécessaire pour résoudre des problèmes sur ordinateur est le **traitement en simultanéité**, c'est-à-dire la technique de la performance simultanée de suites d'opérations. En raison de la vitesse de calcul accrue, de l'augmentation de la mémoire de l'ordinateur et de l'usage des algorithmes qui tirent profit du traitement en simultanéité, les problèmes que l'on considérait comme insolubles il y a cinq ans sont maintenant résolus quotidiennement.

Exercices

1. Combien de comparaisons l'algorithme de l'exercice 10 de la section 2.1 utilise-t-il pour trouver le nombre naturel le plus petit dans une suite de n nombres naturels ?

2. Élaborez un algorithme qui permet de placer les quatre premiers éléments d'une liste de longueur arbitraire en ordre non décroissant. Démontrez que cet algorithme a une complexité temporelle de $O(1)$ en fonction du nombre de comparaisons utilisées.

3. Supposez qu'un élément se trouve parmi les 4 premiers éléments d'une liste de 32 éléments. Quel type de fouille (linéaire ou binaire) permettrait de repérer cet élément le plus rapidement ?

4. Déterminez le nombre de multiplications nécessaires pour trouver x^{2^k} en considérant x et en trouvant successivement son carré (x^2, x^4, x^8 et ainsi de suite). S'agit-il d'une manière plus efficace de trouver x^{2^k} que par la multiplication de x par lui-même le nombre de fois approprié ?

5. Donnez une estimation grand O du nombre de comparaisons utilisées par un algorithme qui permet de déterminer le nombre de 1 dans une chaîne binaire en examinant chaque bit de la chaîne pour établir s'il s'agit d'un bit de valeur 1 (reportez-vous à l'exercice 19 de la section 2.1).

*6. a) Démontrez que l'algorithme suivant permet de déterminer le nombre de bits 1 dans la chaîne S.

> **procédure** *compte binaire*(S : chaîne binaire)
> *compte* $:= 0$
> **tant que** $S \neq 0$
> **début**
>   *compte* $:= compte + 1$
> $S := S \wedge (S - 1)$
> **fin** {*compte* est le nombre de 1 dans S}

Ici $S - 1$ est la chaîne binaire obtenue en remplaçant le bit le plus à droite dans S par 0, et tous les bits 0 à la droite de celui-ci par 1. (N'oubliez pas que $S \wedge (S - 1)$ est le connecteur ET de S et de $S - 1$.)

b) Combien d'opérations avec le connecteur ET sont nécessaires pour trouver le nombre de bits 1 dans la chaîne S ?

7. L'algorithme conventionnel, qui permet d'évaluer un polynôme $a_n x^n + a_{n-1} x^{n-1} + \cdots + a_1 x + a_0$ en $x = c$, peut s'exprimer en pseudocodes par

> **procédure** *polynôme*(c, a_0, a_1, ..., a_n : nombres réels)
> *puissance* $:= 1$
> $y := a_0$
> **pour** $i := 1$ à n
> **début**
>   *puissance* $:= puissance * c$
> $y := y + a_i * puissance$
> **fin** {$y = a_n c^n + a_{n-1} c^{n-1} + \cdots + a_1 c + a_0$},

où la valeur finale de y est la valeur du polynôme en $x = c$.

a) Évaluez $3x^2 + x + 1$ dans $x = 2$ en effectuant chaque étape de l'algorithme.

b) Quel est le nombre exact de multiplications et d'additions utilisées pour évaluer un polynôme de degré n dans $x = c$? (Ne comptez pas les additions utilisées pour incrémenter la variable de la boucle.)

8. Il existe un algorithme plus efficace (en fonction du nombre de multiplications et d'additions utilisées) pour évaluer les polynômes que l'algorithme conventionnel décrit dans l'exercice 7. On l'appelle la **méthode de Horner**. Le pseudocode suivant présente la manière d'utiliser cette méthode pour trouver la valeur de $a_n x^n + a_{n-1} x^{n-1} + \ldots + a_1 x + a_0$ en $x = c$.

> **procédure** *Horner*(c, a_0, a_1, a_2, ..., a_n : nombres réels)
> $y := a_n$
> **pour** $i := 1$ à n
> $y := y * c + a_{n-i}$
> {$y = a_n c^n + a_{n-1} c^{n-1} + \ldots + a_1 c + a_0$}.

a) Évaluez $3x^2 + x + 1$ en $x = 2$ en effectuant chaque étape de l'algorithme.

b) Quel est le nombre exact de multiplications et d'additions qu'utilise cet algorithme pour évaluer un polynôme de degré n en $x = c$? (Ne comptez pas les additions utilisées pour incrémenter la variable de la boucle.)

9. Quelle taille de problème peut-on résoudre en une seconde avec un algorithme qui exige $f(n)$ opérations binaires, où chaque opération binaire est effectuée en 10^{-9} seconde, avec les fonctions $f(n)$ suivantes ?

a) $\log n$ **b)** n **c)** $n \log n$
d) n^2 **e)** 2^n **f)** $n!$

10. Combien de temps un algorithme prend-il pour résoudre un problème de taille n si cet algorithme utilise $2n^2 + 2^n$ opérations binaires, qui exigent chacune 10^{-9} seconde, avec les valeurs suivantes de n ?

a) 10   **b)** 20
c) 50   **d)** 100

11. Combien de temps un algorithme utilisant 2^{50} opérations binaires prend-il si chaque opération binaire exige les temps suivants ?

a) 10^{-6} seconde
b) 10^{-9} seconde
c) 10^{-12} seconde

12. Déterminez le nombre le moins élevé de comparaisons, ou le temps d'exécution dans le meilleur cas,

a) qui est nécessaire pour trouver l'élément maximal d'une suite d'entiers n en utilisant l'algorithme 1 de la section 2.1

b) qui est utilisé pour repérer un élément dans une liste de n éléments avec une fouille linéaire.

c) qui est utilisé pour repérer un élément dans une liste de n éléments avec une fouille binaire.

13. Analysez le temps d'exécution moyen d'un algorithme de fouille linéaire si, pendant exactement la moitié du temps, l'élément x ne se trouve pas dans la liste, et si, quand x se trouve dans la liste, il puisse se situer dans n'importe quelle position.

14. On dit qu'un algorithme est **optimal** pour résoudre un problème par rapport à une opération précise s'il n'existe aucun algorithme capable de résoudre ce problème en utilisant moins d'opérations.

a) Démontrez que l'algorithme 1 de la section 2.1 est un algorithme optimal par rapport au nombre de comparaisons des entiers. (*Remarque :* Les comparaisons utilisées à des fins de comptabilité dans la boucle ne sont pas considérées ici.)

b) L'algorithme de fouille linéaire est-il optimal par rapport au nombre de comparaisons des entiers (les comparaisons utilisées à des fins de comptabilité des boucles ne sont pas comprises) ?

15. Décrivez la complexité temporelle du pire cas, mesurée en fonction des comparaisons, de l'algo-rithme de fouille trichotomique décrit à l'exercice 21 de la section 2.1.

16. Décrivez la complexité temporelle du pire cas, mesurée en fonction des comparaisons, de l'algo-rithme de fouille décrit à l'exercice 22 de la section 2.1.

17. Analysez la complexité du pire cas de l'algorithme créé à l'exercice 23 de la section 2.1 pour trouver un mode dans une liste d'entiers non décroissants.

18. Analysez la complexité du pire cas de l'algorithme créé à l'exercice 24 de la section 2.1 pour trouver tous les modes dans une liste d'entiers non décroissants.

19. Analysez la complexité du pire cas de l'algorithme créé à l'exercice 25 de la section 2.1 pour trouver le premier élément d'une suite d'entiers égal à un élément précédent spécifique.

20. Analysez la complexité du pire cas de l'algorithme créé à l'exercice 26 de la section 2.1 pour trouver tous les éléments d'une suite d'entiers plus grands que la somme de tous les éléments précédents.

21. Analysez la complexité du pire cas de l'algorithme créé à l'exercice 27 de la section 2.1 pour trouver le premier élément d'une suite plus petit que l'élément immédiatement devant lui.

2.3

Nombres entiers et division

INTRODUCTION

La partie des mathématiques discrètes traitant les nombres entiers et leurs propriétés appartient à la branche des mathématiques appelée **théorie des nombres**. Dans cette section, on passera en revue certaines notions de base de la théorie des nombres, notamment la divisibilité, les plus grands communs diviseurs et l'arithmétique modulaire. Dans la section 2.4, on décrira plusieurs algorithmes importants en théorie des nombres, combinés à la matière abordée dans les sections 2.1 et 2.2 sur les algorithmes et leur complexité. Par exemple, on introduira les algorithmes permettant de trouver le plus grand commun diviseur de deux entiers positifs et d'effectuer de l'arithmétique informatique avec la représentation en base 2 d'un entier. Finalement, dans la section 2.5, on poursuivra l'étude de la théorie des nombres en présentant certains résultats intéressants compte tenu de leurs applications en informatique et en cryptologie.

Les notions introduites ici font référence au concept de divisibilité. Les nombres premiers constituent un concept important basé sur la divisibilité. Un nombre premier est un entier plus grand que 1 qui n'est divisible sans reste que par 1 et par lui-même. Dans les applications relatives à la cryptologie, il faut souvent déterminer si un entier est premier.

D'après l'un des principaux théorèmes de la théorie des nombres, soit le théorème fondamental de l'arithmétique, tous les entiers positifs peuvent s'écrire de façon unique comme un produit de nombres premiers. La décomposition des entiers en facteurs premiers est cruciale en cryptologie. La division d'un entier par un entier positif donne un quotient et un reste. Le travail avec les restes est à la base de l'arithmétique modulaire, largement utilisée en informatique. On discutera de trois applications de l'arithmétique modulaire dans la présente section : comment générer une suite de nombres pseudo-aléatoires, attribuer à des fichiers des adresses mémoire, et coder et décoder des messages.

DIVISION

Lorsqu'un entier est divisé par un autre entier non nul, le quotient peut être ou non un entier. Par exemple, on a $12/3 = 4$ qui donne un entier, alors que $11/4 = 2{,}75$ ne donne pas un entier.

DÉFINITION 1.   Si a et b sont des entiers où $a \neq 0$, on dit que a *divise* b s'il existe un entier c tel que $b = ac$. Lorsque a divise b, on dit que a est un *facteur* de b et que b est un *multiple* de a. La notation $a \mid b$ désigne le fait que a divise b. On écrira $a \nmid b$ lorsque a ne divise pas b.

La figure 1 illustre les entiers divisibles par l'entier positif d.

EXEMPLE 1   Déterminez si $3 \mid 7$ et si $3 \mid 12$.

Solution : Puisque $7/3$ n'est pas un entier, il s'ensuit que $3 \nmid 7$. Par ailleurs, $3 \mid 12$ puisque $12/3 = 4$.   ∎

EXEMPLE 2   Soit n et d des entiers positifs. Trouvez combien d'entiers positifs ne dépassant pas n sont divisibles par d.

Solution : Les entiers positifs divisibles par d sont tous des entiers de la forme dk, où k est un entier positif. Ainsi, le nombre d'entiers positifs divisibles par d qui ne dépassent pas n est égal au nombre d'entiers k avec $0 < dk \leq n$ ou avec $0 < k \leq n/d$. Ainsi, il y a $\lfloor n/d \rfloor$ entiers positifs ne dépassant pas n qui sont divisibles par d.   ∎

Le théorème 1 énumère quelques propriétés élémentaires de la divisibilité.

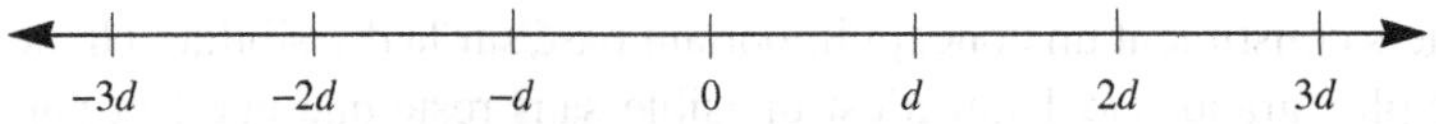

FIGURE 1   Entiers divisibles par l'entier positif d

THÉORÈME 1

Soit a, b et c des entiers. Alors,

  1. si $a \mid b$ et $a \mid c$, alors $a \mid (b + c)$,

  2. si $a \mid b$, alors $a \mid bc$ pour tous les entiers c,

  3. si $a \mid b$ et $b \mid c$, alors $a \mid c$.

Démonstration : On suppose que $a \mid b$ et $a \mid c$. Alors, à partir de la définition, il s'ensuit qu'il existe des entiers s et t tels que $b = as$ et $c = at$. Ainsi,

$$b + c = as + at = a(s + t).$$

Ainsi, a divise $b + c$, ce qui démontre la partie 1 du théorème. La démonstration des parties 2 et 3 sera confiée au lecteur en guise d'exercice. ☐

Tout entier positif plus grand que 1 est divisible par au moins deux entiers, soit par 1 et par lui-même. Les entiers qui admettent exactement deux facteurs d'entiers positifs différents sont appelés des nombres **premiers**.

DÉFINITION 2. Un entier positif p plus grand que 1 est un nombre appelé *premier* si les seuls facteurs positifs de p sont 1 et p. Un entier positif qui est plus grand que 1 et qui n'est pas premier est appelé *nombre composé*.

EXEMPLE 3

L'entier 7 est un nombre premier puisque ses seuls facteurs positifs sont 1 et 7, alors que l'entier 9 est un nombre composé puisqu'il est divisible par 3. ∎

Les nombres premiers jouent un rôle fondamental dans l'étude des entiers, comme le montre le théorème fondamental de l'arithmétique. La démonstration en est donnée à la section 3.2.

THÉORÈME 2

THÉORÈME FONDAMENTAL DE L'ARITHMÉTIQUE Tout entier positif peut s'écrire comme le produit des nombres premiers, de façon unique, l'ordre des facteurs n'étant pas pris en considération. (Ici un produit peut n'avoir aucun ou peut avoir un ou plus d'un facteur premier.)

L'exemple 4 présente quelques décompositions d'entiers en facteurs premiers.

EXEMPLE 4

Les décompositions de 100, de 641, de 999 et de 1024 en facteurs premiers sont respectivement

$$100 = 2 \cdot 2 \cdot 5 \cdot 5 = 2^2 5^2,$$

$$641 = 641,$$

$$999 = 3 \cdot 3 \cdot 3 \cdot 37 = 3^3 \cdot 37,$$

et

$$1024 = 2 \cdot 2 \cdot 2 \cdot 2 \cdot 2 \cdot 2 \cdot 2 \cdot 2 \cdot 2 \cdot 2 = 2^{10}. \qquad \blacksquare$$

Il importe souvent de démontrer qu'un entier donné est premier. Par exemple, en cryptologie, des nombres premiers de grande taille sont utilisés dans certaines méthodes de codage des messages. Une procédure qui permet de démontrer qu'un entier est premier se base sur l'observation suivante.

THÉORÈME 3   Si n est un entier composé, alors n admet un diviseur premier plus petit que ou égal à $\sqrt{n}$.

Démonstration : Si n est composé, il admet un diviseur a avec $1 < a < n$. Ainsi, $n = ab$, où et a et b sont des entiers positifs plus grands que 1. On voit que $a \leq \sqrt{n}$ ou $b \leq \sqrt{n}$ car, autrement, $ab > \sqrt{n} \cdot \sqrt{n} = n$. Donc, n a un diviseur positif ne dépassant pas $\sqrt{n}$. Le diviseur est premier ou (selon le théorème fondamental de l'arithmétique) il a un diviseur premier. Dans l'un ou l'autre cas, n a un diviseur premier plus petit que ou égal à $\sqrt{n}$.   □

Selon le théorème 3, il s'ensuit qu'un entier est un nombre premier s'il n'est divisible par aucun nombre premier plus petit que ou égal à sa racine carrée. Dans l'exemple 5, on a recours à ce résultat pour montrer que 101 est premier.

EXEMPLE 5   Montrez que 101 est premier.

Solution : Les seuls nombres premiers qui ne dépassent pas $\sqrt{101}$ sont 2, 3, 5 et 7. Puisque 101 n'est pas divisible par 2, 3, 5 ou 7 (le quotient de 101 et chacun de ces entiers ne sont pas des entiers), il s'ensuit que 101 est premier. $\blacksquare$

Puisque tout entier peut être décomposé en facteurs premiers, il serait utile de connaître une procédure qui permettrait de trouver cette décomposition. On considère le problème de la recherche de la décomposition en facteurs premiers de n. On commence par diviser n par des nombres premiers successifs en débutant par le nombre premier le plus petit, soit 2. Si n a un facteur premier, alors (selon le théorème 3) on trouvera un facteur premier p ne dépassant pas $\sqrt{n}$. Ainsi, si aucun facteur premier ne dépassant pas $\sqrt{n}$ n'est trouvé, alors n est premier. Autrement, si un facteur premier p est trouvé, on continue en décomposant n/p en facteurs premiers. À noter que n/p n'a aucun facteur premier inférieur à p. En outre, si n/p n'a aucun facteur premier plus grand que ou égal à p et ne dépassant pas sa racine carrée, alors il est premier. Autrement, s'il a un facteur premier q, on continue en décomposant

$n/(pq)$ en facteurs premiers. Cette procédure est répétée jusqu'à ce que la décomposition ait été réduite à un nombre premier. L'exemple 6 présente cette procédure.

EXEMPLE 6   Trouvez la décomposition de 7007 en facteurs premiers.

Solution : Pour trouver la décomposition de 7007 en facteurs premiers, on effectue d'abord les divisions de 7007 par des nombres premiers successifs, en commençant par 2. Aucun des nombres premiers 2, 3 et 5 ne divise 7007. Toutefois, 7 divise 7007, avec $7007/7 = 1001$. Ensuite, on divise 1001 par des nombres premiers successifs, en commençant par 7. On voit immédiatement que 7 divise également 1001, puisque $1001/7 = 143$. On continue en divisant 143 par des nombres premiers successifs, en commençant par 7. Bien que 7 ne divise pas 143, 11 divise 143 et $143/11 = 13$. Puisque 13 est premier, la procédure est terminée. Il s'ensuit que la décomposition de 7007 en facteurs premiers est $7 \cdot 7 \cdot 11 \cdot 13 = 7^2 \cdot 11 \cdot 13$. ∎

La division à l'essai et le théorème 3 permettent d'obtenir des procédures concernant la décomposition des entiers en facteurs premiers et les tests de primarité. Toutefois, ces procédures ne constituent pas les algorithmes les plus efficaces pour exécuter ces tâches. Récemment, la décomposition des entiers en facteurs premiers et les tests de primarité sont devenus importants dans les applications de la théorie des nombres en cryptologie. Ils ont suscité un intérêt grandissant pour la mise au point d'algorithmes efficaces pour effectuer ces deux tâches.

ALGORITHME DE DIVISION

On a vu qu'un entier pouvait ou non être divisible par un autre entier. Toutefois, lorsqu'un entier est divisé par un entier positif, on obtient toujours un quotient et un reste, comme le montre l'algorithme de division.

THÉORÈME 4   **ALGORITHME DE DIVISION**   Soit a un entier et d, un entier positif. Il existe alors deux entiers q et r, avec $0 \leq r < d$, tels que $a = dq + r$. De plus, q et r sont uniques.

Remarque : Le théorème 4 n'est pas vraiment un algorithme. Néanmoins, c'est le nom traditionnel sous lequel il est connu.

DÉFINITION 3. Dans l'algorithme de division, on appelle d le *diviseur*, a le *dividende*, q le *quotient* et r, le *reste*.

Les exemples 7 et 8 illustrent l'algorithme de division.

EXEMPLE 7   Quels sont le quotient et le reste lorsque 101 est divisé par 11 ?

Solution : On a

$$101 = 11 \cdot 9 + 2.$$

Ainsi, lorsque 101 est divisé par 11, le quotient est 9 et le reste est 2.   ∎

EXEMPLE 8   Quels sont le quotient et le reste lorsque −11 est divisé par 3 ?

Solution : On a

$$-11 = 3(-4) + 1.$$

Ainsi, lorsque −11 est divisé par 3, le quotient est −4 et le reste est 1.
À noter que le reste ne peut être négatif. Par conséquent, le reste n'est *pas* −2, même si

$$-11 = 3(-3) - 2,$$

puisque $r = -2$ ne satisfait pas à $0 \leq r < 3$.   ∎

À remarquer que l'entier a est divisible par l'entier d si et seulement si le reste est zéro lorsque a est divisé par d.

PLUS GRANDS COMMUNS DIVISEURS ET PLUS PETITS COMMUNS MULTIPLES

Le plus grand nombre entier qui divise deux entiers donnés s'appelle le **plus grand commun diviseur** de ces entiers.

> **DÉFINITION 4.**   Soit a et b des entiers non nuls. Le plus grand entier d, tel que $d \mid a$ et $d \mid b$, est appelé le *plus grand commun diviseur* de a et b. Le plus grand commun diviseur de a et b est désigné par pgcd(a, b).

Le plus grand commun diviseur de deux entiers dont au moins un est non nul existe en tout temps, car l'ensemble des diviseurs communs de ces entiers est fini. Pour connaître le plus grand commun diviseur de deux entiers, on peut trouver tous les diviseurs communs positifs des deux entiers et prendre le plus grand parmi ceux-ci. C'est la technique utilisée dans les exemples suivants. Plus loin, on présentera une méthode plus efficace pour rechercher le plus grand commun diviseur.

EXEMPLE 9   Quel est le plus grand commun diviseur de 24 et 36 ?

Solution: Les diviseurs communs positifs de 24 et de 36 sont 1, 2, 3, 4, 6 et 12. Alors, pgcd(24, 36) = 12. ∎

EXEMPLE 10 Quel est le plus grand commun diviseur de 17 et 22 ?

Solution: Les entiers 17 et 22 n'ont aucun commun diviseur positif autre que 1. Alors, pgcd(17, 22) = 1. ∎

Puisqu'il importe souvent d'établir que deux entiers n'ont aucun commun diviseur positif autre que 1, on a la définition suivante.

> **DÉFINITION 5.** Les entiers a et b sont *premiers entre eux* si leur plus grand commun diviseur est 1.

EXEMPLE 11 À partir de l'exemple 10, il s'ensuit que les entiers 17 et 22 sont premiers entre eux, puisque pgcd(17, 22) = 1. ∎

Puisqu'on doit souvent établir qu'aucune paire d'entiers dans un ensemble d'entiers n'admet un commun diviseur positif plus grand que 1, on donne la définition suivante.

> **DÉFINITION 6.** Les entiers $a_1, a_2, \ldots, a_n$ sont des *entiers premiers deux à deux* si pgcd(a_i, a_j) = 1 lorsque $1 \leq i < j \leq n$.

EXEMPLE 12 Déterminez si les entiers 10, 17 et 21 sont premiers deux à deux et si les entiers 10, 19 et 24 sont premiers deux à deux.

Solution: Puisque pgcd(10, 17) = 1, pgcd(10, 21) = 1 et pgcd(17, 21) = 1, on peut conclure que 10, 17 et 21 sont des entiers premiers deux à deux.
Puisque pgcd(10, 24) = 2 > 1, on voit que 10, 19 et 24 ne sont pas des entiers premiers deux à deux. ∎

Une autre manière de trouver le plus grand commun diviseur de deux entiers consiste à décomposer ces entiers en facteurs premiers. On suppose que la décomposition des entiers a et b en facteurs premiers, qui ne sont pas égaux à zéro, est

$$a = p_1^{a_1} \, p_2^{a_2} \ldots p_n^{a_n}, \quad b = p_1^{b_1} \, p_2^{b_2} \ldots p_n^{b_n},$$

où chaque exposant est un entier non négatif et où tous les entiers premiers faisant partie de la décomposition en facteurs premiers de soit a, soit b, soit les deux, sont compris dans les deux décompositions, avec des exposants nuls au besoin. Alors, le pgcd(a, b) est donné par

$$\text{pgcd}(a, b) = p_1^{\min(a_1, b_1)} p_2^{\min(a_2, b_2)} \cdots p_n^{\min(a_n, b_n)},$$

où $\min(x, y)$ représente le minimum des deux nombres x et y. Pour démontrer que cette formule est valide, il faut montrer que l'entier du côté droit divise a et b, et qu'aucun entier plus grand ne les divise aussi. Cet entier divise a et b, puisque la puissance de chaque nombre premier dans la décomposition en facteurs premiers ne dépasse pas la puissance de ce nombre premier dans la décomposition en facteurs premiers de a ou dans celle de b. De plus, aucun entier plus grand ne peut diviser a et b, car il n'est pas possible d'augmenter les exposants des nombres premiers dans cette décomposition et d'inclure un autre nombre premier.

EXEMPLE 13   Puisque les décompositions en facteurs premiers de 120 et de 500 sont $120 = 2^3 \cdot 3 \cdot 5$ et $500 = 2^2 \cdot 5^3$, leur plus grand commun diviseur est

$$\text{pgcd}(120, 500) = 2^{\min(3, 2)} 3^{\min(1, 0)} 5^{\min(1, 3)} = 2^2 3^0 5^1 = 20.$$ ∎

On peut également utiliser les décompositions en facteurs premiers pour trouver le **plus petit commun multiple** de deux entiers.

> **DÉFINITION 7.**   Le *plus petit commun multiple* des entiers positifs a et b est le plus petit entier positif divisible par a et b. Le plus petit commun multiple de a et b est désigné par ppcm(a, b).

Le plus petit commun multiple existe, parce que l'ensemble des entiers divisibles par a et b est non vide et que chaque ensemble non vide d'entiers positifs comporte un plus petit élément (selon le principe du bon ordre, dont on discutera au chapitre 3). On suppose que les représentations en facteurs premiers de a et b sont les mêmes qu'auparavant. Alors, le plus petit commun multiple de a et b est donné par

$$\text{ppcm}(a, b) = p_1^{\max(a_1, b_1)} p_2^{\max(a_2, b_2)} \cdots p_n^{\max(a_n, b_n)},$$

où $\max(x, y)$ désigne l'élément maximal de deux nombres x et y. Cette égalité est valide, car un commun multiple de a et b a au moins $\max(a_i, b_i)$ facteurs de p_i dans sa décomposition en facteurs premiers, et le plus petit commun multiple n'a aucun facteur premier autre que ceux qui se trouvent à la fois dans a et dans b.

EXEMPLE 14   Quel est le plus petit commun multiple de $2^3 3^5 7^2$ et $2^4 3^3$?

Solution : On a

$$\text{ppcm}(2^3 3^5 7^2, 2^4 3^3) = 2^{\max(3, 4)} 3^{\max(5, 3)} 7^{\max(2, 0)} = 2^4 3^5 7^2.$$ ∎

Le théorème suivant donne la relation entre le plus grand commun diviseur et le plus petit commun multiple de deux entiers. On peut prouver cette relation à l'aide des identités précédentes. La démonstration de ce théorème est confiée au lecteur à titre d'exercice.

THÉORÈME 5   Soit a et b des entiers positifs. Alors,

$$ab = \text{pgcd}(a, b) \cdot \text{ppcm}(a, b).$$

ARITHMÉTIQUE MODULAIRE

Dans certaines situations, on se soucie uniquement du reste dans la division d'un entier par un autre. Par exemple, lorsqu'on se demande quelle heure il sera (sur une horloge de 24 heures) dans 50 heures, on se préoccupe uniquement du reste lorsque 50 plus l'heure actuelle est divisé par 24. En ce sens, on utilise des notations particulières pour représenter ces restes.

DÉFINITION 8.   Soit a un entier et m un entier positif. On désigne par a **mod** m le reste dans la division de a par m.

À partir de cette définition, il s'ensuit que a **mod** m est l'entier r tel que $a = qm + r$ où $0 \leq r < m$.

EXEMPLE 15   On voit que 17 **mod** 5 = 2, $- 133$ **mod** 9 = 2 et 2001 **mod** 101 = 82.   ■

Il existe également une notation pour indiquer que deux entiers admettent un même reste lorsqu'ils sont divisés par un entier positif m.

DÉFINITION 9.   Soit a et b deux entiers et m un entier positif. Alors a est *congru à b modulo m* si m divise $a - b$. On utilise la notation $a \equiv b$ (mod m) pour indiquer que a est congru à b modulo m. Si a et b ne sont pas congrus modulo m, on écrit $a \not\equiv b$ (mod m).

À noter que $a \equiv b$ (mod m) si et seulement si a **mod** $m = b$ **mod** m.

EXEMPLE 16   Déterminez si 17 est congru à 5 modulo 6 et si 24 et 14 sont congrus modulo 6.

Solution : Puisque 6 divise $17 - 5 = 12$, on voit que $17 \equiv 5$ (mod 6). Cependant, puisque $24 - 14 = 10$ n'est pas divisible par 6, on obtient $24 \not\equiv 14$ (mod 6).   ■

Le mathématicien allemand Carl Friedrich Gauss a élaboré le concept de congruence à la fin du XIXe siècle. Cette notion a joué un rôle important dans la théorie des nombres. Le théorème suivant caractérise la congruence modulo m de deux entiers.

THÉORÈME 6   Soit m un entier positif. Les entiers a et b sont congrus modulo m si et seulement s'il existe un entier k tel que $a = b + km$.

Démonstration : Si $a \equiv b \pmod{m}$, alors $m \mid (a - b)$, ce qui signifie qu'il existe un entier k tel que $a - b = km$, c'est-à-dire tel que $a = b + km$. Inversement, s'il existe un entier k tel que $a = b + km$, alors $km = a - b$. Ainsi, m divise $a - b$, d'où $a \equiv b \pmod{m}$.   □

Le théorème suivant montre que les congruences sont préservées par l'addition et la multiplication.

THÉORÈME 7   Soit m un entier positif. Si $a \equiv b \pmod{m}$ et $c \equiv d \pmod{m}$, alors

$$a + c \equiv b + d \pmod{m}$$

et

$$ac \equiv bd \pmod{m}.$$

Démonstration : Puisque $a \equiv b \pmod{m}$ et $c \equiv d \pmod{m}$, il existe des entiers s et t tels que $b = a + sm$ et $d = c + tm$. Donc,

$$b + d = (a + sm) + (c + tm) = (a + c) + m(s + t)$$

et

$$bd = (a + sm)(c + tm) = ac + m(at + cs + stm).$$

Ainsi,

$$a + c \equiv b + d \pmod{m}$$

et

$$ac \equiv bd \pmod{m}.$$ □

EXEMPLE 17   Puisque $7 \equiv 2 \pmod{5}$ et $11 \equiv 1 \pmod{5}$, il s'ensuit (selon le théorème 7) que

$$18 = 7 + 11 \equiv 2 + 1 = 3 \pmod{5}$$

et que

$$77 = 7 \cdot 11 \equiv 2 \cdot 1 = 2 \pmod{5}.$$ ∎

APPLICATIONS DES CONGRUENCES

La théorie des nombres a des applications dans plusieurs domaines. On décrira trois de ces applications dans la présente section : l'utilisation des congruences pour affecter des adresses mémoire aux fichiers sur ordinateur, une technique pour générer une suite de nombres pseudo-aléatoires et les systèmes cryptologiques basés sur l'arithmétique modulaire.

EXEMPLE 18

Fonction de hachage L'ordinateur central de votre école conserve des registres de chaque étudiant. Comment peut-on affecter des adresses mémoire pour récupérer rapidement les registres des étudiants ? La solution à ce problème consiste à utiliser une **fonction de hachage** appropriée. On identifie les registres à l'aide d'une **clé**, qui désigne de façon unique le registre correspondant à chaque étudiant. Par exemple, les registres des étudiants sont souvent identifiés en prenant comme clé le numéro d'assurance sociale de l'étudiant. Une fonction de hachage h attribue une adresse mémoire $h(k)$ au registre qui a k comme clé.

En pratique, différentes fonctions de hachage sont utilisées. L'une des plus courantes est la fonction

$$h(k) = k \bmod m,$$

où m est le nombre d'adresses mémoire disponibles.

Il faut être en mesure d'évaluer facilement une fonction de hachage pour repérer rapidement les fichiers. La fonction de hachage $h(k) = k \bmod m$ satisfait à cette exigence. Pour trouver $h(k)$, on doit simplement calculer le reste de la division de k par m. De plus, une fonction de hachage doit être surjective pour que toutes les adresses mémoire soient accessibles. La fonction $h(k) = k \bmod m$ satisfait également à cette propriété.

Par exemple, lorsque $m = 111$, le registre de l'étudiant ayant le numéro d'assurance sociale 064212848 est attribué à l'adresse mémoire 14, puisque

$$h(064212848) = 064212848 \bmod 111 = 14.$$

De même, puisque

$$h(037149212) = 037149212 \bmod 111 = 65,$$

le registre de l'étudiant ayant le numéro d'assurance sociale 037149212 est attribué à l'adresse mémoire 65.

Puisqu'une fonction de hachage n'est pas injective (car il y a un plus grand nombre de clés possibles que d'adresses mémoire), il peut arriver qu'on attribue plus d'un fichier à une adresse mémoire. Le cas échéant, on dit qu'une **collision** se produit. Pour résoudre ce problème, on attribue la première adresse libre suivant l'adresse mémoire occupée déjà attribuée par la fonction de hachage. Dans cet exemple, on attribue donc l'adresse 15 au registre de l'étudiant ayant le numéro d'assurance sociale 107405723. À noter que $h(k)$ établit une correspondance avec ce numéro d'assurance sociale à l'adresse 14, puisque

$$h(107405723) = 107405723 \bmod 111 = 14.$$

Toutefois, comme cette adresse est déjà occupée par le fichier de l'étudiant ayant le numéro 064212848, c'est l'adresse mémoire 15 qui est désignée, soit la première adresse libre suivant l'adresse mémoire 14.

Il existe bon nombre d'autres méthodes évoluées qui permettent de résoudre le problème de collisions. Elles sont beaucoup plus efficaces que la simple méthode qu'on vient de décrire.   ∎

EXEMPLE 19   **Nombres pseudo-aléatoires**   Des suites de nombres aléatoires sont souvent nécessaires pour les simulations sur ordinateur. On a élaboré différentes méthodes pour engendrer des suites de nombres qui ont les propriétés des nombres choisis aléatoirement. Puisque les nombres générés systématiquement ne sont pas véritablement aléatoires, on les appelle des **nombres pseudo-aléatoires**.

La procédure la plus couramment utilisée pour la création de nombres pseudo-aléatoires est la **méthode linéaire de congruence**. On choisit quatre entiers : le **module** m, le **multiplicateur** a, l'**incrément** c et la **semence** x_0, avec $2 \leq a < m$, $0 \leq c < m$ et $0 \leq x_0 < m$. On engendre une suite de nombres pseudo-aléatoires $\{x_n\}$, avec $0 \leq x_n < m$ pour tout n, en utilisant successivement la congruence

$$x_{n+1} = (ax_n + c) \bmod m.$$

(Il s'agit d'un exemple de définition récursive dont on discutera à la section 3.3. Dans cette section, on démontrera que de telles suites sont bien définies.)

Bon nombre d'expériences sur ordinateur exigent la création de nombres pseudo-aléatoires compris entre 0 et 1. Pour générer de tels nombres, on divise les nombres produits avec un générateur linéaire à congruence par le module ; autrement dit, on utilise les nombres x_n/m.

Par exemple, la suite de nombres pseudo-aléatoires produits en choisissant $m = 9$, $a = 7$, $c = 4$ et $x_0 = 3$ se présente comme suit :

$$
\begin{aligned}
x_1 &= 7x_0 + 4 = 7 \cdot 3 + 4 = 25 \bmod 9 = 7, \\
x_2 &= 7x_1 + 4 = 7 \cdot 7 + 4 = 53 \bmod 9 = 8, \\
x_3 &= 7x_2 + 4 = 7 \cdot 8 + 4 = 60 \bmod 9 = 6, \\
x_4 &= 7x_3 + 4 = 7 \cdot 6 + 4 = 46 \bmod 9 = 1, \\
x_5 &= 7x_4 + 4 = 7 \cdot 1 + 4 = 11 \bmod 9 = 2, \\
x_6 &= 7x_5 + 4 = 7 \cdot 2 + 4 = 18 \bmod 9 = 0, \\
x_7 &= 7x_6 + 4 = 7 \cdot 0 + 4 = 4 \bmod 9 = 4, \\
x_8 &= 7x_7 + 4 = 7 \cdot 4 + 4 = 32 \bmod 9 = 5, \\
x_9 &= 7x_8 + 4 = 7 \cdot 5 + 4 = 39 \bmod 9 = 3.
\end{aligned}
$$

Puisque $x_9 = x_0$ et que chaque élément dépend seulement de l'élément précédent, on obtient la suite

3, 7, 8, 6, 1, 2, 0, 4, 5, 3, 7, 8, 6, 1, 2, 0, 4, 5, 3, ...

Cette suite contient neuf nombres différents avant de se répéter.

La plupart des ordinateurs utilisent des générateurs linéaires à congruence pour générer des nombres pseudo-aléatoires. Souvent, on a recours à un générateur ayant pour incrément $c = 0$. Ce type de générateur s'appelle un **générateur purement multiplicatif**. Par exemple, on utilise largement le générateur purement multiplicatif de module $2^{31} - 1$ et le multiplicateur $7^5 = 16\ 807$. Avec ces valeurs, on peut démontrer que $2^{31} - 2$ nombres sont générés avant que ne réapparaisse la même suite.   ∎

CRYPTOLOGIE

Les congruences ont de nombreuses applications en mathématiques discrètes et en informatique. L'une des principales applications des congruences fait intervenir la **cryptologie**, soit l'étude des messages secrets. Jules César fut l'un des premiers à utiliser la cryptologie. Il codait ses messages en décalant chaque lettre de trois lettres vers l'avant dans l'alphabet (en remplaçant les trois dernières lettres de l'alphabet par les trois premières). Par exemple, selon ce modèle, la lettre B est décalée à E et la lettre X, à A. Il s'agit d'un exemple de **codage**, c'est-à-dire un processus qui permet de rendre un message secret.

Pour exprimer mathématiquement le processus de codage de César, on remplace d'abord chaque lettre par un entier compris entre 0 et 25, en fonction de sa position dans l'alphabet. Par exemple, on remplace A par 0, K par 10 et Z par 25. On peut représenter la méthode de codage de César par la fonction f, qui affecte à l'entier positif p, $p \le 25$, l'entier $f(p)$ dans l'ensemble $\{0, 1, 2, ..., 25\}$ selon

$f(p) = (p + 3) \bmod 26.$

Dans la version codée du message, la lettre représentée par p est remplacée par la lettre désignée par $(p + 3) \bmod 26$.

EXEMPLE 20   Quel est le message secret contenu dans la phrase « MEET YOU IN THE PARK » avec le codage de César ?

Solution : On remplace d'abord les lettres du message par des chiffres. On obtient

12 4 4 19   24 14 20   8 13   19 7 4   15 0 17 10.

À présent, on remplace chacun de ces chiffres p par $f(p) = (p + 3) \bmod 26$. On obtient

15 7 7 22   1 17 23   11 16   22 10 7   18 3 20 13.

En reconvertissant ces chiffres, on parvient au message codé « PHHW BRX LQ WKH SDUN ».   ∎

Pour récupérer le message original à partir du message secret codé selon le codage de César, on utilise la fonction f^{-1}, soit l'inverse de f. À noter que la fonction f^{-1} envoie un entier p de $\{0, 1, 2, ..., 25\}$ à $f^{-1}(p) = (p - 3) \bmod 26$. En d'autres termes, pour trouver le message original, chaque lettre est décalée de trois lettres vers l'arrière dans l'alphabet, les trois premières lettres étant remplacées par les trois dernières lettres de l'alphabet. La procédure qui consiste à déchiffrer le message original à partir du message codé s'appelle le **décodage**.

Il existe plusieurs manières de généraliser le codage de César. Par exemple, plutôt que de décaler chaque lettre de 3 positions, on peut déplacer chaque lettre de k positions, c'est-à-dire

$f(p) = (p + k) \bmod 26.$

Un tel code s'appelle le **codage différé**. À remarquer que le décodage peut s'effectuer en utilisant

$$f^{-1}(p) = (p - k) \textbf{ mod } 26.$$

Évidemment, la méthode de César et les codages différés ne procurent pas un niveau élevé de sécurité. Il existe différentes manières d'améliorer cette méthode. L'une des approches qui permettent d'améliorer la sécurité du message consiste à utiliser la fonction sous la forme

$$f(p) = (ap + b) \textbf{ mod } 26,$$

où a et b sont des entiers choisis de telle sorte que f soit une bijection. (Cette application s'appelle une *transformation affine*.) Elle procure plusieurs systèmes de codage possibles. L'exemple 21 présente la manière d'utiliser ces systèmes.

EXEMPLE 21   Quelle lettre remplace la lettre K lorsque vous utilisez la fonction $f(p) = (7p + 3) \textbf{ mod } 26$ pour le codage ?

Solution : D'abord, on note que 10 représente K. Puis, en utilisant la fonction de codage précisée, il s'ensuit que $f(10) = (7 \cdot 10 + 3) \textbf{ mod } 26 = 21$. Puisque 21 représente V, la lettre K est remplacée par V dans le message codé.   ■

La méthode de codage de César ainsi que la généralisation de cette méthode s'effectuent en remplaçant chaque lettre de l'alphabet par une autre lettre de l'alphabet. Les méthodes de codage de ce genre, déterminées en fonction de la fréquence de l'occurrence des lettres dans le message, ne sont pas fiables. Les méthodes de codage plus évoluées sont mises au point à partir du remplacement de blocs de lettres par d'autres blocs de lettres. Il existe plusieurs techniques basées sur l'arithmétique modulaire pour le codage des blocs de lettres.

Exercices

1. Le nombre 17 divise-t-il les nombres suivants ?
   a) 68   **b)** 84   **c)** 357   **d)** 1001
2. Démontrez que si a est un entier non nul, alors
   a) 1 divise a.   **b)** a divise 0.
3. Démontrez la partie 2 du théorème 1.
4. Démontrez la partie 3 du théorème 1.
5. Démontrez que si $a \mid b$ et $b \mid a$, où a et b sont des entiers, alors $a = b$ ou $a = -b$.
6. Démontrez que si a, b, c et d sont des entiers tels que $a \mid c$ et $b \mid d$, alors $ab \mid cd$.
7. Démontrez que si a, b et c sont des entiers tels que $ac \mid bc$, alors $a \mid b$.
8. Les entiers suivants sont-ils des nombres premiers ?
   a) 19   **b)** 27   **c)** 93
   d) 101   **e)** 107   **f)** 113

9. Dans chacun des cas suivants, quels sont le quotient et le reste ?
   a) 19 est divisé par 7.
   b) −111 est divisé par 11.
   c) 789 est divisé par 23.
   d) 1001 est divisé par 13.
   e) 0 est divisé par 19
   f) 3 est divisé par 5.
   g) −1 est divisé par 3.
   h) 4 est divisé par 1.
10. Trouvez la représentation en facteurs premiers des entiers suivants :
    a) 39.   **b)** 81.   **c)** 101.
    d) 143.   **e)** 289.   **f)** 899.

11. Trouvez la représentation en facteurs premiers de 10!.

★12. Combien de zéros y a-t-il à la fin de 100! ?

★13. Un **nombre irrationnel** est un nombre réel x qui ne peut s'écrire comme le quotient de deux entiers. Démontrez que $\log_2 3$ est un nombre irrationnel.

14. Quels entiers positifs inférieurs à 12 sont relativement premiers à 12 ?

15. Déterminez si les ensembles d'entiers suivants sont des entiers premiers deux à deux.

   a) (11, 15, 19)   **b)** (14, 15, 21)

   c) (12, 17, 31, 37)   **d)** (7, 8, 9, 11)

16. On dit qu'un entier positif est **parfait** s'il est égal à la somme de ses diviseurs, différents de l'entier en question.

   a) Démontrez que 6 et 28 sont parfaits.

   b) Démontrez que $2^{p-1}(2^p - 1)$ est un nombre parfait lorsque $2^p - 1$ est premier.

17. Soit m un entier positif. Démontrez que $a \equiv b(\text{mod } m)$ si $a \bmod m = b \bmod m$.

18. Soit m un entier positif. Démontrez que $a \bmod m \equiv b \bmod m$ si $a \equiv b \, (\text{mod } m)$.

19. Démontrez que si $2^n - 1$ est un nombre premier, alors n est premier. (*Conseil*: Utilisez l'identité $2^{ab} - 1 = (2^a - 1) \cdot (2^{a(b-1)} + 2^{a(b-2)} + \ldots + 2^a + 1)$.)

20. Déterminez si chacun des entiers suivants est premier.

   a) $2^7 - 1$ **b)** $2^9 - 1$

   c) $2^{11} - 1$ **d)** $2^{13} - 1$

21. La valeur de la **fonction ϕ d'Euler** pour l'entier positif n est définie par le nombre d'entiers positifs plus petits que ou égaux à n qui sont premiers deux à deux avec n. (*Note*: ϕ est la lettre grecque phi.) Trouvez

   a) $\phi(4)$.   **b)** $\phi(10)$.   **c)** $\phi(13)$.

22. Démontrez que n est premier si et seulement si $\phi(n) = n - 1$.

23. Quelle est la valeur de $\phi(p^k)$ lorsque p est premier et k, un entier positif ?

24. Quelles sont les plus grands communs diviseurs des paires d'entiers suivantes ?

   a) $2^2 \cdot 3^3 \cdot 5^5, 2^5 \cdot 3^3 \cdot 5^2$

   b) $2 \cdot 3 \cdot 5 \cdot 7 \cdot 11 \cdot 13, 2^{11} \cdot 3^9 \cdot 11 \cdot 17^{14}$

   c) $17, 17^{17}$

   d) $2^2 \cdot 7, 5^3 \cdot 13$

   e) $0, 5$

   f) $2 \cdot 3 \cdot 5 \cdot 7, 2 \cdot 3 \cdot 5 \cdot 7$

★25. Démontrez que si n et k sont des entiers positifs, alors $\lceil n/k \rceil = \lfloor (n-1)/k \rfloor + 1$.

26. Démontrez que si a est un entier et d, un entier positif plus grand que 1, alors le quotient et le reste obtenus lorsque a est divisé par d sont respectivement $\lfloor a/d \rfloor$ et $a - d \lfloor a/d \rfloor$.

27. Évaluez les quantités suivantes :

   a) 13 **mod** 3.   **b)** −97 **mod** 11.

   c) 155 **mod** 19.   **d)** −221 **mod** 23.

28. Dressez une liste de cinq entiers qui sont congrus à 4 modulo 12.

29. Déterminez si chacun des entiers suivants est congru à 5 modulo 17.

   a) 80   **b)** 103   **c)** −29   **d)** −122

30. Si le produit de deux entiers est $2^7 3^8 5^2 7^{11}$ et que leur plus grand commun diviseur est $2^3 3^4 5$, quel est leur plus petit commun multiple ?

31. Démontrez que si a et b sont des entiers positifs, alors $ab = \text{pgcd}(a, b) \cdot \text{ppcm}(a, b)$. (*Conseil*: Utilisez les décompositions en facteurs premiers de a et b et les formules pour le pgcd(a, b) et le ppcm(a, b) en fonction de ces décompositions.)

32. Démontrez que si $a \equiv b$ (mod m) et $c \equiv d$ (mod m), où a, b, c, d et m sont des entiers avec $m \geq 2$, alors $a - c \equiv b - d$ (mod m).

33. Démontrez que si $n \mid m$, où n et m sont des entiers positifs plus grands que 1, et si $a \equiv b$ (mod m), où a et b sont des entiers, alors $a \equiv b$ (mod n).

34. Démontrez que si a, b, c et m sont des entiers tels que $m \geq 2$, $c > 0$ et $a \equiv b$ (mod m), alors $ac \equiv bc$ (mod mc).

35. Démontrez que $ac \equiv bc$ (mod m), où a, b, c et m sont des entiers et $m \geq 2$, n'implique pas nécessairement que $a \equiv b$ (mod m).

36. Démontrez que si a, b et m sont des entiers tels que $m \geq 2$ et $a \equiv b$ (mod m), alors pgcd$(a, m) = $ pgcd(b, m).

37. Démontrez que si a, b, k et m sont des entiers tels que $k \geq 1$, $m \geq 2$ et $a \equiv b$ (mod m), alors $a^k \equiv b^k$ (mod m) où k est un entier positif.

38. Quelles adresses mémoire sont attribuées par la fonction de hachage $h(k) = k \bmod 101$ aux registres des étudiants ayant les numéros d'assurance sociale suivants ?

   a) 104578690   **b)** 432222187

   c) 372201919   **d)** 501338753

39. Un parc de stationnement comporte 31 places, numérotées de 0 à 30. On attribue aux visiteurs des places de stationnement à l'aide de la fonction de hachage $h(k) = k \bmod 31$, où k est le nombre formé à partir des trois premiers chiffres de la plaque d'immatriculation du véhicule.

   a) Avec la fonction de hachage, quelles places sont attribuées aux automobiles qui ont les trois premiers chiffres suivants sur leur plaque ?

      317, 918, 007, 100, 111, 310

b) Décrivez une procédure que les visiteurs pourraient suivre pour trouver une place de stationnement libre, lorsque la place attribuée est occupée.

40. Quelle suite de nombres pseudo-aléatoires pouvez-vous créer en utilisant le générateur linéaire de congruence $x_{n+1} = (4x_n + 1) \bmod 7$ avec la semence $x_0 = 3$?

41. Quelle suite de nombres pseudo-aléatoires pouvez-vous créer en utilisant le générateur purement multiplicatif $x_{n+1} = 3x_n \bmod 11$ avec la semence $x_0 = 2$?

42. Écrivez un algorithme en pseudocode pour créer une suite de nombres pseudo-aléatoires en utilisant le générateur linéaire de congruence.

43. Codez le message « DO NOT PASS GO » en convertissant les lettres en nombres à l'aide de la fonction de codage donnée et en reconvertissant les nombres en lettres.

a) $f(p) = (p + 3) \bmod 26$ (le codage de César)

b) $f(p) = (p + 13) \bmod 26$

c) $f(p) = (3p + 7) \bmod 26$

44. Décodez les messages suivants codés à l'aide du codage de César.

a) EOXH MHDQV

b) WHVW WRGDB

c) HDW GLP VXP

2.4

Entiers et algorithmes

INTRODUCTION

Comme on l'a mentionné à la section 2.1, le terme *algorithme* désignait autrefois les procédures utilisées pour effectuer des opérations arithmétiques à l'aide des représentations décimales des entiers. Ces algorithmes, adaptés pour les représentations binaires, constituent la base de l'arithmétique informatique. Ils permettent de bien illustrer le concept des algorithmes et leur complexité.

Il existe de nombreux algorithmes très importants qui comportent des entiers autres que ceux qu'on a utilisés en arithmétique. On commencera la discussion sur les entiers et les algorithmes par l'algorithme d'Euclide. En mathématiques, il s'agit de l'un des algorithmes les plus utiles, et sans doute le plus ancien. On décrira également un algorithme qui permettra de trouver la représentation d'un entier en base b.

L'ALGORITHME D'EUCLIDE

La méthode décrite à la section 2.3, qui permet de calculer le plus grand commun diviseur de deux entiers avec les décompositions des entiers en facteurs premiers, est inefficace. En effet, il est très long de trouver la décomposition des entiers en facteurs premiers. L'**algorithme d'Euclide** est une méthode plus efficace pour trouver le plus grand commun diviseur. Cet algorithme est connu depuis les temps anciens. Il a été nommé ainsi en souvenir du mathématicien grec Euclide, qui incorpora une description de cet algorithme dans l'ouvrage intitulé *Éléments*.

Avant de décrire l'algorithme d'Euclide, on démontrera comment il est utilisé pour trouver pgcd(91, 287). D'abord, on divise 287 (le plus grand de ces deux entiers) par 91 (le plus petit) pour obtenir

$$287 = 91 \cdot 3 + 14.$$

Tout diviseur de 91 et 287 doit également être un diviseur de $287 - 91 \cdot 3 = 14$. De plus, tout diviseur de 91 et 14 doit également être un diviseur de $287 = 91 \cdot 3 + 14$. Ainsi, le plus grand commun diviseur de 91 et 287 est le même que le plus grand commun diviseur de 91 et 14. Cela signifie que le problème de la recherche de pgcd(91, 287) a été réduit au problème de la recherche de pgcd(91, 14).

Ensuite, on divise 91 par 14 pour obtenir

$$91 = 14 \cdot 6 + 7.$$

Puisque tout diviseur commun de 91 et 14 divise également $91 - 14 \cdot 6 = 7$ et que tout diviseur commun de 14 et 7 divise 91, il s'ensuit que pgcd(91, 14) = pgcd(14, 7).

On continue en divisant 14 par 7, pour obtenir

$$14 = 7 \cdot 2.$$

Puisque 7 divise 14, il s'ensuit que pgcd(14, 7) = 7 et, puisque pgcd(287, 91) = pgcd(91, 14) = pgcd(14, 7) = 7, on a résolu le problème initial.

On décrit maintenant le fonctionnement général de l'algorithme d'Euclide. On utilisera des divisions successives pour réduire le problème de la recherche du plus grand commun diviseur de deux entiers positifs au même problème mais avec de plus petits entiers, et ce, jusqu'à ce que l'un des entiers soit égal à zéro.

L'algorithme d'Euclide est basé sur les résultats suivants concernant les plus grands diviseurs communs et l'algorithme de division.

LEMME 1 Soit $a = bq + r$, où a, b, q et r sont des entiers. Alors, pgcd(a, b) = pgcd(b, r).

Démonstration : Si on peut démontrer que les diviseurs communs de a et b sont les mêmes que les diviseurs communs de b et r, on aura prouvé que pgcd(a, b) = pgcd(b, r), puisque les deux paires doivent avoir le même plus grand commun diviseur.

Ainsi, on suppose que d divise a et b. Alors, il s'ensuit que d divise également $a - bq = r$ (d'après le théorème 1 de la section 2.3). Ainsi, tout diviseur commun de a et b est également un diviseur commun de b et r.

De même, on suppose que d divise b et r. Alors, d divise également $bq + r = a$. Ainsi, tout diviseur commun de b et r est également un diviseur commun de a et b.

Par conséquent, pgcd(a, b) = pgcd(b, r). $\qquad\qquad$ ☐

On suppose que a et b sont des entiers positifs et $a \geq b$. Soit $r_0 = a$ et $r_1 = b$. Lorsqu'on applique successivement l'algorithme de division, on obtient

$$\begin{aligned}
r_0 &= r_1 q_1 + r_2 & 0 &\le r_2 < r_1, \\
r_1 &= r_2 q_2 + r_3 & 0 &\le r_3 < r_2, \\
&\quad\cdot \\
&\quad\cdot \\
&\quad\cdot \\
r_{n-2} &= r_{n-1} q_{n-1} + r_n & 0 &\le r_n < r_{n-1}, \\
r_{n-1} &= r_n q_n.
\end{aligned}$$

Éventuellement, un reste de zéro est obtenu dans cette suite de divisions, puisque la suite des restes $a = r_0 > r_1 > r_2 > \ldots \ge 0$ ne peut contenir plus de a éléments. Aussi, d'après le lemme 1, il s'ensuit que

$$\begin{aligned}
\text{pgcd}(a, b) &= \text{pgcd}(r_0, r_1) = \text{pgcd}(r_1, r_2) = \ldots = \text{pgcd}(r_{n-2}, r_{n-1}) \\
&= \text{pgcd}(r_{n-1}, r_n) = \text{pgcd}(r_n, 0) = r_n.
\end{aligned}$$

Ainsi, le plus grand commun diviseur est le dernier reste non nul dans la suite de divisions.

EXEMPLE 1   Trouvez le plus grand commun diviseur de 414 et 662 en utilisant l'algorithme d'Euclide.

Solution : L'utilisation successive de l'algorithme de division donne

$$\begin{aligned}
662 &= 414 \cdot 1 + 248, \\
414 &= 248 \cdot 1 + 166, \\
248 &= 166 \cdot 1 + 82, \\
166 &= 82 \cdot 2 + 2, \\
82 &= 2 \cdot 41.
\end{aligned}$$

Ainsi, $\text{pgcd}(414, 662) = 2$, puisque 2 est le dernier reste non nul.   ■

L'algorithme d'Euclide est exprimé en pseudocode dans l'algorithme 1.

ALGORITHME 1   Algorithme d'Euclide

procédure pgcd $(a, b :$ entiers positifs$)$
$x := a$
$y := b$
tant que $y \ne 0$
début
  $r := x \bmod y$
  $x := y$
  $y := r$
fin $\{\text{pgcd}(a, b) \text{ est } x\}$

Dans l'algorithme 1, les valeurs initiales de x et y sont respectivement a et b. À chaque étape de la procédure, x est remplacé par y et y est remplacé par $x \bmod y$, qui est le reste lorsque

x est divisé par y. Ce processus se répète tant et aussi longtemps que $y \neq 0$. L'algorithme se termine lorsque $y = 0$ et la valeur de x à ce moment-là (soit le dernier reste non nul de la procédure) est le plus grand commun diviseur de a et b.

On étudiera la complexité temporelle de l'algorithme d'Euclide dans la section 3 du chapitre 3, alors qu'on montrera le nombre de divisions nécessaires pour trouver le plus grand commun diviseur de a et b, où $a \geq b$ est $O(\log b)$.

REPRÉSENTATIONS DES ENTIERS

En règle générale, les entiers sont exprimés sous forme décimale, en base 10. Par exemple, 965 sert à désigner $9 \cdot 10^2 + 6 \cdot 10 + 5$. Cependant, il est souvent utile de se servir de bases différentes de 10. En particulier, les ordinateurs utilisent la notation binaire (en base 2) lorsqu'ils exécutent des opérations arithmétiques, et la notation octale (en base 8) ou hexadécimale (en base 16) pour exprimer des caractères comme les lettres ou les chiffres. En fait, on peut utiliser tout entier positif plus grand que 1 comme base pour représenter des entiers, d'où l'énoncé du théorème suivant.

THÉORÈME 1

Soit b un entier positif plus grand que 1. Alors, tout entier positif n peut être écrit de façon unique comme

$$n = a_k b^k + a_{k-1} b^{k-1} + \ldots + a_1 b + a_0,$$

où k est un entier non négatif, et $a_0, a_1, \ldots, a_k$, des entiers non négatifs inférieurs à b et $a_k \neq 0$.

On ne fera pas la démonstration du théorème 1. La représentation de n donnée dans le théorème 1 est appelée **représentation de n en base b**. Celle-ci est désignée par $(a_k a_{k-1} \ldots a_1 a_0)_b$. Par exemple, $(245)_8$ représente $2 \cdot 8^2 + 4 \cdot 8 + 5 = 165$.

En choisissant 2 comme base, on obtient la **représentation binaire d'un entier**. Dans la notation binaire, chacun des chiffres est soit 0, soit 1. En d'autres termes, la représentation binaire d'un entier est simplement une chaîne binaire. Les représentations binaires d'un entier (et les représentations connexes qui sont des variantes des représentations binaires des entiers) sont utilisées par les ordinateurs pour représenter les entiers et faire des opérations arithmétiques.

EXEMPLE 2

Quelle est la représentation en base 10 d'un entier qui a $(101011111)_2$ comme représentation binaire ?

Solution : On obtient

$$(101011111)_2 = 2^8 + 2^6 + 2^4 + 2^3 + 2^2 + 2 + 1 = 351.$$

■

On utilise également la base 16 en informatique. La représentation en base 16 d'un entier s'appelle représentation **hexadécimale**. Seize différents chiffres sont nécessaires pour une telle représentation. Normalement, les chiffres hexadécimaux utilisés sont 0, 1, 2, 3, 4, 5, 6, 7, 8, 9, A, B, C, D, E et F, où les lettres A à F représentent les chiffres correspondant aux nombres compris entre 10 et 15 (en notation décimale).

EXEMPLE 3   Quelle est la représentation en base 10 de la représentation hexadécimale de $(2AE0B)_{16}$?

Solution : On obtient

$$(2AE0B)_{16} = 2 \cdot 16^4 + 10 \cdot 16^3 + 14 \cdot 16^2 + 0 \cdot 16 + 11 = (175\ 627)_{10}.$$ ∎

Puisqu'on représente un chiffre hexadécimal en utilisant quatre bits, on peut représenter les **octets**, qui sont des chaînes binaires de longueur huit, par deux chiffres hexadécimaux. Par exemple, $(11100101)_2 = (E5)_{16}$, puisque $(1110)_2 = (E)_{16}$ et $(0101)_2 = (5)_{16}$.

À présent, on décrit un algorithme pour la construction de la représentation en base b d'un entier n. D'abord, on divise n par b pour obtenir un quotient et un reste, soit

$$n = bq_0 + a_0, \qquad 0 \le a_0 < b.$$

Le reste, soit a_0, est le chiffre le plus à droite dans la représentation en base b de n. Ensuite, on divise q_0 par b pour obtenir

$$q_0 = bq_1 + a_1, \qquad 0 \le a_1 < b.$$

On voit que a_1 est le deuxième chiffre à partir de la droite dans la représentation en base b de n. On continue ce processus en divisant successivement les quotients par b, pour ainsi obtenir des chiffres additionnels en base b comme restes. Ce processus prend fin lorsqu'on obtient un quotient égal à zéro.

EXEMPLE 4   Trouvez la représentation en base 8 de $(12\ 345)_{10}$.

Solution : D'abord, on divise 12 345 par 8 pour obtenir

$$12\ 345 = 8 \cdot 1543 + 1.$$

En divisant de manière successive les quotients par 8, on obtient

$$1543 = 8 \cdot 192 + 7,$$
$$192 = 8 \cdot 24 + 0,$$
$$24 = 8 \cdot 3 + 0,$$
$$3 = 8 \cdot 0 + 3.$$

Puisque les restes sont les chiffres de la représentation en base 8 de 12 345, il s'ensuit que

$$(12\ 345)_{10} = (30\ 071)_8.$$ ∎

Le pseudocode donné dans l'algorithme 2 permet de trouver la représentation en base b $(a_{k-1} \ldots a_1 a_0)_b$ de l'entier n.

ALGORITHME 2   **Construction des représentations en base b**

procédure *représentation en base b* (n : entier positif)
$q := n$
$k := 0$
tant que $q \neq 0$
début
$\qquad a_k := q \bmod b$
$\qquad q := \lfloor q/b \rfloor$
$\qquad k := k + 1$
fin {la représentation en base b de n est $(a_{k-1} \ldots a_1 a_0)_b$}.

Dans l'algorithme 2, q représente le quotient obtenu à la suite de divisions successives par b, en commençant par $q = n$. Les chiffres de la représentation en base b sont les restes de ces divisions et sont donnés par $q \bmod b$. L'algorithme se termine lorsqu'un quotient $q = 0$ est atteint.

ALGORITHMES POUR LES OPÉRATIONS SUR LES ENTIERS

Les algorithmes qui permettent d'effectuer des opérations sur les entiers quand on utilise leur représentation binaire sont extrêmement importants en arithmétique informatique. On décrira les algorithmes pour l'addition et la multiplication de deux entiers exprimés en représentation binaire. On analysera également la complexité des calculs de ces algorithmes en fonction du nombre spécifique d'opérations binaires utilisées. Au cours de cette discussion, on suppose que les représentations binaires de a et de b sont

$$a = (a_{n-1}a_{n-2} \ldots a_1 a_0)_2, \qquad b = (b_{n-1}b_{n-2} \ldots b_1 b_0)_2,$$

tels que a et b ont tous les deux n bits (on met les bits égaux à zéro au début de l'une de ces représentations au besoin).

On considère maintenant le problème de l'addition de deux entiers en représentation binaire. Une procédure pour effectuer des additions peut être basée sur la méthode habituelle d'addition des nombres avec un crayon et du papier. Cette méthode s'effectue en additionnant des paires de chiffres binaires avec des retenues, s'il y a lieu, pour calculer la somme de deux entiers. On explique maintenant cette procédure en détail.

Pour additionner a et b, on additionne d'abord leurs bits respectifs d'extrême droite. On obtient

$$a_0 + b_0 = c_0 \cdot 2 + s_0,$$

où s_0 est le bit d'extrême droite dans la notation binaire de $a + b$, où c_0 est la **retenue**, qui est 0 ou 1. Puis, on additionne la paire suivante de chiffres et la retenue,

$$a_1 + b_1 + c_0 = c_1 \cdot 2 + s_1,$$

où s_1 est le bit suivant (à partir de la droite) dans la représentation en base b de $a + b$ et c_1, la retenue. On continue ce processus en additionnant les bits correspondants dans les deux représentations binaires et la retenue pour déterminer le bit suivant à partir de la droite dans la représentation binaire de $a + b$. À la dernière étape, on additionne a_{n-1}, b_{n-1} et c_{n-2} pour obtenir $c_{n-1} \cdot 2 + s_{n-1}$. Le bit d'extrême gauche de la somme est $s_n = c_{n-1}$. Cette procédure donne la représentation binaire de la somme, qui est $a + b = (s_n s_{n-1} s_{n-2} \cdots s_1 s_0)_2$.

EXEMPLE 5   Additionnez $a = (1110)_2$ et $b = (1011)_2$.

Solution : En suivant la procédure précisée dans l'algorithme, on note d'abord que

$$a_0 + b_0 = 0 + 1 = 0 \cdot 2 + 1,$$

tel que $c_0 = 0$ et $s_0 = 1$. Ensuite, puisque

$$a_1 + b_1 + c_0 = 1 + 1 + 0 = 1 \cdot 2 + 0,$$

il s'ensuit que $c_1 = 1$ et $s_1 = 0$. On a ensuite

$$a_2 + b_2 + c_1 = 1 + 0 + 1 = 1 \cdot 2 + 0,$$

tel que $c_2 = 1$ et $s_2 = 0$. Finalement, puisque

$$a_3 + b_3 + c_2 = 1 + 1 + 1 = 1 \cdot 2 + 1,$$

il s'ensuit que $c_3 = 1$ et $s_3 = 1$. Cela signifie que $s_4 = c_3 = 1$. Ainsi, $s = a + b = (11\,001)_2$. La figure 1 présente cette addition.   ∎

```
  1 1
  1 1 1 0
  1 0 1 1
  1 1 0 0 1
```

FIGURE 1
Addition de
$(1110)_2$ et
$(1011)_2$

L'algorithme pour l'addition peut se décrire en utilisant un pseudocode comme suit.

ALGORITHME 3   Addition des entiers

Procédure *addition*(a, b : entiers positifs)
{les représentations binaires de a et de b sont respectivement $(a_{n-1} a_{n-2} \cdots a_1 a_0)_2$
        et $(b_{n-1} b_{n-2} \cdots b_1 b_0)_2$,
$c := 0$
pour $j := 0$ à $n - 1$
début
        $d := \lfloor (a_j + b_j + c)/2 \rfloor$
        $s_j := a_j + b_j + c - 2d$
        $c := d$
fin
$s_n := c$
{la notation binaire de la somme est $(s_n s_{n-1} \cdots s_0)_2$}.

Ensuite, on analysera le nombre d'additions de bits utilisées par l'algorithme 3.

EXEMPLE 6   Combien d'additions de bits sont nécessaires si on veut utiliser l'algorithme 3 pour additionner deux entiers avec n bits (ou moins) dans leurs représentations binaires ?

Solution : On fait la somme de deux entiers en additionnant successivement des paires de bits et, le cas échéant, une retenue. L'addition de chaque paire de bits et de la retenue exige trois additions de bits ou moins. Ainsi, le nombre total d'additions de bits utilisées est inférieur à trois fois le nombre de bits dans la représentation. Donc, le nombre d'additions de bits utilisées dans l'algorithme 3 pour additionner deux entiers à n bits est $O(n)$.   ■

Ensuite, on considère la multiplication de deux entiers de n bits a et b. L'algorithme conventionnel (utilisé lors de la multiplication avec un crayon et du papier) fonctionne comme suit. À l'aide de la distributivité, on voit que

$$ab = a \sum_{j=0}^{n-1} b_j 2^j = \sum_{j=0}^{n-1} a(b_j 2^j).$$

On peut calculer ab en utilisant cette équation. On note d'abord que $ab_j = a$ si $b_j = 1$ et que $ab_j = 0$ si $b_j = 0$. Chaque fois qu'on multiplie un élément par 2, on déplace sa représentation binaire de une position vers la gauche et on ajoute un zéro à la fin de la représentation. Par conséquent, on peut obtenir $(ab_j)2^j$ en **décalant** la représentation de ab_j de j positions vers la gauche et en ajoutant j bits zéro à la fin d'une représentation binaire. Finalement, on obtient ab en additionnant les entiers n $ab_j 2^j$, où $j = 0, 1, 2, …, n-1$.

L'exemple 7 montre l'utilisation de cet algorithme.

EXEMPLE 7   Trouvez le produit de $a = (110)_2$ par $b = (101)_2$.

Solution : On note d'abord que

$$ab_0 \cdot 2^0 = (110)_2 \cdot 1 \cdot 2^0 = (110)_2,$$
$$ab_1 \cdot 2^1 = (110)_2 \cdot 0 \cdot 2^1 = (0000)_2$$

et

$$ab_2 \cdot 2^2 = (110)_2 \cdot 1 \cdot 2^2 = (11\,000)_2.$$

Pour trouver le produit, on additionne $(110)_2$, $(0000)_2$ et $(11\,000)_2$. En effectuant ces additions (à l'aide de l'algorithme 3 et en ajoutant les bits zéro initiaux au besoin), on voit que $ab = (11\,110)_2$. La figure 2 présente cette multiplication.   ■

```
    1 1 0
    1 0 1
    1 1 0
  0 0 0
  1 1 0
1 1 1 1 0
```

FIGURE 2
Multiplication de $(110)_2$ par $(101)_2$

Cette procédure de multiplication peut être décrite à l'aide d'un pseudocode comme suit.

ALGORITHME 4   Multiplication d'entiers

Procédure *multiplication* $(a, b :$ entiers positifs)
{les représentations binaires de a et de b sont respectivement $(a_{n-1}a_{n-2} \ldots a_1a_0)_2$
    et $(b_{n-1}b_{n-2} \ldots b_1b_0)_2$}
pour $j := 0$ à $n - 1$
début
        si $b_j = 1$ **alors** $c_j := a$ décalé de j positions
        sinon $c_j := 0$
fin
{$c_0, c_1, \ldots, c_{n-1}$ sont les produits partiels}
$p := 0$,
pour $j := 0$ à $n - 1$
        $p := p + c_j$
{p est la valeur de ab}

Ensuite, on détermine le nombre d'additions de bits et de décalages de bits utilisés dans l'algorithme 4 pour multiplier deux entiers.

EXEMPLE 8   Combien devez-vous utiliser d'additions de bits et de décalages de bits pour multiplier a par b à l'aide de l'algorithme 4 ?

Solution : L'algorithme 4 permet de calculer les produits de a par b en additionnant les produits partiels $c_0, c_1, c_2, \ldots$ et c_{n-1}. Lorsque $b_j = 1$, on calcule le produit partiel c_j en décalant la représentation binaire de a_j bits. Lorsque $b_j = 0$, aucun décalage n'est nécessaire puisque $c_j = 0$. Ainsi, pour trouver tous les n entiers ab_j2^j, $j = 0, 1, \ldots, n-1$, on a besoin d'au plus

$$0 + 1 + 2 + \cdots + n - 1$$

décalages. Ainsi, dans l'exemple 4 de la section 1.8, le nombre de décalages requis est $O(n^2)$.

Pour ajouter les entiers ab_j de $j = 0$ à $j = n - 1$, il faut additionner un entier de n bits, un entier de $(n + 1)$ bits, ..., et un entier de $(2n)$ bits. À partir de l'exemple 6, on sait que chacune de ces additions exige $O(n)$ additions de bits. Par conséquent, on a besoin, au total, de $O(n^2)$ additions de bits pour toutes les additions n. ∎

Chose étonnante, il existe des algorithmes plus efficaces que l'algorithme conventionnel pour multiplier les entiers. On décrira l'un de ces algorithmes qui utilise des opérations binaires en nombre $O(n^{1,585})$ pour multiplier les nombres à n bits dans le chapitre 5.

Exercices

1. Utilisez l'algorithme d'Euclide pour trouver
   a) pgcd(12, 18).   **b)** pgcd(111, 201).
   c) pgcd(1001, 1331).   **d)** pgcd(12 345, 54 321).

2. Utilisez l'algorithme d'Euclide pour trouver
   a) pgcd(1, 5).   **b)** pgcd(100, 101).
   c) pgcd(123, 277).   **d)** pgcd(1529, 14 039).
   e) pgcd(1529, 14 038).   **f)** pgcd(11 111, 111 111).

3. De combien de divisions avez-vous besoin pour trouver pgcd(21, 34) à l'aide de l'algorithme d'Euclide ?

4. De combien de divisions avez-vous besoin pour trouver pgcd(34, 55) à l'aide de l'algorithme d'Euclide ?

5. Convertissez les entiers suivants de la représentation en base 10 à la représentation binaire.
   a) 231   **b)** 4532   **c)** 97 644

6. Convertissez les entiers suivants de la représentation en base 10 à la représentation binaire.
   a) 321   **b)** 1023   **c)** 100 632

7. Convertissez les entiers suivants de la représentation binaire à la représentation en base 10.
   a) 11111   **b)** 10000 00001
   c) 10101 0101   **d)** 11010 01000 10000

8. Convertissez les entiers suivants de la représentation binaire à la représentation en base 10.
   a) 11011   **b)** 10101 10101
   c) 11101 11110   **d)** 11111 00000 11111

9. Créez une méthode simple pour convertir un entier de la représentation hexadécimale à la représentation binaire.

10. Créez une méthode simple pour convertir un entier de la représentation binaire à la représentation hexadécimale.

11. Convertissez chacun des entiers suivants de la représentation hexadécimale à la représentation binaire.
    a) 80E   **b)** 135AB
    c) ABBA   **d)** DEFACED

12. Convertissez chacun des entiers suivants de la représentation binaire à la représentation hexadécimale.
    a) 111 10111
    b) 10 10101 01010
    c) 11101 11011 10111

13. Démontrez qu'on peut représenter chaque entier positif de façon unique comme la somme des puissances distinctes de 2. (*Conseil :* Considérez les représentations binaires des entiers.)

14. On peut démontrer qu'on peut représenter uniquement chaque entier sous la forme
    $$e_k 3^k + e_{k-1} 3^{k-1} + \cdots + e_1 3 + e_0,$$

où $e_j = -1$, 0 ou 1 pour $j = 0, 1, 2, \ldots, k$. Les représentations de ce type sont appelées **développements ternaires équilibrés d'un entier**. Trouvez les développements ternaires équilibrés des entiers
    a) 5.   **b)** 13.   **c)** 37.   **d)** 79.

15. Démontrez qu'un entier positif est divisible par 3 si et seulement si la somme de ses chiffres décimaux est divisible par 3.

16. Démontrez qu'un entier positif est divisible par 11 si et seulement si la différence de la somme de ses chiffres décimaux en positions impaires et de la somme de ses chiffres décimaux en positions paires est divisible par 11.

17. Démontrez qu'un entier positif est divisible par 3 si et seulement si la différence de la somme de ses chiffres binaires en positions paires et de la somme de ses chiffres binaires en positions impaires est divisible par 3.

Les représentations du **complément à un** des entiers sont utilisées pour simplifier l'arithmétique informatique. Pour représenter les entiers positifs et négatifs dont les valeurs absolues sont inférieures à 2^n, on utilise un total de $n + 1$ bits. Le bit d'extrême gauche permet de représenter le signe. On utilise le bit 0 dans cette position pour les entiers positifs et le bit 1 pour les entiers négatifs. Pour les entiers positifs, les bits restants sont identiques à la représentation binaire de l'entier. Pour les entiers négatifs, les bits restants s'obtiennent en trouvant d'abord la représentation binaire de la valeur absolue de l'entier et en prenant le complément de chacun de ces bits, où le complément de 1 est un 0 et le complément de 0, un 1.

18. Trouvez les représentations des compléments à un en utilisant des chaînes binaires de longueur six pour les entiers suivants :
    a) 22.   **b)** 31.   **c)** −7.   **d)** −19.

19. Quel entier chacune des représentations du complément à un de longueur cinq représente-t-elle ?
    a) 11001   **b)** 01101   **c)** 10001
    d) 11111

20. Comment la représentation du complément à un de −*m* s'obtient-elle à partir du complément à un de *m*, lorsque vous utilisez des chaînes binaires de longueur *n* ?

21. Comment la représentation du complément à un de la somme de deux entiers s'obtient-elle à partir des représentations du complément à un de ces entiers ?

22. Comment la représentation du complément à un de la différence de deux entiers s'obtient-elle à partir des représentations du complément à un de ces entiers ?

23. Parfois, on code les entiers en utilisant des représentations binaires à quatre chiffres pour représenter chaque chiffre décimal. Cela produit la **forme codifiée binaire d'un entier**. Par exemple, 791 est codé ainsi par 011110010001. Combien de bits sont nécessaires pour représenter un nombre ayant n chiffres décimaux si on emploie ce type de codage ?

Une **représentation de Cantor** est une somme ayant la forme

$$a_n n! + a_{n-1}(n-1)! + \cdots + a_2 2! + a_1 1!,$$

où a_i est un entier tel que $0 \le a_i \le i$ pour $i = 1, 2, \ldots, n$.

24. Trouvez les représentations de Cantor de
   a) 2.   **b)** 7.   **c)** 19.
   d) 87.   **e)** 1000.   **f)** 1 000 000.

★25. Décrivez un algorithme permettant de trouver la représentation de Cantor d'un entier.

★26. Décrivez un algorithme permettant d'additionner deux entiers à partir de leurs représentations de Cantor.

27. Additionnez $(10\ 111)_2$ et $(11\ 010)_2$ en effectuant chaque étape de l'algorithme pour l'addition donnée dans le texte.

28. Multipliez $(1110)_2$ et $(1010)_2$ en effectuant chaque étape de l'algorithme pour la multiplication donnée dans le texte.

29. Décrivez un algorithme permettant de trouver la différence entre deux représentations binaires.

30. Estimez le nombre d'opérations binaires utilisées pour soustraire deux représentations binaires.

31. Créez un algorithme qui, étant donné les représentations binaires des entiers a et b, permet de déterminer si $a > b$, $a = b$ ou $a < b$.

32. Combien d'opérations binaires l'algorithme de comparaison de l'exercice 31 utilise-t-il lorsque le plus grand de a et de b possède n bits dans sa représentation binaire ?

33. Estimez la complexité de l'algorithme 2 pour trouver la représentation en base b d'un entier n en fonction du nombre de divisions utilisées.

2.5

Applications de la théorie des nombres

INTRODUCTION

La théorie des nombres a de nombreuses applications, surtout en informatique. Dans la section 2.3, on a décrit bon nombre de ces applications, notamment les fonctions de hachage, la création de nombres pseudo-aléatoires et les chiffres de décalage. Dans cette section, on présente certains résultats utiles et deux applications importantes : une méthode pour effectuer des calculs arithmétiques avec de grands entiers et, en cryptographie, une clé récemment mise au point qu'on appelle une *clé publique*. Avec ce système, il n'est pas nécessaire de maintenir secrètes les clés de codage, puisque le fait de connaître une clé ne permet pas de décoder les messages dans un temps réaliste. On utilise des clés de décodage gérées confidentiellement pour déchiffrer les messages.

     Avant de poursuivre l'étude des applications, on présentera d'abord certains résultats utiles qui jouent un rôle essentiel dans la théorie des nombres et ses applications. On montrera notamment comment résoudre des systèmes de congruence linéaire modulo des entiers premiers deux à deux à l'aide du théorème du reste chinois et comment utiliser ces résultats pour effectuer des calculs arithmétiques avec de grands entiers. On présentera le petit théorème de Fermat et on abordera la notion d'entiers pseudo-premiers, puis on montrera comment utiliser ces concepts pour élaborer un système de clé publique en cryptographie.

RÉSULTATS UTILES

Voici l'un des importants résultats qu'on utilisera tout au long de la présente section : le plus grand commun diviseur de deux entiers a et b peut s'exprimer sous la forme

$$sa + tb,$$

où s et t sont des entiers. En d'autres termes, le pgcd(a, b) peut s'exprimer comme une **combinaison linéaire** avec des coefficients entiers de a et de b. Par exemple, le pgcd(6, 14) = 2 et $2 = (-2) \cdot 6 + 1 \cdot 14$. Ce fait est énoncé dans le théorème 1.

THÉORÈME 1   Si a et b sont des entiers positifs, alors il existe des entiers s et t tels que le pgcd(a, b) = $sa + tb$.

On ne fera pas la démonstration du théorème 1, mais on donnera un exemple d'une méthode de recherche d'une combinaison linéaire de deux entiers égaux à leur plus grand commun diviseur. (Dans la présente section, on supposera qu'une combinaison linéaire a des coefficients entiers.) La méthode s'effectue à l'aide des divisions de l'algorithme d'Euclide.

EXEMPLE 1   Exprimez le pgcd(252, 198) = 18 sous forme de combinaison linéaire de 252 et de 198.

Solution : Pour démontrer que le pgcd(252, 198) = 18, l'algorithme d'Euclide utilise les divisions suivantes :

$$252 = 1 \cdot 198 + 54,$$
$$198 = 3 \cdot 54 + 36,$$
$$54 = 1 \cdot 36 + 18,$$
$$36 = 2 \cdot 18.$$

En utilisant l'avant-dernière division (la troisième division), on peut exprimer le pgcd(252, 198) = 18 sous forme de combinaison linéaire de 54 et de 36. On trouve

$$18 = 54 - 1 \cdot 36.$$

Avec la deuxième division, on a

$$36 = 198 - 3 \cdot 54.$$

En substituant l'expression par 36 dans l'équation précédente, on peut exprimer 18 sous forme de combinaison linéaire de 54 et de 198. On obtient

$$18 = 54 - 1 \cdot 36 = 54 - 1 \cdot (198 - 3 \cdot 54) = 4 \cdot 54 - 1 \cdot 198.$$

La première division indique que

$$54 = 252 - 1 \cdot 198.$$

Dans l'équation précédente, en substituant l'expression par 54, on peut exprimer 18 sous forme de combinaison linéaire de 252 et de 198. On peut conclure que

$$18 = 4 \cdot (252 - 1 \cdot 198) - 1 \cdot 198 = 4 \cdot 252 - 5 \cdot 198. \qquad \blacksquare$$

La méthode utilisée dans l'exemple 1 fonctionne pour tout couple d'entiers positifs. (Il existe des méthodes plus efficaces pour exprimer le pgcd(a, b) sous forme de combinaison linéaire de a et de b ; le lecteur peut consulter des ouvrages plus avancés pour en apprendre davantage sur ces méthodes.)

On utilisera le théorème 1 pour trouver plusieurs résultats utiles. On a pour objectif de prouver la portion du théorème fondamental de l'arithmétique selon laquelle un entier positif admet une décomposition unique en facteurs premiers. On démontrera que, si un entier positif a une décomposition en facteurs premiers, où les facteurs premiers s'écrivent en ordre non décroissant, alors cette décomposition est unique.

D'abord, il faut établir certains résultats sur la divisibilité.

LEMME 1   Si a, b et c sont des entiers positifs tels que le pgcd(a, b) = 1 et $a \mid bc$, alors $a \mid c$.

Démonstration : Puisque le pgcd(a, b) = 1, selon le théorème 1, il y a des entiers s et t tels que

$$sa + tb = 1.$$

En multipliant les deux membres de cette équation par c, on obtient

$$sac + tbc = c.$$

En utilisant le théorème 1 de la section 2.3, on peut se servir de cette dernière équation pour démontrer que $a \mid c$. Selon la partie 2 de ce théorème, $a \mid tbc$. Puisque $a \mid sac$ et $a \mid tbc$, selon la partie 1 de ce théorème, on peut conclure que a divise $sac + tbc$ et, ainsi, que $a \mid c$. Cela termine la démonstration. ☐

On recourra à la généralisation suivante du lemme 1 dans la démonstration de l'unicité des décompositions en facteurs premiers. (La démonstration du lemme 2 constituera un exercice dans la section 3.2, puisqu'on peut l'effectuer plus facilement en utilisant la méthode de l'induction mathématique, qui sera couverte dans cette section.)

LEMME 2   Si p est premier et $p \mid a_1 a_2 \ldots a_n$ où chaque a_i est un entier, alors $p \mid a_i$ pour i.

On peut maintenant démontrer que la décomposition d'un entier en facteurs premiers est unique. Autrement dit, on montrera que chaque entier peut s'écrire comme le produit des nombres premiers dans un ordre non décroissant d'une seule manière. Cela fait partie de la théorie fondamentale de l'arithmétique. Dans la section 3.2, on fera la preuve de l'autre partie de la théorie, soit que chaque entier peut être décomposé en facteurs premiers.

Démonstration (de l'unicité de la décomposition en facteurs premiers d'un entier positif) :
On suppose que l'entier positif n peut s'écrire comme le produit de nombres premiers de deux différentes manières, disons $n = p_1 p_2 \ldots p_s$ et $n = q_1 q_2 \ldots q_t$, que les p_i et q_j sont des nombres premiers tels que $p_1 \leq p_2 \leq \ldots p_s$ et $q_1 \leq q_2 \leq \ldots \leq q_t$.

Lorsqu'on élimine tous les nombres premiers qui sont communs aux deux décompositions, on obtient

$$p_{i_1}, p_{i_2} \cdots p_{i_u} = q_{j_1}, q_{j_2} \cdots q_{j_v},$$

où aucun nombre premier ne se trouve des deux côtés de l'équation, et où u et v sont des entiers positifs. Selon le lemme 2, il s'ensuit que p_{i_1} divise q_{j_k} pour k. Puisque aucun nombre premier ne divise un autre nombre premier, cela est impossible. Par conséquent, il peut y avoir au plus une décomposition de n en facteurs premiers en ordre non décroissant. □

On peut également utiliser le lemme 1 pour prouver un résultat à la suite de la division des deux côtés d'une congruence par un même entier. On a démontré (théorème 7 de la section 2.3) que la multiplication par un entier préserve la congruence. Cependant, la division des deux côtés d'une congruence par un entier ne préserve pas toujours la congruence, comme le montre l'exemple 2.

EXEMPLE 2   La congruence $14 \equiv 8 \pmod 6$ est valide, mais les deux côtés de cette congruence ne peuvent être divisés par 2, puisque $14/2 = 7$ et $8/2 = 4$ mais que $7 \not\equiv 4 \pmod 6$. ■

Cependant, en utilisant le lemme 1, on peut démontrer qu'il est possible de diviser les deux côtés de la congruence par un entier premier qui s'avère premier deux à deux avec la base du modulo. Le théorème 2 énonce ce fait.

THÉORÈME 2   Soit m un entier positif et soit a, b et c des entiers. Si $ac \equiv bc \pmod m$ et pgcd$(c, m) = 1$, alors $a \equiv b \pmod m$.

Démonstration : Puisque $ac \equiv bc \pmod m$, $m \mid ac - bc = c(a - b)$. Selon le lemme 1, puisque pgcd$(c, m) = 1$, il s'ensuit que $m \mid a - b$. Donc, $a \equiv b \pmod m$. □

CONGRUENCES LINÉAIRES

Une congruence de la forme

$$ax \equiv b \pmod m,$$

où m est un entier positif, a et b, des entiers et x, une variable, est une **congruence linéaire**. On rencontre des congruences de ce type dans la théorie des nombres et ses applications.

Comment peut-on résoudre la congruence linéaire $ax \equiv b \pmod m$, c'est-à-dire trouver tous les entiers x qui satisfont à cette équation ? L'une des méthodes, qui sera décrite, fait appel à un entier $\overline{a}$ tel que $\overline{a}a \equiv 1$ si un tel entier existe. On dit que cet entier $\overline{a}$ est l'**inverse** de a modulo m. Le théorème 3 garantit l'existence de l'inverse de a modulo m lorsque a et m sont premiers entre eux.

THÉORÈME 3

Si a et m sont des entiers premiers entre eux et que $m > 1$, alors un inverse de a modulo m existe. De plus, cet inverse est unique modulo m. (Autrement dit, il existe un entier positif unique $\overline{a}$ inférieur à m qui est un inverse de a modulo m, et tout autre inverse de a modulo m est congru à $\overline{a}$ modulo m.)

Démonstration : Selon le théorème 1, puisque pgcd$(a, m) = 1$, on peut prouver deux entiers s et t tels que

$$sa + tm = 1,$$

ce qui implique que

$$sa + tm \equiv 1 \ (\mathrm{mod}\ m).$$

Puisque $tm \equiv 0 \ (\mathrm{mod}\ m)$, il s'ensuit que

$$sa \equiv 1 \ (\mathrm{mod}\ m).$$

Par conséquent, s est un inverse de a modulo m. La démonstration de l'unicité de cet inverse modulo m est suggérée dans l'exercice 9 à la fin de la présente section.   □

La démonstration du théorème 3 décrit une méthode qui permet de trouver l'inverse de a modulo m lorsque a et m sont premiers entre eux. Il s'agit de trouver une combinaison linéaire de a et de m qui soit égale à 1 (ce qu'on peut faire en suivant de manière inverse les étapes de l'algorithme d'Euclide) ; le coefficient de a dans cette combinaison linéaire est un inverse de a modulo m. Cette procédure est illustrée dans l'exemple 3.

EXEMPLE 3

Trouvez un inverse de 3 modulo 7.

Solution : Puisque le pgcd$(3, 7) = 1$, le théorème 2 indique qu'un inverse de 3 modulo 7 existe. L'algorithme d'Euclide se termine rapidement lorsqu'on l'utilise pour trouver le plus grand commun diviseur de 3 et de 7 :

$$7 = 2 \cdot 3 + 1.$$

À partir de cette équation, on constate que

$$-2 \cdot 3 + 1 \cdot 7 = 1,$$

ce qui démontre que -2 est un inverse de 3 modulo 7. (À noter que chaque entier congru à -2 modulo 7 est également un inverse de 3, tels 5, -9, 12 et ainsi de suite.)   ■

Lorsqu'on a un inverse $\overline{a}$ de a modulo m, on peut facilement résoudre la congruence $ax \equiv b \ (\mathrm{mod}\ m)$ en multipliant les deux côtés de la congruence linéaire par $\overline{a}$, comme on peut le voir dans l'exemple 4.

EXEMPLE 4   Quelles sont les solutions de la congruence linéaire $3x \equiv 4$ (mod 7) ?

Solution : Selon l'exemple 3, on sait que -2 est un inverse de 3 modulo 7. La multiplication des deux côtés de la congruence par -2 montre que

$$-2 \cdot 3x \equiv -2 \cdot 4 \text{ (mod 7)}.$$

Puisque $-6 \equiv 1$ (mod 7) et $-8 \equiv 6$ (mod 7), il s'ensuit que si x est une solution, alors $x \equiv -8 \equiv 6$ (mod 7).

On doit déterminer si tout x avec $x \equiv 6$ (mod 7) est une solution. On suppose que $x \equiv 6$ (mod 7). Alors, selon le théorème 7 de la section 2.3, il s'ensuit que

$$3x \equiv 3 \cdot 6 = 18 \equiv 4 \text{ (mod 7)},$$

ce qui démontre que tout x de ce type satisfait à la congruence. Donc, on peut conclure que les solutions pour la congruence sont les entiers x tels que $x \equiv 6$ (mod 7), notamment 6, 13, 20, ... et $-1, -8, -15, \ldots$ ■

THÉORÈME DU RESTE CHINOIS

Les systèmes de congruences linéaires apparaissent dans de nombreux contextes. Par exemple, comme on le verra plus loin, ils constituent la base d'une méthode qui permet d'effectuer des calculs arithmétiques avec de grands entiers. De tels systèmes se retrouvent même dans les puzzles de mots dans les écrits des anciens mathématiciens chinois et hindous, comme le présente l'exemple 5.

EXEMPLE 5   Au premier siècle, le mathématicien chinois Sun-Tsu demanda :

« Certaines choses sont en nombre inconnu. Lorsqu'on divise ce nombre par 3, le reste est 2 ; lorsqu'on le divise par 5, le reste est 3 ; lorsqu'on le divise par 7, le reste est 2. Quel est le nombre de choses ? »

Ce puzzle peut se traduire par la question suivante : quelles sont les solutions aux systèmes de congruences

$x \equiv 2$ (mod 3),
$x \equiv 3$ (mod 5),
$x \equiv 2$ (mod 7) ?

Ce système (ainsi que le puzzle de Sun-Tsu) sera résolu plus loin dans la présente section.   ■

Le théorème du reste chinois, ainsi nommé d'après l'héritage chinois des systèmes de résolution de problèmes de congruences linéaires, énonce ceci : lorsque les modules d'un système de congruences linéaires sont premiers deux à deux, il existe une solution unique au système modulo le produit des modules.

THÉORÈME 4   THÉORÈME DU RESTE CHINOIS   Soit m_1, m_2, ..., m_n des entiers positifs premiers deux à deux. Le système

$$x \equiv a_1 \ (\text{mod } m_1),$$

$$x \equiv a_2 \ (\text{mod } m_2),$$

.

.

.

$$x \equiv a_n (\text{mod } m_n)$$

admet une solution unique modulo $m = m_1 m_2 \ldots m_n$. (Autrement dit, il existe une solution x où $0 \leq x < m$, et toutes les autres solutions sont congrues modulo m à cette solution.)

Démonstration : Pour démontrer ce théorème, on doit prouver qu'une solution existe et qu'elle est unique modulo m. Pour ce faire, on décrira une manière d'élaborer cette solution (voir l'exercice 20 à la fin de la présente section).

Pour élaborer une autre solution, on suppose d'abord que

$$M_k = m/m_k$$

pour $k = 1, 2, \ldots, n$. Autrement dit, M_k est le produit des modules, sauf pour m_k. Puisque m_i et m_k n'ont aucun facteur commun plus grand que 1 lorsque $i \neq k$, il s'ensuit que le pgcd(m_k, M_k) = 1. Par conséquent, d'après le théorème 3, on sait qu'il existe un entier y_k, un inverse de M_k modulo m_k tel que

$$M_k y_k \equiv 1 \ (\text{mod } m_k).$$

Pour établir une autre solution, on considère la somme

$$x = a_1 M_1 y_1 + a_2 M_2 y_2 + \cdots + a_n M_n y_n.$$

On démontrera à présent que x est une autre solution. D'abord, on note que, puisque $M_j \equiv 0$ (mod m_k) lorsque $j \neq k$, tous les éléments sauf le k-ième élément dans cette somme sont congrus à 0 modulo m_k. Puisque $M_k y_k \equiv 1$ (mod m_k) on a

$$x \equiv a_k M_k y_k \equiv a_k \ (\text{mod } m_k),$$

car $k = 1, 2, \ldots, n$. On a démontré que x est une autre solution aux n congruences.   □

L'exemple 6 utilise la construction établie dans la démonstration du théorème 4 pour résoudre un système de congruences. On résout maintenant le système présenté à l'exemple 5, qui fournit la réponse au puzzle de Sun-Tsu.

EXEMPLE 6   Pour résoudre le système des congruences de l'exemple 5, on suppose d'abord que $m = 3 \cdot 5 \cdot 7 = 105$, $M_1 = m/3 = 35$, $M_2 = m/5 = 21$ et $M_3 = m/7 = 15$. On voit que 2 est un inverse de $M_1 = 35$ modulo 3 puisque $35 \equiv 2$ (mod 3), 1 est un inverse de $M_2 = 21$ modulo 5 puisque $21 \equiv 1 \pmod{5}$ et 1 est un inverse de $M_3 = 15 \pmod{7}$ puisque $15 \equiv 1 \pmod{7}$. Les solutions pour ce système sont les x tels que

$$x \equiv a_1 M_1 y_1 + a_2 M_2 y_2 + a_3 M_3 y_3 = 2 \cdot 35 \cdot 2 + 3 \cdot 21 \cdot 1 + 2 \cdot 15 \cdot 1 \pmod{105}$$
$$= 233 \equiv 23 \pmod{105}.$$

Il s'ensuit que 23 est l'entier positif le plus petit qui représente une solution simultanée. Donc, on peut conclure que 23 est l'entier positif le plus petit qui laisse un reste de 2 si on le divise par 3, un reste de 3 si on le divise par 5 et un reste de 2 si on le divise par 7.

ARITHMÉTIQUE INFORMATIQUE AVEC DE GRANDS ENTIERS

On suppose que $m_1, m_2, \ldots, m_n$ sont des entiers premiers deux à deux plus grands ou égaux à 2 et que m est leur produit. Selon le théorème du reste chinois, on peut démontrer (voir l'exercice 18) qu'il est possible de représenter uniquement un entier a avec $0 \le a < m$ par n-tuple constitué de ses restes après la division par m_i, $i = 1, 2, \ldots, n$. Autrement dit, on peut représenter a de façon unique comme

$(a \bmod m_1, a \bmod m_2, \ldots, a \bmod m_n)$.

EXEMPLE 7   Quelles sont les paires utilisées pour représenter les entiers non négatifs qui sont inférieurs à 12, lorsqu'ils sont représentés par la paire ordonnée où la première composante est le reste de l'entier après avoir été divisé par 3 et la deuxième composante, le reste de l'entier après avoir été divisé par 4 ?

Solution : On obtient les représentations suivantes, après avoir calculé les restes de chaque entier lorsqu'il est divisé par 3 et par 4 :

$0 = (0, 0)$	$4 = (1, 0)$	$8 = (2, 0)$,
$1 = (1, 1)$	$5 = (2, 1)$	$9 = (0, 1)$,
$2 = (2, 2)$	$6 = (0, 2)$	$10 = (1, 2)$,
$3 = (0, 3)$	$7 = (1, 3)$	$11 = (2, 3)$.

■

Pour effectuer des calculs arithmétiques avec de grands entiers, on sélectionne les modules $m_1, m_2, \ldots, m_n$, où chaque m_i est un entier plus grand que 2, $\mathrm{pgcd}(m_i, m_j) = 1$ lorsque $i \ne j$ et $m = m_1 m_2 \ldots m_n$ est plus grand que le résultat des opérations arithmétiques qu'on veut effectuer.

Une fois les modules sélectionnés, on effectue des opérations arithmétiques avec de grands entiers. On exécute des opérations avec la composante sur les n-tuples qui représentent ces entiers en utilisant leurs restes après la division par m_i, $i = 1, 2, \ldots, n$. Une fois qu'on a calculé la valeur de chaque composante du résultat, on récupère ces valeurs en résolvant un système de n congruences modulo m_i, $i = 1, 2, \ldots, n$. Cette méthode de calcul arithmétique avec de grands entiers comporte des caractéristiques appréciables. Premièrement, on peut l'utiliser pour effectuer des calculs arithmétiques avec de grands entiers, ce qui se fait habituellement à l'aide d'un ordinateur. Deuxièmement, les calculs par rapport aux différents modules peuvent s'effectuer en simultanéité, ce qui accélère le calcul arithmétique.

EXEMPLE 8   On suppose que les calculs arithmétiques avec des entiers inférieurs à 100 sur un processeur donné sont beaucoup plus rapides que les calculs arithmétiques sur des entiers plus grands. On peut limiter presque tous les calculs aux entiers inférieurs à 100 si on représente les entiers avec leur reste modulo et si les entiers premiers deux à deux sont inférieurs à 100. Par exemple, on peut utiliser les modules 99, 98, 97 et 95. (Ces entiers sont premiers deux à deux, puisque aucun d'eux n'a un facteur commun plus grand que 1.)

Selon le théorème du reste chinois, on peut représenter uniquement tous les entiers non négatifs inférieurs à $99 \cdot 98 \cdot 97 \cdot 95 = 89\ 403\ 930$ avec leur reste en les divisant par les quatre modules suivants. Par exemple, on désigne 123 684 par (33, 8, 9, 89), puisque 123 684 **mod** 99 = 33, 123 684 **mod** 98 = 8, 123 684 **mod** 97 = 9 et 123 684 **mod** 95 = 89. De même, on représente 413 456 par (32, 92, 42, 16).

Pour trouver la somme de 123 684 et de 413 456, on travaille directement avec les 4-tuples plutôt qu'avec les deux entiers. On additionne les 4-tuples, composante à composante, et on réduit chaque composante par rapport au module approprié. On obtient

$$(33, 8, 9, 89) + (32, 92, 42, 16)$$
$$= (65\ \textbf{mod}\ 99, 100\ \textbf{mod}\ 98, 51\ \textbf{mod}\ 97, 105\ \textbf{mod}\ 95)$$
$$= (65, 2, 51, 10).$$

Pour trouver la somme, c'est-à-dire l'entier représenté par (65, 2, 51, 10), il faut résoudre le système de congruences

$$x \equiv 65 \ (\textbf{mod}\ 99),$$
$$x \equiv \ \ 2 \ (\textbf{mod}\ 98),$$
$$x \equiv 51 \ (\textbf{mod}\ 97),$$
$$x \equiv 10 \ (\textbf{mod}\ 95).$$

On peut démontrer (voir l'exercice 27) que 537 140 est l'unique solution non négative de ce système qui est inférieure à 89 403 930. Par conséquent, 537 140 est la somme. Ce n'est que lorsqu'on veut récupérer l'entier représenté par (65, 2, 51, 10) qu'il faut faire des calculs arithmétiques avec des entiers plus grands que 100.   ■

Les ensembles d'entiers sous la forme $2^k - 1$, où k est un entier positif, constituent des choix particulièrement valables de modules pour faire des calculs arithmétiques avec de grands entiers. En effet, il est facile de faire de l'arithmétique binaire modulo avec de tels entiers et de trouver des ensembles de tels entiers qui sont premiers deux à deux. (Ces modules conviennent également parce que le $\text{pgcd}(2^a - 1, 2^b - 1) = 2^{\text{pgcd}(a, b)} - 1$, comme le montre l'exercice 29.) Par exemple, on suppose qu'on peut facilement faire des calculs arithmétiques avec des entiers inférieurs à 2^{35} sur un ordinateur, mais que le travail avec de grands entiers exige des procédures spéciales. On peut utiliser des modules premiers entre eux inférieurs à 2^{35} pour effectuer des calculs arithmétiques avec des entiers aussi grands que leur produit. Par exemple, comme le montre l'exercice 30, les entiers $2^{35} - 1$, $2^{34} - 1$, $2^{33} - 1$, $2^{31} - 1$, $2^{29} - 1$ et $2^{23} - 1$ sont des entiers premiers entre eux. Puisque le produit de ces six modules est supérieur à 2^{184}, on peut effectuer des calculs arithmétiques avec des entiers aussi grands que 2^{184} (tant et aussi longtemps que les résultats n'excèdent pas ce nombre) en faisant des calculs arithmétiques modulo pour chacun de ces six modules, dont aucun ne dépasse 2^{35}.

NOMBRES PSEUDO-PREMIERS

Dans la section 2.3, on a démontré qu'un entier n est premier lorsqu'il n'est divisible par aucun nombre premier p avec $p \leq \sqrt{n}$. Malheureusement, ce critère est inefficace pour démontrer qu'un entier donné est premier. Il faut plutôt trouver tous les premiers qui ne dépassent pas $\sqrt{n}$ et effectuer une division à l'essai par chacun des nombres premiers pour savoir s'ils divisent n.

Existe-t-il des manières plus efficaces de déterminer si un entier est premier ? Les anciens mathématiciens chinois croyaient que n était premier si et seulement si

$$2^{n-1} \equiv 1 \ (\text{mod } n).$$

Si cet énoncé était vrai, le test de primarité précédent serait efficace. Pourquoi ces mathématiciens croyaient-ils que cette congruence pouvait être utilisée pour déterminer si un entier était premier ? Premièrement, ils avaient observé que les congruences étaient vraies lorsque n est premier. Par exemple, 5 est premier et

$$2^{5-1} = 2^4 = 16 \equiv 1 \ (\text{mod } 5).$$

Deuxièmement, ils n'ont jamais trouvé d'entier composé n pour lequel la congruence est valide. Les anciens mathématiciens chinois n'avaient que partiellement raison. Ils avaient raison de croire que la congruence est valide lorsque n est premier, mais ils avaient tort de conclure que n est nécessairement premier si la congruence s'applique.

Le mathématicien français Fermat a démontré que cette congruence est valide lorsque n est premier. Il a prouvé le résultat suivant, d'ordre plus général.

THÉORÈME 5

> **PETIT THÉORÈME DE FERMAT** Si p est premier et a est un entier non divisible par p, alors
>
> $$a^{p-1} \equiv 1 \ (\text{mod } p).$$
>
> De plus, pour chaque entier a, on obtient
>
> $$a^p \equiv a \ (\text{mod } p).$$

La preuve du théorème 5 est le sujet de l'exercice 17 à la fin de cette section.

Malheureusement, il existe des entiers composés n, tels que $2^{n-1} \equiv 1 \ (\text{mod } n)$. Ces entiers sont appelés **pseudo-premiers**.

EXEMPLE 9

L'entier 341 est pseudo-premier puisqu'il est un composé ($341 = 11 \cdot 31$) et, comme le montre l'exercice 23,

$$2^{340} \equiv 1 \ (\text{mod } 341). \qquad \blacksquare$$

Bien que les anciens mathématiciens chinois avaient tort, les nombres pseudo-premiers sont relativement rares. Leur rareté (et celle plus grande encore des entiers soumis à des tests plus compliqués pour notamment déterminer si un entier est pseudo-premier) peut servir de base pour des **tests probabilistes de primarité** efficaces. De tels tests peuvent démontrer rapidement qu'il est presque certain qu'un entier donné est premier. (Plus précisément, ces tests montrent que la probabilité qu'un entier soumis à une suite de tests soit premier se rapproche de 1 — voir le chapitre 4 sur les probabilités.) On peut utiliser ces probabilistes de primarité, et on les utilise, pour trouver très rapidement les grands nombres premiers à l'aide de l'ordinateur.

CRYPTOGRAPHIE À CLÉ PUBLIQUE

Dans la section 2.3, on a introduit des méthodes de décodage des messages basées sur les congruences. Lorsqu'on utilise ces méthodes de codage, les messages — soit des chaînes de caractères — sont traduits en nombres. Puis, le numéro de chaque caractère est transformé en un autre numéro en utilisant un décalage ou une transformation affine modulo 26. Ces méthodes constituent des exemples de **cryptographie à clé privée**. Lorsque l'on connaît la clé de codage, on trouve rapidement la clé de décodage. Par exemple, lorsqu'on utilise un chiffre de décalage avec la clé de codage k, un nombre p représentant une lettre est envoyé à

$$c = (p + k) \bmod 26.$$

Le décodage s'effectue en décalant de $-k$; c'est-à-dire,

$$p = (c - k) \bmod 26.$$

Avec la cryptographie à clé privée, deux personnes qui souhaitent communiquer secrètement doivent avoir une clé distincte. Puisque toute personne connaissant cette clé peut facilement coder et décoder des messages, ces deux personnes doivent échanger leur clé dans la plus grande confidentialité.

Au milieu des années 70, les cryptographes ont fait connaître le concept de **cryptographie à clé publique**. Lorsqu'on utilise une clé publique, le fait de savoir comment coder un message n'implique pas qu'on puisse le décoder. Avec un tel système, toute personne peut posséder une clé de codage connue de tous. Seules les clés de décodage sont maintenues secrètes et seul le destinataire du message peut alors le décoder. Si on ne dispose pas de cette clé, le décodage exige une énorme quantité de travail (environ deux milliards d'années de temps machine).

En 1976, trois chercheurs de MIT — Ron Rivest, Adi Shamir et Len Adleman — ont introduit des clés publiques, connues sous le nom de **système RSA**, d'après les initiales des inventeurs. Le système RSA est basé sur l'exponentiation modulaire modulo le produit de deux grands nombres premiers. Chaque personne a une clé de codage constituée d'un module $n = pq$, où p et q sont de grands nombres premiers, disons de 200 chiffres chacun, et d'un exposant e qui est premier avec $(p-1)(q-1)$. Pour créer une clé utilisable, il faut trouver deux grands nombres premiers. On peut y arriver rapidement à l'aide d'un ordinateur en utilisant des tests probabilistes de primarité, dont on a déjà discuté précédemment. Cependant, le produit de ces nombres premiers $n = pq$, qui a environ 400 chiffres, ne peut être décomposé en facteurs premiers en un temps raisonnable. Comme on le verra, il s'agit d'une raison importante pour laquelle on ne peut effectuer le décodage rapidement sans clé distincte.

CODAGE AVEC LE SYSTÈME RSA

Dans le système RSA, les messages sont traduits sous forme de suites d'entiers. Pour y arriver, il faut traduire chaque lettre en un entier, comme on le fait avec le codage de César. Ces entiers sont ensuite regroupés pour former des entiers plus grands, chacun représentant un bloc de lettres. Le codage s'effectue en transformant l'entier M (qui représente le texte normal ou le message original), en entier C (qui représente le texte codé ou le message codé), en utilisant la fonction

$C = M^e \bmod n$.

(Pour effectuer le codage, on utilise un algorithme pour une exponentiation modulaire rapide, comme celui qui est décrit dans l'exercice supplémentaire 14 à la fin du présent chapitre.) On conserve le message codé sous forme de blocs de nombres qu'on envoie au destinataire.

L'exemple 10 montre comment fonctionne le système RSA. Pour des raisons pratiques, on utilise des petits nombres premiers, p et q dans cet exemple, plutôt que des nombres premiers ayant 100 chiffres ou plus. Bien que le codage décrit dans cet exemple soit facile à décoder, il illustre bien les techniques du système RSA.

EXEMPLE 10   Codez le message STOP en utilisant le système RSA avec $p = 43$ et $q = 59$, $n = 43 \cdot 59 = 2537$ et avec $e = 13$. Notez que

$$\mathrm{pgcd}(e, (p-1)(q-1)) = \mathrm{pgcd}(13, 42 \cdot 58) = 1.$$

Solution : On traduit les lettres STOP avec leur équivalent numérique et on regroupe les nombres en blocs de quatre. On obtient

1819   1415.

On code chaque bloc en utilisant l'application

$C = M^{13} \bmod 2537$.

Les calculs effectués à l'aide de la multiplication modulaire rapide démontrent que $1819^{13} \bmod 2537 = 2081$ et $1415^{13} \bmod 2537 = 2182$. Le message codé est donc 2081 2182.

DÉCODAGE AVEC LE SYSTÈME RSA

On peut rapidement récupérer le message en texte normal lorsque l'on connaît la clé de décodage d, un inverse de e modulo $(p-1)(q-1)$. (Cet inverse existe puisque le $\mathrm{pgcd}(e, (p-1)(q-1)) = 1$.) Pour obtenir cette équation, on note que si $de \equiv 1$ (mod $(p-1)(q-1)$), il existe un entier k tel que $de = 1 + k(p-1)(q-1)$. Il s'ensuit que

$$C^d = (M^e)^d = M^{de} = M^{1 + k(p-1)(q-1)}.$$

Selon le petit théorème de Fermat (en supposant que le pgcd(M, p) = pgcd(M, q) = 1, lequel s'applique sauf dans de rares exceptions), il s'ensuit que $M^{p-1} \equiv 1 \pmod{p}$ et $M^{q-1} \equiv 1 \pmod{q}$. Par conséquent,

$$C^d \equiv M \cdot (M^{p-1})^{k(q-1)} \equiv M \cdot 1 \equiv M \pmod{p}$$

et

$$C^d \equiv M \cdot (M^{p-1})^{k(p-1)} \equiv M \cdot 1 \equiv M \pmod{q}.$$

Puisque le pgcd(p, q) = 1, selon le théorème du reste chinois, il s'ensuit que

$$C^d \equiv M \pmod{pq}.$$

L'exemple 11 présente la manière de décoder les messages envoyés à l'aide du système RSA.

EXEMPLE 11   Vous recevez le message codé 0981 0461. Quel est le message décodé si c'est le système RSA de l'exemple 10 qui a été utilisé ?

Solution : Le message a été codé en utilisant le système RSA avec $n = 43 \cdot 59$ et l'exposant 13. Comme le montre l'exercice 4, $d = 937$ est un inverse de 13 modulo $42 \cdot 58$ = 2436. On utilise 937 comme exposant de décodage. Par conséquent, pour décoder un bloc C, on calcule

$$P = C^{937} \bmod 2537.$$

Pour décoder le message, on utilise l'algorithme d'exponentiation modulaire rapide pour calculer $0981^{937} \bmod 2537 = 0704$ et $0461^{937} \bmod 2537 = 1115$. Par conséquent, la version numérique du message original est 0704 1115. En le retraduisant en langage courant, on obtient le message HELP.   ∎

RSA COMME SYSTÈME CRYPTOGRAPHIQUE À CLÉ PUBLIQUE

Pourquoi le RSA est-il approprié comme système cryptographique à clé publique ? Lorsque l'on connaît la décomposition en facteurs premiers du module n, autrement dit lorsqu'on sait ce que sont p et q, on peut utiliser l'algorithme d'Euclide pour trouver rapidement l'exposant d inverse de e modulo $(p-1)(q-1)$. Cette opération permet de décoder les messages envoyés à l'aide de la clé. Cependant, on ne connaît aucune méthode pour décoder les messages qui ne soit pas basée sur la recherche d'une décomposition en facteurs premiers de n ou qui ne mène pas également à la décomposition en facteurs premiers de n. La plus efficace des méthodes de décomposition en facteurs premiers connue (depuis 1995) exige des milliards d'années pour représenter en facteurs premiers les entiers à 400 chiffres. Donc, lorsque p et q sont des nombres premiers à 200 chiffres, on ne peut trouver les messages codés en utilisant $n = pq$ comme module en un temps raisonnable, à moins de connaître les nombres premiers p et q.

Des recherches actives sont en cours pour trouver de nouvelles manières de décomposer de façon efficace les nombres entiers en facteurs premiers. Aujourd'hui, on réussit régulièrement à décomposer en facteurs premiers des nombres entiers. On est parvenu, grâce à un effort concerté, à décomposer en facteurs premiers des nombres entiers de plus de 100 chiffres, ainsi que certains nombres de plus de 150 chiffres. Lorsqu'on aura mis au point de nouvelles techniques de décomposition en facteurs premiers, il sera nécessaire d'utiliser de plus grands nombres premiers pour s'assurer de la confidentialité des messages. En effet, à partir du moment où il devient possible de décomposer en facteurs premiers $n = pq$ en utilisant la clé du système RSA, les messages ainsi codés ne sont plus indéchiffrables. De mauvais destinataires peuvent avoir sauvegardé des messages et les décoder lorsque les connaissances le permettent.

On a implanté et utilisé le système RSA pour certaines applications très confidentielles. Cependant, la clé publique la plus couramment employée est connue sous le nom de DES (Data Encryption Standard). Lorsqu'on utilise le système DES, le codage et le décodage peuvent s'effectuer très rapidement sur un ordinateur. Bien que certaines personnes estiment que les messages codés à l'aide du système DES peuvent être décodés par les experts, on le considère comme suffisamment sûr dans la plupart des situations. On utilise de plus en plus le système cryptographique à clé publique, par le biais du système RSA, mais lorsqu'on se sert de celui-ci, le codage et le décodage sont trop lents (avec la génération actuelle d'ordinateurs) pour bon nombre d'applications. Cependant, certaines applications ont recours à une combinaison de clés publiques et privées. Par exemple, un système cryptographique à clé publique comme le RSA peut servir à distribuer des clés privées à des paires d'individus lorsqu'ils souhaitent communiquer entre eux. Ces individus se servent alors des clés privées comme le DES pour le codage et le décodage des messages.

Exercices

1. Exprimez le plus grand commun diviseur de chacune des paires suivantes d'entiers sous forme de combinaison linéaire de ces entiers.
   a) 10, 11   **b)** 21, 44
   c) 36, 48   **d)** 34, 55
   e) 117, 213   **f)** 0, 223
   g) 123, 2347   **h)** 3454, 4666
   i) 9999, 11111

2. Exprimez le plus grand diviseur commun de chacune des paires suivantes d'entiers sous forme de combinaison linéaire de ces entiers.
   a) 9, 11   **b)** 33, 44
   c) 35, 78   **d)** 21, 55
   e) 101, 203   **f)** 124, 323
   g) 2002, 2339   **h)** 3457, 4669
   i) 10001, 13422

3. Démontrez que 15 est un inverse de 7 modulo 26.

4. Démontrez que 937 est un inverse de 13 modulo 2436.

5. Trouvez un inverse de 4 modulo 9.

6. Trouvez un inverse de 2 modulo 17.

7. Trouvez un inverse de 19 modulo 141.

8. Trouvez un inverse de 144 modulo 233.

★9. Démontrez que si a et m sont des entiers positifs premiers entre eux, alors l'inverse de a modulo m est unique modulo m. (*Conseil :* Présumez qu'il existe deux solutions b et c à la congruence $ax \equiv 1 \pmod{m}$. Utilisez le théorème 2 pour démontrer que $b \equiv c \pmod{m}$.)

10. Démontrez qu'un inverse de a modulo m n'existe pas si pgcd$(a, m) > 1$.

11. Résolvez la congruence $4x \equiv 5 \pmod 9$.

12. Résolvez la congruence $2x \equiv 7 \pmod{17}$.

★13. Démontrez que si m est un entier positif plus grand que 1 et que $ac \equiv bc \pmod m$, alors $a \equiv b$ **mod** $m/$pgcd(c, m).

14. **a)** Démontrez qu'on peut diviser les entiers positifs inférieurs à 11, sauf 1 et 10, en paires d'entiers,

de manière telle que chaque paire soit constituée des entiers qui sont les inverses l'un de l'autre modulo 11.

b) Utilisez la partie a) pour démontrer que $10! \equiv -1 \pmod{11}$.

15. Démontrez que si p est un nombre premier, les seules solutions pour $x^2 \equiv 1 \pmod{p}$ sont les nombres entiers x, de sorte que $x \equiv 1 \pmod{p}$ ou $x \equiv -1 \pmod{p}$.

⋆16. a) Généralisez le résultat de la partie a) de l'exercice 14 . Autrement dit, démontrez que si p est un entier premier, vous pouvez diviser les entiers positifs inférieurs à p, sauf 1 et $p-1$, en $(p-3)/2$ paires d'entiers, de sorte que chaque paire soit constituée de nombres entiers qui sont les inverses les uns des autres. (*Conseil :* Utilisez le résultat de l'exercice 15.)

b) À partir de la partie a), prouvez que $(p-1)! \equiv -1 \pmod{p}$ lorsque p est un nombre premier. Ce résultat est connu sous le nom de **théorème de Wilson**.

c) Que pouvez-vous conclure si n est un entier positif tel que $(n-1)! \not\equiv -1 \pmod{n}$?

⋆17. Cet exercice démontre le petit théorème de Fermat.

a) Supposez que a n'est pas divisible par le nombre premier p. Démontrez que deux nombres entiers $1 \cdot a, 2 \cdot a, \ldots, (p-1)a$ sont congrus modulo p.

b) À partir de la partie a), prouvez que le produit de $1, 2, \ldots, p-1$ est congru modulo p au produit de $a, 2a, \ldots, (p-1)a$. Utilisez cette conclusion pour démontrer que
$$(p-1)! \equiv a^{p-1}(p-1)! \pmod{p}.$$

c) Utilisez le théorème de Wilson (prouvé à l'exercice 16) pour démontrer que $a^{p-1} \equiv 1 \pmod{p}$ si $p \nmid a$.

d) Utilisez la partie c) pour démontrer que $a^p \equiv a \pmod{p}$ pour tous les entiers a.

18. Utilisez le théorème du reste chinois pour démontrer qu'un entier a, avec $0 \le a < m = m_1 m_2 \ldots m_n$, où les nombres entiers $m_1, m_2, \ldots, m_n$ sont des entiers premiers deux à deux, peut être représenté uniquement par le n-tuple $(a \bmod m_1, a \bmod m_2, \ldots, a \bmod m_n)$.

⋆19. Soit $m_1, m_2, \ldots, m_n$ des entiers premiers deux à deux plus grands ou égaux à 2. Démontrez que si $a \equiv b \pmod{m_i}$ pour $i = 1, 2, \ldots, n$, alors $a \equiv b \pmod{m}$, où $m = m_1 m_2 \ldots m_n$.

⋆20. Complétez la preuve du théorème du reste chinois en démontrant que la solution simultanée à un système de congruences linéaires modulo des entiers premiers deux à deux est unique modulo le produit de ces modules. (*Conseil :* Présumez que x et y sont deux solutions simultanées.

Démontrez que $m_i \mid x - y$ pour tout i. En vous référant à l'exercice 19, prouvez que $m = m_1 m_2 \ldots m_n \mid x - y$.)

21. Quels entiers laissent un reste de 1 lorsqu'ils sont divisés par 2 et laissent également un reste de 1 lorsqu'ils sont divisés par 3 ?

22. Quels entiers sont divisibles par 5, mais laissent un reste de 1 lorsqu'ils sont divisés par 3 ?

23. a) Démontrez que $2^{340} \equiv 1 \pmod{11}$ selon le petit théorème de Fermat et sachant que $2^{340} = (2^{10})^{34}$.

b) Démontrez que $2^{340} \equiv 1 \pmod{31}$ en tenant compte du fait que $2^{340} = (2^5)^{68} = 32^{68}$.

c) Prouvez, en vous basant sur les parties a) et b), que $2^{340} \equiv 1 \pmod{341}$.

24. Trouvez l'entier non négatif a inférieur à 28 représenté par chacune des paires suivantes, où chaque paire désigne $(a \bmod 4, a \bmod 7)$.

a) $(0, 0)$ b) $(1, 0)$
c) $(1, 1)$ d) $(2, 1)$
e) $(2, 2)$ f) $(0, 3)$
g) $(2, 0)$ h) $(3, 5)$
i) $(3, 6)$

25. Exprimez chaque entier non négatif a inférieur à 15 en utilisant la paire $(a \bmod 3, a \bmod 5)$.

26. Expliquez comment utiliser les paires trouvées à l'exercice 25 pour additionner 4 et 7.

27. Trouvez une solution au système de congruences obtenu à l'exemple 8.

⋆28. Démontrez que si a et b sont des entiers positifs, alors $(2^a - 1) \bmod (2^b - 1) = 2^{a \bmod b} - 1$.

⋆⋆29. Utilisez l'exercice 28 pour démontrer que si a et b sont des entiers positifs, alors le pgcd$(2^a - 1, 2^b - 1) = 2^{\text{pgcd}(a, b)} - 1$. (*Conseil :* Démontrez que les restes obtenus en utilisant l'algorithme d'Euclide pour calculer le pgcd$(2^a - 1, 2^b - 1)$ ont la forme $2^r - 1$, où r est le reste produit lorsqu'on utilise l'algorithme d'Euclide pour trouver le pgcd(a, b).)

30. Utilisez l'exercice 29 pour démontrer que les entiers $2^{35} - 1$, $2^{34} - 1$, $2^{33} - 1$, $2^{31} - 1$, $2^{29} - 1$ et $2^{23} - 1$ sont premiers deux à deux.

⋆31. Démontrez qu'on peut facilement représenter n en facteurs premiers lorsqu'on sait que n est le produit de deux entiers premiers, soit p et q, et que l'on connaît la valeur de $(p-1)(q-1)$.

32. Codez le message ATTACK en utilisant le système RSA avec $n = 43 \cdot 59$ et $e = 13$. Traduisez chaque lettre en entiers et regroupez les paires d'entiers comme on l'a fait à l'exemple 10.

33. Quel est le message original codé en utilisant le système RSA avec $n = 43 \cdot 59$ et $e = 13$ si le message codé est 0667 1947 0671 ? (*Remarque :* Il est nécessaire d'avoir recours à un ordinateur pour effectuer cette opération en un temps réaliste.)

2.6

Matrices

INTRODUCTION

En mathématiques discrètes, on utilise des matrices pour exprimer les relations entre les éléments des ensembles. Dans les chapitres suivants, on utilisera les matrices dans une grande variété de modèles. Par exemple, on aura recours aux matrices dans des modèles de réseaux de communication et de systèmes de transport. On élaborera des algorithmes qui utilisent ces modèles de matrices. La présente section est une révision des calculs arithmétiques matriciels qui serviront avec ces algorithmes.

> **DÉFINITION 1.** Une *matrice* est un tableau rectangulaire composé de nombres. Une matrice ayant m lignes et n colonnes est appelée une matrice $m \times n$. Une matrice ayant le même nombre de lignes que de colonnes est appelée une matrice *carrée*. Deux matrices sont *égales* si elles ont le même nombre de lignes et le même nombre de colonnes, et si les éléments correspondants dans chaque position sont égaux.

EXEMPLE 1   La matrice

$$\begin{bmatrix} 1 & 1 \\ 0 & 2 \\ 1 & 3 \end{bmatrix}$$

est une matrice 3×2.   ∎

On présente maintenant une partie de la terminologie des matrices. On utilise des lettres majuscules en gras pour désigner les matrices.

> **DÉFINITION 2.**   Soit
>
> $$\mathbf{A} = \begin{bmatrix} a_{11} & a_{12} & \dots & a_{1n} \\ a_{21} & a_{22} & \dots & a_{2n} \\ \cdot & \cdot & & \cdot \\ \cdot & \cdot & & \cdot \\ \cdot & \cdot & & \cdot \\ a_{n1} & a_{n2} & \dots & a_{nn} \end{bmatrix}.$$
>
> La i-ième ligne de $\mathbf{A}$ est la matrice $1 \times n$ $(a_{i1}, a_{i2}, \dots, a_{in})$. La j-ième colonne de $\mathbf{A}$ est la matrice $n \times 1$

$$\begin{bmatrix} a_{1j} \\ a_{2j} \\ \cdot \\ \cdot \\ \cdot \\ a_{nj} \end{bmatrix}.$$

Le (i, j)-ième *élément* de **A** est l'élément a_{ij}, c'est-à-dire le nombre dans la i-ième ligne ou j-ième colonne de **A**. Une notation abrégée pratique pour exprimer la matrice **A** consiste à écrire **A** = $[a_{ij}]$, qui indique que **A** est la matrice dont le (i, j)-ième élément est égal à a_{ij}.

ARITHMÉTIQUE MATRICIELLE

À présent, on discute des opérations de base de l'arithmétique matricielle en commençant par une définition de l'addition des matrices.

DÉFINITION 3.   Soit **A** = $[a_{ij}]$ et **B** = $[b_{ij}]$ deux matrices $m \times n$. La *somme* de **A** et de **B**, notée **A** + **B**, est la matrice $m \times n$ qui admet $a_{ij} + b_{ij}$ comme (i, j)-ième élément. En d'autres mots, **A** + **B** = $[a_{ij} + b_{ij}]$.

La somme de deux matrices de même dimension s'obtient en additionnant les éléments dans les positions correspondantes. On ne peut additionner deux matrices que si ces deux matrices ont le même nombre de lignes et le même nombre de colonnes.

EXEMPLE 2   On a

$$\begin{bmatrix} 1 & 0 & -1 \\ 2 & 2 & -3 \\ 3 & 4 & 0 \end{bmatrix} + \begin{bmatrix} 3 & 4 & -1 \\ 1 & -3 & 0 \\ -1 & 1 & 2 \end{bmatrix} = \begin{bmatrix} 4 & 4 & -2 \\ 3 & -1 & -3 \\ 2 & 5 & 2 \end{bmatrix}.$$ ∎

On discute maintenant des produits des matrices. Le produit de deux matrices n'est défini que lorsque le nombre de colonnes de la première matrice est égal au nombre de lignes de la deuxième matrice.

DÉFINITION 4.   Soit **A** une matrice $m \times k$ et **B**, une matrice $k \times n$. Le *produit* de **A** par **B**, noté **AB**, est la matrice $m \times n$ dont le (i, j)-ième élément est égal à la somme des produits des éléments correspondants de la i-ième ligne de **A** et de la j-ième colonne de **B**. En d'autres mots, si **AB** = $[c_{ij}]$, alors

$$c_{ij} = a_{i1}b_{1j} + a_{i2}b_{2j} + \cdots + a_{ik}b_{kj} = \sum_{t=1}^{k} a_{it}b_{tj}.$$

Dans la figure 1, la ligne en caractères gras pour **A** et la colonne en caractères gras pour **B** sont utilisées pour calculer l'élément c_{ij} de **AB**. Le produit de deux matrices n'est pas défini lorsque le nombre de colonnes de la première matrice et le nombre de lignes de la deuxième matrice diffèrent.

Voici quelques exemples de produits de matrices.

EXEMPLE 3 Soit

$$\mathbf{A} = \begin{bmatrix} 1 & 0 & 4 \\ 2 & 1 & 1 \\ 3 & 1 & 0 \\ 0 & 2 & 2 \end{bmatrix} \quad \text{et} \quad \mathbf{B} = \begin{bmatrix} 2 & 4 \\ 1 & 1 \\ 3 & 0 \end{bmatrix}.$$

Trouvez **AB** si elle est définie.

Solution : Puisque **A** est une matrice 4×3 et **B**, une matrice 3×2, le produit **AB** est défini et il est une matrice 4×2. Pour trouver les éléments de **AB**, les éléments correspondants des lignes **A** et des colonnes **B** sont d'abord multipliés, et ces produits sont ensuite additionnés. Par exemple, l'élément dans la $(3, 1)$-ième position de **AB** est la somme des produits des éléments correspondants de la troisième ligne de **A** et de la première colonne de **B**, notamment $3 \cdot 2 + 1 \cdot 1 + 0 \cdot 3 = 7$. Lorsque tous les éléments de **AB** sont calculés, on voit que

$$\mathbf{AB} = \begin{bmatrix} 14 & 4 \\ 8 & 9 \\ 7 & 13 \\ 8 & 2 \end{bmatrix}.$$

∎

La multiplication matricielle *n'est pas* commutative. Autrement dit, si **A** et **B** sont deux matrices, il n'est pas nécessairement vrai que **AB** et **BA** sont égales. En fait, il est possible que seul l'un de ces deux produits soit défini. Par exemple, si **A** est 2×3 et **B**, 3×4, alors **AB** est définie et elle est une matrice 2×4. Cependant, **BA** n'est pas définie, puisqu'il est impossible de multiplier une matrice 3×4 par une matrice 2×3.

En général, supposez que **A** est une matrice $m \times n$ et **B**, une matrice $r \times s$. Alors, **AB** n'est définie que lorsque $n = r$ et **BA**, que lorsque $s = m$. De plus, même si **AB** et **BA** sont toutes les deux définies, elles ne seront pas de mêmes dimensions à moins que $m = n = r = s$. Ainsi, si **AB** et **BA** sont définies et qu'elles ont les mêmes dimensions, alors **A** et **B** doivent être carrées et de même dimension. De plus, même lorsque **A** et **B** sont toutes les deux des matrices $n \times n$, **AB** et **BA** ne sont pas nécessairement égales, comme le montre l'exemple 4.

$$\begin{bmatrix} a_{11} & a_{12} & \cdots & a_{1k} \\ a_{21} & a_{22} & \cdots & a_{2k} \\ \vdots & \vdots & & \vdots \\ \boldsymbol{a_{i1}} & \boldsymbol{a_{i2}} & \cdots & \boldsymbol{a_{ik}} \\ \vdots & \vdots & & \vdots \\ a_{m1} & a_{m2} & \cdots & a_{mk} \end{bmatrix} \begin{bmatrix} b_{11} & b_{12} & \cdots & \boldsymbol{b_{1j}} & \cdots & b_{1n} \\ b_{21} & b_{22} & \cdots & \boldsymbol{b_{2j}} & \cdots & b_{2n} \\ \vdots & \vdots & & \vdots & & \vdots \\ b_{k1} & b_{k2} & \cdots & \boldsymbol{b_{kj}} & \cdots & b_{kn} \end{bmatrix} = \begin{bmatrix} c_{11} & c_{12} & \cdots & c_{1n} \\ c_{21} & c_{22} & \cdots & c_{2n} \\ \vdots & & c_{ij} & \vdots \\ c_{m1} & c_{m2} & \cdots & c_{mn} \end{bmatrix}$$

FIGURE 1   Produit de $\mathbf{A} = [a_{ij}]$ par $\mathbf{B} = [b_{ij}]$

EXEMPLE 4   Soit
$$A = \begin{bmatrix} 1 & 1 \\ 2 & 1 \end{bmatrix} \quad \text{et} \quad B = \begin{bmatrix} 2 & 1 \\ 1 & 1 \end{bmatrix}.$$

Est-ce que $AB = BA$?

Solution : On trouve que
$$AB = \begin{bmatrix} 3 & 2 \\ 5 & 3 \end{bmatrix} \quad \text{et} \quad BA = \begin{bmatrix} 4 & 3 \\ 3 & 2 \end{bmatrix}.$$

Donc, $AB \neq BA$.   ∎

ALGORITHMES POUR LA MULTIPLICATION DES MATRICES

La définition du produit de deux matrices donne lieu à un algorithme qui permet de calculer le produit de deux matrices. On suppose que $C = [c_{ij}]$, soit la matrice $m \times n$ qui est le produit de la matrice $A = [a_{ij}]$ $m \times k$ par la matrice $B = [b_{ij}]$ $k \times n$. L'algorithme basé sur la définition du produit de la matrice est exprimé en pseudocode dans l'algorithme 1.

ALGORITHME 1   **Multiplication de matrices**

procédure *multiplication de matrices*(A, B : matrices)
pour $i := 1$ à m
début
      pour $j := 1$ à n
      début
        $c_{ij} := 0$
        pour $q := 1$ à k
          $c_{ij} := c_{ij} + a_{iq}b_{qj}$
      fin
fin {$C = [c_{ij}]$ est le produit de A par B}

On peut déterminer la complexité de cet algorithme en fonction du nombre d'additions et de multiplications utilisées.

EXEMPLE 5   Combien d'additions d'entiers et de multiplications d'entiers l'algorithme 1 utilise-t-il pour multiplier deux matrices $n \times n$ avec les éléments d'entiers ?

Solution : Il y a n^2 éléments dans le produit de A par B. Pour trouver chaque élément, il faut effectuer au total n multiplications et n additions. Ainsi, on utilise au total n^3 multiplications et n^3 additions.   ∎

Chose étonnante, il existe un grand nombre d'algorithmes plus efficaces pour la multiplication matricielle que l'algorithme 1. Comme le montre l'exemple 5, la multiplication de deux matrices $n \times n$, directement à partir de la définition, exige $O(n^3)$ multiplications et additions. En utilisant d'autres algorithmes, on peut multiplier deux matrices $n \times n$ en utilisant $O(n^{\log 7})$ multiplications et additions.

La complexité des matrices de multiplication comporte un autre important problème. Comment peut-on calculer le produit $\mathbf{A}_1\mathbf{A}_2...\mathbf{A}_n$ en utilisant le plus petit nombre de multiplications possible des entiers, où $\mathbf{A}_1$, $\mathbf{A}_2$, ..., $\mathbf{A}_n$ sont respectivement les matrices $m_1 \times m_2$, $m_2 \times m_3$, ..., $m_n \times m_{n+1}$ et où chacune a des entiers comme éléments ? (Puisque la multiplication des matrices est associative, comme le montre l'exercice 13 à la fin de la présente section, l'ordre de la multiplication n'a pas d'importance). Avant d'étudier ce problème, il convient de noter qu'il faut effectuer $m_1m_2m_3$ multiplications d'entiers pour multiplier une matrice $m_1 \times m_2$ et une matrice $m_2 \times m_3$ en utilisant l'algorithme 1 (voir l'exercice 23 à la fin de la présente section). L'exemple 6 illustre ce problème.

EXEMPLE 6 Dans quel ordre les matrices $\mathbf{A}_1$, $\mathbf{A}_2$ et $\mathbf{A}_3$ — où $\mathbf{A}_1$ est 30×20, $\mathbf{A}_2$ est 20×40 et $\mathbf{A}_3$ est 40×10, ayant tous des éléments de nombres entiers — sont-elles multipliées pour utiliser le plus petit nombre de multiplications ?

Solution : Il existe deux manières de calculer $\mathbf{A}_1\mathbf{A}_2\mathbf{A}_3$, soit $\mathbf{A}_1(\mathbf{A}_2\mathbf{A}_3)$ et $(\mathbf{A}_1\mathbf{A}_2)\mathbf{A}_3$.

Si on multiplie d'abord $\mathbf{A}_2$ par $\mathbf{A}_3$, on utilisera au total $20 \cdot 40 \cdot 10 = 8000$ multiplications d'entiers pour obtenir 20×10 matrices $\mathbf{A}_2\mathbf{A}_3$. Ensuite, pour multiplier $\mathbf{A}_1$ par $\mathbf{A}_2\mathbf{A}_3$, il faut utiliser $30 \cdot 20 \cdot 10 = 6000$ multiplications. Ainsi, on aura recours au total à

$$8000 + 6000 = 14\,000$$

multiplications. Par ailleurs, si on multiplie d'abord $\mathbf{A}_1$ par $\mathbf{A}_2$, alors on se servira de $30 \cdot 20 \cdot 40 = 24\,000$ multiplications pour obtenir 30×40 matrices $\mathbf{A}_1\mathbf{A}_2$. Ensuite, pour multiplier $\mathbf{A}_1\mathbf{A}_2$ par $\mathbf{A}_3$, on a besoin de $30 \times 40 \times 10 = 12\,000$ multiplications. Ainsi, on utilise au total

$$24\,000 + 12\,000 = 36\,000$$

multiplications.

La première méthode est nettement plus efficace. ∎

TRANSPOSITIONS ET PUISSANCES DES MATRICES

On introduit maintenant une matrice fondamentale qui ne contient que des éléments égaux 0 et 1.

DÉFINITION 5.   La *matrice identité d'ordre n* est la matrice $n \times n$ $\mathbf{I}_n = [\delta_{ij}]$, où $\delta_{ij} = 1$ si $i = j$ et $\delta_{ij} = 0$ si $i \neq j$. Ainsi,

$$\mathbf{I}_n = \begin{bmatrix} 1 & 0 & \ldots & 0 \\ 0 & 1 & \ldots & 0 \\ \cdot & \cdot & & \cdot \\ \cdot & \cdot & & \cdot \\ \cdot & \cdot & & \cdot \\ 0 & 0 & \ldots & 1 \end{bmatrix}.$$

La multiplication d'une matrice par la matrice identité de dimensions appropriées ne change pas cette matrice. En d'autres termes, lorsque $\mathbf{A}$ est une matrice $m \times n$, on obtient

$$\mathbf{A}\mathbf{I}_n = \mathbf{I}_m\mathbf{A} = \mathbf{A}.$$

On peut définir les puissances des matrices carrées. Lorsque $\mathbf{A}$ est une matrice $n \times n$, on a

$$\mathbf{A}^0 = \mathbf{I}_n, \qquad \mathbf{A}^r = \underbrace{\mathbf{A}\mathbf{A}\mathbf{A}\ldots\mathbf{A}}_{r \text{ fois}}.$$

On utilise la permutation des lignes et des colonnes d'une matrice carrée dans plusieurs algorithmes.

DÉFINITION 6.   Soit $\mathbf{A} = [a_{ij}]$ une matrice $m \times n$. La *transposée* de $\mathbf{A}$, symbolisée par $\mathbf{A}^t$, est la matrice $n \times m$ obtenue à partir de la permutation des lignes et des colonnes de $\mathbf{A}$. En d'autres mots, si $\mathbf{A}^t = [b_{ij}]$, alors $b_{ij} = a_{ji}$ pour $i = 1, 2, \ldots, n$ et $j = 1, 2, \ldots, m$.

EXEMPLE 7   La transposition de la matrice

$$\begin{bmatrix} 1 & 2 & 3 \\ 4 & 5 & 6 \end{bmatrix}$$

est la matrice

$$\begin{bmatrix} 1 & 4 \\ 2 & 5 \\ 3 & 6 \end{bmatrix}.$$

∎

Les matrices qui restent invariables lorsque leurs lignes et leurs colonnes sont permutées ont des propriétés importantes.

DÉFINITION 7. Une matrice carrée **A** est *symétrique* si $\mathbf{A} = \mathbf{A}^t$. Ainsi, $\mathbf{A} = [a_{ij}]$ est symétrique si $a_{ij} = a_{ji}$ pour tout i et j avec $1 \leq i \leq n$ et $1 \leq j \leq n$.

À noter qu'une matrice est symétrique si et seulement si elle est carrée et symétrique par rapport à sa principale diagonale (qui est constituée des éléments qui se trouvent dans la i-ième ligne et i-ième colonne pour un i). La figure 2 présente cette symétrie.

EXEMPLE 8   La matrice
$$\begin{bmatrix} 1 & 1 & 0 \\ 1 & 0 & 1 \\ 0 & 1 & 0 \end{bmatrix}$$
est symétrique. ∎

MATRICES BOOLÉENNES

Une matrice ne comportant que des éléments de valeur 0 ou 1 est appelée **matrice booléenne**. On utilise souvent les matrices booléennes pour représenter les structures discrètes, comme on le verra aux chapitres 6 et 7. Les algorithmes qui ont recours à ces structures sont basés sur l'arithmétique booléenne avec des matrices booléennes.

Cette arithmétique est fondée sur les opérations booléennes $\vee$ et $\wedge$, qui s'exécutent avec des paires de bits définies par

$$b_1 \wedge b_2 = \begin{cases} 1 & \text{si } b_1 = b_2 = 1 \\ 0 & \text{autrement,} \end{cases}$$

$$b_1 \vee b_2 = \begin{cases} 1 & \text{si } b_1 = 1 \text{ ou } b_2 = 1 \\ 0 & \text{autrement.} \end{cases}$$

DÉFINITION 8. Soit $\mathbf{A} = [a_{ij}]$ et $\mathbf{B} = [b_{ij}]$ les matrices booléennes $m \times n$. Alors, la *disjonction* de **A** et de **B** est la matrice booléenne ayant comme (i, j)-ième élément $a_{ij} \vee b_{ij}$. La disjonction de **A** et de **B** est symbolisée par $\mathbf{A} \vee \mathbf{B}$. La *conjonction* de **A** et de **B** est la matrice booléenne ayant comme (i, j)-ième élément $a_{ij} \wedge b_{ij}$. La conjonction de **A** et de **B** est désignée par $\mathbf{A} \wedge \mathbf{B}$.

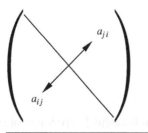

FIGURE 2 **Matrice symétrique**

EXEMPLE 9   Trouvez la disjonction et la conjonction des matrices booléennes

$$\mathbf{A} = \begin{bmatrix} 1 & 0 & 1 \\ 0 & 1 & 0 \end{bmatrix}, \qquad \mathbf{B} = \begin{bmatrix} 0 & 1 & 0 \\ 1 & 1 & 0 \end{bmatrix}.$$

Solution : On trouve que la disjonction de $\mathbf{A}$ et de $\mathbf{B}$ est

$$\mathbf{A} \vee \mathbf{B} = \begin{bmatrix} 1 \vee 0 & 0 \vee 1 & 1 \vee 0 \\ 0 \vee 1 & 1 \vee 1 & 0 \vee 0 \end{bmatrix} = \begin{bmatrix} 1 & 1 & 1 \\ 1 & 1 & 0 \end{bmatrix}.$$

La conjonction de $\mathbf{A}$ et de $\mathbf{B}$ est

$$\mathbf{A} \wedge \mathbf{B} = \begin{bmatrix} 1 \wedge 0 & 0 \wedge 1 & 1 \wedge 0 \\ 0 \wedge 1 & 1 \wedge 1 & 0 \wedge 0 \end{bmatrix} = \begin{bmatrix} 0 & 0 & 0 \\ 0 & 1 & 0 \end{bmatrix}.$$ ∎

On définit maintenant le **produit booléen** de deux matrices.

DÉFINITION 9.   Soit $\mathbf{A} = [a_{ij}]$ une matrice booléenne $m \times k$ et $\mathbf{B} = [b_{ij}]$ une matrice booléenne $k \times n$. Alors, le *produit booléen* de $\mathbf{A}$ par $\mathbf{B}$, symbolisé par $\mathbf{A} \odot \mathbf{B}$, est la matrice $m \times n$ avec comme (i, j)-ième élément $[c_{ij}]$, où

$$c_{ij} = (a_{i1} \wedge b_{1j}) \vee (a_{i2} \wedge b_{2j}) \vee \ldots \vee (a_{ik} \wedge b_{kj}).$$

À noter que le produit booléen de $\mathbf{A}$ par $\mathbf{B}$ s'obtient de manière analogue à celle du produit ordinaire de ces matrices, mais en remplaçant l'addition par l'opération $\vee$ et la multiplication par l'opération $\wedge$. Voici un exemple des produits booléens des matrices.

EXEMPLE 10   Trouvez le produit booléen de $\mathbf{A}$ par $\mathbf{B}$, où

$$\mathbf{A} = \begin{bmatrix} 1 & 0 \\ 0 & 1 \\ 1 & 0 \end{bmatrix}, \qquad \mathbf{B} = \begin{bmatrix} 1 & 1 & 0 \\ 0 & 1 & 1 \end{bmatrix}.$$

Solution : Le produit booléen de $\mathbf{A} \odot \mathbf{B}$ est donné par

$$\mathbf{A} \odot \mathbf{B} = \begin{bmatrix} (1 \wedge 1) \vee (0 \wedge 0) & (1 \wedge 1) \vee (0 \wedge 1) & (1 \wedge 0) \vee (0 \wedge 1) \\ (0 \wedge 1) \vee (1 \wedge 0) & (0 \wedge 1) \vee (1 \wedge 1) & (0 \wedge 0) \vee (1 \wedge 1) \\ (1 \wedge 1) \vee (0 \wedge 0) & (1 \wedge 1) \vee (0 \wedge 1) & (1 \wedge 0) \vee (0 \wedge 1) \end{bmatrix}$$

$$= \begin{bmatrix} 1 \vee 0 & 1 \vee 0 & 0 \vee 0 \\ 0 \vee 0 & 0 \vee 1 & 0 \vee 1 \\ 1 \vee 0 & 1 \vee 0 & 0 \vee 0 \end{bmatrix}$$

$$= \begin{bmatrix} 1 & 1 & 0 \\ 0 & 1 & 1 \\ 1 & 1 & 0 \end{bmatrix}.$$ ∎

L'algorithme 2 présente le pseudocode pour le calcul du produit booléen de deux matrices.

ALGORITHME 2   **Produit booléen**

procédure *Produit booléen* (**A**, **B** : matrices booléennes)
pour $i := 1$ à m
début
    pour $j := 1$ à n
    début
      $c_{ij} := 0$
      pour $q := 1$ à k
        $c_{ij} := c_{ij} \vee (a_{iq} \wedge b_{qj})$
    fin
fin $\{ \mathbf{C} = [c_{ij}]$ est le produit booléen de **A** par **B** $\}$

On peut également définir les puissances booléennes d'une matrice booléenne carrée. On utilise ces puissances dans les études de chemins dans les graphes, qui servent notamment à modéliser des voies de communication dans les réseaux d'ordinateurs.

DÉFINITION 10.   Soit **A** la matrice booléenne carrée et r un nombre entier positif. La *puissance booléenne* r-ième de **A** est le produit booléen de r facteurs de **A**. Le r-ième produit booléen de **A** est désigné par $\mathbf{A}^{[r]}$. Ainsi,

$$\mathbf{A}^{[r]} = \underbrace{\mathbf{A} \odot \mathbf{A} \odot \mathbf{A} \odot \ldots \odot \mathbf{A}}_{r \text{ fois}}.$$

(La matrice est bien définie, car le produit booléen des matrices est associatif.) On définit également $\mathbf{A}^{[0]}$ par $\mathbf{I}_n$.

EXEMPLE 11   Soit

$$\mathbf{A} = \begin{bmatrix} 0 & 0 & 1 \\ 1 & 0 & 0 \\ 1 & 1 & 0 \end{bmatrix}.$$

Trouvez $\mathbf{A}^{[n]}$ pour tous les entiers positifs n.

Solution : On trouve que

$$\mathbf{A}^{[2]} = \mathbf{A} \odot \mathbf{A} = \begin{bmatrix} 1 & 1 & 0 \\ 0 & 0 & 1 \\ 1 & 0 & 1 \end{bmatrix}.$$

On trouve également que

$$\mathbf{A}^{[3]} = \mathbf{A}^{[2]} \odot \mathbf{A} = \begin{bmatrix} 1 & 0 & 1 \\ 1 & 1 & 0 \\ 1 & 1 & 1 \end{bmatrix}, \qquad \mathbf{A}^{[4]} = \mathbf{A}^{[3]} \odot \mathbf{A} = \begin{bmatrix} 1 & 1 & 1 \\ 1 & 0 & 1 \\ 1 & 1 & 1 \end{bmatrix}.$$

Des calculs additionnels démontrent que

$$\mathbf{A}^{[5]} = \begin{bmatrix} 1 & 1 & 1 \\ 1 & 1 & 1 \\ 1 & 1 & 1 \end{bmatrix}.$$

Le lecteur peut à présent constater que $\mathbf{A}^{[n]} = \mathbf{A}^{[5]}$ pour tous les entiers positifs n avec $n \geq 5$.   ■

On peut facilement déterminer le nombre d'opérations binaires utilisées pour trouver le produit booléen de deux matrices $n \times n$.

EXEMPLE 12   À combien d'opérations binaires devez-vous procéder pour trouver $\mathbf{A} \odot \mathbf{B}$, où $\mathbf{A}$ et $\mathbf{B}$ sont des matrices booléennes $n \times n$?

Solution : Il y a n^2 éléments dans $\mathbf{A} \odot \mathbf{B}$. Avec l'algorithme 2, on utilise un total de n OU et n ET pour trouver un élément de $\mathbf{A} \odot \mathbf{B}$. Ainsi, on a recours à $2n$ opérations binaires pour trouver chaque élément. On a donc besoin de $2n^3$ opérations binaires pour calculer $\mathbf{A} \odot \mathbf{B}$ en utilisant l'algorithme 2.   ■

Exercices

1. Soit

$$\mathbf{A} = \begin{bmatrix} 1 & 1 & 1 & 3 \\ 2 & 0 & 4 & 6 \\ 1 & 1 & 3 & 7 \end{bmatrix}.$$

  a) Quelles sont les dimensions de $\mathbf{A}$?
  b) Quelle est la troisième colonne de $\mathbf{A}$?
  c) Quelle est la deuxième ligne de $\mathbf{A}$?
  d) Quel est l'élément a_{32} ?
  e) Quelle est $\mathbf{A}^t$?

2. Trouvez $\mathbf{A} + \mathbf{B}$, où

  a) $\mathbf{A} = \begin{bmatrix} 1 & 0 & 4 \\ -1 & 2 & 2 \\ 0 & -2 & -3 \end{bmatrix}, \mathbf{B} = \begin{bmatrix} -1 & 3 & 5 \\ 2 & 2 & -3 \\ 2 & -3 & 0 \end{bmatrix}.$

  b) $\mathbf{A} = \begin{bmatrix} -1 & 0 & 5 & 6 \\ -4 & -3 & 5 & -2 \end{bmatrix},$

  $\mathbf{B} = \begin{bmatrix} -3 & 9 & -3 & 4 \\ 0 & -2 & -1 & 2 \end{bmatrix}.$

3. Trouvez $\mathbf{AB}$ si

  a) $\mathbf{A} = \begin{bmatrix} 2 & 1 \\ 3 & 2 \end{bmatrix},$ $\mathbf{B} = \begin{bmatrix} 0 & 4 \\ 1 & 3 \end{bmatrix}.$

  b) $\mathbf{A} = \begin{bmatrix} 1 & -1 \\ 0 & 1 \\ 2 & 3 \end{bmatrix},$ $\mathbf{B} = \begin{bmatrix} 3 & -2 & -1 \\ 1 & 0 & 2 \end{bmatrix}.$

4. Trouvez le produit $\mathbf{AB}$, où

  a) $\mathbf{A} = \begin{bmatrix} 1 & 0 & 1 \\ 0 & -1 & -1 \\ -1 & 1 & 0 \end{bmatrix}, \mathbf{B} = \begin{bmatrix} 0 & 1 & -1 \\ 1 & -1 & 0 \\ -1 & 0 & 1 \end{bmatrix}.$

  b) $\mathbf{A} = \begin{bmatrix} 1 & -3 & 0 \\ 1 & 2 & 2 \\ 2 & 1 & -1 \end{bmatrix}, \mathbf{B} = \begin{bmatrix} 1 & -1 & 2 & 3 \\ -1 & 0 & 3 & -1 \\ -3 & -2 & 0 & 2 \end{bmatrix}.$

5. Trouvez une matrice $\mathbf{A}$ telle que

$$\begin{bmatrix} 2 & 3 \\ 1 & 4 \end{bmatrix} \mathbf{A} = \begin{bmatrix} 3 & 0 \\ 1 & 2 \end{bmatrix}.$$

(*Conseil :* Pour trouver $\mathbf{A}$, vous devez résoudre un système d'équations linéaires.)

6. Trouvez une matrice $\mathbf{A}$ telle que

$$\begin{bmatrix} 1 & 3 & 2 \\ 2 & 1 & 1 \\ 4 & 0 & 3 \end{bmatrix} \mathbf{A} = \begin{bmatrix} 7 & 1 & 3 \\ 1 & 0 & 3 \\ -1 & -3 & 7 \end{bmatrix}.$$

7. Soit $\mathbf{A}$ une matrice $m \times n$ et $\mathbf{0}$ la matrice $m \times n$ dont tous les éléments sont égaux à zéro. Démontrez que $\mathbf{A} = \mathbf{0} + \mathbf{A} = \mathbf{A} + \mathbf{0}$.

8. Démontrez que l'addition des matrices est commutative ; autrement dit, démontrez que si $\mathbf{A}$ et $\mathbf{B}$ sont toutes les deux des matrices $m \times n$, alors $\mathbf{A} + \mathbf{B} = \mathbf{B} + \mathbf{A}$.

9. Démontrez que l'addition des matrices est associative ; autrement dit, démontrez que si **A**, **B** et **C** sont toutes des matrices $m \times n$, alors **A** + (**B** + **C**) = (**A** + **B**) + **C**.

10. Soit **A** une matrice 3×4, **B** une matrice 4×5 et **C** une matrice 4×4. Déterminez lesquels des produits suivants sont définis et trouvez les dimensions des matrices dont le produit est défini.

a) **AB**   b) **BA**   c) **AC**

d) **CA**   e) **BC**   f) **CB**

11. Que pouvez-vous dire des dimensions respectives des matrices **A** et **B** si les deux produits **AB** et **BA** sont définis ?

12. Dans cet exercice, on démontre que la multiplication des matrices est distributive par rapport à l'addition des matrices.

a) Supposez que **A** et **B** sont des matrices $m \times k$ et **C**, une matrice $k \times n$. Démontrez que (**A** + **B**)**C** = **AC** + **BC**.

b) Supposez que **C** est une matrice $m \times k$ et **A** et **B**, des matrices $k \times n$. Démontrez que **C**(**A** + **B**) = **CA** + **CB**.

13. Dans cet exercice, on démontre que la multiplication des matrices est associative. Supposez que **A** est une matrice $m \times p$, **B**, une matrice $p \times k$ et **C**, une matrice $k \times n$. Démontrez que **A**(**BC**) = (**AB**)**C**.

14. La matrice $n \times n$ **A** = $[a_{ij}]$ est une **matrice diagonale** si $a_{ij} = 0$ dès que $i \neq j$. Démontrez que le produit de deux matrices diagonales $n \times n$ est aussi une matrice diagonale. Donnez une règle simple pour déterminer ce produit.

15. Soit

$$\mathbf{A} = \begin{bmatrix} 1 & 1 \\ 0 & 1 \end{bmatrix}.$$

Trouvez une formule pour $\mathbf{A}^n$ lorsque n est un entier positif.

16. Démontrez que $(\mathbf{A}^t)^t = \mathbf{A}$.

17. Soit **A** et **B** deux matrices $n \times n$. Démontrez que

a) $(\mathbf{A} + \mathbf{B})^t = \mathbf{A}^t + \mathbf{B}^t$.

b) $(\mathbf{AB})^t = \mathbf{B}^t \mathbf{A}^t$.

Si **A** et **B** sont des matrices $n \times n$ avec **AB** = **BA** = $\mathbf{I}_n$, alors **B** est l'**inverse** de **A** (cette terminologie est appropriée, car cette matrice **B** est unique), et on dit que **A** est **inversible**. La notation **B** = $\mathbf{A}^{-1}$ signifie que **B** est l'inverse de **A**.

18. Démontrez que

$$\begin{bmatrix} 2 & 3 & -1 \\ 1 & 2 & 1 \\ -1 & -1 & 3 \end{bmatrix}$$

est l'inverse de

$$\begin{bmatrix} 7 & -8 & 5 \\ -4 & 5 & -3 \\ 1 & -1 & 1 \end{bmatrix}.$$

19. Soit **A** une matrice 2×2 avec

$$\mathbf{A} = \begin{bmatrix} a & b \\ c & d \end{bmatrix}.$$

Démontrez que si $ad - bc \neq 0$, alors

$$A^{-1} = \begin{bmatrix} \dfrac{d}{ad - bc} & \dfrac{-b}{ad - bc} \\ \dfrac{-c}{ad - bc} & \dfrac{a}{ad - bc} \end{bmatrix}.$$

20. Soit

$$\mathbf{A} = \begin{bmatrix} -1 & 2 \\ 1 & 3 \end{bmatrix}.$$

a) Trouvez $\mathbf{A}^{-1}$. (*Conseil :* Référez-vous à l'exercice 19.)

b) Trouvez $\mathbf{A}^3$.

c) Trouvez $(\mathbf{A}^{-1})^3$.

d) Utilisez les réponses de b) et de c) pour démontrer que $(\mathbf{A}^{-1})^3$ est l'inverse de $\mathbf{A}^3$.

21. Soit **A** une matrice inversible. Démontrez que $(\mathbf{A}^n)^{-1} = (\mathbf{A}^{-1})^n$ lorsque n est un entier positif.

22. Soit **A** une matrice. Démontrez que la matrice $\mathbf{AA}^t$ est symétrique. (*Conseil :* À l'aide de l'exercice 17 b), démontrez que cette matrice est égale à sa transposée.)

23. Démontrez que l'algorithme conventionnel utilise $m_1 m_2 m_3$ multiplications pour calculer le produit de la matrice **A** $m_1 \times m_2$ et de la matrice **B** $m_2 \times m_3$.

24. Quelle est la manière la plus efficace de multiplier les matrices $\mathbf{A}_1$, $\mathbf{A}_2$ et $\mathbf{A}_3$ de dimensions

a) 20×50, 50×10, 10×40 ?

b) 10×5, 5×50, 50×1 ?

25. Quelle est la manière la plus efficace de multiplier les matrices $\mathbf{A}_1$, $\mathbf{A}_2$, $\mathbf{A}_3$ et $\mathbf{A}_4$ si les dimensions de ces matrices sont respectivement 10×2, 2×5, 5×20 et 20×3 ?

26. a) Démontrez que le système d'équations linéaires simultanées

$$\begin{aligned} a_{11}x_1 + a_{12}x_2 + \cdots + a_{1n}x_n &= b_1 \\ a_{21}x_1 + a_{22}x_2 + \cdots + a_{2n}x_n &= b_2 \\ &\vdots \\ a_{n1}x_1 + a_{n2}x_2 + \cdots + a_{nn}x_n &= b_n \end{aligned}$$

dans les variables x_1, x_2, …, x_n peut s'exprimer comme **AX** = **B**, où **A** = $[a_{ij}]$, **X** est une matrice $n \times 1$ avec x_i comme élément dans sa i-ième ligne et **B**, une matrice $n \times 1$ avec b_i comme élément dans sa i-ième ligne.

b) Démontrez que si la matrice **A** = $[a_{ij}]$ est inversible (voir la note qui précède l'exercice 18), alors la solution au système dans la partie a) peut se trouver en utilisant l'équation $\mathbf{X} = \mathbf{A}^{-1}\mathbf{B}$.

27. Référez-vous aux exercices 18 et 26 pour résoudre le système
$$7x_1 - 8x_2 + 5x_3 = 5$$
$$-4x_1 + 5x_2 - 3x_3 = -3$$
$$x_1 - x_2 + x_3 = 0.$$

28. Soit
$$\mathbf{A} = \begin{bmatrix} 1 & 1 \\ 0 & 1 \end{bmatrix} \quad \text{et} \quad \mathbf{B} = \begin{bmatrix} 0 & 1 \\ 1 & 0 \end{bmatrix}.$$
Trouvez
a) $\mathbf{A} \vee \mathbf{B}$.   b) $\mathbf{A} \wedge \mathbf{B}$.   c) $\mathbf{A} \odot \mathbf{B}$.

29. Soit
$$\mathbf{A} = \begin{bmatrix} 1 & 0 & 1 \\ 1 & 1 & 0 \\ 0 & 0 & 1 \end{bmatrix} \quad \text{et} \quad \mathbf{B} = \begin{bmatrix} 0 & 1 & 1 \\ 1 & 0 & 1 \\ 1 & 0 & 1 \end{bmatrix}.$$
Trouvez
a) $\mathbf{A} \vee \mathbf{B}$.   b) $\mathbf{A} \wedge \mathbf{B}$.   c) $\mathbf{A} \odot \mathbf{B}$.

30. Trouvez le produit booléen de $\mathbf{A}$ par $\mathbf{B}$, où
$$\mathbf{A} = \begin{bmatrix} 1 & 0 & 0 & 1 \\ 0 & 1 & 0 & 1 \\ 1 & 1 & 1 & 1 \end{bmatrix} \quad \text{et} \quad \mathbf{B} = \begin{bmatrix} 1 & 0 \\ 0 & 1 \\ 1 & 1 \\ 1 & 0 \end{bmatrix}.$$

31. Soit
$$\mathbf{A} = \begin{bmatrix} 1 & 0 & 0 \\ 1 & 0 & 1 \\ 0 & 1 & 0 \end{bmatrix}.$$
Trouvez
a) $\mathbf{A}^{[2]}$.   b) $\mathbf{A}^{[3]}$.
c) $\mathbf{A} \vee \mathbf{A}^{[2]} \vee \mathbf{A}^{[3]}$.

32. Soit $\mathbf{A}$ une matrice booléenne. Démontrez que
a) $\mathbf{A} \vee \mathbf{A} = \mathbf{A}$.
b) $\mathbf{A} \wedge \mathbf{A} = \mathbf{A}$.

33. Dans cet exercice, démontrez que les opérations de disjonction et de conjonction sont commutatives. Soit $\mathbf{A}$ et $\mathbf{B}$ les matrices booléennes $m \times n$. Démontrez que
a) $\mathbf{A} \vee \mathbf{B} = \mathbf{B} \vee \mathbf{A}$.
b) $\mathbf{B} \wedge \mathbf{A} = \mathbf{A} \wedge \mathbf{B}$.

34. Dans cet exercice, démontrez que les opérations de disjonction et de conjonction sont associatives. Soit $\mathbf{A}$, $\mathbf{B}$ et $\mathbf{C}$ les matrices booléennes $m \times n$. Démontrez que
a) $(\mathbf{A} \vee \mathbf{B}) \vee \mathbf{C} = \mathbf{A} \vee (\mathbf{B} \vee \mathbf{C})$.
b) $(\mathbf{A} \wedge \mathbf{B}) \wedge \mathbf{C} = \mathbf{A} \wedge (\mathbf{B} \wedge \mathbf{C})$.

35. Dans cet exercice, on établira la distributivité des opérations de disjonction par rapport aux opérations de conjonction. Soit $\mathbf{A}$, $\mathbf{B}$ et $\mathbf{C}$ des matrices booléennes $m \times n$. Démontrez que
a) $\mathbf{A} \vee (\mathbf{B} \wedge \mathbf{C}) = (\mathbf{A} \vee \mathbf{B}) \wedge (\mathbf{A} \vee \mathbf{C})$.
b) $\mathbf{A} \wedge (\mathbf{B} \vee \mathbf{C}) = (\mathbf{A} \wedge \mathbf{B}) \vee (\mathbf{A} \wedge \mathbf{C})$.

36. Soit $\mathbf{A}$ une matrice booléenne $n \times n$. Soit $\mathbf{I}$ la matrice identité $n \times n$. Démontrez que $\mathbf{A} \odot \mathbf{I} = \mathbf{I} \odot \mathbf{A} = \mathbf{A}$.

37. Dans cet exercice, on démontrera que le produit booléen des matrices booléennes est associatif. Supposez que $\mathbf{A}$ est une matrice booléenne $m \times p$, $\mathbf{B}$ une matrice booléenne $p \times k$ et $\mathbf{C}$, une matrice booléenne $k \times n$. Démontrez que $\mathbf{A} \odot (\mathbf{B} \odot \mathbf{C}) = (\mathbf{A} \odot \mathbf{B}) \odot \mathbf{C}$.

Questions de révision

1. a) Définissez le terme *algorithme*.
   b) Quelles sont les différentes manières de décrire des algorithmes ?
   c) Quelle est la différence entre un algorithme qui permet de résoudre un problème et un logiciel qui le fait également ?

2. a) Élaborez, en langage courant, un algorithme qui permet de trouver le premier, le deuxième et le troisième plus grand élément dans une liste de n entiers.
   b) Exprimez cet algorithme en pseudocode.
   c) Combien de comparaisons l'algorithme utilise-t-il ?

3. a) Décrivez le temps d'exécution du pire cas, le temps d'exécution en moyenne et le temps d'exécution du meilleur cas (en fonction des comparaisons) d'un algorithme qui trouve le plus petit entier d'une liste de n entiers.
   b) Quels sont le temps d'exécution du pire cas, le temps d'exécution en moyenne et le temps d'exécution du meilleur cas, en fonction des comparaisons, de l'algorithme qui trouve le plus petit entier d'une liste de n entiers en comparant chacun de ces entiers au plus petit entier trouvé jusqu'ici ?

4. a) Décrivez l'algorithme de fouille linéaire et de fouille binaire pour trouver un entier dans une liste d'entiers en ordre croissant.
   b) Comparez les temps d'exécution du pire cas de ces deux algorithmes.
   c) L'un de ces algorithmes est-il toujours plus rapide que l'autre (en fonction des comparaisons) ?

5. Énoncez le théorème fondamental de l'arithmétique.

6. a) Décrivez une procédure pour trouver la décomposition d'un entier en facteurs premiers.

   b) Utilisez cette procédure pour trouver la décomposition en facteurs premiers de 80 707.

7. a) Définissez le plus grand commun diviseur de deux entiers.

   b) Décrivez au moins trois différentes manières de trouver le plus grand commun diviseur de deux entiers. À quelle condition chaque méthode est-elle la plus efficace ?

   c) Trouvez le plus grand commun diviseur de 1 234 567 et de 7 654 321.

   d) Trouvez le plus grand commun diviseur de $2^3 3^5 5^7 7^9 11$ et de $2^9 3^7 5^5 7^3 13$.

8. a) Que signifie, pour a et b, d'être congrus modulo 7 ?

   b) Quelles sont les paires d'entiers −11, −8, −7, −1, 0, 3 et 17 qui sont congrues modulo 7 ?

   c) Démontrez que si a et b sont congrus modulo 7, alors $10a + 13$ et $−4b + 20$ sont également congrus modulo 7.

9. Décrivez une procédure de conversion des représentations en base 10 des entiers en représentations en base 16.

10. a) Comment pouvez-vous trouver une combinaison linéaire (avec des coefficients de nombres entiers) de deux nombres entiers qui soit égale à leur plus grand diviseur commun ?

    b) Exprimez le pgcd(84, 119) sous forme de combinaison linéaire de 84 et de 119.

11. a) Que signifie pour $\overline{a}$ d'être un inverse de a modulo m ?

    b) Comment pouvez-vous trouver un inverse de a modulo m lorsque m est un entier positif et que le pgcd(a, m) = 1 ?

    c) Trouvez un inverse de 7 modulo 19.

12. a) Comment pouvez-vous utiliser un inverse de a modulo m pour résoudre la congruence linéaire $ax \equiv b \pmod{m}$ lorsque le pgcd(a, m) = 1 ?

    b) Trouvez la congruence linéaire $7x \equiv 13 \pmod{19}$.

13. a) Énoncez le théorème du reste chinois.

    b) Trouvez les solutions au système $x \equiv 1 \pmod 4$, $x \equiv 2 \pmod 5$ et $x \equiv 3 \pmod 7$.

14. Supposez que $2^{n-1} \equiv 1 \pmod n$. Est-ce que n est nécessairement un nombre premier ?

15. a) En cryptographie, quelle est la différence entre une clé publique et une clé privée ?

    b) Expliquez pourquoi l'usage de chiffres de décalage constitue une clé privée.

    c) Expliquez pourquoi le système de codage RSA est une clé publique.

16. Définissez le produit de deux matrices **A** et **B**. Quand ce produit est-il défini ?

17. a) De combien de manières pouvez-vous évaluer le produit $\mathbf{A}_1\mathbf{A}_2\mathbf{A}_3\mathbf{A}_4$ en multipliant successivement des paires de matrices lorsque ce produit est défini ?

    b) Supposez que $\mathbf{A}_1$, $\mathbf{A}_2$, $\mathbf{A}_3$ et $\mathbf{A}_4$ sont respectivement les matrices 10×20, 20×5, 5×10 et 10×5. Comment devriez-vous calculer $\mathbf{A}_1\mathbf{A}_2\mathbf{A}_3\mathbf{A}_4$ pour utiliser le plus petit nombre possible de multiplications d'éléments ?

Exercices supplémentaires

1. a) Décrivez un algorithme pour trouver la dernière occurrence du plus grand nombre d'une liste d'entiers.

   b) Estimez le nombre de comparaisons utilisées.

2. a) Décrivez un algorithme pour trouver le premier et le deuxième plus grand élément d'une liste d'entiers.

   b) Estimez le nombre de comparaisons utilisées.

3. a) Donnez un algorithme permettant de déterminer si une chaîne binaire contient une paire de zéros consécutifs.

   b) Estimez le nombre de comparaisons utilisées.

4. a) Supposez qu'une liste contient des nombres entiers en ordre décroissant et qu'un entier peut apparaître de manière répétitive dans cette liste. Créez un algorithme qui repère toutes les occurrences d'un entier x dans la liste.

   b) Estimez le nombre de comparaisons utilisées.

5. Trouvez quatre nombres congrus à 5 modulo 17.

6. Démontrez que si a et d sont des entiers positifs, alors on a les entiers q et r tels que $a = dq + r$, où $-d/2 < r \leq d/2$.

★7. Démontrez que si $ac \equiv bc \pmod m$, alors $a \equiv b \pmod{m/d}$, où $d =$ pgcd(m, c).

★**8.** Combien y a-t-il de zéros à la fin de la représentation binaire de $100_{10}!$?

9. Utilisez l'algorithme d'Euclide pour trouver le plus grand commun diviseur de 10 223 et de 33 341.

10. Combien faut-il de divisions pour trouver le pgcd(144, 233) en utilisant l'algorithme d'Euclide ?

11. Trouvez le pgcd($2n + 1$, $3n + 2$), où n est un nombre entier positif. (*Conseil :* Utilisez l'algorithme d'Euclide.)

12. a) Démontrez que si a et b sont des nombres entiers positifs tels que $a \geq b$, alors le pgcd(a, b) = a si $a = b$, le pgcd(a, b) = 2pgcd($a/2$, $b/2$) si a et b sont pairs, le pgcd(a, b) = pgcd($a/2$, b) si a est pair et b est impair et le pgcd(a, b) = pgcd($a - b$, b) si a et b sont impairs.

b) Expliquez comment vous pouvez employer la partie a) pour créer un algorithme qui calcule le plus grand commun diviseur de deux nombres entiers positifs utilisant uniquement des comparaisons, des soustractions et des décalages des représentations binaires, et aucune division.

c) Trouvez le pgcd(1202, 4848) en utilisant cet algorithme.

13. Démontrez qu'un entier est divisible par 9 si et seulement si la somme de ses chiffres décimaux est divisible par 9.

14. a) Créez un algorithme pour calculer x^n **mod** m, où x est un entier et m et n, des entiers positifs, en utilisant la représentation binaire de n. (*Conseil :* Élevez au carré successivement les variables pour obtenir x **mod** m, x^2 **mod** m, x^4 **mod** m, et ainsi de suite. Puis, multipliez les puissances appropriées de la forme x^{2k} **mod** m pour obtenir x^n **mod** m.)

b) Estimez le nombre de multiplications utilisées.

Un ensemble d'entiers est un ensemble d'**entiers premiers deux à deux** si le plus grand commun diviseur de ces entiers est 1.

15. Déterminez si les ensembles d'entiers suivants sont premiers deux à deux.

a) 8, 10, 12

b) 12, 15, 25

c) 15, 21, 28

d) 21, 24, 28, 32

16. Trouvez un ensemble de quatre entiers premiers deux à deux, de sorte qu'il n'y ait pas deux de ces entiers qui soient premiers entre eux.

17. a) Supposez que des messages sont codés avec la fonction $f(p) = (ap + b)$ **mod** 26 de telle manière que le pgcd(a, 26) = 1. Déterminez une fonction permettant de décoder ces messages.

b) La version codée d'un message est LJMKG MGMXF QEXMW. S'il est codé à l'aide de la fonction $f(p) = (7p + 10)$ **mod** 26, quel est le message original ?

18. Démontrez que le système de congruences $x \equiv 2$ (mod 6) et $x \equiv 3$ (mod 9) n'a aucune solution.

19. Trouvez toutes les solutions pour le système de congruences $x \equiv 4$ (mod 6) et $x \equiv 13$ (mod 15).

★**20. a)** Démontrez que le système de congruences $x \equiv a_1$ (mod m_1) et $x \equiv a_2$ (mod m_2) admet une solution si et seulement si le pgcd(m_1, m_2) $|$ $a_1 - a_2$.

b) Démontrez que la solution dans la partie a) est unique modulo ppcm(m_1, m_2).

21. Trouvez A^n si $\mathbf{A}$ est $\begin{bmatrix} 0 & 1 \\ -1 & 0 \end{bmatrix}$.

22. Démontrez que si $\mathbf{A} = c\mathbf{I}$, où c est le nombre réel et $\mathbf{I}$, la matrice identité $n \times n$, alors $\mathbf{AB} = \mathbf{BA}$ lorsque $\mathbf{B}$ est une matrice $n \times n$.

23. Démontrez que si $\mathbf{A}$ est une matrice 2×2 telle que $\mathbf{AB} = \mathbf{BA}$ lorsque $\mathbf{B}$ est une matrice 2×2, alors $\mathbf{A} = c\mathbf{I}$, où c est un nombre réel et $\mathbf{I}$, la matrice identité 2×2.

Une matrice $n \times n$ est **triangulaire supérieure** si $a_{ij} = 0$ dès que $i > j$.

24. À partir de la définition du produit de la matrice, élaborez un algorithme qui permet de calculer le produit de deux matrices triangulaires supérieures en ignorant les produits du calcul qui sont assurément égaux à zéro.

25. Donnez une description de pseudocode de l'algorithme de l'exercice 24 pour multiplier deux matrices triangulaires supérieures.

26. Combien l'algorithme trouvé à l'exercice 25 utilise-t-il de multiplications d'éléments pour multiplier deux matrices triangulaires supérieures $n \times n$?

27. Démontrez que si $\mathbf{A}$ et $\mathbf{B}$ sont des matrices inversibles et que $\mathbf{AB}$ existe, alors $(\mathbf{AB})^{-1} = \mathbf{B}^{-1}\mathbf{A}^{-1}$.

28. Quel est le meilleur ordre pour former le produit $\mathbf{ABCD}$ si $\mathbf{A}$, $\mathbf{B}$, $\mathbf{C}$ et $\mathbf{D}$ sont des matrices ayant respectivement les dimensions de 30×10, de 10×40, de 40×50 et de 50×30 ? Présumez que le nombre de multiplications des éléments utilisées pour multiplier une matrice $p \times q$ et une matrice $q \times r$ est pqr.

29. Soit $\mathbf{A}$ une matrice $n \times n$ et $\mathbf{0}$ une matrice $n \times n$ dont tous les éléments sont des zéros. Démontrez que les énoncés suivants sont vrais.

a) $\mathbf{A} \odot \mathbf{0} = \mathbf{0} \odot \mathbf{A} = \mathbf{0}$

b) $\mathbf{A} \vee \mathbf{0} = \mathbf{0} \vee \mathbf{A} = \mathbf{A}$

c) $\mathbf{A} \wedge \mathbf{0} = \mathbf{0} \wedge \mathbf{A} = \mathbf{0}$

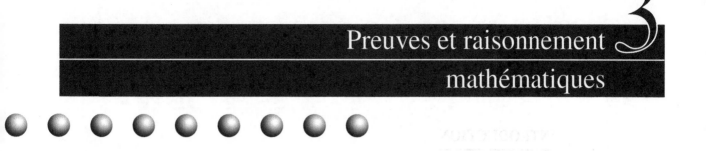

Pour comprendre les mathématiques, il faut connaître ce qui compose un argument mathématique exact, c'est-à-dire une preuve. Pour apprendre les mathématiques, il faut élaborer des arguments mathématiques et non simplement se limiter à lire un exposé. Bien sûr, il est nécessaire de bien saisir les techniques permettant d'établir les démonstrations. Ce chapitre a donc pour but d'enseigner les éléments qui constituent un argument mathématique exact et de donner aux étudiants les outils nécessaires pour former ces arguments.

Bon nombre d'énoncés mathématiques affirment qu'une propriété est vraie pour tout entier positif. Par exemple, pour tout nombre entier positif n : $n! \leq n^n$, $n^3 - n$ est divisible par 3 et la somme des premiers nombres positifs n est $n(n + 1)/2$. Ce chapitre (et ce manuel) ont pour but principal de faire comprendre l'induction mathématique, qui permet de démontrer ce genre de résultats.

Dans les chapitres précédents, on a explicitement défini les ensembles, les suites et les fonctions. Autrement dit, on a décrit les ensembles en énumérant leurs éléments ou des propriétés qui les caractérisent. On a donné des formules concernant les éléments des suites et les valeurs des fonctions. Il existe une autre manière importante de définir de tels objets en fonction de la récurrence ou de l'induction. Pour définir des suites ou des fonctions, on a spécifié certains termes ainsi qu'une règle qui permettra par la suite de trouver des valeurs à partir de valeurs déjà connues. Par exemple, on peut définir la suite $\{2^n\}$ en précisant que $a_1 = 2$ et que $a_{n+1} = 2a_n$ pour $n = 1, 2, 3, \ldots$ On peut définir les ensembles en énumérant certains de leurs éléments et en donnant des règles pour composer des éléments à partir de ceux qui existent déjà dans l'ensemble. On utilise de telles définitions, appelées *définitions récursives*, en mathématiques discrètes et en informatique.

Lorsqu'on précise une procédure permettant de résoudre un problème, celle-ci doit *toujours* résoudre le problème correctement. Le simple fait d'effectuer un test pour savoir si on obtient les bons résultats pour un ensemble de valeurs d'entrée ne démontre pas que la procédure fonctionne toujours très bien. On ne peut garantir l'exactitude d'une procédure qu'en démontrant qu'elle fournit toujours le résultat exact. La dernière section du présent chapitre constitue une introduction aux techniques de la vérification de programme. Il s'agit d'une technique formelle qui permet de vérifier si les procédures sont exactes. La vérification de programme sert de base aux tentatives entreprises pour démontrer mécaniquement que les programmes sont exacts.

3.1

Méthodes de preuve

INTRODUCTION

Dans l'étude des mathématiques, les deux questions importantes sont : 1) Quand un argument mathématique est-il valide ? 2) Quelles méthodes peut-on utiliser pour élaborer des arguments mathématiques ? La présente section aide à répondre à ces questions en décrivant différentes formes d'arguments mathématiques qui sont parfois exacts et parfois inexacts.

Un **théorème** est un énoncé dont on peut démontrer l'exactitude. On démontre la validité d'un théorème à l'aide d'une série d'énoncés qui forment l'argument ; c'est ce qu'on appelle la **démonstration**. Pour établir les démonstrations, il faut connaître des méthodes qui permettent de trouver de nouveaux énoncés à partir des précédents. Les énoncés faisant partie d'une démonstration peuvent comprendre des **axiomes** ou des **postulats**, qui constituent les assomptions sous-jacentes des structures mathématiques, les hypothèses du théorème à démontrer et les théorèmes dont la démonstration a déjà été faite. Les **règles d'inférence**, qui sont l'ensemble des moyens utilisés pour tirer des conclusions à partir d'autres assertions, relient les étapes d'une démonstration.

Dans la présente section, on discutera des règles d'inférence. Cette étude permettra de clarifier les composantes d'une démonstration valide. On décrira aussi certaines formes courantes de raisonnement inexact, qu'on appelle des **contrevérités**. On introduira ensuite de nombreuses méthodes couramment employées pour prouver les théorèmes.

Remarque : Les termes *lemme* et *corollaire* décrivent certains types de théorèmes ou de propositions. Un **lemme** est un théorème simple qu'on utilise pour démontrer d'autres théorèmes. (Par exemple, le lemme 1 à la section 2.4 sert à démontrer le théorème selon lequel l'algorithme d'Euclide produit le plus grand commun diviseur de deux entiers.) Il est normalement plus facile de comprendre les démonstrations compliquées si on utilise une série de lemmes, où des lemmes sont démontrés successivement. Un **corollaire** est une proposition qu'on peut établir directement à partir d'un théorème déjà prouvé.

Les méthodes de démonstration dont on discutera dans le présent chapitre sont importantes non seulement parce qu'on les utilise pour prouver les théorèmes, mais aussi en raison de leurs nombreuses applications en informatique. Ces applications comprennent la vérification de l'exactitude des programmes, de la sécurité des systèmes d'exploitation, de l'établissement d'inférences en intelligence artificielle, et ainsi de suite. Par conséquent, il est essentiel de comprendre les techniques de démonstration tant en mathématiques qu'en informatique.

RÈGLES D'INFÉRENCE

La tautologie $(p \wedge (p \rightarrow q)) \rightarrow q$ est la base de la règle d'inférence qu'on appelle **_modus ponens_** ou **loi de détachement**. On indique cette tautologie comme suit :

$$\frac{\begin{array}{c} p \\ p \to q \end{array}}{\therefore q}.$$

En utilisant cette notation, on écrit les hypothèses dans une colonne et la conclusion en dessous d'une barre. (Le symbole $\therefore$ désigne « par conséquent »). Selon le *modus ponens*, si une implication et son hypothèse sont toutes deux vraies, alors la conclusion de cette implication est également vraie.

EXEMPLE 1   Supposez que l'implication « S'il neige aujourd'hui, alors nous irons faire du ski. » et son hypothèse « Il neige aujourd'hui. » sont vraies. Alors, selon le *modus ponens*, il s'ensuit que la conclusion de l'implication « Nous irons faire du ski. » est vraie. ∎

EXEMPLE 2   L'implication « Si n est divisible par 3, alors n^2 est divisible par 9. » est vraie. Par conséquent, si n est divisible par 3, selon le *modus ponens*, il s'ensuit que n^2 est divisible par 9. ∎

Le tableau 1 présente quelques règles d'inférence importantes. La vérification de celles-ci est suggérée dans les exercices de la section 1.2. Voici certains exemples d'arguments fondés sur ces règles d'inférence.

TABLEAU 1 **Règles d'inférence**		
Règle d'inférence	*Tautologie*	*Nom*
$\dfrac{p}{\therefore p \vee q}$	$p \to (p \vee q)$	Addition
$\dfrac{p \wedge q}{\therefore p}$	$(p \wedge q) \to p$	Simplification
$\dfrac{\begin{array}{c} p \\ p \to q \end{array}}{\therefore q}$	$[p \wedge (p \to q)] \to q$	*Modus ponens*
$\dfrac{\begin{array}{c} \neg q \\ p \to q \end{array}}{\therefore \neg p}$	$[\neg q \wedge (p \to q)] \to \neg p$	*Modus tollens*
$\dfrac{\begin{array}{c} p \to q \\ q \to r \end{array}}{\therefore p \to r}$	$[(p \to q) \wedge (q \to r)] \to (p \to r)$	Syllogisme par hypothèse
$\dfrac{\begin{array}{c} p \vee q \\ \neg p \end{array}}{\therefore q}$	$[(p \vee q) \wedge \neg p] \to q$	Syllogisme disjonctif

EXEMPLE 3   Spécifiez la règle d'inférence qui constitue la base de l'énoncé suivant : « La température est en ce moment en dessous du point de congélation. Ainsi, en ce moment, ou bien la température est en dessous du point de congélation ou bien il pleut. »

Solution : Soit p la proposition « La température est en ce moment en dessous du point de congélation. » et q la proposition « Il pleut en ce moment. » Alors, cet argument est de la forme

$$\frac{p}{\therefore p \vee q}.$$

Dans cet argument, on utilise l'addition.   ■

EXEMPLE 4   Spécifiez la règle d'inférence qui constitue la base de l'énoncé suivant : « La température est en ce moment en dessous du point de congélation et il pleut. Ainsi, la température est en ce moment en dessous du point de congélation. »

Solution : Soit p la proposition « La température est en ce moment en dessous du point de congélation. » et q la proposition « Il pleut en ce moment. » Alors, cet argument est de la forme

$$\frac{p \wedge q}{\therefore p}.$$

Dans cet argument, on utilise la simplification.   ■

EXEMPLE 5   Spécifiez la règle d'inférence utilisée dans l'énoncé suivant : « S'il pleut aujourd'hui, alors nous ne ferons pas de barbecue aujourd'hui. Si nous ne faisons pas de barbecue aujourd'hui, alors nous ferons un barbecue demain. Ainsi, s'il pleut aujourd'hui, alors nous ferons un barbecue demain. »

Solution : Soit p la proposition « Il pleut aujourd'hui. », q la proposition « Nous ne ferons pas de barbecue aujourd'hui. » et r la proposition « Nous ferons un barbecue demain. » Alors, cet argument a la forme

$$\frac{\begin{array}{c} p \to q \\ q \to r \end{array}}{\therefore p \to r}.$$

Ainsi, cet argument est un syllogisme par hypothèse.   ■

On dit qu'un argument élaboré à l'aide de règles d'inférence est **valide**. Lorsque toutes les propositions utilisées dans un argument valide sont vraies, la conclusion est exacte. Cependant, un argument valide peut mener à une conclusion inexacte si on utilise une ou plusieurs propositions fausses dans l'argument. Par exemple, « Si 101 est divisible par 3, alors 101^2 est divisible par 9. Le nombre 101 est divisible par 3. Par conséquent, 101^2 est divisible par 9. »

Cet argument est valide selon le *modus ponens*. Cependant, la conclusion de cet argument est fausse, puisque 9 ne divise pas 101^2 (ou 10 201). Puisqu'on a utilisé la proposition fausse « Le nombre 101 est divisible par 3. » dans cet argument, la conclusion de l'argument est fausse.

CONTREVÉRITÉS

Souvent, des contrevérités se retrouvent dans les arguments inexacts. Ces contrevérités ressemblent aux règles d'inférence, mais elles sont fondées sur des contingences plutôt que sur des tautologies. On en discute maintenant afin de faire la distinction entre un raisonnement exact et un raisonnement inexact.

La proposition $[(p \rightarrow q) \wedge q] \rightarrow p$ n'est pas une tautologie, puisqu'elle est fausse lorsque p est fausse et que q est vraie. Cependant, dans de nombreux arguments inexacts, on la considère comme une tautologie. Ce type de raisonnement inexact s'appelle la **contrevérité d'affirmer la conclusion**.

EXEMPLE 6   L'argument suivant est-il valide ? « Si vous faites tous les problèmes du manuel, alors vous apprendrez les mathématiques discrètes. Vous avez appris les mathématiques discrètes. Ainsi, vous avez fait tous les problèmes du manuel. »

Solution : Soit p la proposition « Vous avez fait tous les problèmes du manuel. » Soit q la proposition « Vous avez appris les mathématiques discrètes. » Alors, cet argument est de la forme : si $p \rightarrow q$ et q alors p. Il s'agit d'un exemple d'argument inexact formé à l'aide de la contrevérité d'affirmer la conclusion. En effet, il est possible d'apprendre les mathématiques discrètes autrement qu'en faisant tous les exercices du manuel. (Vous pouvez apprendre les mathématiques discrètes en lisant, en assistant à des conférences, en faisant une partie des problèmes du manuel mais pas tous, et ainsi de suite.)   ■

EXEMPLE 7   Soit p la proposition « $n \equiv 1$ (mod 3) » et soit q la proposition « $n^2 \equiv 1$ (mod 3) ». L'implication $p \rightarrow q$, qui est « si $n \equiv 1$ (mod 3), alors $n^2 \equiv 1$ (mod 3) », est vraie. Si q est vraie, de sorte que $n^2 \equiv 1$ (mod 3), s'ensuit-il que p est vraie, notamment que $n \equiv 1$ (mod 3) ?

Solution : Il serait erroné de conclure que p est vraie, puisqu'il est possible que $n \equiv 2$ (mod 3). Si on conclut inexactement que p est vraie, il s'agit d'un exemple de contrevérité d'affirmer la conclusion.   ■

La proposition $[(p \rightarrow q) \wedge \neg p] \rightarrow \neg q$ n'est pas une tautologie, puisqu'elle est fausse lorsque p est fausse et que q est vraie. Dans bon nombre d'arguments inexacts, on utilise ce raisonnement incorrectement comme règle d'inférence. Ce type de raisonnement inexact s'appelle une **contrevérité d'ignorer l'hypothèse**.

EXEMPLE 8   Soit p et q les mêmes propositions que dans l'exemple 6. Si l'implication $p \rightarrow q$ est vraie et que $\neg p$ est vraie, est-il exact de conclure que $\neg q$ est vraie ? En d'autres termes, est-il juste de présumer que vous n'avez pas appris les mathématiques discrètes si vous n'avez pas fait tous les problèmes du manuel, en considérant que si vous faites tous les problèmes du manuel, alors vous apprendrez les mathématiques discrètes ?

Solution : Il est possible que vous ayez appris les mathématiques discrètes même si vous n'avez pas fait tous les problèmes du manuel. Cet argument inexact a la forme $p \rightarrow q$ et $\neg p$ implique $\neg q$, qui est un exemple de contrevérité d'ignorer l'hypothèse.   ◼

EXEMPLE 9   Soit p et q les mêmes propositions que dans l'exemple 7. Est-il juste de considérer que si $\neg p$ est vraie alors $\neg q$ est vraie, en se basant sur le fait que $p \rightarrow q$ est vraie ? En d'autres termes, est-il exact de conclure que $n^2 \not\equiv 1 \pmod{3}$ si $n \not\equiv 1 \pmod{3}$, en utilisant l'implication : si $n \equiv 1 \pmod{3}$ alors $n^2 \equiv 1 \pmod{3}$?

Solution : Il est inexact de conclure que $n^2 \not\equiv 1 \pmod{3}$ si $n \not\equiv 1 \pmod{3}$, puisque $n^2 \equiv 1 \pmod{3}$ lorsque $n \equiv 2 \pmod{3}$. Cet argument inexact constitue un autre exemple de contrevérité d'ignorer l'hypothèse.   ◼

Des arguments inexacts sont souvent fondés sur la contrevérité à laquelle on donne le nom de **raisonnement circulaire**. Cette contrevérité survient lorsqu'une ou plusieurs étapes de la démonstration sont élaborées en considérant comme vrai l'énoncé à démontrer. En d'autres termes, cette contrevérité se présente lorsqu'on prouve un énoncé en utilisant l'énoncé lui-même ou un énoncé équivalent. C'est pourquoi cette contrevérité s'appelle un **raisonnement circulaire**.

EXEMPLE 10   L'argument suivant est-il exact ? Il est supposé démontrer que n est un nombre pair lorsque n^2 est un nombre pair.
On suppose que n^2 est pair. Alors, $n^2 = 2k$ pour un entier k. Soit $n = 2l$ pour un entier l. Cela démontre que n est pair.

Solution : Cet argument est inexact. En effet, l'énoncé « Soit $n = 2l$ pour un entier l. » est admis dans la démonstration alors qu'aucun argument n'a été donné pour démontrer sa véracité. Il s'agit d'un raisonnement circulaire, car cet énoncé équivaut à l'énoncé démontré, soit « n est pair. » Bien sûr, le résultat en tant que tel est exact ; seule la méthode de démonstration est fausse.   ◼

MÉTHODES DE DÉMONSTRATION DES THÉORÈMES

On a prouvé plusieurs théorèmes dans les chapitres 1 et 2. On décrit maintenant plus en détail la méthodologie de l'élaboration des preuves. On verra la façon de démontrer différents types d'énoncés.

Puisque plusieurs théorèmes sont des implications, les techniques de démonstration des implications sont importantes. Il ne faut pas oublier que $p \rightarrow q$ est vraie, à moins que p soit vraie mais que q soit fausse. À noter que pour prouver l'énoncé $p \rightarrow q$, il faut simplement démontrer que q est vraie si p est vraie ; on ne démontre normalement *pas* que q est vraie. Dans la discussion suivante, on présentera les techniques couramment utilisées pour démontrer des implications.

On suppose que l'hypothèse p d'une implication $p \rightarrow q$ est fausse. Alors, l'implication $p \rightarrow q$ est vraie, car l'énoncé a la forme $\mathbf{F} \rightarrow \mathbf{V}$ ou $\mathbf{F} \rightarrow \mathbf{F}$ et il est donc vrai. Par conséquent, si on peut démontrer que p est fausse, alors on peut valider la preuve, appelée une **preuve vide**, de l'implication $p \rightarrow q$. On utilise souvent différentes preuves pour démontrer des cas particuliers de théorèmes qui énoncent qu'une implication est vraie pour tout nombre entier positif (c'est-à-dire un théorème du type $\forall n\, P(n)$, où $P(n)$ est une fonction propositionnelle). On discutera des techniques de démonstration des théorèmes de ce type à la section 3.2.

EXEMPLE 11 Démontrez que la proposition $P(0)$ est vraie, où $P(n)$ est la fonction propositionnelle « Si $n > 1$ alors $n^2 > n$. »

Solution : Il convient de noter que la proposition $P(0)$ est l'implication « Si $0 > 1$ alors $0^2 > 0$. » Puisque l'hypothèse $0 > 1$ est fausse, l'implication $P(0)$ est automatiquement vraie.

Remarque : Le fait que la conclusion de cette implication, soit $0^2 > 0$, est fausse ne contribue pas à la valeur de vérité de l'implication, car une implication où l'hypothèse est fausse est toujours vraie. ∎

On suppose que la conclusion q d'une implication $p \rightarrow q$ est vraie. Alors, $p \rightarrow q$ est vraie, puisque cet énoncé a la forme $\mathbf{V} \rightarrow \mathbf{V}$ ou $\mathbf{F} \rightarrow \mathbf{V}$, lesquelles sont vraies. Ainsi, si on peut démontrer que q est vraie, alors on peut donner une preuve, appelée **démonstration triviale**, de $p \rightarrow q$. Les démonstrations triviales sont souvent importantes lorsqu'on établit la preuve de cas particuliers de théorèmes (voir la discussion sur la démonstration cas par cas) et lorsqu'on procède par induction, une technique de démonstration qui sera abordée à la section 3.2.

EXEMPLE 12 Soit $P(n)$ la proposition « Si a et b sont des entiers positifs avec $a \geq b$, alors $a^n \geq b^n$. » Démontrez que la proposition $P(0)$ est vraie.

Solution : La proposition $P(0)$ est « Si $a \geq b$ alors $a^0 \geq b^0$. » Puisque $a^0 = b^0 = 1$, la conclusion de $P(0)$ est vraie. Ainsi, $P(0)$ est vraie. Il s'agit d'un exemple de démonstration triviale. À noter que l'hypothèse, qui est l'énoncé « $a \geq b$ », n'était pas nécessaire dans cette démonstration. ∎

L'implication $p \to q$ peut être prouvée en démontrant que si p est vraie, alors q doit également être vraie. Cela démontre que la combinaison de p vraie et de q fausse ne se produit jamais. Une démonstration de ce genre s'appelle une **preuve directe**. Pour établir cette preuve, on suppose que p est vraie et on utilise les règles d'inférence et les théorèmes déjà démontrés pour prouver que q doit également être vraie.

EXEMPLE 13   Donnez une preuve directe du théorème « Si n est impair, alors n^2 est impair. »

Solution : On présume que l'hypothèse de cette implication est vraie, c'est-à-dire qu'on suppose que n est impair. Alors, $n = 2k + 1$, où k est un entier. Il s'ensuit que $n^2 = (2k + 1)^2 = 4k^2 + 4k + 1 = 2(2k^2 + 2k) + 1$. Ainsi, n^2 est impair (le reste de sa division par 2 vaut 1). ∎

Puisque l'implication $p \to q$ équivaut à sa contraposée ($\neg q \to \neg p$), on peut prouver l'implication $p \to q$ en démontrant que sa contraposée ($\neg q \to \neg p$) est vraie. On établit normalement la preuve directe de cette implication connexe, mais on peut également utiliser n'importe quelle technique de démonstration. Un argument de ce genre est appelé une **preuve indirecte**.

EXEMPLE 14   Donnez une preuve indirecte du théorème « Si $3n + 2$ est impair, alors n est impair. »

Solution : On présume que la conclusion de cette implication est fausse, c'est-à-dire que n est pair. Alors, $n = 2k$ pour un certain entier k. Il s'ensuit que $3n + 2 = 3(2k) + 2 = 6k + 2 = 2(3k + 1)$, de sorte que $3n + 2$ est pair (car il est divisible par deux). Puisque la négation de la conclusion de l'implication implique que l'hypothèse est fausse, l'implication initiale est vraie. ∎

On suppose qu'on trouve une contradiction q telle que $\neg p \to q$ est vraie, c'est-à-dire que $\neg p \to \mathbf{F}$ est vraie. Alors, la proposition $\neg p$ doit être fausse. Par conséquent, p doit être vraie. On peut utiliser cette technique lorsqu'on trouve une contradiction, telle $r \wedge \neg r$, afin de pouvoir démontrer que l'implication $\neg p \to (r \wedge \neg r)$ est vraie. Un argument de ce type s'appelle une **démonstration par l'absurde**.

EXEMPLE 15   Prouvez que $\sqrt{2}$ est irrationnel en faisant une démonstration par l'absurde.

Solution : Soit p la proposition : « $\sqrt{2}$ est irrationnel. » On suppose que $\neg p$ est vraie. Alors, $\sqrt{2}$ est rationnel. On démontrera que ce raisonnement mène à une contradiction. Selon l'hypothèse que $\sqrt{2}$ est rationnel, il existe des entiers a et b avec $\sqrt{2} = a/b$, où a et b sont premiers entre eux (de sorte que la fraction a/b est irréductible). Puisque $\sqrt{2} = a/b$, lorsque les deux côtés de cette équation sont élevés au carré, il s'ensuit que

$$2 = a^2/b^2.$$

Ainsi,

$$2b^2 = a^2.$$

Cela signifie que a^2 est pair, ce qui implique que a est pair. De plus, puisque a est pair, $a = 2c$ pour un entier c. Ainsi,

$$2b^2 = 4c^2,$$

de sorte que

$$b^2 = 2c^2.$$

Cela signifie que b^2 est pair. Ainsi, b doit également être pair.

On a démontré que $\neg p$ implique que $\sqrt{2} = a/b$, où a et b sont premiers entre eux et 2 divise a et b. Il s'agit d'une contradiction puisqu'on a démontré que $\neg p$ implique à la fois r et $\neg r$, où r est l'énoncé que a et b sont des entiers premiers entre eux. Ainsi, $\neg p$ est fausse, de sorte que p : « $\sqrt{2}$ est irrationnel. » est vraie. ■

On peut réécrire la preuve indirecte d'une implication sous forme de démonstration par l'absurde. Dans une preuve indirecte, on démontre que $p \to q$ est vraie en utilisant une preuve directe pour montrer que $\neg q \to \neg p$ est vraie. Autrement dit, dans la preuve indirecte de $p \to q$, on suppose que $\neg q$ est vraie et on montre que $\neg p$ doit également être vraie. Pour réécrire une preuve indirecte de $p \to q$ sous forme de démonstration par l'absurde, on suppose que p et $\neg q$ sont vraies. Puis, on suit les étapes de la preuve directe de $\neg q \to \neg p$ pour démontrer que $\neg p$ doit également être vraie. On arrive à la contradiction $p \wedge \neg p$, ce qui complète la démonstration par l'absurde. L'exemple 16 montre comment on peut réécrire une preuve indirecte d'une implication sous forme de démonstration par l'absurde.

EXEMPLE 16 Faites une démonstration par l'absurde du théorème « Si $3n + 2$ est impair, alors n est impair. »

Solution : On suppose que $3n + 2$ est impair et que n n'est pas impair, de sorte que n est pair. En suivant les mêmes étapes que dans la solution de l'exemple 14 (une preuve indirecte de ce théorème), on peut démontrer que si n est pair, alors $3n + 2$ est pair. Cela contredit la supposition selon laquelle $3n + 2$ est pair, ce qui complète la preuve. ■

Pour démontrer une implication de la forme

$$(p_1 \vee p_2 \vee \cdots \vee p_n) \to q,$$

on peut utiliser la tautologie

$$[(p_1 \vee p_2 \vee \cdots \vee p_n) \to q] \leftrightarrow [(p_1 \to q) \wedge (p_2 \to q) \wedge \cdots \wedge (p_n \to q)]$$

comme règle d'inférence. Cela démontre que l'implication initiale, constituée de l'hypothèse composée d'une disjonction des propositions p_1, p_2, ..., p_n, peut être prouvée en démontrant chacune des n implications $p_i \to q$, $i = 1, 2, ..., n$ prises individuellement. Cet argument s'appelle une **démonstration cas par cas**. Parfois, pour démontrer qu'une implication $p \rightarrow q$ est vraie, il est pratique d'utiliser une disjonction $p_1 \vee p_2 \vee \cdots \vee p_n$ plutôt que p comme hypothèse de l'implication, où p et $p_1 \vee p_2 \vee \cdots \vee p_n$ sont équivalentes.

EXEMPLE 17   Prouvez l'implication « Si n est un entier non divisible par 3, alors $n^2 \equiv 1$ (mod 3). »

Solution : Soit p la proposition « n n'est pas divisible par 3. » et soit q la proposition « $n^2 \equiv 1$ (mod 3) ». Alors, p équivaut à $p_1 \vee p_2$, où p_1 est « $n \equiv 1$ (mod 3) » et p_2 est « $n \equiv 2$ (mod 3) ». Ainsi, pour démontrer que $p \rightarrow q$, on peut démontrer que $p_1 \rightarrow q$ et $p_2 \rightarrow q$. Il est facile de donner des preuves directes pour ces deux implications.

D'abord, on suppose que p_1 est vraie. Alors, $n \equiv 1$ (mod 3), de sorte que $n = 3k + 1$ pour un entier k. Ainsi,

$$n^2 = 9k^2 + 6k + 1 = 3(3k^2 + 2k) + 1.$$

Il s'ensuit que $n^2 \equiv 1$ (mod 3). Ainsi, l'implication $p_1 \rightarrow q$ est vraie. Ensuite, on suppose que p_2 est vraie. Alors, $n \equiv 2$ (mod 3), de sorte que $n = 3k + 2$ pour un entier k. Ainsi,

$$n^2 = 9k^2 + 12k + 4 = 3(3k^2 + 4k + 1) + 1.$$

Donc, puisque $n^2 \equiv 1$ (mod 3), alors l'implication $p_2 \rightarrow q$ est vraie.

Puisqu'il a été démontré que $p_1 \rightarrow q$ et $p_2 \rightarrow q$ sont vraies, on peut conclure que $(p_1 \vee p_2) \rightarrow q$ est vraie. De plus, puisque p équivaut à $p_1 \vee p_2$, il s'ensuit que $p \rightarrow q$ est vraie. ◼

Pour prouver un théorème qui est de la forme $p \leftrightarrow q$, où p et q sont des propositions, on peut utiliser la tautologie

$$(p \leftrightarrow q) \leftrightarrow [(p \rightarrow q) \wedge (q \rightarrow p)].$$

En d'autres termes, on peut prouver la proposition « p si et seulement si q » si les implications « si p alors q » et « si q alors p » sont démontrées.

EXEMPLE 18   Prouvez le théorème « L'entier n est impair si et seulement si n^2 est impair. »

Solution : Ce théorème a la forme « p si et seulement si q », où p est « n est impair. » et q est « n^2 est impair. » Pour prouver ce théorème, il faut démontrer que $p \rightarrow q$ et $q \rightarrow p$ sont vraies.

On a déjà montré (dans l'exemple 13) que $p \rightarrow q$ est vraie. On utilisera une preuve indirecte pour démontrer que $q \rightarrow p$. On présume que sa conclusion est fausse, notamment que n est pair. Alors, $n = 2k$ pour un entier k. Donc, $n^2 = 4k^2 = 2(2k^2)$, de sorte que n^2 est pair (puisqu'il est un multiple de 2). Cela complète la preuve indirecte de $q \rightarrow p$.

Puisqu'on a démontré que $p \rightarrow q$ et $q \rightarrow p$ sont vraies, on a prouvé que le théorème est vrai. ◼

Parfois, un théorème énonce que plusieurs propositions sont équivalentes. Ce type de théorème énonce que les propositions p_1, p_2, p_3, ..., p_n sont équivalentes. Il peut s'écrire comme suit :

$$p_1 \leftrightarrow p_2 \leftrightarrow \cdots \leftrightarrow p_n,$$

qui énonce que toutes propositions n ont les mêmes valeurs de vérité. Pour prouver qu'elles sont mutuellement équivalentes, on peut notamment utiliser la tautologie

$$[p_1 \leftrightarrow p_2 \leftrightarrow \cdots \leftrightarrow p_n] \leftrightarrow [(p_1 \rightarrow p_2) \wedge (p_2 \rightarrow p_3) \wedge \cdots \wedge (p_n \rightarrow p_1)].$$

Cela démontre que si on peut prouver que les implications $p_1 \rightarrow p_2$, $p_2 \rightarrow p_3$, ..., $p_n \rightarrow p_1$ sont vraies, alors les propositions $p_1, p_2, ..., p_n$ sont toutes équivalentes.

EXEMPLE 19   Prouvez que lorsque n est un entier, les trois énoncés suivants sont équivalents.

p_1 : n **mod** $3 = 1$ ou n **mod** $3 = 2$,

p_2 : n n'est pas divisible par 3,

p_3 : $n^2 \equiv 1$ (mod 3).

Solution : Pour démontrer que les énoncés sont équivalents, on peut prouver que les implications $p_1 \rightarrow p_2$, $p_2 \rightarrow p_3$ et $p_3 \rightarrow p_1$ sont vraies.

On utilisera une preuve directe pour démontrer que $p_1 \rightarrow p_2$ est vraie. On suppose que n **mod** $3 = 1$ ou 2. Selon l'algorithme de division, $n = 3q + r$ où $0 \leq r < 3$. Selon la définition de **congruence**, on a $r = n$ **mod** 3. Puisque n est divisible par 3 si et seulement si $r = 0$, l'hypothèse que n **mod** $3 = 1$ ou 2 implique que n n'est pas divisible par 3. Cela prouve que $p_1 \rightarrow p_2$ est vraie.

Dans l'exemple 17, on a démontré que $p_2 \rightarrow p_3$ est vraie.

On utilisera une preuve indirecte pour démontrer que $p_3 \rightarrow p_1$ est vraie. On suppose que la conclusion de cette implication est fausse, notamment que n **mod** 3 n'est ni 1 ni 2. Puisque n **mod** 3 égale 0, 1 ou 2, on voit que n **mod** $3 = 0$. Donc, on a $3 \mid n$, de sorte que $n = 3k$ pour un entier k. Cela implique que $n^2 = 9k^2 = 3(3k^2)$, ce qui montre que $n^2 \equiv 0$ (mod 3), de sorte que p_3 est fausse. Cela complète la preuve indirecte que $p_3 \rightarrow p_1$ ainsi que la démonstration du théorème.   ■

THÉORÈMES ET QUANTIFICATEURS

De nombreux théorèmes sont énoncés sous forme de propositions comportant des quantificateurs. On utilise une variété de méthodes pour prouver ces théorèmes. On décrira maintenant certaines des méthodes les plus importantes.

Plusieurs théorèmes sont des assertions selon lesquelles il existe des objets de type particulier. Par exemple, ce genre de théorème peut être une proposition de la forme $\exists x\, P(x)$, où P est un prédicat. La démonstration de la proposition ayant la forme $\exists x\, P(x)$ est appelée **preuve d'existence**. Il y a plusieurs manières de prouver ce genre de théorème. Parfois, on donne une preuve d'existence de $\exists x\, P(x)$ en trouvant un élément a de sorte que $P(a)$ est vraie. Cette preuve d'existence est dite **constructive**. Il est également possible de donner une preuve d'existence **non constructive.** Autrement dit, on ne trouve pas d'élément a de sorte que $P(a)$ est vraie, mais on démontre plutôt que $\exists x\, P(x)$ est vraie d'une autre manière. Pour donner une preuve d'existence non constructive, on peut utiliser la démonstration par l'absurde et démontrer que la négation de la quantification existentielle implique une contradiction. L'exemple 20 illustre la notion de preuve d'existence constructive.

EXEMPLE 20   **Preuve d'existence constructive**   Démontrez que pour tout entier positif n, on peut trouver une suite de n entiers positifs composés consécutifs. À noter que vous devrez prouver la quantification $\forall n\, \exists x\, (x + i$ est composé pour $i = 1, 2, …, n)$.

Solution : Soit

$$x = (n + 1)! + 1.$$

Considérez les entiers

$$x + 1, x + 2, …, x + n.$$

À noter que $i + 1$ divise $x + i = (n + 1)! + (i + 1)$ pour $i = 1, 2, …, n$. Ainsi, on a donné n entiers positifs composés consécutifs. De plus, dans la solution, le nombre x, tel que $x + i$ est composé pour $i = 1, 2, …, n$, a été extrait. Il s'agit donc d'un exemple de preuve d'existence constructive.   ■

Remarque : On peut trouver la preuve de l'exemple 20 dans les œuvres du mathématicien grec Euclide.

L'exemple 21 illustre la notion de preuve d'existence non constructive.

EXEMPLE 21   **Preuve d'existence non constructive**   Démontrez que pour tout entier positif n, il existe un nombre premier plus grand que n. Ce problème requiert la preuve d'une quantification existentielle, notamment $\exists x\, Q(x)$, où $Q(x)$ est la proposition « x est un nombre premier et x est plus grand que n. », et où l'univers du discours est l'ensemble des entiers positifs.

Solution : Soit n un entier positif. Pour démontrer qu'il existe un nombre premier plus grand que n, on considère l'entier $n! + 1$. Puisque tout entier a un facteur premier, il existe au moins un nombre premier qui divise $n! + 1$. (Il est possible que $n! + 1$ soit déjà un nombre premier.) À noter que lorsque $n! + 1$ est divisé par un entier inférieur ou égal à n, le reste est égal à 1. Ainsi, tout facteur premier de cet entier doit être plus grand que n, ce qui prouve le résultat. Cet argument est une preuve d'existence non constructive, car on n'a pas produit d'entier premier plus grand que n. Il a simplement été démontré qu'il doit en exister un.   ■

On suppose qu'un énoncé de la forme $\forall x\, P(x)$ est faux. Comment peut-on le démontrer ? On se souvient que les propositions $\neg \forall x\, P(x)$ et $\exists x\, \neg P(x)$ sont équivalentes. Cela signifie que si on trouve un élément a de sorte que $P(a)$ est fausse, alors on a démontré que $\exists x\, \neg P(x)$ est vraie, ce qui signifie que $\forall x\, P(x)$ est fausse. Un élément a pour lequel $P(a)$ est fausse est appelé un **contre-exemple.** À noter qu'il suffit simplement de trouver un seul contre-exemple pour démontrer que $\forall x\, P(x)$ est fausse.

EXEMPLE 22   Démontrez que l'assertion « Tous les nombres premiers sont impairs. » est fausse.

Solution : L'énoncé « Tous les nombres premiers sont impairs. » est une quantification universelle, notamment

$\forall x\, O(x),$

où $O(x)$ est la proposition « x est impair. », et où l'univers du discours est l'ensemble des nombres premiers. À noter que $x = 2$ est un contre-exemple, puisque 2 est un nombre premier qui est pair. Ainsi, l'énoncé « Tous les nombres premiers sont impairs. » est faux. ∎

Toutefois, il ne faut pas oublier qu'un ou plusieurs exemples ne permettent pas de démontrer un théorème de la forme $\forall x\, P(x)$ à moins que ces exemples couvrent *toute* valeur dans l'univers du discours. Par exemple, la vérification que $x^2 - x + 41$ est premier lorsque $x = 0, 1, 2, \ldots, 40$ ne prouve pas que ce polynôme prend toujours comme valeur un nombre premier lorsque x est un entier non négatif ; lorsque $x = 41$, il admet une valeur qui est un nombre composé.

À noter que dans ce manuel, on respecte la convention mathématique selon laquelle un énoncé ayant des variables libres est supposé être universellement quantifié lorsque l'on considère ses valeurs de vérité. Par exemple, dans l'exemple 2, lorsqu'on dit que l'implication « Si n est divisible par 3, alors n^2 est divisible par 9. » est vraie, cela signifie en réalité que la quantification « Pour tout entier n, si n est divisible par 3, alors n^2 est divisible par 9. » est vraie. De plus, on considère tacitement ici que l'univers du discours est l'ensemble des entiers positifs.

COMMENTAIRES SUR LES PREUVES

On a décrit une variété de méthodes permettant de prouver les théorèmes. Le lecteur peut avoir noté que les algorithmes n'ont pas été utilisés à titre de preuves, car une telle procédure n'existe pas.

Les preuves de nombreux théorèmes sont faciles à trouver en travaillant directement avec les hypothèses et les définitions des termes du théorème. Toutefois, il est souvent difficile de prouver un théorème sans avoir recours à une preuve indirecte, à une démonstration par l'absurde ou à une autre technique de démonstration. L'élaboration des preuves est un art qu'on peut apprendre en faisant l'essai de différentes stratégies.

Par ailleurs, plusieurs énoncés qui semblent être des théorèmes ont résisté aux efforts soutenus des mathématiciens pendant des centaines d'années. Par exemple, on n'a toujours pas réussi à prouver ce simple énoncé : « Tout entier positif pair plus grand que 4 est la somme de deux premiers. », et on n'a trouvé aucun contre-exemple. On appelle cet énoncé la **conjecture de Goldbach**. Ce dernier constitue l'une des nombreuses assertions mathématiques dont la valeur de vérité est inconnue.

Exercices

1. Spécifiez la règle d'inférence utilisée dans chacun des arguments suivants :

   a) Alice est une étudiante en mathématiques. Donc, Alice se spécialise en mathématiques ou en informatique.

   b) Jean est un étudiant en mathématiques et en informatique. Donc, Jean étudie en mathématiques.

   c) S'il pleut, alors la piscine sera fermée. Il pleut, donc la piscine est fermée.

   d) S'il neige aujourd'hui, l'université sera fermée. L'université n'est pas fermée aujourd'hui, donc il n'a pas neigé aujourd'hui.

   e) Si je vais nager, alors je m'exposerai au soleil trop longtemps. Si je m'expose au soleil trop longtemps, alors j'aurai un coup de soleil. Donc, si je vais nager, alors j'aurai un coup de soleil.

2. Spécifiez la règle d'inférence utilisée dans chacun des arguments suivants :

   a) Les kangourous vivent en Australie et sont des marsupiaux. Donc, les kangourous sont des marsupiaux.

   b) Soit qu'il fait plus chaud que 38 degrés aujourd'hui ou que la pollution est dangereuse. Il fait moins de 38 degrés aujourd'hui, donc la pollution est dangereuse.

   c) Linda est une excellente nageuse. Si Linda est une excellente nageuse, elle peut alors travailler comme sauveteur. Donc, Linda peut travailler comme sauveteur.

   d) Stéphane travaillera pour une entreprise d'informatique cet été. Donc, cet été, Stéphane travaillera pour une entreprise d'informatique ou il passera tout son temps à la plage.

   e) Si je travaille toute la nuit sur ce devoir, alors je pourrai répondre à toutes les questions des exercices. Si je réponds à toutes les questions des exercices, je comprendrai la matière. Donc, si je travaille toute la nuit sur ce devoir, alors je comprendrai la matière.

3. Déterminez si chacun des arguments suivants est valide. Si un argument est exact, nommez la règle d'inférence utilisée. S'il ne l'est pas, énoncez la contrevérité qui s'y applique.

   a) Si n est un nombre réel tel que $n > 1$, alors $n^2 > 1$. Supposez que $n^2 > 1$. Alors, $n > 1$.

   b) Le nombre $\log_2 3$ est irrationnel s'il ne représente pas le rapport entre deux entiers. Donc, puisque $\log_2 3$ ne peut s'écrire sous la forme a/b où a et b sont des entiers, il est irrationnel.

   c) Si n est un nombre réel avec $n > 3$, alors $n^2 > 9$. Supposez que $n^2 \leq 9$. Alors, $n \leq 3$.

   d) Un entier positif est un carré parfait ou il a un nombre pair de diviseurs entiers positifs. Supposez que n est un entier positif qui a un nombre impair de diviseurs entiers positifs. Alors, n est un carré parfait.

   e) Si n est un nombre réel avec $n > 2$, alors $n^2 > 4$. Supposez que $n \leq 2$. Alors, $n^2 \leq 4$.

4. L'argument suivant constitue une preuve inexacte du théorème « Si n^2 n'est pas divisible par 3, alors n n'est pas divisible par 3. » Ce théorème est inexact parce qu'on a eu recours à un raisonnement circulaire. Où l'erreur de raisonnement a-t-elle été commise ?

   Si n^2 n'est pas divisible par 3, alors n^2 n'est pas égal à $3k$ pour un entier k. Ainsi, n n'est pas égal à $3l$ pour un entier l. Donc, n n'est pas divisible par 3.

5. Prouvez la proposition $P(0)$, où $P(n)$ est la proposition « Si n est un entier positif plus grand que 1, alors $n^2 > n$. » Quel type de preuve avez-vous avancé ?

6. Prouvez la proposition $P(1)$, où $P(n)$ est la proposition « Si n est un entier positif, alors $n^2 \geq n$. » Quel type de preuve avez-vous avancé ?

7. Soit $P(n)$ la proposition « Si a et b sont des nombres réels positifs, alors $(a+b)^n \geq a^n + b^n$. » Prouvez que $P(1)$ est vraie. Quel type de preuve avez-vous avancé ?

8. Prouvez que le carré d'un nombre pair est un nombre pair en utilisant

   a) une preuve directe.

   b) une preuve indirecte.

   c) une démonstration par l'absurde.

9. Prouvez que la somme de deux nombres impairs est paire.

10. Prouvez que la somme de deux nombres rationnels est rationnelle.

11. Prouvez que la somme d'un nombre irrationnel et d'un nombre rationnel est irrationnelle en faisant une démonstration par l'absurde.

12. Prouvez que le produit de deux nombres rationnels est rationnel.

13. Répondez par vrai ou faux. Le produit de deux nombres irrationnels est irrationnel.

14. Répondez par vrai ou faux. Le produit d'un nombre rationnel non nul et d'un nombre irrationnel est irrationnel.

★15. Répondez par vrai ou faux. $n^2 - n + 41$ est premier quel que soit l'entier positif n.

16. Répondez par vrai ou faux. $2^n + 1$ est un nombre premier, quel que soit l'entier positif n.

17. Démontrez que $\sqrt[3]{3}$ est irrationnel.

★18. Démontrez que $\sqrt{n}$ est irrationnel si n est un entier positif qui n'est pas un carré parfait.

19. Prouvez que si x et y sont des nombres réels, alors $\max(x, y) + \min(x, y) = x + y$. (*Conseil :* Faites une démonstration cas par cas, où les deux cas possibles sont $x \geq y$ et $x < y$.)

20. Prouvez que le carré d'un entier qui n'est pas divisible par 5 donne un reste de 1 ou de 4 lorsqu'il est divisé par 5. (*Conseil :* Faites une démonstration cas par cas, dans laquelle les cas correspondent aux restes possibles de l'entier lorsqu'il est divisé par 5.)

21. Prouvez que si x et y sont des nombres réels, alors $|x| + |y| \geq |x + y|$, où $|x|$ représente la valeur absolue de x, qui est égale à x si $x \geq 0$ et est égale à $-x$ si $x \leq 0$.

22. Prouvez que si n est un entier positif, alors n est pair si et seulement si $7n + 4$ est pair.

23. Prouvez que si n est un entier positif, alors n est impair si et seulement si $5n + 6$ est impair.

24. Prouvez que $m^2 = n^2$ si et seulement si $m = n$ ou $m = -n$.

★25. Soit p un nombre premier. Prouvez que $a^2 \equiv b^2$ (mod p) si et seulement si $a \equiv b$ (mod p) ou $a \equiv -b$ (mod p).

26. Démontrez ou réfutez que $n^2 - 1$ est un nombre composé lorsque n est un entier positif plus grand que 1.

27. Démontrez ou réfutez que si m et n sont des entiers tels que $mn = 1$, alors, $m = 1$ et $n = 1$, ou $m = -1$ et $n = -1$.

28. Démontrez ou réfutez que $a \bmod m + b \bmod m = (a + b) \bmod m$ lorsque m est un entier positif.

29. Démontrez ou réfutez que tout entier positif peut s'écrire comme la somme des carrés de deux entiers.

30. Prouvez que si n est un entier positif tel que la somme de ses diviseurs est $n + 1$, alors n est premier. Quel type de preuve avez-vous avancé ?

31. Prouvez qu'au moins un des nombres réels a_1, a_2, ..., a_n est plus grand que ou égal à la moyenne de ces nombres. Quel type de preuve avez-vous avancé ?

★32. Référez-vous à l'exercice 31 pour démontrer que si les 10 premiers entiers positifs sont placés autour d'un cercle, dans n'importe quel ordre, il existe trois entiers dans des emplacements consécutifs autour du cercle dont la somme est plus grande ou égale à 17.

33. Prouvez que si n est un entier, les quatre énoncés suivants sont équivalents : i) n est pair, ii) $n + 1$ est impair, iii) $3n + 1$ est impair, iv) $3n$ est pair.

34. Prouvez que si n est un entier, les trois énoncés suivants sont équivalents : i) 5 divise n, ii) 5 divise n^2, iii) $n^2 \not\equiv \pm 1$ (mod 5).

35. Démontrez ou réfutez qu'il existe trois nombres entiers positifs impairs consécutifs qui sont des nombres premiers, autrement dit qui sont des nombres premiers impairs de la forme p, $p + 2$ et $p + 4$.

36. Étant donné un entier positif n, démontrez ou réfutez qu'il existe n entiers positifs impairs consécutifs qui sont premiers.

37. Quelles règles d'inférence devez-vous utiliser pour établir la conclusion de l'argument de Lewis Carroll décrit dans l'exemple 14 de la section 1.3 ?

38. Quelles règles d'inférence devez-vous utiliser pour établir la conclusion de l'argument de Lewis Carroll décrit dans l'exemple 15 de la section 1.3 ?

39. Donnez une preuve constructive de la proposition « Pour tout entier positif n, il existe un entier divisible par plus de n nombres premiers. »

40. Trouvez un contre-exemple de la proposition « Pour tout entier premier n, $n + 2$ est premier. »

★41. Prouvez qu'il existe une infinité de nombres premiers congrus à 3 modulo 4. Votre preuve est-elle constructive ou non constructive ? (*Conseil :* Vous pouvez présumer qu'il n'existe qu'un nombre fini de tels nombres premiers : p_1, p_2, ..., p_n. Soit $q = 4p_1 p_2 \cdots p_n + 3$. Démontrez que q doit avoir un facteur premier congru à 3 modulo 4 qui ne se trouve pas parmi les n premiers p_1, p_2, ..., p_n.)

42. Démontrez ou réfutez que si p_1, p_2, ..., p_n sont les n plus petits premiers, alors $p_1 p_2 \cdots p_n + 1$ est premier.

43. Démontrez que les propositions p_1, p_2, p_3, p_4 et p_5 peuvent être établies en prouvant que les implications $p_1 \rightarrow p_4$, $p_3 \rightarrow p_1$, $p_4 \rightarrow p_2$, $p_2 \rightarrow p_5$ et $p_5 \rightarrow p_3$ sont vraies.

44. Démontrez ou réfutez que si a et b sont des nombres rationnels, alors a^b est également rationnel.

45. Prouvez qu'il existe des nombres irrationnels a et b tels que a^b est rationnel. Votre preuve est-elle constructive ou non constructive ? (*Conseil :* Soit $a = \sqrt{2}$ et $b = \sqrt{2}$. Démontrez que soit a^b ou $(a^b)^b$ est rationnel.)

46. Démontrez qu'un échiquier de 8×8 peut être entièrement recouvert de dominos (des pièces de 1×2).

★47. Démontrez qu'il est impossible de recouvrir entièrement un échiquier de 8×8 par des dominos lorsqu'on a retiré deux cases aux coins opposés.

⋆**48.** Un problème de logique, tiré de WFF'N PROOF (un jeu de logique), comporte les deux hypothèses suivantes :

1. « La logique est difficile, ou peu d'étudiants aiment la logique. »

2. « Si les mathématiques sont faciles, alors la logique n'est pas difficile. »

En transformant ces hypothèses sous forme d'énoncés qui comprennent des variables propositionnelles et des connecteurs logiques, déterminez lesquelles, parmi les conclusions suivantes, sont valides pour ces hypothèses.

a) Les mathématiques ne sont pas faciles si beaucoup d'étudiants aiment la logique.

b) Peu d'étudiants aiment la logique si les mathématiques ne sont pas faciles.

c) Les mathématiques ne sont pas faciles, ou la logique est difficile.

d) La logique n'est pas difficile, ou les mathématiques ne sont pas faciles.

e) Si peu d'étudiants aiment la logique, alors ou bien les mathématiques ne sont pas faciles ou bien la logique n'est pas difficile.

⋆**49.** Déterminez si l'argument suivant, tiré de Backhouse, est valide.

« Si Superman voulait et pouvait prévenir le mal, il le ferait. Si Superman était incapable de prévenir le mal, il serait impuissant ; s'il ne voulait pas prévenir le mal, il serait malveillant. Superman ne prévient pas le mal. Si Superman existe, il n'est ni impuissant ni malveillant. Donc, Superman n'existe pas. »

3.2

Principe de l'induction

INTRODUCTION

Quelle est la formule permettant de calculer la somme des n premiers entiers positifs impairs ? Les sommes des n premiers entiers positifs impairs pour $n = 1, 2, 3, 4, 5$ sont

$$1 = 1,$$
$$1 + 3 = 4,$$
$$1 + 3 + 5 = 9,$$
$$1 + 3 + 5 + 7 = 16,$$
$$1 + 3 + 5 + 7 + 9 = 25.$$

À partir de ces valeurs, il est raisonnable de croire que la somme des n premiers entiers positifs impairs est n^2. On a besoin d'une méthode pour *démontrer* que cette *supposition* est exacte, si elle l'est.

Le principe de l'induction constitue une technique de démonstration extrêmement importante qu'on peut utiliser pour prouver des hypothèses de ce type. Comme on le verra dans la présente section et dans les chapitres subséquents, le principe de l'induction est largement utilisé pour prouver des résultats concernant une grande variété d'objets discrets. Par exemple, on l'utilise pour démontrer des résultats quant à la complexité des algorithmes, l'exactitude de certains types de logiciels, les théorèmes sur les graphiques et les arbres de même qu'une grande variété d'identités et d'inégalités.

Dans la présente section, on démontre comment utiliser le principe de l'induction et en quoi il constitue une technique de démonstration valide. Il est extrêmement important de noter qu'on peut utiliser le principe de l'induction seulement pour prouver des résultats obtenus d'une autre manière. Il ne représente *pas* un outil permettant de découvrir des théorèmes ou des formules.

PRINCIPE DU BON ORDRE

La validité du principe de l'induction découle de l'axiome fondamental ci-après concernant l'ensemble des entiers.

Principe du bon ordre   Tout ensemble non vide d'entiers non négatifs admet un plus petit élément.

On utilise souvent le principe du bon ordre directement dans l'établissement des preuves.

EXEMPLE 1   Utilisez le principe du bon ordre pour démontrer l'algorithme de division. Rappelez-vous que l'algorithme de division indique que si a est un entier et que d est un entier positif, alors il existe les entiers uniques q et r avec $0 \leq r < d$ et $a = dq + r$.

Solution : Soit S l'ensemble des entiers non négatifs de la forme $a - dq$, où q est un entier. Cet ensemble est non vide puisque la valeur de $-dq$ peut être aussi grande qu'on le souhaite (en prenant q comme un entier négatif ayant une grande valeur absolue). Selon le principe du bon ordre, S a un élément le plus petit $r = a - dq_0$.

L'entier r est non négatif. De plus, $r < d$; sinon, il y aurait un plus petit élément non négatif dans S, notamment $a - d(q_0 + 1)$. Pour le démontrer, on suppose que $r \geq d$. Puisque $a = dq_0 + r$, il s'ensuit que $a - d(q_0 + 1) = (a - dq_0) - d = r - d \geq 0$. Par conséquent, on a les entiers q et r avec $0 \leq r < d$. Le lecteur devra démontrer plus loin dans un exercice que q et r sont uniques. ∎

PRINCIPE DE L'INDUCTION

De nombreux théorèmes énoncent que $P(n)$ est vraie pour tout entier positif n, où $P(n)$ est une fonction propositionnelle. Le principe de l'induction est une technique de démonstration des théorèmes de ce type. En d'autres mots, on utilise l'induction mathématique pour prouver des propositions de la forme $\forall n\, P(n)$, où l'univers du discours est l'ensemble des entiers positifs.

La démonstration par induction que $P(n)$ est vraie pour tout entier positif n se fait en deux étapes :

1. *Étape de base*. On démontre que la proposition $P(1)$ est vraie.
2. *Étape inductive*. On démontre que l'implication $P(n) \rightarrow P(n + 1)$ est vraie pour tout entier positif n.

Ici $P(n)$ est appelée l'**hypothèse inductive**. Lorsqu'on effectue les deux étapes de la démonstration par induction, on prouve que $P(n)$ est vraie pour tout entier positif n. Ainsi, on a démontré que $\forall n\, P(n)$ est vraie.

Exprimée sous forme de règle d'inférence, cette technique de démonstration peut être énoncée sous la forme

$$[P(1) \wedge \forall n(P(n) \rightarrow P(n + 1))] \rightarrow \forall n\, P(n).$$

Puisque le principe de l'induction est une technique très importante, il est essentiel d'expliquer en détail les étapes de la démonstration à l'aide de cette technique. Pour prouver que $P(n)$ est vraie pour tout entier positif n, il faut d'abord démontrer que $P(1)$ est vraie. Autrement dit, il faut démontrer que la proposition obtenue en remplaçant n par 1 dans $P(n)$ est vraie. Puis, il faut prouver que $P(n) \rightarrow P(n + 1)$ est vraie pour tout entier positif n. Pour démontrer que cette implication est vraie pour tout entier positif n, on doit démontrer que $P(n + 1)$ ne peut être fausse lorsque $P(n)$ est vraie. Cette démonstration peut s'accomplir en supposant que $P(n)$ est vraie et en démontrant que, *selon cette hypothèse*, $P(n + 1)$ doit également être vraie.

Remarque : Dans la démonstration par induction, on *ne* suppose *pas* que $P(n)$ est vraie pour tous les entiers positifs ! On ne fait que démontrer que *si on suppose* que $P(n)$ est vraie, alors $P(n + 1)$ est également vraie. Ainsi, la démonstration par induction n'est pas un cas de raisonnement circulaire.

Lorsqu'on utilise le principe de l'induction pour prouver un théorème, on démontre d'abord que $P(1)$ est vraie. Puis, on sait que $P(2)$ est vraie puisque $P(1)$ implique $P(2)$. De plus, on sait que $P(3)$ est vraie puisque $P(2)$ implique $P(3)$. En poursuivant ainsi, on constate que $P(k)$ est vraie pour tout entier positif k.

Il existe de nombreuses illustrations utiles du principe de l'induction qui peuvent aider à se souvenir de la manière dont fonctionne ce principe. L'une de celles-ci est une rangée de personnes constituée de la personne numéro un, de la personne numéro deux, et ainsi de suite. On dit un secret à la personne numéro un, et chaque personne (si elle l'a entendu) dit le secret à la personne suivante dans la rangée. Soit $P(n)$ la proposition « La personne n connaît le secret. » Alors, $P(1)$ est vraie puisque le secret est dit à la personne numéro un ; $P(2)$ est vraie puisque la personne numéro un dit le secret à la personne numéro deux ; $P(3)$ est vraie puisque la personne numéro deux dit le secret à la personne numéro trois ; et ainsi de suite. Selon le principe de l'induction, chaque personne de la rangée apprend le secret. La figure 1 illustre ce principe. (Bien sûr, on suppose que chaque personne retransmet le secret à la personne suivante sans en modifier le contenu, ce qui n'est généralement pas le cas dans la réalité.)

FIGURE 1   Personnes se disant un secret

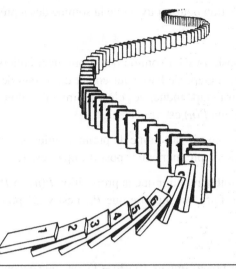

FIGURE 2   Dominos illustrant le fonctionnement du principe de l'induction

Une autre manière d'illustrer le principe de l'induction consiste à considérer une rangée infinie de dominos, étiquetés 1, 2, 3, …, n, où chaque domino est en position verticale. Soit $P(n)$ la proposition « On fait tomber le domino n. » Si on fait tomber le premier domino, autrement dit si $P(1)$ est vraie et si, peu importe quand le n-ième domino est poussé, il fait tomber le $(n + 1)$-ième domino, c'est-à-dire si $P(n) \rightarrow P(n + 1)$ est vraie, alors tous les dominos tombent l'un après l'autre. La figure 2 illustre ce principe.

Pourquoi le principe de l'induction est-il une technique de démonstration valide ?   La réponse réside dans le principe du bon ordre. On suppose que $P(1)$ est vraie et que la proposition $P(n) \rightarrow P(n + 1)$ est vraie pour tout entier positif n. Pour démontrer que $P(n)$ doit être vraie pour tous les entiers positifs, on présume qu'il existe au moins un entier positif pour lequel $P(n)$ est fausse. Alors, l'ensemble S d'entiers positifs pour lequel $P(n)$ est fausse est non vide. Ainsi, selon le principe du bon ordre, S comprend un plus petit élément, lequel sera désigné par k. On sait que k ne peut être 1, car $P(1)$ est vraie. Puisque k est positif et plus grand que 1, $k - 1$ est un entier positif. De plus, puisque $k - 1$ est inférieur à k, il n'appartient pas à S, donc $P(k - 1)$ doit être vraie. Puisque l'implication $P(k - 1) \rightarrow P(k)$ est également vraie, alors $P(k)$ est vraie. Ce raisonnement contredit le choix de k. Ainsi, $P(n)$ doit être vraie pour tout entier positif n.

EXEMPLES DE DÉMONSTRATIONS PAR INDUCTION

Plusieurs exemples sont maintenant présentés pour illustrer la façon de prouver les théorèmes à l'aide du principe de l'induction. On commence par prouver une formule permettant de calculer la somme des n premiers entiers positifs impairs. (On peut également prouver plusieurs théorèmes démontrés par induction dans la présente section au moyen d'autres méthodes. Toutefois, il est plus profitable de savoir prouver un théorème de plus d'une manière, car une méthode peut fonctionner dans certains cas tandis qu'une autre peut échouer.)

EXEMPLE 2   Utilisez le principe de l'induction pour prouver que la somme des n premiers entiers positifs impairs est n^2.

Solution : Soit $P(n)$ la proposition « La somme des n premiers entiers positifs impairs est n^2. » Il faut d'abord effectuer l'étape de base ; autrement dit, il faut démontrer que $P(1)$ est vraie. Puis, on doit accomplir l'étape inductive ; c'est-à-dire qu'on doit prouver que $P(n + 1)$ est vraie lorsqu'on présume que $P(n)$ est vraie.

ÉTAPE DE BASE : $P(1)$ énonce que la somme du premier entier positif impair 1 est 1^2. Cet énoncé est vrai, car la somme du premier entier positif impair est 1.

ÉTAPE INDUCTIVE : On doit démontrer que la proposition $P(n) \rightarrow P(n + 1)$ est vraie pour tout entier positif n. Pour ce faire, on suppose que $P(n)$ est vraie pour un entier positif n ; autrement dit,

$$1 + 3 + 5 + \cdots + (2n - 1) = n^2.$$

(À noter que le n-ième entier positif impair est $(2n - 1)$, puisque cet entier s'obtient en additionnant 2 au total de $n - 1$ fois à 1.) On doit démontrer que $P(n + 1)$ est vraie en supposant que $P(n)$ est vraie. À noter que $P(n + 1)$ est l'énoncé

$$1 + 3 + 5 + \cdots + (2n - 1) + (2n + 1) = (n + 1)^2.$$

Donc, en supposant que $P(n)$ est vraie, on a

$$
\begin{aligned}
1 + 3 + 5 + \cdots + (2n - 1) + (2n + 1) &= [1 + 3 + \cdots + (2n - 1)] + (2n + 1) \\
&= n^2 + (2n + 1) \\
&= n^2 + 2n + 1 \\
&= (n + 1)^2.
\end{aligned}
$$

Cela démontre que $P(n + 1)$ découle de $P(n)$. Il convient de noter qu'on a utilisé l'hypothèse inductive $P(n)$ dans la deuxième égalité pour remplacer la somme des n premiers entiers positifs impairs par n^2.

Puisque $P(1)$ est vraie et que l'implication $P(n) \rightarrow P(n + 1)$ est vraie pour tout entier positif n, le principe de l'induction démontre que $P(n)$ est vraie pour tout entier positif n. ■

Dans l'exemple 3, on utilise le principe de l'induction pour prouver une inégalité.

EXEMPLE 3   Utilisez le principe de l'induction pour prouver l'inégalité

$$n < 2^n$$

pour tout entier positif n.

Solution : Soit $P(n)$ la proposition « $n < 2^n$ ».

ÉTAPE DE BASE : $P(1)$ est vraie puisque $1 < 2^1 = 2$.

ÉTAPE INDUCTIVE : On suppose que $P(n)$ est vraie pour l'entier positif n. Autrement dit, on suppose que $n < 2^n$. Il faut démontrer que $P(n + 1)$ est vraie. Autrement dit, il faut prouver que $n + 1 < 2^{n+1}$. En ajoutant 1 aux deux côtés de $n < 2^n$ et en notant que $1 \leq 2n$, on obtient

$$n + 1 < 2^n + 1 \leq 2^n + 2^n = 2^{n+1}.$$

On a démontré que $P(n + 1)$ est vraie, notamment que $n + 1 < 2^{n+1}$ en se basant sur la supposition que $P(n)$ est vraie. L'étape de l'induction est terminée.

Donc, selon le principe de l'induction, $n < 2^n$ est vraie pour tout entier positif n. ∎

On recourt maintenant au principe de l'induction pour prouver un théorème sur la divisibilité.

EXEMPLE 4 Utilisez le principe de l'induction pour prouver que $n^3 - n$ est divisible par 3, où n est un entier positif.

Solution : Pour établir la preuve, soit $P(n)$ la proposition « $n^3 - n$ est divisible par 3. »

ÉTAPE DE BASE : $P(1)$ est vraie, car $1^3 - 1 = 0$ est divisible par 3.

ÉTAPE INDUCTIVE : On suppose que $P(n)$ est vraie ; autrement dit, $n^3 - n$ est divisible par 3. Il faut démontrer que $P(n + 1)$ est vraie. En d'autres mots, il faut prouver que $(n + 1)^3 - (n + 1)$ est divisible par 3. À noter que

$$
\begin{aligned}
(n + 1)^3 - (n + 1) &= (n^3 + 3n^2 + 3n + 1) - (n + 1) \\
&= (n^3 - n) + 3(n^2 + n).
\end{aligned}
$$

Puisque les deux éléments de la somme sont divisibles par 3 (le premier, selon la supposition de l'étape inductive et le second, puisqu'il équivaut à 3 fois un entier), il s'ensuit que $(n + 1)^3 - (n + 1)$ est également divisible par 3. L'étape inductive est donc terminée. Ainsi, selon le principe de l'induction, $n^3 - n$ est divisible par 3 lorsque n est un entier positif. ∎

Parfois, on doit démontrer que $P(n)$ est vraie pour $n = k$, $k + 1$, $k + 2$, ..., où k est un entier autre que 1. On peut utiliser le principe de l'induction pour démontrer cette proposition à condition de modifier l'étape de base. Par exemple, on peut considérer l'exemple 5, dans lequel il est établi qu'une formule de sommation est valide pour tous les entiers non négatifs, de sorte qu'on doit démontrer que $P(n)$ est vraie pour $n = 0, 1, 2, ...$

EXEMPLE 5 Utilisez le principe de l'induction pour démontrer que

$$1 + 2 + 2^2 + \cdots + 2^n = 2^{n+1} - 1$$

pour tout entier non négatif n.

Solution : Soit $P(n)$ la proposition voulant que cette formule soit valide pour l'entier n.

ÉTAPE DE BASE : $P(0)$ est vraie puisque $2^0 = 1 = 2^1 - 1$.

ÉTAPE INDUCTIVE : On suppose que $P(n)$ est vraie. Pour effectuer l'étape inductive à l'aide de cette supposition, il faut démontrer que $P(n + 1)$ est vraie, notamment que

$$1 + 2 + 2^2 + \cdots + 2^n + 2^{n+1} = 2^{(n+1)+1} - 1 = 2^{n+2} - 1.$$

En utilisant l'hypothèse inductive $P(n)$, on obtient

$$\begin{aligned}
1 + 2 + 2^2 + \cdots + 2^n + 2^{n+1} &= (1 + 2 + 2^2 + \cdots + 2^n) + 2^{n+1} \\
&= (2^{n+1} - 1) + 2^{n+1} \\
&= 2 \cdot 2^{n+1} - 1 \\
&= 2^{n+2} - 1.
\end{aligned}$$

Cette opération termine l'étape inductive, ce qui complète la démonstration. ■

Comme le démontre l'exemple 5, si on veut utiliser le principe de l'induction afin de prouver que $P(n)$ est vraie pour $n = k$, $k + 1$, $k + 2$, ..., où k est un entier autre que 1, on démontre que $P(k)$ est vraie (l'étape de base) et que l'implication $P(n) \to P(n + 1)$ est vraie pour $n = k$, $k + 1$, $k + 2$, ... (l'étape inductive). À noter que k peut être négatif, nul ou positif. Le lecteur devra démontrer à l'exercice 62 que cette forme de l'induction est valide.

La formule donnée à l'exemple 5 est un cas particulier de résultat général pour le calcul de la somme des éléments d'une **progression géométrique**, qui est une suite ayant la forme a, ar, ar^2, ..., ar^n, ..., où a et r sont des nombres réels. Par exemple, la suite de l'exemple 5 est une progression géométrique avec $a = 1$ et $r = 2$. De même, la suite 3, 15, 75, ..., $3 \cdot 5^n$, ... est une progression géométrique avec $a = 3$ et $r = 5$. L'exemple 6 présente une formule pour calculer la somme des $n + 1$ premiers éléments d'une telle suite. Cette formule générale sera démontrée par induction.

EXEMPLE 6   **Sommes des progressions géométriques**   Utilisez le principe de l'induction pour prouver la formule suivante, laquelle permet de calculer la somme d'un nombre fini d'éléments d'une progression géométrique.

$$\sum_{j=0}^{n} ar^j = a + ar + ar^2 + \cdots + ar^n = \frac{ar^{n+1} - a}{r - 1}$$

lorsque $r \neq 1$.

Solution : On démontre cette formule à l'aide du principe de l'induction. Soit $P(n)$ la proposition que la somme des $n + 1$ premiers éléments d'une progression géométrique dans cette formule est exacte.

ÉTAPE DE BASE : $P(0)$ est vraie puisque

$$a = \frac{ar - a}{r - 1}.$$

ÉTAPE INDUCTIVE : On suppose que $P(n)$ est vraie. Autrement dit, on présume que

$$a + ar + ar^2 + \cdots + ar^n = \frac{ar^{n+1} - a}{r - 1}.$$

Pour démontrer l'implication que $P(n+1)$ est vraie, on ajoute ar^{n+1} aux deux côtés de l'équation pour obtenir

$$a + ar + ar^2 + \cdots + ar^n + ar^{n+1} = \frac{ar^{n+1} - a}{r-1} + ar^{n+1}.$$

En réécrivant le côté droit de l'équation, on obtient

$$\frac{ar^{n+1} - a}{r-1} + ar^{n+1} = \frac{ar^{n+1} - a}{r-1} + \frac{ar^{n+2} - ar^{n+1}}{r-1}$$

$$= \frac{ar^{n+2} - a}{r-1}.$$

En combinant ces équations, on a

$$a + ar + ar^2 + \cdots + ar^n + ar^{n+1} = \frac{ar^{n+2} - a}{r-1}.$$

Cette opération démontre que si $P(n)$ est vraie, alors $P(n+1)$ doit également être vraie. Cela complète l'argument inductif et démontre que la formule pour calculer la somme des éléments d'une suite géométrique est exacte. ∎

Comme on l'a mentionné plus haut, la formule dans l'exemple 5 est la même que dans l'exemple 6 avec $a = 1$ et $r = 2$. Le lecteur doit vérifier que, en donnant ces valeurs à a et à r dans la formule générale, il obtiendra la même formule que dans l'exemple 5.

Dans l'exemple 7, on démontre une importante inégalité dans le calcul de la somme des inverses d'un ensemble d'entiers positifs.

EXEMPLE 7   **Inégalité pour les nombres harmoniques**   Les *nombres harmoniques* H_k, $k = 1, 2, 3, \ldots,$ sont définis par

$$H_k = 1 + \frac{1}{2} + \frac{1}{3} + \cdots + \frac{1}{k}.$$

Par exemple,

$$H_4 = 1 + \frac{1}{2} + \frac{1}{3} + \frac{1}{4} = \frac{25}{12}.$$

On utilise le principe de l'induction pour démontrer que

$$H_{2^n} \geq 1 + \frac{n}{2},$$

lorsque n est un entier non négatif.

Solution : Pour établir la preuve, soit $P(n)$ la proposition $H_{2^n} \geq 1 + n/2$.

ÉTAPE DE BASE : $P(0)$ est vraie puisque $H_{2^0} = H_1 = 1 \geq 1 + 0/2$.

ÉTAPE INDUCTIVE : On suppose que $P(n)$ est vraie, de sorte que $H_{2^n} \geq 1 + n/2$. Il faut démontrer que $P(n+1)$, qui énonce que $H_{2^{n+1}} \geq 1 + (n+1)/2$ doit également être vraie selon cette hypothèse. On peut le faire puisque

$$H_{2^{n+1}} = 1 + \frac{1}{2} + \frac{1}{3} + \cdots + \frac{1}{2^n} + \frac{1}{2^n+1} + \cdots + \frac{1}{2^{n+1}}$$

$$= H_{2^n} + \frac{1}{2^n+1} + \cdots + \frac{1}{2^{n+1}}$$

$$\geq \left(1 + \frac{n}{2}\right) + \frac{1}{2^n+1} + \cdots + \frac{1}{2^{n+1}} \qquad \text{(selon l'hypothèse inductive)}$$

$$\geq \left(1 + \frac{n}{2}\right) + 2^n \cdot \frac{1}{2^{n+1}} \qquad \begin{array}{l}\text{(puisqu'il existe } 2^n \text{ éléments, chacun n'étant pas} \\ \text{inférieur à } 1/2^{n+1})\end{array}$$

$$\geq \left(1 + \frac{n}{2}\right) + \frac{1}{2}$$

$$= 1 + \frac{n+1}{2}.$$

Ces calculs établissent l'étape inductive de la démonstration. Ainsi, l'inégalité pour les nombres harmoniques est valide pour tout entier non négatif n.

Remarque : On peut utiliser l'inégalité qu'on vient d'établir pour démontrer que la *série harmonique*

$$1 + \frac{1}{2} + \frac{1}{3} + \cdots + \frac{1}{n} + \cdots$$

est une série infinie divergente. Il s'agit d'un exemple important dans l'étude des séries infinies.   ■

L'exemple 8 démontre comment recourir au principe de l'induction pour vérifier une formule afin de connaître le nombre de sous-ensembles d'un ensemble fini.

EXEMPLE 8   **Nombre de sous-ensembles d'un ensemble fini**   Utilisez le principe de l'induction pour démontrer que si S est un ensemble fini ayant n éléments, alors S a 2^n sous-ensembles. (Ce résultat sera prouvé de différentes manières au chapitre 4.)

Solution : Soit $P(n)$ la proposition qu'un ensemble ayant n éléments a 2^n sous-ensembles.

ÉTAPE DE BASE : $P(0)$ est vraie, car un ensemble ayant zéro élément (l'ensemble vide) a exactement $2^0 = 1$ sous-ensemble, puisqu'il a un sous-ensemble, lui-même.

ÉTAPE INDUCTIVE : On suppose que $P(n)$ est vraie, autrement dit que tout ensemble ayant n éléments a 2^n sous-ensembles. Il faut démontrer que, selon cette hypothèse, $P(n+1)$, qui est la proposition selon laquelle chaque ensemble ayant $n+1$ éléments a 2^{n+1} sous-ensembles, doit également être vraie. Pour ce faire, on considère T un ensemble ayant $n+1$ éléments. Il est alors possible d'écrire $T = S \cup \{a\}$, où a est l'un des éléments de T et de $S = T - \{a\}$. On peut connaître les sous-ensembles de T de la manière suivante. Pour chaque sous-ensemble X de S, il existe exactement deux sous-ensembles de T, X et $X \cup \{a\}$, comme le présente la figure 3. Ils constituent tous les sous-ensembles de T et sont tous distincts. Puisqu'il existe 2^n sous-ensembles de S, il y a $2 \cdot 2^n = 2^{n+1}$ sous-ensembles de T. L'argument du principe de l'induction est ainsi démontré. ∎

EXEMPLE 9   Démontrez que si n est un entier positif,

$$1 + 2 + \cdots + n = n(n+1)/2.$$

Solution: Soit $P(n)$ la proposition que la somme des n premiers entiers positifs est $n(n+1)/2$. On doit effectuer deux étapes pour prouver que $P(n)$ est vraie pour $n = 1, 2, 3,$ … On doit démontrer que $P(1)$ est vraie et que l'implication $P(n)$ signifie que $P(n+1)$ est vraie pour $n = 1, 2, 3,$ …

ÉTAPE DE BASE : $P(1)$ est vraie puisque $1 = 1(1+1)/2$.

ÉTAPE INDUCTIVE : On suppose que $P(n)$ s'applique, de sorte que

$$1 + 2 + \cdots + n = n(n+1)/2.$$

Selon cette supposition, il faut démontrer que $P(n+1)$ est vraie, notamment que

$$1 + 2 + \cdots + n + n + 1 = (n+1)\,[(n+1)+1]/2 = (n+1)(n+2)/2$$

est également vraie. On ajoute $n+1$ aux deux côtés de l'équation dans $P(n)$ pour obtenir

$$\begin{aligned}1 + 2 + \cdots + n + (n+1) &= n(n+1)/2 + (n+1)\\ &= [(n/2)+1](n+1)\\ &= (n+1)(n+2)/2.\end{aligned}$$

Cette dernière équation démontre que $P(n+1)$ est vraie, ce qui complète l'étape inductive et la démonstration. ∎

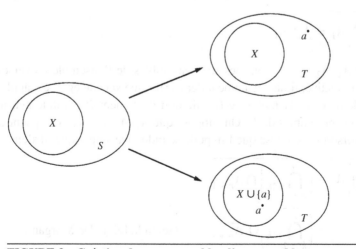

FIGURE 3   Création de sous-ensembles d'un ensemble ayant $n+1$ éléments. Ici $T = S \cup \{a\}$.

EXEMPLE 10   On utilise le principe de l'induction pour prouver que $2^n < n!$ pour tout entier positif n avec $n \geq 4$.

Solution : Soit $P(n)$ la proposition $2^n < n!$.

ÉTAPE DE BASE : Afin de prouver l'inégalité pour $n \geq 4$, l'étape de base doit être $P(4)$. À noter que $P(4)$ est vraie puisque $2^4 = 16 < 4! = 24$.

ÉTAPE INDUCTIVE : On suppose que $P(n)$ est vraie. Autrement dit, on présume que $2^n < n!$. Il faut démontrer que $P(n + 1)$ est vraie. Autrement dit, il faut prouver que $2^{n+1} < (n + 1)!$. En multipliant les deux côtés de l'inégalité $2^n < n!$ par 2, on obtient

$$
\begin{aligned}
2 \cdot 2^n &< 2 \cdot n! \\
&< (n + 1) \cdot n! \\
&= (n + 1)!.
\end{aligned}
$$

Cette opération démontre que $P(n + 1)$ est vraie lorsque $P(n)$ est vraie. Cela complète l'étape inductive de la démonstration. Ainsi, il s'ensuit que l'inégalité $2^n < n!$ est vraie pour tout entier n avec $n \geq 4$.   ∎

EXEMPLE 11   Utilisez le principe de l'induction pour prouver la généralisation suivante de l'une des lois de De Morgan.

$$
\overline{\bigcap_{k=1}^{n} A_k} = \bigcup_{k=1}^{n} \overline{A_k}
$$

lorsque $A_1, A_2, ..., A_n$ sont des sous-ensembles d'un ensemble universel U et $n \geq 2$.

Solution : Soit $P(n)$ l'identité pour n ensembles.

ÉTAPE DE BASE : L'énoncé $P(2)$ affirme que $\overline{A_1 \cap A_2} = \overline{A_1} \cup \overline{A_2}$. Il s'agit de l'une des lois de De Morgan, qui a été démontrée à la section 1.5.

ÉTAPE INDUCTIVE : On suppose que $P(n)$ est vraie, autrement dit que

$$
\overline{\bigcap_{k=1}^{n} A_k} = \bigcup_{k=1}^{n} \overline{A_k}
$$

lorsque $A_1, A_2, ..., A_n$ sont des sous-ensembles de l'ensemble universel U. Pour effectuer l'étape inductive, il faut également démontrer que si cette égalité s'applique, peu importe le choix de n sous-ensembles de U, elle doit également être valide peu importe le choix de $n + 1$ sous-ensembles de U. On suppose que $A_1, A_2, ..., A_n, A_{n+1}$ sont des sous-ensembles de U. Lorsqu'on suppose que l'hypothèse inductive s'applique, il s'ensuit que

$$
\overline{\bigcap_{k=1}^{n+1} A_k} = \overline{\left(\bigcap_{k=1}^{n} A_k \right) \cap A_{n+1}}
$$

$$
= \overline{\left(\bigcap_{k=1}^{n} A_k \right)} \cup \overline{A_{n+1}} \qquad \text{(selon la loi de De Morgan),}
$$

FIGURE 4   Pièce en forme de L

$$= \left(\bigcup_{k=1}^{n} \overline{A_k} \right) \cup \overline{A_{n+1}} \qquad \text{(selon l'hypothèse inductive),}$$

$$= \bigcup_{k=1}^{n+1} \overline{A_k}.$$

Ces calculs complètent la démonstration par induction.   ∎

L'exemple 12 illustre comment on peut utiliser le principe de l'induction pour prouver un résultat sur la manière de recouvrir un échiquier avec des pièces en forme de L.

EXEMPLE 12   Soit n un entier positif. Démontrez qu'on peut recouvrir tout échiquier comportant $2^n \times 2^n$ cases auquel on a retiré une case en utilisant des pièces en forme de L qui recouvrent trois cases à la fois, comme le montre la figure 4.

Solution : Soit $P(n)$ la proposition voulant que tout échiquier $2^n \times 2^n$ auquel on a retiré une case peut être recouvert en utilisant des pièces en forme de L. On peut utiliser le principe de l'induction pour prouver que $P(n)$ est vraie pour tout entier positif n.

ÉTAPE DE BASE : $P(1)$ est vraie, puisque n'importe lequel des quatre échiquiers de 2×2 auxquels on a retiré une case peut être recouvert en utilisant une pièce en L, comme le montre la figure 5.

ÉTAPE INDUCTIVE : On suppose que $P(n)$ est vraie. Autrement dit, on présume que tout échiquier de $2^n \times 2^n$ auquel on a retiré une case peut être recouvert en utilisant des pièces en L. On doit démontrer que, selon cette supposition, $P(n+1)$ doit également être vraie.

FIGURE 5   Échiquiers recouverts de 2×2 auxquels on a retiré une case

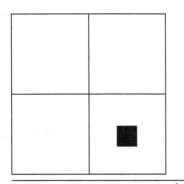

FIGURE 6   Échiquier de $2^{n+1} \times 2^{n+1}$ divisé en quatre échiquiers de $2^n \times 2^n$

Autrement dit, tout échiquier de $2^{n+1} \times 2^{n+1}$ auquel on a retiré une case peut être recouvert en utilisant des pièces en L.

Pour démontrer cette supposition, on considère un échiquier de $2^{n+1} \times 2^{n+1}$ auquel on a retiré une case. On divise cet échiquier en quatre échiquiers de $2^n \times 2^n$, en le divisant en deux dans les deux sens, comme le montre la figure 6. Aucune case n'a été retirée à trois de ces quatre échiquiers. On a retiré une case au quatrième échiquier de $2^n \times 2^n$. Donc, selon l'hypothèse inductive, on peut le recouvrir par des pièces en L. À présent, on retire temporairement la case à chacun des trois autres échiquiers de $2^n \times 2^n$ qui a pour coin le centre du plus grand échiquier original, comme le montre la figure 7. Selon l'hypothèse inductive, chacun de ces trois échiquiers, auquel on a retiré une case, peut être recouvert par des pièces en L. De plus, on peut recouvrir les trois cases temporairement retirées par une pièce en L. Ainsi, tout l'échiquier de $2^{n+1} \times 2^{n+1}$ peut être recouvert de pièces en L. Cela complète la démonstration.   ■

PRINCIPE GÉNÉRALISÉ (OU DEUXIÈME PRINCIPE) DE L'INDUCTION

Dans les démonstrations, on utilise également une autre forme d'induction. Avec celle-ci, on a recours à la même étape de base que plus haut, mais on effectue une étape inductive différente. On suppose que $P(k)$ est vraie pour $k = 1, \ldots, n$, et on démontre que $P(n+1)$ doit

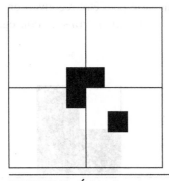

FIGURE 7   Échiquier recouvert de $2^{n+1} \times 2^{n+1}$ auquel on a retiré une case

également être vraie selon cette supposition. Il s'agit du **principe généralisé de l'induction**. Voici un résumé des deux étapes utilisées pour démontrer que $P(n)$ est vraie pour tout entier positif n :

1. *Étape de base*. On démontre que la proposition $P(1)$ est vraie.

2. *Étape inductive*. On démontre que $[P(1) \wedge P(2) \wedge \cdots \wedge P(n)] \rightarrow P(n+1)$ est vraie pour tout entier positif n.

Les deux formes de l'induction sont équivalentes. Autrement dit, on peut démontrer que chacune d'elles constitue une technique de démonstration valide pour prouver l'autre. Le lecteur devra démontrer leur validité dans un prochain exercice. Voici maintenant un exemple de l'utilisation du principe généralisé de l'induction.

EXEMPLE 13   Démontrez que si n est un entier plus grand que 1, alors n peut s'écrire comme le produit de nombres premiers.

Solution : Soit $P(n)$ la proposition « n peut s'écrire comme le produit de nombres premiers. »

ÉTAPE DE BASE : $P(2)$ est vraie, puisque 2 peut s'écrire comme le produit d'un nombre premier, soit lui-même.

ÉTAPE INDUCTIVE : On suppose que $P(k)$ est vraie pour tout entier positif k avec $k \leq n$. Pour compléter l'étape inductive, il faut démontrer que $P(n+1)$ est vraie selon cette hypothèse.

Il faut tenir compte de deux cas, notamment lorsque $n+1$ est premier et lorsque $n+1$ est composé. Si $n+1$ est premier, on constate immédiatement que $P(n+1)$ est vraie. Sinon, $n+1$ est composé et peut s'écrire comme le produit de deux entiers positifs a et b avec $2 \leq a \leq b < n+1$. Selon l'hypothèse de l'induction, on peut écrire a et b comme le produit de nombres premiers. Ainsi, si $n+1$ est composé, on peut l'écrire comme le produit de nombres premiers, notamment ceux dans la représentation en facteurs premiers de a et ceux dans la représentation en facteurs premiers de b.   ∎

Remarque : Puisque 1 est un produit de nombres premiers, notamment le produit *vide*, on aurait pu commencer la démonstration de l'exemple 13 avec $P(1)$ comme étape de base. On a choisi de ne pas le faire, car cela peut sembler déroutant.

À noter que l'exemple 13 complète la démonstration du théorème fondamental de l'arithmétique, selon lequel tout entier non négatif peut s'écrire de façon unique comme le produit de nombres premiers en ordre non décroissant. À la section 2.5, on a montré qu'un entier a, au plus, une telle représentation en facteurs premiers. L'exemple 13 a montré qu'il existe au moins une telle représentation en facteurs premiers.

Il est difficile de prouver le résultat de l'exemple 13 en utilisant le principe de l'induction plutôt que le principe généralisé de l'induction. Cependant, comme le montre l'exemple 14, on peut facilement prouver certains résultats en utilisant le principe de l'induction ou le principe généralisé de l'induction.

EXEMPLE 14   Prouvez qu'on peut former tout affranchissement de 12 cents ou plus en utilisant uniquement des timbres de 4 et de 5 cents.

Solution : Ce résultat sera prouvé en utilisant le principe de l'induction. Puis, on présentera une preuve en utilisant le principe généralisé de l'induction. Soit $P(n)$ l'énoncé « On peut former un affranchissement de n cents en utilisant des timbres de 4 et de 5 cents. »

On commence en utilisant le principe de l'induction.

ÉTAPE DE BASE : On peut former des affranchissements de 12 cents en utilisant trois timbres de 4 cents.

ÉTAPE INDUCTIVE : On suppose que $P(n)$ est vraie, de sorte qu'on puisse former des affranchissements de n cents en utilisant des timbres de 4 et de 5 cents. Si on a utilisé au moins un timbre de 4 cents, on le remplace par un timbre de 5 cents pour former un affranchissement de $n + 1$ cents. Si on n'a pas utilisé de timbres de 4 cents, on a formé un affranchissement de n cents en utilisant uniquement des timbres de 5 cents. Puisque $n \geq 12$, on a utilisé au moins trois timbres de 5 cents. Donc, on remplace trois timbres de 5 cents par quatre timbres de 4 cents pour former l'affranchissement de $n + 1$ cents. Cela complète l'étape inductive ainsi que la démonstration à l'aide du principe de l'induction.

On utilise maintenant le principe généralisé de l'induction. On démontrera qu'on peut former des affranchissements de 12, de 13, de 14 et de 15 cents, et on expliquera comment obtenir un affranchissement de $n + 1$ cents pour $n \geq 15$ à partir d'un affranchissement de $n - 3$ cents.

ÉTAPE DE BASE : On peut former des affranchissements de 12, de 13, de 14 et de 15 cents en utilisant respectivement trois timbres de 4 cents, deux timbres de 4 cents et un timbre de 5 cents, un timbre de 4 cents et deux timbres de 5 cents et trois timbres de 5 cents.

ÉTAPE INDUCTIVE : Soit $n \geq 15$. On suppose qu'on peut former un affranchissement de k cents, où $12 \leq k \leq n$. Pour former un affranchissement de $n + 1$ cents, on utilise les timbres qui produisent un affranchissement de $n - 3$ cents avec un timbre de 4 cents. Cela complète l'étape inductive ainsi que la démonstration à l'aide du principe généralisé de l'induction.

(On peut aborder ce problème d'autres manières. Pouvez-vous trouver une solution qui permettra de résoudre ce problème sans avoir recours au principe de l'induction ?)   ■

Remarque : On a montré dans l'exemple 14 comment adapter le principe généralisé de l'induction pour traiter les cas où l'étape inductive n'est valide que pour des valeurs de n suffisamment élevées. Plus précisément, pour démontrer que $P(n)$ est vraie pour $n = k$, $k + 1$, $k + 2$, …, où k est un entier, on prouve d'abord que $P(k)$, $P(k + 1)$, $P(k + 2)$, …, $P(l)$ sont vraies (l'étape de base) et que $[P(k) \wedge P(k + 1) \wedge P(k + 2) \wedge \cdots \wedge P(n)] \rightarrow P(n + 1)$ est vraie pour tout entier $n \geq l$ (l'étape inductive). Par exemple, l'étape de base de la deuxième démonstration de la solution de l'exemple 14 démontre que $P(12)$, $P(13)$, $P(14)$ et $P(15)$ sont vraies. On doit prouver ces cas individuellement puisque l'étape inductive, qui montre que $[P(12) \wedge P(13) \wedge \cdots \wedge P(n)] \rightarrow P(n + 1)$, ne s'applique que si $n \geq 15$.

On discutera de deux applications importantes du principe de l'induction dans les sections suivantes. La première comporte la définition des séries sans donner de formules explicites pour leurs éléments. La deuxième fait intervenir la démonstration de l'exactitude des logiciels.

Exercices

1. Trouvez une formule permettant de calculer la somme des n premiers entiers positifs.

2. Utilisez le principe de l'induction pour prouver la formule trouvée à l'exercice 1.

3. Utilisez le principe de l'induction pour prouver que $3 + 3 \cdot 5 + 3 \cdot 5^2 + \cdots + 3 \cdot 5^n = 3(5^{n+1} - 1)/4$ lorsque n est un entier non négatif.

4. Utilisez le principe de l'induction pour prouver que $2 - 2 \cdot 7 + 2 \cdot 7^2 - \cdots + 2(-7)^n = (1 - (-7)^{n+1})/4$ lorsque n est un entier non négatif.

5. Trouvez une formule permettant de calculer

$$\frac{1}{2} + \frac{1}{4} + \frac{1}{8} + \cdots + \frac{1}{2^n}$$

en examinant les valeurs de cette expression pour les petites valeurs de n. Utilisez le principe de l'induction pour prouver votre résultat.

6. Trouvez une formule permettant de calculer

$$\frac{1}{1 \cdot 2} + \frac{1}{2 \cdot 3} + \cdots + \frac{1}{n(n+1)}$$

en examinant les valeurs de cette expression pour les petites valeurs de n. Utilisez le principe de l'induction pour prouver votre résultat.

7. Démontrez que $1^2 + 2^2 + \cdots + n^2 = n(n+1)(2n+1)/6$ lorsque n est un entier positif.

8. Démontrez que $1^3 + 2^3 + \cdots + n^3 = [n(n+1)/2]^2$ lorsque n est un entier positif.

9. Prouvez que $1^2 + 3^2 + 5^2 + \cdots + (2n+1)^2 = (n+1)(2n+1)(2n+3)/3$ lorsque n est un entier non négatif.

10. Prouvez que $1 \cdot 1! + 2 \cdot 2! + \cdots + n \cdot n! = (n+1)! - 1$ lorsque n est un entier positif.

⋆11. Démontrez grâce au principe de l'induction que si $h > -1$, alors $1 + nh \leq (1 + h)^n$ pour tout entier non négatif n. On appelle cela l'**inégalité de Bernoulli**.

12. Démontrez que $3^n < n!$ lorsque n est un entier positif plus grand que 6.

13. Démontrez que $2^n > n^2$ lorsque n est un entier plus grand que 4.

14. Utilisez le principe de l'induction pour prouver que $n! < n^n$ lorsque n est un entier positif plus grand que 1.

15. Utilisez le principe de l'induction pour prouver que

$$1 \cdot 2 + 2 \cdot 3 + \cdots + n(n+1) = n(n+1)(n+2)/3$$

lorsque n est un entier positif.

16. Utilisez le principe de l'induction pour prouver que

$$1 \cdot 2 \cdot 3 + 2 \cdot 3 \cdot 4 + \cdots + n(n+1)(n+2)$$
$$= n(n+1)(n+2)(n+3)/4.$$

17. Démontrez que $1^2 - 2^2 + 3^2 - \cdots + (-1)^{n-1}n^2 = (-1)^{n-1}n(n+1)/2$ lorsque n est un entier positif.

18. Prouvez que

$$1 + \frac{1}{4} + \frac{1}{9} + \cdots + \frac{1}{n^2} < 2 - \frac{1}{n}$$

lorsque n est un entier positif plus grand que 1.

19. Démontrez qu'on peut former un affranchissement qui est un nombre entier positif de cents plus grand que 7 cents en utilisant uniquement des timbres de 3 et de 5 cents.

20. Utilisez le principe de l'induction pour prouver que 3 divise $n^3 + 2n$ lorsque n est un entier non négatif.

21. Utilisez le principe de l'induction pour prouver que 5 divise $n^5 - n$ lorsque n est un entier non négatif.

22. Utilisez le principe de l'induction pour prouver que 6 divise $n^3 - n$ lorsque n est un entier non négatif.

⋆23. Utilisez le principe de l'induction pour prouver que $n^2 - 1$ est divisible par 8 lorsque n est un entier positif impair.

24. Utilisez le principe de l'induction pour prouver que $n^2 - 7n + 12$ est non négatif lorsque n est un entier plus grand que 3.

25. Utilisez le principe de l'induction pour prouver qu'un ensemble ayant n éléments a $n(n-1)/2$ sous-ensembles contenant exactement deux éléments lorsque n est un entier plus grand que ou égal à 2.

⋆26. Utilisez le principe de l'induction pour prouver qu'un ensemble ayant n éléments a $n(n-1)(n-2)/6$ sous-ensembles contenant exactement trois éléments où n est un entier plus grand que ou égal à 3.

27. Utilisez le principe de l'induction pour prouver que $\sum_{j=1}^{n} j^4 = n(n+1)(2n+1)(3n^2 + 3n - 1)/30$ où n est un entier positif.

28. Pour quels entiers non négatifs n a-t-on $n^2 \leq n!$? Démontrez votre réponse à l'aide du principe de l'induction.

29. Pour quels entiers non négatifs n l'inégalité $2n + 3 \leq 2^n$ est-elle valide ? Démontrez votre réponse à l'aide du principe de l'induction.

30. Utilisez le principe de l'induction pour démontrer que $1/(2n) \leq [1 \cdot 3 \cdot 5 \cdots \cdot (2n-1)]/(2 \cdot 4 \cdots \cdot 2n)$ où n est un entier positif.

31. **a)** Déterminez quels affranchissements vous pouvez former en utilisant uniquement des timbres de 5 et 6 cents.

    b) Prouvez votre réponse à la partie a) en utilisant le principe de l'induction.

c) Prouvez votre réponse à la partie a) en utilisant le principe généralisé de l'induction.

32. Quelles sommes d'argent pouvez-vous former en utilisant des pièces de 10 et de 25 cents ? Prouvez votre réponse en utilisant l'une des formes du principe de l'induction.

33. Un guichet automatique distribue uniquement des billets de 20 et de 50 dollars. Quelle quantité d'argent le guichet peut-il distribuer, en supposant que la machine a une provision illimitée de ces deux types de billets ? Prouvez votre réponse en utilisant l'une des formes du principe de l'induction.

34. Supposez que

$$\mathbf{A} = \begin{bmatrix} a & 0 \\ 0 & b \end{bmatrix},$$

où a et b sont des nombres réels. Démontrez que

$$\mathbf{A}^n = \begin{bmatrix} a^n & 0 \\ 0 & b^n \end{bmatrix}$$

pour tout entier positif n.

35. Supposez que $\mathbf{A}$ et $\mathbf{B}$ sont des matrices carrées ayant les propriétés $\mathbf{AB} = \mathbf{BA}$. Démontrez que $\mathbf{AB}^n = \mathbf{B}^n\mathbf{A}$ pour tout entier positif n.

36. Supposez que m est un entier positif. Utilisez le principe de l'induction pour prouver que si a et b sont des entiers avec $a \equiv b \pmod{m}$, alors $a^k \equiv b^k \pmod{m}$ lorsque k est un entier non négatif.

37. Utilisez le principe de l'induction pour prouver que si $A_1, A_2, \ldots, A_n$ et B sont des ensembles, alors

$$(A_1 \cup A_2 \cup \cdots \cup A_n) \cap B$$
$$= (A_1 \cap B) \cup (A_2 \cap B) \cup \cdots \cup (A_n \cap B).$$

38. Prouvez que si $A_1, A_2, \ldots, A_n$ et $B_1, B_2, \ldots, B_n$ sont des ensembles tels que $A_k \subseteq B_k$ pour $k = 1, 2, \ldots, n$, alors

a) $\displaystyle\bigcup_{k=1}^{n} A_k \subseteq \bigcup_{k=1}^{n} B_k$. **b)** $\displaystyle\bigcap_{k=1}^{n} A_k \subseteq \bigcap_{k=1}^{n} B_k$.

39. Utilisez le principe de l'induction pour prouver que si $A_1, A_2, \ldots, A_n$ sont des sous-ensembles de l'ensemble universel U, alors

$$\overline{\bigcup_{k=1}^{n} A_k} = \bigcap_{k=1}^{n} \overline{A_k}.$$

40. Utilisez le principe de l'induction pour prouver que $\neg(p_1 \vee p_2 \vee \cdots \vee p_n)$ équivaut à $\neg p_1 \wedge \neg p_2 \wedge \cdots \wedge \neg p_n$ où $p_1, p_2, \ldots, p_n$ sont des propositions.

★41. Démontrez que

$$[(p_1 \rightarrow p_2) \wedge (p_2 \rightarrow p_3) \wedge \cdots \wedge (p_{n-1} \rightarrow p_n)]$$
$$\rightarrow [(p_1 \wedge p_2 \wedge \cdots \wedge p_{n-1}) \rightarrow p_n]$$

est une tautologie où $p_1, p_2, \ldots, p_n$ sont des propositions.

42. Utilisez la formule du calcul de la somme des éléments d'une progression géométrique pour évaluer les sommes suivantes :

a) $4 + 4 \cdot 3 + 4 \cdot 3^2 + \cdots + 4 \cdot 3^8$.

b) $3 + 3 \cdot 2^2 + 3 \cdot 2^4 + \cdots + 3 \cdot 2^{10}$.

c) $1 - 2 + 2^2 - 2^3 + \cdots + (-1)^n 2^n$.

43. Qu'y a-t-il d'inexact dans la démonstration suivante prouvant que tous les chevaux sont de la même couleur ?

> Soit $P(n)$ la proposition « Tous les chevaux dans l'ensemble de n chevaux sont de la même couleur. » Il est clair que $P(1)$ est vraie. À présent, supposez que $P(n)$ est vraie, de sorte que tous les chevaux dans n'importe quel ensemble de n chevaux sont de la même couleur. Considérez tous les $n + 1$ chevaux ; numérotez-les comme les chevaux 1, 2, 3, ..., n, $n + 1$. Maintenant, les premiers n chevaux doivent tous avoir la même couleur, et les derniers n de ces chevaux doivent également tous avoir la même couleur. Puisque l'ensemble des premiers n chevaux et l'ensemble des derniers n chevaux se recouvrent en partie, tous les $n + 1$ chevaux doivent être de la même couleur. Cela démontre que $P(n + 1)$ est vraie et complète la démonstration grâce au principe de l'induction.

★44. Trouvez l'erreur dans la démonstration suivante selon laquelle $a^n = 1$ pour tout entier non négatif n où a est un nombre réel non nul.

ÉTAPE DE BASE : $a^0 = 1$ est vraie selon la définition de a^0.

ÉTAPE INDUCTIVE : On suppose que $a^k = 1$ pour tout entier non négatif k avec $k \leq n$. Puis, il convient de noter que

$$a^{n+1} = \frac{a^n \cdot a^n}{a^{n-1}} = \frac{1 \cdot 1}{1} = 1.$$

★45. Démontrez que le principe généralisé de l'induction constitue une méthode valide de démonstration en montrant qu'il découle du principe du bon ordre.

★46. Démontrez que le principe généralisé de l'induction constitue une méthode valide pour démontrer que $P(n)$ est vraie pour tout entier positif n.

ÉTAPE DE BASE : $P(1)$ et $P(2)$ sont vraies.

ÉTAPE INDUCTIVE : Pour tout entier positif n, si $P(n)$ et $P(n + 1)$ sont toutes les deux vraies, alors $P(n + 2)$ est vraie.

Dans les exercices 47 et 48, H_n désigne le n-ième nombre harmonique.

★47. Utilisez le principe de l'induction pour démontrer que $H_{2^n} \leq 1 + n$ lorsque n est un entier non négatif.

★48. Utilisez le principe de l'induction pour démontrer que

$$H_1 + H_2 + \cdots + H_n = (n + 1)H_n - n.$$

★49. Prouvez que

$$1 + \frac{1}{\sqrt{2}} + \frac{1}{\sqrt{3}} + \cdots + \frac{1}{\sqrt{n}} > (2\sqrt{n + 1} - 1).$$

★50. Prouvez que n lignes séparent le plan en $(n^2 + n + 2)/2$ faces si aucune paire de lignes n'est parallèle et que trois lignes à la fois ne passent pas par un point commun.

★★51. Soit a_1, a_2, ..., a_n des nombres réels positifs. La **moyenne arithmétique** de ces nombres est définie par

$$A = (a_1 + a_2 + \cdots + a_n)/n,$$

et la **moyenne géométrique** de ces nombres est définie par

$$G = (a_1 a_2 \cdots a_n)^{1/n}.$$

Utilisez le principe de l'induction pour démontrer qu'on a toujours $A \geq G$.

★52. Utilisez le principe de l'induction pour démontrer que 21 divise $4^{n+1} + 5^{2n-1}$ lorsque n est un entier positif.

53. Utilisez le principe de l'induction pour démontrer le lemme 2 de la section 2.5, lequel énonce que si p est un nombre premier et $p \mid a_1 a_2 \cdots a_n$, où a_i est un entier pour $i = 1, 2, 3, \ldots, n$, alors $p \mid a_i$ pour un entier i.

★54. On peut utiliser le principe du bon ordre pour démontrer qu'il existe un plus grand commun diviseur unique de deux entiers positifs. Soit a et b des entiers positifs et S, l'ensemble des entiers positifs de la forme $as + bt$, où s et t sont des entiers.

a) Démontrez que S est non vide.

b) Utilisez le principe du bon ordre pour démontrer que S a l'élément le plus petit, soit c.

c) Démontrez que si d est un diviseur commun de a et de b, alors d est un diviseur de c.

d) Démontrez que $c \mid a$ et $c \mid b$. (*Conseil*: Supposez que $c \nmid a$, puis que $a = qc + r$, où $0 < r < c$.

Démontrez que $r \in S$, ce qui contredit le choix de c.)

e) À partir des parties c) et d), pouvez-vous conclure que le plus grand commun diviseur de a et de b existe ? Terminez la démonstration en montrant que ce plus grand commun diviseur de deux entiers est unique.

★55. Démontrez que si a_1, a_2, ..., a_n sont n nombres réels distincts, exactement $n - 1$ multiplications sont utilisées pour calculer le produit de ces n nombres, peu importe comment les parenthèses sont insérées dans leur produit. (*Conseil*: Utilisez le principe généralisé de l'induction et tenez compte de la dernière multiplication.)

56. Recouvrez un carrelage en utilisant les pièces en L d'un échiquier de 4×4 auquel on a retiré la case dans le coin supérieur gauche.

57. Recouvrez un carrelage en utilisant les pièces en L d'un échiquier de 8×8 auquel on a retiré la case dans le coin supérieur gauche.

58. Démontrez ou réfutez s'il est possible de recouvrir complètement tous les échiquiers des formes suivantes en utilisant des pièces en L où n est un entier positif.

a) 3×2^n **b)** 6×2^n

c) $3^n \times 3^n$ **d)** $6^n \times 6^n$

★59. Démontrez qu'il est possible de complètement recouvrir un échiquier en trois dimensions de $2^n \times 2^n \times 2^n$, auquel on a retiré un cube de $1 \times 1 \times 1$, avec des cubes de $2 \times 2 \times 2$ auxquels on a retiré un cube de $1 \times 1 \times 1$.

★60. Démontrez qu'il est possible de complètement recouvrir un échiquier de $n \times n$ auquel on a retiré une case en utilisant des pièces en L si $n > 5$, n est impair et n n'est pas divisible par 3.

61. Soit a un entier et d un entier positif. Démontrez que les entiers q et r avec $a = dq + r$ et $0 \leq r < d$, dont on a démontré l'existence dans l'exemple 1, sont uniques.

☞62. Utilisez le principe de l'induction pour démontrer que $P(n)$ est vraie pour $n = k, k + 1, k + 2, \ldots$, où k est un entier, si $P(k)$ est vraie et que l'implication $P(n) \rightarrow P(n + 1)$ est vraie pour tout entier positif n avec $n \geq k$.

3.3

Définitions récursives

INTRODUCTION

Il est parfois difficile de définir explicitement un objet. Cependant, il peut être plus facile de définir cet objet en fonction de lui-même. Ce procédé s'appelle la **récursivité**. Par exemple, on a créé récursivement l'image présentée à la figure 1. D'abord, une image originale a été fournie. Puis, un procédé de superpositions successives a permis de centrer les images sur les images précédentes.

On peut utiliser la récursivité pour définir des suites, des fonctions et des ensembles. Au cours des discussions précédentes, on a précisé les éléments d'une suite en utilisant une formule explicite. Par exemple, la suite des puissances de 2 est donnée par $a_n = 2^n$ pour $n = 0, 1, 2, \ldots$ Toutefois, on peut également définir cette suite en donnant le premier élément de la suite, soit $a_0 = 1$, et une règle pour trouver un élément dans la suite à partir de la suite précédente, soit $a_{n+1} = 2a_n$ pour $n = 0, 1, 2, \ldots$

FONCTIONS DÉFINIES RÉCURSIVEMENT

Pour définir une fonction qui a l'ensemble des entiers non négatifs pour domaine, on procède de la manière suivante :

FIGURE 1   Image définie récursivement

1. On précise la valeur de la fonction en zéro.

2. On donne la règle pour trouver sa valeur en tant qu'entier à partir de sa valeur pour des entiers plus petits.

Cette définition est dite **récursive** ou **inductive**.

EXEMPLE 1   Supposez que f est définie récursivement par

$$f(0) = 3,$$
$$f(n + 1) = 2f(n) + 3.$$

Trouvez $f(1), f(2), f(3)$ et $f(4)$.

Solution : À partir de la définition récursive, il s'ensuit que

$$f(1) = 2f(0) + 3 = 2 \cdot 3 + 3 = 9,$$
$$f(2) = 2f(1) + 3 = 2 \cdot 9 + 3 = 21,$$
$$f(3) = 2f(2) + 3 = 2 \cdot 21 + 3 = 45,$$
$$f(4) = 2f(3) + 3 = 2 \cdot 45 + 3 = 93.$$ ∎

On peut étudier bon nombre de fonctions en utilisant une définition récursive. La fonction factorielle en est un exemple.

EXEMPLE 2   Donnez une définition inductive de la fonction factorielle $F(n) = n!$.

Solution : On peut définir la fonction factorielle en précisant la valeur initiale de cette fonction, notamment $F(0) = 1$, et en donnant une règle pour trouver $F(n + 1)$ à partir de $F(n)$. Cette règle s'obtient en notant que $(n + 1)!$ se calcule à partir de $n!$ en multipliant par $n + 1$. Ainsi, la règle appropriée est

$$F(n + 1) = (n + 1)F(n).$$ ∎

Pour déterminer une valeur pour la fonction factorielle, de sorte que $F(5) = 5!$ à partir de la définition récursive trouvée dans l'exemple 2, il est nécessaire d'utiliser la règle qui montre comment exprimer $F(n + 1)$ en fonction de $F(n)$ plusieurs fois :

$$F(5) = 5F(4) = 5 \cdot 4F(3) = 5 \cdot 4 \cdot 3F(2) = 5 \cdot 4 \cdot 3 \cdot 2F(1)$$
$$= 5 \cdot 4 \cdot 3 \cdot 2 \cdot 1 \cdot F(0) = 5 \cdot 4 \cdot 3 \cdot 2 \cdot 1 \cdot 1 = 120.$$

Lorsque $F(0)$ est la seule valeur de la fonction qui reste, il n'est plus nécessaire d'effectuer de réductions. La seule chose qui reste à faire est d'insérer la valeur de $F(0)$ dans la formule.

Les fonctions définies récursivement sont bien définies. Il s'agit d'une conséquence du principe de l'induction (voir l'exercice 44 à la fin de la présente section). Des exemples supplémentaires de définitions récursives sont donnés ci-après.

EXEMPLE 3   Donnez une définition récursive de a^n, où a est un nombre réel non nul et n est un entier non négatif.

Solution : La définition récursive comprend deux parties. D'abord a^0 est précisé, soit $a^0 = 1$. Puis, on précise la règle qui permet de trouver a^{n+1} à partir de a^n, soit $a^{n+1} = a \cdot a^n$ pour $n = 0, 1, 2, 3, \ldots$ Ces deux équations définissent uniquement a^n pour tout entier non négatif n. ∎

EXEMPLE 4   Donnez une définition récursive de

$$\sum_{k=0}^{n} a_k.$$

Solution : La première partie de la définition récursive est

$$\sum_{k=0}^{0} a_k = a_0.$$

La deuxième partie est

$$\sum_{k=0}^{n+1} a_k = \left(\sum_{k=0}^{n} a_k \right) + a_{n+1}.$$

∎

Dans certaines définitions récursives des fonctions, on précise les valeurs de la fonction pour les k premiers entiers positifs et on donne une règle pour déterminer la valeur de la fonction pour de plus grands entiers à partir de ses valeurs pour tous ou certains des k entiers précédents. Le fait que de telles définitions produisent des fonctions bien définies découle du principe généralisé de l'induction (voir l'exercice 45 à la fin de la présente section).

EXEMPLE 5   Les *nombres de Fibonacci*, $f_0, f_1, f_2, \ldots$, sont définis par les équations $f_0 = 0$, $f_1 = 1$ et

$$f_n = f_{n-1} + f_{n-2}$$

pour $n = 2, 3, 4, \ldots$ Quels sont les nombres de Fibonacci f_2, f_3, f_4, f_5, f_6 ?

Solution : Puisque la première partie de la définition énonce que $f_0 = 0$ et $f_1 = 1$, à partir de la deuxième partie de la définition, il s'ensuit que

$$f_2 = f_1 + f_0 = 1 + 0 = 1,$$
$$f_3 = f_2 + f_1 = 1 + 1 = 2,$$
$$f_4 = f_3 + f_2 = 2 + 1 = 3,$$
$$f_5 = f_4 + f_3 = 3 + 2 = 5,$$
$$f_6 = f_5 + f_4 = 5 + 3 = 8.$$

∎

On peut utiliser la définition récursive des nombres de Fibonacci pour prouver plusieurs propriétés de ces nombres. On présente l'une de ces propriétés dans l'exemple 6.

EXEMPLE 6 Démontrez que $f_n > \alpha^{n-2}$, où $\alpha = (1 + \sqrt{5})/2$, lorsque $n \geq 3$.

Solution : On peut utiliser le principe généralisé de l'induction pour prouver cette inégalité. Soit $P(n)$ l'énoncé $f_n > \alpha^{n-2}$. On veut démontrer que $P(n)$ est vraie lorsque n est un entier plus grand que ou égal à 3.

On note d'abord que

$$\alpha < 2 = f_3, \qquad \alpha^2 = (3 + \sqrt{5})/2 < 3 = f_4,$$

de sorte que $P(3)$ et $P(4)$ sont vraies. À présent, on suppose que $P(k)$ est vraie, notamment que $f_k > \alpha^{k-2}$ pour tout entier k avec $3 \leq k \leq n$, où $n \geq 4$. On doit démontrer que $P(n+1)$ est vraie, autrement dit que $f_{n+1} > \alpha^{n-1}$. Puisque α est une solution de $x^2 - x - 1 = 0$ (comme le montre la formule quadratique), il s'ensuit que $\alpha^2 = \alpha + 1$. Donc,

$$\alpha^{n-1} = \alpha^2 \cdot \alpha^{n-3} = (\alpha + 1)\,\alpha^{n-3} = \alpha \cdot \alpha^{n-3} + 1 \cdot \alpha^{n-3} = \alpha^{n-2} + \alpha^{n-3}.$$

Selon l'hypothèse inductive, si $n \geq 5$, il s'ensuit que

$$f_{n-1} > \alpha^{n-3}, \qquad f_n > \alpha^{n-2}.$$

Donc, on a

$$f_{n+1} = f_n + f_{n-1} > \alpha^{n-2} + \alpha^{n-3} = \alpha^{n-1}.$$

Il s'ensuit que $P(n+1)$ est vraie. Cela complète la preuve.

Remarque : L'étape inductive montre que lorsque $n \geq 4$, $P(n+1)$ découle de l'hypothèse que $P(k)$ est vraie pour $3 \leq k \leq n$. Ainsi, l'étape inductive ne montre *pas* que $P(3) \rightarrow P(4)$. Donc, on devait démontrer séparément que $P(4)$ était vraie. ∎

On peut maintenant démontrer que l'algorithme d'Euclide utilise $O(\log b)$ divisions pour trouver le plus grand commun diviseur des entiers positifs a et b, où $a \geq b$.

THÉORÈME 1 **THÉORÈME DE LAMÉ** Soit a et b des entiers positifs avec $a \geq b$. Alors, le nombre de divisions utilisé par l'algorithme d'Euclide pour trouver le pgcd(a, b) est plus petit que ou égal à cinq fois le nombre de chiffres décimaux dans b.

Démonstration : Il ne faut pas oublier que lorsque l'algorithme d'Euclide est appliqué pour trouver le pgcd(a, b) avec $a \geq b$, on obtient la série suivante d'équations (où $a = r_0$ et $b = r_1$).

$$\begin{aligned}
r_0 &= r_1 q_1 + r_2 & 0 \leq r_2 < r_1 \\
r_1 &= r_2 q_2 + r_3 & 0 \leq r_3 < r_2 \\
&\;\vdots \\
\end{aligned}$$

$$r_{n-2} = r_{n-1}q_{n-1} + r_n \quad 0 \le r_n < r_{n-1}$$
$$r_{n-1} = r_n q_n.$$

Ici on a utilisé n divisions pour trouver $r_n = \text{pgcd}(a, b)$. À noter que les quotients $q_1, q_2, \ldots,$ q_{n-1} sont tous au moins égaux à 1. De plus, $q_n \ge 2$, puisque $r_n < r_{n-1}$. Cela implique que

$$r_n \ge 1 = f_2,$$
$$r_{n-1} \ge 2r_n \ge 2f_2 = f_3,$$
$$r_{n-2} \ge r_{n-1} + r_n \ge f_3 + f_2 = f_4,$$
$$\cdot$$
$$\cdot$$
$$\cdot$$
$$r_2 \ge r_3 + r_4 \ge f_{n-1} + f_{n-2} = f_n,$$
$$b = r_1 \ge r_2 + r_3 \ge f_n + f_{n-1} = f_{n+1}.$$

Il s'ensuit que si l'algorithme d'Euclide utilise n divisions pour trouver le $\text{pgcd}(a, b)$ avec $a \ge b$, alors $b \ge f_{n+1}$. À partir de l'exemple 6, on sait que $f_{n+1} > \alpha^{n-1}$ pour $n > 2$, où $\alpha = (1 + \sqrt{5})/2$. Donc, il s'ensuit que $b > \alpha^{n-1}$. De plus, puisque $\log_{10} \alpha \sim 0{,}208 > 1/5$, on voit que

$$\log_{10} b > (n-1)\log_{10}\alpha > (n-1)/5.$$

Ainsi, $n - 1 < 5 \cdot \log_{10} b$. On suppose maintenant que b a k chiffres décimaux. Alors, $b < 10^k$ et $\log_{10} b < k$. Il s'ensuit que $n - 1 < 5k$, et puisque k est un entier, il s'ensuit que $n \le 5k$. Cela complète la preuve. ∎

Puisque le nombre de chiffres décimaux dans b, qui est égal à $\lfloor \log_{10} b \rfloor + 1$, est plus petit que ou égal à $\log_{10} b + 1$, le théorème 1 indique que le nombre de divisions nécessaires pour trouver le $\text{pgcd}(a, b)$ avec $a > b$ est plus petit que ou égal à $5(\log_{10} b + 1)$. Puisque $5(\log_{10} b + 1) = O(\log b)$, on voit que l'algorithme d'Euclide utilise $O(\log b)$ divisions pour trouver le $\text{pgcd}(a, b)$ lorsque $a > b$.

ENSEMBLES DÉFINIS RÉCURSIVEMENT

On utilise souvent les définitions récursives pour définir des ensembles. Le cas échéant, un ensemble initial d'éléments est donné. Alors, les règles employées pour former les éléments de l'ensemble à partir d'autres éléments déjà connus dans l'ensemble sont données. Les ensembles ainsi décrits sont bien définis et on peut démontrer les théorèmes qui les concernent en utilisant leurs définitions récursives. Voici des exemples de définitions récursives des ensembles.

EXEMPLE 7   Soit S l'ensemble défini récursivement par

$3 \in S$;
$x + y \in S$ si $x \in S$ et $y \in S$.

Démontrez que S est l'ensemble des entiers positifs divisibles par 3. (À noter que l'hypothèse selon laquelle rien n'appartient à S à moins qu'il ne puisse être produit en utilisant les deux énoncés dans la définition récursive de S est implicite dans cette définition.)

Solution: Soit A l'ensemble de tous les entiers positifs divisibles par 3. Pour prouver que $A = S$, il faut montrer que A est un sous-ensemble de S et que S est un sous-ensemble de A. Pour prouver que A est un sous-ensemble de S, il faut démontrer que tout entier positif divisible par 3 se trouve dans S. On utilisera le principe de l'induction pour le prouver.

Soit $P(n)$ l'énoncé que $3n$ appartient à S. L'étape de base s'applique puisque, selon la première partie de la définition récursive de S, $3 \times 1 = 3$ se trouve dans S. Pour établir l'étape inductive, on suppose que $P(n)$ est vraie, notamment que $3n$ se trouve dans S. Puisque $3n$ est dans S et que 3 est dans S, à partir de la deuxième partie de la définition récursive de S, il s'ensuit que $3n + 3 = 3(n + 1)$ se trouve également dans S.

Pour prouver que S est un sous-ensemble de A, on utilise la définition récursive de S. D'abord, l'étape de base de la définition précise que 3 est dans S. Puisque $3 = 3 \times 1$, tous les éléments qu'on a précisés être dans S dans cette étape sont divisibles par 3. Pour terminer la démonstration, on doit prouver que tous les entiers dans S produits à l'aide de la deuxième partie de la définition récursive se trouvent dans A. Il faut donc démontrer que $x + y$ est dans A lorsque x et y sont des éléments de S également supposés se trouver dans A. À présent, si x et y sont tous les deux dans A, il s'ensuit que $3 \mid x$ et $3 \mid y$. Selon le théorème 1 de la section 2.3, il s'ensuit que $3 \mid x + y$, ce qui complète la démonstration. ■

La définition récursive d'un ensemble dans l'exemple 7 est typique. D'abord, un ensemble initial d'éléments est donné. Deuxièmement, une règle est donnée pour former de nouveaux éléments à partir des éléments déjà connus dans l'ensemble. Dans la définition, il est implicite qu'aucun élément n'appartient à l'ensemble à moins d'être énuméré dans l'ensemble initial des éléments ou de pouvoir être formé en utilisant la règle donnée pour former de nouveaux éléments.

L'un des usages les plus courants des définitions récursives des ensembles consiste à définir des **formules bien formées** dans différents systèmes. Les exemples suivants présentent cette notion.

EXEMPLE 8 Les formules bien formées des variables, des nombres et des opérateurs $\{+, -, *, /, \uparrow\}$ sont définies selon les conditions suivantes:

x est une formule bien formée si x est un nombre ou une variable;
$(f + g)$, $(f - g)$, $(f * g)$, (f / g) et $(f \uparrow g)$ sont des formules bien formées si f et g le sont aussi.

Par exemple, à partir de cette définition, puisque x et 3 sont des formules bien formées, $(x + 3)$, $(x - 3)$, $(x * 3)$, $(x / 3)$ et $(x \uparrow 3)$ sont des formules bien formées. En poursuivant dans ce sens, puisque y est également une formule bien formée, $((x + 3) + y)$, $(y - (x * 3))$ le sont aussi, et ainsi de suite. (À noter que $(3/0)$ est une formule bien formée, puisque seule la syntaxe importe ici.) ■

EXEMPLE 9   Les formules bien formées pour les propositions composées comprenant **V**, **F**, des variables propositionnelles et les opérateurs $\{\neg, \wedge, \vee, \rightarrow, \leftrightarrow\}$ sont définies selon les conditions suivantes :

V, **F** et p, où p est une variable propositionnelle, sont des formules bien formées ; $(\neg p)$, $(p \vee q)$, $(p \wedge q)$, $(p \rightarrow q)$ et $(p \leftrightarrow q)$ sont des formules bien formées si p et q le sont aussi.

Par exemple, si p, q et r sont des variables propositionnelles, alors en utilisant de manière répétitive la définition récursive, on voit que $(p \vee q)$, $(r \wedge \mathbf{V})$ et $((p \vee q) \rightarrow (r \wedge \mathbf{V}))$ sont des formules bien formées. ∎

Les définitions récursives sont souvent utilisées dans l'étude des chaînes. On a vu dans le chapitre 1 qu'une **chaîne** d'un alphabet Σ est une suite finie de symboles de Σ. L'ensemble de chaînes de Σ est noté Σ^*. On peut combiner deux chaînes au moyen de l'opération de **concaténation**. La concaténation des chaînes x et y, désignée par xy, est la chaîne x suivie de la chaîne y. Par exemple, la concaténation de $x = abra$ et de $y = cadabra$ est $xy = abraca\text{-}dabra$. On utilise souvent la définition récursive suivante pour démontrer les résultats des chaînes.

EXEMPLE 10   **Définition récursive de l'ensemble de chaînes**   L'ensemble de chaînes Σ^* de l'alphabet Σ peut se définir récursivement par $\lambda \in \Sigma^*$, où λ est la *chaîne vide* ne contenant aucun symbole et $wx \in \Sigma^*$, lorsque $w \in \Sigma^*$ et $x \in \Sigma$.

Selon la première partie de la définition, une chaîne vide appartient à Σ^* et, selon la deuxième partie, les nouvelles chaînes sont produites par la concaténation de chaînes dans Σ^* avec des symboles de Σ. ∎

On peut également définir récursivement la **longueur** d'une chaîne, qui est le nombre de symboles dans la chaîne.

EXEMPLE 11   Donnez une définition récursive de $l(w)$, la longueur de la chaîne w.

Solution : On peut définir la longueur d'une chaîne par

$l(\lambda) = 0$;
$l(wx) = l(w) + 1$ si $w \in \Sigma^*$ et $x \in \Sigma$. ∎

L'exemple 12 illustre la manière d'utiliser des définitions récursives des chaînes dans les preuves.

EXEMPLE 12   Utilisez le principe de l'induction pour prouver que $l(xy) = l(x) + l(y)$, où x et y appartiennent à Σ^*, l'ensemble des chaînes d'un alphabet Σ.

Solution : La démonstration sera basée sur la définition récursive de l'ensemble Σ^* donnée à l'exemple 10. Soit $P(y)$ l'énoncé $l(xy) = l(x) + l(y)$ lorsque x appartient à Σ^*.

ÉTAPE DE BASE : Pour effectuer l'étape de base, il faut démontrer que $P(\lambda)$ est vraie. Autrement dit, il faut démontrer que $l(x\lambda) = l(x) + l(\lambda)$ pour tout $x \in \Sigma^*$. Puisque $l(x\lambda) = l(x) = l(x) + 0 = l(x) + l(\lambda)$ pour toute chaîne x, il s'ensuit que $P(\lambda)$ est vraie.

ÉTAPE INDUCTIVE : Pour effectuer l'étape inductive, on suppose que $P(y)$ est vraie et on démontre que cela implique que $P(ya)$ est vraie lorsque $a \in \Sigma$. Ce qu'il faut démontrer, c'est que $l(xya) = l(x) + l(ya)$ pour tout $a \in \Sigma$. Pour ce faire, selon la définition récursive de $l(w)$ (donnée à l'exemple 11), on a $l(xya) = l(xy) + 1$ et $l(ya) = l(y) + 1$. Et, selon l'hypothèse inductive, $l(xy) = l(x) + l(y)$. On peut conclure que $l(xya) = l(x) + l(y) + 1 = l(x) + l(ya)$. ∎

Exercices

1. Trouvez $f(1)$, $f(2)$, $f(3)$ et $f(4)$ si $f(n)$ est définie récursivement par $f(0) = 1$ et pour $n = 0, 1, 2, \ldots$
   a) $f(n + 1) = f(n) + 2$.
   b) $f(n + 1) = 3f(n)$.
   c) $f(n + 1) = 2^{f(n)}$.
   d) $f(n + 1) = f(n)^2 + f(n) + 1$.

2. Trouvez $f(1)$, $f(2)$, $f(3)$, $f(4)$ et $f(5)$ si $f(n)$ est définie récursivement par $f(0) = 3$ et pour $n = 0, 1, 2, \ldots$
   a) $f(n + 1) = -2f(n)$.
   b) $f(n + 1) = 3f(n) + 7$.
   c) $f(n + 1) = f(n)^2 - 2f(n) - 2$.
   d) $f(n + 1) = 3^{f(n)/3}$.

3. Trouvez $f(2)$, $f(3)$, $f(4)$ et $f(5)$ si f est définie récursivement par $f(0) = -1$, $f(1) = 2$ et pour $n = 1, 2, \ldots$
   a) $f(n + 1) = f(n) + 3f(n - 1)$.
   b) $f(n + 1) = f(n)^2 f(n - 1)$.
   c) $f(n + 1) = 3f(n)^2 - 4f(n - 1)^2$.
   d) $f(n + 1) = f(n-1)/f(n)$.

4. Trouvez $f(2)$, $f(3)$ $f(4)$ et $f(5)$ si f est définie récursivement par $f(0) = f(1) = 1$ et pour $n = 1, 2, \ldots$
   a) $f(n + 1) = f(n) - f(n - 1)$.
   b) $f(n + 1) = f(n)f(n - 1)$.
   c) $f(n + 1) = f(n)^2 + f(n - 1)^3$.
   d) $f(n + 1) = f(n)/f(n - 1)$.

5. Donnez une définition récursive de la suite $\{a_n\}$, $n = 1, 2, 3, \ldots$ si
   a) $a_n = 6n$.
   b) $a_n = 2n + 1$.
   c) $a_n = 10^n$.
   d) $a_n = 5$.

6. Donnez une définition récursive de la suite $\{a_n\}$, $n = 1, 2, 3, \ldots$ si
   a) $a_n = 4n - 2$.
   b) $a_n = 1 + (-1)^n$.
   c) $a_n = n(n + 1)$.
   d) $a_n = n^2$.

7. Soit F une fonction telle que $F(n)$ est la somme des premiers entiers positifs n. Donnez une définition récursive de $F(n)$.

8. Donnez une définition récursive de $S_m(n)$, de la somme de l'entier m et de l'entier non négatif n.

9. Donnez une définition récursive de $P_m(n)$, du produit de l'entier m et de l'entier non négatif n.

Dans les exercices 10 à 17, f_n est le n-ième nombre de Fibonacci.

10. Prouvez que $(f_1^2 + f_2^2 + \cdots + f_n^2 = f_n f_{n+1})$ lorsque n est un entier positif.

11. Prouvez que $f_1 + f_3 + \cdots + f_{2n-1} = f_{2n}$ lorsque n est un entier positif.

★12. Démontrez que $f_{n+1} f_{n-1} - f_n^2 = (-1)^n$ lorsque n est un entier positif.

★13. Démontrez que $f_0 f_1 + f_1 f_2 + \cdots + f_{2n-1} f_{2n} = f_{2n}^2$ lorsque n est un entier positif.

★14. Démontrez que $f_0 - f_1 + f_2 - \cdots - f_{2n-1} + f_{2n} = f_{2n-1} - 1$ lorsque n est un entier positif.

15. Déterminez le nombre de divisions qu'utilise l'algorithme d'Euclide pour trouver le plus grand commun diviseur des nombres de Fibonacci f_n et f_{n+1} lorsque n est un entier non négatif. Vérifiez votre réponse à l'aide du principe de l'induction.

16. Soit
$$A = \begin{bmatrix} 1 & 1 \\ 1 & 0 \end{bmatrix}.$$

Démontrez que
$$A^n = \begin{bmatrix} f_{n+1} & f_n \\ f_n & f_{n-1} \end{bmatrix}$$
lorsque n est un entier positif.

17. En prenant des déterminants des deux côtés de l'équation de l'exercice 16, prouvez l'identité donnée à l'exercice 12. (Cet exercice dépend de la notion du déterminant d'une matrice de 2×2.)

★18. Donnez une définition récursive des fonctions max et min telles que $\max(a_1, a_2, \ldots, a_n)$ et $\min(a_1, a_2, \ldots, a_n)$ sont respectivement les nombres maximal et minimal dans la suite des n nombres $a_1, a_2, \ldots, a_n$.

★19. Soit $a_1, a_2, \ldots, a_n$ et $b_1, b_2, \ldots, b_n$ des nombres réels. Utilisez les définitions récursives données à l'exercice 18 pour prouver les propositions suivantes :

   a) $\max(-a_1, -a_2, \ldots, -a_n) = -\min(a_1, a_2, \ldots, a_n)$.

   b) $\max(a_1 + b_1, a_2 + b_2, \ldots, a_n + b_n) \le \max(a_1, a_2, \ldots, a_n) + \max(b_1, b_2, \ldots, b_n)$.

   c) $\min(a_1 + b_1, a_2 + b_2, \ldots, a_n + b_n) \ge \min(a_1, a_2, \ldots, a_n) + \min(b_1, b_2, \ldots, b_n)$.

20. Démontrez que l'ensemble S défini par $1 \in S$ et $s + t \in S$ lorsque $s \in S$ et $t \in S$ est l'ensemble des entiers positifs.

21. Donnez une définition récursive de l'ensemble des entiers positifs qui sont des multiples de 5.

22. Donnez une définition récursive de

   a) l'ensemble des entiers positifs impairs.

   b) l'ensemble des puissances entières positives de 3.

   c) l'ensemble des polynômes ayant des coefficients entiers.

23. Donnez une définition récursive de

   a) l'ensemble des entiers pairs.

   b) l'ensemble des entiers positifs congrus à 2 modulo 3.

   c) l'ensemble des entiers qui ne sont pas divisibles par 5.

24. Démontrez que toute formule bien formée de nombres, de variables et d'opérateurs à partir de $\{+, -, *, /, \uparrow\}$ contient le même nombre de parenthèses ouvrantes et fermantes.

25. Définissez des formules bien formées d'ensembles et de variables représentant des ensembles et des opérateurs à partir de $\{^-, \cup, \cap, -\}$.

Le **renversement** d'une chaîne est la chaîne constituée des symboles de la chaîne en ordre inverse. Le renversement de la chaîne w est symbolisé par w^R.

26. Trouvez le renversement des chaînes binaires suivantes :

   a) 0101.   **b)** 11011.

   c) 10001 00101 11.

27. Donnez une définition récursive du renversement d'une chaîne. (*Conseil* : Définissez d'abord le renversement de la chaîne vide. Puis, écrivez une chaîne w de longueur $n + 1$ comme xy, où x est une chaîne de longueur n, et exprimez le renversement de w en fonction de x^R et de y.)

★28. Donnez une preuve récursive que $(w_1 w_2)^R = w_2^R w_1^R$.

29. Donnez une définition récursive de w^i où w est une chaîne et i, un entier non négatif. (Ici w^i représente la concaténation de i copies de la chaîne w.)

★30. Donnez une définition récursive de l'ensemble des chaînes binaires qui sont des palindromes.

31. Quand une chaîne appartient-elle à l'ensemble A des chaînes binaires définies récursivement par

$$\lambda \in A$$
$$0\, x\, 1 \in A \text{ si } x \in A,$$

où λ est la chaîne vide ?

★32. Donnez une définition récursive de l'ensemble des chaînes binaires qui ont plus de 0 que de 1.

33. Utilisez l'exercice 29 et le principe de l'induction pour démontrer que $l(w^i) = i \cdot l(w)$ où w est une chaîne et i, un entier non négatif.

★34. Démontrez que $(w^R)^i = (w^i)^R$ lorsque w est une chaîne et i, un entier non négatif. Autrement dit, démontrez que la i-ième puissance du renversement d'une chaîne est le renversement de la i-ième puissance de la chaîne.

★35. La **partition** d'un entier positif n est une manière d'écrire n comme la somme des entiers positifs. Par exemple, $7 = 3 + 2 + 1 + 1$ est une partition de 7. Soit P_m qui est égal au nombre de partitions différentes de m, où l'ordre des éléments dans la somme n'importe pas ; et soit $P_{m,n}$ le nombre de différentes manières d'exprimer m comme la somme des entiers positifs ne dépassant pas n.

   a) Démontrez que $P_{m,m} = P_m$.

   b) Démontrez que la définition récursive suivante de $P_{m,n}$ est correcte :

$$P_{m,n} = \begin{cases} 1 & \text{si } m = 1 \\ 1 & \text{si } n = 1 \\ P_{n,n} & \text{si } m < n \\ 1 + P_{m,m-1} & \text{si } m = n > 1 \\ P_{m,n-1} + P_{m-n,n} & \text{si } m > n > 1 \end{cases}.$$

   c) Trouvez le nombre de partitions de 5 et de 6 à l'aide de la définition récursive.

Considérez la définition inductive suivante d'une version de la **fonction d'Ackermann**. Cette fonction a été nommée par Wilhelm Ackermann, un mathématicien allemand qui fut l'étudiant du grand mathématicien David Hilbert. La fonction d'Ackermann joue un rôle important dans la théorie des fonctions récursives et dans l'étude de la complexité de certains algorithmes comprenant les unions d'ensembles. (Il existe différentes variantes de cette fonction. On les appelle toutes des fonctions d'Ackermann, et elles ont des propriétés similaires même si leurs valeurs ne concordent pas toujours.)

$$A(m, n) = \begin{cases} 2n & \text{si } m = 0 \\ 0 & \text{si } m \geq 1 \text{ et } n = 0 \\ 2 & \text{si } m \geq 1 \text{ et } n = 1 \\ A(m - 1, A(m, n - 1)) & \\ & \text{si } m \geq 1 \text{ et } n \geq 2 \end{cases}$$

Les exercices 36 à 43 font intervenir cette version de la fonction d'Ackermann.

36. Trouvez les valeurs suivantes de la fonction d'Ackermann.

a) $A(1, 0)$ **b)** $A(0, 1)$
c) $A(1, 1)$ **d)** $A(2, 2)$

37. Démontrez que $A(m, 2) = 4$ lorsque $m \geq 1$.

38. Démontrez que $A(1, n) = 2^n$ lorsque $n \geq 1$.

39. Trouvez les valeurs suivantes de la fonction d'Ackermann.

a) $A(2, 3)$ ⋆**b)** $A(3, 3)$

⋆**40.** Trouvez $A(3, 4)$.

⋆⋆**41.** Prouvez que $A(m, n + 1) > A(m, n)$ lorsque m et n sont des entiers non négatifs.

⋆**42.** Prouvez que $A(m + 1, n) \geq A(m, n)$ lorsque m et n sont des entiers non négatifs.

43. Prouvez que $A(i, j) \geq j$ lorsque i et j sont des entiers non négatifs.

☞**44.** Utilisez le principe de l'induction pour prouver qu'une fonction F définie en précisant $F(0)$ et une règle pour obtenir $F(n + 1)$ à partir de $F(n)$ est bien définie.

☞**45.** Utilisez le principe généralisé de l'induction pour prouver qu'une fonction F définie en précisant $F(0)$ et une règle pour obtenir $F(n + 1)$ à partir des valeurs $F(k)$ pour $k = 0, 1, 2, \ldots, n$ est bien définie.

3.4

Algorithmes récursifs

INTRODUCTION

Parfois, on peut réduire la solution d'un problème ayant un ensemble particulier d'entrées à la solution du même problème ayant des valeurs d'entrées plus petites. Par exemple, on peut réduire le problème qui consiste à trouver le plus grand commun diviseur de deux entiers positifs a et b où $b > a$ en trouvant le plus grand commun diviseur d'une paire d'entiers plus petits, notamment $b \bmod a$ et a, puisque le pgcd($b \bmod a$, a) = pgcd(a, b). Lorsqu'il est possible d'accomplir une telle réduction, on peut trouver la solution au problème initial à l'aide d'une série de réductions jusqu'à ce qu'on ait réduit le problème à un cas initial quelconque pour lequel on connaît la solution. Par exemple, pour trouver le plus grand commun diviseur, la réduction se poursuit jusqu'à ce que le plus petit des deux nombres soit zéro, puisque le pgcd(a, 0) = a lorsque $a > 0$. Par ailleurs, cette méthode de réduction est aussi appliquée à l'algorithme.

DÉFINITION 1. Un algorithme est dit *récursif* s'il permet de résoudre un problème en le réduisant au même problème avec une entrée de plus petite taille.

Plusieurs types d'algorithmes récursifs seront décrits dans les exemples suivants. Les premiers exemples montrent comment construire un algorithme récursif permettant d'évaluer une fonction à partir de sa définition récursive.

EXEMPLE 1   Construisez un algorithme récursif permettant de calculer a^n où a est un nombre réel non nul et n, un entier non négatif.

Solution : On peut établir la base d'un algorithme récursif à partir de la définition récursive de a^n. Cette définition énonce que $a^{n+1} = a \cdot a^n$ pour $n > 0$ et la condition initiale $a^0 = 1$. Pour trouver a^n, on utilise successivement la condition récursive pour réduire l'exposant jusqu'à ce qu'il soit égal à 0. Cette procédure est présentée dans l'algorithme 1.   ■

ALGORITHME 1   Algorithme récursif permettant de calculer a^n

procédure *puissance* (a : nombre réel non nul, n : entier non négatif)
si $n = 0$ **alors** *puissance* $(a, n) := 1$
sinon *puissance* $(a, n) := a * $ *puissance* $(a, n-1)$

Voici maintenant un algorithme récursif permettant de trouver les plus grands communs diviseurs.

EXEMPLE 2   Construisez un algorithme récursif permettant de calculer le plus grand commun diviseur de deux entiers non négatifs a et b avec $a < b$.

Solution : On peut établir la base d'un algorithme récursif à partir de la réduction du pgcd(a, b) = pgcd$(b \bmod a, a)$ et de la condition voulant que le pgcd$(0, b) = b$ lorsque $b > 0$. On obtient la procédure de l'algorithme 2.   ■

ALGORITHME 2   Algorithme récursif permettant de calculer le pgcd(a, b)

procédure pgcd$(a, b$: nombres entiers non négatifs avec $a < b)$
si $a = 0$ **alors** pgcd$(a, b) := b$
sinon pgcd$(a, b) := $ pgcd$(b \bmod a, a)$

Ensuite, on donne des versions récursives des algorithmes de recherche.

EXEMPLE 3   Exprimez l'algorithme de fouille linéaire sous forme de procédure récursive.

Solution : Pour *rechercher* x dans la suite $a_1, a_2, ..., a_n$, à la i-ième étape de l'algorithme, x et a_i sont comparés. Si x est égal à a_i, alors i est l'emplacement de x. Sinon, la fouille est réduite à une suite ayant un élément en moins, notamment la suite $a_{i+1}, \ldots, a_n$. On peut à présent donner une procédure récursive.

Soit *fouille* (i, j, x) la procédure pour trouver x dans la suite $a_i, a_{i+1}, \ldots, a_j$. L'entrée de la procédure est constituée du triplet $(1, n, x)$. La procédure se limite à une étape si le premier élément du reste de la suite est x, ou s'il n'y a qu'un élément de la suite et que ce n'est pas x. Si x n'est pas le premier élément et qu'il y a des éléments additionnels, on effectue la même procédure mais avec une suite de recherche ayant un élément en moins obtenue en supprimant le premier élément de la suite. ∎

ALGORITHME 3   **Algorithme de fouille séquentiel récursif**

procédure *fouille* (i, j, x)
si $a_i = x$ **alors**
    emplacement $:= i$
sinon si $i = j$ **alors**
    emplacement $:= 0$
sinon
    fouille $(i + 1, j, x)$

EXEMPLE 4   Construisez une version récursive d'un algorithme de recherche binaire.

Solution : On suppose qu'on veut trouver x dans la suite $a_1, a_2, \ldots, a_n$. Pour effectuer une fouille binaire, on commence par comparer x avec l'élément central, soit $a_{\lfloor (n+1)/2 \rfloor}$. L'algorithme se terminera si x est égal à cet élément. Sinon, on réduit la recherche à une suite plus petite, notamment la première moitié de la suite si x est plus petit que l'élément central de la suite initiale et l'autre moitié différente. On a réduit la solution du problème de fouille à la solution du même problème avec une suite environ deux fois plus courte. On exprime cette version récursive d'un algorithme de fouille binaire dans l'algorithme 4. ∎

ALGORITHME 4   **Algorithme de fouille binaire récursif**

procédure *fouille binaire* (x, i, j)
$m := \lfloor (i + j)/2 \rfloor$
si $x = a_m$ **alors**
    emplacement $:= m$
sinon si $(x < a_m$ et $i < m)$ **alors**
    fouille binaire $(x, i, m - 1)$
sinon si $(x > a_m$ et $j > m)$ **alors**
    fouille binaire $(x, m + 1, j)$
sinon *emplacement* $:= 0$

RÉCURSIVITÉ ET ITÉRATION

Une définition récursive exprime la valeur d'une fonction pour un entier positif en fonction des valeurs de la fonction pour des entiers plus petits. Cela signifie qu'on peut construire un algorithme récursif permettant d'évaluer une fonction définie récursivement pour un entier positif.

EXEMPLE 5   La procédure récursive suivante donne la valeur de $n!$ lorsque l'entrée est un entier positif n. ∎

ALGORITHME 5   **Procédure récursive pour les factorielles**

procédure *factorielle* (n : entier positif)
si $n = 1$ **alors**
    factorielle (n) := 1
sinon
    factorielle (n) := n * *factorielle*($n - 1$)

Il existe une autre manière d'évaluer la fonction factorielle pour un entier à partir de sa définition récursive. Plutôt que de réduire successivement le calcul à l'évaluation de la fonction pour de petits entiers, on peut commencer par la valeur de la fonction pour 1 et appliquer successivement la définition récursive afin de trouver les valeurs de la fonction pour des entiers successifs plus grands. Cette procédure est dite **itérative**. En d'autres termes, pour trouver $n!$ en utilisant une procédure itérative, on commence par 1, la valeur de la fonction factorielle pour 1, et on la multiplie successivement par chaque entier positif plus petit ou égal à n. Cette procédure est illustrée dans l'algorithme 6.

ALGORITHME 6   **Procédure itérative pour les factorielles**

procédure *factorielle itérative* (n : entier positif)
$x := 1$
pour $i := 1$ **à** n
    $x := i * x$
{x est $n!$}

Après que ce code a été exécuté, la valeur de la variable x est $n!$. Par exemple, après six passages dans la boucle, on obtient $6! = 1 \cdot 2 \cdot 3 \cdot 4 \cdot 5 \cdot 6 = 720$.

En général, une approche itérative pour évaluer une suite définie récursivement exige beaucoup moins de calcul qu'une procédure avec la récursivité (à moins d'utiliser des machines récursives spécialisées). Les procédures itérative et récursive pour trouver le n-ième nombre de Fibonacci illustrent cette situation. On donne d'abord la procédure récursive.

ALGORITHME 7   Algorithme récursif pour les nombres de Fibonacci

procédure *fibonacci*(n : entier non négatif)
si $n = 0$ **alors** *fibonacci*$(0) := 0$
sinon si $n = 1$ **alors** *fibonacci*$(1) := 1$
sinon *fibonacci*$(n) := $ *fibonacci*$(n - 1) + $ *fibonacci*$(n - 2)$

Lorsqu'on utilise une procédure récursive pour trouver f_n, on exprime d'abord f_n sous la forme $f_{n-1} + f_{n-2}$. Ensuite, on remplace ces deux nombres de Fibonacci par la somme des deux nombres de Fibonacci précédents, et ainsi de suite. Lorsqu'on obtient f_1 ou f_0, l'un ou l'autre est remplacé par sa valeur.

À noter qu'à chaque étape de la récursivité, et jusqu'à ce qu'on obtienne f_1 ou f_0, la quantité de nombres de Fibonacci à évaluer a doublé. Par exemple, lorsqu'on trouve f_4 en utilisant cet algorithme récursif, il faut effectuer tous les calculs illustrés dans la structure arborescente de la figure 1. Cet arbre est constitué de la racine f_4 et des branches qui partent de la racine et se rendent jusqu'aux sommets. Ces derniers sont les deux nombres de Fibonacci f_3 et f_2 qui se présentent dans la réduction du calcul de f_4. Chaque réduction suivante produit deux branches dans l'arbre. Ce branchement se termine lorsque f_0 et f_1 sont atteints. Le lecteur peut vérifier que cet algorithme exige $f_{n+1} - 1$ additions pour trouver f_n.

À présent, on considère le nombre de calculs requis pour trouver f_n en utilisant l'approche itérative suivante.

ALGORITHME 8   Algorithme itératif pour calculer les nombres de Fibonacci

procédure *fibonacci itératif*(n : entier non négatif)
si $n = 0$ **alors** $y := 0$
sinon
début
    $x := 0$
    $y := 1$
    pour $i := 1$ à $n - 1$
    début
        $z := x + y$
        $x := y$
        $y := z$
    fin
fin
{y est le n-ième nombre de Fibonacci}

Cette procédure initialise x à la valeur $f_0 = 0$ et y à $f_1 = 1$. Lorsque la boucle est parcourue, la somme de x et de y est attribuée à la variable auxiliaire z. Alors, la valeur y est assignée à x et la valeur de la variable auxiliaire z est assignée à y. Ainsi, après avoir parcouru la boucle pour la première fois, il s'ensuit que x est égal à f_1 et y, à $f_0 + f_1 = f_2$. De plus, après avoir parcouru la boucle $n - 1$ fois, x est égal à f_{n-1} et y est égal à f_n (le lecteur devra vérifier cet

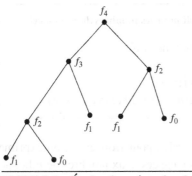

FIGURE 1   Évaluation récursive de f_4

énoncé). Seules $n - 1$ additions ont été utilisées pour trouver f_n avec cette approche itérative lorsque $n > 1$. Par conséquent, cet algorithme exige beaucoup moins de calculs que l'algorithme récursif.

On a démontré qu'un algorithme récursif peut exiger beaucoup plus de calculs qu'un algorithme itératif lorsqu'on évalue une fonction définie récursivement. Il est parfois préférable d'utiliser une procédure récursive même si elle est moins efficace que la procédure itérative. Cette règle vaut surtout lorsque l'approche récursive s'applique plus facilement que l'approche itérative. (De plus, on pourrait avoir accès à des machines conçues pour traiter la récursivité, ce qui élimine l'avantage de l'itération.)

Exercices

1. Construisez un algorithme récursif permettant de calculer nx lorsque n est un entier positif et x, un entier.

2. Construisez un algorithme récursif permettant de trouver la somme des n premiers entiers positifs.

3. Construisez un algorithme récursif permettant de trouver la somme des n premiers entiers positifs impairs.

4. Construisez un algorithme récursif permettant de trouver l'élément maximal d'un ensemble fini d'entiers.

5. Construisez un algorithme récursif permettant de trouver l'élément minimal d'un ensemble fini d'entiers.

6. Construisez un algorithme récursif permettant de trouver x^n **mod** m lorsque n, x et m sont des entiers positifs.

7. Construisez un algorithme récursif permettant de trouver $n!$ **mod** m lorsque n et m sont des entiers positifs.

8. Construisez un algorithme récursif permettant de trouver un **mode** dans une liste d'entiers. (Un **mode** est un élément dans une liste qui survient aussi souvent que tous les autres éléments.)

9. Construisez un algorithme récursif permettant de calculer le plus grand commun diviseur de deux entiers non négatifs a et b avec $a < b$, en considérant le fait que le pgcd(a, b) = pgcd$(a, b - a)$.

10. Construisez un algorithme récursif permettant de trouver a^{2^n} où a est un nombre réel et n, un entier positif. (*Conseil :* Utilisez l'égalité $a^{2^{n+1}} = (a^{2^n})^2$.)

11. Comment le nombre de multiplications utilisées par l'algorithme de l'exercice 10 se compare-t-il au nombre de multiplications utilisées par l'algorithme 1 pour évaluer a^{2^n} ?

$\star$**12.** Utilisez l'algorithme de l'exercice 10 pour construire un algorithme permettant d'évaluer a^n lorsque n est un entier non négatif. (*Conseil :* Utilisez la représentation en base 2 d'un entier n.)

$\star$**13.** Comment le nombre de multiplications utilisées par l'algorithme de l'exercice 12 se compare-t-il au nombre de multiplications utilisées par l'algorithme 1 pour évaluer a^n ?

14. Combien d'additions les algorithmes récursif et itératif donnés dans les algorithmes 7 et 8 utilisent-ils, respectivement, pour trouver le nombre de Fibonacci f_7 ?

15. Construisez un algorithme récursif permettant de trouver le n-ième élément de la suite définie par $a_0 = 1$, $a_1 = 2$ et $a_n = a_{n-1} \cdot a_{n-2}$, pour $n = 2, 3, 4, \ldots$

16. Construisez un algorithme itératif permettant de trouver le n-ième élément de la suite définie à l'exercice 15.

17. À l'exercice 15, l'algorithme récursif est-il plus efficace que l'algorithme itératif (ou inversement) pour trouver la série ?

18. Construisez un algorithme récursif permettant de trouver le n-ième élément de la suite définie par $a_0 = 1$, $a_1 = 2$, $a_2 = 3$, $a_n = a_{n-1} + a_{n-2} + a_{n-3}$, pour $n = 3, 4, 5, \ldots$

19. Construisez un algorithme itératif permettant de trouver le n-ième élément de la suite définie à l'exercice 18.

20. À l'exercice 18, l'algorithme récursif est-il plus efficace que l'algorithme itératif (ou inversement) pour trouver la suite ?

21. Construisez des algorithmes itératifs ou récursifs permettant de trouver le n-ième élément de la suite définie par $a_0 = 1$, $a_1 = 3$, $a_2 = 5$ et $a_n = a_{n-1} \cdot a_{n-2}^2 \cdot a_{n-3}^3$. Lequel est le plus efficace ?

22. Construisez un algorithme récursif et un algorithme itératif permettant de trouver le nombre de partitions d'un entier positif à partir de la définition récursive donnée à l'exercice 35 de la section 3.3.

23. Construisez un algorithme récursif permettant de trouver le renversement d'une chaîne binaire. (*Conseil :* Consultez la définition du renversement d'une chaîne binaire dans la note précédant l'exercice 26 de la section 3.3.)

24. Construisez un algorithme récursif permettant de trouver la chaîne w^i, la concaténation de i copies de w, lorsque w est une chaîne binaire.

25. Construisez un algorithme récursif permettant de calculer les valeurs de la fonction d'Ackermann. (*Conseil :* Consultez la note précédant l'exercice 36 de la section 3.3.)

3.5

Exactitude de programme

INTRODUCTION

Soit un algorithme permettant de résoudre un problème et soit un programme permettant de l'appliquer. Comment peut-on s'assurer que le programme produise toujours la bonne réponse ? Après avoir éliminé tous les bogues pour que la syntaxe soit exacte, on peut tester le programme à l'aide d'un exemple d'entrée. Le programme est inexact si on obtient un résultat incorrect pour tout exemple d'entrée. Cependant, même si le programme produit la bonne réponse pour tout exemple d'entrée, il pourrait ne pas toujours donner la bonne réponse (à moins d'avoir vérifié toutes les entrées possibles). On a besoin d'une preuve pour démontrer que le programme produit *toujours* la bonne sortie.

Pour vérifier un programme, c'est-à-dire obtenir la preuve de l'exactitude d'un programme, on utilise les règles d'inférence et les techniques de démonstration décrites dans le présent chapitre, y compris le principe de l'induction. Puisqu'un programme inexact peut entraîner des effets désastreux, on a élaboré une grande quantité de méthodes permettant de vérifier les programmes. On a consacré beaucoup d'efforts à la vérification automatique des programmes pour que celle-ci puisse s'effectuer par ordinateur. Cependant, seuls des progrès limités ont été réalisés dans ce sens. En fait, mathématiciens et informaticiens théoriciens soutiennent qu'il ne sera jamais possible de mécaniser la démonstration de l'exactitude des programmes complexes.

Dans la présente section, on présente certaines des notions et des méthodes utilisées pour prouver l'exactitude des programmes. Toutefois, dans ce manuel, on ne décrira pas la méthode complète de vérification de programmes. Cette section vise à présenter brièvement le domaine de la vérification des programmes, qui inclut les règles de la logique, les techniques de démonstration et le concept des algorithmes.

VÉRIFICATION DE PROGRAMME

On dit qu'un programme est **exact** s'il produit la bonne sortie pour toute entrée possible. La démonstration de l'exactitude d'un programme comporte deux étapes. À la première étape, on démontre que la réponse est bonne si le programme s'arrête. Cette étape de la démonstration établit l'**exactitude partielle** du programme. La deuxième étape de la démonstration montre que le programme s'arrête toujours.

Pour expliquer ce que signifie pour un programme de produire la bonne sortie, on utilise deux propositions. La première, la **précondition** ou l'**antécédent**, spécifie les propriétés que doivent avoir les valeurs d'entrée. La seconde, la **postcondition** ou le **conséquent**, énumère les propriétés que devraient comporter les sorties du programme, si le programme atteint l'objectif visé. Il faut fournir les préconditions et les postconditions appropriées lors de la vérification du programme.

DÉFINITION 1.   On dit qu'un programme, ou un segment de programme, S est *partiellement exact par rapport à* la précondition p et à la postcondition q si, lorsque p est vraie pour les valeurs d'entrée de S et que S s'arrête, alors q est vraie pour les valeurs de sortie de S. La notation $p\{S\}q$ indique que le programme, ou le segment de programme, S est partiellement exact par rapport à la précondition p et à la postcondition q. *Remarque :* La notation $p\{S\}q$ s'appelle un *triplet de Hoare,* d'après Tony Hoare, qui introduisit la notion d'exactitude partielle.

À noter que la notion d'exactitude partielle n'a rien à voir avec le fait qu'un programme s'arrête ; elle concerne uniquement le fait que le programme atteint l'objectif visé lorsqu'il s'arrête.

Voici un exemple simple pour illustrer les concepts de précondition et de postcondition.

EXEMPLE 1   Montrez que le segment de programme

$$y := 2$$
$$z := x + y$$

est exact par rapport à la précondition $p : x = 1$ et à la postcondition $q : z = 3$.

Solution : On suppose que p est vraie, de sorte que $x = 1$ lorsque l'exécution débute. Alors, y est attribuée à la valeur 2 et z, à la somme des valeurs de x et de y, qui est 3. Ainsi, S est exact par rapport à la précondition p et à la postcondition q. Ainsi, $p\{S\}q$ est vraie.   ■

RÈGLES D'INFÉRENCE

Une règle d'inférence utile permet de prouver qu'un programme est exact en divisant le programme en une série de sous-programmes et en démontrant ensuite que chaque sous-programme est exact.

On suppose que le programme S est divisé en sous-programmes S_1 et S_2. On écrit $S = S_1$; S_2 pour indiquer que S est composé de S_1 suivi de S_2. On suppose aussi que l'exactitude de S_1 par rapport à la précondition p et à la postcondition q et l'exactitude de S_2 par rapport à la précondition q et à la postcondition r ont été établies. Il s'ensuit que si p est vraie et que S_1 est exécuté et s'arrête, alors q est vraie ; et si q est vraie et que S_2 s'exécute et s'arrête, alors r est vraie. Ainsi, si p est vraie et $S = S_1$; S_2 s'exécute et s'arrête, alors r est vraie. Cette règle d'inférence, appelée la **composition**, peut s'énoncer comme suit :

$$\frac{p\{S_1\}q}{\therefore p\{S_1\,;\,S_2\}r.}$$
$$q\{S_2\}r$$

On utilisera cette règle d'inférence plus loin dans la présente section. Ensuite, on présentera certaines règles d'inférence pour les segments de programme comprenant des énoncés conditionnels et des boucles. Puisqu'on peut diviser les programmes en segments pour établir les preuves d'exactitude, on peut vérifier plusieurs programmes différents.

ÉNONCÉS CONDITIONNELS

On donnera d'abord les règles d'inférence pour les énoncés conditionnels. On suppose qu'un segment de programme a la forme

> **si** *condition* **alors**
> $\quad S$

où S est un bloc d'énoncés. Alors, S est exécuté si *condition* est vraie, et il n'est pas exécuté si *condition* est fausse. Pour vérifier si ce segment est exact par rapport à la précondition p et à la postcondition q, il faut suivre deux étapes. Premièrement, il faut démontrer que lorsque p est vraie et que *condition* est également vraie, alors q est vraie lorsque S se termine. Deuxièmement, il faut démontrer que lorsque p est vraie et que *condition* est fausse, alors q est vraie (puisque dans ce cas S ne s'exécute pas). Donc, on obtient la règle d'inférence suivante :

$$\frac{(P \wedge condition)\{S\}q}{\therefore p\,\{\textbf{si } condition \textbf{ alors } S\}q.}$$
$$(P \wedge \neg\, condition) \rightarrow q$$

L'exemple 2 illustre l'utilisation de cette règle d'inférence.

EXEMPLE 2   Vérifiez que le segment de programme

> **si** $x > y$ **alors**
> $y := x$

est exact par rapport à la précondition **V** et à la postcondition $y \geq x$.

Solution : Lorsque la précondition est vraie et que $x > y$, l'affectation $y := x$ est effectuée. Ainsi, l'assertion finale, selon laquelle $y \geq x$, est vraie dans ce cas. De plus, lorsque la précondition est vraie et que $x > y$ est fausse, de sorte que $x \leq y$, la postcondition est de nouveau vraie. Ainsi, si on utilise la règle d'inférence pour les segments de programme de ce type, ce programme est exact par rapport aux préconditions et aux postconditions.   ■

De même, on peut supposer qu'un programme a un énoncé de la forme

> **si** *condition* **alors**
> S_1
> **sinon**
> S_2

Si *condition* est vraie, alors S_1 s'exécute ; si *condition* est fausse, alors S_2 s'exécute. Pour vérifier si ce segment de programme est exact par rapport à la précondition p et à la postcondition q, il faut suivre deux étapes. Premièrement, il faut démontrer que lorsque p est vraie et que *condition* est vraie, alors q est vraie lorsque S_1 se termine. Deuxièmement, il faut démontrer que lorsque p est vraie et que *condition* est fausse, alors q est vraie lorsque S_2 se termine. Donc, on obtient la règle d'inférence suivante :

$$(P \wedge condition)\{S_1\}q$$
$$\underline{(P \wedge \neg condition)\{S_2\}q}$$
$$\therefore p \, \{\textbf{si } condition \textbf{ alors } S_1 \textbf{ sinon } S_2\}q.$$

L'exemple 3 illustre la manière d'utiliser cette règle d'inférence.

EXEMPLE 3   Vérifiez que le segment de programme

> **si** $x < 0$ **alors**
> $abs := -x$
> **sinon**
> $abs := x$

est exact par rapport à la précondition **V** et à la postcondition $abs = |x|$.

Solution : Il faut démontrer deux éléments. Premièrement, il faut prouver que si la précondition est vraie et que $x < 0$, alors $abs = |x|$. Cela est exact, puisque lorsque $x < 0$, l'instruction d'affectation $abs := -x$ définit $abs = -x$, qui est $|x|$ par définition lorsque $x < 0$. Deuxièmement, il faut démontrer que si la précondition est vraie et que $x < 0$ est fausse, de sorte que $x \geq 0$, alors $abs = |x|$. Cela est également exact, puisque dans ce cas, le programme utilise l'instruction d'affectation $abs := x$ et x est $|x|$ par définition lorsque $x \geq 0$, de sorte que $abs := x$. Ainsi, lorsqu'on utilise la règle d'inférence pour les segments de programme de ce type, ce segment est exact par rapport aux préconditions et aux postconditions. ■

INVARIANTS DE BOUCLE

On aborde maintenant les preuves d'exactitude des boucles **tant que**. Afin d'élaborer une règle d'inférence pour les segments de programme du type

> **tant que** *condition*
>   *S*

il convient de noter que S s'exécute à plusieurs reprises jusqu'à ce que la *condition* devienne fausse. Il faut choisir un énoncé qui demeure vrai chaque fois que S s'exécute. On appelle ce type d'énoncé un **invariant de boucle**. En d'autres termes, p est un invariant de boucle si $(p \land condition)\{S\}p$ est vraie.

On suppose que p est un invariant de boucle. Il s'ensuit que si p est vrai avant que le segment de programme s'exécute, p et $\neg condition$ sont vrais après l'arrêt, si cela se produit. Cette règle d'inférence est

$$\frac{(P \land condition)\{S\}p}{\therefore p \ \{\textbf{tant que } condition\ S\}(\neg condition \land p)}$$

L'exemple 4 illustre l'utilisation d'un invariant de boucle.

EXEMPLE 4   Un invariant de boucle est nécessaire pour vérifier si le segment de programme

> $i := 1$
> *factorielle* $:= 1$
> **tant que** $i < n$
> **début**
> $i := i + 1$
>   *factorielle* $:= factorielle * i$
> **fin**

se termine avec *factorielle* = $n!$ où n est un entier positif. Soit p la proposition «*facto-rielle* := $i!$ et $i \leq n$.» On démontre que p est un invariant de boucle en utilisant le principe de l'induction. D'abord, il convient de noter que p est vraie avant qu'on entre dans la boucle, puisque à ce point, *factorielle* = $1 = 1!$ et $1 \leq n$. À présent, on suppose que p est vraie et que $i < n$ après l'exécution de la boucle. On suppose aussi que la boucle **tant que** est exécutée de nouveau. D'abord, i est augmenté de 1. Ainsi, i est encore inférieur ou égal à n, puisque selon l'hypothèse inductive $i < n$ avant que la boucle ait été entrée et i et n sont des entiers positifs. De plus, la *factorielle*, qui était $(i-1)!$ selon l'hypothèse inductive, devient $(i-1)!$ · $i = i!$. Ainsi, p demeure vraie. Donc, p est un invariant de boucle. En d'autres termes, la proposition $[p \wedge (i < n)]\{S\}p$ est vraie. Il s'ensuit que la condition $p\{$**tant que** $i < n$ $S\}$ $[(i \geq n) \wedge p]$ est également vraie.

De plus, la boucle s'arrête après $n - 1$ passages dans la boucle avec $i = n$, puisque la valeur 1 est assignée à i au début du programme, que 1 est ajouté à i à chaque passage et que la boucle s'arrête lorsque $i \geq n$. Par conséquent, à l'arrêt du programme, la *factorielle* = $n!$. ∎

Voici un dernier exemple pour illustrer la manière d'utiliser plusieurs règles d'inférence afin de vérifier l'exactitude d'un programme plus long.

EXEMPLE 5   On souligne la manière de vérifier l'exactitude d'un programme S pour calculer le produit de deux entiers.

```
procédure multiplier(m, n : entiers)
    S₁ { si n < 0 alors a := −n
         sinon a := n

    S₂ { k := 0
         x := 0

    S₃ { tant que k < a
         début
             x := x + m
             k := k + 1
         fin

    S₄ { si n < 0 alors produit := −x
         sinon produit := x
```

Il s'agit de prouver que, après l'exécution de S, *produit* a la valeur mn. La preuve de l'exactitude peut s'effectuer en divisant S en quatre segments avec $S = S_1; S_2; S_3; S_4$, comme le montre le pseudocode pour S. On peut utiliser la composition pour élaborer la preuve de l'exactitude. Voici la manière dont se déroule l'argument. Le lecteur devra en donner les détails dans un prochain exercice.

Soit p la précondition voulant que m et n soient des entiers. Alors, on peut démontrer que $p\{S_1\}q$ est vraie lorsque q est la proposition $p \wedge (a = |n|)$. Ensuite, soit r la proposition $q \wedge (k = 0) \wedge (x = 0)$. On peut facilement vérifier que $q\{S_2\}r$ est vraie.

On peut démontrer que « $x = mk$ et $k \leq a$ » est un invariant de la boucle S_3. De plus, il est facile de constater qu'on sort de la boucle après a itérations, avec $k = a$, de sorte que $x = ma$ à ce point. Puisque r implique que $x = m \cdot 0$ et $0 \leq a$, l'invariant de boucle est vrai avant que la boucle ait été entrée. Puisqu'on sort de la boucle à $k = a$, il s'ensuit que $r\{S_3\}s$ est vraie, où s est la proposition « $x = ma$ et $a = |n|$ ». Finalement, on peut démontrer que S_4 est exact par rapport à la précondition s et à la postcondition t, où t est la proposition « *produit $= mn$* ».

Si on combine le tout, puisque $p\{S_1\}q$, $q\{S_2\}r$, $r\{S_3\}s$ et $s\{S_4\}t$ sont toutes vraies, il s'ensuit que d'après la composition, $p\{S\}t$ est vraie. De plus, puisque les quatre segments se terminent, S se termine aussi. Cela prouve l'exactitude du programme. ■

Exercices

1. Prouvez que le segment de programme
$$y := 1$$
$$z := x + y$$
est exact par rapport à la précondition $x = 0$ et à la postcondition $z = 1$.

2. Prouvez que le segment de programme
$$\textbf{si } x < 0 \textbf{ alors } x := 0$$
est exact par rapport à la précondition $\mathbf{V}$ et à la postcondition $x \geq 0$.

3. Vérifiez que le segment de programme
$$x := 2$$
$$z := x + y$$
$$\textbf{si } y > 0 \textbf{ alors}$$
$$\quad z := z + 1$$
$$\textbf{sinon}$$
$$\quad z := 0$$
est exact par rapport à la précondition $y = 3$ et à la postcondition $z = 6$.

4. Vérifiez que le segment de programme
$$\textbf{si } x < y \textbf{ alors}$$
$$\quad min := x$$
$$\textbf{sinon}$$
$$\quad min := y$$
est exact par rapport à la précondition $\mathbf{V}$ et à la postcondition $(x \leq y \wedge min = x) \vee (x > y \wedge min = y)$.

★5. Créez une règle d'inférence permettant de vérifier l'exactitude partielle des énoncés de la forme

$$\textbf{si } condition\ 1 \textbf{ alors}$$
$$\quad S_1$$
$$\textbf{sinon si } condition\ 2 \textbf{ alors}$$
$$\quad S_2$$
$$\quad \cdot$$
$$\quad \cdot$$
$$\quad \cdot$$
$$\textbf{sinon}$$
$$\quad S_n$$
où $S_1, S_2, \ldots, S_n$ sont des segments.

6. Utilisez la règle d'inférence élaborée à l'exercice 5 pour vérifier que le programme
$$\textbf{si } x < 0 \textbf{ alors}$$
$$\quad y := -2|x|/x$$
$$\textbf{sinon si } x > 0 \textbf{ alors}$$
$$\quad y := 2|x|/x$$
$$\textbf{sinon si } x = 0 \textbf{ alors}$$
$$\quad y := 2$$
est exact par rapport à la précondition $\mathbf{V}$ et à la postcondition $y = 2$.

7. Utilisez un invariant de boucle pour prouver que le segment de programme suivant pour calculer la n-ième puissance, où n est un entier positif, d'un nombre réel x est exact.
$$puissance := 1$$
$$i := 1$$
$$\textbf{tant que } i \leq n$$
$$\textbf{début}$$

$$puissance := puissance * x$$
$$i := i + 1$$
fin

⋆8. Prouvez que le programme itératif de recherche de f_n donné à la section 3.4 est exact.

9. Donnez tous les détails de la preuve de l'exactitude donnée à l'exemple 5.

10. Supposez que l'implication $p_0 \rightarrow p_1$ et la proposition de programme $p_1\{S\}q$ sont vraies. Démontrez que $p_0\{S\}q$ doit également être vraie.

11. Supposez que l'énoncé de programme $p\{S\}q_0$ et l'implication $q_0 \rightarrow q_1$ sont vraies. Démontrez que $p\{S\}q_1$ doit également être vraie.

12. Le programme suivant calcule les quotients et les restes.

$$r := a$$
$$q := 0$$
tant que $r \geq d$
début
$$\quad r := r - d$$
$$\quad q := q + 1$$
fin

Vérifiez qu'il est partiellement exact par rapport à la précondition « a et d sont des entiers positifs. » et à la postcondition « q et r sont des entiers de sorte que $a = dq + r$ et $0 \leq r < d$. »

13. Utilisez un invariant de boucle pour vérifier que l'algorithme d'Euclide (algorithme 1 de la section 2.4) est partiellement exact par rapport à la précondition « a et b sont des entiers positifs. » et à la postcondition « $x = \text{pgcd}(a, b)$. »

Questions de révision

1. a) Décrivez ce qu'on entend par preuve directe, preuve indirecte et démonstration par l'absurde de l'implication $p \rightarrow q$.

b) Donnez une preuve directe, une preuve indirecte et faites une démonstration par l'absurde de l'énoncé « Si n est pair, alors $n + 4$ est pair. »

2. a) Décrivez une manière de prouver la biconditionnelle $p \leftrightarrow q$.

b) Prouvez l'énoncé « L'entier $3n + 2$ est impair si et seulement si l'entier $9n + 5$ est pair », où n est un entier.

3. Pour prouver que les énoncés p_1, p_2, p_3 et p_4 sont équivalents, suffit-il de démontrer que les implications $p_4 \rightarrow p_2$, $p_3 \rightarrow p_1$ et $p_1 \rightarrow p_2$ sont valides ? Sinon, fournissez un autre ensemble d'implications que vous pouvez utiliser pour démontrer que les quatre énoncés sont équivalents.

4. a) Supposez qu'un énoncé de la forme $\forall x\, P(x)$ est faux. Comment pouvez-vous le prouver ?

b) Démontrez que l'énoncé « Pour tout entier positif n, le nombre $n^2 + 1$ est un nombre premier. » est faux.

5. a) Quelle est la différence entre une preuve d'existence constructive et une preuve d'existence non constructive ?

b) Démontrez que pour tout entier n il existe un entier plus grand que n qui n'est pas divisible par 3 ou 5. La preuve d'existence est-elle constructive ou non constructive ?

6. a) Énoncez le principe du bon ordre pour l'ensemble des entiers positifs.

b) Utilisez ce principe pour démontrer qu'on peut écrire tout entier positif comme le produit de nombres premiers.

7. a) Pouvez-vous utiliser le principe de l'induction afin de trouver les formules pour la somme des n premiers éléments d'une suite ?

b) Pouvez-vous utiliser le principe de l'induction pour déterminer si une formule donnée pour la somme des n premiers éléments d'une suite est exacte ?

c) Créez une formule pour trouver la somme des n premiers entiers positifs pairs et démontrez-la en utilisant le principe de l'induction.

8. a) Pour quels entiers positifs n est-il vrai que $11n + 17 \leq 2^n$?

b) Prouvez la conjecture de la partie a) en utilisant le principe de l'induction.

9. a) Quels affranchissements pouvez-vous former en utilisant uniquement des timbres de 5 et de 9 cents ?

b) Prouvez la conjecture de la partie a) en utilisant le principe de l'induction.

c) Prouvez la conjecture de la partie a) en utilisant le principe généralisé de l'induction.

d) Trouvez une preuve de votre conjecture, différente de celles qui ont été données en b) et en c).

10. Donnez trois exemples de preuves qui utilisent le principe généralisé de l'induction.

11. **a)** Expliquez pourquoi une fonction est bien définie si elle est définie récursivement en précisant $f(1)$ et une règle pour trouver $f(n)$ à partir de $f(n-1)$.

b) Donnez une définition récursive pour la fonction $f(n) = (n+1)!$.

12. **a)** Donnez une définition récursive des nombres de Fibonacci.

b) Démontrez que $f_n > \alpha^{n-2}$ lorsque $n \geq 3$, où f_n est le n-ième élément de la suite de Fibonacci et $\alpha = (1 + \sqrt{5})/2$.

13. **a)** Expliquez pourquoi une suite a_n est bien définie si elle est définie récursivement en précisant a_1 et a_2 ainsi qu'une règle pour trouver a_n à partir de $a_1, a_2, ..., a_{n-1}$ pour $n = 3, 4, 5, ...$

b) Trouvez la valeur de a_n si $a_1 = 1$, $a_2 = 2$ et $a_n = a_{n-1} + a_{n-2} + \cdots + a_1$ pour $n = 3, 4, 5, ...$

14. Donnez deux exemples de la manière dont les formules bien formées sont définies récursivement pour différents ensembles d'éléments et d'opérateurs.

15. **a)** Donnez une définition récursive de la longueur d'une chaîne.

b) Utilisez la définition récursive de la partie a) pour prouver que $l(xy) = l(x) + l(y)$.

16. **a)** Qu'est-ce qu'un algorithme récursif ?

b) Décrivez un algorithme récursif pour calculer la somme des n nombres dans une suite.

17. Décrivez un algorithme récursif pour calculer le plus grand commun diviseur de deux entiers positifs.

18. **a)** Le fait de tester un logiciel pour savoir s'il produit la bonne sortie pour certaines valeurs d'entrée vous permet-il de vérifier si le logiciel produit toujours la bonne sortie ?

b) Le fait de démontrer qu'un logiciel est partiellement exact par rapport à une précondition et à une postcondition vous permet-il de vérifier si le logiciel produit toujours la bonne sortie ? Sinon, qu'avez-vous besoin de plus ?

19. Quelles techniques pouvez-vous utiliser pour démontrer qu'un long logiciel est partiellement exact par rapport à la précondition et à la postcondition ?

20. Qu'est-ce qu'un invariant de boucle ? Comment pouvez-vous l'utiliser ?

Exercices supplémentaires

1. Prouvez que le produit de deux nombres impairs est impair.

2. Prouvez que $\sqrt{5}$ est irrationnel.

3. Répondez par vrai ou faux. La somme de deux nombres irrationnels est irrationnelle.

4. Démontrez ou réfutez que $n^2 + n + 1$ est premier lorsque n est un entier positif.

5. Déterminez si le raisonnement suivant est valable. Si n est plus grand que 5, alors n^2 est plus grand que 25. Donc, si n est un entier et que n^2 est plus grand que 25, il s'ensuit que n est plus grand que 5.

6. Prouvez que $n^4 - 1$ est divisible par 5 lorsque n n'est pas divisible par 5. Utilisez une démonstration cas par cas, avec quatre différents cas — un pour chacun des restes non nuls que peut avoir un entier non divisible par 5 lorsque vous le divisez par 5.

7. Prouvez que $|xy| = |x|\,|y|$ cas par cas.

★8. Les **nombres d'Ulam** sont définis en établissant que $u_1 = 1$ et $u_2 = 2$. De plus, après avoir déterminé si les entiers plus petits que n sont des nombres d'Ulam, vous déterminez que la valeur de n est égale au prochain nombre d'Ulam si vous pouvez uniquement l'écrire comme la somme de deux nombres d'Ulam différents. Notez que $u_3 = 3$, $u_4 = 4$, $u_5 = 6$ et $u_6 = 8$.

a) Trouvez les 20 premiers nombres d'Ulam.

b) Prouvez qu'il existe une infinité de nombres d'Ulam.

9. Donnez une preuve constructive qu'il existe un polynôme $P(x)$ tel que $P(x_1) = y_1$, $P(x_2) = y_2$, ..., $P(x_n) = y_n$, où $x_1, ..., x_n$, $y_1, ..., y_n$ sont des nombres réels. (*Conseil :* Utilisez

$$P(x) = \sum_{i=1}^{n} \left(\prod_{i \neq j} \frac{x - x_j}{x_i - x_j} \right) y_i .)$$

10. Démontrez que $1^3 + 3^3 + 5^3 + \cdots + (2n+1)^3 = (n+1)^2 (2n^2 + 4n + 1)$ lorsque n est un entier positif.

11. Démontrez que $1 \cdot 2^0 + 2 \cdot 2^1 + 3 \cdot 2^2 + \cdots + n \cdot 2^{n-1} = (n-1) \cdot 2^n + 1$ lorsque n est un entier positif.

12. Démontrez que

$$\frac{1}{1 \cdot 3} + \frac{1}{3 \cdot 5} + \cdots + \frac{1}{(2n-1)(2n+1)} = \frac{n}{2n+1},$$

où n est un entier positif.

214

13. Démontrez que
$$\frac{1}{1 \cdot 4} + \frac{1}{4 \cdot 7} + \cdots + \frac{1}{(3n-2)(3n+1)} = \frac{n}{3n+1},$$
où n est un entier positif.

14. Utilisez le principe de l'induction pour démontrer que $2^n > n^2 + n$ où n est un entier plus grand que 4.

15. Utilisez le principe de l'induction pour démontrer que $2^n > n^3$ où n est un entier plus grand que 9.

16. Trouvez un entier N tel que $2^n > n^4$ si n est plus grand que N. Prouvez l'exactitude de votre résultat en utilisant le principe de l'induction.

17. Utilisez le principe de l'induction pour démontrer que $a - b$ est un facteur de $a^n - b^n$ où n est un entier positif.

18. Utilisez le principe de l'induction pour démontrer que 9 divise $n^3 + (n+1)^3 + (n+2)^3$ où n est un entier non négatif.

19. Une **progression arithmétique** est une suite de la forme $a, a+d, a+2d, \ldots, a+nd$ où a et d sont des nombres réels. Utilisez le principe de l'induction pour prouver que la somme de ces éléments d'une progression arithmétique est donnée par
$$a + (a+d) + \cdots + (a+nd) = (n+1)(2a+nd)/2.$$

20. Supposez que $a_j \equiv b_j \pmod{m}$ pour $j = 1, 2, \ldots, n$. Utilisez le principe de l'induction pour prouver que

a) $\displaystyle\sum_{j=1}^{n} a_j \equiv \sum_{j=1}^{n} b_j \pmod{m}$.

b) $\displaystyle\prod_{j=1}^{n} a_j \equiv \prod_{j=1}^{n} b_j \pmod{m}$.

★21. Déterminez quels nombres de Fibonacci sont pairs et utilisez une forme de l'induction pour prouver votre conjecture.

★22. Déterminez quels nombres de Fibonacci sont divisibles par 3. Utilisez une forme de l'induction pour prouver votre conjecture.

★23. Prouvez que $f_k f_n + f_{k+1} f_{n+1} = f_{n+k+1}$ pour tout entier non négatif n, où k est un entier non négatif et f_i désigne le i-ième nombre de Fibonacci.

La suite de **nombres de Lucas** se définit par $l_0 = 2$, $l_1 = 1$ et $l_n = l_{n-1} + l_{n-2}$ pour $n = 2, 3, 4, \ldots$

24. Démontrez que $f_n + f_{n+2} = l_{n+1}$ lorsque n est un entier positif, où f_i et l_i sont respectivement le i-ième nombre de Fibonacci et le i-ième nombre de Lucas.

25. Démontrez que $l_0^2 + l_1^2 + \cdots + l_n^2 = l_n l_{n+1} + 2$ lorsque n est un entier non négatif et l_i est le i-ième nombre de Lucas.

★26. Utilisez le principe de l'induction pour démontrer que le produit de n entiers positifs consécutifs quelconques est divisible par $n!$. (*Conseil*: Utilisez

l'identité $m(m+1) \cdots (m+n-1)/n! = (m-1)m(m+1) \cdots (m+n-2)/n! + m(m+1) \cdots (m+n-2)/(n-1)!$.)

27. Utilisez le principe de l'induction pour démontrer que $(\cos x + i \sin x)^n = \cos nx + i \sin nx$ lorsque n est un entier positif. (*Conseil*: Utilisez les identités $\cos(a+b) = \cos a \cos b - \sin a \sin b$ et $\sin(a+b) = \sin a \cos b + \cos a \sin b$.)

★28. Utilisez le principe de l'induction pour démontrer que $\displaystyle\sum_{j=1}^{n} \cos jx = \cos [(n+1)x/2] \sin (nx/2)$ $\sin (x/2)$ lorsque n est un entier positif et $\sin(x/2) \neq 0$.

La fonction de **McCarthy 91** est définie selon
$$M(n) = \begin{cases} n - 10 & \text{si } n > 100 \\ M(M(n+11)) & \text{si } n \leq 100 \end{cases}$$
pour tout entier positif n.

29. En utilisant successivement cette règle pour $M(n)$, trouvez

a) $M(102)$.   **b)** $M(101)$.   **c)** $M(99)$.
d) $M(97)$.   **e)** $M(87)$.   **f)** $M(76)$.

★★30. Démontrez que la fonction $M(n)$ est une fonction bien définie de l'ensemble des entiers positifs dans l'ensemble des entiers positifs. (*Conseil*: Prouvez que $M(n) = 91$ pour tout entier positif n avec $n \leq 101$.)

31. La preuve suivante selon laquelle
$$\frac{1}{1 \cdot 2} + \frac{1}{2 \cdot 3} + \cdots + \frac{1}{(n-1)n} = \frac{3}{2} - \frac{1}{n}$$
lorsque n est un entier positif est-elle exacte? Justifiez votre réponse.

ÉTAPE DE BASE: Le résultat est vrai lorsque $n = 1$, puisque
$$\frac{1}{1 \cdot 2} = \frac{3}{2} - \frac{1}{1}.$$

ÉTAPE INDUCTIVE: Présumez que le résultat est vrai pour n. Alors,
$$\frac{1}{1 \cdot 2} + \frac{1}{2 \cdot 3} + \cdots + \frac{1}{(n-1)n} + \frac{1}{n(n+1)}$$
$$= \frac{3}{2} - \frac{1}{n} + \left(\frac{1}{n} - \frac{1}{n+1}\right)$$
$$= \frac{3}{2} - \frac{1}{n+1}.$$

Ainsi, le résultat est vrai pour $n+1$ s'il est vrai pour n. Cela complète la preuve.

★32. Un puzzle est fait en joignant successivement des morceaux qui s'assemblent en blocs. Un mouvement est effectué chaque fois qu'un morceau est ajouté à un bloc ou lorsque deux blocs sont reliés. Utilisez le principe généralisé de l'induction pour prouver que peu importe la manière dont les mouvements sont effectués, exactement $n - 1$ mouvements sont nécessaires pour assembler un puzzle de n morceaux.

★**33.** Démontrez que n cercles divisent le plan en $n^2 - n + 2$ faces, si chaque groupe de deux cercles se recoupent à exactement deux endroits et qu'aucun groupe de trois cercles ne contient un point commun.

★**34.** Démontrez que n plans divisent l'espace en trois dimensions en $(n^3 - 5n + 6)/6$ faces, si n'importe lesquels de ces trois plans ont un point commun et qu'aucun des quatre plans ne contient un point commun.

★**35.** Utilisez le principe du bon ordre pour démontrer que $\sqrt{2}$ est irrationnel. (*Conseil :* Présumez que $\sqrt{2}$ est rationnel. Démontrez que l'ensemble des entiers positifs de la forme $b\sqrt{2}$ a au moins un élément a. Puis démontrez que $a\sqrt{2} - a$ est un entier positif plus petit de cette forme.)

36. Un ensemble est **bien ordonné** si tout sous-ensemble non vide de cet ensemble a un élément en moins. Déterminez si chacun des ensembles suivants est bien ordonné.

a) l'ensemble des entiers

b) l'ensemble des entiers plus grands que -100

c) l'ensemble des nombres rationnels positifs

d) l'ensemble des nombres rationnels positifs ayant un dénominateur inférieur à 100

★**37.** Démontrez qu'on peut prouver le principe du bon ordre si on considère le principe de l'induction comme un axiome.

★**38.** Démontrez que le principe de l'induction et le principe généralisé de l'induction sont équivalents. Autrement dit, on peut démontrer que chacun d'eux est valide à l'aide de l'autre.

39. **a)** Démontrez que si a_1, a_2, ..., a_n sont des entiers positifs, alors le pgcd$(a_1, a_2, ..., a_{n-1}, a_n)$ $=$ pgcd$(a_1, a_2, ..., a_{n-2}, \text{pgcd}(a_{n-1}, a_n))$.

b) Avec l'algorithme d'Euclide, utilisez la partie a) pour élaborer un algorithme récursif afin de calculer le plus grand commun diviseur d'un ensemble d'entiers positifs n.

★**40.** Construisez un algorithme récursif permettant d'écrire le plus grand commun diviseur de n entiers positifs sous forme de combinaison linéaire de ces entiers.

41. Trouvez une formule explicite pour $f(n)$ si $f(1) = 1$ et $f(n) = f(n-1) + 2n - 1$ pour $n \geq 2$. Prouvez votre résultat en utilisant le principe de l'induction.

★★**42.** Donnez une définition récursive de l'ensemble des chaînes binaires qui contiennent deux fois plus de 0 que de 1.

43. Soit S l'ensemble de chaînes binaires définies récursivement par $\lambda \in S$ et $0x \in S$, $x1 \in S$ si $x \in S$, où λ est la chaîne vide.

a) Trouvez toutes les chaînes de S de longueur n'excédant pas cinq.

b) Donnez une définition explicite des éléments de S.

44. Soit S l'ensemble des chaînes définies récursivement par $abc \in S$, $bac \in S$, $acb \in S$ et $abcx \in S$; $abxc \in S$, $axbc \in S$, $xabc \in S$ si $x \in S$.

a) Trouvez tous les éléments de S de longueur huit ou moins.

b) Montrez que tous les éléments de S ont une longueur divisible par trois.

L'ensemble B de toute **chaîne équilibrée de parenthèses** est défini récursivement par $\lambda \in B$, où λ est la chaîne vide ; $(x) \in B$, $xy \in B$ si x, $y \in B$.

45. Trouvez toutes les chaînes équilibrées de parenthèses ayant quatre symboles ou moins.

46. Utilisez le principe de l'induction pour démontrer que si x est une chaîne équilibrée de parenthèses, alors le nombre de parenthèses ouvrantes est égal au nombre de parenthèses fermantes dans x.

Définissez la fonction N pour l'ensemble des chaînes de parenthèses par

$$N(\lambda) = 0, N(\,(\,) = 1, N(\,)\,) = -1,$$
$$N(uv) = N(u) + N(v),$$

où λ est la chaîne vide et u ainsi que v sont des chaînes. Il est possible de démontrer que N est bien définie.

47. Trouvez

a) $N(\,(\,)\,)$.　　　　**b)** $N()))()()($.

c) $N((()(()$.　　　　**d)** $N(()(((())(()))$.

★★**48.** Démontrez qu'une chaîne w de parenthèses est équilibrée si et seulement si $N(w) = 0$ et $N(u) \geq 0$ lorsque u est un préfixe de w, autrement dit que $w = uv$.

★**49.** Construisez un algorithme récursif permettant de trouver des chaînes équilibrées de parenthèses contenant n symboles ou moins.

50. Construisez un algorithme récursif permettant de trouver le plus grand commun diviseur de deux entiers non négatifs a et b où $a \leq b$, en vous basant sur le fait que pgcd$(a, b) = a$ si $a = b$, pgcd$(a, b) =$ 2 pgcd$(a/2, b/2)$ si a et b sont pairs, pgcd(a, b) $=$ pgcd$(a/2, b)$ si a est pair et b est impair et pgcd$(a, b) =$ pgcd$(b - a, b)$ si a et b sont impairs.

51. Vérifiez le segment de programme

    si $x > y$ **alors**
        $x := y$

par rapport à la précondition **V** et à la postcondition $x \leq y$.

★52. Élaborez une règle d'inférence permettant de vérifier les programmes récursifs et utilisez-la pour vérifier le programme récursif qui calcule les factorielles donné à la section 3.4.

La combinatoire, c'est-à-dire l'étude de l'arrangement des objets, constitue une partie importante des mathématiques discrètes. Dès le XVIIe siècle, on étudia ce sujet pour répondre aux questions concernant l'étude des jeux de hasard. L'énumération, soit le dénombrement des objets ayant certaines propriétés, est l'une des composantes principales de l'analyse combinatoire. Il faut dénombrer des objets pour résoudre plusieurs types de problèmes, par exemple pour déterminer la complexité d'un algorithme. De plus, on a souvent recours aux techniques de dénombrement lorsqu'on calcule la probabilité de réalisation d'un événement.

Les notions de base du dénombrement, qui sont étudiées à la section 4.1, permettent de résoudre une grande variété de problèmes. Par exemple, on peut utiliser ces règles pour dresser la liste des numéros de téléphone possibles au Canada, des mots de passe possibles sur un ordinateur ou des différents ordres d'arrivée des participants à une course. Le principe des nids de pigeon constitue un autre outil de la combinatoire, qui est étudié à la section 4.2. Selon ce principe, lorsqu'on range des objets dans des boîtes et qu'il existe un nombre plus grand d'objets que de boîtes, alors l'une de ces boîtes doit contenir au moins deux objets. Par exemple, on peut recourir à ce principe pour démontrer que, dans un ensemble de 15 étudiants ou plus, au moins 3 de ces étudiants sont nés le même jour de la semaine.

On peut formuler plusieurs problèmes de dénombrement en termes d'arrangements ordonnés et non ordonnés des objets d'un ensemble. On utilise ces arrangements, appelés permutations et combinaisons, dans certains problèmes de dénombrement. Par exemple, on suppose que les 100 étudiants ayant obtenu les meilleurs résultats à un concours subi par 2000 étudiants sont conviés à un banquet. On peut énumérer les ensembles possibles de 100 étudiants qui seront invités, ainsi que les façons dont seront remis les 10 premiers prix.

On peut analyser les jeux de hasard, comme le poker, à l'aide des techniques de dénombrement. On peut également utiliser ces techniques pour déterminer les probabilités de gagner à la loterie, telle la probabilité de remporter un gros lot pour lequel 6 numéros sont choisis parmi les 48 premiers entiers positifs.

L'énumération de tous les arrangements possibles d'un type donné constitue un autre problème de la combinatoire. Ce problème survient souvent dans les simulations par ordinateur. C'est la raison pour laquelle on construit des algorithmes pour faire des arrangements de différents types.

4.1

Notions de base du dénombrement

INTRODUCTION

Un mot de passe pour ordinateur est constitué de six, de sept ou de huit caractères. Chacun de ces caractères doit être un chiffre ou une lettre de l'alphabet. Chaque mot de passe doit contenir au moins un chiffre. Combien de ces mots de passe existe-t-il ? Dans la présente section, on présente les techniques nécessaires pour répondre à cette question et pour résoudre une variété d'autres problèmes de dénombrement.

On trouve des problèmes de dénombrement partout en mathématiques et en informatique. Il peut s'agir, par exemple, de dénombrer le nombre total de résultats possibles et le nombre de succès d'une expérience pour déterminer des probabilités de réalisation d'événements discrets. Il faut compter le nombre d'opérations utilisées dans un algorithme pour étudier sa complexité temporelle.

Dans la présente section, on introduit les techniques de base du dénombrement.

PRINCIPES FONDAMENTAUX DE DÉNOMBREMENT

On présente d'abord deux principes fondamentaux de dénombrement. Puis, on montre comment les utiliser pour résoudre différents problèmes de dénombrement.

> **PRINCIPE DE LA SOMME**   Si on peut accomplir une tâche de n_1 façons et une deuxième tâche de n_2 façons, et si on ne peut effectuer ces tâches simultanément, alors il y a $n_1 + n_2$ façons d'exécuter l'une ou l'autre de ces tâches.

L'exemple 1 illustre la façon d'utiliser le principe de la somme.

EXEMPLE 1   On suppose qu'un professeur de mathématiques ou un étudiant en mathématiques est choisi comme représentant au sein d'un comité universitaire. De combien de façons différentes peut-on sélectionner ce représentant s'il y a 37 professeurs et 83 étudiants ?

Solution : La première tâche consiste à choisir un professeur, ce qui peut se faire de 37 façons. La deuxième tâche, soit la sélection d'un étudiant, peut se faire de 83 façons. Selon le principe de la somme, il s'ensuit qu'il existe $37 + 83 = 120$ façons possibles de choisir ce représentant. ∎

On peut appliquer le principe de la somme à plus de deux tâches. On suppose que les tâches $T_1, T_2, \ldots, T_m$ peuvent se faire respectivement de $n_1, n_2, \ldots, n_m$ façons et qu'on ne peut effectuer aucune de ces tâches simultanément. Alors, le nombre de façons d'exécuter l'une de ces tâches est $n_1 + n_2 + \cdots + n_m$. Cette version étendue du principe de la somme est souvent utile dans les problèmes de dénombrement, comme le montrent les exemples 2 et 3. On peut démontrer cette version du principe de la somme par induction à partir du principe de la somme pour deux ensembles. (Cette preuve est demandée dans l'exercice 49 à la fin de la section.)

EXEMPLE 2   Un étudiant peut choisir un projet sur ordinateur parmi trois listes. Ces trois listes contiennent respectivement 23, 15 et 19 choix de projets. Combien de choix de projets y a-t-il ?

Solution : L'étudiant peut choisir un projet dans la première liste de 23 façons, dans la deuxième, de 15 façons et dans la troisième, de 19 façons. Ainsi, il peut choisir parmi $23 + 15 + 19 = 57$ projets. ∎

EXEMPLE 3   Quelle est la valeur de k après l'exécution du code suivant ?

$$
\begin{aligned}
&k := 0 \\
&\textbf{pour } i_1 := 1 \text{ à } n_1 \\
&\qquad k := k + 1 \\
&\textbf{pour } i_2 := 1 \text{ à } n_2 \\
&\qquad k := k + 1 \\
&\qquad \cdot \\
&\qquad \cdot \\
&\qquad \cdot \\
&\textbf{pour } i_m := 1 \text{ à } n_m \\
&\qquad k := k + 1
\end{aligned}
$$

Solution : La valeur initiale de k est zéro. Ce segment de programme est constitué de m différentes boucles. Chaque fois qu'une boucle est traversée, 1 est ajouté à k. Soit T_i la tâche de traverser la i-ième boucle. On peut accomplir la tâche T_i de n_i façons, puisque la i-ième boucle est traversée n_i fois. Puisqu'on ne peut effectuer deux de ces tâches en même temps, le principe de la somme démontre que la valeur finale de k, soit le nombre de fois qu'on peut effectuer l'une de ces tâches T_i, $i = 1, 2, \ldots, m$ est $n_1 + n_2 + \cdots + n_m$. ∎

On peut formuler le principe de la somme en termes ensemblistes comme suit : si A_1, $A_2, \ldots, A_m$ sont des ensembles disjoints, alors le nombre d'éléments dans l'union de ces ensembles est la somme des cardinalités respectives de chacun. Pour relier cette proposition à l'énoncé du principe de la somme, soit T_i, la tâche consiste à choisir un élément dans A_i pour $i = 1, 2, \ldots, m$. Il existe $|A_i|$ façons d'obtenir T_i. À partir du principe de la somme, et puisqu'on ne peut effectuer deux de ces tâches simultanément, le nombre de façons de choisir un élément dans l'un des ensembles, soit le nombre d'éléments dans l'union, est

$$|A_1 \cup A_2 \cup \cdots \cup A_m| = |A_1| + |A_2| + \cdots + |A_m|.$$

Cette égalité s'applique uniquement lorsque les ensembles en question sont mutuellement exclusifs. La situation est beaucoup plus complexe lorsque ces ensembles admettent des éléments communs. On discutera brièvement de cette situation plus loin dans la présente section et plus en profondeur dans le chapitre 5.

Le principe du produit s'applique lorsqu'une procédure est constituée de différentes tâches successives.

PRINCIPE DU PRODUIT   On suppose qu'une procédure peut être divisée en deux tâches. S'il existe n_1 façons de faire la première tâche et n_2 façons d'accomplir la deuxième tâche lorsque la première est terminée, alors il y a $n_1 n_2$ façons d'effectuer la procédure.

Les exemples 4 et 5 illustrent la façon d'utiliser le principe du produit.

EXEMPLE 4   On doit numéroter les chaises d'un auditorium à l'aide d'une lettre et d'un entier positif ne dépassant pas 100. Quel est le plus grand nombre de chaises qu'on peut identifier différemment ?

Solution : La procédure d'identification des chaises comprend deux tâches, notamment attribuer l'une des 26 lettres et l'un des 100 entiers possibles à la chaise. Selon le principe du produit, il existe $26 \cdot 100 = 2600$ différentes façons d'identifier une chaise. Donc, le plus grand nombre de chaises qu'on peut identifier différemment est 2600.   ∎

EXEMPLE 5   Il y a 32 micro-ordinateurs dans un centre de calcul. Chaque micro-ordinateur a 24 ports. Combien y a-t-il de ports différents dans le centre ?

Solution : La procédure du choix d'un port comporte deux tâches. D'abord, on choisit un micro-ordinateur et ensuite, on sélectionne un port sur ce micro-ordinateur. Puisqu'il y a 32 façons de choisir un micro-ordinateur et 24 façons de sélectionner un port indifféremment du micro-ordinateur choisi, selon le *principe du produit*, il y a 768 ports différents.   ∎

Une version généralisée du principe du produit est souvent utile. Par exemple, on désire effectuer une procédure en exécutant successivement les tâches $T_1, T_2, \ldots, T_m$. Si on peut effectuer la tâche T_i de n_i façons après que les tâches $T_1, T_2, \ldots$ et T_{i-1} ont été effectuées, alors il y a $n_1 \cdot n_2 \cdot \cdots \cdot n_m$ façons d'accomplir la procédure. On peut démontrer cette version du principe du produit par induction à partir du principe du produit pour deux tâches (voir l'exercice 50 à la fin de la présente section).

EXEMPLE 6   Combien y a-t-il de chaînes binaires de longueur sept ?

Solution : On peut choisir chacun des sept bits de deux façons, puisque chaque bit est soit 0, soit 1. Donc, le principe du produit montre qu'il y a au total $2^7 = 128$ chaînes binaires de longueur sept. ∎

EXEMPLE 7   Combien de plaques d'immatriculation différentes pouvez-vous obtenir si chacune contient une série de trois lettres suivie de trois chiffres (et qu'aucune série de lettres n'est interdite, même si elle est obscène) ?

Solution : Il existe 26 choix pour chacune des trois lettres et 10 choix pour chacun des trois chiffres. Ainsi, selon le principe du produit, il existe $26 \cdot 26 \cdot 26 \cdot 10 \cdot 10 \cdot 10 = 17\,576\,000$ plaques d'immatriculation. ∎

EXEMPLE 8   **Fonctions de dénombrement**   Combien de fonctions différentes y a-t-il d'un ensemble à m éléments dans un ensemble à n éléments ?

Solution : Une fonction correspond à un choix de l'un des n éléments dans le codomaine pour chacun des m éléments dans le domaine. Ainsi, selon le *principe du produit*, il y a $n \cdot n \cdot \dots \cdot n = n^m$ fonctions différentes d'un ensemble à m éléments dans un ensemble à n éléments. ∎

EXEMPLE 9   **Dénombrement des fonctions injectives**   Combien de fonctions injectives différentes y a-t-il d'un ensemble à m éléments dans un ensemble à n éléments ?

Solution : D'abord, on note que lorsque $m > n$, il n'existe aucune fonction injective d'un ensemble à m éléments dans un ensemble à n éléments. À présent, soit $m \le n$. On suppose que les éléments dans le domaine sont $a_1, a_2, \dots, a_m$. Il existe n façons de choisir la valeur de la fonction pour a_1. Puisque la fonction est injective, on peut choisir la valeur de la fonction pour a_2 de $n - 1$ façons (puisqu'on ne peut utiliser de nouveau la valeur pour a_1). En général, on peut choisir la valeur de la fonction pour a_k de $n - k + 1$ façons. Selon le principe du produit, il existe $n(n - 1)(n - 2) \cdots (n - m + 1)$ fonctions injectives d'un ensemble à m éléments dans un ensemble à n éléments. ∎

EXEMPLE 10   **Plan de numérotage téléphonique**   Le format des numéros de téléphone en Amérique du Nord est déterminé par un *plan de numérotage*. Un numéro de téléphone est constitué de dix chiffres, lesquels sont divisés en un indicatif régional de trois chiffres, un indicatif de central de trois chiffres et un indicatif de poste de quatre chiffres. À cause de considérations de signalisation, il existe certaines restrictions pour quelques-uns de ces chiffres. Pour préciser le format autorisé, on suppose que X note le chiffre qui peut avoir une valeur comprise entre 0 et 9, que N symbolise le chiffre pouvant avoir une valeur comprise entre 2 et 9 et Y, le chiffre qui doit être 0 ou 1. On discute ici de deux plans de numérotage, qu'on appelle l'ancien plan et le nouveau plan. (L'ancien plan était utilisé dans les années 60, et le nouveau plan sera un jour utilisé partout en Amérique du Nord.) Comme on le démontrera, le nouveau plan permet d'utiliser un plus grand nombre de numéros.

Dans l'ancien plan, les formats de l'indicatif régional, de l'indicatif de central et de l'indicatif de poste étaient respectivement *NYX*, *NNX* et *XXXX*. Dans le nouveau plan, les formats de ces indicatifs sont respectivement *NXX*, *NXX* et *XXXX*. En Amérique du Nord, combien existe-t-il de possibilités de numéros avec l'ancien plan et avec le nouveau plan ?

Solution : Selon le principe du produit, il y a $8 \cdot 2 \cdot 10 = 160$ indicatifs régionaux ayant le format *NYX* et $8 \cdot 10 \cdot 10 = 800$ indicatifs régionaux ayant le format *NXX*. De même, selon le *principe du produit*, il existe $8 \cdot 8 \cdot 10 = 640$ indicatifs de central ayant le format *NNX* et $8 \cdot 10 \cdot 10 = 800$ ayant le format *NXX*. La règle du produit montre également qu'il existe $10 \cdot 10 \cdot 10 \cdot 10 = 10\,000$ indicatifs de poste ayant le format *XXXX*.

Par conséquent, si on applique de nouveau le principe du produit, il s'ensuit que, pour l'ancien plan, il y a

$$160 \cdot 640 \cdot 10\,000 = 1\,024\,000\,000$$

différentes possibilités de numéros en Amérique du Nord. Avec le nouveau plan, il y a

$$800 \cdot 800 \cdot 10\,000 = 6\,400\,000\,000$$

différentes possibilités de numéros.   ■

EXEMPLE 11   Quelle est la valeur de k après l'exécution du code suivant ?

```
k := 0
pour i₁ := 1 à n₁
    pour i₂ := 1 à n₂
        .
        .
        .
        pour iₘ := 1 à nₘ
            k := k + 1
```

Solution : La valeur initiale de k est zéro. Chaque fois que la boucle imbriquée est traversée, 1 est ajouté à k. Soit T_i la tâche de traverser la i-ième boucle. Alors, le nombre de fois que la boucle est traversée est égal au nombre de façons qu'on peut accomplir les tâches T_1, T_2, ..., T_m. Le nombre de façons d'exécuter la tâche T_j, $j = 1, 2, ..., m$ est n_j, puisque la j-ième boucle est traversée une fois pour chaque entier i_j avec $1 \leq i_j \leq n_j$. Selon le *principe du produit*, il s'ensuit que la boucle imbriquée est traversée $n_1 n_2 \cdots n_m$ fois. Ainsi, la valeur finale de k est $n_1 n_2 \cdots n_m$.   ■

EXEMPLE 12 **Dénombrement des sous-ensembles d'un ensemble fini** On utilise le principe du produit pour démontrer que le nombre de différents sous-ensembles d'un ensemble fini S est $2^{|S|}$.

Solution : Soit S un ensemble fini. On énumère les éléments appartenant à S dans un ordre arbitraire. Il ne faut pas oublier qu'il existe une injection entre les sous-ensembles de S et les chaînes binaires de longueur $|S|$. Notamment, un sous-ensemble de S est associé à la chaîne binaire ayant un 1 dans la i-ième position si le i-ième élément de la liste se trouve dans le sous-ensemble, sinon c'est un 0 qui est dans cette position. Selon le *principe du produit*, il existe $2^{|S|}$ chaînes binaires de longueur $|S|$. Ainsi, $|P(S)| = 2^{|S|}$. ■

On formule souvent le *principe du produit* en termes ensemblistes. Ainsi, si $A_1, A_2, \ldots,$ A_m sont des ensembles finis, alors le nombre d'éléments du produit cartésien de ces ensembles est le produit du nombre d'éléments de chaque ensemble. Pour relier cette proposition au principe du produit, il convient de noter que la tâche qui consiste à choisir un élément dans le produit cartésien $A_1 \times A_2 \times \cdots \times A_m$ s'effectue en sélectionnant un élément dans A_1, un élément dans $A_2, \ldots$ et un élément dans A_m. À partir du principe du produit, il s'ensuit que

$$|A_1 \times A_2 \times \cdots \times A_m| = |A_1| \cdot |A_2| \cdot \cdots \cdot |A_m|.$$

PROBLÈMES DE DÉNOMBREMENT PLUS COMPLEXES On peut résoudre nombre de problèmes de dénombrement en utilisant uniquement soit le principe de la somme, soit le principe du produit. On peut également résoudre plusieurs problèmes de dénombrement complexes en combinant ces deux règles.

EXEMPLE 13 Dans une version du langage informatique BASIC, le nom d'une variable est une chaîne de un ou de deux caractères alphanumériques, où les lettres majuscules et minuscules ne sont pas distinguées. (Un caractère *alphanumérique* est soit l'une des 26 lettres de l'alphabet, soit l'un des 10 chiffres.) De plus, un nom de variable doit commencer par une lettre et doit se distinguer des cinq chaînes de deux caractères qui sont réservées à des fins de programmation. Combien de noms de variables différents existe-t-il dans cette version de BASIC ?

Solution : On suppose que V est égal au nombre de noms de variables différents dans cette version de BASIC. Soit V_1 le nombre de ces noms qui contiennent un caractère et V_2 le nombre de ces noms qui contiennent deux caractères. Alors, selon le principe de la somme, $V = V_1 + V_2$. À noter que $V_1 = 26$, puisqu'un nom de variable de un caractère doit être une lettre. De plus, selon le *principe du produit*, il existe $26 \cdot 36$ chaînes de longueur deux qui commencent par une lettre et se terminent par un caractère alphanumérique. Cependant, cinq de ces noms sont exclus, de sorte que $V_2 = 26 \cdot 36 - 5 = 931$. Ainsi, il y a $V = V_1 + V_2 = 26 + 931 = 957$ noms de variables différents dans cette version de BASIC. ■

EXEMPLE 14 Chaque utilisateur d'un ordinateur a un mot de passe ayant de six à huit caractères, où chaque caractère est une lettre majuscule ou un chiffre. Chaque mot de passe contient au moins un chiffre. Combien y a-t-il de possibilités de mots de passe ?

Solution : Soit P le nombre total de possibilités de mots de passe et P_6, P_7 et P_8 le nombre de mots de passe possibles de longueur 6, 7 et 8, respectivement. Selon le principe de la somme, $P = P_6 + P_7 + P_8$. À présent, il faut trouver P_6, P_7 et P_8. Il est difficile de trouver P_6 directement. Pour ce faire, il est plus facile de trouver le nombre de chaînes de lettres majuscules et de chiffres qui ont six caractères de longueur, y compris les chaînes qui n'ont aucun chiffre, et de soustraire de celui-ci le nombre de chaînes qui n'ont pas de chiffres. Selon le *principe du produit*, le nombre de chaînes de six caractères est 36^6 et le nombre de chaînes qui n'ont pas de chiffres est 26^6. Ainsi,

$$P_6 = 36^6 - 26^6 = 2\ 176\ 782\ 336 - 308\ 915\ 776 = 1\ 867\ 866\ 560.$$

De même, on peut montrer que

$$P_7 = 36^7 - 26^7 = 78\ 364\ 164\ 096 - 8\ 031\ 810\ 176 = 70\ 332\ 353\ 920$$

et

$$P_8 = 36^8 - 26^8 = 2\ 821\ 109\ 907\ 456 - 208\ 827\ 064\ 576$$
$$= 2\ 612\ 282\ 842\ 880.$$

Par conséquent,

$$P = P_6 + P_7 + P_8 = 2\ 684\ 483\ 063\ 360. \qquad \blacksquare$$

PRINCIPE D'INCLUSION-EXCLUSION

Lorsqu'on peut accomplir deux tâches simultanément, on ne peut utiliser le principe de la somme pour compter le nombre de façons d'effectuer l'une des deux tâches. En additionnant le nombre de façons d'effectuer deux tâches, on obtient un surdénombrement, puisque les façons d'effectuer les deux tâches sont comptées deux fois. Pour compter correctement le nombre de fois qu'on peut faire l'une des deux tâches, on additionne le nombre de façons d'exécuter chacune des deux tâches et on soustrait le nombre de façons de faire les deux tâches. Cette technique s'appelle le **principe d'inclusion-exclusion**. L'exemple 15 montre comment on peut résoudre les problèmes de dénombrement en utilisant ce principe.

EXEMPLE 15   Combien de chaînes binaires de longueur huit commencent par le bit 1 ou se terminent par les deux bits 00 ?

Solution : La première tâche, soit la formation d'une chaîne binaire de longueur huit commençant par le bit 1, peut s'effectuer de $2^7 = 128$ façons. Cela résulte du principe du produit, puisqu'on ne peut choisir le premier bit que d'une façon et qu'on peut choisir chacun des sept autres bits de deux façons.

La deuxième tâche, soit la formation d'une chaîne binaire de longueur huit se terminant par deux bits 00, peut s'effectuer de $2^6 = 64$ façons. Ce total résulte du principe du produit, puisqu'on peut choisir chacun des six premiers bits de deux façons et les deux derniers bits, seulement d'une façon.

Les deux tâches, soit la formation d'une chaîne binaire de longueur huit qui commence par un bit 1 et se termine par deux bits 00, peut s'accomplir de $2^5 = 32$ façons. Cela découle du principe du produit, puisqu'on ne peut choisir le premier bit que d'une façon, les deuxième, troisième, ..., sixième bit de deux façons et les deux derniers bits d'une façon. Par conséquent, le nombre de chaînes binaires de longueur huit qui commencent par le bit 1 et se terminent par deux bits 00 (ce qui équivaut au nombre de façons d'accomplir la première ou la deuxième tâche) est égal à $128 + 64 - 32 = 160$.   ■

On peut formuler ce principe de dénombrement en termes ensemblistes. Soit A_1 et A_2 des ensembles. Soit T_1 la tâche de choisir un élément de A_1 et T_2 la tâche de choisir un élément de A_2. Il existe $|A_1|$ façons de faire T_1 et $|A_2|$ façons d'accomplir T_2. Le nombre de façons d'exécuter soit T_1 ou T_2 équivaut à la somme du nombre de façons d'effectuer T_1 et du nombre de façons de faire T_2, moins le nombre de façons d'exécuter T_1 et T_2. Puisqu'il existe $|A_1 \cup A_2|$ façons d'accomplir soit T_1, soit T_2 et $|A_1 \cap A_2|$ façons de faire T_1 et T_2, on obtient

$$|A_1 \cup A_2| = |A_1| + |A_2| - |A_1 \cap A_2|.$$

Il s'agit de la formule donnée à la section 1.5 pour compter le nombre d'éléments dans l'union de deux ensembles.

On peut généraliser le principe d'inclusion-exclusion pour trouver le nombre de façons d'accomplir une tâche parmi n tâches différentes ou, de même, pour trouver le nombre d'éléments dans l'union de n ensembles, lorsque n est un entier positif. On étudiera le principe d'inclusion-exclusion à l'aide de quelques-unes de ses nombreuses applications dans le chapitre 5.

DIAGRAMMES EN ARBRES

On peut résoudre certains problèmes de dénombrement à l'aide des **diagrammes en arbres**. Un arbre est constitué d'une racine, d'un nombre de branches provenant de la racine et d'autres branches partant des extrémités des branches. (On étudiera les arbres en détail au chapitre 8.) Pour utiliser les arbres dans le dénombrement, on a recours à une branche pour représenter chaque choix possible. On désigne les résultats possibles par les feuilles, qui sont les extrémités des branches à partir desquelles il n'y a aucune autre branche.

EXEMPLE 16   Combien de chaînes binaires de longueur quatre ne comportent pas deux 1 consécutifs ?

Solution : Le diagramme en arbre de la figure 1 présente toutes les chaînes binaires de longueur quatre n'ayant pas deux 1 consécutifs. On voit qu'il existe huit chaînes de ce type.   ■

EXEMPLE 17   Une série éliminatoire entre deux équipes comporte un maximum de cinq matchs. La première équipe qui gagne trois matchs remporte la série. De combien de façons différentes la série éliminatoire peut-elle se dérouler ?

Solution : Le diagramme en arbre de la figure 2 présente toutes les façons dont peut se dérouler la série éliminatoire, en précisant le gagnant de chaque match. On voit que la série peut se dérouler de 20 façons différentes. ∎

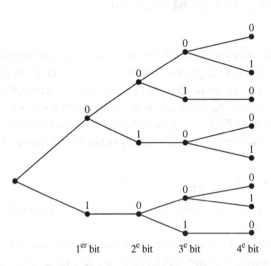

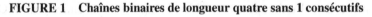

FIGURE 1   Chaînes binaires de longueur quatre sans 1 consécutifs

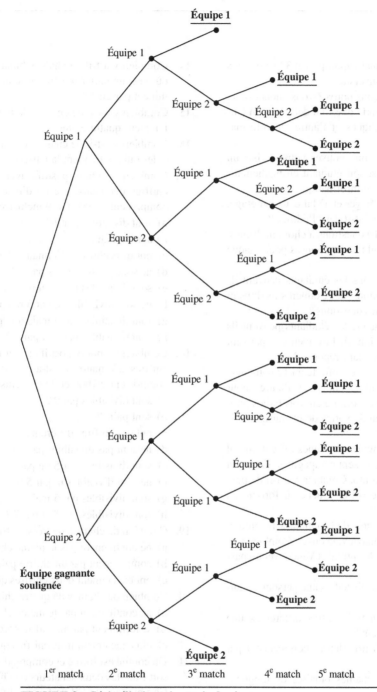

Équipe gagnante soulignée

1er match   2e match   3e match   4e match   5e match

FIGURE 2 **Série éliminatoire trois de cinq**

Exercices

1. Il y a 18 étudiants en mathématiques et 325 étudiants en informatique à l'université.
   a) De combien de façons pouvez-vous choisir deux représentants, de sorte que l'un deux soit un étudiant en mathématiques et l'autre, en informatique ?
   b) De combien de façons pouvez-vous choisir un représentant qui est soit étudiant en mathématiques, soit étudiant en informatique ?

2. Un édifice compte 27 étages et 37 bureaux par étage. Combien de bureaux y a-t-il dans l'édifice ?

3. Un examen contient 10 questions à choix multiples. Il existe quatre possibilités de réponses pour chaque question.
   a) De combien de façons les étudiants peuvent-ils répondre aux questions de l'examen s'ils doivent répondre à toutes les questions ?
   b) De combien de façons les étudiants peuvent-ils répondre aux questions de l'examen s'ils peuvent laisser des questions sans réponse ?

4. Une marque de chemises est offerte en 12 couleurs ; une version existe pour femme et l'autre, pour homme. De plus, elle est offerte en trois tailles pour chaque sexe. Combien de sortes de chemises différentes fabrique-t-on ?

5. Six différentes compagnies aériennes offrent un vol de Québec à Montréal et sept compagnies offrent un vol de Montréal à Toronto. Combien y a-t-il de possibilités différentes de vol de Québec à Toronto en passant par Montréal ?

6. Il existe quatre autoroutes de Montréal à Toronto et six autoroutes de Toronto à Vancouver. Combien y a-t-il d'autoroutes entre Montréal et Vancouver en passant par Toronto ?

7. Combien d'initiales à trois lettres une personne peut-elle avoir ?

8. Combien d'initiales à trois lettres différentes une personne peut-elle avoir ?

9. Combien d'initiales à trois lettres commencent par A ?

10. Combien y a-t-il de chaînes binaires de longueur huit ?

11. Combien y a-t-il de chaînes binaires de longueur 10 commençant et se terminant par un 1 ?

12. Combien y a-t-il de chaînes binaires de longueur six ou moins ?

13. Combien de chaînes binaires de longueur plus petite que ou égale à n, où n est un entier positif, sont constituées uniquement de 1 ?

14. Combien y a-t-il de chaînes binaires de longueur n, où n est un entier positif, qui commencent et se terminent par un 1 ?

15. Combien y a-t-il de chaînes de lettres minuscules de longueur quatre ou moins ?

16. Combien y a-t-il de chaînes de quatre lettres minuscules qui contiennent la lettre x ?

17. Combien d'entiers positifs ayant exactement trois chiffres décimaux, c'est-à-dire des entiers positifs compris entre 100 et 999 inclusivement,
   a) sont divisibles par 7 ?
   b) sont impairs ?
   c) ont trois chiffres décimaux identiques ?
   d) ne sont pas divisibles par 4 ?
   e) sont divisibles par 3 ou par 4 ?
   f) ne sont divisibles ni par 3 ni par 4 ?
   g) sont divisibles par 3 mais non par 4 ?
   h) sont divisibles par 3 et par 4 ?

18. Combien d'entiers positifs ayant exactement quatre chiffres décimaux, c'est-à-dire des entiers positifs compris entre 1000 et 9999 inclusivement,
   a) sont divisibles par 9 ?
   b) sont pairs ?
   c) ont des chiffres différents ?
   d) ne sont pas divisibles par 3 ?
   e) sont divisibles par 5 ou par 7 ?
   f) ne sont divisibles ni par 5 ni par 7 ?
   g) sont divisibles par 5 mais non par 7 ?
   h) sont divisibles par 5 et par 7 ?

19. Combien de chaînes de trois chiffres décimaux
   a) ne contiennent pas le même chiffre trois fois ?
   b) commencent par un chiffre pair ?
   c) ont exactement deux chiffres qui sont des 4 ?

20. Combien de chaînes de quatre chiffres décimaux
   a) ne contiennent pas le même chiffre deux fois ?
   b) se terminent par un chiffre pair ?
   c) ont exactement trois chiffres qui sont des 9 ?

21. Un comité est formé et comprend soit le gouverneur, soit l'un des deux sénateurs de chacun des 50 États. Combien existe-t-il de façons différentes de former ce comité ?

22. Combien de plaques d'immatriculation pouvez-vous former en utilisant soit trois chiffres suivis de trois lettres, soit trois lettres suivies de trois chiffres ?

23. Combien de plaques d'immatriculation pouvez-vous former en utilisant soit deux lettres suivies de quatre chiffres, soit deux chiffres suivis de quatre lettres ?

24. Combien de plaques d'immatriculation pouvez-vous former en utilisant soit trois lettres suivies de trois chiffres, soit quatre lettres suivies de deux chiffres ?

25. Combien de plaques d'immatriculation pouvez-vous former en utilisant soit deux, soit trois lettres suivies soit de deux, soit de trois chiffres ?

26. Combien y a-t-il de fonctions différentes d'un ensemble à 10 éléments dans un ensemble ayant le nombre suivant d'éléments ?

    a) 2   **b)** 3   **c)** 4   **d)** 5

27. Combien y a-t-il de fonctions injectives d'un ensemble à 5 éléments dans un ensemble ayant le nombre suivant d'éléments ?

    a) 4   **b)** 5   **c)** 6   **d)** 7

28. Combien y a-t-il de fonctions de l'ensemble $\{1, 2, \ldots, n\}$, où n est un entier positif, vers l'ensemble $\{0, 1\}$?

29. Combien y a-t-il de fonctions de l'ensemble $\{1, 2, \ldots, n\}$, où n est un entier positif, dans l'ensemble $\{0, 1\}$

    a) qui sont injectives ?

    b) qui affectent 0 à 1 et à n ?

    c) qui affectent 1 à exactement l'un des entiers positifs inférieurs à n ?

30. Combien de fonctions partielles (voir les exercices à la section 1.6) y a-t-il d'un ensemble à cinq éléments dans un ensemble ayant le nombre suivant d'éléments ?

    a) 1   **b)** 2   **c)** 5   **d)** 9

31. Combien de fonctions partielles (voir les exercices à la section 1.6) y a-t-il d'un ensemble à m éléments dans un ensemble à n éléments, où m et n sont des entiers positifs ?

32. Combien de sous-ensembles d'un ensemble à 100 éléments ont plus de un élément ?

33. Un **palindrome** est une chaîne dont le renversement est identique à celle-ci. Combien de chaînes binaires de longueur n sont des palindromes ?

34. De combien de façons le photographe d'un mariage peut-il organiser une seule rangée de 6 personnes choisies parmi un groupe de 10 personnes, en considérant que les mariés font partie de ce groupe de 10 personnes et que

    a) la mariée doit être sur la photographie ?

    b) la mariée et le marié doivent tous les deux être sur la photographie ?

    c) soit le marié, soit la mariée, mais non les deux, doit être sur la photographie ?

35. De combien de façons le photographe d'un mariage peut-il organiser une rangée de 6 personnes, y compris les mariés, si

    a) la mariée doit être à côté du marié ?

    b) la mariée ne se trouve pas à côté du marié ?

    c) la mariée se trouve quelque part à gauche du marié ?

36. Combien de chaînes binaires de longueur 7 commencent par deux 0 ou se terminent par trois 1 ?

37. Combien de chaînes binaires de longueur 10 commencent par trois 0 ou se terminent par deux 0 ?

★**38.** Combien de chaînes binaires de longueur 10 contiennent soit cinq 0 consécutifs, soit cinq 1 consécutifs ?

★★**39.** Combien de chaînes binaires de longueur 8 contiennent soit trois 0 consécutifs, soit quatre 1 consécutifs ?

40. Chaque étudiant d'un cours de mathématiques discrètes est un étudiant en informatique ou un étudiant en mathématiques ou se spécialise dans les deux matières. Combien d'étudiants se trouvent dans la classe s'il y a 38 étudiants en informatique (y compris les spécialisations dans les deux matières), 23 étudiants en mathématiques (y compris les deux spécialisations dans les deux matières) et 7 étudiants qui se spécialisent dans les deux matières ?

41. Combien d'entiers positifs ne dépassant pas 100 sont divisibles soit par 4, soit par 6 ?

42. Le nom d'une variable dans le langage de programmation C est une chaîne qui peut contenir des lettres majuscules, des lettres minuscules, des chiffres ou des soulignés. De plus, le premier caractère de la chaîne doit être une lettre, majuscule, minuscule ou soulignée. Si le nom de la variable est déterminé par ses huit premiers caractères, combien de variables différentes pouvez-vous nommer dans C ? (Notez que le nom d'une variable peut contenir moins de huit caractères.)

43. Supposez que, dans un avenir rapproché, on attribue à tous les téléphones du monde un numéro contenant un indicatif de pays ayant de 1 à 3 chiffres, soit de la forme X, XX ou XXX, suivi d'un numéro de téléphone à 10 chiffres de la forme NXX-NXX-XXXX (comme le décrit l'exemple 10). Combien de numéros de téléphone différents seraient disponibles dans le monde selon ce plan de numérotage ?

44. Utilisez un diagramme en arbre pour trouver le nombre de chaînes binaires de longueur quatre n'ayant pas trois 0 consécutifs.

45. Combien existe-t-il de façons différentes d'arranger les lettres a, b, c et d de sorte que a ne soit pas immédiatement suivi de b ?

46. Utilisez un diagramme en arbre pour trouver le nombre de façons dont peut se dérouler une série mondiale dans laquelle la première équipe à gagner quatre parties sur un maximum de sept remporte la série.

47. Utilisez un diagramme en arbre pour trouver le nombre de sous-ensembles de {3, 7, 9, 11, 24} ayant pour propriété que la somme des éléments du sous-ensemble soit inférieure à 28.

★48. Utilisez le *principe du produit* pour montrer qu'il existe 2^{2^n} tables de vérité différentes pour les propositions qui comportent n variables.

49. Utilisez l'induction pour démontrer le principe de la somme pour m tâches à partir du principe de la somme pour deux tâches.

50. Utilisez l'induction pour démontrer le principe du produit pour m tâches à partir du principe du produit pour deux tâches.

51. Combien de diagonales un polygone convexe à n côtés a-t-il ? (Un polygone est convexe si chaque segment de droite reliant deux points de l'intérieur ou de la frontière du polygone est situé à l'intérieur de cet ensemble.)

4.2

Principe des nids de pigeon

INTRODUCTION

On suppose qu'un groupe de pigeons s'envole vers un ensemble de nids pour s'y percher. Selon le **principe des nids de pigeon**, s'il y a plus de pigeons que de nids, alors il doit y avoir au moins un nid dans lequel se trouvent au moins deux pigeons (voir la figure 1). Bien sûr, ce principe s'applique également à d'autres catégories d'objets.

THÉORÈME 1   **PRINCIPE DES NIDS DE PIGEON**   Si $k + 1$ objets ou plus sont rangés dans k boîtes, alors il y a au moins une boîte qui contient deux objets ou plus.

Démonstration : On suppose qu'aucune des k boîtes ne contient plus de un objet. Alors, le nombre total d'objets serait au plus k. Il s'agit d'une contradiction, puisqu'il y a au moins $k + 1$ objets.   □

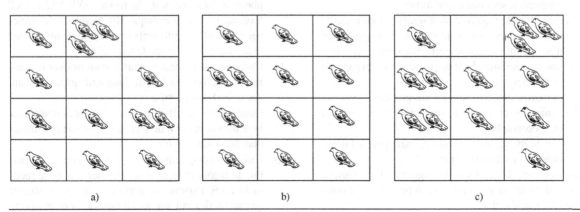

a)   b)   c)

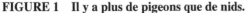

FIGURE 1   Il y a plus de pigeons que de nids.

Le principe des nids de pigeon s'appelle aussi le **principe des tiroirs de Dirichlet**, nommé ainsi en l'honneur du mathématicien allemand du XIIe siècle Dirichlet, qui utilisait souvent ce principe dans son travail. Les exemples suivants montrent comment on utilise le principe des nids de pigeon.

EXEMPLE 1 Parmi un groupe de 367 personnes, il doit y avoir au moins deux personnes qui ont la même date d'anniversaire, car il n'existe que 366 possibilités de dates d'anniversaire. ■

EXEMPLE 2 Dans un groupe de 27 mots français, il doit y en avoir au moins deux qui commencent par la même lettre, car il n'y a que 26 lettres dans l'alphabet français. ■

EXEMPLE 3 Combien d'étudiants doit-il y avoir dans une classe pour qu'au moins deux étudiants aient la même note à l'examen final, si l'examen est noté sur une échelle de 0 à 100 points ?

Solution : Il y a 101 notes possibles pour l'examen final. Selon le principe des nids de pigeon, sur 102 étudiants, 2 étudiants au moins doivent avoir la même note. ■

PRINCIPE DES NIDS DE PIGEON GÉNÉRALISÉ

Comme on vient de le mentionner, selon le principe des nids de pigeon, il doit y avoir au moins deux objets dans la même boîte lorsqu'il y a plus d'objets que de boîtes. Cependant, on peut en dire davantage lorsque le nombre d'objets dépasse un multiple du nombre de boîtes. Par exemple, parmi tout ensemble de 21 chiffres décimaux, il doit y en avoir 3 qui sont identiques. Cette observation découle du fait que lorsqu'on range 21 objets dans 10 boîtes, l'une de ces boîtes doit contenir plus de 2 objets.

THÉORÈME 2 **PRINCIPE DES NIDS DE PIGEON GÉNÉRALISÉ** Si N objets sont rangés dans k boîtes, alors il y a au moins une boîte qui contient au moins $\lceil N/k \rceil$ objets.

Démonstration : On suppose qu'aucune des boîtes ne contient plus de $\lceil N/k \rceil - 1$ objets. Alors, le nombre total d'objets est, au plus, de

$$k(\lceil N/k \rceil - 1) < k\,(((N/k) + 1) - 1) = N,$$

lorsqu'on a utilisé l'inégalité $\lceil N/k \rceil < (N/k) + 1$. Il s'agit d'une contradiction, puisqu'il y a, au total, N objets. □

Les exemples suivants illustrent la manière dont s'applique le principe des nids de pigeon généralisé.

EXEMPLE 4   Parmi 100 personnes, il y a au moins $\lceil 100/12 \rceil = 9$ personnes qui sont nées le même mois.   ■

EXEMPLE 5   Quel est le nombre minimal d'étudiants devant être inscrits à un certain cours de mathématiques discrètes pour qu'au moins six de ces étudiants aient la même note, s'il existe cinq notes possibles, soit A, B, C, D et E?

Solution: Le nombre minimal d'étudiants nécessaire pour qu'au moins six étudiants aient la même note est le plus petit entier N tel que $\lceil N/5 \rceil = 6$. Cet entier le plus petit est $N = 5 \cdot 5 + 1 = 26$. Ainsi, 26 est le nombre minimal d'étudiants nécessaire pour qu'au moins 6 étudiants aient la même note.   ■

EXEMPLE 6   Quel est le nombre minimal d'indicatifs régionaux nécessaire pour que les 25 millions de téléphones d'un État aient des numéros de téléphone différents qui comportent 10 chiffres? (On suppose que les numéros de téléphone ont la forme *NXX-NXX-XXXX*, où les trois premiers chiffres forment l'indicatif régional, N représente un chiffre compris entre 2 et 9 inclusivement et X, n'importe quel chiffre.)

Solution: Il existe 8 millions de numéros de téléphone différents ayant la forme *NXX-XXXX* (comme le montre l'exemple 10 de la section 4.1). Ainsi, selon le principe des nids de pigeon généralisé, parmi les 25 millions de téléphones, au moins $\lceil 25\,000\,000/8\,000\,000 \rceil$ de ceux-ci doivent avoir des numéros de téléphone identiques. Ainsi, il faudra au moins quatre indicatifs régionaux pour que tous les numéros à 10 chiffres soient différents.   ■

QUELQUES APPLICATIONS DU PRINCIPE DES NIDS DE PIGEON

Dans bon nombre d'applications intéressantes du principe des nids de pigeon, il faut choisir astucieusement les objets qu'on doit ranger dans les boîtes. On va maintenant décrire certaines de ces applications.

EXEMPLE 7   Au cours d'un mois de 30 jours, une équipe de baseball joue au moins 1 match par jour mais pas plus de 45 matchs par mois. Démontrez qu'il doit exister une période d'un certain nombre de jours consécutifs durant laquelle l'équipe doit jouer exactement 14 parties.

Solution: Soit a_j le nombre de matchs joués le j-ième jour du mois ou avant ce jour. Alors, $a_1, a_2, \ldots, a_{30}$ est une suite croissante de nombres entiers distincts avec $1 \le a_j \le 45$. De plus, $a_1 + 14, a_2 + 14, \ldots, a_{30} + 14$ est également une suite croissante d'entiers positifs distincts avec $15 \le a_j + 14 \le 59$.

Les 60 entiers positifs $a_1, a_2, \ldots, a_{30}, a_1 + 14, a_2 + 14, \ldots, a_{30} + 14$ sont tous inférieurs ou égaux à 59. Ainsi, selon le principe des nids de pigeon, deux de ces entiers sont égaux. Puisque les a_j, $j = 1, 2, \ldots, 30$ sont tous distincts et que les $a_j + 14$, $j = 1, 2, \ldots, 30$ sont tous distincts, il existe des indices i et j avec $a_i = a_j + 14$. Cela signifie qu'on a joué exactement 14 matchs du jour $j + 1$ au jour i. ∎

EXEMPLE 8   Démontrez que, dans un ensemble de $n + 1$ entiers positifs inférieurs ou égaux à $2n$, il doit y avoir un entier qui divise l'un des autres entiers.

Solution : On écrit chacun des $n + 1$ entiers a_1, a_2, ..., a_{n+1} comme le produit d'une puissance de 2 avec un entier impair. En d'autres termes, soit $a_j = 2^{k_j} q_j$ pour $j = 1, 2, ..., n + 1$, où k_j est un entier non négatif et q_j est impair. Les entiers q_1, q_2, ..., q_{n+1} sont tous des entiers impairs positifs inférieurs à $2n$. Puisqu'il n'y a que n entiers positifs impairs inférieurs à $2n$, d'après le principe des nids de pigeon, il s'ensuit que deux de ces entiers q_1, q_2, ..., q_{n+1} doivent être égaux. Ainsi, on peut trouver deux indices i et j tels que $q_i = q_j$. Soit q la valeur commune de q_i et de q_j. Alors, $a_i = 2^{k_i} q$ et $a_j = 2^{k_j} q$. Il s'ensuit que si $k_i < k_j$, alors a_i divise a_j ; et que si $k_i > k_j$, alors a_j divise a_i. ∎

Une application astucieuse du principe des nids de pigeon démontre l'existence d'une sous-suite croissante ou décroissante d'une longueur donnée dans une suite d'entiers distincts. On passera en revue certaines définitions avant de présenter cette application. On suppose que a_1, a_2, ..., a_N est une suite de nombres réels. Une **sous-suite** de cette suite est une suite de la forme a_{i_1}, a_{i_2}, ..., a_{i_m}, où $1 \leq i_1 < i_2 < \cdots < i_m \leq N$. Ainsi, une sous-suite est une suite obtenue à partir de la suite originale en incluant certains des éléments de la suite originale dans leur ordre original et, peut-être, sans inclure d'autres éléments. Une suite est **strictement croissante** si chaque élément est plus grand que celui qui le précède, et elle est **strictement décroissante** si chaque élément est plus petit que celui qui le précède.

THÉORÈME 3   Toute suite de $n^2 + 1$ nombres réels distincts contient une sous-suite de longueur $n + 1$ qui est soit strictement croissante, soit strictement décroissante.

L'exemple suivant sera donné avant la démonstration du théorème.

EXEMPLE 9   La suite 8, 11, 9, 1, 4, 6, 12, 10, 5, 7 contient 10 éléments. À noter que $10 = 3^2 + 1$. Il existe quatre sous-suites croissantes de longueur quatre, notamment 1, 4, 6, 12 ; 1, 4, 6, 7 ; 1, 4, 6, 10 et 1, 4, 5, 7. Il y a aussi une sous-suite décroissante de longueur quatre, notamment 11, 9, 6, 5. ∎

Voici maintenant la démonstration du théorème susmentionné.

Démonstration : Soit a_1, a_2, ..., a_{n^2+1} la suite de $n^2 + 1$ nombres réels distincts. On associe un couple à chaque élément de la suite. Notamment, on associe (i_k, d_k) à l'élément a_k, où i_k est la longueur de la sous-suite croissante la plus longue commençant à a_k, et d_k est la longueur de la sous-suite décroissante commençant à a_k.

On suppose qu'il n'y a pas de sous-suite croissante ou décroissante de longueur $n + 1$. Alors, i_k et d_k sont tous les deux des entiers positifs inférieurs ou égaux à n pour $k = 1, 2, ...,$

$n^2 + 1$. Ainsi, selon le principe du produit, il existe n^2 couples possibles pour (i_k, d_k). Selon le principe des nids de pigeon, deux de ces $n^2 + 1$ couples sont identiques. En d'autres mots, on a les éléments a_s et a_t avec $s < t$ tel que $i_s = i_t$ et $d_s = d_t$. On va démontrer que ce résultat est impossible. Puisque les éléments de la suite sont distincts, on a $a_s < a_t$ ou $a_s > a_t$. Si $a_s < a_t$, comme $i_s = i_t$, on peut former une sous-suite croissante de longueur $i_t + 1$ en commençant à a_s, en prenant a_s suivi d'une sous-suite croissante de longueur i_t commençant à a_t. Il s'agit d'une contradiction. De même, si $a_s > a_t$, on peut démontrer que d_s doit être plus grand que d_t, ce qui est aussi une contradiction.   □

L'exemple 10 démontre comment le principe des nids de pigeon généralisé peut s'appliquer à une partie importante de la combinatoire qu'on appelle la **théorie de Ramsey**, nommée ainsi en l'honneur du mathématicien F. P. Ramsey. En général, la théorie de Ramsey traite de la distribution de parties d'ensembles donnés.

EXEMPLE 10   Supposez que dans un groupe de six personnes, chaque paire d'individus est constituée de deux amis ou de deux ennemis. Démontrez qu'il y a soit trois amis communs, soit trois ennemis communs dans le groupe.

Solution : Soit A l'une des six personnes. Parmi les cinq autres personnes du groupe, il y en a soit trois ou plus qui sont des amis de A, soit trois ou plus qui sont des ennemis de A. Cette proposition découle du principe des nids de pigeon généralisé, car lorsque cinq objets sont divisés en deux ensembles, l'un des ensembles comporte au moins $\lceil 5/2 \rceil = 3$ éléments. Dans le cas précédent, on suppose que B, C et D sont des amis de A. Si deux de ces personnes sont des amis, alors ces deux personnes et A forment un groupe de trois amis communs. Sinon, B, C et D forment un ensemble de trois ennemis communs. La démonstration de ce dernier cas, lorsque A a trois ennemis ou plus, s'établit de manière analogue.   ■

Exercices

1. Démontrez que si un étudiant s'inscrit à 6 cours, alors il y a au moins un jour où l'étudiant a 2 cours, en supposant qu'aucun cours n'a lieu les jours de week-end.

2. Démontrez que s'il y a 30 étudiants dans une classe, alors au moins 2 de ces étudiants ont des noms de famille qui commencent par la même lettre.

3. Un tiroir contient une douzaine de chaussettes brunes et une douzaine de chaussettes noires, toutes dépareillées. Un homme tire au hasard des chaussettes de ce tiroir dans l'obscurité. Combien de chaussettes doit-il tirer pour avoir au moins deux chaussettes de la même couleur ?

4. Soit d un entier positif. Démontrez que, parmi un groupe de $d + 1$ entiers (pas nécessairement consécutifs), deux de ces entiers ont exactement le même reste lorsqu'ils sont divisés par d.

5. Soit n un entier positif. Démontrez que, dans tout ensemble de n entiers consécutifs, il y a exactement un entier qui est divisible par n.

6. Démontrez que si f est une fonction de S dans T où S et T sont des ensembles finis et $|S| > |T|$, alors il existe deux éléments s_1 et s_2 dans S tels que $f(s_1) = f(s_2)$ ou, en d'autres mots, f n'est pas injective.

7. Combien d'étudiants, chacun provenant de l'un des 50 États américains, devraient s'inscrire à

l'université pour qu'il y ait au moins 100 étudiants qui viennent du même État ?

★**8.** Soit (x_i, y_i), $i = 1, 2, 3, 4, 5$, un ensemble de cinq points distincts avec des coordonnées entières dans le plan cartésien. Démontrez que le point central du segment de droite reliant au moins une paire de ces points a des coordonnées entières.

★**9.** Soit (x_i, y_i, z_i), $i = 1, 2, 3, 4, 5, 6, 7, 8, 9$, un ensemble de neuf points distincts ayant des coordonnées entières dans l'espace euclidien à trois dimensions. Démontrez que le point central du segment de droite reliant au moins une paire de ces points a des coordonnées entières.

10. Combien de couples d'entiers (a, b) sont nécessaires pour qu'il y ait deux couples (a_1, b_1) et (a_2, b_2) tels que $a_1 \bmod 5 = a_2 \bmod 5$ et $b_1 \bmod 5 = b_2 \bmod 5$?

11. **a)** Démontrez que si on choisit cinq entiers dans les huit premiers nombres entiers positifs, il doit y avoir une paire de ces entiers dont la somme est 9.

b) La conclusion de la partie a) est-elle vraie si quatre entiers sont sélectionnés plutôt que cinq ?

12. **a)** Démontrez que si on choisit sept entiers dans les dix premiers entiers positifs, il doit y avoir au moins deux paires de ces entiers dont la somme est 11.

b) La conclusion de la partie a) est-elle vraie si six entiers sont sélectionnés plutôt que sept ?

13. Une entreprise emmagasine des produits dans un entrepôt. Les boîtes d'entreposage de cet entrepôt sont identifiées en fonction des allées et des étagères. L'entrepôt comprend 50 allées, 85 emplacements horizontaux dans chaque allée et 5 étagères. Quel est le plus petit nombre de produits que peut entreposer l'entreprise pour qu'au moins deux produits soient contenus dans la même boîte ?

14. Il y a 51 maisons sur une rue. Chaque maison a une adresse comprise entre 1000 et 1099 inclusivement. Démontrez qu'au moins 2 maisons ont des adresses qui sont des entiers consécutifs.

★**15.** Soit x un nombre irrationnel. Démontrez que la valeur absolue de la différence entre jx et l'entier le plus proche de jx est inférieure à $1/n$ pour un entier positif j ne dépassant pas n.

16. Trouvez une sous-suite croissante de longueur maximale et une sous-suite décroissante de longueur maximale dans la suite 22, 5, 7, 2, 23, 10, 15, 21, 3, 17.

17. Formez une suite de 16 entiers positifs qui n'a aucune sous-suite croissante ou décroissante de 5 éléments.

18. Démontrez que, s'il y a 101 personnes de différentes tailles qui se tiennent debout en ligne, il est possible de trouver 11 personnes en ordre qui ont des tailles croissantes ou décroissantes.

★**19.** Construisez un algorithme en pseudocode permettant de former la sous-suite maximale croissante ou décroissante d'une suite d'entiers distincts.

20. Démontrez que, dans un groupe de 5 personnes (où 2 personnes quelconques sont soit des amis, soit des ennemis), il n'y a pas nécessairement 3 amis communs ou 3 ennemis communs.

21. Démontrez que, dans un groupe de 10 personnes (où 2 personnes quelconques sont soit des amis, soit des ennemis), il y a 3 amis ou 4 ennemis communs, et il y a 3 ennemis communs ou 4 amis communs.

22. Référez-vous à l'exercice 21 pour démontrer que, parmi un groupe de 20 personnes (où 2 personnes quelconques sont soit des amis, soit des ennemis), il y a 4 amis communs ou 4 ennemis communs.

23. Démontrez qu'il y a au moins 4 personnes en Californie (la population est de 25 millions) qui ont les 3 mêmes initiales et qui sont nées le même jour de l'année (mais pas nécessairement la même année).

24. Démontrez que, s'il y a 100 000 000 de salariés aux États-Unis qui gagnent moins de 1 000 000 \$, il y a 2 salariés qui ont gagné exactement le même salaire, au cent près, l'an dernier.

25. Il y a 38 périodes durant lesquelles les cours peuvent avoir lieu à l'université. S'il y a 677 cours différents, combien de salles seront nécessaires ?

26. Un réseau est constitué de 6 ordinateurs. Chaque ordinateur est directement relié à au moins l'un des autres ordinateurs. Démontrez qu'il y a au moins 2 ordinateurs dans le réseau qui sont directement reliés au même nombre d'ordinateurs.

27. Un réseau est constitué de 6 ordinateurs. Chaque ordinateur est directement relié à 0 ordinateur ou à plusieurs autres ordinateurs. Démontrez qu'il y a au moins 2 ordinateurs dans le réseau qui sont directement reliés au même nombre d'ordinateurs.

★**28.** Prouvez que, dans une fête où il y a au moins 2 personnes, il y a 2 personnes qui connaissent le même nombre de personnes présentes à cette fête.

29. Un homme participant à un tournoi de bras de fer demeure le champion pendant une période de 75 heures. Cet homme a participé à au moins 1 partie par heure, mais il n'a pas joué plus de 125 parties. Démontrez qu'il y a une période d'heures consécutives durant laquelle cet homme a participé à exactement 24 parties.

★**30.** L'énoncé de l'exercice 29 est-il vrai si 24 est remplacé par
a) 2 ?   **b)** 23 ?   **c)** 25 ?   **d)** 30 ?

31. Démontrez que si f est une fonction de S dans T, où S et T sont des ensembles finis et $m = \lceil |S|/|T| \rceil$, alors il y a au moins m éléments de S qui sont affectés à la même valeur dans T. Autrement dit, démontrez qu'il existe des éléments $s_1, s_2, \ldots, s_m$ de S tels que $f(s_1) = f(s_2) = \cdots = f(s_m)$.

32. Supposez qu'il y a au moins 9 étudiants inscrits à un cours de mathématiques discrètes dans une petite université.

   a) Démontrez qu'il doit y avoir au moins 5 étudiants ou au moins 5 étudiantes inscrits à ce cours.

   b) Démontrez qu'il doit y avoir au moins 3 étudiants ou au moins 7 étudiantes inscrits à ce cours.

33. Supposez que chaque étudiant du cours de mathématiques discrètes parmi un groupe de 25 étudiants est un étudiant de première année, de deuxième année ou de troisième année.

   a) Démontrez qu'il y a au moins 9 étudiants de première année, au moins 9 étudiants de deuxième année ou au moins 9 étudiants de troisième année dans la classe.

   b) Démontrez qu'il y a au moins 3 étudiants de première année, au moins 19 étudiants de deuxième année ou au moins 5 étudiants de troisième année dans la classe.

34. Soit $n_1, n_2, \ldots, n_t$ des entiers positifs. Démontrez que si $n_1 + n_2 + \cdots + n_t - t + 1$ objets sont rangés dans t boîtes, alors pour un i, $i = 1, 2, \ldots, t$, la i-ième boîte contient au moins n_i objets.

⋆35. La démonstration du théorème 3 basée sur le principe des nids de pigeon généralisé est exposée dans ce problème. La notation est la même que celle qui a été utilisée dans la démonstration précédente.

   a) Supposez que $i_k \leq n$ pour $k = 1, 2, \ldots, n^2 + 1$. Utilisez le principe des nids de pigeon généralisé pour démontrer qu'il y a $n + 1$ éléments $a_{k_1}, a_{k_2}, \ldots, a_{k_{n+1}}$ avec $i_{k_1} = i_{k_2} = \cdots = i_{k_{n+1}}$, où $1 \leq k_1 < k_2 < \cdots < k_{n+1}$.

   b) Démontrez que $a_{k_j} > a_{k_{j+1}}$ pour $j = 1, 2, \ldots, n$. (*Conseil* : Supposez que $a_{k_j} < a_{k_{j+1}}$ et démontrez que cela implique que $i_{k_j} > i_{k_{j+1}}$, ce qui est une contradiction.)

   c) Référez-vous aux parties a) et b) pour démontrer que s'il n'y a pas de sous-suite croissante de longueur $n + 1$, alors il doit y avoir une sous-suite décroissante de cette longueur.

4.3

Permutations et combinaisons

INTRODUCTION

On suppose qu'une équipe de tennis est composée de 10 membres. L'entraîneur doit sélectionner 5 joueurs qui doivent affronter des joueurs d'une autre école. De plus, l'entraîneur doit préparer une liste ordonnée de 4 joueurs qui joueront les quatre simples. Dans la présente section, on élabore des méthodes pour dénombrer les différents ensembles non ordonnés de 5 joueurs qui seront sélectionnés pour affronter les joueurs d'une autre école ainsi que les différentes listes de 4 joueurs qui joueront les quatre simples. Plus généralement, on présente des techniques de dénombrement de sélections non ordonnées d'objets distincts et les arrangements ordonnés d'objets d'un ensemble fini.

PERMUTATIONS

La **permutation** d'un ensemble d'objets distincts est un arrangement ordonné de ces objets. On s'intéresse également aux arrangements ordonnés de certains des éléments d'un ensemble. Un arrangement ordonné de r éléments d'un ensemble est appelé une **r-permutation**.

EXEMPLE 1   Soit $S = \{1, 2, 3\}$. L'arrangement 3, 1, 2 est une permutation de S. L'arrangement 3, 2 est une 2-permutation de S. ■

Le nombre de r-permutations d'un ensemble à n éléments est noté $P(n, r)$. On peut trouver $P(n, r)$ en utilisant le principe du produit.

THÉORÈME 1   Le nombre de r-permutations d'un ensemble de n éléments distincts est

$$P(n, r) = n(n - 1)(n - 2) \cdots (n - r + 1).$$

Démonstration : On peut choisir le premier élément de la permutation de n façons, puisqu'il y a n éléments dans l'ensemble. Il y a $n - 1$ façons de choisir le deuxième élément de la permutation, puisqu'il reste $n - 1$ éléments dans l'ensemble après qu'on a utilisé l'élément choisi pour occuper la première position. De même, on peut choisir de $n - 2$ façons le troisième élément, et ainsi de suite, jusqu'à ce qu'il y ait exactement $n - r + 1$ façons de choisir le r-ième élément. Par conséquent, selon le principe du produit, il y a

$$n(n - 1)(n - 2) \cdots (n - r + 1)$$

r-permutations de l'ensemble. □

À partir du théorème 1, il s'ensuit que

$$P(n, r) = n(n - 1)(n - 2) \cdots (n - r + 1) = n!/(n - r)!.$$

En particulier, il convient de noter que $P(n, n) = n!$. On illustre ce résultat à l'aide d'exemples.

EXEMPLE 2   De combien de façons différentes peut-on choisir 4 joueurs distincts parmi 10 joueurs dans une équipe pour jouer quatre matchs de tennis, où les matchs sont ordonnés ?

Solution : La réponse est donnée par le nombre de 4-permutations d'un ensemble à 10 éléments. Selon le théorème 1, la réponse est $P(10, 4) = 10 \cdot 9 \cdot 8 \cdot 7 = 5040$. ■

EXEMPLE 3   Supposez qu'il y a huit coureurs dans une course. Le gagnant remporte la médaille d'or, le deuxième reçoit la médaille d'argent et le troisième, la médaille de bronze. De combien de façons pouvez-vous attribuer ces médailles, si tous les résultats possibles de la course peuvent se réaliser ?

Solution : Le nombre de façons différentes d'attribuer les médailles est égal au nombre de 3-permutations d'un ensemble de 8 éléments. Ainsi, il y a $P(8, 3) = 8 \cdot 7 \cdot 6 = 336$ façons possibles d'attribuer les médailles. ■

EXEMPLE 4   Supposez qu'une représentante des ventes doit visiter 8 villes différentes. Elle doit commencer son voyage dans une ville donnée, mais elle peut visiter les 7 autres villes dans l'ordre de son choix. De combien d'itinéraires possibles la représentante dispose-t-elle pour visiter ces villes ?

Solution : Le nombre possible d'itinéraires entre les villes est le nombre de permutations de 7 éléments, puisque la première ville est donnée mais que l'itinéraire des 7 autres villes peut avoir un ordre arbitraire. Par conséquent, il y a $7! = 7 \cdot 6 \cdot 5 \cdot 4 \cdot 3 \cdot 2 \cdot 1 = 5040$ façons pour la représentante de choisir son itinéraire. Si, par exemple, elle souhaite trouver l'itinéraire le plus court entre les différentes villes et qu'elle calcule la distance totale pour chaque itinéraire possible, elle doit tenir compte, au total, de 5040 itinéraires.   ■

COMBINAISONS

Une ***r*-combinaison** des éléments d'un ensemble est une sélection non ordonnée de r éléments de l'ensemble. Ainsi, une r-combinaison constitue simplement un sous-ensemble de l'ensemble ayant r éléments.

EXEMPLE 5   Soit S l'ensemble $\{1, 2, 3, 4\}$. Alors, $\{1, 3, 4\}$ est une 3-combinaison de S.   ■

Le nombre de r-combinaisons d'un ensemble à n éléments distincts est noté $C(n, r)$.

EXEMPLE 6   On peut voir que $C(4, 2) = 6$, puisque les 2-combinaisons de $\{a, b, c, d\}$ sont les 6 sous-ensembles $\{a, b\}$, $\{a, c\}$, $\{a, d\}$, $\{b, c\}$, $\{b, d\}$ et $\{c, d\}$.   ■

On peut déterminer le nombre de r-combinaisons d'un ensemble à n éléments en utilisant la formule pour calculer le nombre de r-permutations d'un ensemble. Pour ce faire, on peut obtenir les r-permutations d'un ensemble en formant d'abord des r-combinaisons et ensuite en ordonnant les éléments dans ces combinaisons. La démonstration du théorème suivant, lequel donne la valeur de $C(n, r)$, est basée sur cette observation.

THÉORÈME 2   Le nombre de r-combinaisons d'un ensemble ayant n éléments, où n est un entier positif et r, un entier avec $0 \leq r \leq n$, est égal à

$$C(n, r) = \frac{n!}{r!(n - r)!}$$

Démonstration : On peut obtenir les r-permutations d'un ensemble en formant les r-combinaisons $C(n, r)$ de l'ensemble et en ordonnant les éléments dans chaque r-combinaison, ce qui peut se faire de $P(r, r)$ façons. Par conséquent,

$$P(n, r) = C(n, r) \cdot P(r, r),$$

ce qui implique que

$$C(n, r) = \frac{P(n, r)}{P(r, r)} = \frac{n!/(n-r)!}{r!/(r-r)!} = \frac{n!}{r!(n-r)!}.$$ □

Le corollaire suivant est utile pour calculer le nombre de r-combinaisons d'un ensemble.

COROLLAIRE 1 Soit n et r des entiers non négatifs avec $r \leq n$. Alors, $C(n, r) = C(n, n - r)$.

Démonstration : D'après le théorème 2, il s'ensuit que

$$C(n, r) = \frac{n!}{r!(n-r)!}$$

et

$$C(n, n - r) = \frac{n!}{(n-r)![n-(n-r)]!} = \frac{n!}{(n-r)!\, r!}.$$

Ainsi, $C(n, r) = C(n, n - r)$. □

Il existe une autre notation courante pour calculer le nombre de r-combinaisons d'un ensemble à n éléments, notamment

$$\binom{n}{r}.$$

Ce nombre s'appelle aussi un **coefficient binomial**. On emploie le terme *coefficient binomial* parce que ces nombres apparaissent comme des coefficients dans la représentation des puissances des expressions binomiales telle $(a + b)^n$. On discutera ultérieurement du **théorème du binôme**, lequel exprime la puissance d'une expression binomiale comme la somme des éléments comportant des coefficients binomiaux.

EXEMPLE 7 De combien de façons peut-on sélectionner 5 joueurs dans une équipe de tennis comprenant 10 joueurs pour affronter les joueurs d'une équipe représentant une autre école ?

Solution : La réponse est donnée par le nombre de 5-combinaisons d'un ensemble de 10 éléments. Selon le théorème 2, le nombre de combinaisons est

$$C(10, 5) = \frac{10!}{5!5!} = 252.$$ ■

COEFFICIENTS BINOMIAUX

On discute maintenant de certaines propriétés des coefficients binomiaux. La première propriété décrite est une identité importante.

THÉORÈME 3   **IDENTITÉ DE PASCAL**   Soit n et k des entiers positifs avec $n \geq k$. Alors,

$$C(n + 1, k) = C(n, k - 1) + C(n, k).$$

Démonstration : On suppose que T est un ensemble contenant $n + 1$ éléments. Soit a un élément de T et soit $S = T - \{a\}$. À noter qu'il y a $C(n + 1, k)$ sous-ensembles de T contenant k éléments. Cependant, un sous-ensemble de T ayant k éléments contient soit a et $k - 1$ éléments de S, soit k éléments de S et ne contient pas a. Puisqu'il y a $C(n, k - 1)$ sous-ensembles de $k - 1$ éléments de S, il y a $C(n, k - 1)$ sous-ensembles de k éléments de T qui contiennent a. De plus, il y a $C(n, k)$ sous-ensembles de k éléments de T qui ne contiennent pas a, puisqu'il y a $C(n, k)$ sous-ensembles de k éléments de S. Par conséquent,

$$C(n + 1, k) = C(n, k - 1) + C(n, k). \qquad \square$$

Remarque : Une preuve combinatoire de l'identité de Pascal a été donnée. Il est également possible de démontrer cette identité par une manipulation algébrique à partir de la formule $C(n, r)$ (voir l'exercice 47 à la fin de la présente section).

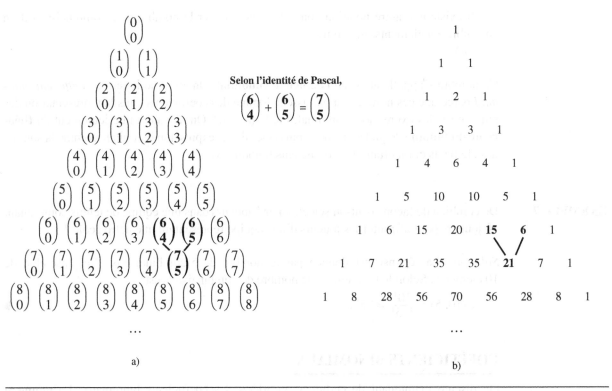

a)   b)

FIGURE 1   Triangle de Pascal

L'identité de Pascal constitue la base de l'arrangement géométrique des coefficients binomiaux dans un triangle, comme le montre la figure 1.

La n-ième rangée du triangle est constituée des coefficients binomiaux

$$\binom{n}{k}, \quad k = 0, 1, \ldots, n.$$

Ce triangle s'appelle le **triangle de Pascal**. L'identité de Pascal montre que, lorsqu'on ajoute deux coefficients binomiaux adjacents à ce triangle, on obtient le coefficient binomial de la rangée suivante entre ces deux coefficients.

Les coefficients binomiaux jouissent de nombreuses autres propriétés en plus de l'identité de Pascal. On énonce maintenant deux autres identités et on donne des preuves combinatoires. On trouvera d'autres preuves combinatoires dans les exercices à la fin de la présente section.

THÉORÈME 4

Soit n un entier positif. Alors,

$$\sum_{k=0}^{n} C(n, k) = 2^n.$$

Démonstration : Un ensemble à n éléments a, au total, 2^n sous-ensembles différents. Chaque sous-ensemble contient soit 0 élément, 1 élément, 2 éléments, ... soit n éléments. Il y a $C(n, 0)$ sous-ensembles ayant 0 élément, $C(n, 1)$ sous-ensembles ayant 1 élément, $C(n, 2)$ sous-ensembles ayant 2 éléments ... et $C(n, n)$ sous-ensembles ayant n éléments. Donc,

$$\sum_{k=0}^{n} C(n, k)$$

permet de compter le nombre total de sous-ensembles d'un ensemble à n éléments. Cela démontre que

$$\sum_{k=0}^{n} C(n, k) = 2^n. \qquad \square$$

THÉORÈME 5

IDENTITÉ DE VANDERMONDE Soit m, n et r des entiers non négatifs avec r ne dépassant ni m ni n. Alors,

$$C(m + n, r) = \sum_{k=0}^{r} C(m, r - k)C(n, k).$$

Remarque : Cette identité fut découverte par le mathématicien Alexandre-Théophile Vandermonde au XVIIIe siècle.

Démonstration : On suppose qu'il y a m éléments dans un ensemble et n éléments dans un deuxième ensemble. Alors, au total, le nombre de façons de choisir r éléments dans l'union de ces ensembles est $C(m + n, r)$. Une autre façon de choisir r éléments dans l'union consiste à sélectionner k éléments dans le premier ensemble et $r - k$ éléments dans le deuxième ensemble, où k est un entier avec $0 \leq k \leq r$. Cela peut se faire de $C(m, k)C(n, r - k)$ façons si on utilise le principe du produit. Ainsi, le nombre de façons de choisir r éléments dans l'union est aussi égal à

$$C(m + n, r) = \sum_{k = 0}^{r} C(m, r - k)C(n, k).$$ □

Ce résultat prouve l'identité de Vandermonde.

THÉORÈME DU BINÔME

Le théorème du binôme donne les coefficients de la représentation des puissances des expressions binomiales. Par définition, une expression **binomiale** est simplement la somme de deux éléments, telle $x + y$. (Les éléments peuvent être des produits des constantes et des variables, mais cette information n'est pas pertinente ici.) L'exemple 8 illustre en quoi ce théorème est vrai.

EXEMPLE 8   On peut trouver la représentation de $(x + y)^3$ à l'aide d'un raisonnement combinatoire plutôt qu'en multipliant les trois éléments. Lorsque $(x + y)^3 = (x + y)(x + y)(x + y)$ est développé, tous les produits d'un élément dans la première somme, d'un élément dans la deuxième somme et d'un élément dans la troisième somme sont additionnés. Des éléments de la forme x^3, x^2y, xy^2 et y^3 sont obtenus. Pour avoir un élément ayant la forme x^3, il faut choisir un x dans chacune de ces sommes, ce qui peut se faire d'une seule façon. Ainsi, l'élément x^3 du produit a un coefficient de 1. Pour obtenir un élément de la forme x^2y, il faut choisir un x dans deux des trois sommes (et, par conséquent, un y dans l'autre somme). Ainsi, le nombre de tels éléments est le nombre de 2-combinaisons des trois objets, notamment $C(3, 2)$. De même, le nombre d'éléments de la forme xy^2 est égal au nombre de façons de choisir l'une des trois sommes pour obtenir un x (et, par conséquent, de choisir un y dans chacun des deux autres éléments). Cela peut se faire de $C(3, 1)$ façons. Finalement, la seule façon d'obtenir un élément y^3 consiste à choisir le y pour chacune des trois sommes dans le produit, et cela peut se faire exactement d'une façon. Par conséquent, il s'ensuit que

$$(x + y)^3 = x^3 + 3x^2y + 3xy^2 + y^3.$$ ■

Voici maintenant le théorème du binôme.

THÉORÈME 6   **THÉORÈME DU BINÔME**   Soit x et y des variables et n un entier positif. Alors,

$$(x + y)^n = \sum_{j = 0}^{n} C(n, j)x^{n - j}y^{j}$$

$$= \binom{n}{0}x^n + \binom{n}{1}x^{n-1}y + \binom{n}{2}x^{n-2}y^2 + \ldots + \binom{n}{n-1}xy^{n-1} + \binom{n}{n}y^n.$$

Démonstration : Nous allons donner une preuve combinatoire de ce théorème. Les éléments du produit, lorsque celui-ci est développé, ont la forme $x^{n-j}y^j$ pour $j = 0, 1, 2, ..., n$. Pour compter le nombre d'éléments ayant la forme $x^{n-j}y^j$, il est nécessaire de choisir $n - j$ facteurs x parmi les n sommes binominales (pour que les autres j éléments du produit soient des y). Ainsi, le coefficient de $x^{n-j}y^j$ est $C(n, n - j) = C(n, j)$. Cela démontre le théorème. ∎

Les exemples suivants illustrent l'utilisation du théorème binomial.

EXEMPLE 9   Quel est le développement de $(x + y)^4$?

Solution : À partir du théorème du binôme, il s'ensuit que

$$(x + y)^4 = \sum_{j=0}^{4} C(4, j)x^{4-j}y^j$$
$$= C(4, 0)x^4 + C(4, 1)x^3y + C(4, 2)x^2y^2 + C(4, 3)xy^3 + C(4, 4)y^4$$
$$= x^4 + 4x^3y + 6x^2y^2 + 4xy^3 + y^4.$$

∎

EXEMPLE 10   Quel est le coefficient de $x^{12}y^{13}$ dans le développement de $(x + y)^{25}$?

Solution : À partir du théorème du binôme, il s'ensuit que le coefficient est

$$C(25, 13) = \frac{25!}{13!12!} = 5\ 200\ 300.$$

EXEMPLE 11   Quel est le coefficient de $x^{12}y^{13}$ dans le développement de $(2x - 3y)^{25}$?

Solution : Tout d'abord, il convient de noter que cette expression équivaut à $(2x + (-3y))^{25}$. En appliquant le théorème du binôme, on obtient

$$(2x + (-3y))^{25} = \sum_{j=0}^{25} C(25, j)(2x)^{25-j}(-3y)^j.$$

Par conséquent, le coefficient de $x^{12}y^{13}$ dans le développement s'obtient lorsque $j = 13$,

$$C(25, 13)2^{12}(-3)^{13} = -\frac{25!}{13!12!}2^{12}3^{13}.$$

∎

On peut utiliser le théorème du binôme pour donner une autre preuve du théorème 4. Il faut se rappeler que, selon ce théorème, $\sum_{k=0}^{n} C(n, k) = 2^n$ lorsque n est un entier positif.

Démonstration : En appliquant le théorème du binôme, on voit que

$$2^n = (1 + 1)^n = \sum_{k=0}^{n} C(n, k) 1^k 1^{n-k} = \sum_{k=0}^{n} C(n, k).$$

Il s'agit du résultat souhaité. □

On peut également appliquer le théorème du binôme pour prouver l'identité suivante.

THÉORÈME 7   Soit n un entier positif. Alors,

$$\sum_{k=0}^{n} (-1)^k C(n, k) = 0.$$

Démonstration : À partir du théorème du binôme, il s'ensuit que

$$0 = ((-1) + 1)^n = \sum_{k=0}^{n} C(n, k)(-1)^k 1^{n-k} = \sum_{k=0}^{n} C(n, k)(-1)^k.$$

Cela prouve le théorème. □

Exercices

1. Énumérez toutes les permutations de $\{a, b, c\}$.
2. Combien de permutations de l'ensemble $\{a, b, c, d, e, f, g\}$ y a-t-il ?
3. Combien de permutations de l'ensemble $\{a, b, c, d, e, f, g\}$ se terminent par a ?
4. Soit $S = \{1, 2, 3, 4, 5\}$.
   a) Énumérez toutes les 3-permutations de S.
   b) Énumérez toutes les 3-combinaisons de S.
5. Trouvez la valeur de chacune des quantités suivantes :
   a) $P(6, 3)$.   b) $P(6, 5)$.   c) $P(8, 1)$.
   d) $P(8, 5)$.   e) $P(8, 8)$.   f) $P(10, 9)$.
6. Trouvez la valeur de chacune des quantités suivantes :
   a) $C(5, 1)$.   b) $C(5, 3)$.   c) $C(8, 4)$.
   d) $C(8, 8)$.   e) $C(8, 0)$.   f) $C(12, 6)$.
7. Trouvez le nombre de 5-permutations d'un ensemble de 9 éléments.
8. Dans combien d'ordres différents 5 coureurs peuvent-il terminer une course ?
9. Combien y a-t-il de possibilités pour la première, la deuxième et la troisième position dans une course de 12 chevaux si tous les ordres d'arrivée sont possibles ?

10. Il y a 6 candidats différents pour le titre de gouverneur d'un État. Dans combien d'ordres différents les noms des candidats peuvent-ils être imprimés sur un bulletin de vote ?
11. Un groupe est formé de n hommes et de n femmes. De combien de façons pouvez-vous disposer ces personnes en une rangée, si les femmes et les hommes sont placés en alternance ?
12. De combien de façons pouvez-vous sélectionner un ensemble de deux entiers positifs inférieurs à 100 ?
13. De combien de façons pouvez-vous choisir un ensemble de 5 lettres dans l'alphabet ?
14. Combien de sous-ensembles avec un nombre impair d'éléments un ensemble de 10 éléments a-t-il ?
15. Combien de sous-ensembles avec plus de 2 éléments un ensemble de 100 éléments a-t-il ?
16. Combien de chaînes binaires de longueur 10 ont
    a) exactement trois 0 ?
    b) le même nombre de 0 et de 1 ?
    c) au moins sept 1 ?
    d) au moins trois 1 ?

17. Cent billets, numérotés 1, 2, 3, …, 100, sont vendus à 100 personnes différentes pour un tirage. Quatre prix sont attribués, y compris un grand prix (un voyage à Tahiti).

   a) Combien y a-t-il de façons d'attribuer les prix ?

   b) Combien y a-t-il de façons d'attribuer les prix si la personne qui a le billet 47 remporte le grand prix ?

   c) Combien y a-t-il de façons d'attribuer les prix si la personne qui a le billet 47 remporte l'un des prix ?

   d) Combien y a-t-il de façons d'attribuer les prix si la personne qui a le billet 47 ne gagne pas de prix ?

   e) Combien y a-t-il de façons d'attribuer les prix si les personnes qui ont les billets 19 et 47 gagnent toutes les deux des prix ?

   f) Combien y a-t-il de façons d'attribuer les prix si les personnes qui ont les billets 19, 47 et 73 gagnent toutes des prix ?

   g) Combien y a-t-il de façons d'attribuer les prix si les personnes qui ont les billets 19, 47, 73 et 97 gagnent toutes des prix ?

   h) Combien y a-t-il de façons d'attribuer les prix si aucune des personnes qui ont les billets 19, 47, 73 et 97 ne gagne de prix ?

   i) Combien y a-t-il de façons d'attribuer les prix si la personne qui gagne le grand prix a le billet 19, 47, 73 ou 97 ?

   j) Combien y a-t-il de façons d'attribuer les prix si les personnes qui ont les billets 19 et 47 gagnent des prix, mais que les personnes ayant les billets 73 et 97 ne gagnent pas de prix ?

18. Treize personnes d'une équipe de balle molle se présentent à une partie.

   a) De combien de façons pouvez-vous sélectionner 10 joueurs qui iront sur le terrain ?

   b) De combien de façons pouvez-vous attribuer 10 positions en sélectionnant les joueurs parmi les 13 personnes qui se présentent ?

   c) Parmi les 13 personnes qui se présentent, 3 sont des femmes. De combien de façons pouvez-vous choisir 10 joueurs sur le terrain si au moins l'un de ces joueurs doit être une femme ?

19. Un club compte 25 membres.

   a) De combien de façons pouvez-vous choisir 4 membres pour le comité exécutif ?

   b) De combien de façons pouvez-vous choisir un président, un vice-président, un secrétaire et un trésorier pour le club ?

20. Un professeur écrit 40 questions pour un examen. La réponse à chacune de ces questions est « vrai » ou « faux ». Si 17 des réponses sont « vrai » et s'il est possible de placer ces questions dans n'importe quel ordre, combien de solutions de réponses différentes sont possibles ?

21. Combien de 4-permutations des entiers positifs ne dépassant pas 100 contiennent 3 entiers consécutifs dans le bon ordre,

   a) où « consécutif » signifie l'ordre habituel des entiers et où ces entiers consécutifs sont divisibles par d'autres entiers dans la permutation ?

   b) où « consécutif » signifie que les nombres sont des entiers consécutifs et qu'ils sont dans des positions consécutives dans la permutation ?

22. Soit 7 femmes et 9 hommes qui sont membres du département de mathématiques de l'université.

   a) De combien de façons pouvez-vous sélectionner un comité de 5 membres du département s'il doit y avoir au moins une femme dans le comité ?

   b) De combien de façons pouvez-vous sélectionner un comité de 5 membres du département s'il doit y avoir au moins une femme et au moins un homme dans le comité ?

23. L'alphabet anglais contient 21 consonnes et 5 voyelles. Combien de chaînes de lettres de longueur 6 de l'alphabet anglais contiennent

   a) exactement 1 voyelle ?

   b) exactement 2 voyelles ?

   c) au moins 1 voyelle ?

   d) au moins 2 voyelles ?

24. Combien de chaînes de 6 lettres de l'alphabet anglais contiennent

   a) la lettre a ?

   b) les lettres a et b ?

   c) les lettres a et b de façon consécutive lorsque a précède b et que toutes les lettres sont distinctes ?

   d) les lettres a et b, alors que a se trouve quelque part à gauche de b dans la chaîne et que toutes les lettres sont distinctes ?

25. Supposez qu'il y a 10 hommes et 15 femmes dans un département. De combien de façons pouvez-vous former un comité de 6 membres s'il doit y avoir le même nombre de femmes et d'hommes ?

26. Supposez qu'il y a 10 hommes et 15 femmes dans un département. De combien de façons pouvez-vous former un comité de 6 membres s'il doit y avoir plus de femmes que d'hommes ?

27. Combien de chaînes binaires contiennent exactement huit 0 et dix 1, si chaque 0 doit être immédiatement suivi d'un 1 ?

28. Combien de chaînes binaires contiennent exactement cinq 0 et quatorze 1, si chaque 0 doit être immédiatement suivi de deux 1 ?

29. Combien de chaînes binaires de longueur 10 contiennent au moins trois 1 et au moins trois 0 ?

30. De combien de façons peut-on sélectionner 12 pays des Nations Unies pour être membres d'un conseil si on sélectionne 3 pays dans un bloc de 45, 4 pays dans un bloc de 57 et qu'on choisit les autres pays parmi les 69 pays restants ?

31. Combien de plaques d'immatriculation constituées de 3 lettres suivies de 3 chiffres ne contiennent que des lettres différentes et des chiffres différents ?

32. De combien de façons peut-on asseoir 6 personnes autour d'une table circulaire, si on considère que chaque place est équivalente et accessible par chaque personne si on fait la rotation de la table ?

33. Démontrez que si n et k sont des entiers positifs, alors

$$C(n + 1, k) = (n + 1)C(n, k - 1)/k.$$

Utilisez cette identité pour trouver une définition inductive des coefficients binomiaux.

34. Démontrez que si p est un nombre premier et k, un entier tel que $1 \leq k \leq p - 1$, alors p divise $C(p, k)$.

35. Trouvez le développement de $(x + y)^5$.

36. Trouvez le coefficient de $x^5 y^8$ dans $(x + y)^{13}$.

37. Combien d'éléments y a-t-il dans le développement de $(x + y)^{100}$?

38. Quel est le coefficient de x^7 dans $(1 + x)^{11}$?

39. Quel est le coefficient de x^9 dans $(2 - x)^{19}$?

40. Quel est le coefficient de $x^8 y^9$ dans le développement de $(3x + 2y)^{17}$?

41. Quel est le coefficient de $x^{101} y^{99}$ dans le développement de $(2x - 3y)^{200}$?

★42. Trouvez une formule pour calculer le coefficient de x^k dans le développement de $(x + 1/x)^{100}$, où k est un entier.

★43. Trouvez une formule pour calculer le coefficient de x^k dans le développement de $(x^2 - 1/x)^{100}$, où k est un entier.

44. La rangée du triangle de Pascal contenant les coefficients binomiaux $C(10, k)$, $0 \leq k \leq 10$ est

1 10 45 120 210 252 210 120 45 10 1

Utilisez l'identité de Pascal pour former la rangée suivant immédiatement cette rangée dans le triangle de Pascal.

45. Quelle est la rangée du triangle de Pascal qui contient les coefficients binomiaux $C(9, k)$, $0 \leq k \leq 9$?

★46. Soit n un entier positif. Quel est le plus grand coefficient binomial $C(n, r)$, où r est un entier non négatif inférieur ou égal à n ? Justifiez votre réponse.

47. Prouvez l'identité de Pascal en utilisant la formule pour $C(n, r)$.

48. Prouvez l'identité $C(n, r)C(r, k) = C(n, k) \cdot C(n - k, r - k)$, lorsque n, r et k sont des entiers non négatifs avec $r \leq n$ et $k \leq r$

a) en utilisant un argument combinatoire.

b) en utilisant un argument basé sur la formule pour calculer le nombre de r-combinaisons d'un ensemble à n éléments.

★49. Prouvez que

$$\sum_{k=0}^{r} C(n + k, k) = C(n + r + 1, r)$$

lorsque n et r sont des entiers positifs

a) en utilisant un argument combinatoire.

b) en utilisant l'identité de Pascal.

50. Démontrez que si n est un entier positif, alors $C(2n, 2) = 2C(n, 2) + n^2$

a) en utilisant un argument combinatoire.

b) à l'aide de manipulations algébriques.

★51. Donnez une preuve combinatoire que $\sum_{k=1}^{n} kC(n, k) = n2^{n-1}$. (*Conseil :* Comptez de deux façons le nombre de manières dont vous pouvez sélectionner un comité et, ensuite, le nombre de manières de sélectionner le directeur du comité.)

★52. Donnez une preuve combinatoire que $\sum_{k=1}^{n} kC(n, k)^2 = nC(2n - 1, n - 1)$. (*Conseil :* Comptez de deux façons le nombre de manières dont vous pouvez sélectionner un comité avec n membres d'un groupe de n professeurs de mathématiques et de n professeurs d'informatique pour que le président du comité soit un professeur de mathématiques.)

53. Démontrez qu'un ensemble a le même nombre de sous-ensembles ayant un nombre impair d'éléments que de sous-ensembles ayant un nombre pair d'éléments.

★54. Prouvez le théorème du binôme par induction.

55. Dans cet exercice, il faut compter le nombre de chemins dans le plan xy entre l'origine $(0, 0)$ et le point (m, n) de façon telle que chaque chemin soit constitué d'une série d'étapes, où chaque étape est le déplacement d'une unité vers la droite ou le déplacement d'une unité vers le haut. (Aucun déplacement vers la gauche ou vers le bas n'est autorisé.) Deux de ces chemins de $(0, 0)$ à $(5, 3)$ sont illustrés ici.

a) Démontrez qu'on peut représenter chaque type de chemin décrit par une chaîne binaire constituée de m 0 et n 1, où 0 représente un déplacement d'une unité vers la droite et 1, un déplacement d'une unité vers le haut.

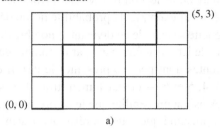

a)

b) Démontrez à partir de la partie a) qu'il y a $C(m + n, n)$ chemins du type souhaité.

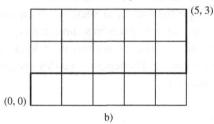

b)

56. Référez-vous à l'exercice 55 pour prouver que $C(n, k) = C(n, n - k)$ lorsque k est un entier avec $0 \le k \le n$. (*Conseil :* Considérez le nombre de chemins du type décrit dans l'exercice 55 de $(0, 0)$ à $(n - k, k)$ et de $(0, 0)$ à $(k, n - k)$.

57. Référez-vous à l'exercice 55 pour prouver le théorème 4. (*Conseil :* Comptez le nombre de chemins avec n étapes du type décrit dans l'exercice 55. Chacun de ces chemins doit se terminer à l'un des points $(n - k, k)$ pour $k = 0, 1, 2, \ldots, n$.)

58. Référez-vous à l'exercice 55 pour prouver l'identité de Pascal. (*Conseil :* Démontrez qu'un chemin du type décrit dans l'exercice 55 de $(0, 0)$ à $(n + 1 - k, k)$

passe par $(n + 1 - k, k - 1)$ ou $(n - k, k)$ mais pas par les deux chemins.)

59. Prouvez l'identité de l'exercice 49 en vous référant à l'exercice 55. (*Conseil :* D'abord, notez que le nombre de chemins de $(0, 0)$ à $(n + 1, r)$ est égal à $C(n + 1 + r, r)$. Ensuite, comptez le nombre de chemins en faisant la somme du nombre de ces chemins qui commencent par aller de k unités vers le haut pour $k = 0, 1, 2, \ldots, r$.)

⋆60. La procédure suivante est utilisée pour briser l'égalité dans les parties de la Coupe du monde de soccer. Chaque équipe choisit 5 joueurs dans un ordre déterminé. Chacun de ces joueurs exécute un coup franc (*penalty*). Un joueur de la première équipe est suivi d'un joueur de la deuxième équipe et ainsi de suite, selon l'ordre de joueurs précisé. Si le score est toujours à égalité après les 10 tentatives, la procédure est répétée. Si le score est toujours à égalité après les 20 tentatives, on fait une tentative supplémentaire pour déterminer le gagnant, et la première équipe qui compte sans que l'autre réplique aussi avec un but gagne le match.

a) Combien de scénarios de buts sont possibles si la partie est déterminée dans la première tournée de 10 *penalties*, alors que la tournée se termine une fois qu'il est impossible pour l'équipe d'égaliser le nombre de buts comptés par l'équipe adverse ?

b) Combien de scénarios de buts sont possibles pour le premier et le deuxième groupe de *penalties* si la partie est déterminée dans la deuxième tournée de 10 tentatives ?

c) Combien de scénarios de buts sont possibles pour l'ensemble complet de *penalties* si la partie est déterminée avec pas plus de 10 *penalties* additionnelles au total après les deux tournées de 5 *penalties* pour chaque équipe ?

4.4

Probabilités discrètes

INTRODUCTION

La combinatoire et la théorie des probabilités partagent des origines communes. La théorie des probabilités a d'abord été élaborée au XVIIe siècle lorsque le mathématicien français Blaise Pascal analysa certains jeux de hasard. C'est durant les études relatives à ces jeux que Pascal découvrit les différentes propriétés des coefficients binomiaux. Au XVIIIe siècle, le mathématicien français Laplace, qui étudia également les jeux de hasard, donna une définition de la probabilité d'un événement comme le nombre de résultats favorables divisé par le nombre de résultats possibles (ou le rapport entre le nombre de cas favorables pour cet événement et le nombre total de possibilités). Par exemple, la probabilité qu'un dé à jouer a de présenter un nombre impair lorsqu'on le jette se calcule en divisant le nombre de résultats favorables (soit le nombre de façons dont le dé jeté peut être pair) par le nombre de résultats possibles (soit le nombre de façons différentes dont peut se présenter le dé). Il existe, au total, six résultats possibles — soit 1, 2, 3, 4, 5 et 6 — et exactement trois de ces résultats sont des résultats positifs — soit 1, 3 et 5. Ainsi, la probabilité que le dé présente un nombre impair est de $3/6 = 1/2$. (À noter qu'on a présumé que tous les résultats possibles étaient équiprobables ou, en d'autres mots, que le dé n'était pas pipé.)

Dans la présente section, on limite cette étude aux expériences ayant un nombre fini de résultats équiprobables, ce qui permet d'utiliser la définition de la probabilité d'un événement selon Laplace. On poursuit l'étude des probabilités à la section 4.5 en étudiant des expériences avec un nombre fini de résultats qui ne sont pas nécessairement équiprobables. Dans cette même section, on introduit également certaines notions clés de la théorie des probabilités, notamment la probabilité conditionnelle, l'indépendance des événements, les variables aléatoires et leur espérance mathématique.

PROBABILITÉS FINIES

Une **expérience aléatoire** est une procédure qui produit l'un des résultats d'un ensemble donné de résultats possibles. L'**ensemble fondamental** de l'expérience est l'ensemble des résultats possibles. Un **événement** est un sous-ensemble de l'ensemble fondamental. Voici maintenant la définition de la probabilité d'un événement selon Laplace dans le cas où l'ensemble fondamental comporte un nombre fini d'éléments.

DÉFINITION 1.   La *probabilité* (de réalisation) d'un événement E, qui est un sous-ensemble d'un ensemble fondamental fini S de résultats équiprobables, est $p(E) = |E|/|S|$.

EXEMPLE 1   Une urne contient 4 balles bleues et 5 balles rouges. On tire une balle de l'urne. Quelle est la probabilité de tirer une balle bleue de l'urne ?

Solution : Pour calculer cette probabilité, il convient de noter qu'il y a 9 résultats possibles et que 4 de ces résultats possibles donnent une balle bleue. Ainsi, la probabilité qu'une balle bleue soit choisie est de 4/9.   ■

EXEMPLE 2   Quelle est la probabilité que, lorsqu'on lance deux dés, le total des points apparaissant sur les deux dés soit égal à 7 ?

Solution : Il y a, au total, 36 résultats possibles lorsque les deux dés sont lancés. (On peut utiliser le principe du produit pour démontrer ce résultat. Puisque chaque dé a 6 résultats possibles, le nombre total de résultats lorsque deux dés sont lancés est $6^2 = 36$.) Il y a

6 résultats positifs, notamment (1, 6), (2, 5), (3, 4), (4, 3), (5, 2) et (6, 1), où les valeurs du premier et du deuxième dé sont représentées par paires ordonnées. Ainsi, la probabilité que le total des points sur les deux dés soit égal à 7 lorsque deux dés non pipés sont lancés est $6/36 = 1/6$. ∎

Depuis toujours, les loteries sont très populaires. On peut facilement calculer les chances qu'on a de gagner à différents jeux de loterie.

EXEMPLE 3 Dans une loterie, les joueurs gagnent un grand prix lorsqu'ils choisissent quatre chiffres correspondant, dans le bon ordre, à quatre chiffres sélectionnés par un processus aléatoire automatisé. Ils gagnent un plus petit prix si seulement trois chiffres choisis par les joueurs se retrouvent parmi les quatre numéros sélectionnés. Quelle est la probabilité qu'un joueur gagne le grand prix ? Quelle est la probabilité qu'un joueur gagne un petit prix ?

Solution : Il n'y a qu'une façon de choisir les quatre chiffres correctement. Selon le principe du produit, il y a $10^4 = 10\ 000$ façons de choisir quatre chiffres. Ainsi, la probabilité qu'un joueur gagne le grand prix est $1/10\ 000 = 0,0001$.

Les joueurs remportent un plus petit prix lorsqu'ils choisissent exactement trois des quatre chiffres correctement. Il doit y avoir exactement un chiffre faux pour que trois chiffres soient corrects, et non tous les quatre. Selon le principe de la somme, le nombre de façons de choisir exactement trois chiffres correctement peut s'obtenir en additionnant le nombre de façons de choisir quatre chiffres qui correspondent aux chiffres sélectionnés dans toutes les positions sauf la i-ième position, pour $i = 1, 2, 3, 4$. Afin de connaître le nombre de chances d'obtenir un premier chiffre incorrect, il faut d'abord noter qu'il y a neuf possibilités d'avoir un premier chiffre incorrect (toutes les possibilités sauf celle avec le premier chiffre correct) et une possibilité de choix pour chacun des autres chiffres, notamment les chiffres corrects pour ces distributions. Ainsi, il y a neuf façons de choisir quatre chiffres lorsque le premier chiffre est incorrect, mais que les trois derniers sont corrects. De même, il y a neuf façons de choisir quatre chiffres où le deuxième chiffre est incorrect, neuf chiffres où le troisième chiffre est incorrect et neuf chiffres où le quatrième chiffre est incorrect. Donc, il y a un total de 36 façons de choisir quatre chiffres comportant exactement trois bons chiffres sur les quatre. Ainsi, la probabilité qu'un joueur gagne un plus petit prix est de $36/10\ 000 = 9/2500 = 0,0036$. ∎

EXEMPLE 4 De nos jours, plusieurs loteries attribuent d'énormes prix aux personnes qui choisissent correctement un ensemble de 6 nombres parmi les n premiers entiers positifs, où n est habituellement compris entre 30 et 50. Quelle est la probabilité qu'une personne choisisse les 6 bons nombres si le tirage est effectué dans l'ensemble $\{1, 2, …, 40\}$?

Solution : Il n'y a qu'une seule combinaison gagnante. Le nombre total de façons de choisir les 6 nombres parmi les 40 est

$$C(40, 6) = \frac{40!}{34!6!} = 3\ 838\ 380.$$

Par conséquent, la probabilité qu'une personne choisisse une combinaison gagnante est 1/3 838 380 ~ 0,00000026. (Ici le symbole ~ signifie approximativement égal à.)   ■

On peut trouver la probabilité d'obtenir une main spécifique dans une partie de cartes en utilisant les techniques élaborées jusqu'à maintenant. Un jeu contient 52 cartes. Il existe 13 différentes dénominations de cartes et 4 couleurs de chaque dénomination. Ces dénominations sont les deux, les trois, les quatre, les cinq, les six, les sept, les huit, les neuf, les dix, les valets, les dames, les rois et les as. Il y a également quatre couleurs, les piques, les trèfles, les cœurs et les carreaux, chacune comportant 13 cartes, avec une carte de chaque dénomination par couleur.

EXEMPLE 5   Combien existe-t-il de mains de 5 cartes dans un jeu de 52 cartes ?

Solution : Il y a $C(52, 5) = 2\,598\,960$ différentes mains de 5 cartes.   ■

EXEMPLE 6   Trouvez la probabilité qu'une main de poker de 5 cartes contienne 4 cartes d'une même dénomination.

Solution : Selon le principe du produit, le nombre de mains de 5 cartes ayant 4 cartes d'une même dénomination est égal au produit du nombre de façons de choisir une dénomination, du nombre de façons de choisir les 4 cartes de cette dénomination parmi les 4 dénominations dans le jeu et du nombre de façons de choisir la cinquième carte. Cela se calcule selon

$C(13, 1)C(4, 4)C(48, 1).$

Puisqu'il y a un total de $C(52, 5)$ différentes mains de 5 cartes, la probabilité qu'une main contienne 4 cartes d'une même dénomination est

$$\frac{C(13, 1)C(4, 4)C(48, 1)}{C(52, 5)} = \frac{13 \cdot 1 \cdot 48}{2\,598\,960} \sim 0,00024.$$ ■

EXEMPLE 7   Quelle est la probabilité qu'une main de poker soit une main pleine (*full*), c'est-à-dire 3 cartes d'une dénomination et 2 cartes d'une autre dénomination ?

Solution : Selon le principe du produit, le nombre de mains contenant un *full* est égal au produit du nombre de façons de choisir deux dénominations en ordre, du nombre de façons de choisir 3 cartes parmi 4 pour la première dénomination et du nombre de façons de choisir 2 cartes parmi 4 pour la deuxième dénomination. (À noter que l'ordre des deux dénominations importe, puisque, par exemple, trois dames et deux as sont différents de trois as et deux reines.) On voit que le nombre de mains contenant un *full* est

$P(13, 2)C(4, 3)C(4, 2) = 13 \cdot 12 \cdot 4 \cdot 6 = 3744.$

Puisqu'il y a 2 598 960 mains de poker, la probabilité d'obtenir un *full* est

$$\frac{3744}{2\ 598\ 960} \sim 0,0014.$$ ■

PROBABILITÉ DES COMBINAISONS D'ÉVÉNEMENTS

On peut utiliser les techniques de dénombrement pour trouver la probabilité des événements dérivés d'autres événements.

THÉORÈME 1

Soit E un événement dans un ensemble fondamental. La probabilité de l'événement $\overline{E}$, c'est-à-dire l'événement complémentaire de E, est donnée par

$$p(\overline{E}) = 1 - p(E).$$

Démonstration : Pour trouver la probabilité de l'événement $\overline{E}$, il convient de noter que $|\overline{E}| = |S| - |E|$. Ainsi,

$$p\overline{E} = \frac{|S| - |E|}{|S|} = 1 - \frac{|E|}{|S|} = 1 - p(E).$$ □

Il existe une autre stratégie pour trouver la probabilité d'un événement lorsque l'approche directe ne fonctionne pas correctement. Plutôt que de déterminer la probabilité de l'événement, on peut trouver la probabilité de son complément. Cette opération est souvent plus facile à accomplir, comme le montre l'exemple 8.

EXEMPLE 8

Une suite de 10 bits est générée aléatoirement. Quelle est la probabilité qu'au moins l'un de ces bits soit un 0 ?

Solution : Soit E l'événement qu'au moins l'un des 10 bits est un 0. Alors, $\overline{E}$ est l'événement que tous les bits sont des 1. Puisque l'ensemble fondamental S est l'ensemble de toutes les chaînes binaires de longueur 10, il s'ensuit que

$$
\begin{aligned}
p(E) &= 1 - p(\overline{E}).\\
&= 1 - \frac{|\overline{E}|}{|S|}\\
&= 1 - \frac{1}{2^{10}}\\
&= 1 - \frac{1}{1024}\\
&= \frac{1023}{1024}.
\end{aligned}
$$

Ainsi, la probabilité que la chaîne binaire contienne au moins un bit 0 est de 1023/1024. Il est plutôt difficile de trouver cette probabilité directement sans utiliser le théorème 1. ■

On peut également trouver la probabilité de l'union de deux événements.

THÉORÈME 2   Soit E_1 et E_2 des événements de l'ensemble fondamental S. Alors,

$$p(E_1 \cup E_2) = p(E_1) + p(E_2) - p(E_1 \cap E_2).$$

Démonstration : En utilisant la formule donnée à la section 1.4 pour calculer le nombre d'éléments dans l'union de deux ensembles, il s'ensuit que

$$|E_1 \cup E_2| = |E_1| + |E_2| - |E_1 \cap E_2|.$$

Ainsi,

$$\begin{aligned}
p(E_1 \cup E_2) &= \frac{|E_1 \cup E_2|}{|S|} \\
&= \frac{|E_1| + |E_2| - |E_1 \cap E_2|}{|S|} \\
&= \frac{|E_1|}{|S|} + \frac{|E_2|}{|S|} - \frac{|E_1 \cap E_2|}{|S|} \\
&= p(E_1) + p(E_2) - p(E_1 \cap E_2).
\end{aligned}$$ □

EXEMPLE 9   Quelle est la probabilité qu'un entier positif sélectionné aléatoirement dans l'ensemble des entiers positifs ne dépassant pas 100 soit divisible par 2 ou par 5 ?

Solution : Soit E_1 l'événement que l'entier sélectionné est divisible par 2 et soit E_2 l'événement que cet entier est divisible par 5. Alors, $E_1 \cup E_2$ est l'événement que cet entier est divisible soit par 2, soit par 5. De plus, $E_1 \cap E_2$ est l'événement que cet entier est divisible par 2 et 5 ou, de façon équivalente, qu'il est divisible par 10. Puisque $|E_1| = 50$, $|E_2| = 20$ et $|E_1 \cap E_2| = 10$, il s'ensuit que

$$\begin{aligned}
p(E_1 \cup E_2) &= p(E_1) + p(E_2) - p(E_1 \cap E_2) \\
&= \frac{50}{100} + \frac{20}{100} - \frac{10}{100} \\
&= \frac{3}{5}.
\end{aligned}$$ ■

Exercices

1. Quelle est la probabilité qu'une carte sélectionnée dans un jeu soit un as ?

2. Quelle est la probabilité qu'on obtienne un 6 en lançant un dé ordinaire ?

3. Quelle est la probabilité qu'un entier choisi aléatoirement dans les 100 premiers entiers positifs soit impair ?

4. Quelle est la probabilité qu'une journée de l'année sélectionnée aléatoirement (dans les 366 jours possibles) soit en avril ?

5. Quelle est la probabilité que le total de points obtenus en lançant deux dés soit pair lorsqu'ils sont jetés ?

6. Quelle est la probabilité qu'une carte sélectionnée aléatoirement dans un jeu soit un as ou un cœur ?

7. Quelle est la probabilité qu'en tirant à pile ou face, on obtienne le résultat « face » six fois consécutives ?

8. Quelle est la probabilité qu'une main de poker de cinq cartes contienne l'as de cœur ?

9. Quelle est la probabilité qu'une main de poker de cinq cartes ne contienne pas la dame de cœur ?

10. Quelle est la probabilité qu'une main de poker de cinq cartes contienne le deux de carreau et le trois de pique ?

11. Quelle est la probabilité qu'une main de poker de cinq cartes contienne le deux de carreau, le trois de pique, le six de cœur, le dix de trèfle et le roi de cœur ?

12. Quelle est la probabilité qu'une main de poker de cinq cartes contienne exactement un as ?

13. Quelle est la probabilité qu'une main de poker de cinq cartes contienne au moins un as ?

14. Quelle est la probabilité qu'une main de poker de cinq cartes contienne des cartes de cinq différentes dénominations ?

15. Quelle est la probabilité qu'une main de poker de cinq cartes contienne deux paires (soit deux cartes de même valeur de deux différentes dénominations et une cinquième carte d'une troisième dénomination) ?

16. Quelle est la probabilité qu'une main de poker de cinq cartes contienne cinq cartes de la même couleur (*flush*) ?

17. Quelle est la probabilité qu'une main de poker de cinq cartes contienne une quinte, soit une suite consécutive de cinq cartes ? (À noter qu'on peut considérer l'as comme la carte la plus petite d'une quinte telle A-2-3-4-5 ou la carte la plus grande d'une quinte telle 10-V-D-R-A).

18. Quelle est la probabilité qu'une main de poker de cinq cartes contienne une quinte *flush,* soit une quinte de même couleur ?

★19. Quelle est la probabilité qu'une main de poker de cinq cartes contienne des cartes de cinq différentes dénominations, mais ne contienne pas un *flush* ni une quinte ?

20. Quelle est la probabilité qu'une main de poker de cinq cartes contienne une quinte *flush* royale, soit le 10, le valet, la dame, le roi et l'as de la même couleur ?

21. Quelle est la probabilité de n'obtenir aucun résultat pair lorsqu'on lance un dé à six reprises ?

22. Quelle est la probabilité qu'un entier positif n'excédant pas 100 et sélectionné aléatoirement soit divisible par 3 ?

23. Quelle est la probabilité qu'un entier positif ne dépassant pas 100 et sélectionné aléatoirement soit divisible par 5 ou par 7 ?

24. Quelle est la probabilité de gagner à la loterie en sélectionnant les six bons nombres, où l'ordre de sélection n'importe pas, quand on effectue le tirage de six nombres parmi les entiers positifs n'excédant pas
    a) 30.   **b)** 36.   **c)** 42.   **d)** 48.

25. Quelle est la probabilité de gagner à la loterie en sélectionnant les six bons nombres, où l'ordre de sélection n'importe pas, quand on effectue le tirage de six nombres parmi les entiers positifs n'excédant pas
    a) 50.   **b)** 52.   **c)** 56.   **d)** 60.

26. Quelle est la probabilité de ne sélectionner aucun des six bons entiers, où l'ordre de sélection n'importe pas, quand on effectue le tirage de six nombres parmi les entiers positifs n'excédant pas
    a) 40.   **b)** 48.   **c)** 56.   **d)** 64.

27. Quelle est la probabilité de sélectionner exactement l'un des six bons entiers, où l'ordre de sélection n'importe pas, quand on effectue le tirage de six nombres parmi les entiers positifs n'excédant pas
    a) 40.   **b)** 48.   **c)** 56.   **d)** 64.

28. Pour participer à une loterie, un joueur sélectionne 7 numéros parmi les 80 premiers entiers positifs. Quelle est la probabilité qu'une personne gagne le gros lot en choisissant 7 numéros parmi les 11 numéros sélectionnés par les responsables de la loterie ?

29. Dans une loterie, les joueurs gagnent beaucoup d'argent s'ils choisissent les 8 numéros sélectionnés par ordinateur parmi les entiers positifs n'excédant pas 100. Quelle est la probabilité qu'un joueur remporte cette loterie ?

30. Quelle est la probabilité qu'un joueur remporte le prix offert pour avoir sélectionné cinq (et non six) numéros parmi six entiers choisis entre 1 et 40, inclusivement, par ordinateur ?

31. À la roulette, on fait tourner une roue sur laquelle sont inscrits 38 chiffres. Parmi ces chiffres, 18 sont rouges et 18 sont noirs. Les deux autres chiffres, qui ne sont ni noirs ni rouges, sont 0 et 00. La probabilité qu'un numéro sorte à la roulette est de 1/38.
    a) Quelle est la probabilité que le numéro gagnant soit rouge ?
    b) Quelle est la probabilité que le numéro gagnant soit noir deux fois de suite ?

c) Quelle est la probabilité que le numéro gagnant soit 0 ou 00 ?

d) Quelle est la probabilité que le numéro gagnant ne soit ni 0 ni 00 cinq fois consécutives ?

e) Quelle est la probabilité que le numéro gagnant soit compris entre 1 et 6, inclusivement, après avoir lancé la boule, mais que le numéro gagnant au lancer suivant de la boule ne soit pas l'un de ces numéros ?

32. Lequel des deux événements suivants est le plus probable : lancer deux dés et obtenir une somme de 8 ou lancer trois dés et obtenir une somme de 8 ?

33. Lequel des deux événements est le plus probable : lancer deux dés et obtenir une somme de 9 ou lancer trois dés et obtenir une somme de 9 ?

34. Deux événements E_1 et E_2 sont **indépendants** si $p(E_1 \cap E_2) = p(E_1)p(E_2)$. Déterminez si chacune des paires d'événements suivantes, qui sont des sous-ensembles de l'ensemble de tous les résultats possibles lorsqu'on tire à pile ou face trois fois, sont indépendants ou non.

a) E_1 : la première pièce lancée donne pile ; E_2 : la deuxième pièce lancée donne face.

b) E_1 : la première pièce lancée donne pile ; E_2 : on obtient face exactement deux fois consécutives.

c) E_1 : la deuxième pièce lancée donne pile ; E_2 : on obtient face exactement deux fois consécutives.

(On étudiera l'indépendance des événements plus en profondeur dans la section 4.5.)

4.5

Théorie des probabilités

INTRODUCTION

Dans la section 4.4, on a abordé la notion de probabilité d'un événement. (Il faut se rappeler qu'un événement est un sous-ensemble de l'ensemble des résultats possibles d'une expérience.) On a défini la probabilité d'un événement E comme l'avait fait Laplace, soit

$$p(E) = \frac{|E|}{|S|},$$

le nombre de résultats de E divisé par le nombre total de résultats possibles. Cette définition requiert que tous les résultats soient équiprobables. Cependant, bon nombre d'expériences admettent des résultats qui ne sont pas tous équiprobables. Par exemple, une pièce de monnaie peut être truquée, de sorte qu'on obtient face deux fois plus souvent que pile. De même, la vraisemblance que l'entrée d'une recherche linéaire soit un élément particulier dans une liste, ou ne soit pas dans la liste, dépend de la manière dont l'entrée est générée. Comment peut-on évaluer la probabilité des événements dans de telles circonstances ? Dans la présente section, on montre comment définir les probabilités de tels résultats pour évaluer des probabilités dans des expériences où les résultats peuvent ne pas être équiprobables.

On suppose qu'une pièce de monnaie équilibrée est lancée quatre fois et que la première fois on obtient face. Étant donné cette information, quelle est la probabilité d'obtenir face trois fois ? Pour répondre à cette question et à des questions analogues, on aborde maintenant la notion de *probabilité conditionnelle*. Le fait de savoir qu'on obtiendra face la première fois modifie-t-il la probabilité d'obtenir face trois fois ? Sinon, ces deux événements sont dits *indépendants*, notion qui sera étudiée dans la présente section.

De nombreuses questions concernent une valeur numérique particulière associée au résultat d'une expérience. Par exemple, lorsqu'on lance une pièce 100 fois, quelle est la probabilité d'obtenir face exactement 40 fois ? Combien de fois peut-on espérer obtenir face ? Dans la présente section, on étudie les *variables aléatoires*, lesquelles sont des fonctions qui associent des valeurs numériques aux résultats des expériences et à leurs moyennes, qu'on appelle espérance mathématique.

AFFECTATION DE PROBABILITÉS

Soit S l'ensemble fondamental d'une expérience qui est composée de n résultats possibles, disons $x_1, x_2, ..., x_n$. On attribue une probabilité $p(x_i)$ à chacun des résultats x_i, $i = 1, 2, ..., n$. Il faut que les deux conditions suivantes soient satisfaites :

i) $0 \leq p(x_i) \leq 1$, pour chaque i

et

ii) $\displaystyle\sum_{i=1}^{n} p(x_i) = 1.$

La condition i) énonce que la probabilité de chaque résultat est égale à un nombre réel non négatif qui n'est pas plus grand que 1. La condition ii) énonce que la somme des probabilités de tous les résultats possibles doit être égale à 1. Autrement dit, lorsqu'on fait l'expérience, l'un de ces résultats se produira assurément.

Il s'agit d'une généralisation de la définition de Laplace, dans laquelle chacun des n résultats est attribué à une probabilité de $1/n$. En effet, les conditions i) et ii) sont satisfaites lorsqu'on utilise la définition des probabilités de résultats équiprobables de Laplace (voir l'exercice 4).

Pour modéliser une expérience, la probabilité $p(x)$ attribuée à un résultat x doit égaler la limite du nombre de fois que x survient, divisé par le nombre de fois qu'on effectue l'expérience, alors que ce nombre croît sans limite. (On suppose que toutes les expériences dont on a déjà discuté ont des résultats prévisibles en moyenne et que cette limite existe. On présume également que les résultats d'essais successifs d'une expérience ne dépendent pas des résultats précédents.)

Remarque : Dans la présente section, le nombre de résultats possibles doit être fini. On peut traiter un nombre infini dénombrable de résultats de manière analogue en utilisant des suites finies, comme l'illustrent les exercice 35 à 37 à la fin de la présente section. On ne discutera pas des probabilités des événements lorsque l'ensemble des résultats n'est pas discret, par exemple lorsque le résultat d'une expérience peut être tout nombre réel. Dans de tels cas, on a recours au calcul intégral pour étudier la probabilité d'événements.

On ne peut concevoir des expériences dans lesquelles les résultats sont soit équiprobables, soit non équiprobables, en choisissant la fonction appropriée $p(x)$, comme l'illustre l'exemple 1.

EXEMPLE 1   Quelles probabilités devriez-vous attribuer aux résultats F(face) et P(pile) lorsqu'une pièce de monnaie équilibrée est lancée ? Quelles probabilités devriez-vous attribuer à ces événements, lorsque la pièce est truquée, pour qu'on obtienne face deux fois plus souvent que pile ?

Solution : Pour une pièce de monnaie équilibrée, la probabilité d'obtenir face est égale à la probabilité d'obtenir pile, donc les événements sont équiprobables. Par conséquent, on attribue la probabilité 1/2 à chacun des résultats possibles, soit $p(F) = p(P) = 1/2$.

Pour la pièce truquée, on a

$$p(F) = 2p(P).$$

Puisque

$$p(F) + p(P) = 1,$$

il s'ensuit que

$$2p(P) + p(P) = 3p(P) = 1.$$

On peut conclure que $p(P) = 1/3$ et $p(F) = 2/3$.   ■

On définit maintenant la probabilité d'un événement comme la somme des probabilités des résultats de cet événement.

DÉFINITION 1. La *probabilité* d'un événement E est la somme des probabilités des résultats dans E. Autrement dit, si $E = \{a_1, a_2, ..., a_m\}$, alors

$$p(E) = \sum_{i=1}^{m} p(a_i).$$

EXEMPLE 2   Supposez qu'un dé est pipé de manière telle que le chiffre 3 sort deux fois plus souvent que tout autre chiffre, mais que les cinq autres résultats sont équiprobables. Quelle est la probabilité d'obtenir un nombre impair lorsque le dé est jeté ?

Solution : On doit trouver la probabilité de l'événement $E = \{1, 3, 5\}$. Selon l'exercice 2 présenté à la fin de la présente section, on obtient

$$p(1) = p(2) = p(4) = p(5) = p(6) = 1/7 \, ; p(3) = 2/7.$$

Il s'ensuit que

$$p(E) = p(1) + p(3) + p(5) = 1/7 + 2/7 + 1/7 = 4/7.$$ ■

Lorsque des événements sont équiprobables, la définition de la probabilité d'un événement, donnée dans cette section (voir la définition 1), concorde avec la définition de Laplace (voir la définition 1 de la section 4.4). Pour montrer la cohérence, on suppose qu'il y a n résultats équiprobables ; chaque résultat possible est de probabilité $1/n$, puisque la somme de leurs probabilités est 1. On suppose que l'événement E contient m résultats. Selon la définition 1,

$$p(E) = \sum_{i=1}^{m} \frac{1}{n} = \frac{m}{n}.$$

Puisque $|E| = m$ et $|S| = n$, il s'ensuit que

$$p(E) = \frac{m}{n} = \frac{|E|}{|S|}.$$

Il s'agit de la définition de Laplace de la probabilité de l'événement E.

COMBINAISONS D'ÉVÉNEMENTS

La formule des probabilités des combinaisons d'événements de la section 4.4 s'applique toujours lorsqu'on utilise la définition 1 pour définir la probabilité d'un événement. Par exemple, le théorème 1 de la section 4.4 affirme que

$$p(\overline{E}) = 1 - p(E),$$

où $\overline{E}$ est l'événement complémentaire de l'événement E. Cette égalité s'applique également lorsque la définition 1 est employée. Pour le démontrer, on note que, puisque la somme des probabilités des n résultats possibles est 1 et que chaque résultat est soit dans E, soit dans $\overline{E}$ mais pas dans les deux, on a

$$\sum_{i=1}^{n} p(x_i) = 1 = p(E) + p(\overline{E}).$$

Ainsi, $p(\overline{E}) = 1 - p(E)$.

Selon la définition de Laplace, d'après le théorème 2 de la section 4.4, on a

$$P(E_1 \cup E_2) = p(E_1) + p(E_2) - p(E_1 \cap E_2)$$

lorsque E_1 et E_2 sont des événements dans un ensemble fondamental S. Cela s'applique également lorsqu'on définit la probabilité d'un événement comme on le fait dans la présente section. Pour le démontrer, on note que $p(E_1 \cup E_2)$ est la somme des probabilités des résultats de $E_1 \cup E_2$. Lorsqu'un résultat x se trouve dans exactement l'un des deux événements E_1 ou E_2, $p(x)$ se trouve exactement dans l'une des sommes permettant de calculer $p(E_1)$ et $p(E_2)$. Lorsqu'un résultat x se trouve simultanément dans E_1 et E_2, $p(x)$ se trouve dans la somme pour $p(E_1)$, dans la somme pour $p(E_2)$ et dans la somme pour $p(E_1 \cap E_2)$, de telle sorte qu'il survient $1 + 1 - 1 = 1$ fois du côté droit de l'égalité. Par conséquent, le côté droit et le côté gauche de l'égalité sont égaux.

PROBABILITÉ CONDITIONNELLE

On suppose qu'une pièce de monnaie est lancée trois fois et que les huit résultats sont équiprobables. De plus, on présume que l'événement D, soit d'obtenir pile au premier essai, se produit. Étant donné cette information, quelle est la probabilité de l'événement E, soit d'obtenir pile un nombre impair de fois ? Puisqu'on obtient pile la première fois, il n'y a que quatre résultats possibles : *PPP*, *PPF*, *PFP* et *PFF*, où F et P signifient respectivement face et pile. Puisque les huit résultats sont équiprobables, chacun des quatre résultats possibles, si D se réalise, devrait également avoir une même probabilité, soit de 1/4. Cela suggère qu'il faudrait attribuer la probabilité $2/4 = 1/2$ à E si D se réalise. Cette probabilité s'appelle la **probabilité conditionnelle** de E, étant donné D.

En général, pour trouver la probabilité conditionnelle de E étant donné D, on utilise D comme ensemble fondamental. Pour qu'un résultat E se produise, ce résultat doit également appartenir à $E \cap D$. À partir de cela, on a la définition suivante.

DÉFINITION 2.   Soit E et D des événements avec $p(D) > 0$. La *probabilité conditionnelle* de E étant donné D, notée $p(E \mid D)$, est définie par

$$p(E \mid D) = \frac{p(E \cap D)}{p(D)}.$$

EXEMPLE 3   Quelle est la probabilité qu'une chaîne binaire de longueur quatre, produite aléatoirement de manière telle que les 16 chaînes binaires de longueur quatre soient équiprobables, contienne au moins deux 0 consécutifs, étant donné que son premier bit est un 0 ? (Supposez que les bits 0 et les bits 1 sont équiprobables.)

Solution : Soit E l'événement qu'une chaîne binaire de longueur quatre contient au moins deux 0 consécutifs et soit D l'événement que le premier bit d'une chaîne binaire de longueur quatre est un 0. La probabilité qu'une chaîne binaire de longueur quatre ait au moins deux 0 consécutifs, étant donné que son premier bit est un 0, est égale à

$$p(E \mid D) = \frac{p(E \cap D)}{p(D)}.$$

Puisque $E \cap D = \{0000, 0001, 0010, 0011, 0100\}$, on voit que $p(E \cap D) = 5/16$. Puisqu'il y a huit chaînes binaires de longueur quatre qui commencent par un 0, on a $p(D) = 8/16 = 1/2$. Par conséquent,

$$p(E \mid D) = \frac{5/16}{1/2} = \frac{5}{8}. \qquad \blacksquare$$

EXEMPLE 4   Quelle est la probabilité conditionnelle qu'une famille avec deux enfants ait deux garçons, si elle a au moins un garçon ? Présumez que les possibilités GG, GF, FG et FF sont équiprobables, où G signifie garçon et F, fille.

Solution : Soit E l'événement qu'une famille avec deux enfants ait deux garçons et soit D l'événement qu'une famille avec deux enfants ait au moins un garçon. Il s'ensuit que $E = \{GG\}$, $D = \{GG, GF, FG\}$ et $E \cap D = \{GG\}$. Puisque les quatre possibilités sont équiprobables, $p(D) = 3/4$ et $p(E \cap D) = 1/4$. On peut conclure que

$$p(E \mid D) = \frac{p(E \cap D)}{p(D)} = \frac{1/4}{3/4} = \frac{1}{3}. \qquad \blacksquare$$

INDÉPENDANCE

On suppose qu'une pièce de monnaie est lancée quatre fois, comme on le décrit dans l'introduction sur la probabilité conditionnelle. Le fait de savoir qu'on obtiendra pile la première fois (événement D) modifie-t-il la probabilité d'obtenir pile un nombre de fois impair (événement E)? En d'autres termes, est-il vrai que $p(E \mid D) = p(E)$? Cette égalité est valide pour les événements E et D, car $p(E \mid D) = 1/2$ et $p(E) = 1/2$. Puisque cette égalité s'applique, on dit que E et D sont des **événements indépendants**.

Puisque $p(E \mid D) = p(E \cap D)/p(D)$, il revient au même de demander si $p(E \mid D) = p(E)$ ou si $p(E \cap D) = p(E)p(D)$, d'où découle la définition suivante.

DÉFINITION 3. Les événements E et D sont *indépendants* si et seulement si $p(E \cap D) = p(E)p(D)$.

EXEMPLE 5 Supposez que E est l'événement qu'une chaîne binaire produite aléatoirement de longueur quatre commence par un 1 et que D est l'événement qu'une chaîne binaire créée aléatoirement contienne un nombre pair de 0. Les événements E et D sont-ils indépendants si les 16 chaînes binaires de longueur quatre sont équiprobables?

Solution : Il y a huit chaînes binaires de longueur quatre qui commencent par un 1 : 1000, 1001, 1010, 1011, 1100, 1101, 1110 et 1111. Il y a également huit chaînes binaires de longueur quatre qui contiennent un nombre pair de 1 : 0000, 0011, 0101, 0110, 1001, 1010, 1100 et 1111. Puisqu'il y a 16 chaînes binaires de longueur quatre, il s'ensuit que

$$p(E) = p(D) = 8/16 = 1/2.$$

Puisque $E \cap D = \{1111, 1100, 1010, 1001\}$, on voit que

$$p(E \cap D) = 4/16 = 1/4.$$

Puisque

$$p(E \cap D) = 1/4 = (1/2)(1/2) = p(E)p(D),$$

on peut conclure que E et D sont indépendants. ∎

EXEMPLE 6 Supposez, comme dans l'exemple 4, que les quatre façons dont une famille peut avoir deux enfants sont équiprobables. L'événement E, soit qu'une famille avec deux enfants ait deux garçons, et l'événement D, soit qu'une famille avec deux enfants ait au moins un garçon, sont-ils indépendants?

Solution : Puisque $E = \{GG\}$, on a $p(E) = 1/2$. Dans l'exemple 4, on a démontré que $p(D) = 3/4$ et que $p(E \cap D) = 1/4$. Puisque $p(E \cap D) = 1/4 \neq 3/16 = (1/4)(3/4) = p(E)p(D)$, les événements E et D ne sont pas indépendants. ∎

EXEMPLE 7   L'événement E, soit qu'une famille avec trois enfants ait des enfants des deux sexes, et l'événement D, soit qu'une famille avec trois enfants ait au plus un garçon, sont-ils indépendants ? Supposez que les huit façons dont une famille peut avoir trois enfants sont équiprobables.

Solution : On suppose que chacune des huit façons dont une famille peut avoir trois enfants, soit GGG, GGF, GFG, GFF, FGG, FGF, FFG et FFF, a une probabilité de 1/8. Puisque $E = \{GGF, GFG, GFF, FGG, FGF, FFG\}$, $D = \{GFF, FGF, FFG, FFF\}$ et $E \cap D = \{GFF, FGF, FFG\}$, il s'ensuit que $p(E) = 6/8 = 3/4$, $p(D) = 4/8 = 1/2$ et $p(E \cap D) = 3/8$. Puisque

$$p(E \cap D) = \frac{3}{8} = \frac{3}{4} \cdot \frac{1}{2} = p(E)p(D),$$

on peut conclure que E et D sont indépendants. (Cette conclusion peut sembler surprenante. En effet, si on modifie le nombre d'enfants, la conclusion peut ne plus s'appliquer (voir l'exercice 17 à la fin de la présente section)).   ■

EXPÉRIENCE DE BERNOULLI ET DISTRIBUTION BINOMIALE

On suppose qu'une expérience peut avoir seulement deux résultats possibles. Par exemple, lorsqu'un bit est créé aléatoirement, les résultats possibles sont 0 et 1. Lorsqu'on lance une pièce de monnaie, les résultats possibles sont pile et face. On appelle chaque performance d'une expérience avec deux résultats possibles une **expérience de Bernoulli**, du nom de Jacques Bernoulli, qui apporta d'importantes contributions à la théorie des probabilités. En général, les résultats possibles d'un essai de Bernoulli s'appellent un **succès** ou un **échec**. Si p est la probabilité d'un succès et q, la probabilité d'un échec, il s'ensuit que $p + q = 1$.

On peut résoudre de nombreux problèmes en déterminant la probabilité de k succès lorsqu'une expérience est constituée de n essais de Bernoulli indépendants.

EXEMPLE 8   Une pièce de monnaie est truquée de sorte que la probabilité d'obtenir face est de 2/3. Quelle est la probabilité d'obtenir exactement quatre fois face lorsqu'on lance la pièce sept fois, en présumant que les lancers de la pièce sont indépendants ?

Solution : Il y a $2^7 = 128$ résultats possibles lorsqu'on lance la pièce sept fois. Le nombre de façons dont on peut lancer la pièce pour obtenir face quatre fois sur sept est $C(7, 4)$. Puisque les sept lancers sont indépendants, la probabilité de chacun de ces résultats est de $(2/3)^4(1/3)^3$. Par conséquent, la probabilité d'obtenir face quatre fois est

$$C(7, 4)(2/3)^4(1/3)^3 = \frac{35 \cdot 16}{3^7}$$

$$= \frac{560}{2187}.$$ ■

En suivant le même raisonnement que dans l'exemple 8, on peut établir le théorème suivant, qui indique la probabilité de k succès dans n essais de Bernoulli indépendants.

THÉORÈME 1

PROBABILITÉ DE k SUCCÈS DANS n ESSAIS DE BERNOULLI INDÉPENDANTS
La probabilité de k succès dans n essais de Bernoulli indépendants, avec la probabilité de succès p et la probabilité d'échec $q = 1 - p$, est

$$C(n, k)p^k q^{n-k}.$$

Démonstration : Lorsqu'on effectue n essais de Bernoulli, le résultat est un n-tuple $(t_1, t_2, \ldots, t_n)$, où $t_i = S$ (pour succès) ou $t_i = E$ (pour échec) pour $i = 1, 2, \ldots, n$. Puisque les n essais sont indépendants, la probabilité de chaque résultat de n essais constitués de k succès et de $n - k$ échecs (dans n'importe quel ordre) est $p^k q^{n-k}$. Puisqu'il y a $C(n, k)$ n-tuples de S et de E qui contiennent k fois S, la probabilité d'obtenir k succès est de

$$C(n, k)p^k q^{n-k}. \qquad \square$$

On note $b(k\,;n, p)$ la probabilité d'obtenir k succès parmi n essais indépendants de Bernoulli avec une probabilité de succès p et une probabilité d'échec $q = 1 - p$. Considérée comme une fonction de k, cette fonction est appelée **distribution binomiale**. Le théorème 1 indique que $b(k\,;n, p) = C(n, k)p^k q^{n-k}$.

EXEMPLE 9

Quelle est la probabilité qu'exactement huit bits 0 soient produits lorsque 10 bits sont créés avec la probabilité de production d'un bit 0 de 0,9, la probabilité de production d'un bit 1 de 0,1 et que les bits sont produits indépendamment ?

Solution : Selon le théorème 1, la probabilité qu'exactement huit bits 0 soient produits est

$$b(8\,;10, 0{,}9) = C(10, 8)(0{,}9)^8(0{,}1)^2 = 0{,}193\ 710\ 244\ 5. \qquad \blacksquare$$

À noter que la somme des probabilités qu'il y ait k succès lorsque n essais indépendants de Bernoulli sont effectués, pour $k = 0, 1, 2, \ldots, n$, est égale à

$$\sum_{k=0}^{n} C(n, k)p^k q^{n-k} = (p + q)^n$$
$$= 1,$$

comme ce devrait être le cas. La première égalité de cette chaîne d'égalités découle du théorème binomial. La seconde égalité s'ensuit, puisque $q = 1 - p$.

VARIABLES ALÉATOIRES

Bon nombre de problèmes sont liés à l'affectation d'une valeur numérique au résultat d'une expérience aléatoire. Par exemple, on pourrait vouloir connaître la probabilité que neuf bits 1 apparaissent lorsque 10 bits sont produits aléatoirement, ou vouloir connaître la probabilité qu'une pièce de monnaie donne pile 11 fois lorsqu'elle est lancée 20 fois. Pour étudier les problèmes de ce type, on introduit la notion de variable aléatoire.

> **DÉFINITION 4.**   Une **variable aléatoire** est une fonction de l'ensemble fondamental d'une expérience dans l'ensemble des nombres réels. Autrement dit, une variable aléatoire affecte un nombre réel à chaque résultat possible.

Remarque : À noter qu'une variable aléatoire est une fonction. Elle n'est ni une variable, ni aléatoire !

EXEMPLE 10   Supposez qu'une pièce de monnaie est lancée trois fois. Soit $X(t)$ le nombre de fois qu'elle donne face lorsque t est le résultat. Alors, la variable aléatoire $X(t)$ prend les valeurs suivantes :

$$X(FFF) = 3,$$
$$X(FFP) = X(FPF) = X(PFF) = 2,$$
$$X(PPF) = X(PFP) = X(FPP) = 1,$$
$$X(PPP) = 0.$$ ∎

EXEMPLE 11   Soit X le total de points qui apparaissent lorsqu'on lance une paire de dés. Quelles sont les valeurs de cette variable aléatoire pour les 36 résultats possibles (i, j), où i et j sont respectivement les nombres qui apparaissent sur le premier dé et sur le second lorsqu'on lance ces deux dés ?

Solution : La variable aléatoire X prend les valeurs suivantes :

$$X((1, 1)) = 2,$$
$$X((1, 2)) = X((2, 1)) = 3,$$
$$X((1, 3)) = X((2, 2)) = X((3, 1)) = 4,$$
$$X((1, 4)) = X((2, 3)) = X((3, 2)) = X((4, 1)) = 5,$$
$$X((1, 5)) = X((2, 4)) = X((3, 3)) = X((4, 2)) = X((5, 1)) = 6,$$
$$X((1, 6)) = X((2, 5)) = X((3, 4)) = X((4, 3)) = X((5, 2)) = X((6, 1)) = 7,$$
$$X((2, 6)) = X((3, 5)) = X((4, 4)) = X((5, 3)) = X((6, 2)) = 8,$$
$$X((3, 6)) = X((4, 5)) = X((5, 4)) = X((6, 3)) = 9,$$
$$X((4, 6)) = X((5, 5)) = X((6, 4)) = 10,$$
$$X((5, 6)) = X((6, 5)) = 11,$$
$$X((6, 6)) = 12.$$ ∎

ESPÉRANCE MATHÉMATIQUE

Plusieurs questions concernent la valeur espérée d'une variable aléatoire ou, plus précisément, la valeur moyenne d'une variable aléatoire lorsqu'une expérience est effectuée un grand nombre de fois. Par exemple, lorsqu'on lance une pièce de monnaie 100 fois, combien de fois peut-on espérer obtenir face ? Quel est le nombre espéré de comparaisons utilisées pour trouver un élément dans une liste en utilisant une fouille linéaire ? Pour étudier de telles questions, on introduit la notion d'espérance mathématique d'une variable aléatoire.

DÉFINITION 5.   L'*espérance mathématique* de la variable aléatoire $X(s)$ définie dans l'ensemble fondamental $S = \{s_1, s_2, ..., s_n\}$ est égale à

$$E(X) = \sum_{i=1}^{n} p(s_i)X(s_i).$$

EXEMPLE 12   On lance une pièce de monnaie trois fois. Soit S l'ensemble fondamental des huit résultats possibles et soit X la variable aléatoire qui attribue à un résultat le nombre de fois qu'on obtient face dans ce résultat. Quelle est l'espérance de X ?

Solution : Dans l'exemple 10, on a énuméré les valeurs de X pour les huit résultats possibles lorsqu'on lançait une pièce trois fois. Puisque la pièce est équilibrée et que les lancers sont indépendants, la probabilité pour chaque résultat est de $1/8$. Par conséquent,

$$\begin{aligned}
E(X) &= \frac{1}{8}\,(X(F\,F\,F) + X(F\,F\,P) + X(F\,P\,F) + X(P\,F\,F) + X(P\,P\,F) \\
&\quad + X(P\,F\,P) + X(F\,P\,P) + X(P\,P\,P)) \\
&= \frac{1}{8}\,(3 + 2 + 2 + 2 + 1 + 1 + 1 + 0) \\
&= \frac{12}{8} \\
&= \frac{3}{2}.
\end{aligned}$$

∎

Lorsqu'une expérience admet relativement peu de résultats, on peut calculer l'espérance d'une variable aléatoire directement à partir de sa définition, comme on l'a fait dans l'exemple 12. Cependant, lorsqu'une expérience présente une grande quantité de résultats, il peut être fort difficile de calculer l'espérance de la variable aléatoire directement à partir de sa définition. Par ailleurs, on peut trouver l'espérance de la variable aléatoire en regroupant tous les résultats auxquels la variable aléatoire affecte une même valeur. Plus particulièrement, on suppose que X est une variable aléatoire dont l'image est $\{r_1, r_2,..., r_m\}$ et que $p(X = r_j)$ est la probabilité que la variable aléatoire X prenne la valeur r_j. Par conséquent, $p(X = r_j)$ est la somme des probabilités des résultats x_i telle que $X(x_i) = r_j$. Il s'ensuit que

$$E(X) = \sum_{j=1}^{m} p(X = r_j)r_j.$$

Les exemples 13 et 14 présentent la manière d'utiliser cette formule. Dans l'exemple 13, on trouve l'espérance du total de points qui apparaissent sur deux dés équilibrés lorsqu'ils sont lancés. Dans l'exemple 14, on trouve l'espérance du nombre de succès lorsqu'on effectue n essais de Bernoulli.

EXEMPLE 13   Quelle est l'espérance du total de points qui apparaissent sur une paire de dés équilibrés lorsqu'ils sont lancés ?

Solution : Soit X la variable aléatoire prenant comme valeur le nombre de points qui apparaissent sur deux dés lorsqu'ils sont lancés. Dans l'exemple 11, on a énuméré la valeur de X pour les 36 résultats de cette expérience. L'image de X est {2, 3, 4, 5, 6, 7, 8, 9, 10, 11, 12}. En se référant à l'exemple 11, on voit que

$$p(X = 2) = p(X = 12) = 1/36,$$
$$p(X = 3) = p(X = 11) = 2/36 = 1/18,$$
$$p(X = 4) = p(X = 10) = 3/36 = 1/12,$$
$$p(X = 5) = p(X = 9) = 4/36 = 1/9,$$
$$p(X = 6) = p(X = 8) = 5/36,$$
$$p(X = 7) = 6/36 = 1/6.$$

En substituant ces valeurs dans la formule, on obtient

$$E(X) = 2 \cdot \frac{1}{36} + 3 \cdot \frac{1}{18} + 4 \cdot \frac{1}{12} + 5 \cdot \frac{1}{9} + 6 \cdot \frac{5}{36} + 7 \cdot \frac{1}{6}$$
$$+ 8 \cdot \frac{5}{36} + 9 \cdot \frac{1}{9} + 10 \cdot \frac{1}{12} + 11 \cdot \frac{1}{18} + 12 \cdot \frac{1}{36}$$
$$= 7. \qquad \blacksquare$$

EXEMPLE 14   Quelle est l'espérance du nombre de succès lorsqu'on effectue n essais de Bernoulli, où p est la probabilité de succès à chaque essai ?

Solution : Soit X la variable aléatoire égale au nombre de succès dans n essais. En se référant au théorème 1, on voit que $p(X = k) = C(n, k)p^k q^{n-k}$. Ainsi, à partir de la formule de l'espérance d'une variable aléatoire qui regroupe les résultats auxquels la variable aléatoire affecte la même valeur, on obtient

$$E(X) = \sum_{k=1}^{n} kp(X = k)$$
$$= \sum_{k=1}^{n} kC(n, k)p^k q^{n-k}$$
$$= \sum_{k=1}^{n} nC(n-1, k-1)p^k q^{n-k}$$
$$= np \sum_{k=1}^{n} C(n-1, k-1)p^{k-1} q^{n-k}$$

$$= np \sum_{j=0}^{n-1} C(n-1, j)p^{j}q^{n-1-j}$$

$$= np(p + q)^{n-1}$$

$$= np.$$

La troisième égalité découle du fait que $C(n, k) = nC(n-1, k-1)/k$, qui résulte de l'exercice 33 de la section 4.3. La cinquième égalité s'obtient en décalant l'indice de sommation avec $j = k - 1$ tel que j varie de 0 à $n - 1$ lorsque k varie de 1 à n. La sixième égalité provient du théorème du binôme. La septième égalité s'ensuit puisque $p + q = 1$. À partir de ce calcul, on peut conclure que l'espérance de X est égale à np. Cela signifie que le nombre moyen de succès dans les n essais de Bernoulli est np. ∎

COMPLEXITÉ COMPUTATIONNELLE MOYENNE

On peut interpréter le calcul de la complexité computationnelle moyenne d'un algorithme comme le calcul de l'espérance d'une variable aléatoire. On suppose que l'ensemble fondamental d'une expérience est l'ensemble des entrées possibles a_j, $j = 1, 2, \ldots, n$, et on suppose que la variable aléatoire X attribue à a_j le nombre d'opérations utilisées par l'algorithme lorsqu'il a a_j comme entrée. Étant donné que l'entrée est connue, on attribue une probabilité $p(a_j)$ à chaque valeur d'entrée possible a_j. Alors, la complexité moyenne de l'algorithme est

$$E(X) = \sum_{j=1}^{n} p(a_j)X(a_j).$$

Il s'agit de l'espérance de X.

Dans l'exemple 15, on montre comment évaluer la complexité computationnelle moyenne de l'algorithme de recherche linéaire en fonction de différentes hypothèses concernant la probabilité que l'élément recherché soit un élément de la liste.

EXEMPLE 15   **Complexité computationnelle moyenne de l'algorithme de fouille linéaire**   Soit un élément x et une liste de n nombres réels distincts. L'algorithme de fouille linéaire, décrit à la section 2.1, permet de repérer x en comparant successivement x à chaque élément de la liste, et il se termine lorsque x est trouvé ou lorsque tous les éléments ont été analysés et qu'il a été déterminé que x ne se trouve pas dans la liste. Quelle est la complexité computationnelle moyenne de l'algorithme de fouille linéaire si la probabilité que x se trouve dans la liste est p et s'il est équiprobable que x soit n'importe lequel des n éléments dans la liste ? (Il y a $n + 1$ types possibles d'entrées : les n nombres dans la liste et un nombre qui n'est pas dans la liste, qu'on traite comme une entrée simple.)

Solution : Dans l'exemple 4 de la section 2.2, on a montré qu'on utilise $2i + 1$ comparaisons si x est égal au i-ième élément de la liste et, dans l'exemple 2 de la section 2.2, qu'on utilise $2n + 2$ comparaisons si x ne se trouve pas dans la liste. La probabilité que x soit égal à a_i, le i-ième élément de la liste, est p/n, et la probabilité que x ne soit pas dans la liste est $q = 1 - p$. Il s'ensuit que la complexité computationnelle moyenne de l'algorithme de fouille linéaire est

$$E = 3p/n + 5p/n + \cdots + (2n+1)p/n + (2n+2)q$$

$$= \frac{p}{n}(3 + 5 + \cdots + (2n+1)) + (2n+2)q$$

$$= \frac{p}{n}((n+1)^2 - 1) + (2n+2)q$$

$$= p(n+2) + (2n+2)q.$$

(La troisième égalité découle de l'exemple 2 de la section 3.2.) Par exemple, lorsque x se trouve assurément dans la liste, on a $p = 1$ (tel que la probabilité que $x = a_i$ est $1/n$ pour chaque i) et $q = 0$. Alors, $E = n + 2$, comme on l'a montré dans l'exemple 4 de la section 2.2.

Lorsque p, la probabilité que x se trouve dans la liste, est $1/2$, il s'ensuit que $q = 1 - p$ $= 1/2$ de telle sorte que que $E = (n+2)/2 + n + 1 = (3n+4)/2$. De même, si la probabilité que x soit dans la liste est $3/4$, on a $p = 3/4$ et $q = 1/4$ de telle sorte que $E = 3(n+2)/4 + (n+1)/2 = (5n+8)/4$.

Finalement, lorsque x n'est assurément pas dans la liste, on a $p = 0$ et $q = 1$. Il s'ensuit que $E = 2n + 2$, ce qui n'est pas surprenant puisqu'on doit parcourir toute la liste. ∎

Exercices

1. Quelle probabilité devriez-vous attribuer au résultat face si une pièce de monnaie lancée est truquée et s'il est trois fois plus probable que la pièce donne face plutôt que pile ? Quelle probabilité devriez-vous attribuer au résultat pile ?

2. Trouvez la probabilité de chaque résultat lorsqu'on jette un dé pipé, s'il est deux fois plus probable qu'un 3 apparaisse que chacun des cinq autres résultats sur le dé.

3. Trouvez la probabilité de chaque résultat lorsqu'on jette un dé pipé, s'il est trois fois plus probable qu'un 2 ou un 4 apparaisse que les quatre autres résultats sur le dé et qu'il est équiprobable d'obtenir un 2 ou un 4.

4. Démontrez que les conditions i) et ii) sont satisfaites selon la définition des probabilités de Laplace, lorsque les résultats sont équiprobables.

5. Deux dés sont pipés. Quand on les lance, la probabilité que le premier dé donne 4 est de $2/7$ et la probabilité que le deuxième dé donne 3 est de $2/7$. Les autres résultats pour chaque dé apparaissent avec une probabilité de $1/7$. Quelle est la probabilité d'obtenir 7 comme nombre total de points lorsque les deux dés sont lancés ?

6. Supposez que E et D sont les événements tels que $p(E) = 0{,}8$ et que $p(D) = 0{,}6$. Démontrez que $p(E \cap D) \geq 0{,}4$.

7. Démontrez que si E et D sont des événements, alors $p(E \cap D) \geq p(E) + p(D) - 1$. Il s'agit de l'**inégalité de Bonferroni**.

8. Utilisez l'induction pour prouver la généralisation suivante de l'inégalité de Bonferroni :
$$p(E_1 \cap E_2 \cap \cdots \cap E_n)$$
$$\geq p(E_1) + p(E_2) + \cdots + p(E_n) - (n-1),$$
où $E_1, E_2, \ldots, E_n$ sont n événements.

9. Démontrez que si $E_1, E_2, \ldots, E_n$ sont des événements d'un ensemble fondamental fini, alors
$$p(E_1 \cup E_2 \cup \cdots \cup E_n)$$
$$\leq p(E_1) + p(E_2) + \cdots + p(E_n).$$

Il s'agit de l'**inégalité de Boole**.

Les exercices 10 à 12 concernent le fameux problème sur la probabilité qu'au moins deux personnes dans un groupe aient le même jour d'anniversaire.

10. Quelle est la probabilité que deux personnes aient la même date d'anniversaire ? Pour ce problème, supposez que les 366 dates sont équiprobables comme dates d'anniversaire.

★11. a) Quelle est la probabilité que, dans un groupe de n personnes, il y en ait au moins deux qui aient la même date d'anniversaire ? Pour ce problème, supposez que les 366 dates sont toutes équiprobables comme dates d'anniversaire. (*Conseil :* Trouvez la probabilité que, dans un groupe de n personnes, les dates d'anniversaire de toutes ces personnes soient différentes.)

b) Combien de personnes sont nécessaires pour que la probabilité qu'au moins deux personnes aient la même date d'anniversaire soit plus grande que 1/2 ?

★12. Le 29 février ne survient que durant les années bissextiles. Les années divisibles par 4, mais non par 100, sont toujours des années bissextiles. Les années divisibles par 100, mais non par 400, ne le sont pas. Toutefois, les années divisibles par 400 sont des années bissextiles.

    a) Quelle distribution de probabilités pour les anniversaires devriez-vous utiliser pour refléter la fréquence à laquelle survient le 29 février ?

    b) Répondez à la question posée dans la partie a) de l'exercice 11 en utilisant cette distribution des probabilités.

13. Quelle est la probabilité conditionnelle qu'une pièce donne face exactement quatre fois lorsqu'on la jette cinq fois, si la pièce donne face la première fois ?

14. Quelle est la probabilité conditionnelle qu'une pièce donne face exactement quatre fois lorsqu'on la jette cinq fois, si la pièce donne pile la première fois ?

15. Quelle est la probabilité conditionnelle qu'une chaîne binaire de longueur quatre générée aléatoirement contienne au moins deux 0 consécutifs, si le premier bit est un 1 ? (Supposez que les probabilités du 0 et du 1 sont les mêmes.)

16. Soit E l'événement qu'une chaîne binaire de longueur trois générée aléatoirement contienne un nombre impair de 1, et soit D l'événement que la chaîne commence par un 1. Les événements E et D sont-ils indépendants ?

17. Soit E et D les événements respectifs « Une famille de n enfants a des enfants des deux sexes. » et « Une famille de n enfants a au plus un garçon. » Les événements E et D sont-ils indépendants si

    a) $n = 2$?   **b)** $n = 4$?   **c)** $n = 5$?

18. Supposez que la probabilité qu'un enfant soit un garçon est de 0,51 et que les sexes des enfants nés dans une famille sont indépendants. Quelle est la probabilité qu'une famille de cinq enfants ait

    a) exactement trois garçons ?

    b) au moins un garçon ?

    c) au moins une fille ?

    d) uniquement des enfants du même sexe ?

19. Un groupe de six personnes jouent au jeu de l'exception pour déterminer qui achètera des boissons. Chaque personne lance une pièce de monnaie. S'il y a une personne dont le résultat n'est pas le même que celui de tous les autres membres du groupe, cette personne doit acheter les boissons. Quelle est la probabilité qu'une personne soit éliminée après que les pièces ont été lancées une seule fois ?

20. Trouvez la probabilité qu'une chaîne binaire de longueur 10 produite aléatoirement ne contienne aucun 0 si les bits sont générés de façon indépendante et si

    a) le bit 0 et le bit 1 sont équiprobables ?

    b) la probabilité qu'un bit soit un 1 est de 0,6.

    c) la probabilité que le i-ième bit soit un 1 est de $1/2^i$ pour $i = 1, 2, 3, …, 10$.

21. Trouvez la probabilité qu'une famille avec cinq enfants n'ait pas un garçon, si le sexe d'un enfant est indépendant de celui des autres et si

    a) avoir un garçon et avoir une fille sont équiprobables.

    b) la probabilité d'avoir un garçon est de 0,51.

    c) la probabilité que le i-ième enfant soit un garçon est de $0{,}51 - (i/100)$.

22. Trouvez la probabilité qu'une chaîne binaire de longueur 10 générée aléatoirement commence par un 1 ou se termine par 00 avec les mêmes conditions que dans les parties a), b) et c) de l'exercice 20, si les bits sont générés indépendamment.

23. Trouvez la probabilité qu'un premier enfant d'une famille de cinq enfants soit un garçon ou que les deux derniers enfants d'une famille soient des filles, avec les mêmes conditions que dans les parties a), b) et c) de l'exercice 21.

24. Trouvez chacune des probabilités suivantes lorsque n essais de Bernoulli indépendants sont effectués avec une probabilité de succès p.

    a) la probabilité d'aucun succès

    b) la probabilité d'au moins un succès

    c) la probabilité d'au plus un succès

    d) la probabilité d'au moins deux succès

25. Trouvez chacune des probabilités suivantes lorsque n essais de Bernoulli indépendants sont effectués avec une probabilité de succès p.

    a) la probabilité d'aucun échec

    b) la probabilité d'au moins un échec

    c) la probabilité d'au plus un échec

    d) la probabilité d'au moins deux échecs

26. Quelle est l'espérance du nombre de fois qu'une pièce donnera face si elle est lancée 10 fois ?

27. Quel est l'espérance du nombre de fois qu'un dé donne 6 lorsqu'on le jette 10 fois ?

28. Une pièce de monnaie est truquée de sorte que la probabilité qu'elle tombe sur face est de 0,6. Quelle est l'espérance du nombre de faces si on la lance 10 fois ?

29. Quelle est l'espérance du nombre total de points qui apparaissent sur deux dés, chacun étant pipé de sorte qu'il donne 3 deux fois plus souvent que tout autre résultat ?

30. Démontrez que l'espérance de la somme de deux variables aléatoires est la somme de leurs espérances respectives. Autrement dit, démontrez que si X et Y sont des variables aléatoires définies dans un ensemble fondamental S, alors $E(X + Y) = E(X) + E(Y)$.

31. L'examen final d'un cours de mathématiques discrètes est composé de 50 questions dont les choix de réponse sont vrai ou faux, chacune valant deux points, et de 25 questions à choix multiples, chacune valant quatre points. La probabilité que Linda réponde à un vrai ou faux correctement est de 0,9 et la probabilité qu'elle réponde à une question à choix multiples correctement est de 0,8. Quelle note peut-elle espérer avoir à l'examen final ?

32. Quelle est l'espérance du total de points obtenu des nombres qui apparaissent lorsque trois dés équilibrés sont jetés ?

33. Supposez que la probabilité que x se trouve dans une liste de n nombres distincts soit de 2/3 et qu'il soit équiprobable que x est égal à tout élément dans la liste. Trouvez le nombre moyen de comparaisons utilisées par l'algorithme de fouille linéaire pour trouver x ou pour déterminer qu'il ne se trouve pas dans la liste.

★34. Supposez que la probabilité que x soit le i-ième élément de la liste de n nombres distincts soit de $i/[n(n+1)]$. Trouvez le nombre moyen de comparaisons utilisées par l'algorithme de fouille linéaire pour trouver x ou pour déterminer qu'il ne se trouve pas dans la liste.

Dans la présente section, on a étudié des expériences avec un nombre fini de résultats. Dans les exercices 35 à 37, on introduit une expérience où le nombre de résultats possibles est dénombrable. Une pièce de monnaie est lancée jusqu'à ce qu'elle donne pile. L'ensemble fondamental de cette expérience est

$$\{P,\ FP,\ FFP,\ FFFP,\ FFFFP,\ \ldots\}$$

La probabilité que la pièce de monnaie donne pile est p.

35. Quelle est la probabilité que l'expérience se termine après n lancers ? Autrement dit, quelle est la probabilité que le résultat soit constitué de $n - 1$ faces et de 1 pile ?

36. Démontrez que la somme des probabilités des résultats possibles est égale à 1.

37. Quelle est la probabilité qu'au plus n lancers soient nécessaires pour que l'expérience se termine ?

4.6

Permutations et combinaisons généralisées

INTRODUCTION

Dans plusieurs problèmes de dénombrement, on peut choisir avec remise les éléments. Par exemple, on peut utiliser une lettre ou un chiffre à plus d'une reprise pour constituer une plaque d'immatriculation. Lorsqu'on choisit une douzaine de beignets, on peut choisir chaque variété plusieurs fois. Cet aspect différencie les problèmes de dénombrement dont on a discuté précédemment dans ce chapitre. Jusqu'à maintenant, on ne tenait compte que des permutations et des combinaisons dans lesquelles on pouvait utiliser chaque élément au plus une fois. Dans la présente section, on montre comment résoudre les problèmes de dénombrement dans lesquels on peut utiliser les mêmes éléments plus d'une fois.

En outre, certains problèmes de dénombrement comportent des éléments indiscernables. Par exemple, pour compter le nombre de façons dont on peut réarranger les lettres du mot *SUCCESS*, il faut tenir compte de la façon dont sont placées les lettres identiques. Dans les problèmes de dénombrement discutés précédemment, les éléments étaient considérés comme discernables. Dans la présente section, on décrit comment résoudre les problèmes de dénombrement dans lesquels certains éléments sont indiscernables.

On va également expliquer comment résoudre une autre catégorie importante de problèmes de dénombrement, soit les problèmes faisant intervenir la manière dont on peut compter les façons de ranger des éléments discernables dans des boîtes. Le nombre de façons dont on peut distribuer les cartes d'une main de poker à quatre joueurs constitue un exemple de ce type de problème.

Combinées ensemble, les méthodes décrites plus haut dans le présent chapitre et les méthodes introduites dans cette section constituent une boîte d'outils utiles pour résoudre une grande variété de problèmes de dénombrement. En ajoutant à cet ensemble les méthodes supplémentaires dont on discutera au chapitre 5, on sera alors en mesure de résoudre la plupart des problèmes de dénombrement qui surviennent dans une vaste gamme de domaines d'étude.

PERMUTATIONS AVEC REMISE

L'exemple 1 illustre un problème de dénombrement avec remise.

EXEMPLE 1   Combien de chaînes de longueur n peut-on former à partir de l'alphabet ?

Solution : Selon le *principe du produit*, puisqu'il y a 26 lettres et qu'on peut utiliser chaque lettre à plusieurs reprises, on voit qu'il y a 26^n chaînes de longueur n.   ■

L'exemple 2, qui comporte des probabilités, fait également intervenir des permutations avec remise.

EXEMPLE 2   Quelle est la probabilité de tirer trois balles rouges de suite d'une urne contenant cinq balles rouges et sept balles bleues, si chaque balle est remise dans l'urne après chaque tirage ?

Solution : Selon le principe du produit, le nombre de succès – c'est-à-dire le nombre de façons dont on peut tirer trois balles rouges – est de 5^3 puisque, pour chaque tirage, il y a cinq balles rouges dans l'urne. Le nombre total de résultats est de 12^3 puisque, pour chaque tirage, il y a 12 balles dans l'urne. Ainsi, la probabilité souhaitée est de $5^3/12^3 = 125/1728$. Il s'agit d'un exemple d'**échantillonnage avec remise**.   ■

Le nombre de r-permutations d'un ensemble à n éléments avec remise est donné dans le théorème suivant.

THÉORÈME 1   Le nombre de r-permutations d'un ensemble à n objets avec remise est n^r.

Démonstration : Il y a n façons de sélectionner un élément dans l'ensemble pour chacune des r positions dans la r-permutation avec remise puisque, pour chaque choix, chacun des

n objets est disponible. Ainsi, selon le principe du produit, il y a n^r r-permutations avec remise.   □

COMBINAISONS AVEC REMISE

Les exemples suivants illustrent des combinaisons avec remise des éléments.

EXEMPLE 3   Combien y a-t-il de façons de sélectionner quatre fruits dans un bol contenant des pommes, des oranges et des poires, si l'ordre dans lequel ces fruits sont sélectionnés n'importe pas, que seul le type de fruit et non pas le fruit en tant que tel importe et qu'il y a au moins quatre fruits de chaque catégorie dans le bol ?

Solution : Pour résoudre ce problème, on énumère toutes les façons possibles de sélectionner le fruit. Il y a 15 façons.

4 pommes	4 oranges	4 poires
3 pommes, 1 orange	3 pommes, 1 poire	3 oranges, 1 pomme
3 oranges, 1 poire	3 poires, 1 pomme	3 poires, 1 orange
2 pommes, 2 oranges	2 pommes, 2 poires	2 oranges, 2 poires
2 pommes, 1 orange, 1 poire	2 oranges, 1 pomme, 1 poire	2 poires, 1 pomme, 1 orange

La solution est le nombre de 4-combinaisons avec remise à partir d'un ensemble à trois éléments, { *pomme, orange, poire* }.   ■

Pour résoudre des problèmes de dénombrement plus complexes de ce type, on a besoin d'une méthode générale pour compter les r-combinaisons d'un ensemble à n éléments. On présente ce type de méthode à l'exemple 4.

EXEMPLE 4   De combien de façons pouvez-vous sélectionner cinq billets dans un sac d'argent contenant des billets de 1 $, de 2 $, de 5 $, de 10 $, de 20 $, de 50 $ et de 100 $? Supposez que l'ordre dans lequel ces billets sont choisis n'a pas d'importance, que les billets sont indiscernables et qu'il y a au moins cinq billets de chaque type.

Solution : Puisque l'ordre dans lequel les billets sont sélectionnés n'a pas d'importance et qu'on peut sélectionner sept différents types de billets au moins cinq fois, ce problème fait intervenir le dénombrement de 5-combinaisons avec remise à partir d'un ensemble de sept éléments. Il serait long d'énumérer toutes les possibilités, puisqu'il y a un grand nombre de solutions. On illustrera plutôt l'usage des techniques de dénombrement des combinaisons avec remise.

On suppose qu'un tiroir-caisse a sept compartiments, un pour chaque type de billets, comme l'illustre la figure 1. Ces compartiments sont divisés par six séparateurs, comme le montre ladite figure. Le choix de cinq billets correspond au fait de placer cinq identifications dans les compartiments contenant les différents types de billets. La figure 2 illustre cette

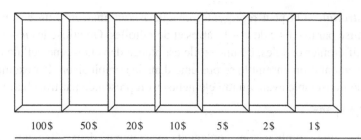

FIGURE 1 Tiroir-caisse contenant les sept types de billets

correspondance pour trois différentes façons de choisir cinq billets, où les six séparateurs sont représentés par des barres et les cinq billets, par des étoiles.

Le nombre de façons de sélectionner cinq billets est égal au nombre de façons de disposer six barres et cinq étoiles. Par conséquent, le nombre de façons de choisir les cinq billets représente le nombre de façons de sélectionner les positions des cinq étoiles parmi les 11 positions possibles. Cela correspond au nombre de choix non ordonnés de 5 objets dans un ensemble de 11 objets, ce qui peut se faire de $C(11, 5)$ façons. Par conséquent, il y a

$$C(11, 5) = \frac{11!}{5!6!} = 462$$

façons de choisir cinq billets dans le sac contenant sept types de billets. ∎

Le théorème 2 permet de généraliser cette discussion.

THÉORÈME 2 Il y a $C(n + r - 1, r)$ r-combinaisons avec remise pour un ensemble à n éléments.

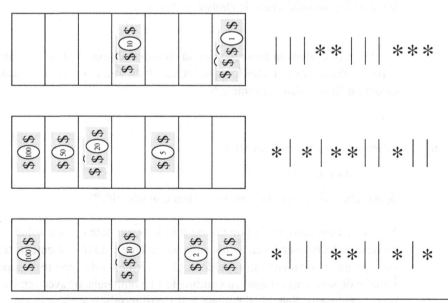

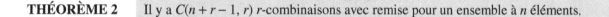

FIGURE 2 Exemples des façons de sélectionner cinq billets

Démonstration : On peut représenter chaque r-combinaison d'un ensemble à n éléments avec remise par une liste de $n - 1$ barres et de r étoiles. On utilise les $n - 1$ barres pour identifier n différentes cellules, où une étoile est placée dans la i-ième cellule chaque fois que le i-ième élément d'un ensemble se présente dans la combinaison. Par exemple, une 6-combinaison de l'ensemble ayant quatre éléments est représentée par trois barres et six étoiles. Ici

$$** \mid * \mid \mid ***$$

représente une combinaison contenant exactement deux éléments du premier type d'élément, un élément du deuxième type d'élément, aucun élément du troisième type d'élément et trois éléments du quatrième type d'élément de l'ensemble.

Comme on l'a vu, chaque liste différente comportant $n - 1$ barres et r étoiles correspond à une r-combinaison de l'ensemble à n éléments avec remise. Le nombre de ces listes est $C(n - 1 + r, r)$, puisque chaque liste correspond à un choix de r positions pour placer les r étoiles des $n - 1 + r$ positions qui contiennent r étoiles et $n - 1$ barres.   □

Les exemples suivants montrent comment appliquer le théorème 2.

EXEMPLE 5   Supposez qu'une biscuiterie vende quatre différentes sortes de biscuits. De combien de façons différentes pouvez-vous choisir six biscuits ? Supposez que la sorte de biscuit importe, mais non pas chaque biscuit ou l'ordre dans lequel ils sont choisis.

Solution : Le nombre de façons de choisir six biscuits correspond au nombre de 6-combinaisons d'un ensemble ayant quatre éléments. Selon le théorème 2, ce nombre est égal à $C(4 + 6 - 1, 6) = C(9, 6)$. Puisque

$$C(9, 6) = C(9, 3) = \frac{9 \cdot 8 \cdot 7}{1 \cdot 2 \cdot 3} = 84,$$

il y a 84 façons différentes de choisir six biscuits.   ■

On peut également avoir recours au théorème 2 pour trouver le nombre de solutions de certaines équations linéaires lorsque les variables sont des entiers soumis à des contraintes, ce qui est illustré dans l'exemple 6.

EXEMPLE 6   Combien de solutions l'équation

$$x_1 + x_2 + x_3 = 11$$

admet-elle, où x_1, x_2 et x_3 sont des entiers non négatifs ?

Solution : Pour compter le nombre de solutions, on note qu'une solution correspond à une façon de sélectionner 11 éléments dans un ensemble de trois éléments tels que x_1 éléments du type un, x_2 éléments du type deux et x_3 éléments du type trois sont choisis. Ainsi, le nombre de solutions est égal au nombre de 11-combinaisons avec remise dans un ensemble de trois éléments. Selon le théorème 2, il s'ensuit qu'il y a

$$C(3 + 11 - 1, 11) = C(13, 11) = C(13, 2) = \frac{13 \cdot 12}{1 \cdot 2} = 78$$

solutions.

On peut également trouver le nombre de solutions pour cette équation lorsque les variables sont soumises à des contraintes. Par exemple, on peut trouver le nombre de solutions où les variables sont des entiers avec $x_1 \geq 1$, $x_2 \geq 2$ et $x_3 \geq 3$. La solution de l'équation soumise à ces contraintes correspond à une sélection de 11 éléments ayant x_1 éléments du type un, x_2 éléments du type deux et x_3 éléments du type trois, et où il y a au moins un élément du type un, deux éléments du type deux et trois éléments du type trois. Ainsi, il faut choisir un élément du type un, deux éléments du type deux et trois éléments du type trois. Puis, il faut sélectionner cinq éléments de plus. Selon le théorème 2, cela peut se faire de

$$C(3 + 5 - 1, 5) = C(7, 5) = C(7, 2) = \frac{7 \cdot 6}{1 \cdot 2} = 78$$

façons. Ainsi, il y a 21 solutions à l'équation qui sont soumises à des contraintes données. ∎

L'exemple 7 montre comment trouver le nombre de combinaisons avec remise lorsqu'on détermine la valeur d'une variable incrémentée chaque fois qu'un type donné de boucle imbriquée est traversée.

EXEMPLE 7   Quelle est la valeur de k après que le pseudocode suivant a été exécuté ?

```
k := 0
pour i₁ := 1 à n
    pour i₂ := 1 à i₁
        ·
        ·
        ·
        pour iₘ := 1 à iₘ₋₁
            k := k + 1
```

Solution : À noter que la valeur initiale de k est 0 et que 1 est ajouté à k chaque fois que la boucle imbriquée est traversée par un ensemble d'entiers $i_1, i_2, \ldots, i_m$, tel que

$$1 \leq i_m \leq i_{m-1} \leq \cdots \leq i_1 \leq n.$$

Le nombre d'ensembles d'entiers de ce type correspond au nombre de façons de choisir avec remise m entiers dans $\{1, 2, \ldots, n\}$. (Pour démontrer cette proposition, il convient de noter qu'une fois cet ensemble sélectionné, si on place les entiers de l'ensemble en ordre non décroissant, cela permet de définir de façon unique une attribution de $i_m, i_{m-1}, \ldots, i_1$. Inversement, chaque attribution de ce type correspond à un ensemble non ordonné unique.) Ainsi, selon le théorème 2, il s'ensuit que $k = C(n + m - 1, m)$ après que ce code a été exécuté. ∎

Les formules pour calculer le nombre de sélections ordonnées ou non ordonnées de *r* éléments, choisis avec ou sans remise dans un ensemble de *n* éléments, sont présentées dans le tableau 1.

TABLEAU 1   Combinaisons et permutations avec et sans répétitions

Type	*Avec remise ?*	*Formule*
r-permutations	Non	$\dfrac{n!}{(n-r)!}$
r-combinaisons	Non	$\dfrac{n!}{r!(n-r)!}$
r-permutations	Oui	n^r
r-combinaisons	Oui	$\dfrac{(n+r-1)!}{r!(n-1)!}$

PERMUTATIONS D'ENSEMBLES D'OBJETS INDISCERNABLES

Certains éléments peuvent ne pas être discernables dans les problèmes de dénombrement. Le cas échéant, il faut tenter d'éviter de compter les objets à plus d'une reprise.

EXEMPLE 8   Combien de chaînes différentes pouvez-vous former en ordonnant les lettres du mot *SUCCESS* ?

Solution : Puisque certaines des lettres du mot *SUCCESS* sont identiques, la réponse n'est pas le nombre de permutations de sept lettres. Ce mot contient trois *S*, deux *C*, un *U* et un *E*. Pour déterminer le nombre de chaînes différentes qu'on peut former en ordonnant les lettres, on note d'abord qu'on peut placer les trois *S* dans les sept positions de $C(7, 3)$ différentes façons, en laissant quatre positions libres. Alors, on peut placer les deux *C* de $C(4, 2)$ façons, en laissant deux positions libres. On peut placer le *U* de $C(2, 1)$ façons, en laissant uniquement une position libre. Ainsi, on peut placer *E* de $C(1, 1)$ façons. Par conséquent, à partir du principe du produit, le nombre de chaînes différentes qu'on peut former est

$$
\begin{aligned}
C(7, 3)C(4, 2)C(2, 1)C(1, 1) &= \frac{7!}{3!4!} \cdot \frac{4!}{2!2!} \cdot \frac{2!}{1!1!} \cdot \frac{1!}{1!0!} \\
&= \frac{7!}{3!2!1!1!} \\
&= 420.
\end{aligned}
$$

■

En utilisant le même type de raisonnement que dans l'exemple 8, on peut démontrer le théorème 3.

THÉORÈME 3

Le nombre de différentes permutations de n objets, où il y a n_1 objets indiscernables de type 1, n_2 objets indiscernables de type 2, ... et n_k objets indiscernables de type k est

$$\frac{n!}{n_1! n_2! \cdots n_k!}.$$

Démonstration : Pour déterminer le nombre de permutations, il convient de noter qu'on peut placer n_1 objets de type un dans les n positions de $C(n, n_1)$ façons, en laissant $n - n_1$ positions libres. Puis, on peut placer les objets du type deux de $C(n - n_1, n_2)$ façons, en laissant $n - n_1 - n_2$ positions libres. On continue de placer les objets du type trois, ..., type $k - 1$, jusqu'à ce que, à la dernière étape, n_k objets de type k soient placés de $C(n - n_1 - n_2 - \cdots - n_{k-1}, n_k)$ façons. Ainsi, selon le principe du produit, le nombre total de permutations différentes est

$$C(n, n_1)C(n - n_1, n_2) \cdots C(n - n_1 - \cdots - n_{k-1}, n_k)$$

$$= \frac{n!}{n_1!(n - n_1)!} \frac{(n - n_1)!}{n_2!(n - n_1 - n_2)!} z \cdots z \frac{(n - n_1 - \cdots - n_{k-1})!}{n_k! 0!}$$

$$= \frac{n!}{n_1! n_2! \cdots n_k!}. \qquad \square$$

DISTRIBUTION D'OBJETS DANS DES BOÎTES

On peut résoudre certains problèmes de dénombrement en énumérant les façons dont on peut ranger les objets discernables dans des boîtes discernables. Dans l'exemple 9, on considère que les objets sont des cartes et les boîtes, les mains des joueurs.

EXEMPLE 9

De combien de façons pouvez-vous distribuer des mains de 5 cartes à chacun des quatre joueurs à partir d'un jeu standard de 52 cartes ?

Solution : On utilise le principe du produit pour résoudre ce problème. Pour commencer, on remarque qu'on peut distribuer 5 cartes au premier joueur de $C(52, 5)$ façons. On peut distribuer 5 cartes au deuxième joueur de $C(47, 5)$ façons, puisqu'il ne reste que 47 cartes. On peut distribuer 5 cartes au troisième joueur de $C(42, 5)$ façons. Finalement, on peut distribuer 5 cartes au quatrième joueur de $C(37, 5)$ façons. Ainsi, au total, le nombre de façons qu'on peut distribuer 5 cartes à chaque joueur est

$$C(52, 5)C(47, 5)C(42, 5)C(37, 5) = \frac{52!}{47!5!} \cdot \frac{47!}{42!5!} \cdot \frac{42!}{37!5!} \cdot \frac{37!}{32!5!}$$

$$= \frac{52!}{5!5!5!5!32!} \qquad \blacksquare$$

Remarque : La solution de l'exemple 9 est égale au nombre de permutations de 52 objets, avec 5 objets indiscernables de chacun des quatre différents types d'objets et 32 objets d'un cinquième type. On peut constater cette égalité en définissant une injection entre les permutations de ce type et les distributions des cartes aux joueurs. Pour définir cette correspondance, il faut d'abord ordonner les cartes de 1 à 52. Ensuite, les cartes distribuées au premier joueur correspondent aux cartes dans les positions attribuées aux objets du premier type dans la permutation. De même, les cartes distribuées respectivement au deuxième, au troisième et au quatrième joueur correspondent aux cartes dans les positions attribuées respectivement aux objets du deuxième, du troisième et du quatrième type. Les cartes qui ne sont pas distribuées aux joueurs correspondent aux cartes dans les positions attribuées aux objets du cinquième type. Le lecteur devra vérifier qu'il s'agit bel et bien d'une injection.

L'exemple 9 constitue un problème typique de la distribution d'objets discernables dans des boîtes discernables. Les objets discernables sont les 52 cartes et les cinq boîtes discernables sont les mains des quatre joueurs ainsi que le reste du jeu de cartes. On peut résoudre les problèmes de dénombrement faisant intervenir la distribution d'objets discernables dans des boîtes à l'aide du théorème 4.

THÉORÈME 4   Le nombre de façons de distribuer n objets discernables dans k boîtes discernables, de manière telle que n_i objets sont rangés dans la boîte i, $i = 1, 2, \ldots, k$, est égal à

$$\frac{n!}{n_1! n_2! \cdots n_k!}.$$

Le lecteur devra démontrer le théorème 4 dans les exercices 43 et 44.

Exercices

1. De combien de façons différentes pouvez-vous sélectionner cinq éléments en ordre dans un ensemble de trois éléments avec remise ?

2. De combien de façons différentes pouvez-vous sélectionner cinq éléments en ordre dans un ensemble de cinq éléments avec remise ?

3. Combien de mots de six lettres y a-t-il ?

4. Chaque jour, un étudiant sélectionne aléatoirement un sandwich pour le dîner parmi une pile de sandwichs emballés. S'il y a six types de sandwichs, de combien de façons différentes l'étudiant peut-il choisir des sandwichs pour les sept jours de la semaine, si l'on tient compte de l'ordre dans lequel les sandwichs sont choisis ?

5. De combien de façons pouvez-vous attribuer trois tâches à cinq employés, si vous pouvez donner à chaque employé plus d'une tâche ?

6. De combien de façons pouvez-vous sélectionner cinq éléments non ordonnés dans un ensemble de trois éléments avec remise ?

7. De combien de façons pouvez-vous sélectionner trois éléments non ordonnés dans un ensemble de cinq éléments avec remise ?

8. De combien de façons pouvez-vous sélectionner une douzaine de beignets parmi les 21 variétés de beignets offerts dans une pâtisserie ?

9. Un magasin de bagels vend des bagels aux oignons, aux graines de pavot, aux œufs, salés, au seigle noir, au sésame, aux raisins et nature. De combien de façons pouvez-vous choisir

a) six bagels ?

b) une douzaine de bagels ?

c) deux douzaines de bagels ?

d) une douzaine de bagels comportant au moins un bagel de chaque type ?

e) une douzaine de bagels comportant au moins trois bagels aux œufs et pas plus de deux bagels salés ?

10. Une croissanterie vend des croissants nature, aux cerises, au chocolat, aux amandes, aux pommes et au brocoli. De combien de façons pouvez-vous choisir

a) une douzaine de croissants ?

b) trois douzaines de croissants ?

c) deux douzaines de croissants comportant au moins deux croissants de chaque sorte ?

d) deux douzaines de croissants ne comportant pas plus de deux croissants au brocoli ?

e) deux douzaines de croissants comportant au moins cinq croissants au chocolat et au moins trois croissants aux amandes ?

f) deux douzaines de croissants comportant au moins un croissant nature, au moins deux croissants aux cerises, au moins trois croissants au chocolat, au moins un croissant aux amandes, au moins deux croissants aux pommes et pas plus de trois croissants au brocoli ?

11. De combien de façons pouvez-vous choisir huit pièces de monnaie dans une tirelire contenant 100 pièces de un cent identiques et 80 pièces de cinq cents identiques ?

12. Combien de combinaisons différentes de pièces de un cent, de cinq cents, de dix cents, de vingt-cinq cents et de un dollar une tirelire peut-elle contenir si elle renferme 20 pièces de monnaie ?

13. Un éditeur possède 3000 exemplaires d'un manuel de mathématiques discrètes. De combien de façons peut-il emmagasiner ces livres dans l'entrepôt si les exemplaires de ce livre sont indiscernables ?

14. Combien de solutions y a-t-il à l'équation

$$x_1 + x_2 + x_3 + x_4 = 17,$$

où x_1, x_2, x_3 et x_4 sont des entiers non négatifs ?

15. Combien de solutions y a-t-il à l'équation

$$x_1 + x_2 + x_3 + x_4 + x_5 = 21,$$

où x_i, $i = 1, 2, 3, 4, 5$, sont des entiers non négatifs tels que

a) $x_1 \geq 1$?

b) $x_i \geq 2$ pour $i = 1, 2, 3, 4, 5$?

c) $0 \leq x_1 \leq 10$?

d) $0 \leq x_1 \leq 3$, $1 \leq x_2 < 4$ et $x_3 \geq 15$?

16. Combien de solutions y a-t-il à l'équation

$$x_1 + x_2 + x_3 + x_4 + x_5 + x_6 = 29,$$

où x_i, $i = 1, 2, 3, 4, 5, 6$, sont des entiers non négatifs tels que

a) $x_i > 1$ pour $i = 1, 2, 3, 4, 5, 6$?

b) $x_1 \geq 1$, $x_2 \geq 2$, $x_3 \geq 3$, $x_4 \geq 4$, $x_5 > 5$ et $x_6 \geq 6$?

c) $x_1 \leq 5$?

d) $x_1 < 8$ et $x_2 > 8$?

17. Combien de chaînes ternaires (0, 1 ou 2) de 10 chiffres contiennent exactement deux 0, trois 1 et cinq 2 ?

18. Combien de chaînes de 20 chiffres décimaux contiennent exactement deux 0, quatre 1, trois 2, un 3, deux 4, trois 5, deux 7 et trois 9 ?

19. Supposez qu'une grande famille a 14 enfants, y compris deux groupes de vrais triplets, trois paires de vrais jumeaux et deux autres enfants. De combien de façons peut-on asseoir ces enfants dans une ran-

gée de chaises s'il n'est pas possible de distinguer les vrais triplets ou les vrais jumeaux ?

20. Combien de solutions y a-t-il à l'inéquation

$$x_1 + x_2 + x_3 \leq 11,$$

où x_1, x_2 et x_3 sont des entiers non négatifs ?
(*Conseil :* Utilisez une variable auxiliaire x_4 telle que $x_1 + x_2 + x_3 + x_4 = 11$.)

21. Pour combien d'entiers positifs inférieurs à 1 000 000 la somme de leurs chiffres est-elle égale à 19 ?

22. Combien d'entiers positifs inférieurs à 1 000 000 ont exactement un chiffre égal à 9 et la somme de leurs chiffres égale à 13 ?

23. Il y a 10 questions dans un examen final de mathématiques discrètes. De combien de façons est-il possible d'attribuer des points aux problèmes si la somme de ces points est 100 et que chaque question vaut au moins 5 points ?

24. Démontrez qu'il y a $C(n + r - q_1 - q_2 - \cdots - q_r - 1, n - q_1 - q_2 - \cdots - q_r)$ sélections différentes non ordonnées de n objets de r différents types qui comprennent au moins q_1 objets de type un, q_2 objets de type deux, ... et q_r objets de type r.

25. Combien de chaînes binaires différentes pouvez-vous transmettre si la chaîne doit commencer par un bit 1, doit inclure trois bits 1 supplémentaires (pour que, au total, on envoie quatre bits 1), doit inclure un total de douze bits 0 et que deux bits 0 au moins doivent suivre chaque bit 1 ?

26. Combien de mots différents pouvez-vous former à partir des lettres du mot *MISSISSIPPI* en utilisant toutes les lettres ?

27. Combien de mots différents pouvez-vous former à partir des lettres du mot *ABRACADABRA* en utilisant toutes les lettres ?

28. Combien de mots différents pouvez-vous former à partir des lettres du mot *AARDVARK* en utilisant toutes les lettres, si les trois *A* doivent être consécutifs ?

29. Combien de mots différents pouvez-vous former à partir des lettres du mot *ORONO* en utilisant une partie des lettres ou toutes les lettres ?

30. Combien de mots à cinq caractères ou plus pouvez-vous former à partir des lettres du mot *SEERESS* ?

31. Combien de mots de sept lettres ou plus pouvez-vous former à partir des lettres du mot *EVERGREEN* ?

32. Combien de chaînes binaires différentes pouvez-vous former en utilisant six 1 et huit 0 ?

33. Un étudiant possède trois mangues, deux papayes et deux kiwis. Si l'étudiant mange un fruit chaque jour et que seul le type de fruit importe, de combien de façons différentes peut-il consommer ces fruits ?

34. Un professeur range sa collection de 40 numéros d'une revue de mathématiques dans quatre boîtes contenant 10 numéros par boîte. De combien de façons peut-il distribuer les revues si

a) chaque boîte est numérotée et discernable ?

b) les boîtes sont identiques et donc indiscernables ?

35. De combien de façons est-il possible de voyager dans l'espace xyz de l'origine $(0, 0, 0)$ vers le point $(4, 3, 5)$ en faisant un pas de une unité dans la direction positive x, de une unité dans la direction positive y ou de une unité dans la direction positive z ? (Il est interdit de se déplacer dans la direction négative x, y ou z. Donc, aucun retour n'est possible.)

36. De combien de façons est-il possible de voyager dans l'espace $xyzw$ de l'origine $(0, 0, 0, 0)$ vers le point $(4, 3, 5, 4)$ en faisant un pas de une unité dans la direction positive x, positive y, positive z ou positive w ?

37. De combien de façons pouvez-vous distribuer des mains de 7 cartes à chacun des cinq joueurs à partir d'un jeu de 52 cartes ?

38. Au bridge, les 52 cartes d'un jeu standard sont distribuées à quatre joueurs. De combien de façons différentes est-il possible de distribuer des mains de bridge à quatre joueurs ?

39. Quelle est la probabilité que chaque joueur ait une main contenant un as lorsque les 52 cartes d'un jeu sont distribuées entre quatre joueurs ?

40. De combien de façons pouvez-vous ranger une douzaine de livres sur quatre étagères discernables

a) si les livres sont des exemplaires indiscernables d'un même titre ?

b) si aucun des livres n'est pareil et que la position des livres sur l'étagère importe ? (*Conseil :* Divisez cette tâche en 12 tâches, en rangeant chaque livre séparément. Commencez par la suite 1, 2, 3, 4 pour représenter les étagères. Représentez les livres par l_i, $i = 1, 2, …, 12$. Rangez l_1 à la droite des éléments dans 1, 2, 3, 4. Puis, rangez successivement l_2, l_3, … et l_{12}.)

41. De combien de façons pouvez-vous ranger n livres sur k étagères discernables

a) si les livres sont des exemplaires indiscernables d'un même titre ?

b) si aucun de ces livres n'est le même et que la position des livres sur les étagères importe ?

42. Une étagère contient 12 livres dans une rangée. De combien de façons pouvez-vous choisir cinq livres de manière telle que deux livres adjacents ne soient pas choisis ? (*Conseil :* Représentez les livres choisis par des barres et les livres qui ne sont pas choisis par des étoiles. Comptez le nombre de suites de cinq

barres et de sept étoiles pour qu'aucune des barres ne soit adjacente.)

★43. Utilisez le principe du produit pour prouver le théorème 4, en rangeant d'abord des objets dans la première boîte, puis en rangeant des objets dans la deuxième boîte, et ainsi de suite.

★44. Prouvez le théorème 4 en établissant une injection entre les permutations de n objets avec n_i objets indiscernables de type i, $i = 1, 2, 3, …, k$ et les distributions de n objets dans k boîtes de manière telle que n_i objets sont rangés dans une boîte i, $i = 1, 2, 3, …, k$ et appliquez le théorème 3.

★45. Dans cet exercice, le théorème 2 sera prouvé en établissant une injection entre l'ensemble de r-combinaisons avec répétition de $S = \{1, 2, 3, …, n\}$ et l'ensemble de r-combinaisons de l'ensemble $T = \{1, 2, 3, …, n + r - 1\}$.

a) Arrangez les éléments d'une r-combinaison, avec répétition, de S en une suite croissante $x_1 \leq x_2… \leq x_r$. Démontrez que la suite formée en ajoutant $k - 1$ au k-ième élément est strictement croissante. Démontrez que cette suite est constituée de r éléments distincts de T.

b) Démontrez que la procédure décrite dans la partie a) définit une injection entre l'ensemble de r-combinaisons, avec remise, de S et les r-combinaisons de T. (*Conseil :* Démontrez que vous pouvez inverser la correspondance en associant à la r-combinaison $\{x_1, x_2, …, x_r\}$ de T avec $1 \leq x_1 < x_2 < \cdots < x_r \leq n + r - 1$, la r-combinaison avec remise de S, formée en soustrayant $k - 1$ du k-ième élément.)

c) Démontrez qu'il y a $C(n + r - 1, r)$ r-combinaisons avec remise dans un ensemble de n éléments.

46. De combien de façons pouvez-vous distribuer cinq objets discernables dans trois boîtes indiscernables ?

47. De combien de façons pouvez-vous distribuer cinq objets indiscernables dans trois boîtes indiscernables ?

48. Combien d'éléments différents y a-t-il dans la représentation de $(x_1 + x_2 + \cdots x_m)^n$ après que tous les éléments ayant des ensembles identiques d'exposants ont été ajoutés ?

★49. Prouvez le **théorème multinomial** : si n est un entier positif, alors

$$(x_1 + x_2 + \cdots + x_m)^n$$
$$= \sum C(n; n_1, n_2, …, n_m) x_1^{n_1} x_2^{n_2} \cdots x_n^{n_m},$$
$$n_1 + n_2 + \cdots + n_m = n,$$

où

$$C(n; n_1, n_2, ..., n_m) = \frac{n!}{n_1! n_2! \cdots n_m!}$$

est un **coefficient multinomial**.

50. Trouvez le développement de $(x + y + z)^4$.

51. Trouvez le coefficient de $x^3 y^2 z^5$ dans $(x + y + z)^{10}$.

52. Combien d'éléments y a-t-il dans la représentation de $(x + y + z)^{100}$?

4.7

Génération de permutations et de combinaisons

INTRODUCTION

On a décrit des méthodes permettant de compter différents types de permutations et de combinaisons dans les sections précédentes. Cependant, il est parfois nécessaire de générer des permutations et des combinaisons plutôt que de simplement les compter. On considère les trois problèmes suivants :

■ On suppose qu'un représentant doit visiter six villes différentes. Quel devrait être l'itinéraire qui pourrait lui épargner le plus de temps possible ? Afin de connaître le meilleur itinéraire, on peut déterminer le temps que prendra chacun des $6! = 720$ itinéraires différents pour visiter chacune des villes et choisir l'itinéraire le plus court.

■ On suppose que certains nombres dans un ensemble de six entiers ont 100 comme somme. Pour trouver ces nombres, on peut générer toutes les $2^6 = 64$ possibilités et vérifier la somme de leurs éléments.

■ On suppose qu'un laboratoire emploie 95 employés. Le laboratoire doit sélectionner un groupe de 12 employés ayant un ensemble précis de 25 aptitudes pour un projet. (Chaque employé peut avoir l'une de ces aptitudes ou plusieurs.) Pour trouver cet ensemble d'employés, on peut générer tous les ensembles de 12 employés et ensuite vérifier s'ils ont les aptitudes requises ou non.

Ces exemples montrent qu'il est souvent nécessaire de générer des permutations et des combinaisons pour résoudre des problèmes.

GÉNÉRATION DE PERMUTATIONS

On peut établir une bijection entre tout ensemble à n éléments et l'ensemble $\{1, 2, 3, ..., n\}$. De plus, on peut énumérer la liste des permutations de tout ensemble à n éléments en générant les permutations des n premiers entiers positifs les plus petits et en remplaçant ces entiers par les éléments correspondants. Plusieurs algorithmes différents ont été établis pour générer les $n!$ permutations différentes de cet ensemble. Dans cette section, on décrira l'un de ces algorithmes qui est basé sur l'**ordre lexicographique** d'un ensemble de permutations $\{1, 2, 3, ..., n\}$. Dans cet ordre, la permutation $a_1 a_2 \cdots a_n$ précède la permutation $b_1 b_2 \cdots b_n$, s'il existe un indice k, où $1 \leq k \leq n$, tel que $a_1 = b_1$, $a_2 = b_2$, ..., $a_{k-1} = b_{k-1}$ et $a_k < b_k$. En d'autres termes, une permutation de l'ensemble des n premiers entiers positifs précède (en ordre lexicographique) une autre permutation si le premier nombre de cette permutation où les deux permutations ne concordent pas est plus petit que le nombre dans la position correspondante de l'autre permutation.

EXEMPLE 1   La permutation 23415 de l'ensemble {1, 2, 3, 4, 5} précède la permutation 23514, puisque ces permutations concordent dans les deux premières positions, mais le nombre en troisième position de la première permutation, soit 4, est plus petit que le nombre en troisième position de la seconde permutation, soit 5. De même, la permutation 41532 précède 52143.   ■

On peut établir un algorithme pour générer les permutations de {1, 2, ..., n} en utilisant une procédure qui engendre la permutation suivante, en ordre lexicographique, après une permutation donnée $a_1a_2 \cdots a_n$. On montrera comment générer cette permutation. Premièrement, on suppose que $a_{n-1} < a_n$. On permute a_{n-1} et a_n pour obtenir une permutation ultérieure. Aucune autre permutation n'est plus grande que la permutation initiale et la permutation obtenue en permutant a_{n-1} et a_n. Par exemple, la permutation qui suit 234156 est 234165. Par ailleurs, si $a_{n-1} > a_n$, alors il n'est pas possible d'obtenir une permutation ultérieure en changeant l'ordre des deux derniers éléments dans la permutation. On observe les trois derniers entiers dans la permutation. Si $a_{n-2} < a_{n-1}$, alors on peut réarranger les trois derniers entiers dans la permutation pour obtenir la permutation suivante. On place le plus petit des deux entiers a_{n-1} et a_n plus grand que a_{n-1} dans la position $n-2$. Puis, on place l'entier qui reste et a_{n-2} dans les deux dernières positions en ordre croissant. Par exemple, la permutation qui suit 234165 est 234516.

Aussi, si $a_{n-2} > a_{n-1}$ (et $a_{n-1} > a_n$), alors on ne peut obtenir une permutation ultérieure en permutant les trois derniers éléments. D'après ces observations, on peut décrire une méthode permettant de produire la permutation suivante en ordre lexicographique croissant qui succède à une permutation donnée $a_1a_2 \cdots a_n$. D'abord, on trouve les entiers a_j et a_{j+1} avec $a_j < a_{j+1}$ et

$$a_{j+1} > a_{j+2} > \cdots > a_n,$$

c'est-à-dire la dernière paire d'entiers adjacents dans la permutation où le premier entier de la paire est plus petit que le second. Ensuite, la permutation la plus grande on ordre lexicographique s'obtient en mettant dans la j-ième position le plus petit entier de a_{j+1}, a_{j+2}, ... et a_n, qui est plus grand que a_j, et en énumérant en ordre croissant le reste des entiers a_j, a_{j+1}, ..., a_n dans les positions $j+1$ à n. On peut facilement voir qu'il n'y a aucune permutation ultérieure à la permutation $a_1a_2 \cdots a_n$, ni permutation précédente de la nouvelle permutation produite. (Le lecteur devra vérifier cette proposition dans un prochain exercice.)

EXEMPLE 2   Quelle est la permutation qui suit, en ordre lexicographique, 362541 ?

Solution : La dernière paire d'entiers a_j et a_{j+1}, où $a_j < a_{j+1}$, est $a_3 = 2$ et $a_4 = 5$. L'entier le plus petit à la droite de 2, qui est plus grand que 2 dans la permutation, est $a_5 = 4$. Ainsi, 4 est placé dans la troisième position. Alors, les entiers 2, 5 et 1 sont placés en ordre dans les trois dernières positions, ce qui donne 125 pour les trois dernières positions de la permutation. Ainsi, la permutation suivante est 364125. ■

Pour produire les $n!$ permutations des entiers 1, 2, 3, …, n, on commence par la permutation initiale, en ordre lexicographique, c'est-à-dire $123\cdots n$, et on applique successivement la procédure déjà décrite pour produire la permutation qui suit $n! - 1$ fois. On obtient ainsi toutes les permutations de n entiers en ordre lexicographique.

EXEMPLE 3   Produisez les permutations des entiers 1, 2, 3 en ordre lexicographique.

Solution : On commence par 123. La permutation suivante s'obtient en permutant 3 et 2 pour obtenir 132. Ensuite, puisque $3 > 2$ et $1 < 3$, on permute les trois entiers dans 132. On place le minimum entre 3 et 2 en première position, on met 1 et 3 en ordre croissant dans les positions 2 et 3 pour obtenir 213. Cette suite est suivie par 231, qu'on obtient en permutant 1 et 3, puisque $1 < 3$. La permutation suivante a 3 en première position, suivi de 1 et de 2 en ordre croissant, notamment 312. Finalement, on permute 1 et 2 pour obtenir la dernière permutation, soit 321. ■

L'algorithme 1 décrit une procédure permettant de générer la permutation suivante, en ordre lexicographique, une permutation différente de $n\ n-1\ n-2\ \dots\ 2\ 1$, celle-ci étant la permutation apparaissant en dernier lieu.

ALGORITHME 1   Génération de la permutation suivante en ordre lexicographique

procédure *permutation suivante* $(a_1 a_2 \cdots a_n$: permutation de
$\quad \{1, 2, …, n\}$ différente de $n\ n - 1\ \dots\ 2\ 1)$
$j := n - 1$
tant que $a_j > a_{j+1}$
$\quad j := j - 1$
$\{j$ est l'indice le plus grand avec $a_j < a_{j+1}\}$

$k := n$
tant que $a_j > a_k$
$\quad k := k - 1$
$\{a_k$ est l'entier le plus petit plus grand que a_j à la droite de $a_j\}$

on permute a_j et a_k
$r := n$
$s := j + 1$
tant que $r > s$

début
>   on permute a_r et a_s
> $r := r - 1$
> $s := s + 1$

fin
{ce qui permet de placer l'extrémité de la permutation après la j-ième position en ordre croissant}

GÉNÉRATION DE COMBINAISONS

Comment peut-on générer toutes les combinaisons d'éléments d'un ensemble fini ? Puisqu'une combinaison est simplement un sous-ensemble, on peut utiliser la correspondance entre les sous-ensembles de $\{a_1, a_2, ..., a_n\}$ et les chaînes binaires de longueur n.

Il ne faut pas oublier que la chaîne binaire correspondant à un sous-ensemble admet 1 en position k si a_k se trouve dans le sous-ensemble et un 0 en cette position si a_k ne se trouve pas dans le sous-ensemble. Si on peut énumérer toutes les chaînes binaires de longueur n, alors, à l'aide de la correspondance entre les sous-ensembles et les chaînes binaires, on obtient une liste de tous les sous-ensembles.

À noter qu'une chaîne binaire de longueur n constitue également la représentation binaire d'un entier compris entre 0 et $2^n - 1$. On peut énumérer les 2^n chaînes binaires en ordre croissant sous forme d'entiers représentés en base 2. Pour générer toutes les représentations en base 2 de longueur n, on commence par la chaîne binaire 000...00, avec n zéros. Puis, on trouve la représentation suivante jusqu'à ce qu'on obtienne la chaîne binaire 111...11. À chaque étape, la représentation binaire la plus grande se trouve en repérant la première position, à partir de la droite, qui n'est pas un 1, puis en remplaçant tous les 1 à la droite de cette position par des 0 et en remplaçant ce premier 0 (à partir de la droite) par un 1.

EXEMPLE 4   Trouvez la chaîne binaire qui suit 10001 00111.

Solution : Le premier bit à partir de la droite qui n'est pas un 1 est le quatrième. On remplace ce bit par un 1 et tous les bits suivants par 0. On obtient la chaîne binaire suivante, soit 10001 01000.   ■

L'algorithme 2 donne la procédure pour générer la chaîne binaire qui suit b_{n-1}, $b_{n-2} \cdots b_1 b_0$.

ALGORITHME 2   Génération de la chaîne binaire suivante

procédure *chaîne binaire suivante*($b_{n-1}b_{n-2} \cdots b_1b_0$: chaîne binaire différente
   de $11...11$)
$i := 0$
tant que $b_i = 1$
début
    $b_i := 0$
    $i := i + 1$
fin
$b_i := 1$

On présente maintenant un algorithme permettant de générer les r-combinaisons de l'ensemble $\{1, 2, 3, ..., n\}$. On peut représenter une r-combinaison par une suite contenant les éléments du sous-ensemble en ordre croissant. On peut énumérer les r-combinaisons en utilisant l'ordre lexicographique pour ces suites. On peut obtenir les combinaisons suivant $a_1a_2 \cdots a_r$ de la manière que voici : d'abord, on repère le dernier élément a_i dans la suite tel que $a_i \neq n - r + i$. Puis, on remplace a_i par $a_i + 1$ et a_j par $a_i + j - i + 1$ pour $j = i + 1$, $i + 2$, ..., r. Le lecteur devra démontrer que cette procédure donne la combinaison suivante en ordre lexicographique. L'exemple 5 illustre cette procédure.

EXEMPLE 5   Trouvez la 4-combinaison de l'ensemble $\{1, 2, 3, 4, 5, 6\}$ qui suit $\{1, 2, 5, 6\}$.

Solution : Le dernier élément parmi les éléments a_i avec $a_1 = 1$, $a_2 = 2$, $a_3 = 5$ et $a_4 = 6$ tels que $a_i \neq 6 - 4 + i$ est $a_2 = 2$. Pour obtenir la 4-combinaison suivante, on incrémente a_2 de 1 pour obtenir $a_2 = 3$. Puis, on définit $a_3 = 3 + 1 = 4$ et $a_4 = 3 + 2 = 5$. Ainsi, la 4-combinaison suivante est $\{1, 3, 4, 5\}$.   ∎

L'algorithme 3 présente cette procédure en pseudocode.

ALGORITHME 3   Génération de la r-combinaison suivante en ordre lexicographique

procédure *r-combinaison suivante*($\{a_1, a_2, ..., a_r\}$: sous-ensemble propre de
   $\{1, 2, ..., n\}$ différent de $\{n - r + 1, ..., n\}$ où
   $a_1 < a_2 < \cdots < a_r$)
$i := r$
tant que $a_i = n - r + i$
    $i := i - 1$
$a_i : a_i + 1$
pour $j := i + 1$ **à** r
    $a_j := a_i + j - i$

Exercices

1. Trouvez la permutation suivante en ordre lexicographique de chacune des permutations :
   a) 1432. **b)** 54123. **c)** 12453.
   d) 45231. **e)** 6714235. **f)** 31528764.

2. Placez les permutations suivantes de $\{1, 2, 3, 4, 5, 6\}$ en ordre lexicographique : 234561, 231456, 165432, 156423, 543216, 541236, 231465, 314562, 432561, 654321, 654312, 435612.

3. Utilisez l'algorithme 1 pour générer les 24 permutations des quatre premiers entiers positifs en ordre lexicographique.

4. Utilisez l'algorithme 2 pour énumérer tous les sous-ensembles de l'ensemble $\{1, 2, 3, 4\}$.

5. Utilisez l'algorithme 3 pour énumérer toutes les 3-combinaisons de $\{1, 2, 3, 4, 5\}$.

6. Démontrez que l'algorithme 1 génère la permutation suivante en ordre lexicographique.

7. Démontrez que l'algorithme 3 génère la r-combinaison suivante en ordre lexicographique suivant une r-combinaison donnée.

8. Construisez un algorithme permettant de générer les r-permutations d'un ensemble de n éléments.

9. Énumérez toutes les 3-permutations de $\{1, 2, 3, 4, 5\}$.

Les exercices subséquents présentent un autre algorithme pour générer les permutations de $\{1, 2, 3, \ldots, n\}$. Cet algorithme est élaboré à partir de la représentation de Cantor d'un entier. Chaque entier non négatif inférieur à $n!$ a une représentation de Cantor unique

$$a_1 1! + a_2 2! + \cdots + a_{n-1}(n-1)!,$$

où a_i est un entier non négatif ne dépassant pas i pour $i = 1$, $2, \ldots, n-1$. Les entiers $a_1, a_2, \ldots, a_{n-1}$ sont appelés **chiffres de Cantor** de cet entier.

Étant donné une permutation de $\{1, 2, \ldots, n\}$, soit a_{k-1}, $k = 2, 3, \ldots, n$, le nombre d'entiers inférieurs à k qui suivent k dans la permutation. Par exemple, dans la permutation 43215, a_1 est le nombre d'entiers inférieurs à 2 qui suivent 2 et donc $a_1 = 1$. De même, pour cet exemple, $a_2 = 2$, $a_3 = 3$ et $a_4 = 0$. On considère une fonction de l'ensemble de permutations de $\{1, 2, 3, \ldots, n\}$ dans l'ensemble des entiers non négatifs inférieurs à $n!$ qui affecte une permutation à l'entier dont $a_1, a_2, \ldots, a_{n-1}$ sont définis comme chiffres de Cantor.

10. Trouvez les entiers qui correspondent aux permutations suivantes :
    a) 246531. **b)** 12345. **c)** 654321.

⋆**11.** Démontrez que la correspondance décrite ici est une bijection entre l'ensemble des permutations de $\{1, 2, 3, \ldots, n\}$ et les entiers non négatifs inférieurs à $n!$.

12. Trouvez les permutations de $\{1, 2, 3, 4, 5\}$ qui correspondent aux entiers suivants par rapport à la correspondance entre les représentations de Cantor et les permutations, comme elles sont décrites dans l'exercice 10.
    a) 3 **b)** 89 **c)** 111

13. Construisez un algorithme permettant de générer toutes les permutations d'un ensemble à n éléments en fonction de la correspondance décrite dans la note précédant l'exercice 10.

⋆**14.** Vous pouvez utiliser la méthode suivante pour générer une permutation aléatoire d'une suite à n éléments. D'abord, changez le n-ième élément de place avec le $r(n)$-ième élément, où $r(n)$ est un entier sélectionné aléatoirement avec $1 \leq r(n) \leq n$. Ensuite, changez le $(n-1)$-ième élément de la suite résultante par son $r(n-1)$-ième élément, où $r(n-1)$ est un entier sélectionné aléatoirement avec $1 \leq r(n-1) \leq n-1$. Poursuivez ce processus jusqu'à ce que $j = n$, ou jusqu'à la j-ième étape, puis changez le $(n-j+1)$-ième élément de la suite résultante de place avec son $r(n-j+1)$-ième élément, où $r(n-j+1)$ est un entier sélectionné aléatoirement avec $1 \leq r(n-j+1) \leq n-j+1$. Démontrez qu'en suivant cette méthode, chacune des $n!$ différentes permutations des éléments de la suite a la même probabilité d'être produite. (*Conseil :* Procédez par induction, en présumant que la probabilité que chacune des permutations de $n-1$ éléments générée selon cette procédure pour une suite de $n-1$ éléments est égale à $1/(n-1)!$.)

Questions de révision

1. Expliquez comment utiliser le principe de la somme et le principe du produit pour trouver le nombre de chaînes binaires ayant une longueur ne dépassant pas 10.

2. Expliquez comment trouver le nombre de chaînes binaires dont la longueur n'excède pas 10 et qui ont au moins un bit 0.

3. a) Expliquez comment utiliser le principe du produit pour trouver le nombre de fonctions d'un ensemble à m éléments dans un ensemble à n éléments.
   b) Combien de fonctions y a-t-il d'un ensemble à 5 éléments dans un ensemble à 10 éléments ?
   c) Expliquez comment utiliser le principe du produit pour trouver le nombre de fonctions injectives d'un ensemble à m éléments dans un ensemble à n éléments.
   d) Combien y a-t-il de fonctions injectives d'un ensemble à 5 éléments dans un ensemble à 10 éléments ?
   e) Combien y a-t-il de fonctions surjectives d'un ensemble à 5 éléments dans un ensemble à 10 éléments ?

4. Expliquez comment trouver le nombre de résultats possibles d'une série éliminatoire entre deux équipes si la première équipe qui remporte quatre parties gagne la série.

5. Expliquez comment trouver le nombre de chaînes binaires de longueur 10 qui commencent par 101 ou qui se terminent par 010.

6. a) Énoncez le principe des nids de pigeon.
   b) Expliquez comment utiliser le principe des nids de pigeon pour démontrer que parmi 11 entiers, au moins deux doivent avoir le même dernier chiffre.

7. a) Énoncez le principe des nids de pigeon généralisé.
   b) Expliquez comment utiliser le principe des nids de pigeon généralisé pour démontrer que parmi 91 entiers, au moins 10 se terminent par le même chiffre.

8. a) Quelle est la différence entre une r-combinaison et une r-permutation d'un ensemble à n éléments ?
   b) Élaborez une équation qui donne le nombre de r-combinaisons et le nombre de r-permutations d'un ensemble à n éléments.
   c) De combien de façons pouvez-vous sélectionner 6 étudiants dans une classe de 25 étudiants pour être membres d'un comité ?

   d) De combien de façons pouvez-vous sélectionner 6 étudiants dans une classe de 25 étudiants pour occuper six postes de direction différents au sein d'un comité ?

9. a) Qu'est-ce que le triangle de Pascal ?
   b) Comment une rangée du triangle de Pascal peut-elle être formée à partir de celle qui se situe au-dessus ?

10. Qu'entendez-vous par preuve combinatoire d'une identité ? En quoi une telle preuve diffère-t-elle d'une preuve algébrique ?

11. Expliquez comment prouver l'identité de Pascal en utilisant un argument combinatoire.

12. a) Énoncez le théorème du binôme.
    b) Expliquez comment prouver le théorème du binôme en utilisant un argument combinatoire.
    c) Trouvez le coefficient de $x^{100}y^{101}$ dans le développement de $(2x + 5y)^{201}$.

13. a) Définissez la probabilité d'un événement lorsque tous les résultats sont équiprobables.
    b) Quelle est la probabilité de sélectionner les six numéros gagnants dans une loterie si les six différents numéros gagnants sont sélectionnés parmi les 50 premiers entiers positifs ?

14. a) À quelles conditions doivent satisfaire les probabilités attribuées aux résultats d'un ensemble fondamental fini ?
    b) Quelles probabilités devriez-vous attribuer au résultat des faces et au résultat des piles si une pièce de monnaie donne face trois fois plus souvent que pile ?

15. a) Définissez la probabilité conditionnelle d'un événement E, étant donné un événement D.
    b) Supposez que E est l'événement « Si on jette un dé, on obtient un nombre pair. » et D, l'événement « Si on jette un dé, on obtient 1, 2 ou 3. » Quelle est la probabilité de D, étant donné E ?

16. a) Quand deux événements E et D sont-ils indépendants ?
    b) Supposez que E est l'événement « Si on jette un dé, on obtient un nombre pair. » et D, l'événement « Si on jette un dé, on obtient 5 ou 6. » E et D sont-ils indépendants ?

17. a) Qu'est-ce qu'une variable aléatoire ?
    b) Quelles sont les valeurs attribuées par la variable aléatoire X qui attribue à un lancer de deux dés le plus grand nombre de points qui apparaît sur les deux dés ?

18. a) Définissez l'espérance mathématique d'une variable aléatoire X.

b) Quelle est l'espérance mathématique de la variable X qui attribue au lancer de deux dés le nombre de points le plus grand qui apparaît sur l'un des deux dés ?

19. a) Expliquez comment on peut interpréter la complexité computationnelle moyenne d'un algorithme ayant un nombre fini de valeurs d'entrée possibles comme espérance mathématique.

b) Quelle est la complexité computationnelle moyenne de l'algorithme de recherche linéaire si la probabilité que l'élément recherché se trouve dans la liste est $1/3$ et s'il est équiprobable que cet élément soit n'importe lequel des n éléments dans la liste ?

20. a) Qu'entend-on par essai de Bernoulli ?

b) Quelle est la probabilité d'obtenir k succès parmi n essais de Bernoulli indépendants ?

c) Quelle est l'espérance mathématique du nombre de succès dans n essais indépendants de Bernoulli ?

21. a) Expliquez comment trouver une formule permettant de calculer le nombre de façons de sélectionner r objets parmi n objets avec remise, lorsque l'ordre n'importe pas.

b) De combien de façons pouvez-vous sélectionner une douzaine d'objets parmi des objets de cinq différents types, si les objets du même type sont indiscernables ?

c) De combien de façons pouvez-vous sélectionner une douzaine d'objets parmi ces cinq différents types s'il doit y avoir au moins trois objets du premier type ?

d) De combien de façons pouvez-vous sélectionner une douzaine d'objets parmi ces cinq différents types s'il ne peut y avoir plus de quatre objets du premier type ?

e) De combien de façons pouvez-vous sélectionner une douzaine d'objets parmi ces cinq différents types s'il doit y avoir au moins deux objets du premier type mais pas plus de trois objets du deuxième type ?

22. a) Soit n et r deux entiers positifs. Expliquez pourquoi le nombre de solutions à l'équation $x_1 + x_2 + \cdots + x_n = r$, où x_i est un entier non négatif pour $i = 1, 2, 3, \ldots, n$, est égal au nombre de r-combinaisons d'un ensemble de n éléments.

b) Combien de solutions (en entiers non négatifs) y a-t-il à l'équation $x_1 + x_2 + x_3 + x_4 = 17$?

c) Combien de solutions (en entiers positifs) y a-t-il à l'équation de la partie b) ?

23. a) Élaborez une formule permettant de trouver le nombre de permutations de n objets de k différents types où il y a n_1 objets indiscernables de type un, n_2 objets indiscernables de type deux, … et n_k objets indiscernables de type k.

b) De combien de façons pouvez-vous ordonner les lettres du mot *INDISCREETNESS* ?

24. Construisez un algorithme permettant de générer toutes les permutations de l'ensemble des n premiers entiers positifs.

25. a) De combien de façons pouvez-vous distribuer des mains de 5 cartes à six joueurs à partir d'un jeu de 52 cartes ?

b) De combien de façons pouvez-vous ranger n objets discernables dans k boîtes discernables, de manière telle que n_i objets soient rangés dans la boîte i ?

26. Construisez un algorithme permettant de produire toutes les combinaisons de l'ensemble des n premiers entiers positifs.

Exercices supplémentaires

1. De combien de façons pouvez-vous choisir 6 éléments parmi 10 éléments distincts lorsque

a) les éléments sont ordonnés et la remise n'est pas autorisée ?

b) les éléments sont ordonnés et la remise est autorisée ?

c) les éléments ne sont pas ordonnés et la remise n'est pas autorisée ?

d) les éléments ne sont pas ordonnés et la remise est autorisée ?

2. De combien de façons pouvez-vous choisir 10 éléments parmi 6 éléments distincts lorsque

a) les éléments sont ordonnés et la remise n'est pas autorisée ?

b) les éléments sont ordonnés et la remise est autorisée ?

c) les éléments ne sont pas ordonnés et la remise n'est pas autorisée ?

d) les éléments ne sont pas ordonnés et la remise est autorisée ?

3. Un test contient 100 questions où les choix de réponse sont « vrai » ou « faux ». De combien de façons différentes un étudiant peut-il répondre aux questions du test s'il peut laisser certaines questions sans réponse ?

4. Combien de chaînes binaires de longueur 10 commencent par 000 ou se terminent par 1111 ?

5. Combien de mots de longueur 10 dans l'alphabet $\{a, b, c\}$ ont exactement trois a ou exactement quatre b ?

6. Les numéros de téléphone internes du système téléphonique du campus sont composés de cinq chiffres, et le premier chiffre n'est pas égal à zéro. Combien de numéros différents pouvez-vous attribuer à ce système ?

7. Une crémerie vend 28 différentes saveurs de crème glacée, 8 différents types de sauce et 12 sortes de garnitures.
   a) De combien de façons différentes pouvez-vous former un plat composé de trois boules de crème glacée si chaque saveur peut être utilisée à plus d'une reprise et que l'ordre des boules n'a pas d'importance ?
   b) Combien de différents types de petites coupes de crème glacée peuvent être formées si une petite coupe contient une boule de crème glacée, une sauce et une garniture ?
   c) Combien de différents types de grandes coupes de crème glacée peuvent être formées si une grande coupe contient trois boules de crème glacée, que chaque saveur peut être utilisée à plus d'une reprise et que l'ordre des boules n'a pas d'importance, s'il existe deux types de sauce, que chaque sauce ne peut être servie qu'une fois et que l'ordre des sauces n'a pas d'importance ; et s'il existe trois garnitures, que chaque garniture ne peut servir qu'une fois et que l'ordre des garnitures n'a pas d'importance ?

8. Combien d'entiers positifs inférieurs à 1000
   a) ont exactement trois chiffres décimaux ?
   b) ont un nombre impair de chiffres décimaux ?
   c) ont au moins un chiffre décimal égal à 9 ?
   d) n'ont aucun chiffre décimal impair ?
   e) ont deux chiffres décimaux consécutifs égaux à 5 ?
   f) sont des palindromes (c'est-à-dire qu'ils se lisent de la même manière en commençant par le début ou par la fin) ?

9. Lorsque les nombres compris entre 1 et 1000 sont écrits en notation décimale, parmi les chiffres suivants, combien sont utilisés ?
   a) 0   b) 1   c) 2   d) 9

10. Il y a 12 signes du zodiaque. Combien faut-il de personnes pour qu'au moins six personnes aient le même signe ?

11. Une entreprise de petits fours horoscope fabrique 213 types de petits fours. Un étudiant mange dans un restaurant qui sert ces petits fours. Quel est le plus grand nombre de fois possible qu'un étudiant peut manger à ce restaurant sans qu'on lui serve un petit four contenant le même horoscope quatre fois ?

12. Combien de personnes faut-il pour qu'au moins deux personnes soient nées le même jour de la semaine et le même mois (avec des années sans doute différentes) ?

13. Démontrez qu'il existe au moins deux sous-ensembles différents de 5 éléments d'un ensemble de 10 entiers positifs ne dépassant pas 50 qui ont la même somme.

14. Un paquet de cartes de baseball contient 20 cartes. Combien de paquets devez-vous acheter pour vous assurer que deux cartes dans ces paquets sont identiques s'il y a au total 550 cartes différentes ?

15. a) Combien de cartes devez-vous choisir dans un jeu pour avoir au moins deux as ?
    b) Combien de cartes devez-vous choisir dans un jeu pour avoir au moins deux as et deux rois ?
    c) Combien de cartes devez-vous choisir dans un jeu pour avoir au moins deux cartes de la même dénomination ?
    d) Combien de cartes devez-vous choisir dans un paquet pour avoir au moins deux cartes de différentes dénominations ?

★16. Démontrez que, dans tout ensemble de $n + 1$ entiers positifs ne dépassant pas $2n$, il doit y en avoir deux qui sont des entiers premiers entre eux.

★17. Démontrez que, dans une suite de m entiers, il existe un ou plusieurs éléments consécutifs ayant une somme divisible par m.

18. Démontrez que s'il faut choisir cinq points à l'intérieur d'un carré ayant un côté de longueur 2, alors au moins deux de ces points ne se situent pas à une distance supérieure à $\sqrt{2}$.

19. Démontrez que la représentation en base 10 d'un nombre rationnel doit se répéter à partir d'un point donné.

20. Combien de diagonales un polygone régulier ayant n côtés a-t-il, où n est un entier positif avec $n \geq 3$?

21. De combien de façons pouvez-vous choisir une douzaine de beignets parmi 20 variétés
    a) si tous les beignets sont de variétés différentes ?
    b) si tous les beignets sont de la même variété ?
    c) s'il n'y a pas de restriction ?
    d) s'il y a au moins deux variétés ?
    e) s'il doit y avoir au moins six beignets aux bleuets ?

f) s'il ne peut pas y avoir plus de six beignets aux bleuets ?

22. Quelle est la probabilité que six nombres consécutifs soient choisis comme les numéros gagnants dans une loterie, où chaque nombre sélectionné se situe entre 1 et 40 (inclusivement) ?

23. Quelle est la probabilité qu'une main de 13 cartes ne contienne aucune paire ?

24. Trouvez n si
  a) $P(n, 2) = 110$.
  b) $P(n, n) = 5040$.
  c) $P(n, 4) = 12P(n, 2)$.

25. Trouvez n si
  a) $C(n, 2) = 45$.
  b) $C(n, 3) = P(n, 2)$.
  c) $C(n, 5) = C(n, 2)$.

26. Démontrez que si n et r sont des entiers non négatifs et que $n \geq r$, alors
$$P(n + 1, r) = P(n, r)(n + 1)/(n + 1 - r).$$

27. Donnez une preuve combinatoire que $C(n, r) = C(n, n - r)$.

28. Donnez une preuve combinatoire du théorème 7 de la section 4.3 en établissant une correspondance entre les sous-ensembles d'un ensemble ayant un nombre pair d'éléments et les sous-ensembles de cet ensemble ayant un nombre impair d'éléments. (*Conseil :* Prenez un élément a dans l'ensemble. Établissez la correspondance en mettant a dans le sous-ensemble s'il ne s'y trouve pas déjà et en le sortant s'il y est.)

29. Soit n et r des entiers non négatifs avec $r < n$. Démontrez que
$$C(n, r - 1) = C(n + 2, r + 1)$$
$$- 2C(n + 1, r + 1) + C(n, r + 1).$$

30. Utilisez l'induction pour prouver que $\sum_{j = 2}^{n} C(j, 2) = C(n + 1, 3)$, lorsque n est un entier plus grand que 1.

31. Utilisez le théorème du binôme pour prouver que $\sum_{k = 0}^{n} C(n, k)2^k$. (*Conseil :* Soit $x = 1$ et $y = 2$ dans l'énoncé du théorème.)

32. Dans cet exercice, il faut dériver une formule pour calculer la somme des carrés des n premiers entiers positifs. Nous allons compter les triplets (i, j, k) d'entiers positif tels que $0 \leq i < k$, $0 \leq j < k$ et $1 \leq k \leq n$ de deux façons.
  a) Démontrez qu'il y a k^2 triplets ayant un k fixe. Démontrez qu'il y a $\sum_{k = 1}^{n} k^2$ triplets.
  b) Démontrez que le nombre de triplets avec $0 \leq i < j < k$ et le nombre de triplets avec $0 \leq j < i < k$ sont tous les deux égaux à $C(n + 1, 3)$.

c) Démontrez que le nombre de triplets avec $0 \leq i = j < k$ est égal à $C(n + 1, 2)$.

d) En combinant la partie a) avec les parties b) et c), démontrez que
$$\sum_{k = 1}^{n} k^2 = 2C(n + 1, 3) + C(n + 1, 2)$$
$$= n(n + 1)(2n + 1)/6.$$

★33. Combien de chaînes binaires de longueur n, où $n \geq 4$, contiennent exactement deux occurrences de 01 ?

34. Quelle est la probabilité qu'une main de poker de sept cartes contienne
  a) quatre cartes d'une même dénomination et trois cartes d'une autre dénomination ?
  b) trois cartes d'une même dénomination et des paires de chacune de deux dénominations différentes ?
  c) des paires de chacune de trois différentes dénominations et une seule carte d'une quatrième dénomination ?
  d) des paires de chacune de deux différentes dénominations et trois cartes d'une troisième, quatrième et cinquième dénomination ?
  e) des cartes de sept différentes dénominations ?
  f) un *flush* de sept cartes ?
  g) une quinte de sept cartes ?
  h) une quinte couleur de sept cartes ?

35. Quelle est la probabilité qu'une main de bridge de 13 cartes contienne
  a) chacun des 13 cœurs ?
  b) 13 cartes de la même couleur ?
  c) 7 piques et 6 trèfles ?
  d) 7 cartes d'une couleur et 6 cartes d'une autre couleur ?
  e) 4 carreaux, 6 cœurs, 2 piques et 1 trèfle ?
  f) 4 cartes d'une couleur, 6 cartes d'une deuxième couleur, 2 cartes d'une troisième couleur et 1 carte de la quatrième couleur ?

36. Supposez que p et q sont des nombres premiers et que $n = pq$. Quelle est la probabilité qu'un entier choisi aléatoirement et inférieur à n ne soit divisible ni par p ni par q ?

★37. Supposez que m et n sont des entiers positifs. Quelle est la probabilité qu'un entier positif choisi aléatoirement et inférieur à mn ne soit divisible ni par m ni par n ?

38. Supposez que $E_1, E_2, \ldots, E_n$ sont des événements n avec $p(E_i) > 0$ pour $i = 1, 2, \ldots, n$. Démontrez que
$$p(E_1 \cap E_2 \cap \cdots \cap E_n)$$
$$= p(E_1)p(E_2 \mid E_1)p(E_3 \mid E_1 \cap E_2) \cdots$$
$$\cdot (p(E_n \mid E_1 \cap E_2 \cap \cdots \cap E_{n - 1}).$$

39. Les événements E_1, E_2, ..., E_n sont **indépendants deux à deux** si

$$p(E_{i_1} \cap E_{i_2} \cap \cdots \cap E_{i_m}) = p(E_{i_1})p(E_{i_2}) \cdots p(E_{i_m}),$$

lorsque i_j, $j = 1, 2, ..., m$ sont les entiers avec $1 \leq i_1 < i_2 < \cdots < i_m \leq n$ et $m \geq 2$.

a) Écrivez les conditions nécessaires pour que trois événements E_1, E_2, E_3 soient indépendants deux à deux.

b) Soit E_1, E_2 et E_3 les événements respectifs : si on lance une pièce de monnaie seulement trois fois, on obtient face la première fois, pile la deuxième fois et pile la troisième fois. Les événements E_1, E_2, E_3 sont-ils indépendants deux à deux ?

c) Soit E_1, E_2 et E_3 les événements respectifs : si on lance une pièce de monnaie exactement trois fois, on obtient face la première fois, face la troisième fois et face un nombre pair de fois. Les événements E_1, E_2, E_3 sont-ils indépendants deux à deux ?

d) Combien de conditions devez-vous vérifier pour démontrer que n événements sont indépendants deux à deux ?

★40. Supposez que E et D sont des événements avec $p(D) \neq 0$. Démontrez que la probabilité de E est la moyenne pondérée de la probabilité de E étant donné D et que la probabilité de E étant donné le complément de D, $\overline{D}$, où les pondérations sont respectivement les probabilités de D et de $\overline{D}$. Autrement dit,

$$p(E) = p(E \mid D)p(D) + p(E \mid \overline{D})p(\overline{D}).$$

(*Conseil* : Considérez le fait que $E = (E \cap D) \cup (E \cap \overline{D})$.)

★41. Supposez que E est un événement dans un ensemble fondamental S et que D_1, D_2, ..., D_n sont des événements mutuellement exclusifs (incompatibles) tels que $\cup_{i=1}^{n} D_i = S$. Supposez que $p(E) \neq 0$ et $p(D_i) \neq 0$ pour $i = 1, 2, ..., n$. Démontrez que

$$p(D_j \mid E) = \frac{p(E|D_j)p(D_j)}{\sum_{i=1}^{n} p(E|D_i)p(D_i)}.$$

(*Conseil* : Considérez le fait que $E = \cup_{i=1}^{n}(E \cap F_i)$.) Ce résultat est connu sous le nom de **formule de Bayes**, puisque celle-ci a été élaborée par le philosophe anglais Thomas Bayes.

★42. Une sonde spatiale à proximité de Neptune communique avec la Terre par chaînes binaires. Supposez que, dans sa transmission, elle a un bit 1 le tiers du temps et un bit 0 les deux tiers du temps. Lorsqu'elle envoie un 0, la probabilité qu'il soit bien reçu est de 0,9 et la probabilité qu'il soit reçu incorrectement (sous forme de 1) est de 0,1. Lorsqu'un 1 est envoyé, la probabilité qu'il soit reçu correctement est de 0,8 et la probabilité qu'il soit reçu incorrectement (sous forme de 0) est de 0,2.

a) Référez-vous à l'exercice 40 pour trouver la probabilité qu'un 0 soit reçu.

b) Référez-vous à la formule de Bayes, donnée à l'exercice 41, pour trouver la probabilité qu'un 0 soit transmis, étant donné qu'un 0 a été reçu.

43. Un professeur écrit 20 questions à choix multiples, chacune ayant les possibilités de réponses a, b, c ou d pour un test de mathématiques discrètes. Si le nombre de questions ayant a, b, c et d comme réponse est de 8, de 3, de 4 et de 5 respectivement, combien de différentes solutions sont possibles si on peut placer les questions en ordre ?

44. Il faut placer huit personnes autour d'une table. Combien d'arrangements différents sont possibles si deux arrangements sont considérés comme semblables, si on peut en obtenir un à partir de l'autre par rotation ?

45. De combien de façons pouvez-vous référer 24 étudiants à cinq conseillers de la faculté ?

46. De combien de façons pouvez-vous choisir une douzaine de pommes dans un panier contenant 20 pommes Délicieuses indiscernables, 20 pommes Macintosh indiscernables et 20 pommes Granny Smith indiscernables, s'il faut en choisir au moins trois de chaque sorte ?

47. Combien de solutions y a-t-il à l'équation $x_1 + x_2 + x_3 = 17$, où x_1, x_2 et x_3 sont des entiers non négatifs avec

a) $x_1 > 1$, $x_2 > 2$ et $x_3 > 3$?

b) $x_1 < 6$ et $x_3 > 5$?

c) $x_1 < 4$, $x_2 < 3$ et $x_3 > 5$?

48. a) Combien de mots différents pouvez-vous former à partir du mot *PEPPERCORN* en utilisant toutes les lettres ?

b) Combien de ces mots commencent et se terminent par la lettre P ?

c) Combien de ces mots contiennent trois lettres P consécutives ?

49. Combien de sous-ensembles d'un ensemble à 10 éléments

a) ont moins de 5 éléments ?

b) ont plus de 7 éléments ?

c) ont un nombre impair d'éléments ?

50. Le témoin d'un délit de fuite informe la police que la plaque d'immatriculation de la voiture de l'accident, qui contient trois lettres suivies de trois chiffres, commence par les lettres AS et contient les chiffres 1 et 2. Combien de plaques d'immatriculation différentes peuvent correspondre à cette description ?

51. De combien de façons pouvez-vous ranger n objets identiques dans m contenants distincts de telle sorte qu'aucun contenant ne soit vide ?

52. De combien de façons pouvez-vous asseoir six garçons et huit filles dans une rangée de chaises, de sorte qu'aucun garçon ne soit assis à côté d'un autre ?

53. Construisez un algorithme permettant de produire toutes les r-permutations d'un ensemble fini avec remise.

54. Construisez un algorithme permettant de produire toutes les r-combinaisons d'un ensemble fini avec remise.

Techniques de dénombrement avancées

De nombreux problèmes de dénombrement sont difficiles à résoudre à l'aide des méthodes présentées au chapitre 4, tel celui-ci : Combien y a-t-il de chaînes binaires de longueur n qui ne contiennent pas deux zéros consécutifs ? Pour résoudre ce problème, on considère que a_n est le nombre de chaînes binaires de longueur n. On peut apporter un argument qui démontre que $a_{n+1} = a_n + a_{n-1}$. Cette équation et les conditions initiales $a_1 = 2$ et $a_2 = 3$ déterminent alors la suite $\{a_n\}$. De plus, on peut trouver une formule explicite pour a_n à partir de l'équation mettant en relation les termes de cette suite. Comme on le verra plus loin, une technique similaire peut servir à résoudre un grand nombre de problèmes de ce type.

D'autres problèmes de dénombrement sont impossibles à résoudre en utilisant les techniques discutées au chapitre 4, tels ceux-ci : De combien de façons peut-on attribuer sept tâches à trois employés de manière qu'au moins une tâche soit attribuée à chaque employé ? Combien existe-t-il de nombres premiers inférieurs à 1000 ? Ces deux problèmes peuvent être résolus en comptant le nombre d'éléments présents dans l'union des ensembles. On élaborera une technique appelée le principe d'inclusion-exclusion, qui permet de dénombrer les éléments dans les unions des ensembles, puis on démontrera comment ce principe peut servir à résoudre des problèmes de dénombrement.

Les techniques utilisées dans ce chapitre, associées aux techniques de base énoncées au chapitre 4, peuvent servir à résoudre plusieurs problèmes de dénombrement. On considérera aussi brièvement une autre technique de dénombrement, soit les fonctions génératrices, à l'annexe 3.

5.1

Relations de récurrence

INTRODUCTION

Le nombre de bactéries d'une colonie double chaque heure. Si cette colonie comprend cinq bactéries à l'origine, combien y aura-t-il de bactéries après n heures ? Pour résoudre ce problème, on définit a_n le nombre de bactéries après n heures. Puisque le nombre de bactéries double chaque heure, la relation $a_n = 2a_{n-1}$ est valide pour tout entier positif n. Cette relation, avec la condition initiale $a_0 = 5$, détermine de façon unique a_n pour tous les nombres entiers non négatifs n. On peut trouver une formule pour a_n à partir de cette information.

Certains problèmes de dénombrement, qui ne peuvent être résolus à l'aide des techniques présentées au chapitre 4, peuvent l'être néanmoins en trouvant des relations, appelées relations de récurrence, entre les éléments d'une suite, comme dans le problème concernant les bactéries. On étudiera une variété de problèmes de dénombrement modélisables au moyen des relations de récurrence. Dans cette section et dans la section suivante, on élaborera des méthodes afin de trouver des formules explicites pour les éléments de suites qui satisfont certains types de relations de récurrence.

RELATIONS DE RÉCURRENCE

Au chapitre 3, on a expliqué comment les suites peuvent être définies récursivement. Il faut se souvenir que la définition récursive d'une suite spécifie un ou plusieurs termes initiaux, ainsi qu'une règle pour déterminer les éléments subséquents à partir des précédents. Des définitions récursives peuvent servir à résoudre les problèmes de dénombrement. Quand ces définitions prévalent, la règle pour trouver les termes à partir de ceux qui les précèdent est appelée une **relation de récurrence**.

DÉFINITION 1.   Une *relation de récurrence* pour la suite $\{a_n\}$ est une formule qui exprime a_n en fonction d'un ou de plusieurs termes qui le précèdent dans la suite, soit a_0, $a_1, \ldots, a_{n-1}$, pour tout entier n tel que $n \geq n_0$, où n_0 est un nombre entier non négatif. Une suite est une *solution* d'une relation de récurrence si ses termes satisfont la relation de récurrence.

EXEMPLE 1   Soit $\{a_n\}$ une suite qui satisfait la relation de récurrence $a_n = a_{n-1} - a_{n-2}$ pour $n = 2, 3, 4, \ldots$ De plus, on suppose que $a_0 = 3$ et $a_1 = 5$. Trouvez a_2 et a_3.

Solution : À partir de cette relation de récurrence, on a $a_2 = a_1 - a_0 = 5 - 3 = 2$ et $a_3 = a_2 - a_1$ $= 2 - 5 = -3$.   ∎

EXEMPLE 2   Déterminez si la suite $\{a_n\}$ est une solution à la relation de récurrence $a_n = 2a_{n-1} - a_{n-2}$ pour $n = 2, 3, 4, \ldots$, où $a_n = 3n$ pour chaque nombre entier non négatif n. Répondez à la même question quand $a_n = 2^n$ et si $a_n = 5$.

Solution : On suppose que $a_n = 3n$ pour chaque nombre entier non négatif n. Alors, pour $n \geq 2$, on a $a_n = 2a_{n-1} - a_{n-2} = 2[3(n-1)] - 3(n-2) = 3n$. Donc, $\{a_n\}$ avec $a_n = 3n$ est une solution de la relation de récurrence.

On suppose que $a_n = 2^n$ pour chaque nombre entier non négatif n. À noter que $a_0 = 1$, $a_1 = 2$ et $a_2 = 4$. Puisque $a_2 \neq 2a_1 - a_0 = 2 \cdot 2 - 1 = 3$, on a $\{a_n\}$, où $a_n = 2^n$, n'est pas une solution de la relation de récurrence.

On suppose que $a_n = 5$ pour chaque nombre entier non négatif n. Alors, pour $n \geq 2$, on a $a_n = 2a_{n-1} - a_{n-2} = 2 \cdot 5 - 5 = 5$. Donc, $\{a_n\}$ avec $a_n = 5$ est une solution de la relation de récurrence. ∎

Les **conditions initiales** d'une suite spécifient les éléments qui précèdent le premier élément à partir duquel la relation de récurrence s'applique. Par exemple, dans l'exemple 1, $a_0 = 3$ et $a_1 = 5$ sont les conditions initiales. La relation de récurrence et les conditions initiales déterminent la suite de façon unique. Cela est confirmé par le fait qu'une relation de récurrence avec ses conditions initiales permet d'obtenir une définition récursive de la suite. Chacun des éléments de la suite peut être dérivé de la condition initiale si on applique la relation de récurrence un nombre suffisant de fois. Cependant, il y a des façons plus efficaces d'évaluer les éléments de certaines classes de suites définies par des relations de récurrence et des conditions initiales. Ces méthodes sont présentées dans cette section et dans la suivante.

MODÉLISATION À L'AIDE DE RELATIONS DE RÉCURRENCE

Les relations de récurrence peuvent servir à modéliser un grand nombre de problèmes, tels que le calcul de l'intérêt composé, le dénombrement de lapins sur une île, l'évaluation des déplacements nécessaires pour résoudre le casse-tête de la tour de Hanoi et le dénombrement des chaînes binaires ayant certaines propriétés.

EXEMPLE 3   **Calcul de l'intérêt composé**   On suppose qu'une personne dépose 10 000 $ dans un compte d'épargne et bénéficie d'un taux d'intérêt de 11 % par an composé annuellement. Quel sera le montant accumulé dans ce compte après 30 ans ?

Solution : Pour résoudre ce problème, on suppose que P_n représente le montant dans le compte après n années. Puisque le montant dans le compte après n années égale le montant après $n-1$ années plus l'intérêt pour la n-ième année, on voit que la suite $\{P_n\}$ satisfait la relation de récurrence

$$P_n = P_{n-1} + 0{,}11 P_{n-1} = (1{,}11) P_{n-1}.$$

La condition initiale est $P_0 = 10\ 000$.

Une méthode itérative permet de trouver la formule pour P_n. On note que

$$P_1 = (1{,}11) P_0,$$
$$P_2 = (1{,}11) P_1 = (1{,}11)^2 P_0,$$
$$P_3 = (1{,}11) P_2 = (1{,}11)^3 P_0,$$
$$\vdots$$
$$P_n = (1{,}11) P_{n-1} = (1{,}11)^n P_0.$$

Quand on tient compte de la condition initiale $P_0 = 10\,000$, on obtient la formule $P_n = (1,11)^n 10\,000$. On démontre par induction cette égalité. La formule est exacte si $n = 0$ étant donné la condition initiale.

À présent, on suppose que $P_n = (1,11)^n 10\,000$. Alors, à partir de la relation de récurrence et de l'hypothèse de l'induction, on peut déduire que

$$P_{n+1} = (0,11)P_n = (1,11)(1,11)^n 10\,000 = (1,11)^{n+1} 10\,000,$$

ce qui démontre que la formule explicite pour P_n est valide.

En posant $n = 30$ dans la formule $P_n = (1,11)^n 10\,000$, on trouve le montant dans le compte après 30 ans, qui est

$$P_{30} = (1,11)^{30} 10\,000 = 228\,922,97\ \$.$$ ∎

L'exemple 4 démontre comment, au moyen d'une relation de récurrence, on peut modéliser le phénomène de reproduction d'une population.

EXEMPLE 4   **Lapins et nombres de Fibonacci**   On considère le problème suivant qui fut posé par Leonardo di Pisa, aussi connu sous le nom de Fibonacci, au XIIIe siècle, dans son ouvrage *Liber abaci*. Un jeune couple de lapins est laissé sur une île. Ce couple est incapable de se reproduire avant que les deux lapins aient deux mois. Après deux mois, un couple de lapins donne naissance à un autre couple de lapins, et ce, tous les mois (voir la figure 1). Trouvez une relation de récurrence permettant de calculer le nombre de couples de lapins sur l'île au bout de n mois, en supposant qu'aucun lapin ne meure.

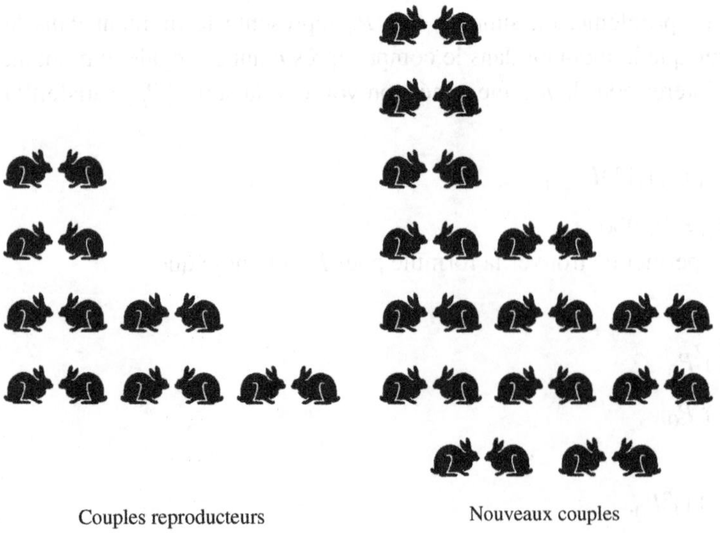

Mois	Couples reproducteurs	Nouveaux couples	Nombre total de couples
1	0	1	1
2	0	1	1
3	1	1	2
4	1	2	3
5	2	3	5
6	3	5	8

Couples reproducteurs   Nouveaux couples

FIGURE 1   Lapins sur une île

Solution : Soit f_n le nombre de couples de lapins après n mois. On démontre que f_n, avec $n = 1,2,3, \ldots$, sont les éléments de la suite de Fibonacci.

La population de lapins peut être modélisée au moyen d'une relation de récurrence. À la fin du premier mois, le nombre de couples de lapins sur l'île est $f_1 = 1$. Puisque le couple ne se reproduit pas au cours du deuxième mois, $f_2 = 1$ également. Pour trouver le nombre de couples après n mois, il faut additionner le nombre de couples sur l'île le mois précédent, soit f_{n-1}, et le nombre de couples nouvellement nés, qui équivaut à f_{n-2}, puisque chaque nouveau couple provient d'un couple qui est âgé d'au moins deux mois.

En conséquence, la suite $\{f_n\}$ satisfait la relation de récurrence

$$f_n = f_{n-1} + f_{n-2}$$

pour $n \geq 3$ avec les conditions initiales $f_1 = 1$ et $f_2 = 1$. Puisque la relation de récurrence et les conditions initiales déterminent la suite de manière unique, le nombre de couples de lapins sur l'île après n mois est donné par le n-ième nombre de Fibonacci. ∎

L'exemple 5 illustre le problème du fameux casse-tête de la tour de Hanoi.

EXEMPLE 5 **Tour de Hanoi** Un casse-tête populaire de la fin du XIXe siècle était appelé la tour de Hanoi. Il se composait de trois bâtons plantés dans une planche sur lesquels étaient enfilés des disques de différentes largeurs. Au début du jeu, ces disques sont placés en pyramide sur le premier bâton, le disque le plus large (voir la figure 2) placé tout en bas. Les règles du casse-tête consistent à déplacer les disques, un à la fois, d'un bâton sur un autre bâton avec la restriction voulant qu'un disque ne doit jamais être placé sur un autre plus petit. Le but du jeu est de replacer tous les disques en ordre croissant sur le deuxième bâton, le plus large étant tout en bas.

On suppose que H_n représente le nombre de déplacements nécessaires pour résoudre le problème de la tour de Hanoi avec n disques. On établit une relation de récurrence pour la suite $\{H_n\}$.

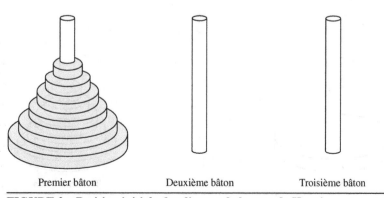

Premier bâton　　　Deuxième bâton　　　Troisième bâton

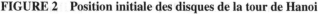

FIGURE 2 **Position initiale des disques de la tour de Hanoi**

Solution : On commence par placer n disques sur le premier bâton. On peut transférer les $n-1$ disques du haut sur le troisième bâton en respectant la règle du jeu, si on utilise H_{n-1} déplacements (voir la figure 3).

Pendant tous ces déplacements, on ne touche pas au disque le plus large sur le premier bâton. Un déplacement servira ensuite à transférer le disque le plus large sur le deuxième bâton. Pour transférer les $n-1$ disques du troisième bâton au deuxième bâton, il faut H_{n-1} déplacements additionnels, le disque le plus large demeurant fixe sur le deuxième bâton. On voit qu'il est impossible de résoudre le casse-tête avec moins d'étapes, ce qui démontre que

$$H_n = 2H_{n-1} + 1.$$

La condition initiale est $H_1 = 1$, puisqu'on ne peut déplacer qu'un seul disque du premier bâton au deuxième bâton, en respectant les règles du jeu, et ce, au cours d'un même déplacement. Une méthode itérative permettra de résoudre la relation de récurrence. À noter que

$$\begin{aligned}
H_n &= 2H_{n-1} + 1 \\
&= 2(2H_{n-2} + 1) + 1 = 2^2 H_{n-2} + 2 + 1 \\
&= 2^2(2H_{n-3} + 1) + 2 + 1 = 2^3 H_{n-3} + 2^2 + 2 + 1 \\
&\ \vdots \\
&= 2^{n-1} H_1 + 2^{n-2} + 2^{n-3} + \cdots + 2 + 1 \\
&= 2^{n-1} + 2^{n-2} + \cdots + 2 + 1 \\
&= 2^n + 1.
\end{aligned}$$

On a utilisé la relation de récurrence de façon répétitive pour exprimer H_n en fonction des éléments précédents de la suite. Jusqu'à la dernière égalité, on s'est servi de la condition initiale $H_1 = 1$. La dernière égalité est fondée sur la formule de la somme des éléments d'une série géométrique, qu'on trouve à l'exemple 5 de la section 3.2.

La méthode itérative a permis de résoudre la relation de récurrence $H_n = 2H_{n-1} + 1$ avec la condition initiale $H_1 = 1$. On peut démontrer cette formule par induction. Cet exercice est laissé au lecteur à la fin de cette section.

Un ancien mythe raconte qu'il existe une tour à Hanoi où des moines transfèrent 64 disques d'or d'un bâton à un autre bâton en observant les règles de ce casse-tête. Il leur

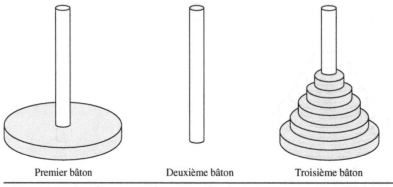

Premier bâton   Deuxième bâton   Troisième bâton

FIGURE 3   Position intermédiaire des disques de la tour de Hanoi

faut une seconde pour déplacer chaque disque. Le mythe affirme aussi que le monde s'éteindra quand les moines auront terminé le transfert. En conséquence, à partir du moment où les moines commencent le casse-tête, combien d'années faudra-t-il avant que se produise la fin du monde ?

Si on utilise la formule explicite, les moines devront effectuer

$$2^{64} - 1 = 18\ 446\ 744\ 073\ 709\ 551\ 615$$

déplacements pour transférer les disques. À raison d'un déplacement par seconde, il leur faudra donc 500 milliards d'années pour résoudre ce casse-tête... ∎

L'exemple 6 illustre comment des relations de récurrence peuvent servir à dénombrer des chaînes binaires de longueur spécifique ayant une certaine propriété.

EXEMPLE 6   Trouvez une relation de récurrence et donnez les conditions initiales permettant de calculer le nombre de chaînes binaires de longueur n qui ne contiennent pas deux 0 consécutifs. Combien existe-t-il de chaînes de ce type dont la longueur est de 5 bits ?

Solution : Soit a_n, le nombre de chaînes binaires de longueur n qui ne contiennent pas deux 0 consécutifs. Afin d'obtenir une relation de récurrence pour $\{a_n\}$, on utilise la règle de la somme. Donc, le nombre de chaînes binaires de longueur n qui n'ont pas deux 0 consécutifs est égal au nombre de ces chaînes qui se terminent par 0, plus le nombre de ces chaînes qui se terminent par 1. On suppose que $n \geq 3$, de manière telle que la chaîne binaire ait au moins trois bits.

Les chaînes binaires de longueur n se terminant par 1 et qui n'ont pas deux 0 consécutifs sont précisément les chaînes binaires de longueur $n - 1$ qui n'ont pas deux 0 consécutifs et qui finissent par 1. En conséquence, il y a a_{n-1} chaînes de ce type.

Les chaînes binaires de longueur n se terminant par 0 qui n'ont pas deux 0 consécutifs doivent avoir 1 comme $(n-1)$-ième bit. Sinon, elles se termineraient pas une paire de 0. Il s'ensuit que les chaînes de longueur n se terminant par 0 qui n'ont pas deux 0 consécutifs sont précisément celles de longueur $n - 2$ qui n'ont pas deux 0 consécutifs avec 10 à la fin. En conséquence, il y a a_{n-2} chaînes de ce type.

On peut conclure que

$$a_n = a_{n-1} + a_{n-2}$$

pour $n \geq 3$ (voir la figure 4).

Les conditions initiales sont $a_1 = 2$, puisque les deux chaînes de longueur un, qui sont 0 et 1, n'ont pas deux 0 consécutifs et $a_2 = 3$, puisque les chaînes binaires valides de longueur deux sont 01, 10 et 11. Pour obtenir a_5, on applique la relation de récurrence trois fois afin de trouver que

$$a_3 = a_2 + a_1 = 3 + 2 = 5,$$
$$a_4 = a_3 + a_2 = 5 + 3 = 8,$$
$$a_5 = a_4 + a_3 = 8 + 5 = 13.$$

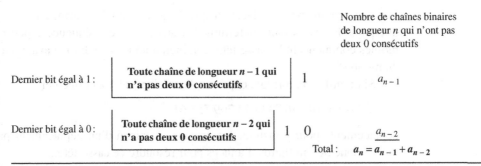

FIGURE 4   Dénombrement des chaînes binaires de longueur n qui n'ont pas deux 0 consécutifs

Remarque : $\{a_n\}$ satisfait la même relation de récurrence que la suite de Fibonacci. Puisque $a_1 = f_3$ et $a_2 = f_4$, il s'ensuit que $a_n = f_{n+2}$.   ■

L'exemple 7 montre comment une relation de récurrence peut servir à modéliser le nombre de mots de code acceptables au moyen de certains contrôles de validité.

EXEMPLE 7   **Énumération de mots de code**   Un système informatique considère qu'une chaîne de chiffres décimaux est un mot de code valide s'il contient un nombre pair de chiffres 0. Par exemple, 1230407869 est valide, tandis que 120987045608 ne l'est pas. Soit a_n le nombre de mots de code valides de n chiffres. Trouvez une relation de récurrence pour a_n.

Solution : On remarque que $a_1 = 9$, puisqu'il y a 10 chaînes de 1 chiffre et que seulement une, la chaîne 0, n'est pas valide. Une relation de récurrence peut être dérivée à partir de cette suite en considérant comment une chaîne valide de n chiffres peut être obtenue à partir de chaînes de $n - 1$ chiffres. Il y a deux manières de former une chaîne valide de n chiffres à partir d'une chaîne à $n - 1$ chiffres.

Premièrement, une chaîne valide de n chiffres peut être obtenue en ajoutant à une chaîne valide de $n - 1$ chiffres un autre chiffre différent de 0. Cet ajout peut être effectué de neuf façons. Ainsi, une chaîne valide de n chiffres peut être formée à l'aide de cette approche de $9a_{n-1}$ façons.

Deuxièmement, une chaîne valide de n chiffres peut être obtenue en ajoutant un 0 à une chaîne de longueur $n - 1$ qui n'est pas valide. (Cela produit une chaîne ayant un nombre pair de 0, puisque la chaîne non valide de longueur $n - 1$ a un nombre impair de 0.) Le nombre de manières d'obtenir ce résultat est égal au nombre de chaînes non valides de $(n - 1)$ chiffres. Puisqu'il y a 10^{n-1} chaînes de longueur $n - 1$ et que a_{n-1} chaînes sont valides, il existe $10^{n-1} - a_{n-1}$ chaînes valides de n chiffres obtenues en ajoutant 0 à une chaîne non valide de longueur $n - 1$.

Puisque toutes les chaînes valides de longueur n sont produites de l'une de ces deux façons, il s'ensuit qu'il y a

$$a_n = 9a_{n-1} + (10^{n-1} - a_{n-1})$$
$$= 8a_{n-1} + 10^{n-1}$$

chaînes valides de longueur n.

Exercices

1. Trouvez les cinq premiers éléments de la suite définie par chacune des relations de récurrence avec les conditions initiales suivantes :

   a) $a_n = 6a_{n-1}$, $a_0 = 2$.

   b) $a_n = a_{n-1}^2$, $a_1 = 2$.

   c) $a_n = a_{n-1} + 3a_{n-2}$, $a_0 = 1$, $a_1 = 2$.

   d) $a_n = na_{n-1} + n^2a_{n-2}$, $a_0 = 1$, $a_1 = 1$.

   e) $a_n = a_{n-1} + a_{n-3}$, $a_0 = 1$, $a_1 = 2$, $a_2 = 0$.

2. Vérifiez que la suite $\{a_n\}$ est une solution de la relation de récurrence $a_n = 3a_{n-1} + 4a_{n-2}$ si

   a) $a_n = 0$.

   b) $a_n = 1$.

   c) $a_n = (-4)^n$.

   d) $a_n = 2(-4)^n + 3$.

3. La suite $\{a_n\}$ est-elle une solution de la relation de récurrence $a_n = 8a_{n-1} - 16a_{n-2}$ si

   a) $a_n = 0$?   **b)** $a_n = 1$?

   c) $a_n = 2^n$?   **d)** $a_n = 4^n$?

   e) $a_n = n4^n$?   **f)** $a_n = 2 \cdot 4^n + 3n4^n$?

   g) $a_n = (-4)^n$?   **h)** $a_n = n^24^n$?

4. Pour chacune des suites suivantes, trouvez une relation de récurrence que cette suite peut satisfaire. (Les réponses ne sont pas uniques puisqu'il y a un nombre infini de relations de récurrence qui peuvent être satisfaites par chacune des suites.)

   a) $a_n = 3$ **b)** $a_n = 2n$

   c) $a_n = 2n + 3$ **d)** $a_n = 5^n$

   e) $a_n = n^2$ **f)** $a_n = n^2 + n$

   g) $a_n = n + (-1)^n$ **h)** $a_n = n!$

5. Trouvez la solution pour chacune des relations de récurrence suivantes ainsi que leurs conditions initiales. Utilisez une méthode itérative comme celle qui a été introduite à l'exemple 5.

   a) $a_n = 3a_{n-1}$, $a_0 = 2$

   b) $a_n = a_{n-1} + 2$, $a_0 = 3$

   c) $a_n = a_{n-1} + n$, $a_0 = 1$

   d) $a_n = a_{n-1} + 2n + 3$, $a_0 = 4$

   e) $a_n = 2a_{n-1} - 1$, $a_0 = 1$

   f) $a_n = 3a_{n-1} + 1$, $a_0 = 1$

   g) $a_n = na_{n-1}$, $a_0 = 5$

   h) $a_n = 2na_{n-1}$, $a_0 = 1$

6. Une personne dépose 1000 $ dans un compte en banque qui rapporte à un taux d'intérêt composé annuel de 9 %.

   a) Établissez une relation de récurrence pour calculer le montant accumulé dans le compte à la fin de n années.

   b) Trouvez une formule explicite pour calculer le montant dans le compte à la fin de n années.

   c) Quelle est la valeur du compte après 100 ans ?

7. Supposez que le nombre de bactéries dans une colonie triple toutes les heures.

   a) Établissez une relation de récurrence pour calculer le nombre de bactéries après n heures.

   b) Si la colonie comprend 100 bactéries à l'origine, combien y aura-t-il de bactéries dans cette même colonie après 10 heures ?

8. Supposez que la population mondiale en 1995 est de 7 milliards et qu'elle croît à raison de 3 % par an.

   a) Établissez une relation de récurrence pour calculer la population mondiale dans n années après 1995.

   b) Trouvez une formule explicite pour calculer la population mondiale au bout de n années après 1995.

   c) Quelle sera la population mondiale en 2010 ?

9. Une usine construit des voitures de sport à un taux croissant. Au cours du premier mois, elle n'a fabriqué qu'une voiture ; au cours du deuxième mois, deux voitures ; et ainsi de suite avec n voitures fabriquées au cours du n-ième mois.

   a) Établissez une relation de récurrence pour le nombre de voitures fabriquées au cours des n premiers mois par cette usine.

   b) Combien de voitures sont fabriquées au cours de la première année ?

   c) Trouvez une formule explicite pour calculer le nombre de voitures fabriquées au cours des n premiers mois par cette usine.

10. Un employé a été embauché par une société en 1987 avec un salaire initial de 50 000 $. Chaque année, cet employé reçoit une augmentation de 1000 $ plus 5 % de son salaire de l'année précédente.

    a) Établissez une relation de récurrence pour calculer le salaire de cet employé n années après 1987.

    b) Quel est le salaire de cet employé en 1995 ?

    c) Trouvez une formule explicite pour calculer le salaire de cet employé n années après 1987.

11. Utilisez l'induction mathématique pour vérifier la formule dérivée de l'exemple 5 afin de calculer le nombre de déplacements nécessaires pour réussir le casse-tête de la tour de Hanoï.

12. **a)** Trouvez une relation de récurrence pour calculer le nombre de permutations d'un ensemble à n éléments.

    b) Utilisez cette relation de récurrence pour trouver le nombre de permutations d'un ensemble à n éléments itérativement.

13. Une machine distributrice de timbres accepte seulement les pièces de 1 $, les billets de 1 $ et les billets de 5 $.

   a) Établissez une relation de récurrence pour calculer le nombre de manières de déposer n dollars dans cette machine si l'ordre dans lequel les pièces et les billets sont donnés est important.

   b) Quelles sont les conditions initiales ?

   c) De combien de façons est-il possible de déposer 10 $ pour acheter une feuille de timbres ?

14. Un pays utilise pour monnaie des pièces de 1 peso, de 2 pesos, de 5 pesos et de 10 pesos et des billets de 5 pesos, de 10 pesos, de 20 pesos, de 50 pesos et de 100 pesos. Trouvez une relation de récurrence pour calculer le nombre de manières de payer une facture de n pesos si l'ordre dans lequel les pièces et les billets sont donnés est important.

15. De combien de façons pouvez-vous payer une facture de 17 pesos en utilisant la monnaie décrite à l'exercice 14, si l'ordre dans lequel les pièces et les billets sont donnés est important ?

★16. **a)** Trouvez une relation de récurrence pour le nombre de suites strictement croissantes de nombres entiers qui ont 1 comme premier élément et n comme dernier élément, si n est un nombre entier positif, c'est-à-dire les suites $a_1, a_2, ..., a_k$, où $a_1 = 1$, $a_k = n$ et $a_j < a_{j+1}$ pour $j = 1, 2, ..., k-1$.

   b) Quelles sont les conditions initiales ?

   c) Combien existe-t-il de suites du type décrit dans la partie a) si n est un nombre entier positif avec $n \geq 2$?

17. **a)** Trouvez une relation de récurrence pour calculer le nombre de chaînes binaires de longueur n qui contiennent une paire de 0 consécutifs.

   b) Quelles sont les conditions initiales ?

   c) Combien existe-t-il de chaînes binaires de longueur 7 qui contiennent deux 0 consécutifs ?

18. **a)** Trouvez une relation de récurrence pour le nombre de chaînes binaires de longueur n qui contiennent trois 0 consécutifs.

   b) Quelles sont les conditions initiales ?

   c) Combien y a-t-il de chaînes binaires de longueur 7 qui contiennent trois 0 consécutifs ?

19. **a)** Établissez une relation de récurrence pour le nombre de chaînes binaires de longueur n qui ne contiennent pas trois 0 consécutifs.

   b) Quelles sont les conditions initiales ?

   c) Combien y a-t-il de chaînes binaires de longueur 7 qui ne contiennent pas trois 0 consécutifs ?

★20. **a)** Trouvez une relation de récurrence pour le nombre de chaînes binaires qui contiennent la chaîne 01.

   b) Quelles sont les conditions initiales ?

   c) Combien y a-t-il de chaînes binaires de longueur 7 qui contiennent la chaîne 01 ?

21. **a)** Trouvez une relation de récurrence pour calculer le nombre de façons de monter n marches d'un escalier, si une personne peut gravir une ou deux marches à la fois.

   b) Quelles sont les conditions initiales ?

   c) De combien de façons cette personne peut-elle monter un escalier de huit marches ?

22. **a)** Trouvez une relation de récurrence pour le nombre de manières de monter n marches si une personne peut gravir une, deux ou trois marches à la fois.

   b) Quelles sont les conditions initiales ?

   c) De combien de façons cette personne peut-elle monter un escalier de huit marches ?

Une chaîne qui contient seulement des 0, des 1 et des 2 est appelée une **chaîne ternaire**.

23. **a)** Trouvez une relation de récurrence pour le nombre de chaînes ternaires qui ne contiennent pas deux 0 consécutifs.

   b) Quelles sont les conditions initiales ?

   c) Combien y a-t-il de chaînes ternaires de longueur 6 qui ne contiennent pas deux 0 consécutifs ?

24. **a)** Trouvez une relation de récurrence pour le nombre de chaînes ternaires qui contiennent deux 0 consécutifs.

   b) Quelles sont les conditions initiales ?

   c) Combien y a-t-il de chaînes ternaires de longueur 6 qui contiennent deux 0 consécutifs ?

★25. **a)** Trouvez une relation de récurrence pour le nombre de chaînes ternaires qui ne contiennent pas deux 0 consécutifs ou deux 1 consécutifs.

   b) Quelles sont les conditions initiales ?

   c) Combien y a-t-il de chaînes ternaires de longueur 6 qui ne contiennent pas deux 0 consécutifs ou deux 1 consécutifs ?

★26. **a)** Trouvez une relation de récurrence pour le nombre de chaînes ternaires qui contiennent soit deux 0 consécutifs, soit deux 1 consécutifs.

   b) Quelles sont les conditions initiales ?

   c) Combien y a-t-il de chaînes ternaires de longueur 6 qui contiennent soit deux 0 consécutifs, soit deux 1 consécutifs ?

★27. **a)** Trouvez une relation de récurrence pour le nombre de chaînes ternaires qui ne contiennent pas de chiffres consécutifs identiques.

   b) Quelles sont les conditions initiales ?

c) Combien y a-t-il de chaînes ternaires de longueur 6 qui ne contiennent pas deux chiffres consécutifs identiques ?

★★28. a) Trouvez une relation de récurrence pour le nombre de chaînes ternaires qui contiennent deux chiffres consécutifs identiques.

b) Quelles sont les conditions initiales ?

c) Combien y a-t-il de chaînes ternaires de longueur 6 qui contiennent deux chiffres identiques consécutifs ?

29. Des messages sont transmis sur une voie de communication au moyen de deux signaux, soit un signal de 1 microseconde et un autre de 2 microsecondes.

a) Trouvez une relation de récurrence pour calculer le nombre de messages différents pouvant être transmis en n microsecondes si chaque message est constitué de suites formées par deux signaux, et ce, sans interruption entre les signaux.

b) Quelles sont les conditions initiales ?

c) Combien y a-t-il de messages différents qu'on peut envoyer en 10 microsecondes en utilisant ces deux signaux ?

30. Un automobiliste règle ses péages en utilisant seulement des pièces de 5 cents et de 10 cents et en les jetant une à la fois dans la boîte de péage.

a) Trouvez une relation de récurrence pour calculer le nombre de différentes façons que l'automobiliste peut régler un péage de n cents (si l'ordre dans lequel les pièces sont jetées dans la boîte de péage est important).

b) De combien de façons différentes l'automobiliste peut-il régler un péage de 45 cents ?

31. a) Trouvez la relation de récurrence qui est satisfaite par R_n, où R_n est le nombre de régions comprises dans un plan séparé par n lignes, s'il n'y a jamais deux lignes parallèles ou trois lignes concourantes.

b) Trouvez R_n itérativement.

★32. a) Trouvez la relation de récurrence qui est satisfaite par R_n, où R_n est le nombre de régions sur la surface d'une sphère divisée par n cercles (constitués par les intersections de la sphère et de plans passant par le centre de la sphère), si en aucun cas trois de ces cercles ne passent par le même point.

b) Trouvez R_n itérativement.

★33. a) Trouvez la relation de récurrence qui est satisfaite par R_n, où R_n est le nombre de régions d'un espace à trois dimensions qui est divisé par n plans, si trois plans se rencontrent toujours en un même point et si quatre plans ne concourent jamais.

b) Trouvez S_n itérativement.

34. Trouvez une relation de récurrence pour le nombre de suites binaires de longueur n qui contiennent un nombre pair de 0.

35. Combien y a-t-il de suites binaires de longueur 7 qui contiennent un nombre pair de 0 ?

36. a) Trouvez une relation de récurrence pour le nombre de manières de recouvrir complètement un jeu d'échecs de $2 \times n$ avec des dominos de 1×2. (*Conseil* : Considérez séparément les types de couvertures selon que le domino de l'angle supérieur droit du jeu d'échecs est posé horizontalement ou verticalement.)

b) Quelles sont les conditions initiales pour la relation de récurrence de la partie a) ?

c) De combien de façons pouvez-vous recouvrir complètement un jeu d'échecs de 2×17 avec des dominos de 1×2 ?

37. a) Trouvez une relation de récurrence pour le nombre de manières de poser un revêtement de sol composé de carreaux rouges, verts et gris, de manière telle qu'il n'y ait jamais deux carreaux rouges adjacents et si on ne peut distinguer les carreaux de la même couleur.

b) Quelles sont les conditions initiales pour la relation de récurrence de la partie a) ?

c) De combien de façons pouvez-vous disposer un passage de 7 carreaux comme il a été décrit à la partie a) ?

38. Montrez que les nombres de Fibonacci satisfont la relation de récurrence $f_n = 5f_{n-4} + 3f_{n-5}$ pour $n = 5, 6, 7, \ldots$, avec les conditions initiales $f_0 = 0$, $f_1 = 1$, $f_2 = 1$, $f_3 = 2$ et $f_4 = 3$. Utilisez cette relation de récurrence pour démontrer que f_{5n} est divisible par 5 pour $n = 1, 2, 3, \ldots$

★39. Soit $S(m, n)$ le nombre de fonctions surjectives d'un ensemble à m éléments dans un ensemble à n éléments. Démontrez que $S(m, n)$ satisfait la relation de récurrence

$$S(m, n) = n^m - \sum_{k=1}^{n-1} C(n, k)S(m, k)$$

lorsque $m \geq n$ et $n > 1$ avec la condition initiale $S(m, 1) = 1$.

Soit $\{a_n\}$ une suite de nombres réels. Les **différences récursives** de cette suite sont définies récursivement comme suit. La **première différence** ∇a_n est

$$\nabla a_n = a_n - a_{n-1}.$$

La **$(k + 1)$-ième différence** $\nabla^{k+1} a_n$ est obtenue à l'aide de $\nabla^k a_n$ en effectuant l'opération

$$\nabla^{k+1} a_n = \nabla^k a_n - \nabla^k a_{n-1}.$$

40. Trouvez ∇a_n pour la suite $\{a_n\}$, où
  a) $a_n = 4$.   **b)** $a_n = 2n$.
  c) $a_n = n^2$.   **d)** $a_n = 2^n$.

41. Trouvez $\nabla^2 a_n$ pour les suites de l'exercice 34.

42. Démontrez que $a_{n-1} = a_n - \nabla a_n$.

43. Démontrez que $a_{n-2} = a_n - 2\nabla a_n + \nabla^2 a_n$.

★44. Démontrez que a_{n-k} peut être exprimé en termes de a_n, ∇a_n, $\nabla^2 a_n$, ..., $\nabla^k a_n$.

45. Exprimez la relation de récurrence $a_n = a_{n-1} + a_{n-2}$ en termes de a_n, ∇a_n et $\nabla^2 a_n$.

46. Démontrez que toute relation de récurrence pour la suite $\{a_n\}$ peut être représentée en termes de a_n, ∇a_n, $\nabla^2 a_n$, ... L'équation résultante comprenant les suites et les différences est appelée une **équation aux différences**.

5.2

Solution des relations de récurrence

INTRODUCTION

Plusieurs types de problèmes sont modélisés à l'aide de relations de récurrence. Certaines de ces relations de récurrence peuvent être résolues par itérations, d'autres le sont au moyen de techniques spéciales. Il existe cependant une vaste classe de relations de récurrence pouvant être résolues de manière explicite avec un procédé systématique. Ces relations sont celles où les termes de la suite peuvent être exprimés comme des combinaisons linéaires des éléments précédents.

> **DÉFINITION 1.**   Une *relation de récurrence linéaire homogène de degré* k *à coefficients constants* est une relation de récurrence de la forme
>
> $$a_n = c_1 a_{n-1} + c_2 a_{n-2} + \cdots + c_k a_{n-k},$$
>
> où c_1, c_2, ..., c_k sont des nombres réels avec $c_k \neq 0$.

La relation de récurrence de cette définition est **linéaire**, puisque le membre de droite est la somme de multiples des éléments précédents de la suite. La relation de récurrence est **homogène**, puisqu'on ne trouve aucun élément qui ne soit un multiple des a_j. Les coefficients des éléments de la suite sont tous des **constantes** plutôt que des fonctions dépendant de n. Le **degré** est k parce que a_n est exprimé à l'aide des k éléments précédents de la suite.

Une conséquence du deuxième principe de l'induction est qu'une suite qui satisfait la relation de récurrence de cette définition est déterminée de manière unique par cette relation de récurrence et les k conditions initiales

$$a_0 = C_0, \, a_1 = C_1, \, ..., \, a_{k-1} = C_{k-1}.$$

EXEMPLE 1   La relation de récurrence $P_n = (1,11)P_{n-1}$ est une relation de récurrence homogène linéaire de degré un. La relation de récurrence $f_n = f_{n-1} + f_{n-2}$ est une relation de récurrence linéaire homogène de degré deux. La relation de récurrence $a_n = a_{n-5}$ est une relation de récurrence linéaire homogène de degré cinq. ∎

On donne ci-après quelques exemples de relations de récurrence qui ne sont pas des relations de récurrence linéaires homogènes à coefficients constants.

EXEMPLE 2   La relation de récurrence $a_n = a_{n-1} + a_{n-2}^2$ n'est pas linéaire. La relation de récurrence $H_n = 2H_{n-1} + 1$ n'est pas homogène. La relation de récurrence $B_n = nB_{n-1}$ n'est pas à coefficients constants. ∎

On étudie les relations de récurrence linéaires homogènes pour deux raisons. Premièrement, ces relations se présentent souvent dans les problèmes de modélisation. Deuxièmement, elles peuvent être résolues de manière systématique.

SOLUTION DES RELATIONS DE RÉCURRENCE LINÉAIRES HOMOGÈNES À COEFFICIENTS CONSTANTS

L'approche de base pour résoudre des relations linéaires homogènes est de rechercher des solutions de la forme $a_n = r^n$, où r est une constante. À noter que $a_n = r^n$ est une solution de la relation de récurrence $a_n = c_1 a_{n-1} + c_2 a_{n-2} + \ldots + c_k a_{n-k}$ si et seulement si

$$r^n = c_1 r^{n-1} + c_2 r^{n-2} + \cdots + c_k r^{n-k}.$$

Lorsqu'on divise les deux membres de l'équation par r^{n-k} et qu'on soustrait le membre de droite du membre de gauche, on obtient l'équation équivalente suivante :

$$r^k - c_1 r^{k-1} - c_2 r^{k-2} - \cdots - c_{k-1} r - c_k = 0.$$

En conséquence, la suite $\{a_n\}$ avec $a_n = r^n$ est une solution si et seulement si r est une solution de la dernière équation, laquelle est appelée l'**équation caractéristique** de la relation de récurrence. Les solutions de cette équation sont appelées les **racines caractéristiques** de la relation de récurrence. Comme on le verra plus loin, ces racines caractéristiques servent à élaborer une formule explicite pour toutes les solutions de la relation de récurrence.

On commencera par trouver des résultats en rapport avec les relations de récurrence linéaires homogènes à coefficients constants de degré deux. Puis on passera à des résultats plus généraux avec des degrés supérieurs à deux. Les preuves nécessaires pour établir les résultats dans le cas le plus général étant trop compliquées, elles ne seront pas données ici.

On aborde maintenant les relations de récurrence linéaires homogènes de degré deux. D'abord, on considère le cas où il existe deux racines caractéristiques distinctes.

THÉORÈME 1   Soit c_1 et c_2 des nombres réels. On suppose que l'équation $r^2 - c_1 r - c_2 = 0$ possède deux racines distinctes r_1 et r_2. Alors, la suite $\{a_n\}$ est une solution de la relation de récurrence $a_n = c_1 a_{n-1} + c_2 a_{n-2}$ si et seulement si $a_n = \alpha_1 r_1^n + \alpha_2 r_2^n$ pour $n = 0, 1, 2, \ldots$, où α_1 et α_2 sont des constantes.

Démonstration : On démontre ce théorème en deux étapes. Premièrement, on montre que si r_1 et r_2 sont des racines de l'équation caractéristique et si α_1 et α_2 sont des constantes, alors la suite $\{a_n\}$ avec $a_n = \alpha_1 r_1^n + \alpha_2 r_2^n$ est une solution de la relation de récurrence. Ensuite, on démontre que si la suite $\{a_n\}$ est une solution, alors $a_n = \alpha_1 r_1^n + \alpha_2 r_2^n$ pour certaines constantes de α_1 et α_2.

Maintenant, on montre que si $a_n = \alpha_1 r_1^n + \alpha_2 r_2^n$, alors la suite $\{a_n\}$ est une solution de la relation de récurrence. Puisque r_1 et r_2 sont des racines de $r^2 - c_1 r - c_2 = 0$, il s'ensuit que $r_1^2 = c_1 r_1 + c_2$, $r_2^2 = c_1 r_2 + c_2$.

À partir de ces équations, on voit que

$$
\begin{aligned}
c_1 a_{n-1} + c_2 a_{n-2} &= c_1(\alpha_1 r_1^{n-1} + \alpha_2 r_2^{n-1}) + c_2(\alpha_1 r_1^{n-2} + \alpha_2 r_2^{n-2}) \\
&= \alpha_1 r_1^{n-2}(c_1 r_1 + c_2) + \alpha_2 r_2^{n-2}(c_1 r_2 + c_2) \\
&= \alpha_1 r_1^{n-2} r_1^2 + \alpha_2 r_2^{n-2} r_2^2 \\
&= \alpha_1 r_1^n + \alpha_2 r_2^n \\
&= a_n.
\end{aligned}
$$

Cela démontre que la suite $\{a_n\}$ avec $a_n = \alpha_1 r_1^n + \alpha_2 r_2^n$ est une solution de la relation de récurrence.

Pour démontrer que chaque solution $\{a_n\}$ de la relation de récurrence $a_n = c_1 a_{n-1} + c_2 a_{n-2}$ a $a_n = \alpha_1 r_1^n + \alpha_2 r_2^n$ pour $n = 0, 1, 2, \ldots$, pour certaines constantes α_1 et α_2, on suppose que $\{a_n\}$ est une solution de la relation de récurrence et que les conditions initiales $a_0 = C_0$ et $a_1 = C_1$ sont valides. On démontre alors qu'il existe des constantes α_1 et α_2 qui permettent de vérifier la suite $\{a_n\}$ avec $a_n = \alpha_1 r_1^n + \alpha_2 r_2^n$ dans les mêmes conditions initiales. Cela exige que

$$
\begin{aligned}
a_0 &= C_0 = \alpha_1 + \alpha_2, \\
a_1 &= C_1 = \alpha_1 r_1 + \alpha_2 r_2.
\end{aligned}
$$

On peut résoudre ces deux équations pour α_1 et α_2. À partir de la première équation, il s'ensuit que $\alpha_2 = C_0 - \alpha_1$. Si on insère cette expression dans la deuxième équation, on obtient

$$
C_1 = \alpha_1 r_1 + (C_0 - \alpha_1) r_2.
$$

Donc,

$$
C_1 = \alpha_1(r_1 - r_2) + C_0 r_2,
$$

ce qui démontre que

$$
\alpha_1 = \frac{(C_1 - C_0 r_2)}{r_1 - r_2}
$$

et

$$
\alpha_2 = C_0 - \alpha_1 = C_0 - \frac{(C_1 - C_0 r_2)}{r_1 - r_2} = \frac{C_0 r_1 - C_1}{r_1 - r_2},
$$

où les expressions précédentes pour α_1 et α_2 dépendent du fait que $r_1 \neq r_2$. (Quand $r_1 = r_2$, ce théorème est faux.) Alors, avec ces valeurs pour α_1 et α_2, la suite $\{a_n\}$ avec

$\alpha_1 r_1^n + \alpha_2 r_2^n$ satisfait les deux conditions initiales. Puisque la relation de récurrence et ces conditions initiales déterminent uniquement la suite, il s'ensuit que $a_n = \alpha_1 r_1^n + \alpha_2 r_2^n$.   ☐

Les racines caractéristiques de la relation de récurrence linéaire homogène à coefficients constants peuvent également être des nombres complexes. Le théorème 1 (et aussi les théorèmes suivants de cette section) s'applique également dans ce cas. Les relations de récurrence avec des racines caractéristiques complexes ne seront pas introduites ici. Les lecteurs familiers avec les nombres complexes peuvent résoudre les exercices 22 et 23 à la fin de cette section.

Les exemples 3 et 4 illustrent l'utilité de la formule explicite donnée dans le théorème 1.

EXEMPLE 3   Quelle est la solution de la relation de récurrence

$$a_n = a_{n-1} + 2a_{n-2}$$

avec $a_0 = 2$ et $a_1 = 7$?

Solution : Le théorème 1 permet de résoudre ce problème. L'équation caractéristique de la relation de récurrence est $r^2 - r - 2 = 0$. Ses racines sont $r = 2$ et $r = -1$. Donc, la suite $\{a_n\}$ est une solution de la relation de récurrence si et seulement si

$$a_n = \alpha_1 2^n + \alpha_2 (-1)^n$$

pour certaines constantes α_1 et α_2. À partir des conditions initiales, il s'ensuit que

$$a_0 = 2 = \alpha_1 + \alpha_2,$$
$$a_1 = 7 = \alpha_1 \cdot 2 + \alpha_2 \cdot (-1).$$

En résolvant ces deux équations, on démontre que $\alpha_1 = 3$ et $\alpha_2 = -1$. Par conséquent, la solution de la relation de récurrence et de ses conditions initiales est bien la suite $\{a_n\}$ avec

$$a_n = 3 \cdot 2^n - (-1)^n.$$ ■

EXEMPLE 4   Trouvez une formule explicite pour les nombres de Fibonacci.

Solution : D'abord, on sait que la suite de Fibonacci satisfait la relation de récurrence $f_n = f_{n-1} + f_{n-2}$ et aussi les conditions initiales $f_0 = 0$ et $f_1 = 1$. Les racines de l'équation caractéristique $r^2 - r - 1 = 0$ sont $r_1 = (1 + \sqrt{5})/2$ et $r_2 = (1 - \sqrt{5})/2$. Alors, à partir du théorème 1, il s'ensuit que les nombres de Fibonacci sont donnés par l'équation

$$f_n = \alpha_1 \left(\frac{1 + \sqrt{5}}{2} \right)^n + \alpha_2 \left(\frac{1 - \sqrt{5}}{2} \right)^n,$$

pour certaines constantes α_1 et α_2. Les conditions initiales $f_0 = 0$ et $f_1 = 1$ servent à trouver ces constantes. On a

$$f_0 = \alpha_1 + \alpha_2 = 0$$
$$f_1 = \alpha_1 \left(\frac{1 + \sqrt{5}}{2} \right) + \alpha_2 \left(\frac{1 - \sqrt{5}}{2} \right) = 1.$$

La solution de ces équations simultanées pour α_1 et α_2 est

$$\alpha_1 = 1/\sqrt{5}, \qquad \alpha_2 = -1/\sqrt{5}.$$

En conséquence, les nombres de Fibonacci sont donnés par l'équation

$$f_n = \frac{1}{\sqrt{5}}\left(\frac{1+\sqrt{5}}{2}\right)^n - \frac{1}{\sqrt{5}}\left(\frac{1-\sqrt{5}}{2}\right)^n.$$ ∎

Le théorème 1 ne s'applique pas quand une racine caractéristique est de multiplicité deux. Ce cas est traité à l'aide du théorème 2.

THÉORÈME 2

Soit c_1 et c_2 des nombres réels avec $c_2 \neq 0$. De plus, on suppose que $r^2 - c_1 r - c_2 = 0$ a une racine double qui est r_0. Une suite $\{a_n\}$ est une solution de la relation de récurrence $a_n = c_1 a_{n-1} + c_2 a_{n-2}$ si et seulement si $a_n = \alpha_1 r_0^n + \alpha_2 n r_0^n$ pour $n = 0, 1, 2, \ldots$, où α_1 et α_2 sont des constantes.

La preuve du théorème 2 est suggérée en exercice à la fin de cette section. L'exemple 5 illustre comment ce théorème peut être utilisé.

EXEMPLE 5

Quelle est la solution de la relation de récurrence

$$a_n = 6a_{n-1} - 9a_{n-2}$$

avec les conditions initiales $a_0 = 1$ et $a_1 = 6$?

Solution : La racine double de $r^2 - 6r + 9 = 0$ est $r = 3$. Alors, la solution à cette relation de récurrence est

$$a_n = \alpha_1 3^n + \alpha_2 n 3^n$$

pour certaines constantes α_1 et α_2. En utilisant les conditions initiales, il s'ensuit que

$$a_0 = 1 = \alpha_1,$$
$$a_1 = 6 = \alpha_1 \cdot 3 + \alpha_2 \cdot 3.$$

En résolvant ces deux équations, on démontre que $\alpha_1 = 1$ et $\alpha_2 = 1$. En conséquence, la solution de cette relation de récurrence et de ses conditions initiales est

$$a_n = 3^n + n3^n.$$ ∎

On peut maintenant établir les résultats généraux d'une solution des relations de récurrence linéaires homogènes à coefficients constants quand le degré de ces relations est plus grand que deux. On pose alors l'hypothèse que l'équation caractéristique de ces relations a des racines distinctes. La démonstration de ce résultat est laissée au lecteur à titre d'exercice.

THÉORÈME 3

Soit $c_1, c_2, ..., c_k$ des nombres réels. On suppose que l'équation caractéristique

$$r^k - c_1 r^{k-1} - \cdots - c_k = 0$$

admet k racines distinctes $r_1, r_2, ..., r_k$. Alors, une suite $\{a_n\}$ est une solution de la relation de récurrence

$$a_n = c_1 a_{n-1} + c_2 a_{n-2} + \cdots + c_k a_{n-k}$$

si et seulement si

$$a_n = \alpha_1 r_1^n + \alpha_2 r_2^n + \cdots + \alpha_k r_k^n$$

pour $n = 0, 1, 2, ...$, où $\alpha_1, \alpha_2, ..., \alpha_k$ sont des constantes.

L'exemple 6 illustre le théorème 3.

EXEMPLE 6

Trouvez la solution de la relation de récurrence

$$a_n = 6a_{n-1} - 11a_{n-2} + 6a_{n-3}$$

avec les conditions initiales $a_0 = 2$, $a_1 = 5$ et $a_2 = 15$.

Solution : Le polynôme caractéristique de cette relation de récurrence est

$$r^3 - 6r^2 + 11r - 6.$$

Les racines caractéristiques de ce polynôme sont $r = 1$, $r = 2$ et $r = 3$, puisque $r^3 - 6r^2 + 11r - 6 = (r-1)(r-2)(r-3)$. Donc, les solutions de cette relation de récurrence sont de la forme

$$a_n = \alpha_1 \cdot 1^n + \alpha_2 \cdot 2^n + \alpha_3 \cdot 3^n.$$

Pour trouver les constantes α_1, α_2 et α_3, on utilise les conditions initiales, ce qui donne

$$a_0 = 2 = \alpha_1 + \alpha_2 + \alpha_3,$$
$$a_1 = 5 = \alpha_1 + \alpha_2 \cdot 2 + \alpha_3 \cdot 3,$$
$$a_2 = 15 = \alpha_1 + \alpha_2 \cdot 4 + \alpha_3 \cdot 9.$$

Quand ce système d'équations est résolu, on trouve que $\alpha_1 = 1$, $\alpha_2 = -1$ et $\alpha_3 = 2$. En conséquence, la solution unique à cette relation de récurrence et aux conditions initiales données est la suite $\{a_n\}$ avec

$$a_n = 1 - 2^n + 2 \cdot 3^n.$$ ∎

Exercices

1. Parmi les expressions suivantes, déterminez lesquelles sont des relations de récurrence linéaires homogènes à coefficients constants. Trouvez également le degré de ces relations.

a) $a_n = 3a_{n-1} + 4a_{n-2} + 5a_{n-3}$

b) $a_n = 2na_{n-1} + a_{n-2}$

c) $a_n = a_{n-1} + a_{n-4}$

d) $a_n = a_{n-1} + 2$

e) $a_n = a_{n-1}^2 + a_{n-2}$

f) $a_n = a_{n-2}$

2. Parmi les expressions suivantes, déterminez lesquelles sont des relations de récurrence linéaires homogènes à coefficients constants. Trouvez également le degré de ces relations.

a) $a_n = 3a_{n-2}$
b) $a_n = 3$
c) $a_n = a_{n-1}^2$
d) $a_n = a_{n-1} + 2a_{n-3}$
e) $a_n = a_{n-1}/n$
f) $a_n = 4a_{n-2} + 5a_{n-4} + 9a_{n-7}$

3. Résolvez les relations de récurrence suivantes avec les conditions initiales données.

a) $a_n = 2a_{n-1}$ pour $n \geq 1$, $a_0 = 3$
b) $a_n = a_{n-1}$ pour $n \geq 1$, $a_0 = 2$
c) $a_n = 5a_{n-1} - 6a_{n-2}$ pour $n \geq 2$, $a_0 = 1$, $a_1 = 0$
d) $a_n = 4a_{n-1} - 4a_{n-2}$ pour $n \geq 2$, $a_0 = 6$, $a_1 = 8$
e) $a_n = -4a_{n-1} - 4a_{n-2}$ pour $n \geq 2$, $a_0 = 0$, $a_1 = 1$
f) $a_n = 4a_{n-2}$ pour $n \geq 2$, $a_0 = 0$, $a_1 = 4$
g) $a_n = a_{n-2}/4$ pour $n \geq 2$, $a_0 = 1$, $a_1 = 0$

4. Résolvez les relations de récurrence suivantes avec les conditions initiales données.

a) $a_n = a_{n-1} + 6a_{n-2}$ pour $n \geq 2$, $a_0 = 3$, $a_1 = 6$
b) $a_n = 7a_{n-1} - 10a_{n-2}$ pour $n \geq 2$, $a_0 = 2$, $a_1 = 1$
c) $a_n = 6a_{n-1} - 8a_{n-2}$ pour $n \geq 2$, $a_0 = 4$, $a_1 = 10$
d) $a_n = 2a_{n-1} - a_{n-2}$ pour $n \geq 2$, $a_0 = 4$, $a_1 = 1$
e) $a_n = a_{n-2}$ pour $n \geq 2$, $a_0 = 5$, $a_1 = -1$
f) $a_n = -6a_{n-1} - 9a_{n-2}$ pour $n \geq 2$, $a_0 = 3$, $a_1 = -3$
g) $a_{n+2} = -4a_{n+1} + 5a_n$ pour $n \geq 0$, $a_0 = 2$, $a_1 = 8$

5. Combien de messages distincts pouvez-vous transmettre en n microsecondes en utilisant les deux signaux décrits à l'exercice 29 de la section 5.1 ?

6. Combien de messages distincts pouvez-vous transmettre en n microsecondes en utilisant trois signaux différents, si un signal exige 1 microseconde et les deux autres signaux, 2 microsecondes et si les signaux se suivent sans interruption ?

7. De combien de façons un tableau rectangulaire de $2 \times n$ peut-il être rempli avec des carreaux de 1×2 et de 2×2 ?

8. Un modèle pour calculer le nombre de homards capturés par année est fondé sur l'hypothèse que le nombre de homards capturés dans une année est la moyenne du nombre capturé au cours des deux années précédentes.

a) Trouvez une relation de récurrence pour $\{L_n\}$, où L_n est le nombre de homards capturés au cours de l'année n en tenant compte de l'hypothèse de ce modèle.
b) Trouvez L_n si 100 000 homards ont été capturés au cours de l'année 1 et 300 000 au cours de l'année 2.

9. Un dépôt de 100 000 \$ est fait dans un compte d'investissements au début de l'année. Le dernier jour de chaque année, deux dividendes sont ajoutés au compte. Le premier dividende est de 20 % du montant présent dans le compte au cours de l'année.

Le deuxième dividende est de 45 % du montant présent dans le compte au cours des années précédentes.

a) Trouvez une relation de récurrence pour $\{P_n\}$, où P_n est le montant du compte à la fin de n années en supposant qu'il n'y a eu aucun retrait dans ce compte.
b) Quelle est la valeur de ce compte après n années s'il n'y a eu aucun retrait dans le compte ?

★10. Démontrez le théorème 2.

11. Les **nombres de Lucas** satisfont la relation de récurrence suivante :

$$L_n = L_{n-1} + L_{n-2},$$

avec les conditions initiales $L_0 = 2$ et $L_1 = 1$.

a) Démontrez que $L_n = f_{n-1} + f_{n+1}$ pour $n = 2$, 3, ..., où f_n est le n-ième nombre de Fibonacci.
b) Trouvez une formule explicite pour les nombres de Lucas.

12. Trouvez la solution de $a_n = 2a_{n-1} + a_{n-2} - 2a_{n-3}$ pour $n = 3, 4, 5, ...$, avec $a_0 = 3$, $a_1 = 6$, et $a_2 = 0$.

13. Trouvez la solution de $a_n = 7a_{n-2} + 6a_{n-3}$ avec $a_0 = 9$, $a_1 = 10$ et $a_2 = 32$.

14. Trouvez la solution de $a_n = 5a_{n-2} - 4a_{n-4}$ avec $a_0 = 3$, $a_1 = 2$, $a_2 = 6$ et $a_3 = 8$.

15. Trouvez la solution de $a_n = 2a_{n-1} + 5a_{n-2} - 6a_{n-3}$ avec $a_0 = 7$, $a_1 = -4$ et $a_2 = 8$.

★16. Démontrez le théorème 3.

17. Démontrez l'identité suivante se rapportant aux nombres de Fibonacci et aux coefficients binomiaux,

$$f_{n+1} = C(n, 0) + C(n-1, 1) + \cdots + C(n-k, k),$$

où n est un nombre entier positif et $k = \lfloor n/2 \rfloor$. (*Conseil :* Supposez que $a_n = C(n, 0) + C(n-1, 1) + \cdots + C(n-k, k)$. Démontrez que la suite $\{a_n\}$ satisfait la même relation de récurrence et les conditions initiales qui sont satisfaites par la suite des nombres de Fibonacci.)

18. Une relation de récurrence linéaire **non homogène** à coefficients constants de degré k est une relation de récurrence de la forme

$$a_n = c_1 a_{n-1} + c_2 a_{n-2} + \cdots + c_k a_{n-k} + F(n).$$

Démontrez que si $\{p_n\}$ est une solution de cette relation de récurrence, alors toutes les solutions de la forme $\{p_n + h_n\}$, où h_n est une solution de la relation de récurrence linéaire homogène associée $a_n = c_1 a_{n-1} + c_2 a_{n-2} + \cdots + c_k a_{n-k}$. (*Conseil :* Démontrez que si $\{q_n\}$ est une autre solution, alors $\{q_n - p_n\}$ est une solution de la relation de récurrence linéaire homogène associée.)

19. Considérez la relation de récurrence non homogène $a_n = 3a_{n-1} + 2^n$.

   a) Démontrez que $a_n = -2^{n+1}$ est une solution de cette relation de récurrence.

   b) Référez-vous à l'exercice 18 pour trouver toutes les solutions de cette relation de récurrence.

   c) Trouvez la solution avec $a_0 = 1$.

20. Considérez la relation de récurrence linéaire non homogène $a_n = 2a_{n-1} + 2^n$.

   a) Démontrez que $a_n = n2^n$ est une solution de cette relation de récurrence.

   b) Référez-vous à l'exercice 18 pour trouver toutes les solutions de cette relation de récurrence.

   c) Trouvez la solution avec $a_0 = 2$.

21. **a)** Déterminez les valeurs des constantes A et B de manière telle que $a_n = An + B$ soit une solution de la relation de récurrence $a_n = 2a_{n-1} + n + 5$.

   b) Référez-vous à l'exercice 18 pour trouver toutes les solutions de cette relation de récurrence.

   c) Trouvez la solution de la relation de récurrence avec $a_0 = 4$.

22. **a)** Trouvez les racines caractéristiques de la relation de récurrence linéaire homogène $a_n = 2a_{n-1} - 2a_{n-2}$. (*Remarque :* Ce sont des nombres complexes.)

   b) Trouvez la solution de la relation de récurrence de la partie a) avec $a_0 = 1$ et $a_1 = 2$.

★23. **a)** Trouvez les racines caractéristiques de la relation de récurrence linéaire homogène $a_n = a_{n-4}$. (*Remarque :* Cela comprend des nombres complexes.)

   b) Trouvez la solution de la relation de récurrence de la partie a) avec $a_0 = 1$, $a_1 = -1$, $a_2 = -1$ et $a_3 = 1$.

★24. Trouvez la solution des relations de récurrence simultanées

$$a_n = 3a_{n-1} + 2b_{n-1},$$
$$b_n = a_{n-1} + 2b_{n-1},$$

où $a_0 = 1$ et $b_0 = 2$.

★25. **a)** Utilisez la formule trouvée dans l'exemple 4 pour f_n, le n-ième nombre de Fibonacci, pour démontrer que f_n est le nombre entier le plus proche de $\frac{1}{\sqrt{5}}\left(\frac{1+\sqrt{5}}{2}\right)^n$.

   b) Déterminez pour quelle valeur de n f_n est plus grand que $\frac{1}{\sqrt{5}}\left(\frac{1+\sqrt{5}}{2}\right)^n$ et pour quelle valeur de n f_n est plus petit que $\frac{1}{\sqrt{5}}\left(\frac{1+\sqrt{5}}{2}\right)^n$.

26. Démontrez que si $a_n = a_{n-1} + a_{n-2}$, $a_0 = s$ et $a_1 = t$, où s et t sont des constantes, alors $a_n = sf_{n-1} + tf_n$ pour tous les nombres entiers positifs n.

27. Trouvez la solution de la relation de récurrence linéaire non homogène $a_n = a_{n-1} + a_{n-2} + 1$ pour $n \geq 2$, où $a_0 = 0$ et $a_1 = 1$ en termes de nombres de Fibonacci. (*Conseil :* Considérez que $b_n = a_n + 1$ et appliquez le résultat de l'exercice 26 à la suite b_n.)

★28. (*Algèbre linéaire requise.*) Soit $\mathbf{A}_n$ la matrice $n \times n$ formée du chiffre 2 sur sa diagonale principale, du chiffre 1 dans toutes les positions à droite des éléments de la diagonale principale et du chiffre 0 partout ailleurs. Trouvez une relation de récurrence pour d_n, le déterminant de $\mathbf{A}_n$. Résolvez cette relation de récurrence pour trouver une formule pour d_n.

29. Supposez que chaque couple d'une espèce particulière de lapins laissés sur une île produise deux nouveaux couples de lapins quand ils ont un mois et six nouveaux couples de lapins quand ils ont deux mois et tous les autres mois suivants. Considérez qu'aucun lapin ne meurt ou ne quitte l'île.

   a) Trouvez une relation de récurrence pour dénombrer les couples de lapins sur l'île n mois après que le premier couple a été laissé sur l'île.

   b) En résolvant la relation de récurrence de la partie a), déterminez le nombre de couples de lapins sur l'île n mois après que le premier couple y a été laissé.

5.3

Relations de récurrence avec fractionnement

INTRODUCTION

Plusieurs algorithmes récursifs permettent de résoudre un problème (comportant des données définies) en le fractionnant en un ou en plusieurs problèmes de taille inférieure. Ce fractionnement est appliqué successivement jusqu'à ce qu'on trouve facilement une solution aux problèmes de taille inférieure. Par exemple, on effectue une fouille binaire en fractionnant une liste en deux. On fractionne successivement la liste obtenue jusqu'à ce qu'il ne reste que l'élément recherché. Un autre exemple de ce type d'algorithme récursif serait une procédure de multiplication d'entiers qui fractionnerait la multiplication de deux entiers en trois multiplications de paires d'entiers réduits à deux fois moins de bits. Ce fractionnement est successivement appliqué jusqu'à l'obtention d'entiers n'ayant qu'un bit. Ces procédures sont appelées des **algorithmes de fractionnement**. Dans cette section, on étudie les relations de récurrence provenant de l'analyse de la complexité de ces algorithmes.

RELATIONS DE RÉCURRENCE AVEC FRACTIONNEMENT

On suppose qu'un algorithme permet de fractionner un problème de taille n en une quantité a de sous-problèmes, chacun de ces sous-problèmes étant de taille n/b (pour simplifier, on suppose que b est un diviseur de n; en réalité, les problèmes plus petits sont souvent d'une taille égale au quotient entier le plus proche, soit inférieur, soit supérieur, soit égal à n/b). On suppose également qu'un total de $g(n)$ opérations supplémentaires sont nécessaires quand le problème est fractionné en problèmes de taille plus réduite. Dans ce cas, si $f(n)$ représente le nombre d'opérations nécessaires pour résoudre le problème, il s'ensuit que f satisfait à la relation de récurrence

$$f(n) = af(n/b) + g(n).$$

Cette équation est appelée une **relation de récurrence avec fractionnement**.

EXEMPLE 1   On a introduit un algorithme de fouille binaire à la section 2.1. Cet algorithme permet de ramener la recherche d'un élément dans une suite de taille n à la recherche binaire de ce même élément dans une suite de taille $n/2$, où n est un nombre pair. (Donc, le problème de taille n a été réduit à un problème de taille $n/2$.) Après cette opération, il faut effectuer deux comparaisons : l'une pour préciser quelle moitié de liste utiliser et l'autre pour déterminer quels sont les éléments de la liste qui doivent demeurer. Ainsi, si $f(n)$ est le nombre de comparaisons nécessaires pour rechercher un élément dans une suite de taille n, alors $f(n) = f(n/2) + 2$ lorsque n est un nombre pair.   ■

EXEMPLE 2   On considère l'algorithme pour localiser l'élément minimal et l'élément maximal dans la suite $a_1, a_2, ..., a_n$. Si $n = 1$, alors a_1 est l'élément maximal et l'élément minimal. Si $n > 1$, on fractionne la suite en deux. Dans ce cas, soit que les deux suites ont le même nombre d'éléments, soit que les nombres d'éléments dans les deux suites diffèrent de un. Le problème est alors réduit à trouver le maximum et le minimum de chacune de ces deux suites. La solution du problème original provient de la comparaison du maximum et du minimum des deux suites réduites afin d'obtenir le minimum global et le maximum global.

On suppose que $f(n)$ est le nombre total de comparaisons nécessaires pour trouver l'élément maximal et l'élément minimal d'un ensemble à n éléments. On a démontré qu'un problème de taille n peut être fractionné en deux problèmes de taille $n/2$, si n est un nombre pair, en utilisant deux comparaisons : l'une pour comparer le minimum des deux ensembles et l'autre pour comparer le maximum des deux ensembles. Cette observation conduit à la relation de récurrence $f(n) = 2f(n/2) + 2$ quand n est un nombre pair.   ■

EXEMPLE 3   De façon surprenante, il existe des algorithmes plus efficaces que l'algorithme conventionnel (décrit à la section 2.4) pour multiplier des entiers. Dans l'un de ces algorithmes, on utilise la technique de fractionnement décrite ci-après. Cet algorithme de multiplication rapide permet de fractionner les nombres entiers de $2n$ bits en deux blocs de n bits. Ensuite, à partir de la multiplication de deux entiers de $2n$ bits, la multiplication originale est fractionnée en trois multiplications d'entiers de n bits, plus les reports et les additions.

On suppose que a et b sont des entiers avec un développement binaire de longueur $2n$ (on ajoute, le cas échéant, les bits 0 initiaux nécessaires pour avoir la même longueur).

Soit

$$a = (a_{2n-1}a_{2n-2} \cdots a_1 a_0)_2$$

et

$$b = (b_{2n-1}b_{2n-2} \cdots b_1 b_0)_2.$$

Soit

$$a = 2^n A_1 + A_0, \qquad b = 2^n B_1 + B_0,$$

où

$$A_1 = (a_{2n-1} \cdots a_{n+1}a_n)_2, \qquad A_0 = (a_{n-1} \cdots a_1 a_0)_2,$$
$$B_1 = (b_{2n-1} \cdots b_{n+1}b_n)_2, \qquad B_0 = (b_{n-1} \cdots b_1 b_0)_2.$$

L'algorithme de multiplication rapide des entiers est fondé sur l'identité

$$ab = (2^{2n} + 2^n)A_1B_1 + 2^n(A_1 - A_0)(B_0 - B_1) + (2^n + 1)A_0B_0.$$

Fait important, cette identité démontre que la multiplication de deux entiers de $2n$ bits peut être effectuée en utilisant trois multiplications d'entiers de n bits avec des additions, des soustractions et des reports. Cela démontre que si $f(n)$ est le nombre total d'opérations nécessaires pour multiplier deux entiers de n bits, alors

$$f(2n) = 3f(n) + Cn.$$

Le raisonnement sous-jacent est le suivant : les trois multiplications d'entiers de n bits sont effectuées en utilisant trois opérations de $f(n)$ bits chacune. En effet, chaque addition, soustraction ou report utilise un multiple constant de l'opération de n bits, et Cn représente le nombre total d'opérations binaires nécessaires pour ces opérations.   ■

EXEMPLE 4   On trouve des algorithmes qui permettent de multiplier deux matrices $n \times n$ si n est un nombre pair en utilisant chacune sept multiplications de deux matrices $(n/2) \times (n/2)$ et

15 additions de matrices $(n/2) \times (n/2)$. Dans ce cas, si $f(n)$ est le nombre d'opérations (de multiplications et d'additions) nécessaires, il s'ensuit que

$$f(n) = 7f(n/2) + 15n^2/4,$$

où n est pair. ■

Comme le démontrent les exemples 1 à 4, on trouve les relations de récurrence $f(n) = af(n/b) + g(n)$ dans plusieurs situations. Il est possible d'estimer le comportement des fonctions qui satisfont de telles relations de récurrence. On suppose que f satisfait la relation de récurrence chaque fois que n est divisible par b. Soit $n = b^k$, où k est un nombre entier positif. Alors,

$$\begin{aligned}
f(n) &= af(n/b) + g(n) \\
&= a^2 f(n/b^2) + ag(n/b) + g(n) \\
&= a^3 f(n/b^3) + a^2 g(n/b^2) + ag(n/b) + g(n) \\
&\ \vdots \\
&= a^k f(n/b^k) + \sum_{j=0}^{k-1} a^j g(n/b^j)
\end{aligned}$$

Puisque $n/b^k = 1$, il s'ensuit que

$$f(n) = a^k f(1) + \sum_{j=0}^{k-1} a^j g(n/b^j).$$

On peut utiliser cette équation pour $f(n)$ afin d'estimer le comportement des fonctions qui satisfont les relations de récurrence avec fractionnement.

THÉORÈME 1   Soit f une fonction croissante qui satisfait la relation de récurrence

$$f(n) = af(n/b) + c$$

lorsque n est divisible par b, où $a \geq 1$, b est un nombre entier plus grand que 1 et où c est un nombre réel positif. Dans ce cas,

$$f(n) = \begin{cases} O(n^{\log_b a}) & \text{si } a > 1 \\ O(\log n) & \text{si } a = 1. \end{cases}$$

Démonstration : On suppose d'abord que $n = b^k$. À partir de cette expression pour $f(n)$ obtenue dans la démonstration précédant le théorème, avec $g(n) = c$, on obtient

$$f(n) = a^k f(1) + \sum_{j=0}^{k-1} a^j c = a^k f(1) + c \sum_{j=0}^{k-1} a^j.$$

On considère d'abord le cas où $a = 1$. Alors,

$$f(n) = f(1) + ck.$$

Puisque $n = b^k$, on a $k = \log_b n$, c'est-à-dire

$$f(n) = f(1) + c\log_b n.$$

Quand n n'est pas une puissance de b, on a $b^k < n < b^{k+1}$ pour un nombre positif k. Puisque f est croissante, il s'ensuit que $f(n) \le f(b^{k+1}) = f(1) + c(k+1) = (f(1) + c) + ck \le (f(1) + c) + c\log_b n$. Par suite, dans ces deux cas, $f(n) = O(\log n)$ quand $a = 1$.

Maintenant, on suppose que $a > 1$ et que $n = b^k$ où k est un nombre entier positif. À partir de la formule pour obtenir la somme des éléments d'une progression géométrique (voir l'exemple 6 de la section 3.2), il s'ensuit que

$$\begin{aligned}
f(n) &= a^k f(1) + c(a^k - 1)/(a - 1) \\
&= a^k [f(1) + c/(a - 1)] - c/(a - 1) \\
&= C_1 n^{\log_b a} + C_2,
\end{aligned}$$

puisque $a^k = a^{\log_b n} = n^{\log_b a}$ (voir l'exercice 4 de l'annexe 1), où $C_1 = [f(1) + c/(a - 1)]$ et $C_2 = -c/(a - 1)$.

On suppose maintenant que n n'est pas une puissance de b. Alors, $b^k < n < b^{k+1}$, où k est un nombre entier non négatif. Puisque f est croissante,

$$\begin{aligned}
f(n) &\le f(b^{k+1}) = C_1 a^{k+1} + C_2 \\
&\le (C_1 a) a^{\log_b n} + C_2 \\
&\le (C_1 a) n^{\log_b a} + C_2,
\end{aligned}$$

puisque $k \le \log_b n < k + 1$.
Alors, on a $f(n) = O(n^{\log_b a})$. $\qquad\square$

Remarque : Cette démonstration donne une formule explicite pour $f(n)$ quand $n = b^k$.

Les exemples suivants illustrent la façon d'utiliser le théorème 1.

EXEMPLE 5   Soit $f(n) = 5f(n/2) + 3$ et $f(1) = 7$. Trouvez $f(2^k)$ lorsque k est un nombre entier positif. Évaluez également $f(n)$ si f est une fonction croissante.

Solution : À partir de la preuve du théorème 1, avec $a = 5$, $b = 2$ et $c = 3$, on voit que si $n = 2^k$, alors

$$\begin{aligned}
f(n) &= a^k[f(1) + c/(a - 1)] + [-c/(a - 1)] \\
&= 5^k[7 + (3/4)] - 3/4 \\
&= 5^k(31/4) - 3/4.
\end{aligned}$$

De plus, $f(n)$ est une fonction croissante. Alors, $f(n) = O(n^{\log_b a}) = O(n^{\log 5})$. $\qquad\blacksquare$

On peut utiliser le théorème 1 pour évaluer la complexité de calcul d'un algorithme de fouille binaire et celle de l'algorithme donné à l'exemple 2 pour déterminer le minimum et le maximum d'une suite.

EXEMPLE 6   Évaluez le nombre de comparaisons utilisées dans une fouille binaire.

Solution : À l'exemple 1, on a démontré que $f(n) = f(n/2) + 2$ quand n est un nombre pair où f désigne le nombre de comparaisons nécessaires pour effectuer une fouille binaire dans une suite de taille n. Alors, à partir du théorème 1, il s'ensuit que $f(n) = O(\log n)$.   ∎

EXEMPLE 7   Évaluez le nombre de comparaisons nécessaires pour localiser l'élément maximal et l'élément minimal d'une suite en utilisant l'algorithme donné à l'exemple 2.

Solution : Dans l'exemple 2, on démontre que $f(n) = 2f(n/2) + 2$ quand n est un nombre pair où f désigne le nombre de comparaisons requises par cet algorithme. Alors, à partir du théorème 1, il s'ensuit que $f(n) = O(n^{\log 2}) = O(n)$.   ∎

On établit maintenant un théorème plus général mais plus complexe, qui permet d'analyser la complexité des algorithmes avec fractionnement.

THÉORÈME 2   Soit f une fonction croissante qui satisfait la relation de récurrence

$$f(n) = af(n/b) + cn^d$$

lorsque $n = b^k$, où k est un nombre entier positif, $a \geq 1$, b est un nombre entier plus grand que 1 et c et d sont des nombres réels positifs. Alors,

$$f(n) = \begin{cases} O(n^d) & \text{si } a < b^d \\ O(n^d \log n) & \text{si } a = b^d \\ O(n^{\log_b a}) & \text{si } a > b^d. \end{cases}$$

La preuve du théorème 2 devra être faite dans les exercices 17 à 21 à la fin de cette section.

EXEMPLE 8   Évaluez le nombre d'opérations binaires nécessaires pour multiplier deux nombres entiers de n bits en utilisant l'algorithme de multiplication rapide.

Solution : L'exemple 3 démontre que $f(n) = 3f(n/2) + Cn$ quand n est un nombre pair où $f(n)$ désigne le nombre d'opérations binaires requises pour multiplier deux entiers de n bits en utilisant l'algorithme de multiplication rapide. Alors, à partir du théorème 2, il s'ensuit que $f(n) = O(n^{\log 3})$. À noter que $\log 3 \sim 1,6$. Puisque l'algorithme conventionnel de multiplication utilise $O(n^2)$ opérations binaires, l'algorithme de multiplication rapide représente une amélioration notable sur l'algorithme conventionnel, car il permet de gagner du temps dans le cas de nombres entiers suffisamment grands.   ∎

EXEMPLE 9 Évaluez le nombre de multiplications et d'additions nécessaires pour multiplier deux matrices $n \times n$ en utilisant l'algorithme de multiplication des matrices présenté à l'exemple 4.

Solution : Soit $f(n)$ le nombre d'additions et de multiplications utilisées par l'algorithme susmentionné pour multiplier deux matrices $n \times n$. On a $f(n) = 7f(n/2) + 15n^2/4$ lorsque n est un nombre pair. Alors, à partir du théorème 2, il s'ensuit que $f(n) = O(n^{\log 7})$. À noter que $\log 7 \sim 2{,}8$. Puisque l'algorithme conventionnel pour multiplier deux matrices de $n \times n$ utilise $O(n^3)$ additions et multiplications, il s'ensuit que pour des nombres entiers n suffisamment grands, cet algorithme est bien plus rapide que l'algorithme conventionnel. ∎

Exercices

1. Combien de comparaisons sont nécessaires pour effectuer une fouille binaire dans un ensemble de 64 éléments ?

2. Combien de comparaisons sont nécessaires pour localiser le maximum et le minimum dans une suite de 128 éléments en utilisant l'algorithme de l'exemple 2 ?

3. Multipliez les nombres binaires $(1110)_2$ et $(1010)_2$ en utilisant l'algorithme de multiplication rapide.

4. Exprimez l'algorithme de multiplication rapide sous forme de pseudocode.

5. Déterminez une valeur pour la constante C dans l'exemple 3 et servez-vous de cette valeur pour évaluer le nombre d'opérations binaires nécessaires pour multiplier deux entiers de 64 bits au moyen de l'algorithme de multiplication rapide.

6. Combien faut-il d'opérations pour multiplier deux matrices de 32×32 au moyen de l'algorithme mentionné à l'exemple 4 ?

7. Si $f(n) = f(n/3) + 1$ quand n est divisible par 3 et $f(1) = 1$, trouvez

   a) $f(3)$.   **b)** $f(27)$.   **c)** $f(729)$.

8. Si $f(n) = 2f(n/2) + 3$ quand n est un nombre pair et $f(1) = 5$, trouvez

   a) $f(2)$.   **b)** $f(8)$.

   c) $f(64)$.   **d)** $f(1024)$.

9. Si $f(n) = f(n/5) + 3n^2$ quand n est divisible par 5 et $f(1) = 4$, trouvez

   a) $f(5)$.   **b)** $f(125)$.   **c)** $f(3125)$.

10. Trouvez $f(n)$ quand $n = 2^k$ si f doit satisfaire la relation de récurrence $f(n) = f(n/2) + 1$ avec $f(1) = 1$.

11. Évaluez le comportement de f dans l'exercice 10 si f est une fonction croissante.

12. Trouvez $f(n)$ quand $n = 3^k$ si f satisfait la relation de récurrence $f(n) = 2f(n/3) + 4$ avec $f(1) = 1$.

13. Évaluez le comportement de f dans l'exercice 12 si f est une fonction croissante.

14. Supposez qu'il y a $n = 2^k$ équipes dans un tournoi éliminatoire et qu'il y a $n/2$ jeux à la première éliminatoire, avec $n/2 = 2^{k-1}$ gagnants qui joueront à la deuxième éliminatoire, etc. Élaborez une relation de récurrence pour calculer le nombre de rondes éliminatoires dans ce tournoi.

15. Combien y a-t-il de rondes éliminatoires dans le tournoi décrit à l'exercice 14, s'il y a 32 équipes ?

16. Résolvez la relation de récurrence pour le nombre de rondes éliminatoires dans le tournoi décrit à l'exercice 14.

Pour les exercices 17 à 21, supposez que f est une fonction croissante satisfaisant la relation de récurrence $f(n) = af(n/b) + cn^d$, où $a \geq 1$, b est un nombre entier plus grand que 1 et c et d sont des nombres réels positifs. Ces exercices démontrent le théorème 2.

⋆17. Démontrez que si $a = b^d$ et si n est une puissance de b, alors $f(n) = f(1)n^d + cn^d \log_b n$.

18. Référez-vous à l'exercice 17 pour démontrer que si $a = b^d$, alors $f(n) = O(n^d \log n)$.

⋆19. Démontrez que si $a \neq b^d$ et si n est une puissance de b, alors $f(n) = C_1 n^d + c_2 n^{\log_b a}$, où $C_1 = b^d c/(b^d - a)$ et $C_2 = f(1) + b^d c/(a - b^d)$.

20. Référez-vous à l'exercice 19 pour démontrer que si $a < b^d$, alors $f(n) = O(n^d)$.

21. Référez-vous à l'exercice 19 pour démontrer que si $a > b^d$, alors $f(n) = O(n^{\log_b a})$.

22. Trouvez $f(n)$ quand $n = 4^k$, si f doit satisfaire la relation de récurrence $f(n) = 5f(n/4) + 6n$ avec $f(1) = 1$.

23. Estimez le comportement de f dans l'exercice 22 si f est une fonction croissante.

24. Trouvez $f(n)$ quand $n = 2^k$, si f doit satisfaire la relation de récurrence $f(n) = 8f(n/2) + n^2$ avec $f(1) = 1$.

25. Évaluez le comportement de f dans l'exercice 24 si f est une fonction croissante.

5.4

Principe d'inclusion-exclusion

INTRODUCTION

Une classe de mathématiques discrètes comprend 30 femmes et 50 étudiants de première année. Combien y a-t-il d'étudiants dans cette classe qui sont soit des femmes, soit des étudiants de première année ? Il est impossible de répondre à cette question sans disposer de plus d'information. En additionnant le nombre de femmes de cette classe et le nombre d'étudiants de première année, on n'obtiendra sans doute pas la réponse correcte, parce que les femmes qui en sont à leur première année d'étude seront comptées deux fois. Cette observation montre que le nombre d'étudiants dans la classe qui sont soit des étudiants de première année, soit des femmes est la somme du nombre de femmes et du nombre d'étudiants de première année de la classe moins le nombre de femmes qui en sont à leur première année d'étude. À la section 4.1, on a déjà présenté une technique permettant de résoudre ce type de problèmes de dénombrement. Dans cette section, on généralise les idées déjà introduites afin de résoudre une gamme plus étendue de problèmes de dénombrement.

PRINCIPE D'INCLUSION-EXCLUSION

Combien y a-t-il d'éléments qui appartiennent à l'union de deux ensembles finis ? À la section 1.5, on a démontré que le nombre d'éléments de l'union de deux ensembles A et B est la somme des éléments de ces deux ensembles, moins le nombre d'éléments contenus dans leur intersection. Autrement dit,

$$|A \cup B| = |A| + |B| - |A \cap B|.$$

Comme on l'a démontré à la section 4.1, la formule pour trouver le nombre d'éléments appartenant à l'union de deux ensembles est utile à la résolution des problèmes de dénombrement. Les exemples suivants sont des illustrations additionnelles de l'utilité de cette formule.

EXEMPLE 1   Une classe de mathématiques discrètes comprend 25 étudiants en informatique, 13 étudiants en mathématiques et 8 à la fois en mathématiques et en informatique. Combien y a-t-il d'étudiants dans cette classe si tout étudiant est inscrit à un cours de mathématiques ou à un cours d'informatique ou aux deux cours à la fois ?

Solution : Soit A l'ensemble des étudiants en informatique et B l'ensemble des étudiants en mathématiques. Alors, $A \cap B$ est l'ensemble des étudiants qui à la fois suivent le cours de mathématiques et le cours d'informatique. Puisque tous les étudiants de la classe suivent soit un cours d'informatique, soit un cours de mathématiques ou les deux, il s'ensuit que le nombre d'étudiants de la classe est $|A \cup B|$. Alors,

$$|A \cup B| = |A| + |B| - |A \cap B| = 25 + 13 - 8 = 30$$

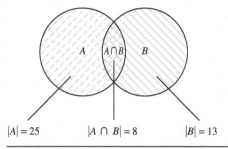

$|A| = 25$ $|A \cap B| = 8$ $|B| = 13$

FIGURE 1   **Ensemble des étudiants de la classe de mathématiques**

$$|A \cup B| = |A| + |B| - |A \cap B|$$
$$= 25 + 13 - 8$$
$$= 30.$$

Il y a donc 30 étudiants dans cette classe. Le calcul est présenté à la figure 1.   ∎

EXEMPLE 2   Combien existe-t-il de nombres entiers positifs qui n'excèdent pas 1000 et qui sont divisibles par 7 ou par 11 ?

Solution : Soit A l'ensemble des entiers positifs qui n'excèdent pas 1000 et qui sont divisibles par 7, et soit B l'ensemble des entiers positifs qui n'excèdent pas 1000 et qui sont divisibles par 11. Alors, $A \cup B$ est l'ensemble des entiers qui n'excèdent pas 1000 et qui sont divisibles par 7 ou par 11, et $A \cap B$ est l'ensemble des nombres entiers qui n'excèdent pas 1000 et qui sont divisibles à la fois par 7 et par 11. En se reportant à l'exemple 2 de la section 2.3, on sait que parmi cet ensemble de nombres entiers qui n'excèdent pas 1000, il y a $\lfloor 1000/7 \rfloor$ nombres entiers divisibles par 7 et $\lfloor 1000/11 \rfloor$ nombres entiers divisibles par 11. Puisque 7 et 11 sont des nombres premiers, les entiers divisibles par 7 et par 11 sont ceux qui peuvent se diviser par $7 \cdot 11$. En conséquence, il y a $\lfloor 1000/(11 \cdot 7) \rfloor$ nombres entiers positifs qui n'excèdent pas 1000 et qui sont divisibles à la fois par 7 et par 11. Il s'ensuit qu'il y a

$$|A \cup B| = |A| + |B| - |A \cap B|$$

$$= \left\lfloor \frac{1000}{7} \right\rfloor + \left\lfloor \frac{1000}{11} \right\rfloor - \left\lfloor \frac{1000}{7 \cdot 11} \right\rfloor$$

$$= 142 + 90 - 12$$
$$= 220$$

nombres entiers qui n'excèdent pas 1000 et qui sont divisibles soit par 7, soit par 11. Ce calcul est présenté à la figure 2.   ∎

L'exemple 3 montre comment trouver le nombre d'éléments dans un ensemble universel fini qui sont en dehors de l'union de deux ensembles.

$$|A \cup B| = |A| + |B| - |A \cap B| = 142 + 90 - 12 = 220$$

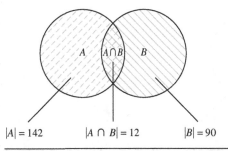

$|A| = 142$ $|A \cap B| = 12$ $|B| = 90$

FIGURE 2   Ensemble des nombres entiers positifs qui n'excèdent pas 1000 et qui sont divisibles soit par 7, soit par 11

EXEMPLE 3   Supposez qu'il y a 1807 nouveaux étudiants dans une université. Parmi ceux-ci, 453 suivent un cours d'informatique, 567 suivent un cours de mathématiques et 299 suivent à la fois un cours de mathématiques et d'informatique. Combien y a-t-il de nouveaux étudiants qui ne suivent ni un cours d'informatique ni un cours de mathématiques ?

Solution : Pour trouver le nombre de nouveaux étudiants qui ne suivent ni un cours de mathématiques ni un cours d'informatique, il faut soustraire le nombre de ceux qui suivent un cours dans l'une ou l'autre de ces disciplines du nombre total de nouveaux étudiants. Soit A l'ensemble des nouveaux étudiants qui suivent un cours d'informatique, et soit B l'ensemble des nouveaux étudiants qui suivent un cours de mathématiques. Il s'ensuit que $|A| = 453$, $|B| = 567$ et $|A \cap B| = 299$. Le nombre de nouveaux étudiants qui suivent un cours soit en informatique, soit en mathématiques, est

$$|A \cup B| = |A| + |B| - |A \cap B| = 453 + 567 - 299 = 721.$$

En conséquence, il y a $1807 - 721 = 1086$ nouveaux étudiants qui ne suivent ni un cours d'informatique ni un cours de mathématiques. Cette solution est présentée à la figure 3.   ■

$$|A \cup B| = |A| + |B| - |A \cap B| = 453 + 567 - 299 = 721$$

$|A \cap B| = 299$ $|U| = 1807$

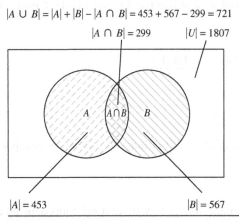

$|A| = 453$ $|B| = 567$

FIGURE 3   Ensemble des nouveaux étudiants qui ne suivent ni un cours d'informatique ni un cours de mathématiques

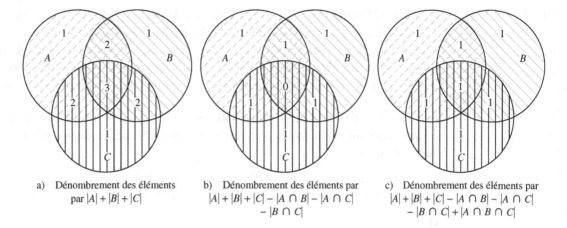

a) Dénombrement des éléments par $|A| + |B| + |C|$

b) Dénombrement des éléments par $|A| + |B| + |C| - |A \cap B| - |A \cap C| - |B \cap C|$

c) Dénombrement des éléments par $|A| + |B| + |C| - |A \cap B| - |A \cap C| - |B \cap C| + |A \cap B \cap C|$

FIGURE 4 **Élaboration d'une formule pour calculer le nombre d'éléments dans l'union de trois ensembles**

On démontrera plus loin dans cette section comment trouver le nombre d'éléments dans l'union d'un nombre fini d'ensembles. La méthode élaborée est appelée le **principe d'inclusion-exclusion**. Avant de considérer les unions de n ensembles, où n est un nombre entier positif, on établira une formule permettant d'obtenir le nombre des éléments de l'union de trois ensembles A, B et C. Pour construire cette formule, on remarque que $|A| + |B| + |C|$ inclut les éléments qui sont une fois dans exactement l'un de ces trois ensembles ; les éléments qui sont exactement deux fois dans deux de ces ensembles ; et les éléments qui sont trois fois dans ces trois ensembles. Cette observation est illustrée par le premier schéma de la figure 4.

Afin de retirer les éléments qui sont dénombrés plusieurs fois dans plus d'un ensemble, on soustrait le nombre d'éléments qui sont dans les intersections de chaque paire des trois ensembles. Ainsi, on obtient

$$|A| + |B| + |C| - |A \cap B| - |A \cap C| - |B \cap C|.$$

Cette expression contient encore les éléments qui sont une fois dans exactement un de ces ensembles. Un élément qui se trouve dans exactement deux de ces ensembles est également dénombré une fois, puisque cet élément se retrouve dans l'une des trois intersections des paires d'ensembles. Néanmoins, les éléments qu'on trouve dans les trois ensembles seront dénombrés zéro fois par cette expression, puisqu'ils se retrouvent dans les trois intersections des paires d'ensembles. Cette constatation est illustrée par le deuxième schéma de la figure 4.

Pour corriger ce défaut, il faut additionner le nombre d'éléments de l'intersection des trois ensembles. L'expression finale dénombre chaque élément une fois, qu'il soit dans un, deux ou trois ensembles à la fois. Alors,

$$|A \cup B \cup C| = |A| + |B| + |C| - |A \cap B| - |A \cap C| - |B \cap C| + |A \cap B \cap C|.$$

Cette formule est illustrée par le troisième schéma de la figure 4. ∎

Les exemples suivants présentent la façon d'utiliser cette formule.

EXEMPLE 4   Au total, 1232 étudiants ont suivi un cours d'espagnol, 879 ont suivi un cours d'anglais et 114 ont suivi un cours de russe. De plus, 103 étudiants ont suivi à la fois des cours d'espagnol et d'anglais, 23 ont suivi à la fois des cours d'espagnol et de russe et 14 ont suivi à la fois des cours d'anglais et de russe. Si 2092 étudiants ont pris au moins un cours d'espagnol, d'anglais ou de russe, combien y a-t-il d'étudiants qui ont pris un cours des trois langues ?

Solution : Soit E l'ensemble des étudiants qui ont pris un cours d'espagnol, A l'ensemble des étudiants qui ont pris un cours d'anglais et R l'ensemble des étudiants qui ont pris un cours de russe. Alors,

$$|E| = 1232, \qquad |A| = 879, \qquad |R| = 114,$$
$$|E \cap A| = 103, \qquad |E \cap R| = 23, \qquad |A \cap R| = 14$$

et

$$|E \cup A \cup R| = 2092.$$

En reportant ces quantités dans l'équation

$$|E \cup A \cup R| = |E| + |A| + |R| - |E \cap A| - |E \cap R| - |A \cap R| + |E \cap A \cap R|,$$

on obtient

$$2092 = 1232 + 879 + 114 - 103 - 23 - 14 + |E \cap A \cap R|.$$

La résolution de $|E \cap A \cap R|$ démontre que $|E \cap A \cap R| = 7$. Donc, il y a 7 étudiants qui ont pris à la fois des cours d'espagnol, d'anglais et de russe (voir la figure 5.)   ∎

On établit et on démontre maintenant le principe d'inclusion-exclusion qui permettra de calculer combien d'éléments appartiennent à l'union d'un nombre fini d'ensembles finis.

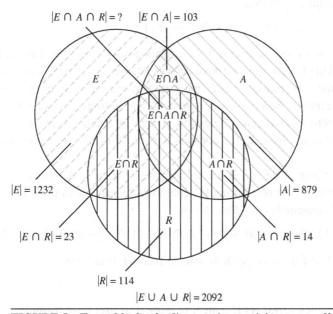

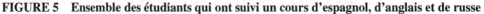

FIGURE 5   Ensemble des étudiants qui ont suivi un cours d'espagnol, d'anglais et de russe

THÉORÈME 1   **Principe d'inclusion-exclusion**   Soit $A_1, A_2, ..., A_n$ des ensembles de cardinalités finies. Alors,

$$|A_1 \cup A_2 \cup \cdots \cup A_n| = \sum_{1 \leq i \leq n} |A_i| - \sum_{1 \leq i < j \leq n} |A_i \cap A_j|$$

$$+ \sum_{1 \leq i < j < k \leq n} |A_1 \cap A_j \cap A_k| - \cdots + (-1)^{n+1} |A_1 \cap A_2 \cap \cdots \cap A_n|.$$

Démonstration : On démontre cette formule en prouvant qu'un élément appartenant à l'union des ensembles est dénombré seulement une fois par le membre de droite de l'équation. On suppose que a est un membre pour exactement r des ensembles $A_1, A_2, ..., A_n$, où $1 \leq r \leq n$. Cet élément est dénombré $C(r, 1)$ fois par $\Sigma|A_i|$. Il est dénombré $C(r, 2)$ fois par $\Sigma|A_i \cap A_j|$. En général, il est dénombré $C(r, m)$ fois par la somme comprenant m des ensembles A_i. Par conséquent, cet élément est dénombré exactement

$$C(r, 1) - C(r, 2) + C(r, 3) - \cdots + (-1)^{r+1} C(r, r)$$

fois par l'expression du membre droit de l'équation. Comme on désire évaluer cette quantité, à partir du théorème 7 de la section 4.3, on obtient

$$C(r, 0) - C(r, 1) + C(r, 2) - \cdots + (-1)^r C(r, r) = 0.$$

Alors,

$$1 = C(r, 0) = C(r, 1) - C(r, 2) + \cdots + (-1)^{r+1} C(r, r).$$

Donc, chaque élément de l'union est dénombré exactement une fois par l'expression du membre droit de l'équation, ce qui démontre le principe d'inclusion-exclusion.   □

Le principe d'inclusion-exclusion donne une formule permettant de calculer le nombre d'éléments appartenant à l'union de n ensembles pour tout entier positif n. La formule contient des termes pour le nombre d'éléments des intersections de chaque ensemble non vide de la collection de n ensembles. Ainsi, il y a $2^n - 1$ éléments dans cette formule.

EXEMPLE 5   Élaborez une formule pour calculer le nombre d'éléments appartenant à l'union de quatre ensembles.

Solution : Le principe d'inclusion-exclusion permet d'obtenir

$$|A_1 \cup A_2 \cup A_3 \cup A_4| = |A_1| + |A_2| + |A_3| + |A_4|$$
$$- |A_1 \cap A_2| - |A_1 \cap A_3| - |A_1 \cap A_4| - |A_2 \cap A_3| - |A_2 \cap A_4| - |A_3 \cap A_4|$$
$$+ |A_1 \cap A_2 \cap A_3| + |A_1 \cap A_2 \cap A_4| + |A_1 \cap A_3 \cap A_4| + |A_2 \cap A_3 \cap A_4|$$
$$- |A_1 \cap A_2 \cap A_3 \cap A_4|.$$

À noter que cette formule contient 15 éléments différents, un pour chaque sous-ensemble non vide de l'ensemble $\{A_1, A_2, A_3, A_4\}$.   ■

Exercices

1. Combien existe-t-il d'éléments dans $A_1 \cup A_2$ s'il y a 12 éléments dans A_1 et 18 éléments dans A_2, et si
   a) $A_1 \cap A_2 = \varnothing$?   **b)** $|A_1 \cap A_2| = 1$?
   c) $|A_1 \cap A_2| = 6$?   **d)** $A_1 \subseteq A_2$?

2. Il y a 345 étudiants dans une université qui ont suivi un cours de calcul intégral, 212 qui ont suivi un cours de mathématiques discrètes et 188 qui ont suivi à la fois un cours de calcul intégral et un cours de mathématiques discrètes. Combien y a-t-il d'étudiants qui ont suivi un cours soit de calcul intégral, soit de mathématiques discrètes ?

3. Aux États-Unis, une enquête sur les propriétaires révèle que 96 % d'entre eux ont au moins une télévision, 98 % ont le téléphone et 95 % ont le téléphone et au moins une télévision. Quel pourcentage des propriétaires aux États-Unis n'ont ni le téléphone ni la télévision ?

4. Une étude de marché démontre que 650 000 propriétaires d'ordinateurs achèteront un modem au cours de la prochaine année et que 1 250 000 achèteront un logiciel. Si ce rapport montre que 1 450 000 propriétaires d'ordinateurs achèteront soit un modem, soit un logiciel, combien achèteront à la fois un modem et un logiciel ?

5. Trouvez le nombre d'éléments dans $A_1 \cup A_2 \cup A_3$ s'il y a 100 éléments dans chaque ensemble et si
   a) les trois ensembles sont mutuellement exclusifs.
   b) il y a 50 éléments communs à chaque paire d'ensembles et aucun élément commun aux trois ensembles.
   c) il y a 50 éléments communs à chaque paire d'ensembles et 25 éléments communs aux trois ensembles.
   d) les ensembles sont égaux.

6. Trouvez le nombre d'éléments dans $A_1 \cup A_2 \cup A_3$ s'il y a 100 éléments dans A_1, 1000 éléments dans A_2 et 10 000 éléments dans A_3, et si
   a) $A_1 \subseteq A_2$ et $A_2 \subseteq A_3$.
   b) les trois ensembles sont mutuellement exclusifs.
   c) il y a deux éléments communs à chaque paire d'ensembles et un élément commun aux trois ensembles.

7. Il y a 2504 étudiants en informatique dans une université. Parmi ceux-ci, 1876 ont pris un cours de PASCAL, 999 un cours de FORTRAN et 345 un cours de langage C. De plus, 876 ont pris à la fois des cours de PASCAL et de FORTRAN, 231 ont pris à la fois des cours de FORTRAN et de langage C, et 290 ont pris à la fois des cours de PASCAL et de langage C. Si 189 de ces étudiants ont pris à la fois des cours de FORTRAN, de PASCAL et de langage C, combien de ces 2504 étudiants n'ont pris aucun cours de langage de programmation ?

8. Une enquête auprès de 270 étudiants d'une université démontre que 64 aiment les choux de Bruxelles, 94 aiment le brocoli et 58 aiment le chou-fleur ; 26 aiment à la fois les choux de Bruxelles et le brocoli, 28 aiment à la fois les choux de Bruxelles et le chou-fleur, 22 aiment à la fois le brocoli et le chou-fleur et 14 aiment les trois légumes. Combien parmi ces 270 étudiants n'aiment aucun de ces trois légumes ?

9. Dans le cas décrit ci-après, combien y a-t-il d'étudiants inscrits à un cours soit de calcul intégral, soit de mathématiques discrètes, soit de structures de données, soit de langage de programmation ? Dans cette université, il y a respectivement pour ces matières 507, 292, 312 et 344 étudiants dans ces cours. Il y en a 14 à la fois en calcul intégral et en structures de données, 213 en calcul intégral et en langage de programmation, 211 à la fois en mathématiques discrètes et en structures de données, et 43 à la fois en mathématiques discrètes et en programmation. Enfin, aucun étudiant ne prend à la fois des cours de calcul intégral et de mathématiques discrètes, ou encore des cours de structures de données et de langage de programmation.

10. Trouvez combien il y a de nombres entiers positifs n'excédant pas 100 et qui ne sont ni divisibles par 5 ni divisibles par 7.

11. Trouvez combien il y a de nombres entiers positifs n'excédant pas 100 et qui ne sont ni impairs ni le carré d'un nombre entier.

12. Trouvez combien il y a de nombres entiers positifs n'excédant pas 1000 et qui ne sont ni le carré ni le cube d'un nombre entier.

13. Combien existe-t-il de chaînes binaires de longueur huit qui ne contiennent pas six 0 consécutifs ?

★14. Combien y a-t-il de permutations des 26 lettres de l'alphabet qui ne contiennent aucune chaîne avec les mots *fish*, *rat* ou *bird* ?

15. Combien y a-t-il de permutations de dix chiffres qui commencent avec les trois chiffres 987, qui contiennent les chiffres 45 en cinquième et sixième positions ou qui se terminent avec les trois chiffres 123 ?

16. Combien y a-t-il d'éléments dans l'union de quatre ensembles si chacun de ces ensembles a 100 éléments, chaque paire d'ensembles admet 50 éléments

communs, chaque triplet d'ensembles admet 25 éléments communs et s'il y a 5 éléments communs aux quatre ensembles ?

17. Combien y a-t-il d'éléments dans l'union de quatre ensembles si ces ensembles ont respectivement 50, 60, 70 et 80 éléments, chaque paire a 5 éléments en commun et chaque triplet a 1 élément en commun et aucun élément appartenant aux quatre ensembles à la fois ?

18. Combien y a-t-il de termes dans la formule pour calculer le nombre d'éléments de l'union de 10 ensembles selon le principe d'inclusion-exclusion ?

19. À l'aide du principe d'inclusion-exclusion, déterminez une formule explicite pour calculer le nombre d'éléments dans l'union de cinq ensembles.

20. Combien y a-t-il d'éléments dans l'union de cinq ensembles si les ensembles contiennent 10 000 éléments chacun, si chaque paire a 1000 éléments en commun, chaque triplet a 100 éléments en commun, chaque quadruplet a 10 éléments en commun et qu'il y a un élément qui appartient à chacun des cinq ensembles ?

21. À l'aide du principe d'inclusion-exclusion, déterminez une formule explicite pour calculer le nombre d'éléments dans l'union de six ensembles, si on sait qu'aucun triplet d'ensembles n'a d'élément commun.

★22. Démontrez le principe d'inclusion-exclusion en utilisant l'induction mathématique.

23. Soit E_1, E_2 et E_3 trois événements à partir d'un ensemble fondamental. Déterminez une formule exprimant la probabilité de $E_1 \cup E_2 \cup E_3$.

24. Trouvez la probabilité que, lorsqu'on lance une pièce cinq fois, on obtienne face exactement trois fois, que la première et la dernière fois on obtienne face ou que la deuxième et la quatrième fois on obtienne pile.

25. Trouvez la probabilité que, lorsqu'on choisit quatre nombres de 1 à 100 inclusivement de manière aléatoire sans pouvoir les répéter, les nombres soient tous impairs, tous divisibles par 3 ou tous divisibles par 5.

26. Déterminez une formule pour calculer la probabilité de l'union de quatre événements dans un ensemble fondamental si trois de ces événements ne peuvent se réaliser simultanément.

27. Déterminez une formule pour calculer la probabilité de l'union de cinq événements d'un ensemble fondamental si quatre de ces événements ne peuvent se réaliser simultanément.

28. Déterminez une formule pour calculer la probabilité de l'union de n événements dans un ensemble fondamental si deux de ces événements ne peuvent se réaliser simultanément.

29. Déterminez une formule pour calculer la probabilité de l'union de n événements dans un ensemble fondamental.

5.5

Applications du principe d'inclusion-exclusion

INTRODUCTION

Quantité de problèmes de dénombrement peuvent être résolus à l'aide du principe d'inclusion-exclusion. Par exemple, on peut recourir à ce principe pour trouver combien il y a de nombres premiers inférieurs à un entier positif donné. De nombreux problèmes peuvent être résolus en dénombrant les fonctions surjectives d'un ensemble fini dans un autre ensemble fini. Le principe d'inclusion-exclusion peut servir à trouver le nombre de telles fonctions. Le fameux problème du vestiaire peut aussi être résolu avec ce principe. Ce problème consiste à calculer la probabilité qu'aucun client d'un vestiaire ne se voie remettre son propre chapeau si le préposé au vestiaire remet les chapeaux de manière aléatoire.

AUTRE FORME DU PRINCIPE D'INCLUSION-EXCLUSION

Une autre forme du principe d'inclusion-exclusion sert à résoudre les problèmes où on recherche le nombre d'éléments qui, à l'intérieur d'un ensemble, n'ont aucune des n propriétés $P_1, P_2, ..., P_n$.

Soit A_i le sous-ensemble contenant les éléments qui ont les propriétés P_i. Le nombre d'éléments qui ont toutes les propriétés $P_{i_1}, P_{i_2}, ..., P_{i_k}$ est représenté par $N(P_{i_1} P_{i_2} \cdots P_{i_k})$. Si on représente ces quantités sous forme d'ensembles, on obtient

$$|A_{i_1} \cap A_{i_2} \cap \cdots \cap A_{i_k}| = N(P_{i_1} P_{i_2} \cdots P_{i_k}).$$

Si le nombre d'éléments ne contenant aucune des propriétés $P_1, P_2, ..., P_n$ est représenté par $N(P_1' P_2' \cdots P_n')$ et que le nombre d'éléments dans l'ensemble est représenté par N, il s'ensuit que

$$N(P_1' P_2' \cdots P_n') = N - |A_1 \cup A_2 \cup \cdots \cup A_n|.$$

En appliquant le principe d'inclusion-exclusion, on en déduit que

$$N(P_1' P_2' \cdots P_n') = N - \sum_{1 \le i \le n} N(P_i) + \sum_{1 \le i < j \le n} N(P_i P_j) - \sum_{1 \le i < j < k \le n} N(P_i P_j P_k)$$
$$+ \cdots + (-1)^n N(P_1 P_2 \cdots P_n).$$

L'exemple 1 démontre comment le principe d'inclusion-exclusion sert à déterminer le nombre de solutions entières d'une équation soumise à des contraintes.

EXEMPLE 1   Combien y a-t-il de solutions à l'équation

$$x_1 + x_2 + x_3 = 11,$$

si x_1, x_2 et x_3 sont des entiers non négatifs où $x_1 \le 3$, $x_2 \le 4$ et $x_3 \le 6$?

Solution : Pour appliquer le principe d'inclusion-exclusion, on considère qu'une solution qui a la propriété P_1 est $x_1 > 3$, qui a la propriété P_2 est $x_2 > 4$ et qui a la propriété P_3 est $x_3 > 6$. Le nombre de solutions satisfaisant les inégalités $x_1 \le 3$, $x_2 \le 4$ et $x_3 \le 6$ est

$$N(P_1' P_2' P_3') = N - N(P_1) - N(P_2) - N(P_3) + N(P_1 P_2) + N(P_1 P_3) + N(P_2 P_3) - N(P_1 P_2 P_3).$$

En utilisant les mêmes techniques que dans l'exemple 6 de la section 4.6, on obtient

- N = nombre total de solutions = $C(3 + 11 - 1, 11) = 78$,
- $N(P_1)$ = (nombre de solutions avec $x_1 \ge 4$) = $C(3 + 7 - 1, 7) = C(9, 7) = 36$,
- $N(P_2)$ = (nombre de solutions avec $x_2 \ge 5$) = $C(3 + 6 - 1, 6) = C(8, 6) = 28$,
- $N(P_3)$ = (nombre de solutions avec $x_3 \ge 7$) = $C(3 + 4 - 1, 4) = C(6, 4) = 15$,
- $N(P_1 P_2)$ = (nombre de solutions avec $x_1 \ge 4$ et $x_2 \ge 5$) = $C(3 + 2 - 1, 2) = C(4, 2) = 6$,
- $N(P_1 P_3)$ = (nombre de solutions avec $x_1 \ge 4$ et $x_3 \ge 7$) = $C(3 + 0 - 1, 0) = 1$,
- $N(P_2 P_3)$ = (nombre de solutions avec $x_2 \ge 5$ et $x_3 \ge 7$) = 0,
- $N(P_1 P_2 P_3)$ = (nombre de solutions avec $x_1 \ge 4$ et $x_2 \ge 5$ et $x_3 \ge 7$) = 0.

En insérant ces valeurs dans la formule pour $N(P_1'P_2'P_3')$, on obtient le nombre de solutions avec $x_1 \leq 3$, $x_2 \leq 4$ et $x_3 \leq 6$ est égal à

$$N(P_1'P_2'P_3') = 78 - 36 - 28 - 15 + 6 + 1 + 0 - 0 = 6.$$ ∎

CRIBLE D'ÉRATOSTHÈNE

Le principe d'inclusion-exclusion sert à trouver combien de nombres premiers n'excèdent pas un entier positif donné. Il convient de se rappeler qu'un nombre entier composé est divisible par un nombre premier qui n'excède pas sa racine carrée. Ainsi, pour trouver combien de nombres premiers n'excèdent pas 100, on retient d'abord que les entiers composés qui n'excèdent pas 100 doivent avoir un facteur premier qui n'excède pas 10. Puisque les seuls nombres premiers plus petits que 10 sont 2, 3, 5 et 7, les nombres premiers qui n'excèdent pas 100 sont ces quatre nombres premiers et tous les nombres entiers plus grands que 1 qui n'excèdent pas 100 et qui ne sont divisibles par aucun des chiffres 2, 3, 5 et 7. On applique le principe d'inclusion-exclusion ; soit P_1 la propriété d'un nombre entier divisible par 2, soit P_2 la propriété d'un nombre entier divisible par 3, soit P_3 la propriété d'un nombre entier divisible par 5 et soit P_4 la propriété d'un nombre entier divisible par 7. Ainsi, la quantité de nombres premiers qui n'excèdent pas 100 est

$$4 + N(P_1'P_2'P_3'P_4').$$

Puisqu'il y a 99 nombres entiers positifs plus grands que 1 qui n'excèdent pas 100, le principe d'inclusion-exclusion permet de démontrer que

$$
\begin{aligned}
N(P_1'P_2'P_3'P_4') = 99 \ &- N(P_1) - N(P_2) - N(P_3) - N(P_4) \\
&+ N(P_1P_2) + N(P_1P_3) + N(P_1P_4) + N(P_2P_3) \\
&+ N(P_2P_4) + N(P_3P_4) \\
&- N(P_1P_2P_3) - N(P_1P_2P_4) - N(P_1P_3P_4) - N(P_2P_3P_4) \\
&+ N(P_1P_2P_3P_4).
\end{aligned}
$$

La quantité de nombres entiers qui n'excèdent pas 100 (et qui sont plus grands que 1) et qui sont divisibles par tous les nombres premiers d'un sous-ensemble de $\{2, 3, 5, 7\}$ est $\lfloor 100/N \rfloor$, où N est le produit des nombres premiers de ce sous-ensemble, du fait qu'aucune paire d'entiers choisis parmi ces nombres premiers n'ont de diviseur commun. En conséquence,

$$
\begin{aligned}
N(P_1'P_2'P_3'P_4') = 99 \ &- \left\lfloor \frac{100}{2} \right\rfloor - \left\lfloor \frac{100}{3} \right\rfloor - \left\lfloor \frac{100}{5} \right\rfloor - \left\lfloor \frac{100}{7} \right\rfloor \\
&+ \left\lfloor \frac{100}{2 \cdot 3} \right\rfloor + \left\lfloor \frac{100}{2 \cdot 5} \right\rfloor + \left\lfloor \frac{100}{2 \cdot 7} \right\rfloor + \left\lfloor \frac{100}{3 \cdot 5} \right\rfloor \\
&+ \left\lfloor \frac{100}{3 \cdot 7} \right\rfloor + \left\lfloor \frac{100}{5 \cdot 7} \right\rfloor \\
&- \left\lfloor \frac{100}{2 \cdot 3 \cdot 5} \right\rfloor - \left\lfloor \frac{100}{2 \cdot 3 \cdot 7} \right\rfloor - \left\lfloor \frac{100}{2 \cdot 5 \cdot 7} \right\rfloor - \left\lfloor \frac{100}{3 \cdot 5 \cdot 7} \right\rfloor \\
&= \left\lfloor \frac{100}{2 \cdot 3 \cdot 5 \cdot 7} \right\rfloor
\end{aligned}
$$

$$= 99 - 50 - 33 - 20 - 14 + 16 + 10 + 7 + 6 + 4 + 2$$
$$- 3 - 2 - 1 - 0 + 0$$
$$= 21.$$

Donc, il y a $4 + 21 = 25$ nombres premiers qui n'excèdent pas 100.

Le **crible d'Ératosthène** sert à trouver tous les nombres premiers qui n'excèdent pas un nombre entier positif donné. Par exemple, la procédure suivante sert à trouver les nombres premiers qui n'excèdent pas 100. D'abord, on supprime les entiers qui sont divisibles par 2, autres que 2. Puisque 3 est le premier entier plus grand que 2 qui reste, on supprime tous les entiers divisibles par 3, autres que 3. Puisque 5 est le nombre entier suivant après 3, on supprime tous les entiers divisibles par 5, autres que 5. Le nombre entier suivant est 7, ainsi on supprime tous les entiers divisibles par 7, autres que 7. Puisque tous les entiers composés qui n'excèdent pas 100 sont divisibles par 2, 3, 5 et 7, tous les entiers restants à l'exception de 1 sont des nombres premiers. Le tableau 1 montre quels entiers sont supprimés à chaque étape. La première section précise tous les entiers divisibles par 2 ; la deuxième section, les entiers divisibles par 3, autres que 3 ; la troisième section, les entiers divisibles par 5, autres que 5 ; et la quatrième section, les entiers divisibles par 7, autres que 7. Les entiers restants sont les nombres premiers qui n'excèdent pas 100.

TABLEAU 1   Crible d'Ératosthène

Les entiers divisibles par 2, autres que 2, sont soulignés

1	2	3	4	5	6	7	8	9	10
11	12	13	14	15	16	17	18	19	20
21	22	23	24	25	26	27	28	29	30
31	32	33	34	35	36	37	38	39	40
41	42	43	44	45	46	47	48	49	50
51	52	53	54	55	56	57	58	59	60
61	62	63	64	65	66	67	68	69	70
71	72	73	74	75	76	77	78	79	80
81	82	83	84	85	86	87	88	89	90
91	92	93	94	95	96	97	98	99	100

Les entiers divisibles par 3, autres que 3, sont soulignés

1	2	3	4	5	6	7	8	9	10
11	12	13	14	15	16	17	18	19	20
21	22	23	24	25	26	27	28	29	30
31	32	33	34	35	36	37	38	39	40
41	42	43	44	45	46	47	48	49	50
51	52	53	54	55	56	57	58	59	60
61	62	63	64	65	66	67	68	69	70
71	72	73	74	75	76	77	78	79	80
81	82	83	84	85	86	87	88	89	90
91	92	93	94	95	96	97	98	99	100

Les entiers divisibles par 5, autres que 5, sont soulignés

1	2	3	4	5	6	7	8	9	10
11	12	13	14	15	16	17	18	19	20
21	22	23	24	25	26	27	28	29	30
31	32	33	34	35	36	37	38	39	40
41	42	43	44	45	46	47	48	49	50
51	52	53	54	55	56	57	58	59	60
61	62	63	64	65	66	67	68	69	70
71	72	73	74	75	76	77	78	79	80
81	82	83	84	85	86	87	88	89	90
91	92	93	94	95	96	97	98	99	100

Les entiers divisibles par 7, autres que 7, sont soulignés
Les entiers en gras sont premiers

1	**2**	**3**	4	**5**	6	**7**	8	9	10
11	12	**13**	14	15	16	**17**	18	**19**	20
21	22	**23**	24	25	26	27	28	**29**	30
31	32	33	34	35	36	**37**	38	39	40
41	42	**43**	44	45	46	**47**	48	49	50
51	52	**53**	54	55	56	57	58	**59**	60
61	62	63	64	65	66	**67**	68	69	70
71	72	**73**	74	75	76	77	78	**79**	80
81	82	**83**	84	85	86	87	88	**89**	90
91	92	93	94	95	96	**97**	98	99	100

DÉNOMBREMENT DES FONCTIONS SURJECTIVES

Le principe d'inclusion-exclusion sert aussi à déterminer le nombre de fonctions surjectives d'un ensemble à m éléments dans un ensemble à n éléments. On considère d'abord l'exemple 2.

EXEMPLE 2

Combien y a-t-il de fonctions surjectives d'un ensemble à 6 éléments dans un ensemble à 3 éléments ?

Solution : On suppose que les éléments du codomaine sont b_1, b_2 et b_3. Soit P_1, P_2 et P_3 les propriétés voulant que b_1, b_2 et b_3, respectivement, ne soient pas dans l'image de la fonction. À noter qu'une fonction est surjective si et seulement si elle ne possède aucune des propriétés P_1, P_2 ou P_3. En appliquant le principe d'inclusion-exclusion, il s'ensuit que le nombre de fonctions surjectives d'un ensemble à 6 éléments dans un ensemble à 3 éléments est

$$N(P_1'P_2'P_3') = N - [N(P_1) + N(P_2) + N(P_3)]$$
$$+ [N(P_1P_2) + N(P_1P_3) + N(P_2P_3)] - N(P_1P_2P_3)$$

où N est le nombre total de fonctions d'un ensemble à 6 éléments dans un ensemble à 3 éléments. On évaluera chacun des termes du membre de droite de cette équation.

À partir de l'exemple 8 de la section 4.1, il s'ensuit que $N = 3^6$. À noter que $N(P_i)$ est le nombre de fonctions qui ne possèdent aucun élément b_i dans leur image. De ce fait, il y a deux valeurs possibles de la fonction pour chacun des éléments de ce domaine. Donc, $N(P_i) = 2^6$. De plus, il existe $C(3, 1)$ termes de cette sorte. À noter que $N(P_iP_j)$ est le nombre de fonctions qui ne possèdent ni élément b_i ni élément b_j dans leur image. Il y a seulement une valeur possible de la fonction pour chacun des éléments de ce domaine. Donc, $N(P_iP_j) = 1^6 = 1$. De plus, il y a $C(3, 2)$ termes de cette sorte. Il convient de noter que $N(P_1P_2P_3) = 0$, puisque ce terme représente le nombre de fonctions qui n'ont aucun des éléments b_1, b_2 ou b_3 dans leur image. Il est clair qu'il n'existe aucune telle fonction. Alors, le nombre de fonctions surjectives d'un ensemble à six éléments dans un ensemble à trois éléments est

$$3^6 - C(3, 1)2^6 + C(3, 2)1^6 = 729 - 192 + 3 = 540. \qquad \blacksquare$$

Le résultat général permet de déduire le nombre de fonctions surjectives d'un ensemble à m éléments dans un ensemble à n éléments. Les étudiants devront faire la preuve de ce résultat à titre d'exercice à la fin de cette section.

THÉORÈME 1

Soit m et n des nombres entiers positifs avec $m \geq n$. Alors, il y a

$$n^m - C(n, 1)(n - 1)^m + C(n, 2)(n - 2)^m - \cdots + (-1)^{n-1}C(n, n-1) \cdot 1^m$$

fonctions surjectives d'un ensemble à m éléments dans un ensemble à n éléments.

Voici maintenant l'une des nombreuses applications possibles du théorème 1.

EXEMPLE 3   De combien de façons pouvez-vous attribuer cinq tâches différentes à quatre employés différents si tous ces employés doivent recevoir au moins une tâche ?

Solution : On considère l'affectation des tâches comme une fonction de l'ensemble des cinq tâches dans l'ensemble des quatre employés. On peut assimiler une attribution qui donne à chaque employé au moins une tâche à une fonction surjective de l'ensemble des tâches dans l'ensemble des employés. Ensuite, en appliquant le théorème 1, on obtient

$$4^5 - C(4, 1)3^5 + C(4, 2)2^5 - C(4, 3)1^5 = 1024 - 972 + 192 - 4 = 240$$

manières d'attribuer les tâches de manière telle que chaque employé en reçoit au moins une. ∎

DÉRANGEMENTS

Le principe d'inclusion-exclusion sert aussi à calculer le nombre de permutations de n objets, telles qu'aucun objet ne se retrouve par la suite dans sa position originale.

EXEMPLE 4   **Problème du vestiaire**   Un nouvel employé d'un vestiaire place les chapeaux de n clients d'un restaurant en oubliant de mettre un ticket sur les chapeaux. Lorsque les clients viennent réclamer leurs chapeaux, l'employé du vestiaire remet aléatoirement à chacun un chapeau à partir des chapeaux restants. Quelle est la probabilité qu'aucun des clients ne reçoive son propre chapeau ? ∎

Remarque : La réponse est le nombre de manières dont les chapeaux peuvent être disposés pour qu'aucun chapeau ne soit dans sa position originale divisé par $n!$, le nombre de permutations des n chapeaux. On reprendra cet exemple après avoir trouvé le nombre de permutations de n objets qui ne laissent aucun objet dans sa position originale.

Un **dérangement** est une permutation d'objets qui ne laisse aucun objet dans sa position originale. Pour résoudre le problème posé à l'exemple 4, on doit déterminer le nombre de dérangements de l'ensemble à n objets.

EXEMPLE 5   La permutation 21453 est un dérangement de 12345, parce qu'aucun chiffre ne se retrouve dans sa position originale. Par contre, 21543 n'est par un dérangement de 12345, parce que cette permutation a laissé le chiffre 4 en position fixe. ∎

Soit D_n le nombre de dérangements de n objets. Par exemple, $D_3 = 2$, puisque les dérangements de 123 sont 231 et 312. On évaluera D_n pour tous les nombres entiers positifs n en utilisant le principe d'inclusion-exclusion.

THÉORÈME 2 Le nombre de dérangements d'un ensemble contenant n éléments est

$$D_n = n!\left[1 - \frac{1}{1!} + \frac{1}{2!} - \frac{1}{3!} + \cdots + (-1)^n \frac{1}{n!}\right].$$

Démonstration : Soit une permutation ayant la propriété P_i qui signifie que le i-ième élément reste à sa position originale. Le nombre de dérangements est représenté par le nombre de permutations qui n'ont aucune des propriétés P_i pour $i = 1, 2, \ldots, n$, autrement dit

$$D_n = N(P_1' P_2' \cdots P_n').$$

En utilisant le principe d'inclusion-exclusion, il s'ensuit que

$$D_n = N - \sum_i N(P_i) + \sum_{i<j} N(P_i P_j) - \sum_{i<j<k} N(P_i P_j P_k) + \cdots + (-1)^n N(P_1 P_2 \cdots P_n),$$

où N est le nombre de permutations de n éléments. Cette équation démontre que le nombre de permutations qui ne laisse aucun élément dans sa position originale est égal au nombre total de permutations, moins le nombre qui laissent en position originale au moins un élément, plus le nombre de celles qui laissent en position originale au moins deux éléments, moins le nombre de permutations qui laissent en position originale au moins trois éléments, etc. On va maintenant trouver toutes les quantités qui apparaissent dans le membre droit de l'équation.

Tout d'abord, on note que $N = n!$, puisque N est simplement le nombre total de permutations de n éléments. Aussi, $N(P_i) = (n-1)!$. Cette déduction provient de la règle du produit, puisque $N(P_i)$ est le nombre de permutations qui laissent en position originale l'élément i en déterminant la i-ième position de la permutation, mais en permettant que chacune des positions restantes puisse être remplie de manière arbitraire. De façon similaire,

$$N(P_i P_j) = (n-2)!,$$

puisque cette expression représente le nombre de permutations qui laissent en position originale les éléments i et j, mais qui laissent libres $n-2$ éléments pouvant être distribués arbitrairement. Plus généralement, on peut écrire

$$N(P_{i_1} P_{i_2} \cdots P_{i_m}) = (n-m)!.$$

Cette expression représente le nombre de permutations qui laissent en position originale les éléments $i_1, i_2, \ldots, i_m$, mais qui fait que les autres $n-m$ éléments sont distribués arbitrairement. Puisqu'il y a $C(n, m)$ manières de choisir m éléments à partir de n, il s'ensuit que

$$\sum_{1 \le i \le n} N(P_i) = C(n, 1)(n-1)!$$

$$\sum_{1 \le i < j \le n} N(P_i P_j) = C(n, 2)(n-2)!$$

et, de manière générale,

$$\sum_{1 \le i_1 < i_2 < \cdots \le i_m \le n} N(P_{i_1} P_{i_2} \cdots P_{i_m}) = C(n, m)(n-m)!.$$

En conséquence, si on reporte ces quantités dans la formule pour D_n, on obtient

$$D_n = n! - C(n, 1)(n-1)! + C(n, 2)(n-2)! - \cdots + (-1)^n C(n, n)(n-n)!$$

$$= n! - \frac{n!}{1!(n-1)!}(n-1)! + \frac{n!}{2!(n-2)!}(n-2)! - \cdots + (-1)^n \frac{n!}{n!0!}0!.$$

En simplifiant cette expression, on obtient

$$D_n = n!\left[1 - \frac{1}{1!} + \frac{1}{2!} - \cdots + (-1)^n\frac{1}{n!}\right]. \qquad \square$$

Dès lors, il est simple de trouver D_n pour un entier positif n. Par exemple, en utilisant le théorème 2, on obtient

$$D_3 = 3!\left[1 - \frac{1}{1!} + \frac{1}{2!} - \frac{1}{3!}\right] = 6\left(1 - 1 + \frac{1}{2} - \frac{1}{6}\right) = 2,$$

comme on l'a précédemment remarqué.

On peut maintenant donner la solution du problème de l'exemple 4.

Solution : La probabilité qu'aucun client ne reçoive son propre chapeau est de $D_n/n!$. En appliquant le théorème 2, cette probabilité devient

$$\frac{D_n}{n!} = 1 - \frac{1}{1!} + \frac{1}{2!} - \cdots + (-1)^n\frac{1}{n!}.$$

Les valeurs de cette probabilité pour $2 \leq n \leq 7$ sont illustrées dans le tableau 2.

TABLEAU 2	Probabilité d'un dérangement					
n	*2*	*3*	*4*	*5*	*6*	*7*
$D_n/n!$	0,500 00	0,333 33	0,375 00	0,366 67	0,368 06	0,367 86

En utilisant les méthodes de calcul différentiel et intégral, on peut démontrer que

$$e^{-1} = 1 - \frac{1}{1!} + \frac{1}{2!} - \cdots + (-1)^n\frac{1}{n!} + \cdots \sim 0,368.$$

Puisque cette équation représente une série alternée où le terme général tend vers zéro, il s'ensuit que plus n augmente, plus la probabilité qu'aucun client ne reçoive son propre chapeau tend vers $e^{-1} \sim 0,368$. De fait, on peut montrer que cette probabilité sera à une distance inférieure ou égale à $1/(n+1)$ de e^{-1}. ■

Exercices

1. Supposez que dans un panier de 100 pommes il y en a 20 qui sont véreuses et 15 qui sont meurtries. On ne peut vendre que les pommes qui ne sont ni véreuses ni meurtries. S'il y a 10 pommes à la fois véreuses et meurtries, combien pouvez-vous vendre de pommes de ce panier ?

2. Des 1000 volontaires pour une ascension au sommet d'une montagne, 450 ont le mal d'altitude, 622 ne sont pas en bonne forme physique et 30 souffrent d'allergies. Un volontaire ne se qualifie que si et seulement s'il n'a ni le mal d'altitude, ni d'allergies et qu'il est en très bonne forme physique. S'il y a

111 volontaires qui ont le mal d'altitude et qui ne sont pas en bonne forme physique, et 14 qui ont le mal d'altitude et qui ont des allergies, 18 qui ne sont pas en bonne forme physique et qui ont des allergies ; 9 qui ont le mal d'altitude, ne sont pas en bonne forme physique et ont en plus des allergies, combien reste-t-il de volontaires pouvant se qualifier ?

3. Combien y a-t-il de solutions entières à l'équation $x_1 + x_2 + x_3 = 13$ si x_1, x_2 et x_3 sont des entiers non négatifs plus petits que 6 ?

4. Trouvez le nombre de solutions entières à l'équation $x_1 + x_2 + x_3 + x_4 = 17$ où x_i, $i = 1, 2, 3, 4$ sont des entiers non négatifs tels que $x_1 \leq 3$, $x_2 \leq 4$, $x_3 \leq 5$ et $x_4 \leq 8$.

5. Trouvez combien de nombres premiers sont plus petits que 200 en utilisant le principe d'inclusion-exclusion.

6. Soit un nombre qui n'est pas divisible par le carré d'un entier positif plus grand que 1. Combien existe-t-il de tels entiers positifs plus petits que 100 ?

7. Combien y a-t-il d'entiers positifs plus petits que 10 000 et qui ne sont ni des carrés parfaits ni des puissances troisièmes ou supérieures d'un entier ?

8. Combien y a-t-il de fonctions surjectives d'un ensemble à sept éléments dans un ensemble à cinq éléments ?

9. Combien y a-t-il de façons de distribuer six jouets différents à trois enfants de sorte que chaque enfant reçoive au moins un jouet ?

10. De combien de façons pouvez-vous distribuer huit balles distinctes dans trois urnes distinctes si chaque urne doit recevoir au moins une balle ?

11. De combien de façons pouvez-vous attribuer sept tâches différentes à quatre employés de sorte que chaque employé reçoive au moins une tâche et que la tâche la plus difficile soit attribuée au meilleur employé ?

12. Énumérez tous les dérangements de l'ensemble $\{1, 2, 3, 4\}$.

13. Combien de dérangements y a-t-il pour un ensemble à sept éléments ?

14. Quelle est la probabilité qu'aucun de 10 clients ne reçoive son propre chapeau, si le préposé au vestiaire remet les chapeaux aléatoirement ?

15. Une machine d'insertion de lettres fonctionne mal et insère les lettres de manière aléatoire dans les enveloppes. Quelle est la probabilité que, parmi 100 lettres,

a) aucune lettre ne soit mise dans la bonne enveloppe ?

b) exactement une lettre soit mise dans la bonne enveloppe ?

c) exactement 98 lettres soient mises dans la bonne enveloppe ?

d) exactement 99 lettres soient mises dans la bonne enveloppe ?

e) toutes les lettres soient mises dans la bonne enveloppe ?

16. On attribue à un groupe de n étudiants une place pour chacun des deux cours donnés dans la même salle de classe. De combien de façons pouvez-vous attribuer les sièges si aucun étudiant n'est à la même place pendant les deux cours ?

⋆17. De combien de façons les chiffres 0, 1, 2, 3, 4, 5, 6, 7, 8, 9 peuvent-ils être distribués de sorte qu'aucun chiffre pair ne se retrouve dans sa position originale ?

⋆18. Utilisez un argument combinatoire pour démontrer que la suite $\{D_n\}$, où D_n représente le nombre de dérangements de n objets, satisfait la relation de récurrence

$$D_n = (n - 1)(D_{n-1} + D_{n-2})$$

pour $n \geq 2$.

⋆19. Référez-vous à l'exercice 18 pour démontrer que

$$D_n = nD_{n-1} + (-1)^n$$

pour $n \geq 1$.

20. Référez-vous à l'exercice 19 pour trouver une formule explicite pour D_n.

21. Pour quels entiers positifs n le nombre de dérangements de n objets, soit D_n, sera-t-il un nombre pair ?

22. Soit p et q deux nombres premiers distincts. Utilisez le principe d'inclusion-exclusion pour trouver $\phi(pq)$, c'est-à-dire le nombre d'entiers qui n'excèdent pas pq et qui sont relativement premiers à pq.

⋆23. Utilisez le principe d'inclusion-exclusion pour dériver une formule pour $\phi(n)$ quand la factorisation première de n est

$$n = p_1^{a_1} p_2^{a_2} \cdots p_m^{a_m}.$$

⋆24. Démontrez que si n est un entier positif, alors

$$n! = C(n, 0)D_n + C(n, 1)D_{n-1} \\ + \cdots + C(n, n-1)D_1 + C(n, n)D_0,$$

où D_k est le nombre de dérangements de k objets.

25. Combien y a-t-il de dérangements de $\{1, 2, 3, 4, 5, 6\}$ qui commencent avec les nombres entiers 1, 2 et 3 dans un ordre quelconque ?

26. Combien y a-t-il de dérangements de $\{1, 2, 3, 4, 5, 6\}$ qui se terminent avec les nombres entiers 1, 2 et 3 dans un ordre quelconque ?

27. Démontrez le théorème 1.

Questions de révision

1. **a)** Qu'est-ce qu'une relation de récurrence ?
    b) Trouvez une relation de récurrence pour calculer le montant accumulé dans un compte en banque après n années, si on y a déposé 1 000 000 \$ avec un intérêt de 9 % composé annuellement.

2. Expliquez comment utiliser les nombres de Fibonacci pour résoudre le problème de la reproduction de lapins sur une île.

3. **a)** Trouvez une relation de récurrence pour calculer le nombre d'étapes nécessaires pour résoudre le casse-tête de la tour de Hanoi.
    b) Démontrez comment cette relation de récurrence peut être résolue itérativement.

4. **a)** Expliquez comment trouver une relation de récurrence pour calculer le nombre de chaînes binaires de longueur n qui ne contiennent pas deux 1 consécutifs.
    b) Décrivez un autre problème de dénombrement dont la solution satisfait la même relation de récurrence.

5. Définissez une relation de récurrence linéaire homogène de degré k.

6. **a)** Expliquez comment résoudre une relation de récurrence linéaire homogène de degré 2.
    b) Résolvez la relation de récurrence $a_n = 13a_{n-1} - 22a_{n-2}$ pour $n \geq 2$, si $a_0 = 3$ et $a_1 = 15$.
    c) Résolvez la relation de récurrence $a_n = 14a_{n-1} - 49a_{n-2}$ pour $n \geq 2$, si $a_0 = 3$ et $a_1 = 35$.

7. **a)** Expliquez comment trouver $f(b^k)$, où k est un nombre entier positif, si $f(n)$ satisfait la relation de récurrence avec fractionnement $f(n) = af(n/b) + g(n)$ où b divise l'entier positif n.
    b) Trouvez $f(256)$ si $f(n) = 3f(n/4) + 5n/4$ et $f(1) = 7$.

8. **a)** Dérivez une relation de récurrence avec fractionnement pour calculer le nombre de comparaisons nécessaires pour trouver un nombre dans une liste au moyen d'une fouille binaire.
    b) Donnez une évaluation asymptotique grand O pour calculer le nombre de comparaisons nécessaires à une fouille binaire à partir de la relation de récurrence avec fractionnement donnée dans la partie a), et ce, au moyen du théorème 1 de la section 5.3.

9. **a)** Élaborez une formule pour calculer le nombre d'éléments dans l'union de trois ensembles.
    b) Expliquez pourquoi cette formule est valide.
    c) Expliquez comment utiliser la formule de la partie a) pour trouver le nombre d'entiers qui n'excèdent pas 1000 et qui sont divisibles par 6, par 10 ou par 15.
    d) Expliquez comment utiliser la formule trouvée dans la partie a) pour trouver le nombre de solutions, en termes d'entiers non négatifs, à l'équation $x_1 + x_2 + x_3 + x_4 = 22$, où $x_1 < 8$, $x_2 < 6$ et $x_3 < 5$.

10. **a)** Élaborez une formule pour calculer le nombre d'éléments dans l'union de quatre ensembles et expliquez pourquoi elle est valide.
    b) Supposez que les ensembles A_1, A_2, A_3 et A_4 contiennent chacun 25 éléments, que chaque intersection de deux de ces ensembles contient 5 éléments, que chaque intersection de trois de ces ensembles contient 2 éléments et qu'il y a 1 élément commun aux quatre ensembles. Calculez le nombre d'éléments dans l'union de ces quatre ensembles.

11. **a)** Énoncez le principe d'inclusion-exclusion.
    b) Démontrez ce principe.

12. Expliquez pourquoi le principe d'inclusion-exclusion peut servir à calculer le nombre de fonctions surjectives d'un ensemble à m éléments dans un ensemble à n éléments.

13. **a)** Comment pouvez-vous calculer le nombre de façons d'attribuer m tâches à n employés de sorte que chaque employé reçoive au moins une tâche ?
    b) Combien y a-t-il de façons d'attribuer sept tâches à trois employés de sorte que chaque employé reçoive au moins une tâche ?

14. Expliquez comment le principe d'inclusion-exclusion peut servir à calculer le nombre de nombres premiers qui n'excèdent pas un entier positif n.

15. **a)** Définissez un dérangement.
    b) Pourquoi le nombre de possibilités qu'un préposé au vestiaire remette les chapeaux à n clients, de façon qu'aucun ne reçoive son propre chapeau, est-il équivalent au dénombrement des dérangements de n objets ?
    c) Expliquez comment calculer le nombre de dérangements de n objets.

Exercices supplémentaires

1. Un groupe de 10 personnes commence une chaîne de lettres. Chacune de ces personnes envoie la lettre à 4 autres. Chacune de celles-ci envoie la lettre à 4 personnes supplémentaires.
   a) Trouvez une relation de récurrence pour le nombre de lettres envoyées à la n-ième étape de la chaîne si aucune personne ne reçoit plus d'une lettre.
   b) Quelles sont les conditions initiales pour la relation de récurrence de la partie a)?
   c) Combien de lettres seront envoyées à la n-ième étape de la chaîne?

2. Un réacteur nucléaire a créé 18 grammes de particules radioactives isotopes. Toutes les heures, 1 % de l'isotope radioactif se détruit.
   a) Trouvez une relation de récurrence pour le poids des isotopes qui demeurent après n heures.
   b) Quelle est la condition initiale pour la relation de récurrence de la partie a)?
   c) Résolvez cette relation de récurrence.

3. Toutes les heures, le gouvernement des États-Unis imprime 10 000 billets de 1 $ de plus, 4000 de 5 $ de plus, 3000 billets de 10 $ de plus, 2500 billets de 20 $ de plus, 1000 billets de 50 $ de plus et le même nombre de billets de 100 $ qu'il a produits au cours de l'heure précédente. Pendant la deuxième heure, 1000 billets de chaque sorte ont été fabriqués.
   a) Établissez une relation de récurrence pour calculer la somme d'argent produite au cours de la n-ième heure.
   b) Quelles sont les conditions initiales pour la relation de récurrence de la partie a)?
   c) Résolvez la relation de récurrence pour la somme d'argent produite à la n-ième heure.
   d) Établissez une relation de récurrence pour la somme totale d'argent produite au cours de la première heure.
   e) Résolvez la relation de récurrence pour la somme totale d'argent produite au cours des n premières heures.

4. Supposez que toutes les heures on trouve deux nouvelles bactéries de plus dans une colonie pour chaque bactérie qui était présente au cours de l'heure précédente. Supposez aussi que toutes les bactéries meurent après deux heures. La colonie commence avec 100 nouvelles bactéries.
   a) Établissez une relation de récurrence pour calculer le nombre de bactéries présentes après n heures.

   b) Quelle est la solution de cette relation de récurrence?
   c) Dans combien de temps la colonie contiendra-t-elle plus d'un million de bactéries?

5. Des messages sont envoyés sur une voie de communication en utilisant deux signaux différents. Un signal exige deux microsecondes et l'autre, trois microsecondes. Chaque signal est suivi immédiatement du suivant, sans interruption.
   a) Trouvez une relation de récurrence pour le nombre de signaux différents pouvant être envoyés en n microsecondes.
   b) Quelles sont les conditions initiales de la relation de récurrence de la partie a)?
   c) Combien de messages différents seront envoyés en 12 microsecondes?

6. Un petit bureau de poste ne possède que 4 timbres de 4 cents, 6 timbres de 6 cents et 10 timbres de 10 cents. Trouvez une relation de récurrence pour calculer le nombre de manières de constituer un timbrage de n cents avec ces timbres, si l'ordre dans lequel les timbres sont utilisés est important. Quelles sont les conditions initiales de cette relation de récurrence?

7. De combien de façons pouvez-vous constituer le timbrage suivant en utilisant les règles décrites à l'exercice 6?
   a) 12 cents   b) 14 cents
   c) 18 cents   d) 22 cents

8. Trouvez les solutions du système d'équations
   $$a_n = a_{n-1} + b_{n-1}$$
   $$b_n = a_{n-1} - b_{n-1}$$
   avec $a_0 = 1$ et $b_0 = 2$.

9. Résolvez la relation de récurrence $a_n = a_{n-1}^2 / a_{n-2}$ si $a_0 = 1$ et $a_1 = 2$. (*Conseil:* Prenez les logarithmes des deux membres de l'équation pour obtenir une relation de récurrence pour la suite $\log a_n$, $n = 0, 1, 2, \ldots$)

★10. Résolvez la relation de récurrence $a_n = a_{n-1}^3 a_{n-2}^2$ si $a_0 = 2$ et $a_1 = 2$. (Référez-vous au conseil donné à l'exercice 9.)

11. Supposez que l'équation caractéristique de la relation de récurrence linéaire homogène à coefficients constants possède une ou plusieurs racines. Donnez un résultat général qui exprime les solutions de la relation de récurrence en termes de racines de l'équation caractéristique.

12. Référez-vous à l'exercice 11 pour trouver la solution de la relation de récurrence $a_n = 3a_{n-1} - 3a_{n-2} + a_{n-3}$ si $a_0 = 2$, $a_1 = 2$ et $a_2 = 4$.

★13. Supposez que, dans l'exemple 4 de la section 5.1, un couple de lapins quitte l'île après s'être reproduit deux fois. Trouvez une relation de récurrence pour calculer le nombre de lapins sur l'île au milieu du n-ième mois.

14. Trouvez la solution de la relation de récurrence $f(n) = 3f(n/5) + 2n^4$, quand n est divisible par 5, pour $n = 5^k$, si k est un entier positif et que $f(1) = 1$.

15. Évaluez le comportement O de f dans l'exercice 14 si f est une fonction croissante.

16. Trouvez une relation de récurrence qui décrit le nombre de comparaisons utilisées par l'algorithme ci-après. Trouvez les deux éléments les plus grands de la suite de n nombres de manière récursive en fractionnant la suite en deux sous-suites ayant un nombre égal de termes, ou de deux suites où l'une a un élément de plus que l'autre, et ce, à chaque étape. Arrêtez-vous quand ces sous-suites sont constituées de deux termes.

17. Évaluez le nombre de comparaisons utilisées par l'algorithme décrit à l'exercice 16.

Soit $\{a_n\}$ une suite de nombres réels. Les **différences avant** de cette suite sont définies de manière récursive comme suit. La **première différence avant** est $\Delta a_n = a_{n+1} - a_n$. La $(k + 1)$-**ième différence avant** $\Delta^{k+1}a_n$ est obtenue à partir de $\Delta^k a_n$ par $\Delta^{k+1}a_n = \Delta^k a_{n+1} - \Delta^k a_n$.

18. Trouvez Δa_n, où
  a) $a_n = 3$.   **b)** $a_n = 4n + 7$.
  c) $a_n = n^2 + n + 1$.

19. Soit $a_n = 3n^3 + n + 2$. Trouvez $\Delta^k a_n$, où k égale
  a) 2.   **b)** 3.   **c)** 4.

★20. Supposez que $a_n = P(n)$, où P est un polynôme de degré d. Démontrez que $\Delta^{d+1}a_n = 0$ pour tous les entiers non négatifs n.

21. Soit $\{a_n\}$ et $\{b_n\}$ les séquences des suites de nombres réels. Démontrez que

$$\Delta(a_n b_n) = a_{n+1}(\Delta b_n) + b_n(\Delta a_n).$$

22. Supposez que 14 étudiants ont obtenu A à l'examen de mathématiques discrètes et que 18 ont obtenu A à un deuxième examen. Si 22 étudiants ont reçu la note A soit au premier examen, soit au deuxième examen, combien d'étudiants ont reçu la note A aux deux examens ?

23. On compte 323 fermiers en Estrie qui élèvent au moins des chevaux, des vaches ou des moutons. Si 224 élèvent des chevaux, 85 élèvent des vaches et 57 élèvent des moutons et si 18 fermiers élèvent les trois types d'animaux, combien de fermiers élèvent deux de ces trois types d'animaux ?

24. Dans une base de données contenant les dossiers des élèves d'un collège, une série de questions a donné les réponses suivantes : il y a 2175 élèves au collège, 1675 d'entre eux ne sont pas nouveaux, 1074 élèves ont pris un cours de calcul intégral, 444 élèves ont pris un cours de mathématiques discrètes, 607 élèves ne sont pas nouveaux et ont pris un cours de calcul intégral, 350 élèves ont pris un cours de calcul intégral et de mathématiques discrètes, 201 élèves ne sont pas nouveaux et ont pris un cours de mathématiques discrètes et 143 élèves ne sont pas nouveaux et ont pris à la fois un cours de calcul intégral et de mathématiques discrètes. Pouvez-vous déterminer si les réponses à ces questions sont toutes correctes ?

25. Les étudiants d'une faculté de mathématiques d'une université sont diplômés dans une ou plusieurs des disciplines suivantes : mathématiques appliquées (MA), mathématiques pures (MP), recherches opérationnelles (RO) et sciences informatiques (SI). Combien y avait-il d'étudiants dans cette faculté (incluant les diplômés dans deux disciplines ou plus) s'il y a 23 étudiants qui obtiennent leur diplôme en MA, 17 en MP, 44 en RO, 63 en SI, 5 en MA et en MP, 8 en MA et en SI, 4 en MA et en RO, 6 en MP et en SI, 5 en MP et en RO, 14 en RO et en SI, 2 en MP, en RO et en SI, 2 en MA, en RO et en SI, 1 en MP, en MA et en RO, 1 en MP, en MA et en SI, et 1 dans les quatre disciplines.

26. Combien faut-il de termes dans le principe d'inclusion-exclusion pour exprimer le nombre d'éléments de l'union de sept ensembles si pas plus de cinq de ces ensembles ont un élément en commun ?

27. Combien existe-t-il de solutions en termes de nombres entiers à l'équation $x_1 + x_2 + x_3 = 20$, où $2 < x_1 < 6$, $6 < x_2 < 10$ et $0 < x_3 < 5$?

28. Combien existe-t-il de nombres entiers plus petits que 1 000 000 qui sont
  a) divisibles par 2, 3 ou 5 ?
  b) non divisibles par 7, 11 ou 13 ?
  c) divisibles par 3 mais non divisibles par 7 ?

29. Combien existe-t-il de nombres entiers plus petits que 200 qui sont
  a) des carrés, des cubes ou des puissances supérieures d'entiers ?
  b) des puissances deux ou supérieures d'un entier ou d'un nombre premier ?
  c) non divisibles par le carré d'un nombre entier plus grand que 1 ?

d) non divisibles par le cube d'un nombre entier plus grand que 1 ?

e) non divisibles par trois nombres premiers ou plus ?

★30. De combien de façons pouvez-vous attribuer six tâches différentes à trois employés, si la tâche la plus difficile doit être attribuée à l'employé le plus expérimenté et la tâche la plus simple, à celui qui est le moins expérimenté ?

31. Quelle est la probabilité qu'un client obtienne son propre chapeau si le préposé au vestiaire remet les chapeaux aléatoirement à n clients ?

32. Combien y a-t-il de chaînes binaires de longueur 6 qui ne contiennent pas quatre 1 consécutifs ?

33. Quelle est la probabilité qu'une chaîne binaire de longueur 6 contienne au moins quatre 1 ?

Les liens existant entre les éléments d'ensembles se retrouvent dans de nombreux contextes. Tous les jours, différentes sortes de liens sont établis, par exemple ceux entre une entreprise et son numéro de téléphone, un employé et son salaire, une personne et son parent, etc. En mathématiques, on étudie certains liens, comme ceux entre un entier positif et un autre entier qu'il divise sans reste, un entier et un autre qui lui est congruent modulo 5, un nombre réel et un autre qui lui est supérieur, etc. En informatique, les liens peuvent être ceux entre un logiciel et une variable qu'il utilise et ceux entre un langage informatique et une instruction valide dans ce langage.

On représente les liens possibles entre les éléments d'ensembles à l'aide d'une structure appelée relation. On utilise les relations pour résoudre de nombreux problèmes, par exemple pour établir si deux villes sont reliées par des vols aériens au sein d'un réseau, déterminer l'ordre approprié pour effectuer les différentes phases d'un projet complexe ou stocker de manière efficace des informations dans la base de données d'un ordinateur.

6.1

Relations et leurs propriétés

INTRODUCTION

La manière la plus directe d'exprimer une relation entre les éléments de deux ensembles consiste à utiliser des couples constitués de deux éléments liés par elle. On appelle relation binaire tout ensemble de couples. Dans la présente section, on introduit la terminologie de base permettant de décrire les relations binaires. Plus loin dans ce chapitre, on utilisera les relations afin de résoudre des problèmes reliés aux réseaux de communication, à la programmation de projets et à l'identification des éléments d'ensembles admettant des propriétés communes.

DÉFINITION 1. Soit A et B deux ensembles. Une *relation binaire de A à B* est un sous-ensemble de $A \times B$.

En d'autres termes, une relation binaire de A à B est un ensemble R de couples, où le premier élément de chaque couple provient de A et le deuxième élément, de B. On a recours à la notation $a \, R \, b$ pour indiquer que $(a, b) \in R$ et à la notation $a \not{R} b$ pour indiquer que $(a, b) \notin R$. De plus, lorsque (a, b) appartient à R, on dit que a est en **relation avec** b par R.

Les relations binaires illustrent les liens entre les éléments de deux ensembles. Plus loin, on introduira les relations n-aires, qui expriment les liens entre les éléments de plus de deux ensembles. Le mot *binaire* sera omis lorsqu'il n'y a pas de risque de confusion.

Les exemples 1 à 3 illustrent certaines relations.

EXEMPLE 1   Soit A l'ensemble des élèves d'une école et B l'ensemble des cours. Soit R la relation qui est constituée des paires (a, b), où a est un élève inscrit au cours b. Par exemple, si Jacques Geoffroy et Denise Simon sont inscrits au cours de mathématiques discrètes CS518, les paires (Jacques Geoffroy, CS518) et (Denise Simon, CS518) appartiennent à R. Si Jacques Geoffroy est également inscrit au cours de structures de données CS510, alors la paire (Jacques Geoffroy, CS510) se trouve également dans R. Cependant, si Denise Simon n'est pas inscrite au cours CS510, alors la paire (Denise Simon, CS510) n'est pas dans R.   ■

EXEMPLE 2   Soit A l'ensemble de toutes les villes et B l'ensemble des 50 États des États-Unis. Définissez la relation R en précisant que (a, b) appartient à R si la ville a se trouve dans l'État b. Par exemple, (Boulder, Colorado), (Bangor, Maine), (Ann Arbor, Michigan), (Cupertino, Californie) et (Red Bank, New Jersey) sont dans R.   ■

EXEMPLE 3   Soit $A = \{0, 1, 2\}$ et $B = \{a, b\}$. Alors, $\{(0, a), (0, b), (1, a), (2, b)\}$ est une relation de A à B. Cela signifie, par exemple, que $0 \, R \, a$, mais que $1 \not{R} b$. On peut représenter les relations graphiquement, comme le montre la figure 1, en utilisant des flèches pour indiquer les couples qui font partie de la relation. On peut également représenter cette relation à l'aide d'un tableau, comme le montre également la figure 1. On discutera des représentations des relations plus en détail dans la section 6.3.   ■

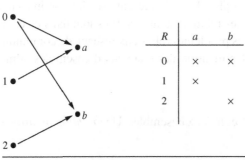

R	a	b
0	×	×
1	×	
2		×

FIGURE 1   Représentation des couples dans la relation R de l'exemple 3

FONCTIONS CONSIDÉRÉES EN TANT QUE RELATIONS

Il faut se souvenir qu'une fonction f d'un ensemble A dans un ensemble B (comme on l'a définie à la section 1.6) attribue un élément unique de B à chaque élément de A. Le graphe de f est l'ensemble de couples (a, b) tel que $b = f(a)$. Puisque le graphe de f est un sous-ensemble de $A \times B$, il représente une relation de A à B. De plus, le graphe d'une fonction a la propriété suivante : chaque élément de A est le premier élément d'exactement un couple du graphe.

Inversement, si R est une relation de A à B telle que chaque élément de A est le premier élément d'exactement un couple de R, alors on peut définir une fonction en utilisant R pour en établir le graphe. Cela peut se faire en attribuant à un élément a de A l'élément unique $b \in B$ de manière telle que $(a, b) \in R$.

On peut utiliser une relation pour exprimer une correspondance entre un élément de A et un élément de B, où un élément de A peut être en relation avec plus d'un élément de B. Une fonction est une relation où exactement un élément de B est en relation avec chaque élément de A.

RELATIONS DANS UN ENSEMBLE

Les relations entre un ensemble A et lui-même suscitent un intérêt particulier.

> **DÉFINITION 2.**   Une *relation dans un ensemble A* est une relation entre A et A.

En d'autres termes, une relation dans un ensemble A est un sous-ensemble de $A \times A$.

EXEMPLE 4   Soit A l'ensemble $\{1, 2, 3, 4\}$. Quels couples font partie de la relation $R = \{(a, b) \mid a$ divise $b\}$?

Solution : Puisque (a, b) se trouve dans R si et seulement si a et b sont des entiers positifs ne dépassant pas 4, de manière telle que a divise b, on a

$R = \{(1, 1), (1, 2), (1, 3), (1, 4), (2, 2), (2, 4), (3, 3), (4, 4)\}$.

La figure 2 présente les couples de cette relation sous forme graphique et sous forme tabulaire. ∎

On présente maintenant des relations dans l'ensemble des entiers.

EXEMPLE 5   Considérez les relations suivantes dans l'ensemble des entiers :

$R_1 = \{(a, b) \mid a \leq b\}$,
$R_2 = \{(a, b) \mid a > b\}$,

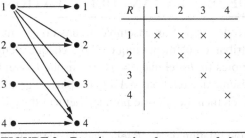

FIGURE 2   Représentation des couples de la relation R de l'exemple 4

$R_3 = \{(a, b) \mid a = b \text{ ou } a = -b\}$,
$R_4 = \{(a, b) \mid a = b\}$,
$R_5 = \{(a, b) \mid a = b + 1\}$,
$R_6 = \{(a, b) \mid a + b \le 3\}$.

Parmi ces relations, lesquelles contiennent chacun des couples $(1, 1)$, $(1, 2)$, $(2, 1)$, $(1, -1)$ et $(2, 2)$?

Remarque : Contrairement aux relations des exemples 1 à 4, il s'agit des relations dans un ensemble infini.

Solution : Le couple $(1, 1)$ se trouve dans R_1, R_3, R_4 et R_6 ; le couple $(1, 2)$ se trouve dans R_1 et R_6 ; le couple $(2, 1)$ est dans R_2, R_5 et R_6 ; $(1, -1)$ se trouve dans R_2, R_3 et R_6 ; finalement, le couple $(2, 2)$ est dans R_1, R_3 et R_4. ■

Il n'est pas difficile de déterminer le nombre de relations dans un ensemble fini, puisqu'une relation dans un ensemble A est simplement un sous-ensemble de $A \times A$.

EXEMPLE 6   Combien de relations y a-t-il dans un ensemble à n éléments ?

Solution : Une relation dans un ensemble A est un sous-ensemble de $A \times A$. Puisque $A \times A$ comporte n^2 éléments lorsque A compte n éléments et qu'un ensemble à m éléments comporte 2^m sous-ensembles, il y a 2^{n^2} sous-ensembles de $A \times A$. Ainsi, il y a 2^{n^2} relations dans un ensemble à n éléments. ■

PROPRIÉTÉS DES RELATIONS

On utilise plusieurs propriétés pour classifier les relations dans un ensemble. Les plus importantes sont présentées ci-après.

Dans certaines relations, un élément est toujours en relation avec lui-même. Par exemple, soit R la relation dans l'ensemble de tous les habitants de la Terre constitué des couples (x, y), où x et y ont la même mère et le même père. Alors, $x R x$ pour tout habitant x.

DÉFINITION 3. Une relation R dans un ensemble A est dite *réflexive* si $(a, a) \in R$ pour tout élément $a \in A$.

On constate qu'une relation dans A est réflexive si chaque élément de A est en relation avec lui-même. Les exemples suivants illustrent la notion de relation réflexive.

EXEMPLE 7   Considérez les relations suivantes dans $\{1, 2, 3, 4\}$:

$R_1 = \{(1, 1), (1, 2), (2, 1), (2, 2), (3, 4), (4, 1), (4, 4)\}$,
$R_2 = \{(1, 1), (1, 2), (2, 1)\}$,
$R_3 = \{(1, 1), (1, 2), (1, 4), (2, 1), (2, 2), (3, 3), (4, 1), (4, 4)\}$,
$R_4 = \{(2, 1), (3, 1), (3, 2), (4, 1), (4, 2), (4, 3)\}$,
$R_5 = \{(1, 1), (1, 2), (1, 3), (1, 4), (2, 2), (2, 3), (2, 4), (3, 3), (3, 4), (4, 4)\}$,
$R_6 = \{(3, 4)\}$.

Parmi ces relations, lesquelles sont réflexives ?

Solution : Les relations R_3 et R_5 sont réflexives puisqu'elles contiennent toutes les deux tous les couples de la forme (a, a), notamment $(1, 1)$, $(2, 2)$, $(3, 3)$ et $(4, 4)$. Les autres relations ne sont pas réflexives puisqu'elles ne contiennent pas tous ces couples. Entre autres, R_1, R_2, R_4 et R_6 ne sont pas réflexives puisque $(3, 3)$ ne se trouve dans aucune de ces relations. ■

EXEMPLE 8   Parmi les relations de l'exemple 5, lesquelles sont réflexives ?

Solution : Dans cet exemple, les relations réflexives sont R_1 (puisque $a \leq a$ pour chaque entier a), R_3 et R_4. Pour chacune des autres relations, il est facile de trouver un couple de la forme (a, a) qui ne se trouve pas dans la relation. Le lecteur devra trouver ce couple dans un exercice ultérieur. ■

EXEMPLE 9   Dans l'ensemble des entiers positifs, la relation de divisibilité est-elle réflexive ?

Solution : Puisque $a \mid a$ pour tout entier positif a, la relation de divisibilité est réflexive. ■

Dans certaines relations, un élément est en relation avec un deuxième élément si et seulement si le deuxième élément est également en relation avec le premier. La relation constituée des couples (x, y), où x et y sont des étudiants de votre école ayant au moins un cours en commun, admet cette propriété. D'autres relations ont la propriété suivante : si un élément est en relation avec un deuxième élément, alors ce dernier n'est pas en relation avec le premier. La relation constituée des couples (x, y), où x et y sont des étudiants de votre école, de telle sorte que x a une moyenne plus élevée que y, admet cette propriété.

> **DÉFINITION 4.**   Une relation R dans un ensemble A est *symétrique* si $(b, a) \in R$ lorsque $(a, b) \in R$ pour $a, b \in A$. Une relation R dans un ensemble A telle que $(a, b) \in R$ et $(b, a) \in R$ seulement si $a = b$ pour $a, b \in A$ est *antisymétrique*.

Autrement dit, une relation est symétrique si et seulement si le fait que a est en relation avec b implique que b est en relation avec a. Une relation est antisymétrique si et seulement s'il n'y a aucun couple d'éléments distincts a et b avec a en relation avec b et b en relation avec a. Les termes *symétrique* et *antisymétrique* ne sont pas contradictoires puisqu'une relation peut admettre ces deux propriétés ou n'en admettre aucune (voir l'exercice 6 à la fin de la présente section). Une relation ne peut être à la fois symétrique et antisymétrique si elle contient un couple de la forme (a, b) où $a \neq b$.

EXEMPLE 10   Parmi les relations de l'exemple 7, lesquelles sont symétriques et lesquelles sont anti-symétriques ?

Solution : Les relations R_2 et R_3 sont symétriques, car dans chaque cas (b, a) appartient à la relation lorsque (a, b) lui appartient. Pour R_2, il faut vérifier si $(2, 1)$ et $(1, 2)$ se trouvent dans la relation. Pour R_3, il faut vérifier si $(1, 2)$ et $(2, 1)$ appartiennent à la relation et si $(1, 4)$ ainsi que $(4, 1)$ appartiennent à la relation. Le lecteur doit s'assurer qu'aucune des autres relations n'est symétrique. Il peut faire cette vérification en trouvant un couple (a, b) qui fait partie de la relation mais non (b, a).

Chacune des relations R_4, R_5 et R_6 est antisymétrique. Pour chacune de ces relations, il n'y a aucun couple d'éléments a et b où $a \neq b$ tel que (a, b) et (b, a) appartiennent à la relation. Le lecteur doit s'assurer qu'aucune des autres relations n'est antisymétrique, ce qu'il peut faire en trouvant un couple (a, b) avec $a \neq b$ tel que (a, b) et (b, a) font tous deux partie de la relation.   ∎

EXEMPLE 11   Parmi les relations de l'exemple 5, lesquelles sont symétriques et lesquelles sont antisymétriques ?

Solution : Les relations R_3, R_4 et R_6 sont symétriques. La relation R_3 est symétrique, car si $a = b$ ou $a = -b$, alors $b = a$ ou $b = -a$. La relation R_4 est symétrique puisque $a = b$ implique que $b = a$. La relation R_6 est symétrique puisque $a + b \leq 3$ implique que $b + a \leq 3$. Le lecteur doit s'assurer qu'aucune des autres relations n'est symétrique.

Les relations R_1, R_2, R_4 et R_5 sont antisymétriques. La relation R_1 est antisymétrique, car les inégalités $a \leq b$ et $b \leq a$ impliquent que $a = b$. La relation R_2 est antisymétrique puisqu'il est impossible que $a > b$ et $b > a$. La relation R_4 est antisymétrique puisque deux éléments sont en relation avec R_4 si et seulement s'ils sont égaux. La relation R_5 est antisymétrique puisqu'il est impossible que $a = b + 1$ et $b = a + 1$. Le lecteur doit s'assurer qu'aucune des autres relations n'est antisymétrique. ∎

EXEMPLE 12   Dans l'ensemble des entiers positifs, la relation de divisibilité est-elle symétrique ? Cette relation est-elle antisymétrique ?

Solution : Cette relation n'est pas symétrique puisque $1 \mid 2$ mais que $2 \nmid 1$. Elle est antisymétrique, car si a et b sont des entiers positifs avec $a \mid b$ et $b \mid a$, alors $a = b$. Le lecteur devra démontrer cette proposition dans un exercice ultérieur. ∎

Soit R la relation constituée de tous les couples (x, y) d'étudiants de l'école, où x s'est inscrit à plus de cours que y. On suppose que x est en relation avec y et que y est en relation avec z. Cela signifie que x s'est inscrit à plus de cours que y et y, à plus de cours que z. On peut conclure que x s'est inscrit à plus de cours que z, de manière telle que x est en relation avec z. On vient de démontrer que R est transitive, ce qui est défini de la manière suivante.

DÉFINITION 5.   Une relation R dans un ensemble A est *transitive* si, lorsque $(a, b) \in R$ et $(b, c) \in R$, alors $(a, c) \in R$ pour $a, b, c \in A$.

EXEMPLE 13   Parmi les relations de l'exemple 7, lesquelles sont transitives ?

Solution : Les relations R_4, R_5 et R_6 sont transitives. On peut démontrer que ces relations sont transitives en s'assurant que si (a, b) et (b, c) appartiennent à cette relation, alors (a, c) lui appartient également. Par exemple, R_4 est transitive puisque $(3, 2)$ et $(2, 1)$, $(4, 2)$ et $(2, 1)$, $(4, 3)$ et $(3, 1)$ ainsi que $(4, 3)$ et $(3, 2)$ sont les seuls ensembles de telles paires, et que $(3, 1)$ $(4, 1)$ et $(4, 2)$ appartiennent à R_4. Le lecteur doit vérifier ainsi que R_5 et R_6 sont transitives.

La relation R_1 n'est pas transitive puisque $(3, 4)$ et $(4, 1)$ appartiennent à R_1, mais que $(3, 1)$ ne lui appartient pas. La relation R_2 n'est pas transitive puisque $(2, 1)$ et $(1, 2)$ appartiennent à R_2, mais que $(2, 2)$ ne lui appartient pas. La relation R_3 n'est pas transitive puisque $(4, 1)$ et $(1, 2)$ appartiennent à R_3, mais que $(4, 2)$ ne lui appartient pas. ∎

EXEMPLE 14   Parmi les relations de l'exemple 5, lesquelles sont transitives ?

Solution : Les relations R_1, R_2, R_3 et R_4 sont transitives. La relation R_1 est transitive puisque $a \leq b$ et $b \leq c$ impliquent que $a \leq c$. La relation R_2 est transitive puisque $a > b$ et $b > c$ impliquent que $a > c$. La relation R_3 est transitive puisque $a = \pm b$ et $b = \pm c$ impliquent que

$a = \pm c$. La relation R_4 est clairement transitive, comme le lecteur pourra le vérifier. La relation R_5 n'est pas transitive puisque $(2, 1)$ et $(1, 0)$ appartiennent à R_5, mais que $(2, 0)$ ne lui appartient pas. La relation R_6 n'est pas transitive puisque $(2, 1)$ et $(1, 2)$ appartiennent à R_6, mais que $(2, 2)$ ne lui appartient pas. ∎

EXEMPLE 15   Dans l'ensemble des entiers positifs, la relation de divisibilité est-elle transitive ?

Solution : On suppose que a divise b et que b divise c. Alors, il existe deux entiers positifs k et l tels que $b = ak$ et $c = bl$. Ainsi, $c = akl$ de manière telle que a divise c. Il s'ensuit que cette relation est transitive. ∎

L'exemple 16 montre comment dénombrer les relations ayant une propriété donnée.

EXEMPLE 16   Combien de relations réflexives y a-t-il dans un ensemble à n éléments ?

Solution : Une relation R dans un ensemble A est un sous-ensemble de $A \times A$. Par conséquent, on détermine une relation en précisant si chacune des n^2 paires ordonnées dans $A \times A$ se trouve dans R. Cependant, si R est réflexive, chacune des n paires ordonnées (a, a) pour $a \in A$ doit se trouver dans R. Chacune des autres $n(n - 1)$ paires ordonnées de la forme (a, b), où $a \neq b$ peut ou non se trouver dans R. Donc, selon le principe du produit pour le dénombrement, il y a $2^{n(n-1)}$ relations réflexives (il s'agit du nombre de manières de déterminer si chaque couple (a, b) avec $a \neq b$ appartient à R). ∎

Le nombre de relations symétriques et le nombre de relations antisymétriques dans un ensemble à n éléments peuvent se trouver en utilisant un raisonnement similaire à celui de l'exemple 16 (voir l'exercice 25 à la fin de la présente section). Le dénombrement des relations transitives dans un ensemble à n éléments est un problème qui ne sera pas abordé dans ce manuel.

COMBINAISON DES RELATIONS

Puisque les relations entre A et B sont des sous-ensembles de $A \times B$, on peut combiner deux relations entre A et B tout comme on peut combiner deux ensembles. On peut considérer les exemples suivants.

EXEMPLE 17   Soit $A = \{1, 2, 3\}$ et $B = \{1, 2, 3, 4\}$. On peut combiner les relations $R_1 = \{(1, 1), (2, 2), (3, 3)\}$ et $R_2 = \{(1, 1), (1, 2), (1, 3), (1, 4)\}$ pour obtenir

$$R_1 \cup R_2 = \{(1, 1), (1, 2), (1, 3), (1, 4), (2, 2), (3, 3)\},$$
$$R_1 \cap R_2 = \{(1, 1)\},$$

$$R_1 - R_2 = \{(2, 2), (3, 3)\},$$
$$R_2 - R_1 = \{(1, 2), (1, 3), (1, 4)\}.$$

EXEMPLE 18   Soit A et B qui sont respectivement l'ensemble de tous les étudiants et l'ensemble de tous les cours offerts par une école. On suppose que R_1 est constituée de tous les couples (a, b), où a est un étudiant qui a pris le cours b. On suppose aussi que R_2 est constituée de tous les couples (a, b), où a est un étudiant qui doit suivre le cours b pour obtenir son diplôme. Quelles sont les relations $R_1 \cup R_2$, $R_1 \cap R_2$, $R_1 \oplus R_2$, $R_1 - R_2$ et $R_2 - R_1$?

Solution : La relation $R_1 \cup R_2$ est constituée de tous les couples (a, b), où a est un étudiant qui a pris le cours b ou qui doit suivre le cours b pour obtenir son diplôme. La relation $R_1 \cap R_2$ est l'ensemble de tous les couples (a, b), où a est un étudiant qui a suivi le cours b et qui doit suivre ce même cours pour obtenir son diplôme. De plus, $R_1 \oplus R_2$ est constituée de tous les couples (a, b), où l'étudiant a a suivi le cours b, mais n'en a pas besoin pour obtenir son diplôme, ou bien il a besoin du cours b pour obtenir son diplôme, mais ne l'a pas suivi. En outre, $R_1 - R_2$ est l'ensemble des couples (a, b), où a a suivi le cours b, mais n'en a pas besoin pour obtenir son diplôme. Autrement dit, b est un cours facultatif que a a suivi. $R_2 - R_1$ est l'ensemble de tous les couples (a, b), où b est un cours dont a a besoin pour obtenir son diplôme, mais qu'il n'a pas suivi.   ■

Il existe une autre manière de combiner les relations qui est similaire à la composition des fonctions.

> **DÉFINITION 6.**   Soit R une relation d'un ensemble A à un ensemble B, et S une relation de B à un ensemble C. La *composition* de R et S est la relation constituée des couples (a, c), où $a \in A$, $c \in C$ et pour laquelle il existe un élément $b \in B$ tel que $(a, b) \in R$ et $(b, c) \in S$. On note cette composition de R et S par $S \circ R$.

L'exemple 19 montre comment composer deux relations.

EXEMPLE 19   Quelle est la composition des relations R et S, où R est la relation de $\{1, 2, 3\}$ à $\{1, 2, 3, 4\}$ avec $R = \{(1, 1), (1, 4), (2, 3), (3, 1), (3, 4)\}$, et où S est la relation de $\{1, 2, 3, 4\}$ à $\{0, 1, 2\}$ avec $S = \{(1, 0), (2, 0), (3, 1), (3, 2), (4, 1)\}$?

Solution : On construit $S \circ R$ en utilisant tous les couples de R et tous les couples de S, de telle sorte que le deuxième élément du couple de R coïncide avec le premier élément du couple de S. Par exemple, les couples $(2, 3)$ de R et $(3, 1)$ de S produisent le couple $(2, 1)$ dans $S \circ R$. En procédant ainsi, on obtient

$$S \circ R = \{(1, 0), (1, 1), (2, 1), (2, 2), (3, 0), (3, 1)\}.$$ ■

On peut définir récursivement les puissances de la relation R à partir de la définition de la composition de deux relations.

> **DÉFINITION 7.**   Soit R une relation dans l'ensemble A. Les puissances R^n, $n = 1, 2, 3, \ldots$, sont définies récursivement selon
>
> $$R^1 = R \text{ et } R^{n+1} = R^n \circ R.$$

La définition 7 montre que $R^2 = R \circ R$, $R^3 = R^2 \circ R = (R \circ R) \circ R$, et ainsi de suite.

EXEMPLE 20   Soit $R = \{(1, 1), (2, 1), (3, 2), (4, 3)\}$. Trouvez les puissances R^n, $n = 2, 3, 4, \ldots$

Solution : Puisque $R^2 = R \circ R$, on trouve que $R^2 = \{(1, 1), (2, 1), (3, 1), (4, 2)\}$. De plus, puisque $R^3 = R^2 \circ R$, $R^3 = \{(1, 1), (2, 1), (3, 1), (4, 1)\}$. Des calculs supplémentaires montrent que R^4 est la même que R^3, de manière telle que $R^4 = \{(1, 1), (2, 1), (3, 1), (4, 1)\}$. Il s'ensuit également que $R^n = R^3$ pour $n = 5, 6, 7, \ldots$ Le lecteur devra en faire la vérification.   ∎

Le théorème 1 démontre que les puissances d'une relation transitive sont des sous-ensembles de cette relation. Il sera utilisé dans la section 6.4.

THÉORÈME 1   La relation R dans un ensemble A est transitive si et seulement si $R^n \subseteq R$ pour $n = 1, 2, 3, \ldots$

Démonstration : On démontre d'abord l'implication de droite à gauche du théorème. On suppose que $R^n \subseteq R$ pour $n = 1, 2, 3, \ldots$, notamment que $R^2 \subseteq R$. Ensuite, pour démontrer que cela implique que R est transitive, on note que si $(a, b) \in R$ et que si $(b, c) \in R$, alors, selon la définition de la composition, on a $(a, c) \in R^2$. Puisque $R^2 \subseteq R$, cela signifie que $(a, c) \in R$. Ainsi, R est transitive.

On utilise maintenant le principe de l'induction pour démontrer l'implication de gauche à droite. On note que cette partie du théorème est évidente pour $n = 1$.

On suppose que $R^n \subseteq R$, où n est un entier positif. Il s'agit de l'hypothèse d'induction. Pour compléter l'étape d'induction, il faut démontrer que cela implique que R^{n+1} est également un sous-ensemble de R. Pour ce faire, on suppose que $(a, b) \in R^{n+1}$. Ensuite, puisque $R^{n+1} = R^n \circ R$, il existe un élément $x \in A$ tel que $(a, x) \in R$ et $(x, b) \in R^n$. L'hypothèse d'induction, notamment que $R^n \subseteq R$, implique que $(x, b) \in R$. De plus, puisque R est transitive et que $(a, x) \in R$ et $(x, b) \in R$, il s'ensuit que $(a, b) \in R$. Cela démontre que $R^{n+1} \subseteq R$, ce qui complète la démonstration.   □

Exercices

1. Énumérez les couples dans la relation R entre $A = \{0, 1, 2, 3, 4\}$ et $B = \{0, 1, 2, 3\}$, où $(a, b) \in R$ si et seulement si
   - **a)** $a = b$.
   - **b)** $a + b = 4$.
   - **c)** $a > b$.
   - **d)** $a \mid b$.
   - **e)** pgcd$(a, b) = 1$.
   - **f)** ppcm$(a, b) = 2$.

2. **a)** Énumérez les couples dans la relation $R = \{(a, b) \mid a$ divise $b\}$ dans l'ensemble $\{1, 2, 3, 4, 5, 6\}$.
   - **b)** Représentez la relation sous forme graphique, comme dans l'exemple 4.
   - **c)** Représentez la relation sous forme tabulaire, comme dans l'exemple 4.

3. Déterminez si chacune des relations suivantes dans l'ensemble $\{1, 2, 3, 4\}$ est réflexive, symétrique, antisymétrique ou transitive.
   - **a)** $\{(2, 2), (2, 3), (2, 4), (3, 2), (3, 3), (3, 4)\}$
   - **b)** $\{(1, 1), (1, 2), (2, 1), (2, 2), (3, 3), (4, 4)\}$
   - **c)** $\{(2, 4), (4, 2)\}$
   - **d)** $\{(1, 2), (2, 3), (3, 4)\}$
   - **e)** $\{(1, 1), (2, 2), (3, 3), (4, 4)\}$
   - **f)** $\{(1, 3), (1, 4), (2, 3), (2, 4), (3, 1), (3, 4)\}$

4. Déterminez si la relation R dans l'ensemble de tous les habitants de la Terre est réflexive, symétrique, antisymétrique et/ou transitive, où $(a, b) \in R$ si et seulement si
   - **a)** a est plus grand que b.
   - **b)** a et b sont nés le même jour.
   - **c)** a a le même prénom que b.
   - **d)** a et b ont des grands-parents communs.

5. Déterminez si la relation R dans l'ensemble de tous les entiers est réflexive, symétrique, antisymétrique et/ou transitive, où $(x, y) \in R$ si et seulement si
   - **a)** $x \neq y$.
   - **b)** $xy \geq 1$.
   - **c)** $x = y + 1$ ou $x = y - 1$.
   - **d)** $x \equiv y \pmod{7}$.
   - **e)** x est un multiple de y.
   - **f)** x et y sont tous les deux négatifs ou tous les deux non négatifs.
   - **g)** $x = y^2$.
   - **h)** $x \geq y^2$.

6. Donnez un exemple de relation dans un ensemble
   - **a)** symétrique et antisymétrique.
   - **b)** ni symétrique ni antisymétrique.

☞ Une relation R dans un ensemble A est **irréflexive** si pour tout $a \in A$, $(a, a) \notin R$. Autrement dit, R est irréflexive si aucun élément de A n'est en relation avec lui-même.

7. Quelles relations dans l'exercice 3 sont réflexives ?

8. Quelles relations dans l'exercice 4 sont réflexives ?

9. Une relation dans un ensemble peut-elle être ni réflexive ni irréflexive ?

Une relation R est **asymétrique** si $(a, b) \in R$ implique que $(b, a) \notin R$.

10. Quelles relations dans l'exercice 3 sont asymétriques ?

11. Quelles relations dans l'exercice 4 sont asymétriques ?

12. Une relation asymétrique doit-elle également être antisymétrique ? Une relation antisymétrique doit-elle être asymétrique ? Justifiez vos réponses.

13. Combien de relations différentes y a-t-il entre un ensemble à m éléments et un ensemble à n éléments ?

☞ Soit R la relation entre un ensemble A et un ensemble B. La **relation inverse** entre B et A, notée R^{-1}, est l'ensemble des couples $\{(b, a) \mid (a, b) \in R\}$. La **relation complémentaire** $\overline{R}$ est l'ensemble des couples $\{(a, b) \mid (a, b) \notin R\}$.

14. Soit R la relation $R = \{(a, b) \mid a < b\}$ dans l'ensemble des entiers. Trouvez
   - **a)** R^{-1}.
   - **b)** $\overline{R}$.

15. Soit R la relation $R = \{(a, b) \mid a$ divise $b\}$ dans l'ensemble des entiers positifs. Trouvez
   - **a)** R^{-1}.
   - **b)** $\overline{R}$.

16. Soit R la relation dans l'ensemble de tous les États des États-Unis constitué des couples (a, b), où l'État a admet une frontière commune avec l'État b. Trouvez
   - **a)** R^{-1}.
   - **b)** $\overline{R}$.

17. Supposez qu'une fonction f de A dans B est bijective. Soit R la relation définie par le graphe de f. Autrement dit, $R = \{(a, f(a)) \mid a \in A\}$. Quelle est la relation inverse R^{-1} ?

18. Soit $R_1 = \{(1, 2), (2, 3), (3, 4)\}$ et $R_2 = \{(1, 1), (1, 2), (2, 1), (2, 2), (2, 3), (3, 1), (3, 2), (3, 3), (3, 4)\}$ deux relations entre $\{1, 2, 3\}$ et $\{1, 2, 3, 4\}$. Trouvez
   - **a)** $R_1 \cup R_2$.
   - **b)** $R_1 \cap R_2$.
   - **c)** $R_1 - R_2$.
   - **d)** $R_2 - R_1$.

19. Soit A l'ensemble des étudiants de votre école et B l'ensemble des livres dans la bibliothèque de l'école. Soit R_1 et R_2 les relations constituées de tous les couples (a, b) où, respectivement, l'étudiant a doit lire le livre b dans un cours et où l'étudiant a a lu le livre b. Décrivez les couples de chacune des relations suivantes :

a) $R_1 \cup R_2$.   b) $R_1 \cap R_2$.   c) $R_1 \oplus R_2$.

d) $R_1 - R_2$.   e) $R_2 - R_1$.

20. Soit R la relation $\{(1, 2), (1, 3), (2, 3), (2, 4), (3, 1)\}$ et soit S la relation $\{(2, 1), (3, 1), (3, 2), (4, 2)\}$. Trouvez $S \circ R$.

21. Soit R la relation dans l'ensemble des personnes constitué des couples (a, b), où a est un parent de b. Soit S la relation dans l'ensemble des personnes constitué des couples (a, b), où a et b sont frères ou sœurs. Quelles sont $S \circ R$ et $R \circ S$?

22. Énumérez les 16 relations différentes dans l'ensemble $\{0, 1\}$.

23. Parmi les 16 relations différentes dans $\{0, 1\}$, combien de relations contiennent la paire $(0, 1)$?

24. Parmi les 16 relations dans $\{0, 1\}$ que vous avez énumérées à l'exercice 22, lesquelles sont

a) réflexives ?   b) irréflexives ?

c) symétriques ?   d) antisymétriques ?

e) asymétriques ?   f) transitives ?

★25. Dans un ensemble à n éléments, combien de relations sont

a) symétriques ?

b) antisymétriques ?

c) asymétriques ?

d) irréflexives ?

e) réflexives et symétriques ?

f) ni réflexives ni irréflexives ?

★26. Combien de relations transitives y a-t-il dans un ensemble à n éléments si

a) $n = 1$?   b) $n = 2$?   c) $n = 3$?

27. Trouvez l'erreur dans la démonstration du théorème suivant :

THÉORÈME   Soit R la relation dans un ensemble A qui est symétrique et transitive. Alors, R est réflexive.

Démonstration : Soit $a \in A$. On prend un élément $b \in A$ tel que $(a, b) \in R$. Puisque R est symétrique, on a également $(b, a) \in R$. À l'aide de la transitivité,

on peut conclure que $(a, a) \in R$, puisque $(a, b) \in R$ et $(b, a) \in R$.

28. Supposez que R et S sont des relations réflexives dans un ensemble A. Établissez si les énoncés suivants sont vrais ou faux.

a) $R \cup S$ est réflexive.

b) $R \cap S$ est réflexive.

c) $R \oplus S$ est irréflexive.

d) $R - S$ est irréflexive

e) $S \circ R$ est réflexive.

29. Démontrez que la relation R dans un ensemble A est symétrique si et seulement si $R = R^{-1}$, où R^{-1} est la relation inverse.

30. Démontrez que la relation R dans un ensemble A est antisymétrique si et seulement si $R \cap R^{-1}$ est un sous-ensemble de la relation diagonale $\Delta = \{(a, a) \mid a \in A\}$.

31. Démontrez que la relation R dans un ensemble A est réflexive si et seulement si la relation inverse R^{-1} est réflexive.

32. Démontrez que la relation R dans un ensemble A est réflexive si et seulement si la relation complémentaire $\overline{R}$ est irréflexive.

33. Soit R une relation réflexive et transitive. Prouvez que $R^n = R$ pour tout entier positif n.

34. Soit R la relation dans l'ensemble $\{1, 2, 3, 4, 5\}$ contenant les couples $(1, 1)$, $(1, 2)$, $(1, 3)$, $(2, 3)$, $(2, 4)$, $(3, 1)$, $(3, 4)$, $(3, 5)$, $(4, 2)$, $(4, 5)$, $(5, 1)$, $(5, 2)$ et $(5, 4)$. Trouvez

a) R^2.   b) R^3.

c) R^4.   d) R^5.

35. Soit R une relation réflexive dans l'ensemble A. Démontrez que R^n est réflexive pour tout entier positif n.

★36. Soit R une relation symétrique. Démontrez que R^n est symétrique pour tout entier positif n.

37. Supposez que la relation R est irréflexive. La relation R^2 est-elle nécessairement irréflexive ? Justifiez votre réponse.

6.2

Relations n-aires et leurs applications

INTRODUCTION

Il existe souvent des liens entre les éléments de plus de deux ensembles. Par exemple, il existe un lien entre le nom d'un étudiant, sa spécialisation ainsi que sa moyenne. De même, un lien existe entre une compagnie aérienne, le numéro de vol, le point de départ, la destination, l'heure de départ et l'heure d'arrivée d'un vol. En mathématiques, on peut citer comme exemple trois entiers, où le premier entier est plus grand que le deuxième, lequel est plus grand que le troisième. On peut aussi parler de la relation de proximité comprenant des points sur une ligne, de manière telle que trois points ont une relation entre eux lorsque le deuxième point se trouve entre le premier et le troisième.

Dans la présente section, on étudie les relations entre les éléments de plus de deux ensembles. Ces relations sont appelées des **relations *n*-aires**. On a recours à celles-ci pour représenter les bases de données des ordinateurs. Ces relations permettent de répondre aux interrogations sur les informations stockées dans des bases de données, par exemple : Quels vols atterrissent à l'aéroport de Dorval entre 3 h et 4 h ? Quels étudiants d'une école sont des étudiants de première année qui étudient en mathématiques ou en informatique et qui ont une moyenne supérieure à 3,0 ? Quels employés d'une entreprise y travaillent depuis moins de cinq ans et gagnent plus de 50 000 $?

RELATIONS *n*-AIRES

> **DÉFINITION 1.** Soit A_1, A_2, ..., A_n, des ensembles. Une *relation n-aire* entre ces ensembles est un sous-ensemble de $A_1 \times A_2 \times \cdots \times A_n$. Les ensembles $A_1, A_2, ..., A_n$ sont les *domaines* de la relation et n est son *degré*.

EXEMPLE 1   Soit R la relation constituée des triplets (a, b, c), où a, b et c sont des entiers avec $a < b < c$. Alors, $(1, 2, 3) \in R$ mais $(2, 4, 3) \notin R$. Le degré de cette relation est 3. Ses domaines sont tous égaux à l'ensemble des entiers.   ■

EXEMPLE 2   Soit R la relation constituée des 5-tuples (A, N, S, D, T) représentant les vols aériens, où A est la compagnie aérienne, N est le numéro de vol, S est le point de départ, D est la destination et T, l'heure de départ. Par exemple, si la compagnie aérienne Nadir Express offre le vol 863 de Newark à destination de Bangor à 15 h, alors (Nadir, 963, Newark, Bangor, 15 h) appartient à R. Le degré de cette relation est 5, et ses domaines sont l'ensemble de toutes les compagnies aériennes, l'ensemble des numéros de vol, l'ensemble des villes, l'ensemble des villes (de nouveau) et l'ensemble des heures.   ■

BASES DE DONNÉES ET RELATIONS

Le temps que prend la manipulation des informations dans une base de données est fonction de la manière de stocker cette information. Les opérations d'ajout et de suppression, de mise à jour, de recherche et de combinaison des enregistrements à partir de bases de données qui se chevauchent sont effectuées plusieurs milliers de fois par jour dans une grande base de données. En raison de l'importance de ces opérations, plusieurs méthodes de représentation des bases de données ont été mises au point. On aborde ici l'une de ces méthodes, appelée **modèle relationnel de données**, qui est basée sur la notion de relation.

Une base de données est constituée d'**enregistrements**, qui sont des n-tuples composés de **champs**. Les champs sont les éléments des n-tuples. Par exemple, une base de données des registres des étudiants peut être constituée des champs contenant le nom, le numéro de l'étudiant, sa spécialisation et sa moyenne. Le modèle relationnel de données représente une base de données des enregistrements sous forme de relation n-aire. Ainsi, les registres des étudiants sont représentés par des 4-tuples de la forme (*NOM DE L'ÉTUDIANT, NUMÉRO D'IDENTIFICATION, SPÉCIALISATION, MOYENNE*). Voici un exemple de base de données de six enregistrements :

(Ackermann, 231455, informatique, 3,88)
(Adams, 888323, physique, 3,45)
(Chou, 102147, informatique, 3,79)
(Goodfriend, 453876, mathématiques, 3,45)
(Rao, 678543, mathématiques, 3,90)
(Stevens, 786576, psychologie, 2,99)

Les relations utilisées pour représenter les bases de données sont également appelées des **tables** ou **tableaux**, puisque ces relations sont souvent présentées dans des tableaux. Par exemple, la même base de données des étudiants est présentée dans le tableau 1.

TABLEAU 1			
Nom de l'étudiant	*Numéro d'identification*	*Spécialisation*	*Moyenne*
Ackermann	231455	Informatique	3,88
Adams	888323	Physique	3,45
Chou	102147	Informatique	3,79
Goodfriend	453876	Mathématiques	3,45
Rao	678543	Mathématiques	3,90
Stevens	786576	Psychologie	2,99

Le domaine d'une relation n-aire est appelé **clé primaire** lorsque la valeur du n-tuple de ce domaine établit précisément le n-tuple. Autrement dit, un domaine est une clé primaire lorsque aucun de deux n-tuples de la relation n'a la même valeur dans ce domaine.

Dans une base de données, on ajoute ou on supprime souvent des enregistrements. C'est pourquoi la propriété selon laquelle le domaine est une clé primaire peut varier dans le temps. Par conséquent, il faut choisir une clé primaire qui en demeure une, même si la base de données est modifiée. Cela peut se faire en utilisant une clé primaire représentant l'**intention** de la base de données, laquelle contient tous les n-tuples qu'on peut inclure dans une relation n-aire représentant cette base de données.

EXEMPLE 3   Quels domaines sont des clés primaires pour la relation n-aire représentée dans le tableau 1, si on suppose qu'aucun n-tuple ne sera ajouté plus tard ?

Solution : Puisqu'il n'y a qu'un 4-tuple dans ce tableau pour chaque nom d'étudiant, le domaine des noms des étudiants est une clé primaire. De même, les numéros d'identification dans ce tableau sont uniques, donc le domaine des numéros d'identification constitue également une clé primaire. Cependant, le domaine des champs de spécialisation d'étude n'est pas une clé primaire, puisque plus de un 4-tuple contient le même champ de spécialisation d'étude. Le domaine de la moyenne n'est pas non plus une clé primaire, puisqu'il existe deux 4-tuple contenant la même moyenne. ∎

Les combinaisons de domaines permettent également d'identifier de manière unique les *n*-tuples d'une relation *n*-aire. Lorsque les valeurs d'un ensemble de domaines déterminent un *n*-tuple dans une relation, le produit cartésien de ces domaines est appelé une **clé composée**.

EXEMPLE 4   Le produit cartésien du domaine des champs de spécialisation d'étude et du domaine des moyennes est-il une clé composée pour la relation *n*-aire du tableau 1, si on suppose qu'aucun *n*-tuple n'est jamais ajouté ?

Solution : Puisque aucun 4-tuple dans ce tableau n'a ni la même spécialisation ni la même moyenne, ce produit cartésien est une clé composée. ∎

Puisqu'on utilise les clés primaires et composées pour identifier des enregistrements de manière unique dans une base de données, il est important que les clés demeurent valides lorsque de nouveaux enregistrements sont ajoutés à la base de données. Ainsi, il faut effectuer des vérifications pour s'assurer que tous les nouveaux enregistrements ont des valeurs différentes dans le ou les champs appropriés, à partir de tous les autres enregistrements dans ce tableau. Par exemple, il est logique d'utiliser le numéro d'identification de l'étudiant comme clé de l'enregistrement de l'étudiant si aucun étudiant n'a le même numéro d'identification. Une université ne devrait pas utiliser le champ du nom comme clé, car deux étudiants peuvent avoir le même nom (comme Jean Tremblay).

On peut utiliser une variété d'opérations dans les relations *n*-aires pour former de nouvelles relations *n*-aires. On discute maintenant de deux de ces opérations, notamment les opérations de projection et les opérations de disjonction. On a recours aux projections pour former des relations *n*-aires en supprimant les mêmes champs dans chaque enregistrement de la relation.

DÉFINITION 2.   La *projection* $P_{i_1, i_2, \ldots, i_m}$ applique le *n*-tuple $(a_1, a_2, \ldots, a_n)$ sur le *m*-tuple $(a_{i_1}, a_{i_2}, \ldots, a_{i_m})$, où $m \leq n$.

En d'autres mots, la projection $P_{i_1, i_2, \ldots, i_m}$ supprime $n - m$ des éléments d'un *n*-tuple et ne conserve que le i_1-ième, le i_2-ième, …, et le i_m-ième composant.

EXEMPLE 5   Que se produit-il lorsque la projection $P_{1,3}$ est appliquée aux 4-tuples (2, 3, 0, 4) (Jane Doe, 234111001, géographie, 3,14) et (a_1, a_2, a_3, a_4) ?

Solution : La projection $P_{1,3}$ applique respectivement ces 4-tuples sur (2, 0), (Jane Doe, géographie) et (a_1, a_3).   ∎

L'exemple 6 illustre comment former de nouvelles relations en utilisant des projections.

EXEMPLE 6   Quelles relations sont formées lorsque la projection $P_{1,4}$ est appliquée à la relation dans le tableau 1 ?

Solution : Lorsqu'on utilise la projection $P_{1,4}$, les deuxième et troisième colonnes du tableau sont supprimées, et on obtient les couples représentant les noms des étudiants et leur moyenne. Le tableau 2 présente les résultats de cette projection.   ∎

TABLEAU 2	
Nom de l'étudiant	*Moyenne*
Ackermann	3,88
Adams	3,45
Chou	3,79
Goodfriend	3,45
Rao	3,90
Stevens	2,99

On peut obtenir un moins grand nombre de lignes lorsqu'on applique une projection au tableau pour une relation. Cela se produit lorsque certains des n-tuple de la relation ont des valeurs identiques pour chacun des m éléments de la projection et ne concordent pas avec les éléments supprimés par la projection seulement.

EXEMPLE 7   Quel tableau obtenez-vous lorsque la projection $P_{1,2}$ est appliquée à la relation du tableau 3 ?

TABLEAU 3		
Nom de l'étudiant	*Spécialisation*	*Cours*
Glauser	Biologie	BI 290
Glauser	Biologie	MS 475
Glauser	Biologie	PY 410
Marcus	Mathématiques	MS 511
Marcus	Mathématiques	MS 603
Marcus	Mathématiques	CS 322
Miller	Informatique	MS 575
Miller	Informatique	CS 455

Solution : Le tableau 4 présente la relation obtenue en appliquant $P_{1,2}$ au tableau 3. À noter qu'il y a moins de lignes après que cette projection a été appliquée.

On utilise l'opération de **disjonction** pour combiner deux tableaux en un seul lorsque ces tableaux partagent certains champs identiques. Par exemple, on peut combiner un tableau qui contient des champs pour la compagnie aérienne, le numéro de vol, la porte d'embarquement et un autre tableau contenant des champs pour le numéro de vol, la porte d'embarquement et l'heure de départ en un seul tableau comportant les champs pour la ligne aérienne, le numéro de vol, la porte d'embarquement et l'heure de départ.

TABLEAU 4	
Nom de l'étudiant	*Spécialisation*
Glauser	Biologie
Marcus	Mathématiques
Miller	Informatique

DÉFINITION 3. Soit R une relation de degré m et S une relation de degré n. La *disjonction* $J_p(R, S)$, où $p \le m$ et $p \le n$ est une relation de degré $m + n - p$ qui est constituée de tous les $(m + n - p)$-tuples $(a_1, a_2, ..., a_{m-p}, c_1, c_2, ..., c_p, b_1, b_2, ...b_{n-p})$, où le m-tuple $(a_1, a_2, ..., a_{m-p}, c_1, c_2, ..., c_p)$ appartient à R et le n-tuple $(c_1, c_2, ..., c_p, b_1, b_2, ..., b_{n-p})$ appartient à S.

En d'autres mots, l'opérateur de disjonction J_p produit une nouvelle relation à partir de deux relations en combinant tous les m-tuple de la première relation avec les n-tuples de la deuxième, où les derniers p éléments des m-tuples concordent avec les premiers p éléments des n-tuples.

EXEMPLE 8 Quelle relation pouvez-vous obtenir lorsque l'opérateur de disjonction J_2 est utilisé pour combiner la relation présentée dans les tableaux 5 et 6 ?

TABLEAU 5		
Professeur	*Département*	*Numéro de cours*
Cruz	Zoologie	335
Cruz	Zoologie	412
Farber	Psychologie	501
Farber	Psychologie	617
Grammer	Physique	544
Grammer	Physique	551
Rosen	Informatique	518
Rosen	Informatique	575

TABLEAU 6			
Département	*Numéro de cours*	*Numéro de salle*	*Heure*
Informatique	518	N521	14 h
Mathématiques	575	N502	15 h
Mathématiques	611	N521	16 h
Physique	544	B505	16 h
Psychologie	501	A100	15 h
Psychologie	617	A110	11 h
Zoologie	335	A100	9 h
Zoologie	412	A100	8 h

Solution : La disjonction J_2 produit la relation présentée au tableau 7.   ■

TABLEAU 7				
Professeur	*Département*	*Numéro de cours*	*Numéro de salle*	*Heure*
Cruz	Zoologie	335	A100	9 h
Cruz	Zoologie	412	A100	8 h
Farber	Psychologie	501	A100	15 h
Farber	Psychologie	617	A110	11 h
Grammer	Physique	544	B505	16 h
Rosen	Informatique	518	N521	14 h
Rosen	Mathématiques	575	N502	15 h

Il existe d'autres opérateurs en plus des projections et des disjonctions permettant d'obtenir de nouvelles relations à partir des relations existantes. Le lecteur trouvera une description de ces opérateurs dans des manuels sur la théorie des bases de données.

Exercices

1. Énumérez les triplets dans la relation $\{(a, b, c) \mid a, b$ et c qui sont des entiers, avec $0 < a < b < c < 5\}$.

2. Quels 4-tuples dans la relation $\{(a, b, c, d) \mid a, b, c$ et d sont des entiers positifs, avec $abcd = 6\}$?

3. Énumérez les 5-tuples dans la relation du tableau 8.

4. Si vous supposez qu'aucun nouveau n-tuple n'est ajouté, trouvez toutes les clés primaires pour les relations présentées dans le

a) tableau 3.   **b)** tableau 5.
c) tableau 6.   **d)** tableau 8.

5. Si vous supposez qu'aucun nouveau n-tuple n'est ajouté, trouvez une clé composée avec deux champs contenant le champ LIGNE AÉRIENNE pour la base de données du tableau 8.

TABLEAU 8				
Ligne aérienne	*Numéro de vol*	*Porte d'embarquement*	*Destination*	*Heure de départ*
Nadir	122	34	Détroit	8 h 10
Acme	221	22	Denver	8 h 17
Acme	122	33	Anchorage	8 h 22
Acme	323	34	Honolulu	8 h 30
Nadir	199	13	Détroit	8 h 47
Acme	222	22	Denver	9 h 10
Nadir	322	34	Détroit	9 h 44

6. Qu'obtenez-vous lorsque vous appliquez la projection $P_{2, 3, 5}$ au 5-tuple (a, b, c, d, e) ?

7. Quelle application de projection utilisez-vous pour supprimer les premier, deuxième et quatrième éléments d'un 6-tuple ?

8. Présentez le tableau obtenu si vous appliquez la projection $P_{1,2,4}$ au tableau 8.

9. Présentez le tableau obtenu si vous appliquez la projection $P_{1,4}$ au tableau 8.

10. Combien d'éléments y a-t-il dans les n-tuple du tableau obtenu si vous appliquez l'opérateur de disjonction J_3 aux deux tableaux respectivement avec 5-tuple et 8-tuple ?

11. Construisez le tableau obtenu si vous appliquez l'opérateur de disjonction J_2 aux relations dans les tableaux 9 et 10.

TABLEAU 9

Fournisseur	Numéro de pièce	Projet
23	1092	1
23	1101	3
23	9048	4
31	4975	3
31	3477	2
32	6984	4
32	9191	2
33	1001	1

TABLEAU 10

Numéro de pièce	Projet	Quantité	Code couleur
1001	1	14	8
1092	1	2	2
1101	3	1	1
3477	2	25	2
4975	3	6	2
6984	4	10	1
9048	4	12	2
9191	2	80	4

6.3

Représentations des relations

INTRODUCTION

Il y a plusieurs manières de représenter une relation entre des ensembles finis. Comme on l'a vu, l'une de ces manières consiste à en énumérer les éléments. Dans la présente section, on discute de deux autres méthodes pour représenter les relations. L'une de ces méthodes utilise les matrices booléennes et l'autre, les graphes orientés.

REPRÉSENTATION MATRICIELLE D'UNE RELATION

On peut représenter une relation entre des ensembles finis en utilisant des matrices booléennes. On suppose que R est une relation de $A = \{a_1, a_2, ..., a_m\}$ à $B = \{b_1, b_2, ..., b_n\}$. (Ici les éléments des ensembles A et B ont été énumérés dans un ordre particulier mais arbitraire. De plus, lorsque $A = B$, on utilise le même ordre pour A et B.) On peut représenter la relation R à l'aide de la matrice $\mathbf{M}_R = [m_{ij}]$, où

$$m_{ij} = \begin{cases} 1 & \text{si } (a_i, b_j) \in R \\ 0 & \text{si } (a_i, b_j) \notin R. \end{cases}$$

En d'autres mots, la matrice booléenne représentant R a un 1 en position (i, j) lorsque a_i est en relation avec b_j, et un 0 dans cette position si a_i n'est pas en relation avec b_j. (Cette représentation dépend des ordres d'énumération utilisés pour A et B.)

Les exemples 1 et 2 illustrent la manière d'utiliser les matrices pour représenter des relations.

EXEMPLE 1   Supposez que $A = \{1, 2, 3\}$ et $B = \{1, 2\}$. Soit R la relation de A à B contenant (a, b) si $a \in A$, $b \in B$ et $a > b$. Quelle est la matrice représentant R si $a_1 = 1$, $a_2 = 2$, $a_3 = 3$, $b_1 = 1$ et $b_2 = 2$?

Solution : Puisque $R = \{(2, 1), (3, 1), (3, 2)\}$, la matrice pour R est

$$\mathbf{M}_R = \begin{bmatrix} 0 & 0 \\ 1 & 0 \\ 1 & 1 \end{bmatrix}.$$

Les 1 contenus dans $\mathbf{M}_R$ indiquent que les couples $(2, 1)$, $(3, 1)$ et $(3, 2)$ appartiennent à R. Les 0 indiquent les couples n'appartenant pas à R.   ■

EXEMPLE 2   Soit $A = \{a_1, a_2, a_3\}$ et $B = \{b_1, b_2, b_3, b_4, b_5\}$. Quels couples font partie de la relation R représentée par la matrice

$$\mathbf{M}_R = \begin{bmatrix} 0 & 1 & 0 & 0 & 0 \\ 1 & 0 & 1 & 1 & 0 \\ 1 & 0 & 1 & 0 & 1 \end{bmatrix} ?$$

Solution : Puisque R est constituée des couples (a_i, b_j) avec $m_{ij} = 1$, il s'ensuit que

$$R = \{(a_1, b_2), (a_2, b_1), (a_2, b_3), (a_2, b_4), (a_3, b_1), (a_3, b_3), (a_3, b_5)\}.$$ ■

FIGURE 1
Matrice booléenne pour une relation réflexive

On peut utiliser la matrice de la relation dans un ensemble, qui est une matrice carrée, pour déterminer si la relation admet ou non certaines propriétés. Il faut se rappeler qu'une relation R dans A est réflexive si $(a, a) \in R$ pour tout $a \in A$. Ainsi, R est réflexive si et seulement si $(a_i, a_i) \in R$ pour $i = 1, 2, \ldots, n$. Donc, R est réflexive si et seulement si $m_{ii} = 1$ pour $i = 1, 2, \ldots, n$. Autrement dit, R est réflexive si tous les éléments sur la diagonale principale de $\mathbf{M}_R$ sont égaux à 1, comme le montre la figure 1.

La relation R est symétrique si $(a, b) \in R$ implique que $(b, a) \in R$. Par conséquent, la relation R dans l'ensemble $A = \{a_1, a_2, \ldots, a_n\}$ est symétrique si et seulement si $(a_j, a_i) \in R$ lorsque $(a_i, a_j) \in R$. Par rapport aux éléments de $\mathbf{M}_R$, R est symétrique si et seulement si $m_{ji} = 1$ lorsque $m_{ij} = 1$. Cela signifie également que $m_{ji} = 0$ lorsque $m_{ij} = 0$. Par conséquent, R est symétrique si et seulement si $m_{ij} = m_{ji}$ pour toutes les paires d'entiers i et j avec $i = 1$, $2, \ldots, n$ et $j = 1, 2, \ldots, n$. Si on se souvient de la définition de la matrice transposée de la section 2.6, on constate que R est symétrique si et seulement si

$$\mathbf{M}_R = (\mathbf{M}_R)^t,$$

c'est-à-dire si $\mathbf{M}_R$ est une matrice symétrique. La forme de la matrice pour une relation symétrique est présentée à la figure 2 a).

La relation R est antisymétrique si et seulement si $(a, b) \in R$ et $(b, a) \in R$ impliquent que $a = b$. Par conséquent, la matrice d'une relation antisymétrique admet la propriété

a) symétrique

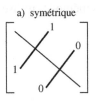

b) antisymétrique

FIGURE 2
Matrices booléennes pour les relations symétrique et antisymétrique

suivante : si $m_{ij} = 1$ avec $i \neq j$, alors $m_{ji} = 0$. En d'autres mots, soit $m_{ji} = 0$, soit $m_{ji} = 0$ lorsque $i \neq j$. La forme de la matrice pour une relation antisymétrique est présentée à la figure 2 b).

EXEMPLE 3   Supposez que la relation R dans un ensemble est représentée par la matrice

$$\mathbf{M}_R = \begin{bmatrix} 1 & 1 & 0 \\ 1 & 1 & 1 \\ 0 & 1 & 1 \end{bmatrix}.$$

R est-elle réflexive, symétrique et/ou antisymétrique ?

Solution : Puisque tous les éléments diagonaux de cette matrice sont égaux à 1, R est réflexive. De plus, puisque $\mathbf{M}_R$ est symétrique, il s'ensuit que R est symétrique. Il est également facile de voir que R n'est pas antisymétrique. ∎

On peut utiliser les opérations booléennes de disjonction et de conjonction (dont on a déjà discuté à la section 2.6) pour trouver les matrices qui représentent l'union et l'intersection de deux relations. On suppose que R_1 et R_2 sont des relations dans un ensemble A représentées respectivement par les matrices $\mathbf{M}_{R_1}$ et $\mathbf{M}_{R_2}$. La matrice représentant l'union de ces relations a un 1 dans les positions où $\mathbf{M}_{R_1}$ ou $\mathbf{M}_{R_2}$ ont un 1. La matrice représentant l'intersection de ces relations a un 1 dans les positions où $\mathbf{M}_{R_1}$ et $\mathbf{M}_{R_2}$ ont un 1. Ainsi, les matrices représentant l'union et l'intersection de ces relations sont

$$\mathbf{M}_{R_1 \cup R_2} = \mathbf{M}_{R_1} \vee \mathbf{M}_{R_2}$$

et

$$\mathbf{M}_{R_1 \cap R_2} = \mathbf{M}_{R_1} \wedge \mathbf{M}_{R_2}.$$

EXEMPLE 4   Supposez que les relations R_1 et R_2 dans un ensemble A sont représentées par les matrices

$$\mathbf{M}_{R_1} = \begin{bmatrix} 1 & 0 & 1 \\ 1 & 0 & 0 \\ 0 & 1 & 0 \end{bmatrix} \quad \text{et} \quad \mathbf{M}_{R_2} = \begin{bmatrix} 1 & 0 & 1 \\ 0 & 1 & 1 \\ 1 & 0 & 0 \end{bmatrix}.$$

Quelles sont les matrices représentant $R_1 \cup R_2$ et $R_1 \cap R_2$?

Solution : Les matrices de ces relations sont

$$\mathbf{M}_{R_1 \cup R_2} = \mathbf{M}_{R_1} \vee \mathbf{M}_{R_2} = \begin{bmatrix} 1 & 0 & 1 \\ 1 & 1 & 1 \\ 1 & 1 & 0 \end{bmatrix},$$

$$\mathbf{M}_{R_1 \cap R_2} = \mathbf{M}_{R_1} \wedge \mathbf{M}_{R_2} = \begin{bmatrix} 1 & 0 & 1 \\ 0 & 0 & 0 \\ 0 & 0 & 0 \end{bmatrix}.$$

∎

On cherche maintenant à déterminer la matrice pour la composition des relations. Cette matrice peut être trouvée en utilisant le produit booléen des matrices (dont on a discuté à la section 2.6) pour ces relations. Notamment, on suppose que R est une relation de A à B et S, une relation de B à C. On suppose que A, B et C ont respectivement m, p et n éléments. Dénotons les matrices booléennes pour $S \circ R$, R et S respectivement par $\mathbf{M}_{S \circ R} = [t_{ij}]$, $\mathbf{M}_R = [r_{ij}]$ et $\mathbf{M}_S = [s_{ij}]$ (ces matrices sont respectivement de dimensions $m \times p$, $m \times n$ et $n \times p$). Le couple (a_i, c_j) appartient à $S \circ R$ si et seulement s'il y a un élément b_k tel que (a_i, b_k) appartient à R et que (b_k, c_j) appartient à S. Il s'ensuit que $t_{ij} = 1$ si et seulement si $r_{ik} = s_{kj} = 1$ pour au moins une valeur de k. À partir de la définition du produit booléen, cela signifie que

$$\mathbf{M}_{S \circ R} = \mathbf{M}_R \odot \mathbf{M}_S.$$

EXEMPLE 5   Trouvez la matrice représentant la relation $S \circ R$, où les matrices représentant R et S sont

$$\mathbf{M}_R = \begin{bmatrix} 1 & 0 & 1 \\ 1 & 1 & 0 \\ 0 & 0 & 0 \end{bmatrix} \quad \text{et} \quad \mathbf{M}_S = \begin{bmatrix} 0 & 1 & 0 \\ 0 & 0 & 1 \\ 1 & 0 & 1 \end{bmatrix}.$$

Solution : La matrice pour $S \circ R$ est

$$\mathbf{M}_{S \circ R} = \mathbf{M}_R \odot \mathbf{M}_S = \begin{bmatrix} 1 & 1 & 1 \\ 0 & 1 & 1 \\ 0 & 0 & 0 \end{bmatrix}.$$ ∎

On peut utiliser la matrice représentant la composition de deux relations pour trouver la matrice pour $\mathbf{M}_{R^n}$, notamment

$$\mathbf{M}_{R^n} = \mathbf{M}_R^{[n]},$$

à partir de la définition des puissances booléennes. Dans l'exercice 19 à la fin de la présente section, le lecteur devra démontrer cette formule.

EXEMPLE 6   Trouvez la matrice représentant la relation R^2, où la matrice représentant R est

$$\mathbf{M}_R = \begin{bmatrix} 0 & 1 & 0 \\ 0 & 1 & 1 \\ 1 & 0 & 0 \end{bmatrix}.$$

Solution : La matrice pour R^2 est

$$\mathbf{M}_{R^2} = \mathbf{M}_R^{[2]} = \begin{bmatrix} 0 & 1 & 1 \\ 1 & 1 & 1 \\ 0 & 1 & 0 \end{bmatrix}.$$ ∎

REPRÉSENTATION DES RELATIONS À L'AIDE DE GRAPHES ORIENTÉS

On a vu qu'il était possible de représenter une relation en énumérant ses couples ou en utilisant une matrice booléenne. La représentation introduite ici constitue une méthode graphique pour représenter une relation. Chaque élément de l'ensemble est illustré par un point et chaque couple, par un arc dont la direction est indiquée par une flèche. On utilise ces représentations lorsque l'on considère les relations dans un ensemble fini comme des **graphes orientés**.

> **DÉFINITION 1.** Un *graphe orienté* est constitué d'un ensemble *V* de *sommets* et d'un ensemble *E* de couples d'éléments de *V* appelés des *arcs* (ou *flèches*). On appelle le sommet *a* le *sommet initial* de l'arc (*a*, *b*) et le sommet *b*, le *sommet final* de cet arc.

On représente un arc de la forme (*a*, *a*) à l'aide d'un arc du sommet *a* qui retourne vers lui-même. Un tel sommet est appelé une **boucle**.

EXEMPLE 7 Le graphe orienté des sommets *a*, *b*, *c* et *d* et des arcs (*a*, *b*), (*a*, *d*), (*b*, *b*), (*b*, *d*), (*c*, *a*), (*c*, *b*) et (*d*, *b*) est présenté à la figure 3. ∎

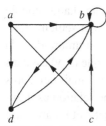

FIGURE 3
Graphe orienté

La relation *R* dans un ensemble *A* est représentée par le graphe orienté qui a les éléments de *A* comme sommets et les couples (*a*, *b*), où (*a*, *b*) ∈ *R* comme arcs.

Cette représentation permet d'établir une bijection entre les relations dans un ensemble *A* et les graphes orientés avec *A* comme ensemble de sommets. Ainsi, chaque énoncé sur les relations correspond à un énoncé sur les graphes orientés, et inversement. Les graphes orientés illustrent les informations sur les relations. C'est la raison pour laquelle on les utilise souvent pour étudier les relations et leurs propriétés. À noter qu'il n'est pas possible de représenter les relations entre un ensemble *A* et un ensemble *B* à l'aide des graphes orientés sauf lorsque *A* = *B*. Les exemples 8 et 9 illustrent l'utilisation des graphes orientés pour représenter les relations.

EXEMPLE 8 Le graphe orienté de la relation

$$R = \{(1, 1), (1, 3), (2, 1), (2, 3), (2, 4), (3, 1), (3, 2), (4, 1)\}$$

dans l'ensemble {1, 2, 3, 4} est présenté à la figure 4. ∎

EXEMPLE 9 Quels sont les couples dans la relation *R* représentée par le graphe orienté de la figure 5 ?

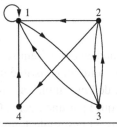

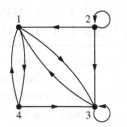

FIGURE 4
Graphe orienté de la relation R

FIGURE 5
Graphe orienté de la relation R

Solution : Les couples (x, y) dans la relation sont

$$R = \{(1, 3), (1, 4), (2, 1), (2, 2), (2, 3), (3, 1), (3, 3), (4, 1), (4, 3)\}.$$

Chacun de ces couples correspond à un arc sur le graphe orienté, où $(2, 2)$ et $(3, 3)$ correspondent aux boucles. ∎

On peut utiliser le graphe orienté représentant une relation pour déterminer si la relation admet ou non certaines propriétés. Par exemple, une relation est réflexive si et seulement s'il existe une boucle sur chaque sommet du graphe orienté, de manière telle que chaque couple de la forme (x, x) se trouve dans la relation. Une relation est symétrique si et seulement si, pour chaque arc entre des sommets distincts dans son graphe orienté, il y a un arc dans la direction opposée, de manière telle que (y, x) se trouve dans la relation lorsque (x, y) est dans celle-ci. De même, une relation est antisymétrique si et seulement s'il n'y a jamais deux arcs dans des directions opposées entre des sommets distincts. Finalement, une relation est transitive si et seulement si, lorsqu'il y a un arc entre le sommet x et le sommet y et un arc entre le sommet y et le sommet z, il y a un arc entre x et z (ce qui complète le triangle, où chaque côté est un arc orienté dans la direction appropriée).

EXEMPLE 10   Déterminez si les relations des graphes orientés de la figure 6 sont réflexives, symétriques, antisymétriques et/ou transitives.

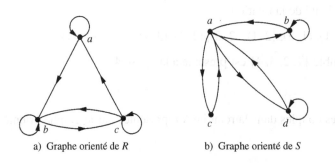

a) Graphe orienté de R b) Graphe orienté de S

FIGURE 6   Graphes orientés des relations R et S

Solution : Puisqu'il y a des boucles à chaque sommet du graphe orienté de R, la relation est réflexive. La relation R n'est ni symétrique ni antisymétrique puisqu'il y a un arc entre a et b, mais qu'il n'y en a pas entre b et a et, de plus, il y a des arcs dans les deux directions reliant b et c. Finalement, R n'est pas transitive puisqu'il y a un arc de a à b et un arc de b à c, mais qu'il n'y a pas d'arc de a à c.

Puisqu'il n'y a pas de boucles sur tous les sommets du graphe orienté de S, cette relation n'est pas réflexive. Elle est symétrique mais pas antisymétrique puisque chaque arc entre les sommets distincts est accompagné d'un arc dans la direction opposée. Il est également facile de voir, à partir du graphe orienté, que S n'est pas transitive puisque (c, a) et (a, b) appartiennent à S, mais que (c, b) n'appartient pas à S. ∎

Exercices

1. Représentez chacune des relations suivantes dans $\{1, 2, 3\}$ par une matrice (en énumérant les éléments de cet ensemble en ordre croissant).

a) $\{(1, 1), (1, 2), (1, 3)\}$

b) $\{(1, 2), (2, 1), (2, 2), (3, 3)\}$

c) $\{(1, 1), (1, 2), (1, 3), (2, 2), (2, 3), (3, 3)\}$

d) $\{(1, 3), (3, 1)\}$

2. Énumérez les couples des relations dans $\{1, 2, 3\}$ correspondant aux matrices suivantes (où les lignes et les colonnes correspondent aux entiers énumérés en ordre croissant).

a) $\begin{bmatrix} 1 & 0 & 1 \\ 0 & 1 & 0 \\ 1 & 0 & 1 \end{bmatrix}$ **b)** $\begin{bmatrix} 0 & 1 & 0 \\ 0 & 1 & 0 \\ 0 & 1 & 0 \end{bmatrix}$

c) $\begin{bmatrix} 1 & 1 & 1 \\ 1 & 0 & 1 \\ 1 & 1 & 1 \end{bmatrix}$

3. Comment pouvez-vous utiliser la matrice d'une relation pour déterminer si la relation est irréflexive ?

4. Déterminez si les relations représentées par les matrices de l'exercice 2 sont réflexives, irréflexives, symétriques, antisymétriques et/ou transitives.

5. Comment pouvez-vous trouver la matrice pour $\overline{R}$, le complément de la relation R, à partir de la matrice représentant R, lorsque R est une relation dans un ensemble fini A ?

6. Comment pouvez-vous trouver la matrice pour R^{-1}, l'inverse de la relation R, à partir de la matrice représentant R, lorsque R est une relation dans un ensemble fini A ?

7. Soit R la relation représentée par la matrice

$$\mathbf{M}_R = \begin{bmatrix} 0 & 1 & 1 \\ 1 & 1 & 0 \\ 1 & 0 & 1 \end{bmatrix}.$$

Trouvez la matrice correspondant à

a) R^{-1}.   **b)** $\overline{R}$.   **c)** R^2.

8. Soit R_1 et R_2 les relations dans un ensemble A représentées par les matrices

$$\mathbf{M}_{R_1} = \begin{bmatrix} 0 & 1 & 0 \\ 1 & 1 & 1 \\ 1 & 0 & 0 \end{bmatrix} \quad \text{et} \quad \mathbf{M}_{R_2} = \begin{bmatrix} 0 & 1 & 0 \\ 0 & 1 & 1 \\ 1 & 1 & 1 \end{bmatrix}.$$

Trouvez les matrices qui correspondent à

a) $R_1 \cup R_2$.   **b)** $R_1 \cap R_2$.

c) $R_2 \circ R_1$.   **d)** $R_1 \circ R_2$.

e) $R_1 \oplus R_2$.

9. Soit R la relation représentée par la matrice

$$\mathbf{M}_R = \begin{bmatrix} 0 & 1 & 0 \\ 0 & 0 & 1 \\ 1 & 1 & 0 \end{bmatrix}.$$

Trouvez les matrices qui correspondent à

a) R^2.   **b)** R^3.   **c)** R^4.

10. Dessinez les graphes orientés représentant chacune des relations de l'exercice 1.

11. Dessinez les graphes orientés représentant chacune des relations de l'exercice 2.

12. Dessinez les graphes orientés représentant la relation $\{(a, a), (a, b), (b, c), (c, b), (c, d), (d, a), (d, b)\}$.

Dans les exercices 13 à 15, énumérez les couples dans les relations représentées par les graphes orientés.

13.

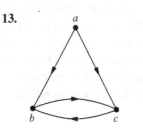

14.

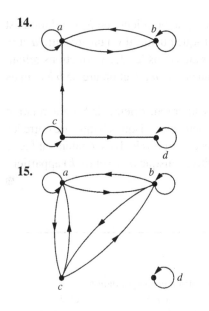

15.

16. Comment pouvez-vous utiliser le graphe orienté d'une relation R dans un ensemble fini A pour déterminer si cette relation est irréflexive ?

17. Déterminez si les relations représentées par les graphes orientés qui sont présentés dans les exercices 13 à 15 sont réflexives, irréflexives, symétriques, antisymétriques et/ou transitives.

18. Étant donné les graphes orientés représentant deux relations, comment pouvez-vous trouver un graphe orienté de l'union, de l'intersection, de la différence symétrique, de la différence et de la composition de ces relations ?

19. Démontrez que si $\mathbf{M}_R$ est la matrice représentant la relation R, alors $\mathbf{M}_R^{[n]}$ est la matrice correspondant à la relation R^n.

6.4

Fermetures des relations

INTRODUCTION

Un réseau d'ordinateurs est constitué de centres de calcul situés à Boston, à Chicago, à Denver, à Détroit, à New York et à San Diego. Il existe des lignes téléphoniques directes et unidirectionnelles de Boston à Chicago, de Boston à Détroit, de Chicago à Détroit, de Détroit à Denver et de New York à San Diego. Soit R la relation contenant (a, b) s'il y a une ligne téléphonique entre le centre de calcul et a, et entre le centre de calcul et b. Comment peut-on déterminer s'il existe une liaison (possiblement indirecte) constituée d'une ou de plusieurs lignes téléphoniques entre un centre et un autre ? Puisque les liaisons ne sont pas toutes directes, telle la liaison entre Boston et Denver, qui passe par Détroit, on ne peut utiliser R directement pour répondre à cette question. Dans le langage des relations, puisque R n'est pas transitive, elle ne contient pas tous les couples qu'on peut relier. Dans la présente section, on montrera comment trouver toutes les paires de centres de données ayant un lien en construisant la relation transitive de cardinalité minimale qui contient R. Cette relation est appelée la **fermeture transitive** de R.

En général, soit R une relation dans un ensemble A. La relation R peut ou non admettre une propriété **P** comme la réflexivité, la symétrie ou la transitivité. S'il existe une relation S qui admet la propriété **P** et qui contient R et telle que S est un sous-ensemble de chaque relation avec la propriété **P** qui contient R, alors S est appelée la **fermeture** ou **clôture convenable** de R par rapport à **P**. (À noter que la fermeture d'une relation par rapport à une propriété peut ne pas exister ; voir les exercices 15 et 35 à la fin de la présente section.) Voici comment trouver les fermetures réflexives, symétriques et transitives d'une relation.

FERMETURES

La relation $R = \{(1, 1), (1, 2), (2, 1), (3, 2)\}$ dans l'ensemble $A = \{1, 2, 3\}$ n'est pas réflexive. Comment peut-on établir une relation réflexive contenant R qui soit de cardinalité minimale ? Cela peut se faire en ajoutant $(2, 2)$ et $(3, 3)$ à R, puisque ce sont les seuls couples de la forme (a, a) qui ne se trouvent pas dans R. Donc, cette nouvelle relation contient R. De plus, toute relation réflexive qui contient R doit également contenir $(2, 2)$ et $(3, 3)$. Puisque cette relation contient R, qu'elle est réflexive et qu'elle se trouve à l'intérieur de chaque relation réflexive qui contient R, on l'appelle **fermeture réflexive** de R.

Comme l'illustre cet exemple, étant donné une relation R dans un ensemble A, la fermeture réflexive de R peut se former en ajoutant à R tous les couples de la forme (a, a) avec $a \in A$ qui ne se trouvent pas déjà dans R. En ajoutant ces couples, on obtient une nouvelle relation qui est réflexive, qui contient R et qui est incluse dans toute relation réflexive contenant R. On voit que la fermeture réflexive de R est $R \cup \Delta$, où $\Delta = \{(a, a) \mid a \in A\}$ est la **relation diagonale** dans A. Le lecteur devra vérifier cette proposition.

EXEMPLE 1   Quelle est la fermeture réflexive de la relation $R = \{(a, b) \mid a < b\}$ dans l'ensemble des entiers ?

Solution : La fermeture réflexive de R est

$$R \cup \Delta = \{(a, b) \mid a < b\} \cup \{(a, a) \mid a \in \mathbf{Z}\} = \{(a, b) \mid a \leq b\}. \qquad \blacksquare$$

La relation $\{(1, 1), (1, 2), (2, 2), (2, 3), (3, 1), (3, 2)\}$ dans $\{1, 2, 3\}$ n'est pas symétrique. Comment peut-on obtenir une relation symétrique qui soit de cardinalité minimale et qui contienne R ? Pour ce faire, il faut simplement ajouter $(2, 1)$ et $(1, 3)$, puisqu'il s'agit des seuls couples de la forme (b, a) avec $(a, b) \in R$ qui ne sont pas dans R. Cette nouvelle relation est symétrique et contient R. De plus, toute relation symétrique qui contient R doit contenir cette nouvelle relation, puisqu'une relation symétrique qui contient R doit contenir $(2, 1)$ et $(1, 3)$. Cette nouvelle relation s'appelle la **fermeture symétrique** de R.

Comme l'illustre l'exemple précédent, la fermeture symétrique d'une relation R peut se construire en ajoutant tous les couples de la forme (b, a), où (a, b) se trouve dans la relation, et qui ne sont pas déjà présents dans R. En ajoutant ces couples, on obtient une relation symétrique qui contient R et qui est incluse dans toute relation symétrique contenant R. On peut construire la fermeture symétrique d'une relation en utilisant l'union d'une relation et son inverse. Autrement dit, $R \cup R^{-1}$ est la fermeture symétrique de R, où $R^{-1} = \{(b, a) \mid (a, b) \in R\}$. Le lecteur devra vérifier cet énoncé.

EXEMPLE 2   Quelle est la fermeture symétrique de la relation $R = \{(a, b) \mid a > b\}$ dans l'ensemble des entiers positifs ?

Solution : La fermeture symétrique de R est

$$R \cup R^{-1} = \{(a, b) \mid a > b\} \cup \{(b, a) \mid a > b\} = \{(a, b) \mid a \neq b\}. \qquad \blacksquare$$

On suppose qu'une relation R n'est pas transitive. Comment peut-on obtenir une relation transitive contenant R, de manière telle que cette nouvelle relation soit incluse dans toute relation transitive contenant R ? La fermeture transitive d'une relation R peut-elle être obtenue en ajoutant tous les couples de la forme (a, c), où (a, b) et (b, c) se trouvent déjà dans la relation ? On considère la relation $R = \{(1, 3), (1, 4), (2, 1), (3, 2)\}$ dans l'ensemble $\{1, 2, 3, 4\}$. Cette relation n'est pas transitive puisqu'elle ne contient pas tous les couples de la forme (a, c), où (a, b) et (b, c) se trouvent dans R. Les couples de cette forme qui ne se trouvent pas dans R sont $(1, 2)$, $(2, 3)$, $(2, 4)$ et $(3, 1)$. En ajoutant ces couples, on n'obtient pas non plus une relation transitive, puisque la relation résultante contient $(3, 1)$ et $(1, 4)$ mais non $(3, 4)$. Cela démontre que la construction de la fermeture transitive d'une relation est plus complexe que la construction d'une fermeture réflexive ou symétrique. Dans la suite de la présente section, on présentera des algorithmes permettant de construire la fermeture transitive. Comme il sera démontré, on peut trouver la fermeture transitive d'une relation en ajoutant de nouveaux couples qui doivent s'y trouver et en répétant ce processus jusqu'à ce qu'il ne soit plus nécessaire d'en ajouter.

CHEMINS DANS LES GRAPHES ORIENTÉS

On aborde maintenant la représentation des relations à l'aide de graphes orientés qui permet de construire des fermetures transitives. Certains termes utilisés à cette fin seront d'abord définis.

On obtient un chemin dans un graphe orienté en parcourant une suite d'arcs (dans la même direction que l'indique la flèche sur l'arc).

> **DÉFINITION 1.**   Un *chemin* de a à b dans un graphe orienté G est une suite d'un ou de plusieurs arcs (x_0, x_1), (x_1, x_2), (x_2, x_3), ..., (x_{n-1}, x_n) dans G où $x_0 = a$ et $x_n = b$. Autrement dit, c'est une suite d'arcs où le sommet final d'un arc correspond au sommet initial de l'arc suivant, et ce, dans le chemin. Ce dernier est noté $x_0, x_1, x_2, ..., x_{n-1}, x_n$ et sa *longueur* est n. Un chemin qui commence et se termine avec le même sommet s'appelle un *circuit*.

Un chemin dans un graphe orienté peut passer par un même sommet à plus d'une reprise. De plus, un arc dans un graphe orienté peut apparaître plus d'une fois sur un même chemin. Le lecteur doit noter que certains auteurs acceptent les chemins de longueur zéro, autrement dit les chemins qui ne sont constitués d'aucun arc. Dans ce manuel, tous les chemins doivent avoir une longueur minimale de un.

EXEMPLE 3   En vous référant au graphe de la figure 1, identifiez les chemins dans les listes de sommets qui suivent : a, b, e, d ; a, e, c, d, b ; b, a, c, b, a, a, b ; d, c ; c, b, a ; e, b, a, b, a, b, e. Quelle est la longueur des arcs de ces chemins ? Quels chemins dans cette liste sont des circuits ?

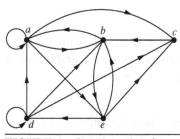

FIGURE 1 **Graphe orienté**

Solution : Puisque (a, b), (b, e) et (e, d) sont des arcs, a, b, e, d est un chemin de longueur trois. Puisque (c, d) n'est pas un arc, a, e, c, d, b n'est pas un chemin. De plus, $b, a, c, b, a,$ a, b est un chemin de longueur six, puisque (b, a), (a, c), (c, b), (b, a), (a, a) et (a, b) sont tous des arcs. On voit que d, c est un chemin de longueur un, puisque (d, c) est un arc. De plus, c, b, a est un chemin de longueur deux, puisque (c, b) et (b, a) sont des arcs. Les couples (e, b), (b, a), (a, b), (b, a), (a, b) et (b, e) sont des arcs, de telle sorte que $e, b, a, b, a,$ b, e est un chemin de longueur six.

Les deux chemins b, a, c, b, a, a, b et e, b, a, b, a, b, e sont des circuits puisqu'ils commencent et se terminent au même sommet. Les chemins a, b, e, d ; c, b, a et d, c ne sont pas des circuits. ■

Le terme *chemin* s'applique également aux relations. En transposant la définition des graphes orientés aux relations, on a un **chemin** de a à b dans R s'il y a une suite d'éléments $a, x_1, x_2, \ldots, x_{n-1}, b$ avec $(a, x_1) \in R$, $(x_1, x_2) \in R$, $(x_1, x_2) \in R$, $\ldots$, et $(x_{n-1}, b) \in R$. On obtient le théorème 1 à partir de la définition d'un chemin dans une relation.

THÉORÈME 1

Soit R une relation dans un ensemble A. Il existe un chemin de longueur n de a à b si et seulement si $(a, b) \in R^n$.

Démonstration : On utilise le principe de l'induction. Par définition, on a un chemin de a à b de longueur un si et seulement si $(a, b) \in R$. Donc, le théorème est vrai lorsque $n = 1$.

On suppose que le théorème est vrai pour l'entier positif n. Il s'agit de l'hypothèse inductive. On a un chemin de longueur $n + 1$ de a à b si et seulement s'il y a un élément $c \in A$ tel qu'il existe un chemin de longueur un de a à c, c'est-à-dire si $(a, c) \in R$, et un chemin de longueur n de c à b, soit $(c, b) \in R^n$. Par conséquent, selon l'hypothèse inductive, on a un chemin de longueur $n + 1$ de a à b si et seulement s'il y a un élément c avec $(a, c) \in R$ et $(c, b) \in R^n$. Toutefois, on a un tel élément si et seulement si $(a, b) \in R^{n+1}$. Donc, on a un chemin de longueur $n + 1$ de a à b si et seulement si $(a, b) \in R^{n+1}$. Cela complète la démonstration. □

FERMETURE TRANSITIVE

On démontre maintenant que le fait de trouver la fermeture transitive d'une relation équivaut à déterminer quelles paires de sommets connexes dans le graphe orienté sont reliées par un chemin. De ce fait, on peut définir une nouvelle relation.

> **DÉFINITION 2.**   Soit R une relation dans un ensemble A. La *relation de connexité* R^* est constituée des couples (a, b) de telle sorte qu'il existe un chemin entre a et b dans R.

Puisque R^n est constituée des couples (a, b) de manière telle qu'il existe un chemin de longueur n de a à b, il s'ensuit que R^* représente l'union des ensembles R^n. Autrement dit,

$$R^* = \bigcup_{n=1}^{\infty} R^n.$$

La relation de connexité est utile dans de nombreux modèles.

EXEMPLE 4   Soit R la relation dans l'ensemble de tous les habitants de la Terre qui contient (a, b) si a a rencontré b. Quelle est R^n, où n est un entier positif plus grand que 2 ? Quelle est la relation de connexité R^* ?

Solution : La relation R^2 contient (a, b) s'il y a un habitant c tel que $(a, c) \in R$ et $(c, b) \in R$, autrement dit s'il y a un habitant c tel que a a rencontré c et que c a rencontré b. De même, R^n est constituée des couples (a, b) de manière telle qu'on a les habitants $x_1, x_2, \ldots, x_{n-1}$ et que a a rencontré x_1, x_1 a rencontré x_2, ..., et x_{n-1} a rencontré b.

La relation R^* contient (a, b) si on a une suite d'habitants commençant par a et se terminant par b, et que chaque habitant de la suite a rencontré l'habitant suivant dans la suite.   ■

(Il existe plusieurs conjectures intéressantes concernant R^*. Croyez-vous que cette relation de connexité comprenne le couple dont vous êtes le premier élément et dont le président de la Mongolie est le second élément ?)

EXEMPLE 5   Soit R la relation dans l'ensemble des stations de métro de la ville de Montréal qui contient (a, b) s'il est possible de voyager de la station a à la station b sans changer de rame. Quelle est R^n lorsque n est un entier positif ? Quelle est R^* ?

Solution : La relation R^n contient (a, b) s'il est possible de voyager de la station a à la station b en faisant au plus $n - 1$ changements de rame. La relation R^* est constituée des couples (a, b) où il est possible de voyager de la station a à la station b en faisant autant de changements de rame qu'il est nécessaire. Le lecteur devra vérifier ces propositions.   ■

EXEMPLE 6   Soit R la relation dans l'ensemble de tous les États des États-Unis qui contient (a, b) si l'État a et l'État b ont une frontière commune. Quelle est R^n où n est un entier positif ? Quelle est R^* ?

Solution : La relation R^n est constituée des couples (a, b) où il est possible de passer de l'État a à l'État b en traversant exactement n frontières. La relation de connexité R^* est constituée des couples (a, b) où il est possible de passer de l'État a à l'État b en traversant autant de frontières qu'il est nécessaire. (Le lecteur devra vérifier ces propositions.) En outre, les seuls couples qui ne sont pas dans R^* sont ceux qui contiennent les États qui ne sont pas reliés aux États-Unis (autrement dit, les paires contenant l'Alaska ou Hawaï). ■

Le théorème 2 démontre que la fermeture transitive d'une relation et la relation de connexité s'y rapportant sont les mêmes.

THÉORÈME 2   La fermeture transitive d'une relation R est égale à la relation de connexité R^*.

Démonstration : À noter que R^* contient R. Pour démontrer que R^* est la fermeture transitive de R, on doit également démontrer que R^* est transitive et que $R^* \subseteq S$ lorsque S est une relation transitive contenant R.

D'abord, on démontre que R^* est transitive. Si $(a, b) \in R^*$ et que $(b, c) \in R^*$, alors il existe des chemins de a à b et de b à c dans R. On obtient un chemin de a à c en commençant par le chemin de a à b et en le faisant suivre par le chemin de b à c. Ainsi, $(a, c) \in R^*$. Il s'ensuit que R^* est transitive.

À présent, on suppose que S est une relation transitive contenant R. Puisque S est transitive, S^n est également transitive (le lecteur devra vérifier cet énoncé) et $S^n \subseteq S$ (selon le théorème 1 de la section 6.1). De plus, puisque

$$S^* = \bigcup_{k=1}^{\infty} S^k,$$

et $S^k \subseteq S$, il s'ensuit que $S^* \subseteq S$. On note maintenant que si $R \subseteq S$, alors $R^* \subseteq S^*$, car tout chemin de R est également un chemin de S. Par conséquent, $R^* \subseteq S^* \subseteq S$. Ainsi, toute relation transitive contenant R doit également contenir R^*. Donc, R^* est la fermeture transitive de R.

Puisqu'on sait maintenant que la fermeture transitive est égale à la relation de connexité, le problème consiste à établir cette relation. Il ne faut pas analyser arbitrairement les chemins pour déterminer s'il y a un chemin entre deux sommets dans un graphe orienté fini. Comme le montre le lemme 1, il suffit d'examiner les chemins qui ne contiennent pas plus de n arcs, où n est le nombre d'éléments dans l'ensemble. □

LEMME 1   Soit A un ensemble à n éléments et R une relation dans A. S'il existe un chemin dans R de a à b, alors il existe un tel chemin dont la longueur ne dépasse pas n. De plus, lorsque $a \neq b$, s'il y a un chemin dans R de a à b, alors il existe un chemin dont la longueur ne dépasse pas $n - 1$.

Démonstration : On suppose qu'il y a un chemin de a à b dans R. Soit m la longueur du chemin le plus court. On suppose aussi que $x_0, x_1, x_2, \ldots, x_{m-1}, x_m$, où $x_0 = a$ et $x_m = b$, est ce chemin.

On présume que $a = b$ et que $m > n$, ou encore que $m \geq n + 1$. Selon le principe des nids de pigeon, puisqu'il y a n sommets dans A parmi les m sommets $x_0, x_1, \ldots, x_{m-1}$, au moins deux sont égaux (voir la figure 2).

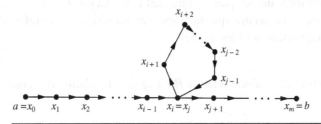

FIGURE 2   Production d'un chemin de longueur inférieure ou égale à n

On suppose que $x_i = x_j$ avec $0 \leq i < j < m - 1$. Alors, le chemin contient un circuit de x_i à lui-même. Ce circuit peut être supprimé du chemin allant de a à b, ce qui laisse un chemin, notamment $x_0, x_1, \ldots, x_i, x_{j+1}, \ldots, x_{m-1}, x_m$, de a à b de longueur plus courte. Ainsi, le chemin le plus court doit avoir une longueur inférieure ou égale à n.

Pour le cas où $a \neq b$, le lecteur devra en faire la démonstration dans un exercice ultérieur. $\square$

À partir du lemme 1, on voit que la fermeture transitive de R est l'union de R, R^2, $R^3, \ldots$, et R^n. En effet, il y a un chemin dans R^* entre deux sommets si et seulement s'il y a un chemin entre ces sommets dans R^i pour un entier positif i avec $i \leq n$. Puisque

$$R^* = R \cup R^2 \cup R^3 \cup \cdots \cup R^n,$$

et que la matrice booléenne représentant une union des relations est la disjonction des matrices booléennes de ces relations, la matrice booléenne de la fermeture transitive est la disjonction des matrices booléennes des n premières puissances de la matrice booléenne de R.

THÉORÈME 3

Soit $\mathbf{M}_R$ la matrice booléen d'une relation R dans un ensemble à n éléments. Alors, la matrice booléenne de la fermeture transitive R^* est

$$\mathbf{M}_{R^*} = \mathbf{M}_R \vee \mathbf{M}_R^{[2]} \vee \mathbf{M}_R^{[3]} \vee \cdots \vee \mathbf{M}_R^{[n]}.$$

EXEMPLE 7

Trouvez la matrice booléenne de la fermeture transitive de la relation R, où

$$\mathbf{M}_R = \begin{bmatrix} 1 & 0 & 1 \\ 0 & 1 & 0 \\ 1 & 1 & 0 \end{bmatrix}.$$

Solution : En se basant sur le théorème 3, on en déduit que la matrice booléenne de R^* est

$$\mathbf{M}_{R*} = \mathbf{M}_R \vee \mathbf{M}_R^{[2]} \vee \mathbf{M}_R^{[3]}.$$

Puisque

$$\mathbf{M}_R^{[2]} = \begin{bmatrix} 1 & 1 & 1 \\ 0 & 1 & 0 \\ 1 & 1 & 1 \end{bmatrix} \quad \text{et} \quad \mathbf{M}_R^{[3]} = \begin{bmatrix} 1 & 1 & 1 \\ 0 & 1 & 0 \\ 1 & 1 & 1 \end{bmatrix},$$

il s'ensuit que

$$\mathbf{M}_{R*} = \begin{bmatrix} 1 & 0 & 1 \\ 0 & 1 & 0 \\ 1 & 1 & 0 \end{bmatrix} \vee \begin{bmatrix} 1 & 1 & 1 \\ 0 & 1 & 0 \\ 1 & 1 & 1 \end{bmatrix} \vee \begin{bmatrix} 1 & 1 & 1 \\ 0 & 1 & 0 \\ 1 & 1 & 1 \end{bmatrix} = \begin{bmatrix} 1 & 1 & 1 \\ 0 & 1 & 0 \\ 1 & 1 & 1 \end{bmatrix}.$$ ■

On peut utiliser le théorème 3 comme base pour établir un algorithme qui permet de trouver la matrice de la relation R^*. Pour trouver cette matrice, il faut calculer les puissances booléennes successives de $\mathbf{M}_R$, jusqu'à la n-ième puissance. Au fur et à mesure que chaque puissance est calculée, on forme sa disjonction avec la disjonction de toutes les puissances plus petites. Lorsqu'on a accompli cette étape avec la n-ième puissance, on a trouvé la matrice de R^*. Cette procédure est représentée par l'algorithme 1.

ALGORITHME 1 **Procédure pour calculer la fermeture transitive**

Procédure *fermeture transitive* ($\mathbf{M}_R$: matrice booléenne $n \times n$)
$\mathbf{A} := \mathbf{M}_R$
$\mathbf{B} := \mathbf{A}$
pour $i := 2$ **à** n
début
   $\mathbf{A} := \mathbf{A} \odot \mathbf{M}_R$
   $\mathbf{B} := \mathbf{B} \vee \mathbf{A}$
fin {B est la matrice booléenne de R^*}

On peut facilement trouver le nombre d'opérations binaires utilisées dans l'algorithme 1 pour déterminer la fermeture transitive de la relation. Pour calculer les puissances booléennes de $\mathbf{M}_R$, $\mathbf{M}_R^{[2]}$, ..., $\mathbf{M}_R^{[n]}$, il faut trouver les $n-1$ produits booléens de matrices booléennes $n \times n$. On peut obtenir chacun de ces produits booléens en utilisant n^3 opérations binaires. Ainsi, on peut calculer ces produits en utilisant $(n-1)n^3$ opérations binaires.

Pour trouver $\mathbf{M}_{R*}$ à partir des n puissances booléennes de $\mathbf{M}_R$, il faut trouver $n-1$ disjonctions des matrices booléennes. Pour calculer chacune de ces disjonctions, on utilise n^2 opérations binaires. Ainsi, on a recours à $(n-1)n^2$ opérations binaires dans cette partie du calcul. Donc, lorsqu'on utilise l'algorithme 1, on peut trouver la matrice de la fermeture transitive d'une relation dans un ensemble à n éléments en utilisant $(n-1)n^3 + (n-1)n^2 = n^4 - n^2 = O(n^4)$ opérations binaires. Dans le reste de la présente section, on décrit un algorithme plus efficace pour trouver les fermetures transitives.

ALGORITHME DE WARSHALL

L'algorithme de Warshall, du nom de Stephen Warshall qui le décrivit en 1960, constitue une méthode efficace pour calculer la fermeture transitive d'une relation. L'algorithme 1 permet de trouver la fermeture transitive d'une relation dans un ensemble à n éléments en utilisant $n^4 - n^2$ opérations binaires. Cependant, on peut trouver la fermeture transitive à l'aide de l'algorithme de Warshall en n'utilisant que $2n^3$ opérations binaires.

Remarque : On appelle parfois l'algorithme de Warshall l'algorithme de Roy-Warshall, car B. Roy l'avait déjà décrit en 1959.

On suppose que R est une relation dans un ensemble à n éléments. Soit $v_1, v_2, \ldots, v_n$ une liste arbitraire de ces n éléments. On utilise la notion de **sommets intérieurs** d'un chemin dans l'algorithme de Warshall. Si $a, x_1, x_2, \ldots, x_{m-1}, b$ est un chemin, alors ses sommets intérieurs sont $x_1, x_2, \ldots, x_{m-1}$, autrement dit tous les sommets du chemin qui apparaissent et qui ne sont ni le premier ni le dernier sommet du chemin. Par exemple, les sommets intérieurs d'un chemin a, c, d, f, g, h, b, j dans un graphe orienté sont c, d, f, g, h et b. Les sommets intérieurs de a, c, d, a, f, b sont c, d, a et f. (À noter que le premier sommet du chemin n'est pas un sommet intérieur à moins d'être croisé de nouveau par le chemin, sauf comme dernier sommet. De même, le dernier sommet du chemin n'est pas un sommet intérieur à moins d'avoir été croisé auparavant par le chemin, sauf comme premier sommet.)

L'algorithme de Warshall est basé sur la construction d'une suite de matrices booléennes. Celles-ci sont $\mathbf{W}_0, \mathbf{W}_1, \ldots, \mathbf{W}_n$, où $\mathbf{W}_0 = \mathbf{M}_R$ est la matrice booléenne de cette relation et $\mathbf{W}_k = [w_{ij}^{(k)}]$, où $w_{ij}^{(k)} = 1$ s'il y a un chemin de v_i à v_j tel que tous les sommets intérieurs de ce chemin se trouvent dans l'ensemble $\{v_1, v_2, \ldots, v_k\}$ (les k premiers sommets de la liste) et est 0 autrement. (Les premier et dernier sommets du chemin peuvent se trouver à l'extérieur de l'ensemble des k premiers sommets de la liste.) À noter que $\mathbf{W}_n = \mathbf{M}_{R*}$, puisque le (i, j)-ième élément de $\mathbf{M}_{R*}$ est 1 si et seulement s'il y a un chemin de v_i à v_j avec tous les sommets intérieurs de l'ensemble $\{v_1, v_2, \ldots, v_n\}$ (mais il s'agit des seuls sommets dans le graphe orienté). L'exemple 8 illustre ce que représente la matrice $\mathbf{W}_k$.

EXEMPLE 8   Soit R la relation dont le graphe orienté apparaît à la figure 3. Soit a, b, c, d la liste de tous les éléments de l'ensemble. Trouvez les matrices $\mathbf{W}_0, \mathbf{W}_1, \mathbf{W}_2, \mathbf{W}_3$ et $\mathbf{W}_4$. La matrice $\mathbf{W}_4$ constitue la fermeture transitive de R.

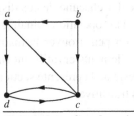

FIGURE 3   Graphe orienté d'une relation R

Solution : Soit $v_1 = a$, $v_2 = b$, $v_3 = c$ et $v_4 = d$. La matrice $\mathbf{W}_0$ est la matrice de la relation. Ainsi,

$$\mathbf{W}_0 = \begin{bmatrix} 0 & 0 & 0 & 1 \\ 1 & 0 & 1 & 0 \\ 1 & 0 & 0 & 1 \\ 0 & 0 & 1 & 0 \end{bmatrix}.$$

La matrice $\mathbf{W}_1$ a 1 comme (i, j)-ième élément s'il y a un chemin entre v_i et v_j qui n'a que $v_1 = a$ comme sommet intérieur. À noter qu'on peut encore utiliser tous les chemins de longueur un puisqu'ils n'ont aucun sommet intérieur. De plus, il y a maintenant un chemin possible de b à d, notamment b, a, d. Ainsi,

$$\mathbf{W}_1 = \begin{bmatrix} 0 & 0 & 0 & 1 \\ 1 & 0 & 1 & 1 \\ 1 & 0 & 0 & 1 \\ 0 & 0 & 1 & 0 \end{bmatrix}.$$

La matrice $\mathbf{W}_2$ a 1 comme (i, j)-ième élément s'il y a un chemin de v_i à v_j qui n'a que $v_1 = a$ et/ou $v_2 = b$ comme sommets intérieurs, le cas échéant. Puisqu'il n'y a aucun arc qui a b comme sommet final, on n'obtient aucun nouveau chemin lorsqu'on permet à b d'être un sommet intérieur. Ainsi, $\mathbf{W}_2 = \mathbf{W}_1$.

La matrice $\mathbf{W}_3$ a 1 comme (i, j)-ième élément s'il y a un chemin de v_i à v_j qui n'a que $v_1 = a$, $v_2 = b$ et/ou $v_3 = c$ comme sommets intérieurs, le cas échéant. On a maintenant des chemins de d à a, notamment d, c, a et de d à d, notamment d, c, d. Ainsi,

$$\mathbf{W}_3 = \begin{bmatrix} 0 & 0 & 0 & 1 \\ 1 & 0 & 1 & 1 \\ 1 & 0 & 0 & 1 \\ 1 & 0 & 1 & 1 \end{bmatrix}.$$

Finalement, $\mathbf{W}_4$ a 1 comme (i, j)-ième élément s'il y a un chemin de v_i à v_j qui a $v_1 = a$, $v_2 = b$, $v_3 = c$ et/ou $v_4 = d$ comme sommets intérieurs, le cas échéant. Puisque ce sont tous les sommets du graphe, cet élément est 1 si et seulement s'il y a un chemin de v_i à v_j. Ainsi,

$$\mathbf{W}_4 = \begin{bmatrix} 1 & 0 & 1 & 1 \\ 1 & 0 & 1 & 1 \\ 1 & 0 & 1 & 1 \\ 1 & 0 & 1 & 1 \end{bmatrix}.$$

Cette dernière matrice, soit $\mathbf{W}_4$, est la matrice de fermeture transitive. ■

L'algorithme de Warshall permet de trouver $\mathbf{M}_{R^*}$ en calculant avec efficacité $\mathbf{W}_0 = \mathbf{M}_R$, $\mathbf{W}_1$, $\mathbf{W}_2$, ..., $\mathbf{W}_n = \mathbf{M}_{R^*}$. L'observation ci-après démontre qu'on peut calculer $\mathbf{W}_k$ directement à partir de $\mathbf{W}_{k-1}$. Il existe un chemin de v_i à v_j sans autres sommets que $v_1, v_2, ..., v_k$ comme sommets intérieurs si et seulement s'il y a un chemin de v_i à v_j avec ses sommets intérieurs parmi les $k - 1$ premiers sommets de la liste, ou si les chemins de v_i à v_k et de v_k à v_j ont des sommets intérieurs seulement parmi les premiers $k - 1$ sommets de la liste. Autrement dit, un chemin de v_i à v_j existait déjà avant que v_k ne puisse être un sommet intérieur, ou le fait de permettre que v_k soit un sommet intérieur a produit un chemin qui va de v_i à v_k puis de v_k à v_j. Ces deux cas sont présentés à la figure 4.

Cas 1

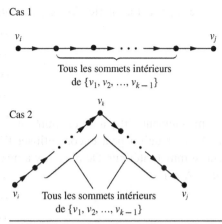

Cas 2

FIGURE 4   Ajout de v_k à l'ensemble des sommets intérieurs possibles

Le premier type de chemin existe si et seulement si $w_{ij}^{[k-1]} = 1$, et le deuxième type de chemin existe si et seulement si $w_{ik}^{[k-1]}$ et $w_{kj}^{[k-1]}$ sont 1. Ainsi, $w_{ij}^{[k]}$ est 1 si et seulement si $w_{ij}^{[k-1]}$ vaut 1 ou $w_{ik}^{[k-1]}$ et $w_{kj}^{[k-1]}$ valent 1. On obtient donc le lemme 2.

LEMME 2

Soit $\mathbf{W}_k = [w_{ij}^{[k]}]$ la matrice booléenne avec un 1 dans sa (i, j)-ième position si et seulement s'il y a un chemin de v_i à v_j avec des sommets intérieurs de l'ensemble $\{v_1, v_2, …, v_k\}$. Alors,

$$w_{ij}^{[k]} = w_{ij}^{[k-1]} \lor (w_{ik}^{[k-1]} \land w_{kj}^{[k-1]}),$$

lorsque i, j et k sont des entiers positifs n'excédant pas n.

Le lemme 2 permet de calculer efficacement les matrices $\mathbf{W}_k$, $k = 1, 2, …, n$. En utilisant le lemme 2, on présente le pseudocode de l'algorithme de Warshall.

ALGORITHME 2   Algorithme de Warshall

procédure *Warshall* ($\mathbf{M}_R$: matrice booléenne $n \times n$)
$\mathbf{W} := \mathbf{M}_R$
pour $k := 1$ à n
début
    pour $i := 1$ à n
    début
        pour $j := 1$ à n
        $w_{ij} := w_{ij} \lor (w_{ik} \land w_{kj})$
    fin
fin $\{\mathbf{W} = [w_{ij}]$ est $\mathbf{M}_{R*}\}$

On peut facilement évaluer la complexité computationnelle de l'algorithme de Warshall en fonction du nombre d'opérations binaires effectuées. Pour trouver l'élément $w_{ij}^{[k]}$ à partir des éléments $w_{ij}^{[k-1]}$, $w_{ik}^{[k-1]}$ et $w_{kj}^{[k-1]}$ en employant le lemme 2, il faut utiliser deux opérations binaires. Pour trouver tous les n^2 éléments de $\mathbf{W}_k$ à partir de ceux de $\mathbf{W}_{k-1}$, il faut $2n^2$ opérations binaires. Puisque l'algorithme de Warshall commence par $\mathbf{W}_0 = \mathbf{M}_R$ et permet de calculer la suite de n matrices booléennes $\mathbf{W}_1, \mathbf{W}_2, \ldots, \mathbf{W}_n = \mathbf{M}_{R*}$, le nombre total d'opérations binaires utilisées est $n \cdot 2n^2 = 2n^3$.

Exercices

1. Soit R la relation dans l'ensemble $\{0, 1, 2, 3\}$ contenant les couples $(0, 1)$, $(1, 1)$, $(1, 2)$, $(2, 0)$, $(2, 2)$ et $(3, 0)$. Trouvez
  a) la fermeture réflexive de R.
  b) la fermeture symétrique de R.

2. Soit R la relation $\{(a, b) \mid a \neq b\}$ dans l'ensemble des entiers. Quelle est la fermeture réflexive de R?

3. Soit R la relation $\{(a, b) \mid a \text{ divise } b\}$ dans l'ensemble des entiers. Quelle est la fermeture symétrique de R?

4. Comment pouvez-vous construire le graphe orienté représentant la fermeture réflexive d'une relation dans un ensemble fini à partir du graphe orienté de la relation?

Pour les exercices 5 à 7, dessinez le graphe orienté de la fermeture réflexive des relations à l'aide du graphe orienté qui est présenté.

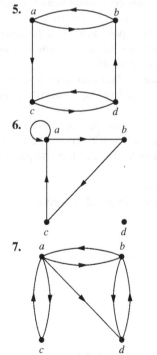

5. a, b, c, d

6. a, b, c, d

7. a, b, c, d

8. Comment pouvez-vous construire le graphe orienté représentant la fermeture symétrique d'une relation

dans un ensemble fini à partir du graphe orienté de cette relation?

9. Trouvez les graphes orientés des fermetures symétriques des relations avec les graphes orientés qui sont présentés dans les exercices 5 à 7.

10. Trouvez la relation de cardinalité minimale contenant la relation de l'exemple 2 qui est à la fois réflexive et symétrique.

11. Trouvez le graphe orienté de la relation de cardinalité minimale qui est à la fois réflexive et symétrique pour chacune des relations avec les graphes orientés présentés dans les exercices 5 à 7.

12. Supposez qu'une relation R dans un ensemble fini A est représentée par la matrice $\mathbf{M}_R$. Démontrez que la matrice qui représente la fermeture réflexive de R est $\mathbf{M}_R \vee \mathbf{I}_n$.

13. Supposez qu'une relation R dans un ensemble fini A est représentée par la matrice $\mathbf{M}_R$. Démontrez que la matrice qui représente la fermeture symétrique de R est $\mathbf{M}_R \vee \mathbf{M}_R^t$.

14. Démontrez que la fermeture d'une relation R par rapport à une propriété $\mathbf{P}$, si elle existe, est l'intersection de toutes les relations admettant la propriété $\mathbf{P}$ qui contiennent R.

15. Quand est-il possible de définir la « fermeture irréflexive » d'une relation R, autrement dit une relation qui contient R, qui est irréflexive et qui est incluse dans toutes les relations irréflexives qui contiennent R?

16. Déterminez si les suites de sommets suivantes sont des chemins dans le graphe orienté suivant.

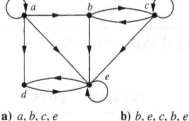

a) a, b, c, e **b)** b, e, c, b, e
c) a, a, b, e, d, e **d)** b, c, e, d, a, a, b
e) b, c, c, b, e, d, e, d **f)** $a, a, b, b, c, c, b, e, d$

17. Trouvez tous les circuits de longueur trois dans le graphe orienté de l'exercice 16.

18. Déterminez s'il existe un chemin dans le graphe orienté de l'exercice 16 commençant au premier sommet donné et se terminant au deuxième sommet donné.

a) a, b b) b, a c) b, b
d) a, e e) b, d f) c, d
g) d, d h) e, a i) e, c

19. Soit R la relation dans l'ensemble $\{1, 2, 3, 4, 5\}$ contenant les couples $(1, 3)$, $(2, 4)$, $(3, 1)$, $(3, 5)$, $(4, 3)$, $(5, 1)$, $(5, 2)$ et $(5, 4)$. Trouvez

a) R^2.   b) R^3.   c) R^4.
d) R^5.   e) R^6.   f) R^*.

20. Soit R la relation qui contient le couple (a, b) si a et b sont des villes et s'il y a un vol aérien direct entre a et b. Quand (a, b) se trouve-t-il dans

a) R^2 ?   b) R^3 ?   c) R^* ?

21. Soit R la relation dans l'ensemble de tous les étudiants contenant le couple (a, b) si a et b se trouvent dans au moins une classe commune et que $a \neq b$. Quand (a, b) est-il dans

a) R^2 ?   b) R^3 ?   c) R^* ?

22. Supposez que la relation R est réflexive. Démontrez que R^* est réflexive.

23. Supposez que la relation R est symétrique. Démontrez que R^* est symétrique.

24. Supposez que la relation R est irréflexive. La relation R^2 est-elle nécessairement irréflexive ?

25. Utilisez l'algorithme 1 pour trouver les fermetures transitives des relations suivantes dans $\{1, 2, 3, 4\}$.

a) $\{(1, 2), (2, 1), (2, 3), (3, 4), (4, 1)\}$
b) $\{(2, 1), (2, 3), (3, 1), (3, 4), (4, 1), (4, 3)\}$
c) $\{(1, 2), (1, 3), (1, 4), (2, 3), (2, 4), (3, 4)\}$
d) $\{(1, 1), (1, 4), (2, 1), (2, 3), (3, 1), (3, 2), (3, 4), (4, 2)\}$

26. Utilisez l'algorithme 1 pour trouver les fermetures transitives des relations suivantes dans $\{a, b, c, d, e\}$.

a) $\{(a, c), (b, d), (c, a), (d, b), (e, d)\}$
b) $\{(b, c), (b, e), (c, e), (d, a), (e, b), (e, c)\}$

c) $\{(a, b), (a, c), (a, e), (b, a), (b, c), (c, a), (c, b), (d, a), (e, d)\}$
d) $\{(a, e), (b, a), (b, d), (c, d), (d, a), (d, c), (e, a), (e, b), (e, c), (e, e)\}$

27. Utilisez l'algorithme de Warshall pour trouver les fermetures transitives des relations présentées dans l'exercice 25.

28. Utilisez l'algorithme de Warshall pour trouver les fermetures transitives des relations présentées dans l'exercice 26.

29. Trouvez la relation de cardinalité minimale contenant la relation $\{(1, 2), (1, 4), (3, 3), (4, 1)\}$ qui soit

a) réflexive et transitive.
b) symétrique et transitive.
c) réflexive, symétrique et transitive.

30. Complétez la démonstration du cas où $a \neq b$ dans le lemme 1.

31. On a créé des algorithmes qui utilisent $O(n^{2,8})$ opérations binaires pour calculer le produit booléen de deux matrices booléennes $n \times n$. En supposant que vous pouvez utiliser ces algorithmes, donnez les estimations grand O pour le nombre d'opérations binaires à l'aide de l'algorithme 1 afin de trouver la fermeture transitive d'une relation dans un ensemble à n éléments à l'aide de l'algorithme de Warshall.

★32. Créez un algorithme en utilisant la notion de sommets intérieurs dans un chemin pour trouver la longueur du chemin le plus court entre deux sommets dans un graphe orienté, si ce chemin existe.

33. Adaptez l'algorithme 1 pour trouver la fermeture réflexive de la fermeture transitive d'une relation dans un ensemble à n éléments.

34. Adaptez l'algorithme de Warshall pour trouver la fermeture réflexive de la fermeture transitive d'une relation dans un ensemble à n éléments.

35. Démontrez que la fermeture par rapport à la propriété **P** de la relation $R = \{(0, 0), (0, 1), (1, 1), (2, 2)\}$ dans un ensemble $\{0, 1, 2\}$ n'existe pas si **P** est la propriété

a) « n'est pas réflexive ».
b) « contient un nombre impair d'éléments ».

6.5

Relations d'équivalence

INTRODUCTION

Les étudiants d'une université s'inscrivent à leurs cours la journée précédant le début du semestre. Les étudiants dont le nom de famille commence par les lettres A à G, H à N et O à Z peuvent s'inscrire à n'importe quel moment durant les périodes de 8 h à 11 h, de 11 h à 14 h et de 14 h à 17 h, respectivement. Soit R la relation contenant (x, y) si et seulement si x et y sont des étudiants dont les noms de famille commencent par des lettres dans le même bloc. Par conséquent, x et y peuvent s'inscrire en même temps si et seulement si (x, y) appartient à R. Il est facile de constater que R est réflexive, symétrique et transitive. De plus, R divise l'ensemble des étudiants en trois classes, selon les premières lettres de leur nom de famille. Pour savoir quand un étudiant peut s'inscrire, on cherche à savoir dans laquelle des trois classes l'étudiant se trouve sans se préoccuper de son identité.

Les entiers a et b sont reliés par la « congruence modulo 4 » lorsque 4 divise $a - b$. On montrera plus loin que cette relation est réflexive, symétrique et transitive. Il n'est pas difficile de voir que a est en relation avec b si et seulement si a et b ont le même reste lorsqu'ils sont divisés par 4. Il s'ensuit que cette relation permet de diviser l'ensemble des entiers en quatre classes différentes. Lorsqu'on cherche à savoir quel est le reste lorsqu'un entier est divisé par 4, on n'a qu'à connaître la classe dans laquelle il se trouve et non sa valeur particulière.

Ces deux relations, soit R et la congruence modulo 4, sont des exemples de relations d'équivalence, c'est-à-dire de relations réflexives, symétriques et transitives. Dans la présente section, on montrera que de telles relations permettent de diviser les ensembles en classes disjointes d'éléments équivalents. Les relations d'équivalence se présentent lorsqu'on cherche uniquement à savoir si un élément d'un ensemble se trouve dans une certaine classe d'éléments, plutôt que de chercher à connaître son identité particulière.

RELATIONS D'ÉQUIVALENCE

Dans la présente section, on étudiera les relations avec une combinaison particulière de propriétés qui permettent de les utiliser pour relier les objets qui sont similaires à l'égard d'une spécification donnée.

> **DÉFINITION 1.** Une relation dans un ensemble A est une *relation d'équivalence* si elle est réflexive, symétrique et transitive.

Deux éléments reliés par le biais d'une relation d'équivalence sont **équivalents**. (Cette définition est logique puisqu'une relation d'équivalence est symétrique.) Puisqu'une relation d'équivalence est réflexive, dans une relation d'équivalence chaque élément est équivalent à lui-même. De plus, puisqu'une relation d'équivalence est transitive, si a et b le sont aussi et b et c le sont aussi, il s'ensuit que a et c sont équivalents.

Les exemples suivants présentent la notion de relation d'équivalence.

EXEMPLE 1 On suppose que R est la relation dans l'ensemble des chaînes de lettres de l'alphabet, de manière telle que $a \, R \, b$ si et seulement si $l(a) = l(b)$, où $l(x)$ est la longueur de la chaîne x. La relation R est-elle une relation d'équivalence ?

Solution : Puisque $l(a) = l(a)$, il s'ensuit que $a \, R \, a$ lorsque a est une chaîne, donc que R est réflexive. Ensuite, on suppose que $a \, R \, b$, c'est-à-dire que $l(a) = l(b)$. Alors $b \, R \, a$, puisque $l(b) = l(a)$. Ainsi, R est symétrique. Finalement, on suppose que $a \, R \, b$ et $b \, R \, c$. Alors $l(a) = l(b)$ et $l(b) = l(c)$. Ainsi, $l(a) = l(c)$, donc $a \, R \, c$. Par conséquent, R est transitive. Puisque R est réflexive, symétrique et transitive, il s'agit d'une relation d'équivalence.   ■

EXEMPLE 2   Soit R la relation dans l'ensemble des entiers telle que $a \, R \, b$ si et seulement si $a = b$ ou $a = -b$. Dans la section 6.1, on a montré que R est réflexive, symétrique et transitive. Il s'ensuit que R est une relation d'équivalence.   ■

EXEMPLE 3   Soit R la relation dans l'ensemble des nombres réels telle que $a \, R \, b$ si et seulement si $a - b$ est un entier. La relation R est-elle une relation d'équivalence ?

Solution : Puisque $a - a = 0$ est un entier pour tout nombre réel a, $a \, R \, a$ pour tous les nombres réels a. Ainsi, R est réflexive. À présent, on suppose que $a \, R \, b$. Alors, $a - b$ est un entier, d'où $b - a$ est également un entier. Ainsi, $b \, R \, a$. Il s'ensuit que R est symétrique. Si $a \, R \, b$ et $b \, R \, c$, alors $a - b$ et $b - c$ sont des entiers. Donc, $a - c = (a - b) + (b - c)$ est également un entier. Ainsi, $a \, R \, c$. Donc, R est transitive. La relation R est une relation d'équivalence.   ■

L'une des relations d'équivalence les plus couramment utilisées est la congruence modulo m, où m est un entier positif plus grand que 1.

EXEMPLE 4   **Congruence modulo m**   Soit m un entier positif plus grand que 1. Démontrez que la relation

$$R = \{(a, b) \mid a \equiv b \ (\mathrm{mod} \ m)\}$$

est une relation d'équivalence dans l'ensemble des entiers.

Solution : Dans la section 2.3, on a vu que $a \equiv b \ (\mathrm{mod} \ m)$ si et seulement si m divise $a - b$. À noter que $a - a = 0$ est divisible par m puisque $0 = 0 \cdot m$. Ainsi, $a \equiv a \ (\mathrm{mod} \ m)$, de manière telle que la congruence modulo m est réflexive. À présent, on suppose que $a \equiv b \ (\mathrm{mod} \ m)$. Alors, $a - b$ est divisible par m, c'est-à-dire que $a - b = km$, où k est un entier. Il s'ensuit que $b - a = (-k)m$, donc que $b \equiv a \ (\mathrm{mod} \ m)$. Ainsi, la congruence modulo m est symétrique. Ensuite, on suppose que $a \equiv b \ (\mathrm{mod} \ m)$ et que $b \equiv c \ (\mathrm{mod} \ m)$. Alors, m divise $a - b$ et $b - c$. Donc, il existe deux entiers k et l tels que $a - b = km$ et $b - c = lm$. En effectuant les additions membre à membre, on obtient $a - c = (a - b) + (b - c) = km + lm = (k + l)m$. Ainsi, $a \equiv c \ (\mathrm{mod} \ m)$. Donc, la congruence modulo m est transitive. Il s'ensuit que la congruence modulo m est une relation d'équivalence.   ■

CLASSES D'ÉQUIVALENCE

Soit A l'ensemble de tous les élèves d'une école qui ont obtenu leur diplôme d'études secondaires. On considère la relation R dans A qui est constituée de toutes les paires (x, y), où x et y ont obtenu leur diplôme de la même école secondaire. Étant donné un élève x, on peut former l'ensemble de tous les élèves équivalant à x par rapport à R. Cet ensemble est constitué de tous les élèves qui ont obtenu leur diplôme de la même école secondaire que x. Ce sous-ensemble de A est appelé la classe d'équivalence de la relation.

> **DÉFINITION 2.** Soit R une relation d'équivalence dans un ensemble A. L'ensemble des éléments qui sont en relation avec un élément a de A est appelé *classe d'équivalence* de a. La classe d'équivalence de a par rapport à R est notée $[a]_R$. Lorsqu'on ne considère qu'une seule relation, on supprime l'indice R et on écrit $[a]$ pour cette classe d'équivalence.

En d'autres mots, si R est une relation d'équivalence dans un ensemble A, la classe d'équivalence de l'élément a est

$$[a]_R = \{s \mid (a, s) \in R\}.$$

Si $b \in [a]_R$, on appelle b un **représentant** de cette classe d'équivalence.

EXEMPLE 5   Quelle est la classe d'équivalence d'un entier pour la relation d'équivalence de l'exemple 2 ?

Solution : Puisqu'un entier est équivalent à lui-même et à son négatif dans cette relation d'équivalence, il s'ensuit que $[a] = \{-a, a\}$. Cet ensemble contient deux entiers distincts, à moins que $a = 0$. Par exemple, $[7] = \{-7, 7\}$, $[-5] = \{-5, 5\}$ et $[0] = \{0\}$. ∎

EXEMPLE 6   Quelles sont les classes d'équivalence de 0 et de 1 pour la congruence modulo 4 ?

Solution : La classe d'équivalence de 0 contient tous les entiers a tels que $a \equiv 0 \pmod 4$. Les entiers de cette classe sont ceux qui sont divisibles par 4. Donc, la classe d'équivalence de 0 pour cette relation est

$$[0] = \{\ldots, -8, -4, 0, 4, 8, \ldots\}.$$

La classe d'équivalence de 1 contient tous les entiers a tels que $a \equiv 1 \pmod 4$. Les entiers de cette classe sont ceux qui ont un reste de 1 lorsqu'ils sont divisés par 4. Donc, la classe d'équivalence de 1 pour cette relation est

$$[1] = \{\ldots, -7, -3, 1, 5, 9, \ldots\}.$$ ∎

Dans l'exemple 6, les classes d'équivalence de 0 et de 1 par rapport à la congruence modulo 4 ont été trouvées. On peut facilement généraliser l'exemple 4 en remplaçant 4 par tout entier positif m. On appelle les classes d'équivalence de la relation de congruence modulo m les **classes de congruence modulo** m. La classe de congruence d'un entier a modulo m est notée $[a]_m$. Par exemple, à partir de l'exemple 6, il s'ensuit que $[0]_4 = \{\ldots, -8, -4, 0, 4, 8, \ldots\}$ et $[1]_4 = \{-7, -3, 1, 5, 9, \ldots\}$.

CLASSES D'ÉQUIVALENCE ET PARTITIONS INDUITES

Soit A l'ensemble des étudiants d'une université qui se spécialisent dans exactement une matière, et soit R la relation dans A constituée des couples (x, y), où x et y sont des étudiants ayant la même spécialisation. Alors, R est une relation d'équivalence (le lecteur devra vérifier cette affirmation). On peut voir que R divise l'ensemble A en un ensemble de sous-ensembles disjoints, où chaque sous-ensemble contient les étudiants se spécialisant dans une matière précise. Par exemple, un sous-ensemble contient tous les étudiants se spécialisant (uniquement) en informatique, et le deuxième sous-ensemble contient tous les étudiants se spécialisant en histoire. De plus, ces sous-ensembles sont des classes d'équivalence de R.

Dans cet exemple, on illustre que les classes d'équivalence d'une relation d'équivalence dans un ensemble A induisent la partition de A en sous-ensembles disjoints et non vides. Ces notions seront précisées au cours de la discussion suivante.

Soit R une relation dans un ensemble A. Le théorème 1 montre que les classes d'équivalence de deux éléments de A sont identiques ou disjointes.

THÉORÈME 1   Soit R une relation d'équivalence dans un ensemble A. Les énoncés suivants sont équivalents :

   i) $a\,R\,b$,
   ii) $[a] = [b]$,
   iii) $[a] \cap [b] \neq \varnothing$.

Démonstration : On montre d'abord que i) implique ii). On suppose que $a\,R\,b$. On peut démontrer que $[a] = [b]$ en démontrant que $[a] \subseteq [b]$ et $[b] \subseteq [a]$. On suppose que $c \in [a]$, alors $a\,R\,c$. Puisque $a\,R\,b$ et que R est symétrique, on a $b\,R\,a$. De plus, puisque R est transitive et que $b\,R\,a$ et $a\,R\,c$, il s'ensuit que $b\,R\,c$. Ainsi, $c \in [b]$. Cela démontre que $[a] \subseteq [b]$. Le lecteur devra démontrer que $[b] \subseteq [a]$ est similaire dans un exercice ultérieur.

Deuxièmement, on peut démontrer que ii) implique iii). On suppose que $[a] = [b]$. Il s'ensuit que $[a] \cap [b] \neq \varnothing$ puisque $[a]$ est non vide (puisque $a \in [a]$, car R est réflexive).

Ensuite, on peut démontrer que iii) implique i). On suppose que $[a] \cap [b] \neq \varnothing$. Alors, il y a un élément c avec $c \in [a]$ et $c \in [b]$. En d'autres mots, $a\,R\,c$ et $b\,R\,c$. Selon la propriété symétrique, $c\,R\,b$. Puis, selon la transitivité, puisque $a\,R\,c$ et $c\,R\,b$, on a $a\,R\,b$.

Puisque i) implique ii), que ii) implique iii) et que iii) implique i), les trois énoncés i), ii) et iii) sont équivalents.   □

On peut maintenant démontrer comment une relation d'équivalence permet de déterminer une partition d'un ensemble. Soit R une relation d'équivalence dans un ensemble A. L'union des classes d'équivalence de R est A lui-même, puisqu'un élément a de A se trouve dans sa propre classe d'équivalence, notamment $[a]_R$, ce qui peut s'écrire de la manière suivante :

$$\bigcup_{a \in A} [a]_R = A.$$

De plus, selon le théorème 1, il s'ensuit que ces classes d'équivalence sont soit égales ou bien disjointes, de manière telle que

$$[a]_R \cap [b]_R = \varnothing$$

lorsque $[a]_R \neq [b]_R$.

Ces deux observations démontrent que les classes d'équivalence forment une partition de A, puisqu'elles divisent A en sous-ensembles disjoints et non vides. Plus précisément, une **partition** d'un ensemble S est un ensemble de sous-ensembles disjoints non vides de S qui ont S comme union. En d'autres mots, l'ensemble de sous-ensembles A_i, $i \in I$ (où I est un ensemble d'indices) forme une partition S si et seulement si

$A_i \neq \varnothing$ pour $i \in I$,
$A_i \cap A_j = \varnothing$, lorsque $i \neq j$,

et

$$\bigcup_{i \in I} A_i = S.$$

(Ici la notation $\bigcup_{i \in I} A_i$ représente l'union des ensembles A_i pour tout $i \in I$.) La figure 1 illustre la notion de partition d'un ensemble.

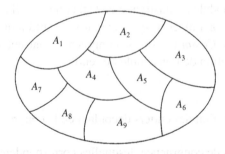

FIGURE 1   Partition d'un ensemble

EXEMPLE 7   On suppose que $S = \{1, 2, 3, 4, 5, 6\}$. L'ensemble des ensembles $A_1 = (\{1, 2, 3\}, A_2 = \{4, 5\}$ et $A_3 = \{6\}$ forme une partition de S, puisque ces ensembles sont disjoints et que leur union est S. ∎

On a vu que les classes d'équivalence d'une relation d'équivalence dans un ensemble forment une partition de l'ensemble. Les sous-ensembles de cette partition sont des classes d'équivalence. Inversement, on peut utiliser chaque partition d'un ensemble pour former une relation d'équivalence. Deux éléments sont équivalents par rapport à cette relation si et seulement s'ils se trouvent dans le même sous-ensemble de la partition. Pour le démontrer, on suppose que $\{A_i \mid i \in I\}$ est la partition dans S. Soit R la relation de S constituée du couple (x, y), où x et y appartiennent au même sous-ensemble A_i de la partition. Pour démontrer que R est une relation d'équivalence, il faut démontrer que R est réflexive, symétrique et transitive.

On voit que $(a, a) \in R$ pour tout $a \in S$, puisque a est dans le même sous-ensemble que lui-même. Ainsi, R est réflexive. Si $(a, b) \in R$, alors b et a sont dans le même sous-ensemble de la partition, de manière telle que $(b, a) \in R$ également. Donc, R est symétrique. Si $(a, b) \in R$ et $(b, c) \in R$, alors a et b se trouvent dans le même sous-ensemble X de la partition, et b et c sont dans le même sous-ensemble Y de la partition. Puisque les sous-ensembles de la partition sont disjoints et que b appartient à X et à Y, il s'ensuit que $X = Y$. Par conséquent, a et c appartiennent au même sous-ensemble de la partition, donc $(a, c) \in R$. Ainsi, R est transitive.

Il s'ensuit que R est une relation d'équivalence. Ces classes d'équivalence de R sont constituées des sous-ensembles de S contenant les éléments connexes et, selon la définition de R, ce sont des sous-ensembles de la partition. Le théorème 2 résume les connexions qui ont été établies entre les relations d'équivalence et les partitions.

THÉORÈME 2   Soit R une relation d'équivalence dans un ensemble S. Alors, les classes d'équivalence de R forment une partition de S. Inversement, étant donné une partition $\{A_i \mid i \in I\}$ de l'ensemble S, il existe une relation d'équivalence R qui admet les ensembles A_i, $i \in I$ comme classes d'équivalence.

Les classes de congruence modulo m illustrent bien le théorème 2. Il existe m différentes classes de congruence modulo m qui correspondent aux m différents restes possibles lorsqu'un entier est divisé par m. Ces m classes de congruence sont notées $[0]_m$, $[1]_m$, ..., $[m-1]_m$. Elles forment une partition de l'ensemble des entiers.

EXEMPLE 8   Quelles sont les classes de la partition des entiers découlant de la congruence modulo 4 ?

Solution : Il existe quatre classes de congruence, lesquelles correspondent à $[0]_4$, $[1]_4$, $[2]_4$ et $[3]_4$. Il s'agit des ensembles

$[0]_4 = \{\dots, -8, -4, 0, 4, 8, \dots\},$
$[1]_4 = \{\dots, -7, -3, 1, 5, 9, \dots\},$
$[2]_4 = \{\dots, -6, -2, 2, 6, 10, \dots\},$
$[3]_4 = \{\dots, -5, -1, 3, 7, 11, \dots\}.$

Ces classes de congruence sont disjointes et chaque entier se trouve exactement dans l'une de celles-ci. En d'autres mots, comme l'énonce le théorème 2, ces classes de congruence forment une partition de l'ensemble des entiers.   ■

Exercices

1. Parmi les relations suivantes dans $\{0, 1, 2, 3\}$, lesquelles sont des relations d'équivalence ? Déterminez les propriétés d'une relation d'équivalence que les autres n'ont pas.

   a) $\{(0, 0), (1, 1), (2, 2), (3, 3)\}$

   b) $\{(0, 0), (0, 2), (2, 0), (2, 2), (2, 3), (3, 2), (3, 3)\}$

   c) $\{(0, 0), (1, 1), (1, 2), (2, 1), (2, 2), (3, 3)\}$

   d) $\{(0, 0), (1, 1), (1, 3), (2, 2), (2, 3), (3, 1), (3, 2), (3, 3)\}$

   e) $\{(0, 0), (0, 1), (0, 2), (1, 0), (1, 1), (1, 2), (2, 0), (2, 2), (3, 3)\}$

2. Parmi les relations suivantes dans l'ensemble de tous les habitants de la Terre, lesquelles sont des relations d'équivalence ? Déterminez les propriétés d'une relation d'équivalence que n'ont pas les autres.

   a) $\{(a, b) \mid a$ et b ont le même âge$\}$

   b) $\{(a, b) \mid a$ et b ont les mêmes parents$\}$

   c) $\{(a, b) \mid a$ et b ont un parent en commun$\}$

   d) $\{(a, b) \mid a$ et b se sont rencontrés$\}$

   e) $\{(a, b) \mid a$ et b parlent la même langue$\}$

3. Parmi les relations suivantes dans l'ensemble de toutes les fonctions de $\mathbf{Z}$ dans $\mathbf{Z}$, lesquelles sont des relations d'équivalence ? Déterminez les propriétés d'une relation d'équivalence que n'ont pas les autres.

   a) $\{(f, g) \mid f(1) = g(1)\}$

   b) $\{(f, g) \mid f(0) = g(0)$ ou $f(1) = g(1)\}$

   c) $\{(f, g) \mid f(x) - g(x) = 1$ pour tout $x \in \mathbf{Z}\}$

   d) $\{(f, g) \mid f(x) - g(x) = C$ pour un $C \in \mathbf{Z}$ pour tout $x \in \mathbf{Z}\}$

   e) $\{(f, g) \mid f(0) = g(1)$ et $f(1) = g(0)\}$

4. Définissez trois relations d'équivalence dans l'ensemble des étudiants de la classe de mathématiques discrètes qui sont différentes des relations déjà présentées dans ce manuel. Déterminez les classes d'équivalence pour ces relations d'équivalence.

5. Supposez que A est un ensemble non vide et f, une fonction qui a A comme domaine. Soit R la relation dans A constituée de tous les couples (x, y), où $f(x) = f(y)$.

   a) Démontrez que R est une relation d'équivalence dans A.

   b) Quelles sont les classes d'équivalence de R ?

6. Supposez que A est un ensemble non vide et R, une relation d'équivalence dans A. Démontrez qu'il existe une fonction f, avec A comme domaine, telle que $(x, y) \in R$ si et seulement si $f(x) = f(y)$.

7. Démontrez que la relation R, constituée de tous les couples (x, y) où x et y sont des chaînes binaires de longueur trois ou plus qui concordent pour les trois premiers bits, est une relation d'équivalence dans l'ensemble de toutes les chaînes binaires de longueur trois ou plus.

8. Démontrez que la relation R, constituée de tous les couples (x, y), où x et y sont des chaînes binaires de longueur trois ou plus qui concordent sauf pour les trois premiers bits, est une relation d'équivalence dans l'ensemble de toutes les chaînes binaires.

9. Démontrez que l'équivalence propositionnelle est une relation d'équivalence dans l'ensemble de toutes les propositions composées.

10. Soit R, la relation dans l'ensemble des couples d'entiers positifs, telle que $((a, b), (c, d)) \in R$ si et seulement si $ad = bc$. Démontrez que R est une relation d'équivalence.

Dans les exercices 11 à 13, déterminez si la relation décrite par les graphes orientés est une relation d'équivalence.

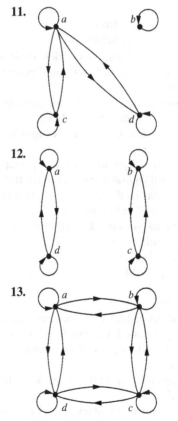

11.

12.

13.

14. Déterminez si les relations correspondant aux matrices booléennes suivantes sont des relations d'équivalence.

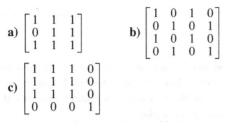

15. Soit R la relation dans l'ensemble de toutes les chaînes binaires, telle que $s\,R\,t$ si et seulement si s et t contiennent le même nombre de 1. Démontrez que R est une relation d'équivalence.

16. Quelles sont les classes d'équivalence des relations d'équivalence de l'exercice 1 ?

17. Quelles sont les classes d'équivalence des relations d'équivalence de l'exercice 2 ?

18. Quelles sont les classes d'équivalence des relations d'équivalence de l'exercice 3 ?

19. Quelle est la classe d'équivalence de la chaîne binaire 011 pour la relation d'équivalence de l'exercice 15 ?

20. Quelles sont les classes d'équivalence des chaînes binaires suivantes pour la relation d'équivalence de l'exercice 7 ?
a) 010 **b)** 1011
c) 11111 **d)** 01010101

21. Décrivez les classes d'équivalence des chaînes binaires de l'exercice 20 pour la relation d'équivalence de l'exercice 8.

22. Quelle est la classe de congruence $[4]_m$ lorsque m est
a) 2 ? **b)** 3 ? **c)** 6 ? **d)** 8 ?

23. Décrivez chacune des classes de congruence modulo 6.

24. **a)** Quelle est la classe d'équivalence de $(1, 2)$ par rapport à la relation d'équivalence de l'exercice 10 ?
b) Interprétez les classes d'équivalence de la relation d'équivalence R de l'exercice 10.

25. Parmi les ensembles suivants de sous-ensembles, lesquels sont des partitions de $\{1, 2, 3, 4, 5, 6\}$?
a) $\{1, 2\}, \{2, 3, 4\}, \{4, 5, 6\}$
b) $\{1\}, \{2, 3, 6\}, \{4\}, \{5\}$
c) $\{2, 4, 6\}, \{1, 3, 5\}$
d) $\{1, 4, 5\}, \{2, 6\}$

26. Parmi les ensembles suivants de sous-ensembles, lesquels sont des partitions de l'ensemble des entiers ?
a) l'ensemble des entiers pairs et l'ensemble des entiers impairs
b) l'ensemble des entiers positifs et l'ensemble des entiers négatifs
c) l'ensemble des entiers divisibles par 3, l'ensemble des entiers laissant un reste de 1 lorsqu'ils sont divisés par 3 et l'ensemble des entiers laissant un reste de 2 lorsqu'ils sont divisés par 3

d) l'ensemble des entiers plus petits que -100, l'ensemble des entiers ayant une valeur absolue inférieure ou égale à 100 et l'ensemble des entiers plus grands que 100

e) l'ensemble des entiers non divisibles par 3, l'ensemble des entiers pairs et l'ensemble des entiers laissant un reste de 3 lorsqu'ils sont divisés par 6

On appelle la partition P_1 un **raffinement** de la partition P_2 si chaque ensemble de P_1 est un sous-ensemble de l'un des ensembles de P_2.

27. Démontrez que la partition formée à partir des classes de congruence modulo 6 est un raffinement de la partition formée des classes de congruence modulo 3.

28. Supposez que R_1 et R_2 sont des relations d'équivalence dans un ensemble A. Soit P_1 et P_2 les partitions qui correspondent respectivement à R_1 et à R_2. Démontrez que $R_1 \subseteq R_2$ si et seulement si P_1 est un raffinement de P_2.

29. Trouvez la relation d'équivalence de cardinalité minimale dans l'ensemble $\{a, b, c, d, e\}$ contenant la relation $\{(a, b), (a, c), (d, e)\}$.

30. Supposez que R_1 et R_2 sont des relations d'équivalence dans l'ensemble S. Déterminez si chacune des combinaisons suivantes de R_1 et de R_2 est nécessairement une relation d'équivalence.
a) $R_1 \cup R_2$ **b)** $R_1 \cap R_2$ **c)** $R_1 \oplus R_2$

31. Considérez la relation d'équivalence de l'exemple 3, notamment $R = \{(x, y) \mid x - y \text{ est un entier}\}$.
a) Quelle est la classe d'équivalence de 1 pour cette relation d'équivalence ?
b) Quelle est la classe d'équivalence de $1/2$ pour cette relation d'équivalence ?

★32. Chacune des perles d'un bracelet de trois perles est rouge, blanche ou bleue, comme l'illustre le schéma qui suit. Définissez la relation R entre les bracelets comme suit : (B_1, B_2), où B_1 et B_2 sont les bracelets, appartient à R si et seulement si on peut obtenir B_2 à partir de B_1 en lui faisant faire une rotation ou en lui faisant faire une rotation puis une réflexion.

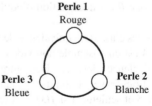

a) Démontrez que R est une relation d'équivalence.
b) Quelles sont les classes d'équivalence de R ?

★33. Soit R la relation dans l'ensemble de toutes les couleurs d'un échiquier de 2×2, où chacune des quatre cases est de couleur rouge ou bleu, de manière telle que (C_1, C_2), où C_1 et C_2 sont des échiquiers de 2×2 et où chacune des quatre cases est colorée en bleu ou en rouge, appartient à R si et seulement si C_2 peut être obtenue à partir de C_1 soit en faisant subir une rotation à l'échiquier, soit en lui faisant subir une rotation puis une réflexion.

a) Démontrez que R est une relation d'équivalence.

b) Quelles sont les classes d'équivalence de R ?

34. a) Soit R la relation dans l'ensemble des fonctions de $\mathbf{Z}+$ dans $\mathbf{Z}+$, telle que (f, g) appartient à R si et seulement si f est $\Theta(g)$ (voir la note précédant l'exercice 22 de la section 1.8). Démontrez que R est une relation d'équivalence.

b) Décrivez la classe d'équivalence contenant $f(n) = n^2$ pour la relation d'équivalence de la partie a).

35. Déterminez le nombre de relations d'équivalence différentes dans un ensemble de trois éléments en les énumérant.

36. Déterminez le nombre de relations d'équivalence différentes dans un ensemble de quatre éléments en les énumérant.

★37. Obtenez-vous nécessairement une relation d'équivalence si vous effectuez la fermeture transitive de la fermeture symétrique de la fermeture réflexive d'une relation ?

★38. Obtenez-vous nécessairement une relation d'équivalence si vous effectuez la fermeture symétrique de la fermeture réflexive de la fermeture transitive d'une relation ?

39. Supposez que vous devez utiliser le théorème 2 pour former une partition P à partir d'une relation d'équivalence R. Quelle est la relation d'équivalence R' qui en découle si vous utilisez le théorème 2 de nouveau pour former une relation d'équivalence à partir de P ?

40. Supposez que vous devez utiliser le théorème 2 pour former une relation d'équivalence R à partir d'une partition P. Quelle est la partition P' qui en découle si vous utilisez le théorème 2 de nouveau pour former une partition à partir de R ?

41. Créez un algorithme permettant de trouver la relation d'équivalence de cardinalité minimale contenant une relation donnée.

★42. Soit $p(n)$ le nombre de relations d'équivalence différentes dans un ensemble à n éléments (et selon le théorème 2, le nombre de partitions d'un ensemble à n éléments). Démontrez que $p(n)$ satisfait à la relation de récurrence $p(n) = \sum_{j=0}^{n-1} C(n-1, j)p(n-j-1)$ avec la condition initiale $p(0) = 1$. (*Remarque :* Les nombres $p(n)$ sont appelés les *nombres de Bell*, d'après le mathématicien américain E. T. Bell.)

43. Référez-vous à l'exercice 42 pour trouver le nombre de relations d'équivalence différentes dans un ensemble à n éléments, où n est un entier positif ne dépassant pas 10.

6.6

Relations d'ordre

INTRODUCTION

On utilise souvent les relations pour ordonner certains des éléments ou tous les éléments d'un ensemble. Par exemple, on ordonne des mots en utilisant la relation contenant les couples de mots (x, y), où x vient avant y dans le dictionnaire. On programme des projets en utilisant la relation constituée des couples (x, y), où x et y sont les tâches d'un projet telles que x doit être achevée avant que y commence. On ordonne l'ensemble des entiers en utilisant la relation contenant les couples (x, y), où x est inférieur à y. Lorsqu'on ajoute tous les couples de la forme (x, x) à ces relations, on obtient une relation qui est réflexive, antisymétrique et transitive. Il s'agit des propriétés qui caractérisent les relations utilisées pour ordonner les éléments des ensembles selon leur taille relative.

> **DÉFINITION 1.** Une relation R dans un ensemble S est appelée une *relation de préordre* ou *d'ordre partiel* si elle est réflexive, antisymétrique et transitive. Un ensemble S combiné à une relation de préordre R est appelé un *ensemble partiellement ordonné* et est noté (S, R).

EXEMPLE 1   Démontrez que la relation « plus grand que ou égal à » ($\geq$) est une relation de préordre dans l'ensemble des entiers.

Solution : Puisque $a \geq a$ pour tout entier a, la relation $\geq$ est réflexive. Si $a \geq b$ et $b \geq a$, alors $a = b$. Ainsi, $\geq$ est antisymétrique. Finalement, $\geq$ est transitive puisque $a \geq b$ et $b \geq c$ impliquent que $a \geq c$. Il s'ensuit que $\geq$ est une relation de préordre dans l'ensemble des entiers et $(\mathbf{Z}, \geq)$ est un ensemble partiellement ordonné.   ∎

EXEMPLE 2   La relation de divisibilité $|$ est une relation de préordre dans l'ensemble des entiers positifs puisqu'elle est réflexive, antisymétrique et transitive, comme on l'a montré dans la section 6.1. On voit que $(\mathbf{Z}^+, |)$ est un ensemble partiellement ordonné. ($\mathbf{Z}^+$ signifie l'ensemble des entiers positifs.)   ∎

EXEMPLE 3   Démontrez que la relation d'inclusion $\subseteq$ constitue une relation de préordre dans l'ensemble des parties d'un ensemble S.

Solution : Puisque $A \subseteq A$ lorsque A est un sous-ensemble de S, $\subseteq$ est réflexive. Elle est antisymétrique puisque $A \subseteq B$ et $B \subseteq A$ impliquent que $A = B$. Finalement, $\subseteq$ est transitive, puisque $A \subseteq B$ et $B \subseteq C$ impliquent que $A \subseteq C$. Ainsi, $\subseteq$ est une relation de préordre dans $P(S)$, et $(P(S), \subseteq)$ est un ensemble partiellement ordonné.   ∎

Dans un ensemble partiellement ordonné, la notation $a \preccurlyeq b$ signifie que $(a, b) \in R$. On utilise cette notation, car la relation « plus petit que ou égal à » constitue un paradigme d'une relation de préordre. (À noter qu'on utilise le symbole $\preccurlyeq$ pour représenter la relation dans *tout* ensemble partiellement ordonné et non seulement la relation « plus petit que ou égal à ».) La notation $a \prec b$ symbolise que $a \preccurlyeq b$, mais que $a \neq b$. De plus, on dit que « a est plus petit que b » ou que « b est plus grand que a » si $a \prec b$.

Lorsque a et b sont des éléments de l'ensemble partiellement ordonné $(S, \preccurlyeq)$, il n'est pas nécessaire que $a \preccurlyeq b$ ou que $b \preccurlyeq a$. Par exemple, dans $(P(\mathbf{Z}), \subseteq)$, $\{1, 2\}$ n'a pas de relation avec $\{1, 3\}$, et inversement, puisque aucun des ensembles n'est contenu dans l'autre. De même, dans $(\mathbf{Z}, |)$, 2 n'a pas de relation avec 3 et 3 n'a pas de relation avec 2, puisque $2 \nmid 3$ et $3 \nmid 2$, d'où découle la définition suivante.

> **DÉFINITION 2.** Les éléments a et b d'un ensemble partiellement ordonné $(S, \prec)$ sont *comparables* si soit $a \preccurlyeq b$, soit $b \preccurlyeq a$. Lorsque a et b sont des éléments de S, de manière telle que ni $a \preccurlyeq b$ ni $b \preccurlyeq a$, a et b sont *incomparables*.

EXEMPLE 4   Dans l'ensemble partiellement ordonné $(\mathbf{Z}^+, |)$, les entiers 3 et 9 sont-ils comparables ? Les entiers 5 et 7 sont-ils comparables ?

Solution : Les entiers 5 et 7 sont incomparables, car $5 \nmid 7$ et $7 \nmid 5$. Les entiers 3 et 9 sont comparables puisque $3 \mid 9$. ∎

On utilise le terme *partiel* pour décrire les ordres partiels, car certains couples d'éléments peuvent être incomparables. Lorsque tout couple d'éléments d'un ensemble est comparable, la relation s'appelle une **relation d'ordre total**.

> **DÉFINITION 3.** Si $(S, \preccurlyeq)$ est un ensemble partiellement ordonné et que tous les deux éléments quelconques de S sont comparables, S est appelé un *ensemble totalement ordonné* et $\preccurlyeq$, un *ordre total*. Un ensemble totalement ordonné est également appelé une chaîne.

EXEMPLE 5   L'ensemble partiellement ordonné $(\mathbf{Z}, \leq)$ est totalement ordonné puisque $a \leq b$ ou $b \leq a$ lorsque a et b sont des entiers. ∎

EXEMPLE 6   L'ensemble partiellement ordonné $(\mathbf{Z}^+, |)$ n'est pas totalement ordonné puisqu'il contient des éléments qui sont incomparables, tels que 5 et 7. ∎

Dans le chapitre 3, on a noté que $(\mathbf{Z}^+, \leq)$ est un ensemble bien ordonné, où $\leq$ constitue la relation habituelle « plus petit que ou égal à ». On définit maintenant les ensembles bien ordonnés.

> **DÉFINITION 4.** $(S, \preccurlyeq)$ est un *ensemble bien ordonné* s'il est un ensemble partiellement ordonné, tel que $\preccurlyeq$ est un ordre total et que tout sous-ensemble non vide de S contient au moins un élément.

EXEMPLE 7   L'ensemble des couples d'entiers positifs, $\mathbf{Z}^+ \times \mathbf{Z}^+$, avec $(a_1, a_2) \preccurlyeq (b_1, b_2)$ si $a_1 < b_1$ ou si $a_1 = b_1$ et $a_2 \leq b_2$ (l'ordre lexicographique), est un ensemble bien ordonné. (Le lecteur devra vérifier cet énoncé dans un exercice à la fin de la présente section.) L'ensemble $\mathbf{Z}$, avec l'ordre habituel $\leq$, n'est pas bien ordonné puisque l'ensemble des entiers négatifs, qui est le sous-ensemble de **Z**, ne contient aucun élément.   ∎

ORDRE DE CLASSEMENT

Les mots d'un dictionnaire sont présentés par ordre alphabétique. Il s'agit d'un cas particulier d'ordre des chaînes dans un ensemble élaboré à partir de l'ordre partiel de l'ensemble. Cette construction fonctionne dans un ensemble partiellement ordonné de la manière décrite ci-après.

On montre d'abord comment former une relation de préordre du produit cartésien de deux ensembles partiellement ordonnés, $(A_1, \preccurlyeq_1)$ et $(A_2, \preccurlyeq_2)$. L'**ordre de classement** $\preccurlyeq$ de $A_1 \times A_2$ est défini en précisant qu'un couple est plus petit qu'un autre si le premier élément du premier couple est plus petit (dans A_1) que le premier élément du deuxième couple, ou si les premiers éléments sont égaux, mais que le deuxième élément de ce couple est plus petit (dans A_2) que le deuxième élément du deuxième couple. En bref, (a_1, a_2) est plus petit que (b_1, b_2), c'est-à-dire

$$(a_1, a_2) \prec (b_1, b_2),$$

soit si $a_1 \prec_1 b_1$, soit si $a_1 = b_1$ et $a_2 \prec_2 b_2$.

On obtient une relation de préordre $\preccurlyeq$ en ajoutant une égalité à la relation de préordre $\prec$ de $A \times B$. Le lecteur devra vérifier cet énoncé dans un exercice ultérieur.

EXEMPLE 8   Déterminez si $(3, 5) \prec (4, 8)$, si $(3, 8) \prec (4, 5)$ et si $(4, 9) \prec (4, 11)$ dans l'ensemble partiellement ordonné $(\mathbf{Z} \times \mathbf{Z}, \preccurlyeq)$, où $\preccurlyeq$ est l'ordre lexicographique construit à partir de la relation $\leq$ habituelle dans **Z**.

Solution : Puisque $3 < 4$, il s'ensuit que $(3, 5) \prec (4, 8)$ et que $(3, 8) \prec (4, 5)$. On obtient $(4, 9) \prec (4, 11)$, puisque les premiers éléments de $(4, 9)$ et de $(4, 11)$ sont les mêmes, mais que $9 < 11$.   ∎

Dans la figure 1, l'ensemble des couples de $\mathbf{Z}^+ \times \mathbf{Z}^+$ qui sont inférieurs à $(3, 4)$ est mis en évidence.

On peut définir un ordre lexicographique du produit cartésien de n ensembles partiellement ordonnés $(A_1, \preccurlyeq_1), (A_2, \preccurlyeq_2), \dots, (A_n, \preccurlyeq_n)$. On définit les relations de préordre $\preccurlyeq$ de $A_1 \times A_2 \times \cdots \times A_n$ par

$$(a_1, a_2, \dots, a_n) \prec (b_1, b_2, \dots, b_n)$$

si $a_1 \prec_1 b_1$, ou s'il y a un entier $i > 0$ tel que $a_1 = b_1, \dots, a_i = b_i$ et $a_{i+1} \prec_{i+1} b_{i+1}$. En d'autres mots, un n-tuple est plus petit qu'un deuxième n-tuple si l'élément du premier n-tuple dans la première position où deux n-tuples ne concordent pas est plus petit que l'élément dans cette position dans le deuxième n-tuple.

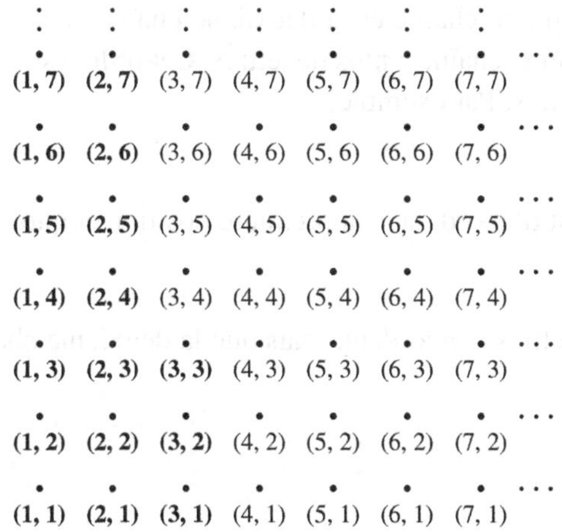

$$
\begin{array}{ccccccc}
\vdots & \vdots & \vdots & \vdots & \vdots & \vdots & \vdots \\
\bullet & \bullet & \bullet & \bullet & \bullet & \bullet & \bullet \cdots \\
(1,7) & (2,7) & (3,7) & (4,7) & (5,7) & (6,7) & (7,7) \\[6pt]
\bullet & \bullet & \bullet & \bullet & \bullet & \bullet & \bullet \\
(1,6) & (2,6) & (3,6) & (4,6) & (5,6) & (6,6) & (7,6) \\[6pt]
\bullet & \bullet & \bullet & \bullet & \bullet & \bullet & \bullet \cdots \\
(1,5) & (2,5) & (3,5) & (4,5) & (5,5) & (6,5) & (7,5) \\[6pt]
\bullet & \bullet & \bullet & \bullet & \bullet & \bullet & \bullet \cdots \\
(1,4) & (2,4) & (3,4) & (4,4) & (5,4) & (6,4) & (7,4) \\[6pt]
\bullet & \bullet & \bullet & \bullet & \bullet & \bullet & \bullet \cdots \\
(1,3) & (2,3) & (3,3) & (4,3) & (5,3) & (6,3) & (7,3) \\[6pt]
\bullet & \bullet & \bullet & \bullet & \bullet & \bullet & \bullet \cdots \\
(1,2) & (2,2) & (3,2) & (4,2) & (5,2) & (6,2) & (7,2) \\[6pt]
\bullet & \bullet & \bullet & \bullet & \bullet & \bullet & \bullet \cdots \\
(1,1) & (2,1) & (3,1) & (4,1) & (5,1) & (6,1) & (7,1)
\end{array}
$$

FIGURE 1 **Couples plus petits que (3, 4) en ordre lexicographique**

EXEMPLE 9 À noter que $(1, 2, 3, 5) < (1, 2, 4, 3)$, puisque les éléments dans les deux premières positions de ces 4-tuples concordent mais que, dans la troisième position, l'élément dans le premier 4-tuple, soit 3, est inférieur à celui dans le deuxième 4-tuple, soit 4. (Ainsi, l'ordre des 4-tuples est l'ordre lexicographique qui provient de la relation habituelle « plus petit que ou égal à » dans l'ensemble des entiers.) ■

On peut à présent définir l'ordre de classement des chaînes. On considère les chaînes $a_1 a_2 \cdots a_m$ et $b_1 b_2 \cdots b_n$ dans un ensemble partiellement ordonné S. On suppose que ces chaînes ne sont pas égales. Soit t la valeur minimale de m et de n. Selon la définition d'un ordre de classement, la chaîne $a_1 a_2 \cdots a_m$ est plus petite que $b_1 b_2 \cdots b_n$ si et seulement si

$(a_1, a_2, \ldots, a_t) < (b_1, b_2, \ldots, b_t)$ ou
$(a_1, a_2, \ldots, a_t) = (b_1, b_2, \ldots, b_t)$ et $m < n$,

où $<$ dans cette inégalité représente l'ordre de classement de S^t. En d'autres mots, pour déterminer l'ordre de deux chaînes différentes, la chaîne la plus longue est ramenée à la longueur de la chaîne la plus courte, notamment à $t = \min(m, n)$ éléments. Alors les t-tuples composés des premiers t éléments de chaque chaîne sont comparés en utilisant l'ordre de classement dans S^t. Une chaîne est plus petite qu'une autre chaîne si le t-tuple correspondant à la première chaîne est plus petit que le t-tuple de la deuxième chaîne, ou si ces deux t-tuples sont les mêmes, mais que la deuxième chaîne est plus longue. Le lecteur devra vérifier s'il s'agit d'une relation de préordre dans un exercice ultérieur.

EXEMPLE 10 Considérez l'ensemble des chaînes des lettres minuscules françaises. Utilisez l'ordre des lettres de l'alphabet pour former un ordre de classement dans l'ensemble des chaînes. Une chaîne est inférieure à la deuxième chaîne si la lettre de la première chaîne dans la première position où les chaînes diffèrent est placée avant la lettre dans la deuxième chaîne dans cette même position, ou si la première chaîne et la deuxième chaîne concordent dans toutes les positions, mais que la deuxième chaîne a plus de lettres. Cet ordre est le même que celui qui est utilisé dans les dictionnaires. Par exemple,

   discreet < *discrete*,

puisque ces chaînes diffèrent d'abord dans la première position et que *e* < *t*. De plus,

   discreet < *discreetness*,

puisque les huit premières lettres concordent, mais que la deuxième chaîne est plus longue. De plus,

   discreet < *discretion*,

puisque

   discreet < *discreti*.   ■

DIAGRAMMES DE HASSE

Il n'est pas nécessaire de tracer plusieurs arcs dans le graphe orienté pour un ensemble partiellement ordonné fini, car ils doivent nécessairement s'y trouver. Par exemple, on considère le graphe orienté de l'ordre partiel $\{(a, b) \mid a \leq b\}$ dans l'ensemble $\{1, 2, 3, 4\}$ présenté à la figure 2 a). Puisque cette relation constitue une relation de préordre, elle est réflexive et son graphe orienté comprend des boucles à tous les sommets. Par conséquent, il n'est pas nécessaire de montrer ces boucles puisque leur présence est implicite ; dans la figure 2 b), les boucles ne sont pas illustrées. Puisqu'une relation de préordre est transitive, il ne faut pas montrer les arcs qui doivent être présents à cause de la transitivité. Par exemple, dans la figure 2 c), les arcs (1, 3), (1, 4) et (2, 4) ne sont pas montrés, car leur présence est également implicite. Si on suppose que tous les arcs pointent « vers le haut » (comme ils sont dessinés dans la figure), il ne faut pas montrer la direction des arcs, comme on peut le constater dans la figure 2 c).

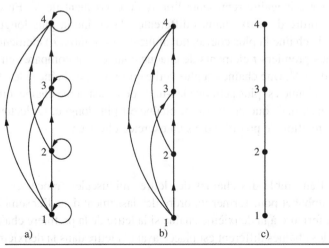

FIGURE 2   Construction du diagramme de Hasse pour ($\{1, 2, 3, 4\}$, $\leq$)

En général, on peut représenter une relation de préordre partiel dans un ensemble en utilisant la procédure suivante. On commence par tracer le graphe orienté de cette relation. Puisqu'une relation de préordre est réflexive, une boucle est présente à chaque sommet ; on retire ces boucles. On retire ensuite tous les arcs qui s'y trouvent à cause de la transitivité, car leur présence est implicite parce qu'une relation de préordre est transitive. Par exemple, si (a, b) et (b, c) se trouvent dans la relation de préordre, on retire l'arc (a, c). De plus, si (c, d) se trouve également dans la relation de préordre, on retire l'arc (a, d). Finalement, on dispose chaque arc pour que son sommet initial se situe en dessous de son sommet final (comme sur la figure 2). On retire toutes les flèches sur les arcs orientés, puisque tous les arcs pointent « vers le haut », c'est-à-dire vers leur sommet final.

Ces étapes sont bien définies, et seul un nombre fini d'étapes est nécessaire pour un ensemble partiellement ordonné fini. Lorsque toutes les étapes ont été exécutées, le diagramme final contient suffisamment de données pour qu'on puisse trouver la relation de préordre. Ce diagramme s'appelle le **diagramme de Hasse**, nommé ainsi en souvenir du mathématicien allemand du xxe siècle Helmut Hasse.

EXEMPLE 11 Tracez le diagramme de Hasse représentant la relation de préordre $\{(a, b) \mid a$ divise $b\}$ dans $\{1, 2, 3, 4, 6, 8, 12\}$.

Solution : On commence par tracer le graphe orienté de cette relation de préordre, comme le montre la figure 3 a). On retire toutes les boucles, comme le montre la figure 3 b). Ensuite, on supprime tous les arcs visés par la propriété transitive. Il s'agit de $(1, 4)$, $(1, 6)$, $(1, 8)$, $(1, 12)$, $(2, 8)$, $(2, 12)$ et $(3, 12)$. On dispose tous les arcs pour qu'ils pointent vers le haut et on supprime toutes les flèches pour obtenir le diagramme de Hasse (voir la figure 3 c)). ■

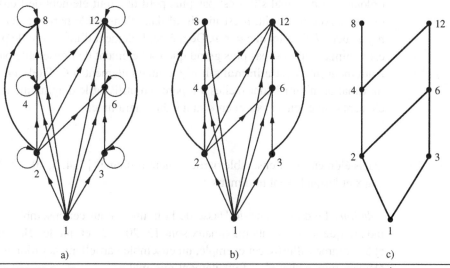

a) b) c)

FIGURE 3 **Construction du diagramme de Hasse de** $(\{1, 2, 3, 4, 6, 8, 12\}, |)$

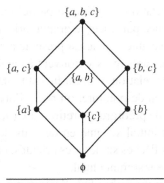

FIGURE 4   Diagramme de Hasse de $(P(\{a, b, c\}), \subseteq)$

EXEMPLE 12   Dessinez le diagramme de Hasse pour la relation de préordre $\{(A, B) \mid A \subseteq B\}$ dans l'ensemble des parties $P(S)$, où $S = \{a, b, c\}$.

Solution : Le diagramme de Hasse pour cette relation de préordre s'obtient à partir du graphe orienté connexe en supprimant toutes les boucles et tous les arcs qui découlent de la transitivité, notamment $(\varnothing, \{a, b\})$, $(\varnothing, \{a, c\})$, $(\varnothing, \{b, c\})$, $(\varnothing, \{a, b, c\})$, $(\{a\}, \{a, b, c\})$, $(\{b\}, \{a, b, c\})$ et $(\{c\}, \{a, b, c\})$. Finalement, tous les arcs pointent vers le haut et les flèches sont supprimées. Le diagramme de Hasse qui en découle est illustré à la figure 4.   ∎

ÉLÉMENTS MAXIMAL ET MINIMAL

Les éléments d'un ensemble partiellement ordonné qui ont certaines propriétés d'extrémalité sont importants dans bon nombre d'applications. L'élément d'un ensemble partiellement ordonné est maximal s'il n'est pas plus petit que tout élément de l'ensemble partiellement ordonné. Autrement dit, a est **maximal** dans l'ensemble partiellement ordonné $(S, \preccurlyeq)$ s'il n'y a aucun $b \in S$ tel que $a \prec b$. De même, l'élément d'un ensemble partiellement ordonné est minimal s'il n'est pas plus grand que tout élément de l'ensemble partiellement ordonné. Autrement dit, a est **minimal** s'il n'y a aucun élément $b \in S$ tel que $b \prec a$. Les éléments maximal et minimal sont faciles à repérer en utilisant le diagramme de Hasse. Il s'agit des éléments situés en « bas » et en « haut » du diagramme.

EXEMPLE 13   Quels éléments de l'ensemble partiellement ordonné $(\{2, 4, 5, 10, 12, 20, 25\}, |)$ sont maximaux et lesquels sont minimaux ?

Solution : Le diagramme de Hasse de la figure 5 pour cet ensemble partiellement ordonné montre que les éléments maximaux sont 12, 20 et 25 et que les éléments minimaux sont 2 et 5. Comme l'illustre cet exemple, un ensemble partiellement ordonné peut avoir plus d'un élément maximal et plus d'un élément minimal.   ∎

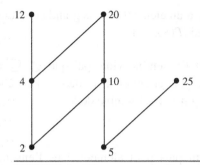

FIGURE 5 **Diagramme de Hasse d'un ensemble partiellement ordonné**

Parfois, il y a un élément dans un ensemble partiellement ordonné qui est plus grand que tout autre élément. Cet élément s'appelle le plus grand élément. Autrement dit, a est le **plus grand élément** de l'ensemble partiellement ordonné $(S, \preccurlyeq)$ si $b \preccurlyeq a$ pour tout $b \in S$. Le plus grand élément est unique lorsqu'il existe (voir l'exercice 28 a) à la fin de la présente section). De même, on appelle un élément le plus petit élément s'il est plus petit que tous les autres éléments de l'ensemble partiellement ordonné. Autrement dit, a est le **plus petit élément** de $(S, \preccurlyeq)$ si $a \preccurlyeq b$ pour tout $b \in S$. Le plus petit élément est unique lorsqu'il existe (voir l'exercice 28 b) à la fin de la présente section).

EXEMPLE 14 Déterminez si les ensembles partiellement ordonnés représentés par chacun des diagrammes de Hasse à la figure 6 ont un plus grand élément et un plus petit élément.

Solution : Le plus petit élément de l'ensemble partiellement ordonné du diagramme de Hasse a) est a. Cet ensemble partiellement ordonné n'a aucun élément le plus grand. L'ensemble partiellement ordonné du diagramme de Hasse b) n'a aucun élément le plus grand et aucun élément le plus petit. L'ensemble partiellement ordonné c n'a aucun élément le plus petit. Son élément le plus grand est d. L'ensemble partiellement ordonné du diagramme de Hasse d) a un élément le plus petit a et un élément le plus grand d. ∎

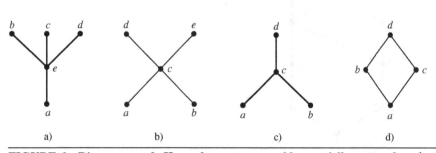

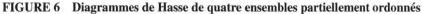

FIGURE 6 **Diagrammes de Hasse de quatre ensembles partiellement ordonnés**

EXEMPLE 15   Soit S un ensemble. Déterminez s'il y a un élément le plus grand et un élément le plus petit dans l'ensemble partiellement ordonné $(P(S), \subseteq)$.

Solution : L'élément le plus petit est l'ensemble vide, puisque $\varnothing \subseteq T$ pour tout sous-ensemble T de S. L'ensemble S est le plus grand élément dans cet ensemble partiellement ordonné puisque $T \subseteq S$, lorsque T est un sous-ensemble de S.   ∎

EXEMPLE 16   Y a-t-il un plus grand élément et un plus petit élément dans l'ensemble partiellement ordonné $(\mathbf{Z}^+, |)$?

Solution : L'entier 1 est le plus petit élément puisque $1|n$ lorsque n est un entier positif. Puisqu'il n'y a aucun entier divisible par tous les entiers positifs, il n'y a pas de plus grand élément.   ∎

Parfois, il est possible de trouver un élément qui est plus grand que tous les éléments d'un sous-ensemble A d'un ensemble partiellement ordonné $(S, \preccurlyeq)$. Si u est un élément de S tel que $a \preccurlyeq u$ pour tous les éléments $a \in A$, alors u est appelé le **majorant** de A. De même, il peut y avoir un élément plus petit que tous les éléments de A. Si l est un élément de S tel que $l \preccurlyeq a$ pour tous les éléments $a \in A$, alors l est appelé le **minorant** de A.

EXEMPLE 17   Trouvez le majorant et le minorant des sous-ensembles $\{a, b, c\}$, $\{j, h\}$ et $\{a, c, d, f\}$ dans l'ensemble partiellement ordonné du diagramme de Hasse présenté à la figure 7.

Solution : Les majorants de $\{a, b, c\}$ sont e, f, j et h, et son seul minorant est a. Il n'y a aucun majorant pour $\{j, h\}$, et ses minorants sont a, b, c, d, e et f. Les majorants de $\{a, c, d, f\}$ sont f, h et j, et son minorant est a.   ∎

L'élément x est appelé le **supremum** du sous-ensemble A si x est un majorant qui est plus petit que tout autre majorant de A. Puisqu'il n'existe qu'un tel élément, le cas échéant, il est logique de l'appeler *le* supremum (voir l'exercice 30 a) à la fin de la présente section).

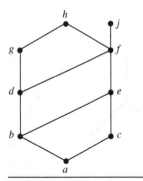

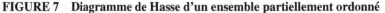

FIGURE 7   Diagramme de Hasse d'un ensemble partiellement ordonné

Autrement dit, x est le supremum de A si $a \preccurlyeq x$ lorsque $a \in A$ et $x \preccurlyeq z$ lorsque z est un majorant de A. De même, l'élément y est appelé l'**infimum** de A si y est un minorant de A et $z \preccurlyeq y$ lorsque z est un minorant de A. L'infimum de A est unique s'il existe (voir l'exercice 30 b) à la fin de cette section). L'infimum et le supremum d'un sous-ensemble A sont notés respectivement inf(A) et sup(A).

EXEMPLE 18   Trouvez l'infimum et le supremum de $\{b, d, g\}$, s'ils existent, dans l'ensemble partiellement ordonné présenté à la figure 7.

Solution : Les majorants de $\{b, d, g\}$ sont g et h. Puisque $g \prec h$, g est le supremum. Les minorants de $\{b, d, g\}$ sont a et b. Puisque a $\prec b$, b est l'infimum.   ∎

EXEMPLE 19   Trouvez l'infimum et le supremum des ensembles $\{3, 9, 12\}$ et $\{1, 2, 4, 5, 10\}$, s'ils existent, dans l'ensemble partiellement ordonné $(\mathbf{Z}^+, |)$.

Solution : Un entier est un minorant de $\{3, 9, 12\}$ si 3, 9 et 12 sont divisibles par cet entier. Ces seuls entiers sont 1 et 3. Puisque $1 \mid 3$, 3 est l'infimum de $\{3, 9, 12\}$. Le seul minorant pour l'ensemble $\{1, 2, 4, 5, 10\}$ par rapport à $|$ est l'élément 1. Ainsi, 1 est l'infimum de $\{1, 2, 4, 5, 10\}$.

Un entier est un majorant pour $\{3, 9, 12\}$ si et seulement s'il est divisible par 3, 9 et 12. Les entiers ayant cette propriété sont ceux qui sont divisibles par le plus petit commun multiple de 3, 9 et 12, qui est 36. Ainsi, 36 est le supremum de $\{3, 9, 12\}$. Un entier positif est un majorant pour l'ensemble $\{1, 2, 4, 5, 10\}$ si et seulement s'il est divisible par 1, 2, 4, 5 et 10. Les entiers ayant cette propriété sont les entiers divisibles par le plus petit commun multiple de ces entiers, qui est 20. Donc, 20 est le supremum de $\{1, 2, 4, 5, 10\}$.   ∎

TREILLIS

Un ensemble partiellement ordonné dans lequel chaque paire d'éléments a à la fois un supremum et un infimum est appelé un **treillis**. Les treillis ont plusieurs propriétés particulières. On les utilise dans diverses applications, comme les modèles de flux d'information, et ils jouent un rôle important dans l'algèbre booléenne.

EXEMPLE 20   Déterminez si les ensembles partiellement ordonnés représentés par chacun des diagrammes de Hasse de la figure 8 sont des treillis.

Solution : Les ensembles partiellement ordonnés représentés par les diagrammes de Hasse en a) et en c) sont tous les deux des treillis puisque, dans chaque ensemble partiellement ordonné, chaque paire d'éléments a un supremum et un infimum, comme le lecteur devra le vérifier. Par ailleurs, l'ensemble partiellement ordonné du diagramme de Hasse présenté en b) n'est pas un treillis, car les éléments b et c n'ont aucun supremum. Pour le vérifier, on note

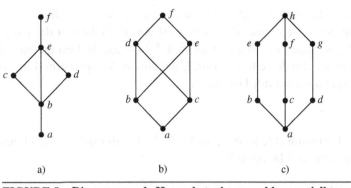

a)   b)   c)

FIGURE 8   Diagrammes de Hasse de trois ensembles partiellement ordonnés

que chacun des éléments *d*, *e* et *f* est un majorant, mais qu'aucun de ces trois éléments ne précède les deux autres par rapport à l'ordre de cet ensemble partiellement ordonné.   ■

EXEMPLE 21   L'ensemble partiellement ordonné $(\mathbf{Z}^+, |)$ est-il un treillis ?

Solution : Soit *a* et *b* deux entiers positifs. Le supremum et l'infimum de ces deux entiers sont respectivement le plus petit commun multiple et le plus grand commun diviseur de ces entiers, comme le lecteur devra le vérifier. Il s'ensuit que cet ensemble partiellement ordonné est un treillis.   ■

EXEMPLE 22   Déterminez si chacun des ensembles partiellement ordonnés $(\{1, 2, 3, 4, 5\}, |)$ et $(\{1, 2, 4, 8, 16\}, |)$ est un treillis.

Solution : Puisque 2 et 3 n'ont aucun majorant dans $(\{1, 2, 3, 4, 5\}, |)$, ils n'ont certainement pas de supremum. Donc, le premier ensemble partiellement ordonné n'est pas un treillis.
Toute paire d'éléments du deuxième ensemble partiellement ordonné est telle que chacun admet un supremum et un infimum. Le supremum des deux éléments de l'ensemble partiellement ordonné est le plus grand des éléments et l'infimum de deux éléments est le plus petit des éléments, comme le lecteur devra le vérifier. Donc, ce deuxième ensemble partiellement ordonné est un treillis.   ■

EXEMPLE 23   Déterminez si $(P(S), \subseteq)$ est un treillis, où *S* est un ensemble.

Solution : Soit *A* et *B* deux sous-ensembles de *S*. Le supremum et l'infimum de *A* et *B* sont respectivement $A \cup B$ et $A \cap B$, comme le lecteur devra le vérifier. Donc, $(P(S), \subseteq)$ est un treillis.   ■

EXEMPLE 24   **Modèle de treillis du flux d'information**   Dans plusieurs situations, le flux d'information entre une personne et une autre ou un logiciel et un autre est restreint par un contrôle de sécurité. On peut utiliser un modèle de treillis pour représenter différents règlements relatifs au flux d'information. Par exemple, un règlement courant qui est relatif au flux d'information est le *règlement de sécurité multiniveaux* utilisé dans les systèmes gouvernementaux et militaires. On attribue une classe de sécurité à chaque information, et chaque classe de sécurité est représentée par un couple (A, C), où A est un *niveau d'autorité* et C, une *catégorie*. Les personnes et les logiciels peuvent alors accéder à l'information à partir d'un ensemble de classes de sécurité précis et restreint.

Les niveaux d'autorité conventionnels qu'utilise le gouvernement des États-Unis sont les suivants : non secret (0), confidentiel (1), secret (2) et ultra secret (3). Les catégories utilisées dans les classes de sécurité sont les sous-ensembles de l'ensemble de tous les *compartiments* pertinents à un domaine d'intérêt particulier. Chaque compartiment représente un sujet particulier. Par exemple, si l'ensemble des compartiments est {*espions, taupes, agents doubles*}, alors il y a huit catégories différentes, une pour chacun des huit sous-ensembles de l'ensemble des compartiments, par exemple {*espions, taupes*}.

On peut ordonner les classes de sécurité en précisant que $(A_1, C_1) \preccurlyeq (A_2, C_2)$ si et seulement si $A_1 \leq A_2$ et $C_1 \subseteq C_2$. L'information peut circuler entre la classe de sécurité (A_1, C_1) et la classe de sécurité (A_2, C_2) si et seulement si $(A_1, C_1) \preccurlyeq (A_2, C_2)$. Par exemple, l'information peut circuler entre la classe de sécurité (*secret*, {*espions, taupes*}) et la classe de sécurité (*ultra secret*, {*espions, taupes, agents doubles*}), alors que les informations ne peuvent circuler entre la classe de sécurité (*ultra secret*, {*espions, taupes*}) et les classes de sécurité (*secret*, {*espions, taupes, agents doubles*}) ou (*ultra secret*, {*espions*}).

Le lecteur devra démontrer (voir l'exercice 36 à la fin de la présente section) que l'ensemble de toutes les classes de sécurité avec l'ordre défini dans cet exemple forme un treillis. ■

TRI TOPOLOGIQUE

On suppose qu'un projet est constitué de 20 tâches différentes. On ne peut effectuer certaines tâches qu'après l'achèvement d'autres tâches. Comment peut-on trouver un ordre pour ces tâches ? Pour résoudre ce problème, on définit un ordre partiel pour l'ensemble des tâches tel que $a \prec b$ si et seulement si a et b sont des tâches, où b ne peut être commencée avant que a soit terminée. Pour établir un horaire pour le projet, il faut produire un ordre pour les 20 tâches qui soit compatible avec cet ordre partiel.

Voici d'abord une définition : on dit qu'une relation d'ordre total $\preccurlyeq$ est **compatible** avec la relation de préordre R si $a \preccurlyeq b$ lorsque $a\, R\, b$. La formation d'une relation d'ordre total à partir d'une relation de préordre s'appelle le **tri topologique**. Il faudra en outre utiliser le lemme 1.

LEMME 1   Tout ensemble partiellement ordonné fini et non vide $(S, \preccurlyeq)$ admet un élément minimal.

Démonstration : On choisit un élément a_0 de S. Si a_0 n'est pas minimal, alors il y a un élément a_1 tel que $a_1 \prec a_0$. Si a_1 n'est pas minimal, il y a un élément a_2 avec $a_2 \prec a_1$. On continue ce processus de manière telle que si a_n n'est pas minimal, il y a un élément a_{n+1} avec $a_{n+1} \prec a_n$. Puisqu'il n'y a qu'un nombre fini d'éléments dans l'ensemble partiellement ordonné, ce processus doit se terminer avec un élément minimal a_n.   □

L'algorithme de tri topologique décrit ici fonctionne pour tout ensemble partiellement ordonné fini et non vide. Pour définir une relation d'ordre total dans un ensemble partiellement ordonné $(A, \preccurlyeq)$, on choisit d'abord l'élément minimal a_1; cet élément existe selon le lemme 1. Ensuite, on note que $(A - \{a_1\}, \preccurlyeq)$ est également un ensemble partiellement ordonné, comme le lecteur devra le vérifier. S'il est non vide, on choisit un élément minimal a_2 de cet ensemble partiellement ordonné. Puis on retire a_2; s'il reste des éléments supplémentaires, on choisit un élément minimal a_3 dans $A - \{a_1, a_2\}$. On continue ce processus en choisissant a_{k+1} comme élément minimal dans $A - \{a_1, a_2, ..., a_k\}$, tant qu'il reste des éléments.

Puisque A est un ensemble fini, ce processus doit se terminer. Le résultat final est la suite des éléments $a_1, a_2, ..., a_n$. La relation d'ordre total souhaité est définie par

$$a_1 \preccurlyeq a_2 \preccurlyeq \cdots \preccurlyeq a_n.$$

Cette relation d'ordre total est compatible avec la relation de préordre initiale. Pour le démontrer, on note que si $b \prec c$ dans la relation de préordre initiale, on choisit c comme élément minimal à une étape de l'algorithme où b a déjà été retiré, sinon c ne serait pas un élément minimal. Le pseudocode de cet algorithme de tri topologique est présenté dans l'algorithme 1.

ALGORITHME 1   Tri topologique

procédure *tri topologique* (S : ensemble partiellement ordonné fini)
$k := 1$
tant que $S \neq \varnothing$
début
    $a_k :=$ un élément minimal de S {cet élément existe selon le lemme 1}
    $S := S - \{a_k\}$
    $k := k + 1$
fin {$a_1, a_2, ..., a_n$ est une relation d'ordre total compatible de S}

EXEMPLE 25   Trouvez une relation d'ordre total compatible pour l'ensemble partiellement ordonné $(\{1, 2, 4, 5, 12, 20\}, |)$.

Solution : La première étape consiste à choisir un élément minimal. Ce doit être 1, puisqu'il est le seul élément minimal. Ensuite, on choisit un élément minimal de $(\{2, 4, 5, 12, 20\}, |)$. Il existe deux éléments minimaux dans cet ensemble partiellement ordonné, soit 2 et 5. On sélectionne 5. Le reste des éléments est alors $\{2, 4, 12, 20\}$. À cette étape, le seul élément minimal est 2. Ensuite, on choisit 4, car il est le seul élément minimal de $(\{4, 12, 20\}, |)$. Puisque 12 et 20 sont des éléments minimaux de $(\{12, 20\}, |)$, on peut ensuite choisir l'un

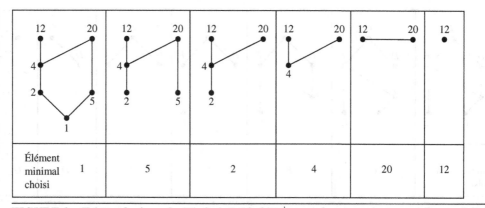

FIGURE 9   Tri topologique de $(\{1, 2, 4, 5, 12, 20\}, |)$

ou l'autre. On sélectionne 20, ce qui laisse 12 comme dernier élément. On obtient la relation d'ordre total

$$1 < 5 < 2 < 4 < 20 < 12.$$

Les étapes suivies dans cet algorithme de tri sont présentées à la figure 9. ∎

Le tri topologique trouve l'une de ses applications dans la programmation de projets.

EXEMPLE 26   Un projet de développement dans une entreprise informatique exige l'accomplissement de sept tâches. On ne peut effectuer certaines de ces tâches qu'après que d'autres tâches sont terminées. On définit une relation de préordre pour les tâches en considérant la tâche $X <$ tâche Y, si on ne peut commencer la tâche Y avant d'avoir achevé la tâche X. Le diagramme de Hasse pour les sept tâches, par rapport à la relation de préordre, est présenté à la figure 10. Trouvez un ordre dans lequel on peut effectuer ces tâches pour exécuter le projet.

Solution : On peut obtenir un ordre d'exécution des sept tâches en effectuant un tri topologique. La figure 11 illustre les étapes du tri. Le résultat de ce tri, soit $A < C < B < E < F < D < G$, représente une possibilité d'ordre d'exécution des tâches. ∎

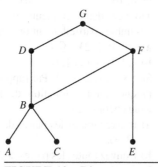

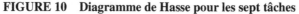

FIGURE 10   Diagramme de Hasse pour les sept tâches

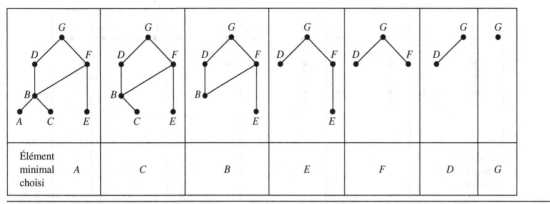

Élément minimal choisi	A	C	B	E	F	D	G

FIGURE 11   Tri topologique des tâches

Exercices

1. Parmi les couples suivants, lesquels sont des ensembles partiellement ordonnés ?
   a) $(\mathbf{Z}, =)$
   b) $(\mathbf{Z}, \neq)$
   c) $(\mathbf{Z}, \geq)$
   d) $(\mathbf{Z}, \not|)$

2. Déterminez si les relations représentées par les matrices booléennes suivantes sont des ordres partiels.
   a) $\begin{bmatrix} 1 & 0 & 1 \\ 1 & 1 & 0 \\ 0 & 0 & 1 \end{bmatrix}$
   b) $\begin{bmatrix} 1 & 0 & 0 \\ 0 & 1 & 0 \\ 1 & 0 & 1 \end{bmatrix}$

   c) $\begin{bmatrix} 1 & 0 & 1 & 0 \\ 0 & 1 & 1 & 0 \\ 0 & 0 & 1 & 1 \\ 1 & 1 & 0 & 1 \end{bmatrix}$

Dans les exercices 3 à 5, déterminez si la relation dans le graphe orienté présenté est un ordre partiel.

3.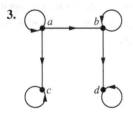

4.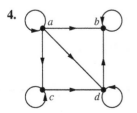

5.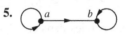

6. Soit (S, R) un ensemble partiellement ordonné. Démontrez que (S, R^{-1}) est également un ensemble partiellement ordonné, où R^{-1} est l'inverse de R. L'ensemble partiellement ordonné (S, R^{-1}) est **dual**, c'est-à-dire que sa réciproque est (S, R).

7. Trouvez les ensembles duals partiellement ordonnés suivants :
   a) $(\{0, 1, 2\}, \leq)$.
   b) $(\mathbf{Z}, \geq)$.
   c) $(P(\mathbf{Z}), \supseteq)$.
   d) $(\mathbf{Z}^+, |)$.

8. Parmi les paires d'éléments suivantes, lesquelles sont comparables dans l'ensemble partiellement ordonné $(\mathbf{Z}^+, |)$?
   a) 5, 15
   b) 6, 9
   c) 8, 16
   d) 7, 7

9. Trouvez deux éléments incomparables dans les ensembles partiellement ordonnés suivants :
   a) $(P(\{0, 1, 2\}), \subseteq)$.
   b) $(\{1, 2, 4, 6, 8\}, |)$.

10. Soit $S = \{1, 2, 3, 4\}$. Par rapport à l'ordre lexicographique qui est fonction de la relation habituelle « plus petit que »,
    a) trouvez toutes les paires de $S \times S$ plus petites que $(2, 3)$.
    b) trouvez toutes les paires de $S \times S$ plus grandes que $(3, 1)$.

c) tracez le diagramme de Hasse de l'ensemble partiellement ordonné $(S \times S, \preccurlyeq)$.

11. Trouvez l'ordre lexicographique des n-tuples suivants :
   a) $(1, 1, 2)$, $(1, 2, 1)$.
   b) $(0, 1, 2, 3)$, $(0, 1, 3, 2)$.
   c) $(1, 0, 1, 0, 1)$, $(0, 1, 1, 1, 0)$.

12. Trouvez l'ordre de classement des chaînes de lettres minuscules suivantes :
   a) *quack*, *quick*, *quicksilver*, *quicksand*, *quacking*.
   b) *open*, *opener*, *opera*, *operand*, *opened*.
   c) *zoo*, *zero*, *zoom*, *zoology*, *zoological*.

13. Trouvez l'ordre de classement des chaînes binaires $0, 01, 11, 001, 010, 011, 0001$ et 0101 en vous basant sur l'ordre $0 < 1$.

14. Tracez le diagramme de Hasse pour la relation « plus grand que ou égal à » dans $\{0, 1, 2, 3, 4, 5\}$.

15. Tracez le diagramme de Hasse pour la divisibilité dans l'ensemble
   a) $\{1, 2, 3, 4, 5, 6, 7, 8\}$.
   b) $\{1, 2, 3, 5, 7, 11, 13\}$.
   c) $\{1, 2, 3, 6, 12, 24, 36, 48\}$.
   d) $\{1, 2, 4, 8, 16, 32, 64\}$.

16. Tracez le diagramme de Hasse pour l'inclusion dans l'ensemble $P(S)$, où $S = \{a, b, c, d\}$.

Dans les exercices 17 à 19, dressez la liste de toutes les paires ordonnées dans la relation de préordre avec le diagramme de Hasse qui l'accompagne.

17.
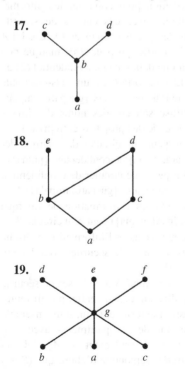

18.

19.

20. Répondez aux questions suivantes pour la relation de préordre représentée par le diagramme de Hasse suivant :

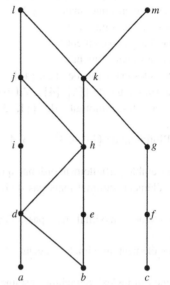

   a) Trouvez les éléments maximaux.
   b) Trouvez les éléments minimaux.
   c) Y a-t-il un plus grand élément ?
   d) Y a-t-il un plus petit élément ?
   e) Trouvez tous les majorants de $\{a, b, c\}$.
   f) Trouvez le supremum de $\{a, b, c\}$, s'il existe.
   g) Trouvez tous les minorants de $\{f, g, h\}$.
   h) Trouvez l'infimum de $\{f, g, h\}$, s'il existe.

21. Répondez aux questions suivantes concernant l'ensemble partiellement ordonné $(\{3, 5, 9, 15, 24, 45\}, |)$.
   a) Trouvez les éléments maximaux.
   b) Trouvez les éléments minimaux.
   c) Y a-t-il un plus grand élément ?
   d) Y a-t-il un plus petit élément ?
   e) Trouvez tous les majorants de $\{3, 5\}$.
   f) Trouvez le supremum de $\{3, 5\}$, s'il existe.
   g) Trouvez tous les minorants de $\{15, 45\}$.
   h) Trouvez l'infimum de $\{15, 45\}$, s'il existe.

22. Répondez aux questions suivantes concernant l'ensemble partiellement ordonné $(\{2, 4, 6, 9, 12, 18, 27, 36, 48, 60, 72\}, |)$.
   a) Trouvez les éléments maximaux.
   b) Trouvez les éléments minimaux.
   c) Y a-t-il un plus grand élément ?
   d) Y a-t-il un plus petit élément ?
   e) Trouvez tous les majorants de $\{2, 9\}$.
   f) Trouvez le supremum de $\{2, 9\}$, s'il existe.
   g) Trouvez tous les minorants de $\{60, 72\}$.
   h) Trouvez l'infimum de $\{60, 72\}$, s'il existe.

23. Répondez aux questions suivantes concernant l'ensemble partiellement ordonné ({{1}, {2}, {4}, {1, 2}, {1, 4}, {2, 4}, {3, 4}, {1, 3, 4}, {2, 3, 4}} ⊆).

a) Trouvez les éléments maximaux.

b) Trouvez les éléments minimaux.

c) Y a-t-il un plus grand élément ?

d) Y a-t-il un plus petit élément ?

e) Trouvez tous les majorants de {{2}, {4}}.

f) Trouvez le supremum de {{2}, {4}}, s'il existe.

g) Trouvez tous les minorants de {{1, 3, 4}, {2, 3, 4}}.

h) Trouvez l'infimum de {{1, 3, 4}, {2, 3, 4}}, s'il existe.

24. Donnez un ensemble partiellement ordonné qui

a) admet un élément minimal mais pas d'élément maximal.

b) admet un élément maximal mais pas d'élément minimal.

c) n'a aucun élément maximal et aucun élément minimal.

25. Démontrez que l'ordre lexicographique est une relation de préordre du produit cartésien de deux ensembles partiellement ordonnés.

26. Démontrez que l'ordre lexicographique est une relation de préordre dans l'ensemble de chaînes d'un ensemble partiellement ordonné.

27. Supposez que $(S, \preccurlyeq_1)$ et $(T, \preccurlyeq_2)$ sont des ensembles partiellement ordonnés. Démontrez que $(S \times T, \preccurlyeq)$ est un ensemble partiellement ordonné, où $(s, t) \preccurlyeq (u, v)$ si et seulement si $s \preccurlyeq_1 u$ et $t \preccurlyeq_2 v$.

28. a) Démontrez qu'il y a exactement un plus grand élément dans un ensemble partiellement ordonné, si un tel élément existe.

b) Démontrez qu'il y a exactement un plus petit élément dans un ensemble partiellement ordonné, si un tel élément existe.

29. a) Démontrez qu'il y a exactement un élément maximal dans un ensemble partiellement ordonné possédant un plus grand élément.

b) Démontrez qu'il y a exactement un élément minimal dans un ensemble partiellement ordonné possédant un plus petit élément.

30. a) Démontrez que le supremum d'un ensemble dans un ensemble partiellement ordonné est unique, s'il existe.

b) Démontrez que l'infimum d'un ensemble dans un ensemble partiellement ordonné est unique, s'il existe.

31. Déterminez si les ensembles partiellement ordonnés dans les diagrammes de Hasse suivants sont des treillis.

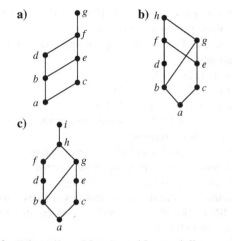

32. Déterminez si les ensembles partiellement ordonnés suivants sont des treillis.

a) $(\{1, 3, 6, 9, 12\}, |)$

b) $(\{1, 5, 25, 125\}, |)$

c) $(\mathbf{Z}, \geq)$

d) $(P(S), \supseteq)$, où $P(S)$ est l'ensemble des parties d'un ensemble S.

33. Démontrez que tout sous-ensemble non vide d'un treillis a un supremum et un infimum.

34. Démontrez que si l'ensemble partiellement ordonné (S, R) est un treillis, alors l'ensemble partiellement ordonné dual (S, R^{-1}) est également un treillis.

35. Dans une entreprise, on utilise le modèle de treillis du flux d'information pour contrôler les informations confidentielles avec des classes de sécurité représentées par les paires ordonnées (A, C). Ici A est un niveau d'autorité qui peut être : marque non déposée (0), marque déposée (1), confidentiel (2) ou enregistré (3). La catégorie C est un sous-ensemble de l'ensemble de tous les projets {guépard, impala, puma}. (On utilise souvent des noms d'animaux pour les noms de code des projets d'entreprise.)

a) L'information peut-elle circuler de (marque déposée, {guépard, puma}) à (confidentiel, {puma}) ?

b) L'information peut-elle circuler de (confidentiel, {guépard}) à (enregistré, {guépard, impala}) ?

c) Dans quelles classes l'information de (marque déposée, {guépard, puma}) peut-elle circuler ?

d) À partir de quelles classes l'information peut-elle circuler dans la classe de sécurité (confidentiel, {impala, puma}) ?

36. Démontrez que l'ensemble S des classes de sécurité (A, C) est un treillis, où A est un entier positif représentant une classe d'autorité et C, un sous-ensemble d'un ensemble fini de compartiments avec $(A_1, C_1) \preccurlyeq (A_2, C_2)$ si et seulement si $A_1 \leq A_2$ et $C_1 \subseteq C_2$. (*Conseil* : Démontrez d'abord que $(S, \preccurlyeq)$

est un ensemble partiellement ordonné, puis démontrez que le supremum et l'infimum de (A_1, C_1) et (A_2, C_2) sont respectivement (max (A_1, A_2), $C_1 \cup C_2$) et (min (A_1, A_2), $C_1 \cap C_2$).)

⋆**37.** Démontrez que l'ensemble de toutes les partitions d'un ensemble S avec la relation $P_1 \preccurlyeq P_2$, si la partition P_1 est un raffinement de la partition P_2, est un treillis. (Voir la note précédant l'exercice 27 de la section 6.5.)

38. Démontrez que tout ensemble totalement ordonné est un treillis.

39. Démontrez que tout treillis fini a un plus petit élément et un plus grand élément.

40. Donnez un exemple de treillis infini avec

   a) ni un plus petit ni un plus grand élément.

   b) un plus petit élément mais pas un plus grand élément.

   c) un plus grand élément mais pas un plus petit élément.

   d) un plus grand et un plus petit élément.

41. Vérifiez si $(\mathbf{Z}^+ \times \mathbf{Z}^+, \preccurlyeq)$ est un ensemble bien ordonné, où $\preccurlyeq$ est l'ordre lexicographique, comme l'exemple 7 le soutient.

42. Démontrez qu'un ensemble partiellement ordonné fini et non vide a un élément maximal.

43. Trouvez un ordre total compatible pour l'ensemble partiellement ordonné du diagramme de Hasse présenté à l'exercice 20.

44. Trouvez un ordre total compatible pour la relation de divisibilité dans l'ensemble $\{1, 2, 3, 6, 8, 12, 24, 36\}$.

45. Trouvez un ordre différent de celui qui est formé à l'exemple 26 pour effectuer les tâches du projet de développement.

46. Définissez un horaire d'exécution des tâches nécessaires pour construire une maison en précisant leur ordre, si le diagramme de Hasse représentant ces tâches est celui de la figure suivante :

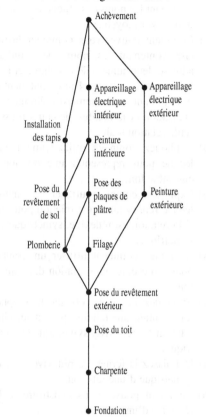

Questions de révision

1. a) Qu'est-ce qu'une relation dans un ensemble ?

   b) Combien de relations y a-t-il dans un ensemble à n éléments ?

2. a) Qu'est-ce qu'une relation réflexive ?

   b) Qu'est-ce qu'une relation symétrique ?

   c) Qu'est-ce qu'une relation antisymétrique ?

   d) Qu'est-ce qu'une relation transitive ?

3. Donnez un exemple de relation dans un ensemble $\{1, 2, 3, 4\}$ qui

   a) est réflexive, symétrique mais non transitive.

   b) est symétrique et transitive mais non réflexive.

   c) est réflexive, antisymétrique mais non transitive.

   d) est réflexive, symétrique et transitive.

   e) est réflexive, antisymétrique et transitive.

4. a) Combien de relations réflexives y a-t-il dans un ensemble à n éléments ?

   b) Combien de relations symétriques y a-t-il dans un ensemble à n éléments ?

   c) Combien de relations antisymétriques y a-t-il dans un ensemble à n éléments ?

5. a) Expliquez comment vous pouvez utiliser une relation n-aire pour représenter des données sur les étudiants de l'université.

b) Comment pouvez-vous utiliser la relation 5-aire contenant les noms des étudiants, leur adresse, leur numéro de téléphone, leur spécialisation et leur moyenne pour former une relation 3-aire contenant les noms des étudiants, leur spécialisation et leur moyenne ?

c) Comment pouvez-vous combiner la relation 4-aire contenant les noms des étudiants, leur adresse, leur numéro de téléphone et leur spécialisation et la relation 4-aire contenant les noms des étudiants, leur numéro d'étudiant, leur spécialisation et le nombre de cours réussis en une seule relation n-aire ?

6. a) Expliquez comment utiliser une matrice booléenne pour représenter une relation dans un ensemble fini.

b) Expliquez comment utiliser une matrice booléenne représentant une relation pour déterminer si la relation est réflexive, symétrique et/ou antisymétrique.

7. a) Expliquez comment utiliser un graphe orienté pour représenter une relation dans un ensemble fini.

b) Expliquez comment utiliser le graphe orienté représentant une relation pour déterminer si une relation est réflexive, symétrique et/ou antisymétrique.

8. a) Définissez la fermeture réflexive et la fermeture symétrique d'une relation.

b) Comment pouvez-vous construire la fermeture réflexive d'une relation ?

c) Comment pouvez-vous construire la fermeture symétrique d'une relation ?

d) Trouvez la fermeture réflexive et la fermeture symétrique de la relation $\{(1, 2), (2, 3), (2, 4), (3, 1)\}$ dans l'ensemble $\{1, 2, 3, 4\}$.

9. a) Définissez la fermeture transitive d'une relation.

b) Pouvez-vous obtenir la fermeture transitive d'une relation en incluant toutes les paires (a, c) de manière telle que (a, b) et (b, c) appartiennent à la relation ?

c) Décrivez deux algorithmes permettant de trouver la fermeture transitive d'une relation.

d) Trouvez la fermeture transitive de la relation $\{(1, 1), (1, 3), (2, 1), (2, 3), (2, 4), (3, 2), (3, 4), (4, 1)\}$.

10. a) Définissez une relation d'équivalence.

b) Quelles relations dans l'ensemble $\{a, b, c, d\}$ sont des relations d'équivalence et contiennent (a, b) et (b, d) ?

11. a) Démontrez que la congruence modulo m est une relation d'équivalence lorsque m est un entier positif.

b) Démontrez que la relation $\{(a, b) \mid a \equiv \pm b \pmod{7}\}$ est une relation d'équivalence dans l'ensemble des entiers.

12. a) Quelles sont les classes d'équivalence d'une relation d'équivalence ?

b) Quelles sont les classes d'équivalence de la relation de congruence modulo 5 ?

c) Quelles sont les classes d'équivalence de la relation d'équivalence de la question 11 b) ?

13. Expliquez la relation entre les relations d'équivalence dans un ensemble et les partitions de cet ensemble.

14. a) Définissez une relation de préordre.

b) Démontrez que la relation de divisibilité dans un ensemble des entiers positifs est une relation de préordre.

15. Expliquez comment on peut utiliser les relations de préordre dans les ensembles A_1 et A_2 pour définir une relation de préordre dans l'ensemble $A_1 \times A_2$.

16. a) Expliquez comment construire le diagramme de Hasse d'un ordre partiel dans un ensemble fini.

b) Tracez le diagramme de Hasse de la relation de divisibilité dans l'ensemble $\{2, 3, 5, 9, 12, 15, 18\}$.

17. a) Définissez l'élément maximal d'un ensemble partiellement ordonné et le plus grand élément de l'ensemble partiellement ordonné.

b) Donnez un exemple d'ensemble partiellement ordonné ayant trois éléments maximaux.

c) Donnez un exemple d'ensemble partiellement ordonné ayant un élément le plus grand.

18. a) Définissez un treillis.

b) Donnez un exemple d'ensemble partiellement ordonné à cinq éléments qui est un treillis et un exemple d'ensemble partiellement ordonné à cinq éléments qui n'est pas un treillis.

19. a) Démontrez que tout sous-ensemble fini d'un treillis a un supremum et un infimum.

b) Démontrez que tout treillis avec un nombre d'éléments fini a au moins un plus petit élément et un plus grand élément.

20. a) Définissez un ensemble bien ordonné.

b) Définissez un algorithme permettant de produire un ensemble bien ordonné à partir d'un ensemble partiellement ordonné.

c) Expliquez comment utiliser l'algorithme en b) pour ordonner les tâches d'un projet si chaque tâche ne peut être effectuée qu'après qu'une ou plusieurs des autres tâches ont été achevées.

Exercices supplémentaires

1. Soit S l'ensemble de toutes les chaînes des lettres de l'alphabet. Déterminez si les relations suivantes sont réflexives, irréflexives, symétriques, antisymétriques et/ou transitives.

   a) $R_1 = \{(a, b) \mid a$ et b n'ont aucune lettre en commun$\}$.

   b) $R_2 = \{(a, b) \mid a$ et b ne sont pas de la même longueur$\}$.

   c) $R_3 = \{(a, b) \mid a$ est plus longue que $b\}$.

2. Construisez une relation dans l'ensemble $\{a, b, c, d\}$ qui est

   a) réflexive, symétrique et non transitive.

   b) irréflexive, symétrique et transitive.

   c) irréflexive, antisymétrique et non transitive.

   d) réflexive, non symétrique, non antisymétrique et transitive.

   e) non réflexive, non irréflexive, non symétrique, non antisymétrique et non transitive.

3. Démontrez que la relation R dans $\mathbf{Z} \times \mathbf{Z}$ définie par $(a, b)\, R\, (c, d)$ si et seulement si $a + d = b + c$ est une relation d'équivalence.

4. Démontrez que le sous-ensemble d'une relation antisymétrique est également antisymétrique.

5. Soit R une relation réflexive dans un ensemble A. Démontrez que $R \subseteq R^2$.

6. Supposez que R_1 et R_2 sont des relations réflexives dans un ensemble A. Démontrez que $R_1 \oplus R_2$ est irréflexive.

7. Supposez que R_1 et R_2 sont des relations réflexives dans un ensemble A. $R_1 \cap R_2$ est-elle également réflexive ? $R_1 \cup R_2$ est-elle également réflexive ?

8. Supposez que R est une relation symétrique dans un ensemble A. $\overline{R}$ est-elle également symétrique ?

9. Soit R_1 et R_2 des relations symétriques. $R_1 \cap R_2$ est-elle également symétrique ? $R_1 \cup R_2$ est-elle également symétrique ?

10. Une relation R est **circulaire** si $a\, R\, b$ et $b\, R\, c$ impliquent que $c\, R\, a$. Démontrez que R est réflexive et circulaire si et seulement s'il s'agit d'une relation d'équivalence.

11. Démontrez qu'une clé primaire dans une relation n-aire est une clé primaire dans toute projection de cette relation qui contient cette clé comme l'un de ses champs.

12. La clé primaire dans une relation n-aire est-elle également une clé primaire dans une relation plus grande obtenue en prenant la disjonction de cette relation avec une deuxième relation ?

13. Démontrez que la fermeture réflexive de la fermeture symétrique d'une relation est la même que la fermeture symétrique de sa fermeture réflexive.

14. Soit R la relation dans l'ensemble de tous les mathématiciens qui contient la paire ordonnée (a, b) si et seulement si a et b ont rédigé un article ensemble.

    a) Décrivez la relation R^2.

    b) Décrivez la relation $R*$.

    c) Le **nombre d'Erdös** d'un mathématicien est 1 si ce mathématicien a rédigé un article avec le prolifique mathématicien hongrois Paul Erdös. Il est 2 si ce mathématicien n'a pas rédigé un article en collaboration avec Paul Erdös mais a rédigé un article avec quelqu'un qui a écrit un article avec Paul Erdös, et ainsi de suite (sauf que le nombre d'Erdös de Paul Erdös lui-même est 0). Donnez une définition du nombre d'Erdös en fonction des chemins dans R.

★15. **a)** Donnez un exemple pour démontrer que la fermeture transitive de la fermeture symétrique d'une relation n'est pas nécessairement la même que la fermeture symétrique de la fermeture transitive de cette relation.

    b) Démontrez que la fermeture transitive de la fermeture symétrique d'une relation doit néanmoins contenir la fermeture symétrique de la fermeture transitive de cette relation.

16. **a)** Soit S l'ensemble des sous-programmes d'un logiciel. Définissez la relation R par $\mathbf{P}\, R\, \mathbf{Q}$ si le sous-programme $\mathbf{P}$ ouvre le sous-programme $\mathbf{Q}$ durant son exécution. Décrivez la fermeture transitive de R.

    b) Pour quels sous-programmes $\mathbf{P}$ $(\mathbf{P}, \mathbf{P})$ appartient-il à la fermeture transitive de R ?

    c) Décrivez la fermeture réflexive de la fermeture transitive de R.

17. Supposez que R et S sont des relations dans un ensemble A avec $R \subseteq S$ tel que les fermetures de R et de S par rapport à une propriété $\mathbf{P}$ existent toutes les deux. Démontrez que la fermeture de R par rapport à $\mathbf{P}$ est un sous-ensemble de la fermeture de S par rapport à $\mathbf{P}$.

18. Démontrez que la fermeture symétrique de l'union de deux relations est l'union de leurs fermetures symétriques.

★19. Créez un algorithme, en vous basant sur la notion de sommets intérieurs, qui permet de trouver la longueur du chemin le plus long entre deux sommets dans un graphe orienté ou déterminez s'il s'agit de chemins arbitrairement longs entre ces sommets.

20. Parmi les propositions suivantes, lesquelles sont des relations d'équivalence dans l'ensemble de tous les habitants de la Terre ?

a) $\{(x, y) \mid x$ et y ont le même signe du zodiaque$\}$

b) $\{(x, y) \mid x$ et y sont nés la même année$\}$

c) $\{(x, y) \mid x$ et y se sont déjà trouvés dans la même ville$\}$

★**21.** Combien de relations d'équivalence différentes ayant exactement trois classes d'équivalence différentes y a-t-il dans un ensemble à cinq éléments ?

22. Démontrez que $\{(x, y) \mid x - y \in \mathbf{Q}\}$ est une relation d'équivalence dans l'ensemble des nombres réels, où $\mathbf{Q}$ signifie l'ensemble des nombres rationnels. Quels sont $[1]$, $[\frac{1}{2}]$ et $[\pi]$?

23. Supposez que $P_1 = \{A_1, A_2, \ldots, A_m\}$ et $P_2 = \{B_1, B_2, \ldots, B_n\}$ sont deux partitions dans l'ensemble S. Démontrez que l'ensemble des sous-ensembles non vides de la forme $A_i \cap B_j$ est une partition de S qui est un raffinement de P_1 et P_2 (voir la note précédant l'exercice 27 de la section 6.5).

★**24.** Démontrez que la fermeture transitive de la fermeture symétrique de la fermeture réflexive d'une relation R est la relation d'équivalence de cardinalité minimale qui contient R.

25. Soit $\mathbf{R}(S)$ l'ensemble de toutes les relations dans un ensemble S. Définissez la relation $\preccurlyeq$ dans $\mathbf{R}(S)$ par $R_1 \preccurlyeq R_2$ si $R_1 \subseteq R_2$, où R_1 et R_2 sont des relations dans S. Démontrez que $(\mathbf{R}(S), \preccurlyeq)$ est un ensemble partiellement ordonné.

26. Soit $\mathbf{P}(S)$ l'ensemble de toutes les partitions de l'ensemble S. Définissez la relation $\preccurlyeq$ dans $\mathbf{P}(S)$ par $P_1 \preccurlyeq P_2$ si P_1 est un raffinement de P_2 (voir l'exercice 27 de la section 6.5). Démontrez que $(\mathbf{P}(S), \preccurlyeq)$ est un ensemble partiellement ordonné.

27. Trouvez un ordre pour exécuter les tâches d'un projet de logiciel si le diagramme de Hasse pour les tâches de ce projet est tel qu'il est illustré à la page 405.

Un sous-ensemble d'un ensemble partiellement ordonné tel que les deux éléments de ce sous-ensemble sont comparables s'appelle un **ensemble totalement ordonné**. Un sous-ensemble d'un ensemble partiellement ordonné s'appelle un **ensemble d'éléments non comparables** si les deux éléments de ce sous-ensemble sont comparables.

28. Trouvez tous les ensembles totalement ordonnés dans les ensembles partiellement ordonnés à l'aide des diagrammes de Hasse présentés dans les exercices 17 à 19 de la section 6.6.

29. Trouvez tous les ensembles d'éléments non comparables à l'aide des diagrammes de Hasse présentés dans les exercices 17 à 19 de la section 6.6.

30. Trouvez un ensemble d'éléments non comparables ayant le plus grand nombre d'éléments dans l'ensemble partiellement ordonné à l'aide du diagramme de Hasse présenté dans l'exercice 20 de la section 6.6.

31. Montrez que tout ensemble totalement ordonné maximal dans un ensemble partiellement ordonné fini $(S, \preccurlyeq)$ contient un élément minimal de S. (Un ensemble totalement ordonné maximal est un ensemble totalement ordonné qui n'est pas un sous-ensemble d'un ensemble totalement ordonné plus grand.)

★★**32.** Montrez qu'un ensemble partiellement ordonné peut être partitionné en k ensembles totalement ordonnés, où k est le plus grand nombre d'éléments dans un ensemble d'éléments non comparables dans cet ensemble partiellement ordonné.

★**33.** Montrez que dans tout groupe de $mn + 1$ personnes, il y a soit une liste de $m + 1$ personnes où une personne dans la liste (mis à part la personne énumérée) est un descendant de la personne précédente dans la liste, soit une liste de $n + 1$ personnes où aucune de ces personnes n'est un descendant de toute autre n personne. (*Conseil* : Référez-vous à l'exercice 32.)

★**34.** Établissez le **principe généralisé d'induction** : $P(x)$ est vraie pour chaque élément x dans un ensemble bien ordonné S si $P(x_0)$ est vraie (où x_0 est le plus petit élément de S – le cas de base) et si $P(x)$ est vraie pour tout $x < y$, alors $P(y)$ est vraie (l'étape inductive).

35. Utilisez le principe généralisé d'induction dans l'ensemble bien ordonné $(\mathbf{Z}^+ \cup \{0\}) \times \mathbf{Z}^+ \cup \{0\})$ (avec l'ordre lexicographique) pour démontrer que $a_{m, n} = [n(n+1)/2] + m$, où $a_{0, 0} = 0$ et

$$a_{m, n} = \begin{cases} a_{m-1, n} + 1 & \text{si } n = 0 \\ a_{m, n-1} + n & \text{si } n \neq 0. \end{cases}$$

Une relation R dans un ensemble A est une **relation de quasi-ordre** dans A si R est réflexive et transitive.

36. Soit R la relation dans l'ensemble de toutes les fonctions de $\mathbf{Z}^+$ à $\mathbf{Z}^+$ telle que (f, g) appartient à R si et seulement si f est $O(g)$. Démontrez que R est une relation de quasi-ordre.

37. Soit R une relation de quasi-ordre dans un ensemble A. Démontrez que $R \cap R^{-1}$ est une relation d'équivalence.

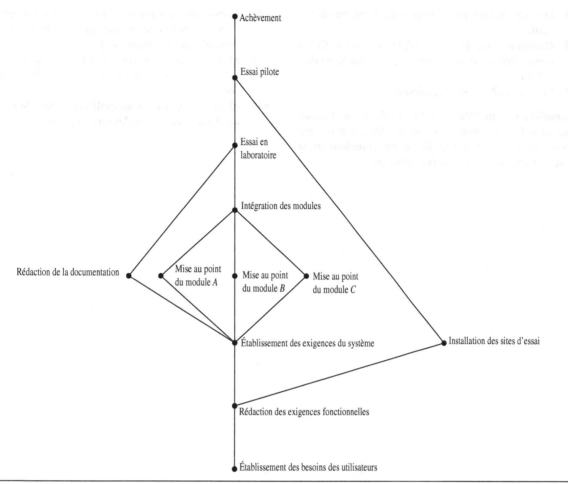

Figure pour l'exercice 27

★**38.** Soit R une relation de quasi-ordre et soit S la relation dans l'ensemble des classes d'équivalence de $R \cap R^{-1}$ telles que (C, D) appartient à S, où C et D sont des classes d'équivalence de R si et seulement s'il y a des éléments c de C et d de D tels que (c, d) appartient à R. Démontrez que S est une relation de préordre.

Soit L un treillis. Définissez les opérations de **conjonction** ($\wedge$) et de **disjonction** ($\vee$) avec $x \wedge y = \inf(x, y)$ et $x \vee y = \sup(x, y)$.

39. Démontrez que les propriétés suivantes s'appliquent à tous les éléments x, y et z d'un treillis L.

   a) $x \wedge y = y \wedge x$ et $x \vee y = y \vee x$ (**commutativité**)

   b) $(x \wedge y) \wedge z = x \wedge (y \wedge z)$ et $(x \vee y) \vee z = x \vee (y \vee z)$ (**associativité**)

   c) $x \wedge (x \vee y) = x$ et $x \vee (x \wedge y) = x$ (**absorption**)

   d) $x \wedge x = x$ et $x \vee x = x$ (**idempotence**)

40. Démontrez que si x et y sont des éléments d'un treillis L, alors $x \vee y = y$ si et seulement si $x \wedge y = x$.

Un treillis L est **borné** s'il a un **majorant**, noté 1, tel que $x \leqslant 1$ pour tout $x \in L$ et un **minorant**, noté 0, tel que $0 \leqslant x$ pour tout $x \in L$.

41. Démontrez que si L est un treillis borné ayant un majorant 1 et un minorant 0, alors les propriétés suivantes s'appliquent pour tout élément $x \in L$.

   a) $x \vee 1 = 1$

   b) $x \wedge 1 = x$

   c) $x \vee 0 = x$

   d) $x \wedge 0 = 0$

42. Démontrez que tout treillis fini est borné.

Un treillis est **distributif** si $x \vee (y \wedge z) = (x \vee y) \wedge (x \vee z)$ et $x \wedge (y \vee z) = (x \wedge y) \vee (x \wedge z)$ pour tout x, y et z dans L.

★43. Donnez un exemple de treillis qui n'est pas distributif.

44. Démontrez que le treillis $(P(S), \subseteq)$, où $P(S)$ est l'ensemble des parties d'un ensemble fini S, est distributif.

45. Le treillis $(\mathbf{Z}^+, \vert)$ est-il distributif ?

Le **complément** d'un élément a d'un treillis borné L ayant le majorant 1 et le minorant 0 est un élément b tel que $a \vee b = 1$ et $a \wedge b = 0$. Ce treillis **a un complément** si chaque élément du treillis a un complément.

46. Donnez un exemple de treillis fini où au moins un élément a plus d'un complément et au moins un élément n'a aucun complément.

47. Montrez que le treillis $(P(S), \subseteq)$, où $P(S)$ est l'ensemble des parties d'un ensemble fini S, a un complément.

★48. Montrez que si L est un treillis distributif fini, alors un élément de L a au plus un complément.

Bien qu'elle soit très ancienne, la théorie des graphes offre de nombreuses applications contemporaines. Elle remonte au XVIIIe siècle, lorsque le grand mathématicien suisse Leonhard Euler en introduisit les fondements. Euler se servit alors de graphes pour résoudre le fameux problème des ponts de Königsberg qui sera expliqué plus loin.

Les graphes servent à résoudre des problèmes dans quantité de domaines, par exemple pour déterminer si un circuit peut être établi sur une carte planaire. C'est encore au moyen de graphes qu'on peut distinguer deux composés chimiques ayant la même formule moléculaire mais des structures différentes. Par ailleurs, on peut déterminer les connexions de deux ordinateurs par un lien de communication en utilisant des modèles graphiques de réseaux informatiques. Les graphes valués permettent de résoudre des problèmes telle la recherche du chemin le plus court entre deux villes dans le cas d'un réseau de transport. On peut aussi utiliser des graphes pour planifier des périodes d'examens ou attribuer des canaux à des stations de télévision.

7.1

Introduction aux graphes

Les graphes sont des structures discrètes formées de sommets et d'arcs reliant ces sommets. On distingue les divers types de graphes selon la sorte et le nombre d'arcs reliant une paire de sommets. La majorité des problèmes de différentes disciplines peuvent être résolus au moyen de modèles graphiques. Par exemple, on montrera comment les graphes servent à représenter la compétition de différentes espèces dans une niche écologique, les influences réciproques dans une organisation et les résultats de tournois. En outre, on montrera comment les graphes aident à résoudre quantité de problèmes, par exemple calculer le nombre de combinaisons différentes de vols entre deux villes sur un réseau de trafic aérien, savoir s'il est possible de parcourir certaines rues d'une ville sans passer deux fois par la même, déterminer le nombre de couleurs nécessaires pour colorier les régions d'une carte, etc.

TYPES DE GRAPHES

Les différents types de graphes seront présentés en montrant comment chacun permet de modéliser un réseau informatique. On suppose qu'un réseau est composé d'ordinateurs et de

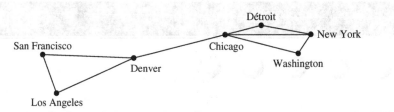

FIGURE 1   Exemple de réseau informatique

lignes téléphoniques entre ceux-ci. On peut représenter le site de chaque ordinateur par un point et chaque ligne téléphonique par un arc (voir la figure 1).

Ainsi, on peut faire les observations suivantes à propos du réseau représenté à la figure 1. Il y a au plus une ligne téléphonique entre deux ordinateurs du réseau, chaque ligne opère dans les deux directions et, enfin, aucun ordinateur n'a sa propre ligne qui ne sert qu'à lui-même. En conséquence, ce réseau peut être modélisé en utilisant un **graphe simple** formé de sommets représentant les ordinateurs et d'arcs non orientés représentant les lignes téléphoniques, chaque arc reliant deux sommets distincts et aucune paire de sommets n'étant reliée par la même paire d'arcs.

DÉFINITION 1.   Un *graphe simple* $G = (V, E)$ est constitué de V, un ensemble non vide de *sommets*, et de E, un ensemble de couples d'éléments distincts de V appelés les *arcs*.

Parfois, de nombreuses lignes de téléphone relient les ordinateurs d'un réseau. Cela se produit lorsque le volume de communications entre les ordinateurs est important. Un réseau avec des lignes multiples est illustré à la figure 2. Les graphes simples sont alors insuffisants pour modéliser de tels réseaux. À leur place, on utilise les **multigraphes** qui sont formés de sommets et d'arcs non orientés entre les sommets, avec plusieurs arcs pouvant relier les mêmes paires de sommets. À noter que chaque graphe simple peut également être considéré comme un multigraphe, mais que l'inverse n'est pas vrai puisque, dans un multigraphe, deux arcs ou plus peuvent relier la même paire de sommets.

On ne peut utiliser un couple de sommets pour désigner un arc d'un graphe dans le cas d'arcs multiples, ce qui rend la définition formelle du multigraphe un peu plus compliquée.

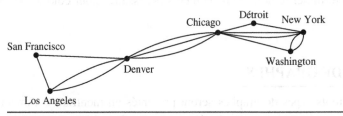

FIGURE 2   Réseau d'ordinateurs avec des lignes multiples

> **DÉFINITION 2.** Un *multigraphe* $G = (V, E)$ est formé d'un ensemble V de sommets, d'un ensemble E d'arcs et d'une fonction f de E dans $\{\{u, v\} \mid u, v \in V, u \neq v\}$. Les arcs e_1 et e_2 sont appelés des arcs multiples (ou arcs parallèles) si $f(e_1) = f(e_2)$.

Un réseau d'ordinateurs peut aussi comprendre une ligne téléphonique d'un ordinateur, le réseau étant relié avec lui-même (par exemple pour diagnostiquer les problèmes). Un tel réseau est illustré à la figure 3. On ne peut utiliser les multigraphes pour modéliser de tels réseaux, car les **boucles**, c'est-à-dire les arcs allant d'un sommet à lui-même, ne sont pas autorisées dans les multigraphes. À leur place, on utilise les **pseudographes**. Les pseudo-graphes sont encore plus généraux que les multigraphes, puisqu'un arc d'un pseudographe peut relier un sommet avec lui-même.

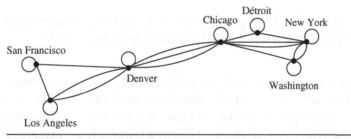

FIGURE 3 **Réseau informatique avec des lignes de diagnostic**

Pour définir formellement les pseudographes, il faut être capable d'associer les arcs à des ensembles qui ne contiennent qu'un seul sommet.

> **DÉFINITION 3.** Un *pseudographe* $G = (V, E)$ est formé d'un ensemble V de sommets, d'un ensemble E d'arcs et d'une fonction f de E dans $\{\{u, v\} \mid u, v \in V\}$. Un arc est une *boucle* si $f(e) = \{u\}$ pour certains $u \in V$.

Le lecteur notera que dans un pseudographe, des arcs multiples sont associés à la même paire de sommets. Cependant, on dira que $\{u, v\}$ est un arc d'un graphe $G = (V, E)$ s'il y a au moins un arc e tel que $f(e) = \{u, v\}$. On ne fera pas la distinction entre l'arc e et l'ensemble $\{u, v\}$ qui lui est associé, à moins que l'identité des arcs multiples soit importante.

En résumé, les pseudographes forment le type le plus général de graphes non orientés puisqu'ils peuvent contenir des boucles et des arcs multiples. Les multigraphes sont des graphes non orientés qui peuvent contenir des arcs multiples mais aucune boucle. Finale-ment, les graphes simples sont des graphes non orientés sans arcs multiples ni boucles.

Les lignes de communication d'un réseau informatique ne fonctionnent pas toujours dans les deux directions. Par exemple, la figure 4 montre que l'ordinateur central de New York ne peut que recevoir des données à partir des autres ordinateurs mais ne peut en envoyer. Les autres lignes fonctionnent dans les deux directions et sont donc représentées par une paire d'arcs avec des directions opposées.

FIGURE 4   Réseau de communications avec des lignes unidirectionnelles

On utilise les graphes orientés (déjà étudiés au chapitre 6) pour modéliser de tels réseaux. Les arcs d'un graphe orienté sont des couples. Les boucles — couples formés d'un même élément — sont autorisées, mais les arcs multiples de même direction entre deux sommets ne le sont pas.

DÉFINITION 4.   Un *graphe orienté* (V, E) est formé d'un ensemble de sommets V et d'un ensemble d'arcs E qui sont des couples des éléments de V.

On peut aussi trouver des lignes multiples dans un réseau informatique de manière telle qu'il y ait plusieurs lignes unidirectionnelles vers l'ordinateur central de New York à partir de chaque site, et peut-être plusieurs lignes revenant à chaque ordinateur éloigné à partir de l'ordinateur central. Un tel réseau est illustré à la figure 5. Les graphes orientés ne permettent pas de modéliser un tel réseau, puisque les arcs multiples ne sont pas permis dans ces graphes. À leur place, on utilise les **multigraphes orientés**, qui admettent des arcs multiples orientés à partir d'un sommet vers un autre sommet (possiblement le même). La définition formelle d'un multigraphe orienté est la suivante.

DÉFINITION 5.   Un multigraphe orienté $G = (V, E)$ est formé d'un ensemble V de sommets, d'un ensemble E d'arcs et d'une fonction f à partir de E dans $\{(u, v) \mid u, v \in V\}$. Les arcs e_1 et e_2 sont des *arcs multiples* si $f(e_1) = f(e_2)$.

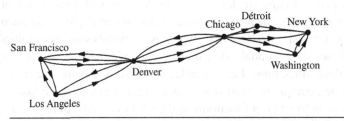

FIGURE 5   Réseau informatique avec des lignes unidirectionnelles multiples

TABLEAU 1 Terminologie des graphes			
Type	*Arcs*	*Les arcs multiples sont-ils autorisés ?*	*Les boucles sont-elles autorisées ?*
Graphe simple	Non orientés	Non	Non
Multigraphe	Non orientés	Oui	Non
Pseudographe	Non orientés	Oui	Oui
Graphe orienté	Orientés	Non	Oui
Multigraphe orienté	Orientés	Oui	Oui

Le lecteur se rendra compte que des arcs orientés multiples sont associés au même couple de sommets. Cependant, on dira que (u, v) est un arc de $G = (V, E)$ pour autant qu'il y a au moins un arc e avec $f(e) = (u, v)$. On ne fera pas la distinction entre l'arc e et le couple (u, v) qui lui est associé, sauf si l'identité des arcs multiples individuels est importante.

Cette terminologie pour les différents types de graphes clarifie le fait que les arcs d'un graphe sont associés à des paires ordonnées (des couples) ou non ordonnées, que le graphe comprenne des arcs multiples ou qu'il inclue des boucles. On utilisera le terme **graphe** pour décrire les graphes avec des arcs orientés ou non orientés, avec ou sans boucles, avec ou sans arcs multiples.

Les termes **graphes non orientés** ou **pseudographes** permettront de désigner un graphe non orienté qui pourrait avoir des arcs multiples et des boucles. On utilisera toujours l'adjectif **orienté** pour les graphes dont les arcs sont associés à des couples. Les définitions des différents types de graphes dont les arcs sont associés à des couples. En raison de l'intérêt relativement récent de la théorie des graphes et du fait que celle-ci s'applique à de nombreuses disciplines, il existe diverses terminologies des graphes qui ne coïncident pas toujours. Il appartiendra au lecteur d'évaluer la pertinence de ces termes chaque fois qu'il les rencontrera. La standardisation de la terminologie des graphes serait évidemment souhaitable.

MODÈLES DE GRAPHES

On utilise les graphes dans plusieurs problèmes de modélisation. Certains seront présentés ci-après et d'autres ultérieurement.

EXEMPLE 1   **Graphe de niche écologique**   On utilise les graphes pour modéliser l'interaction de diverses espèces animales. Par exemple, la compétition entre les espèces dans un écosystème peut être modélisée en utilisant ce qu'on appelle un **graphe de niche écologique**. Chaque espèce est représentée par un sommet. Un arc non orienté relie deux sommets si les deux espèces représentées par ces sommets sont en compétition (c'est-à-dire si elles utilisent les mêmes ressources alimentaires). Le graphe de la figure 6 modélise un écosystème dans une forêt. À partir de ce graphe, on voit que les écureuils et les ratons laveurs sont en compétition, mais que les corneilles et les musaraignes ne le sont pas.   ∎

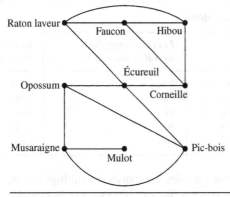

FIGURE 6   Graphe de niche écologique

EXEMPLE 2   **Sociogramme d'influence**   Des études comportementales démontrent que certaines personnes peuvent influencer le comportement d'autres personnes. Un graphe orienté appelé un **graphe d'influence** sert à modéliser cet état de fait. Chaque personne du groupe est représentée par un sommet. On trace un arc orienté d'un sommet a vers un sommet b quand la personne représentée par le sommet a influence la personne représentée par le sommet b. Un exemple de graphe d'influence des membres d'un groupe est illustré à la figure 7. Dans le groupe modélisé par ce graphe, on voit que Déborah influence Bastien, Frédéric et Linda, mais que personne n'influence Déborah elle-même. De la même façon, Yvonne et Bastien s'influencent mutuellement.   ∎

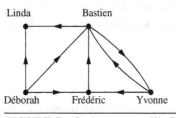

FIGURE 7   Sociogramme d'influence

EXEMPLE 3   **Tournoi**   Une compétition où chacune des équipes affronte chacune des autres équipes exactement une fois est appelée un **tournoi**. Les tournois peuvent être modélisés en utilisant des graphes orientés où chaque équipe est représentée par un sommet (voir la figure 8). À noter que (a, b) est un arc si l'équipe a défait l'équipe b. À noter aussi que l'équipe 1 n'a jamais été défaite dans ce tournoi et que, par contre, l'équipe 3 a été vaincue dans chacun de ses matchs.   ∎

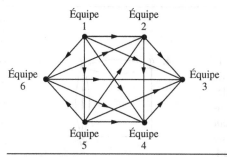

FIGURE 8   Modèle graphique d'un tournoi

EXEMPLE 4   **Graphes de précédence ou de traitement simultané**   Les programmes informatiques peuvent fonctionner plus rapidement s'ils peuvent exécuter simultanément certaines instructions. Il est cependant important de ne pas exécuter une instruction qui exige les résultats d'instructions non encore exécutées. La dépendance d'une instruction par rapport aux instructions précédentes peut donc être représentée par un graphe orienté. Chaque instruction est représentée par un sommet. Un arc reliera une instruction à une autre si l'instruction représentée par le deuxième sommet ne peut être exécutée avant que celle qui correspond au premier sommet ne soit complètement exécutée. Ce graphe est appelé un **graphe de précédence**. La figure 9 présente un programme informatique et son graphe de précédence. Par exemple, ce graphe démontre que l'instruction S_5 ne peut être exécutée avant que les instructions S_1, S_2 et S_4 le soient.   ∎

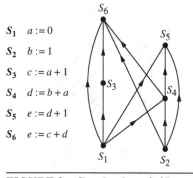

S_1 $a := 0$

S_2 $b := 1$

S_3 $c := a + 1$

S_4 $d := b + a$

S_5 $e := d + 1$

S_6 $e := c + d$

FIGURE 9   Graphe de précédence

Exercices

1. Tracez des modèles de graphes en indiquant le type de graphe utilisé pour représenter un réseau de trafic aérien où chaque jour quatre avions décollent de Boston vers Newark, deux avions décollent de Newark vers Boston, trois avions décollent de Newark vers Miami, deux avions décollent de Miami vers Newark, un avion décolle de Newark vers Détroit, deux avions décollent de Détroit vers Newark, trois avions décollent de Newark vers Washington, deux avions décollent de Washington vers Newark et un avion décolle de Washington vers Miami, avec

   a) un arc entre les sommets représentant les villes concernées par ces vols dans l'une ou l'autre direction.

   b) un arc pour chaque vol effectué entre les villes concernées par ces vols dans l'une ou l'autre direction.

   c) un arc entre les sommets représentant les villes concernées par ces vols dans l'une ou l'autre direction, plus une boucle pour un survol aérien de Miami avec un avion qui décolle et atterrit à Miami même.

   d) un arc à partir d'un sommet représentant une ville où un avion décolle et se dirige vers le sommet représentant une ville où il atterrit.

   e) un arc pour chaque vol à partir de la ville où l'avion décolle et se dirige vers la ville où il atterrit.

2. Quel type de graphe pouvez-vous utiliser pour modéliser un système routier entre deux villes où il y a

   a) un arc entre les sommets représentant les villes s'il s'agit d'une autoroute entre les villes ?

   b) un arc entre les sommets représentant les villes pour chaque autoroute les reliant ?

   c) un arc entre les sommets représentant les villes pour chaque autoroute les reliant, plus une boucle sur le sommet représentant une ville disposant d'une route de contournement ?

Pour les exercices 3 à 9, déterminez si le graphe illustré est un graphe simple, un multigraphe (et non un graphe simple), un pseudographe (et non un multigraphe), un graphe orienté ou un multigraphe orienté (et non un graphe simple orienté).

3.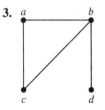

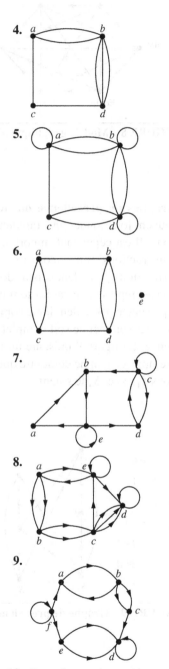

10. Pour chacun des graphes non orientés des exercices 3 à 9 qui ne sont pas des graphes simples, trouvez un ensemble d'arcs que vous pouvez retirer afin d'obtenir un graphe simple.

11. Le **graphe d'intersection** d'une collection d'ensembles $A_1, A_2, ..., A_n$ est le graphe qui a un sommet pour chacun de ses ensembles et qui a un arc reliant les sommets représentant deux ensembles si ces ensembles ont une intersection non vide. Construisez le graphe d'intersection des ensembles suivants :

a) $A_1 = \{0, 2, 4, 6, 8\}$, $A_2 = \{0, 1, 2, 3, 4\}$,
$A_3 = \{1, 3, 5, 7, 9\}$, $A_4 = \{5, 6, 7, 8, 9\}$,
$A_5 = \{0, 1, 8, 9\}$.

b) $A_1 = \{\ldots, -4. -3, -2, -1, 0\}$,
$A_2 = \{\ldots, -2, -1, 0, 1, 2, \ldots\}$,
$A_3 = \{\ldots, -6, -4, -2, 0, 2, 4, 6, \ldots\}$,
$A_4 = \{\ldots, -5, -3, -1, 1, 3, 5, \ldots\}$,
$A_5 = \{\ldots, -6, -3, 0, 3, 6, \ldots\}$.

c) $A_1 = \{x \mid x < 0\}$,
$A_2 = \{x \mid -1 < x < 0\}$,
$A_3 = \{x \mid 0 < x < 1\}$,
$A_4 = \{x \mid -1 < x < 1\}$,
$A_5 = \{x \mid x > -1\}$,
$A_6 = \mathbf{R}$.

12. En vous inspirant du graphe de niche écologique de la figure 6, déterminez les espèces qui sont en compétition avec les faucons.

13. Construisez un graphe de niche écologique concernant la compétition entre six espèces d'oiseaux dans le cas où les grives sont en compétition avec les rouges-gorges et les geais, les rouges-gorges le sont avec les oiseaux moqueurs, les oiseaux moqueurs le sont également avec les geais, et les moineaux le sont avec les pics-bois.

14. Qui est en mesure d'influencer Frédéric et qui Frédéric est-il capable d'influencer dans le sociogramme d'influence de l'exemple 2 ?

15. Construisez un sociogramme d'influence pour le conseil d'administration d'une société si le président peut influencer les décisions du directeur de la recherche, le directeur du marketing et le directeur des opérations ; le directeur de la recherche peut influencer le directeur des opérations ; le directeur du marketing peut influencer le directeur des

opérations ; et personne ne peut influencer ou être influencé par le vice-président des finances.

16. Quelles sont les autres équipes qui ont été défaites par l'équipe n° 4 et quelles sont les équipes qui ont battu cette même équipe dans le tournoi représenté par le graphe de la figure 8 ?

17. Dans un tournoi, les Tigers ont battu les Blue Jays, les Cardinals et les Orioles ; les Blue Jays ont battu les Cardinals et les Orioles ; et les Cardinals ont battu les Orioles. Tracez un modèle de ces résultats au moyen d'un graphe orienté.

18. Quelles sont les instructions qui peuvent être exécutées avant l'instruction S_6 dans le programme de l'exemple 4 ? (Utilisez le graphe de précédence de la figure 9.)

19. Construisez un graphe de précédence pour le programme suivant :

$S_1 : x := 0$,
$S_2 : x := x + 1$,
$S_3 : y := 2$,
$S_4 : z := y$,
$S_5 : x := x + 2$,
$S_6 : y := x + z$,
$S_7 : z := 4$.

20. Décrivez une structure discrète construite à partir d'un graphe afin de modéliser un réseau aérien et un horaire des vols. (*Conseil :* Ajoutez une structure à un graphe orienté.)

21. Décrivez une structure discrète construite à partir d'un graphe afin de modéliser les relations entre des paires d'individus dans un groupe, dans lequel chaque individu peut soit aimer, soit détester un autre individu, soit être indifférent à celui-ci et que la relation inverse peut être différente. (*Conseil :* Ajoutez une structure à un graphe orienté. Traitez séparément les arcs dans les directions opposées entre les sommets représentant deux individus.)

7.2

Terminologie des graphes

INTRODUCTION

On présente ici les termes usuels du vocabulaire de la théorie des graphes. On utilisera ce vocabulaire chaque fois que des problèmes graphiques devront être résolus. L'un de ces problèmes consiste, par exemple, à déterminer si un graphe peut être tracé à l'intérieur d'un plan de manière telle qu'aucun arc n'en croise un autre. Un autre exemple consiste à déterminer s'il existe une fonction bijective entre les sommets respectifs de deux graphes qui induit une bijection entre les arcs de ces graphes. On parlera également de plusieurs familles de graphes souvent citées à titre d'exemples ou de modèles.

TERMINOLOGIE DE BASE

Voici d'abord la terminologie qui décrit les sommets et les arcs d'un graphe non orienté.

DÉFINITION 1.   Deux sommets u et v dans un graphe non orienté G sont *adjacents* (ou *voisins*) dans G si $\{u, v\}$ est un arc de G. Si $e = \{u, v\}$, l'arc e est *incident* aux sommets u et v. On dit également que l'arc e *relie* u et v. Les sommets u et v sont les *points terminaux* de l'arc $\{u, v\}$.

Pour démontrer que les arcs sont incidents à un sommet, on établit la définition 2.

DÉFINITION 2.   Le *degré* d'un sommet dans un graphe non orienté est le nombre d'arcs incidents à ce sommet, et une boucle sur un sommet contribue deux fois au degré du sommet. Le degré du sommet v est noté $\deg(v)$.

EXEMPLE 1   Quels sont les degrés des sommets des graphes G et H présentés à la figure 1 ?

Solution : Dans G, $\deg(a) = 2$, $\deg(b) = \deg(c) = \deg(f) = 4$, $\deg(d) = 1$, $\deg(e) = 3$ et $\deg(g) = 0$. Dans H, $\deg(a) = 4$, $\deg(b) = \deg(e) = 6$, $\deg(c) = 1$ et $\deg(d) = 5$.   ■

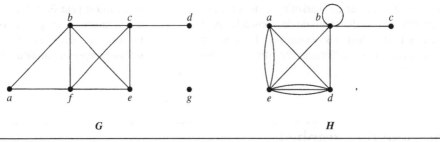

FIGURE 1   Graphes non orientés G et H

Un sommet de degré 0 est un sommet **isolé**. Il s'ensuit qu'un sommet isolé n'est adjacent à aucun autre sommet. Le sommet g dans le graphe G de l'exemple 1 est un sommet isolé. Un sommet est **pendant** si et seulement s'il a le degré 1. En conséquence, un sommet pendant est adjacent à exactement un seul autre sommet. Le sommet d du graphe G dans l'exemple 1 est un sommet pendant.

Quel est le résultat de l'addition des degrés de tous les sommets d'un graphe $G = (V, E)$? Chaque sommet contribue pour 2 à la somme des degrés des sommets, puisqu'un arc est incident à exactement deux sommets (et éventuellement les mêmes). Cela signifie que la somme des degrés des sommets est égale à deux fois le nombre des arcs. On obtient le résultat suivant, appelé quelquefois le « lemme des poignées de mains », par analogie entre un arc reliant deux points terminaux et une poignée de mains entre deux personnes.

THÉORÈME 1   **Lemme des poignées de mains**   Soit $G = (V, E)$ un graphe non orienté avec e arcs. Alors,

$$2e = \sum_{v \in V} \deg(v).$$

(À noter que ce théorème s'applique même dans le cas d'arcs multiples et de boucles.)

EXEMPLE 2   Combien y a-t-il d'arcs dans un graphe comportant 10 sommets, chacun de degré 6 ?

Solution : Puisque la somme des degrés des sommets est $6 \cdot 10 = 60$, il s'ensuit que $2e = 60$. Donc, $e = 30$.   ∎

Le théorème 1 démontre que la somme des degrés des sommets d'un graphe non orienté est paire. Ce simple fait a diverses conséquences, l'une d'elles étant exprimée par le théorème 2.

THÉORÈME 2   Un graphe non orienté a un nombre pair de sommets de degrés impairs.

Démonstration : Soit V_1 et V_2 qui sont respectivement l'ensemble des sommets de degrés pairs et l'ensemble des sommets de degrés impairs, dans un graphe non orienté $G = (V, E)$. Alors,

$$2e = \sum_{v \in V} \deg(v) = \sum_{v \in V_1} \deg(v) + \sum_{v \in V_2} \deg(v) .$$

Puisque $\deg(v)$ est pair pour $v \in V_1$, le premier terme du membre de droite de la dernière égalité est pair. De plus, la somme des deux termes du membre de droite de la dernière égalité est paire, puisque cette somme est $2e$. Donc, le deuxième terme de la somme est également pair. Puisque tous les termes de cette somme sont impairs, il y a évidemment un nombre pair de ces termes. En conséquence, il existe un nombre pair de sommets de degrés impairs.   □

Il existe aussi une terminologie pour les graphes avec des arcs orientés.

DÉFINITION 3.   Quand (u, v) est un arc du graphe G avec des arcs orientés, u est *adjacent* à v et v est *adjacent* à u. Le sommet u est l'*extrémité initiale* de (u, v) et v est l'*extrémité terminale* ou *finale* de (u, v). Les extrémités initiale et finale d'une boucle sont identiques.

Puisque les arcs dans un graphe orienté sont des couples, la définition du degré d'un sommet peut être raffinée afin de refléter le nombre d'arcs ayant ce sommet à titre d'extrémité initiale ou à titre d'extrémité finale.

> **DÉFINITION 4.**   Dans un graphe orienté, le *degré intérieur* d'un sommet *v*, noté $\deg^-(v)$, est le nombre d'arcs qui ont *v* comme extrémité finale. Le *degré extérieur* de *v*, noté $\deg^+(v)$, est le nombre d'arcs qui ont *v* comme extrémité initiale. (À remarquer qu'une boucle sur un sommet contribue pour 1 à la fois au degré intérieur et au degré extérieur de ce sommet.)

EXEMPLE 3   Trouvez le degré intérieur et le degré extérieur de chaque sommet du graphe *G* comportant les arcs orientés présentés à la figure 2.

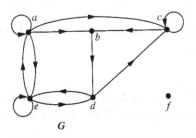

FIGURE 2   Graphe orienté *G*

Solution : Les degrés intérieurs dans *G* sont $\deg^-(a) = 2$, $\deg^-(b) = 2$, $\deg^-(c) = 3$, $\deg^-(d) = 2$, $\deg^-(e) = 3$ et $\deg^-(f) = 0$. Les degrés extérieurs sont $\deg^+(a) = 4$, $\deg^+(b) = 1$, $\deg^+(c) = 2$, $\deg^+(d) = 2$, $\deg^+(e) = 3$ et $\deg^+(f) = 0$.   ■

Puisque chaque arc a un sommet initial et un sommet terminal, la somme des degrés intérieurs et la somme des degrés extérieurs de tous les sommets de ce graphe avec des arcs orientés sont les mêmes. Les deux sommes représentent le nombre d'arcs dans le graphe. Ce résultat est exprimé par le théorème 3.

THÉORÈME 3   Soit $G = (V, E)$ un graphe orienté. Alors,
$$\sum_{v \in V} \deg^-(v) = \sum_{v \in V} \deg^+(v) = |E|.$$

Il existe diverses propriétés d'un graphe avec des arcs orientés qui ne dépendent pas de l'orientation de ses arcs. En conséquence, il est parfois intéressant d'ignorer ces directions. Le graphe non orienté obtenu en omettant les directions des arcs est appelé le **graphe non**

orienté sous-jacent. Un graphe avec des arcs orientés et son graphe non orienté sous-jacent ont le même nombre d'arcs.

QUELQUES EXEMPLES DE GRAPHES SIMPLES

On présente maintenant plusieurs classes de graphes simples. Ces graphes sont des cas typiques qu'on trouve dans de nombreuses applications.

EXEMPLE 4 **Graphes complets** Le *graphe complet* de n sommets, noté K_n, est le graphe simple qui contient exactement un arc entre chaque paire de sommets distincts. Les graphes K_n, pour $n = 1, 2, 3, 4, 5, 6$, sont présentés à la figure 3. ∎

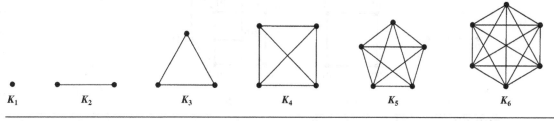

K_1 K_2 K_3 K_4 K_5 K_6

FIGURE 3 Graphes K_n, $1 \leq n \leq 6$

EXEMPLE 5 **Cycles** Le *cycle* C_n, $n \geq 3$, consiste en n sommets $v_1, v_2, \ldots, v_n$ et arcs $\{v_1, v_2\}$, $\{v_2, v_3\}$, $\ldots, \{v_{n-1}, v_n\}$ et $\{v_n, v_1\}$. La figure 4 présente les cycles C_3, C_4, C_5 et C_6. ∎

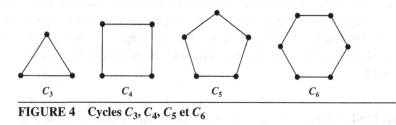

C_3 C_4 C_5 C_6

FIGURE 4 Cycles C_3, C_4, C_5 et C_6

EXEMPLE 6 **Roues** On obtient la *roue* W_n (W pour *Wheel*) quand on ajoute un sommet supplémentaire au cycle C_n pour $n \geq 3$ et qu'on relie ce nouveau sommet à chacun des sommets n de C_n au moyen de nouveaux arcs. La figure 5 présente les roues W_3, W_4, W_5 et W_6. ∎

EXEMPLE 7 **Cubes de dimension n** Le *cube de dimension n*, noté Q_n, est le graphe qui a des sommets représentant les chaînes binaires 2^n de longueur n. Deux sommets sont adjacents si et

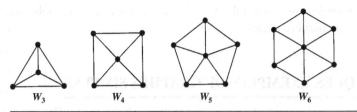

FIGURE 5   Roues W_3, W_4, W_5 et W_6

seulement si les chaînes binaires qu'ils représentent diffèrent d'exactement un bit. La figure 6 présente les graphes Q_1, Q_2, et Q_3.   ∎

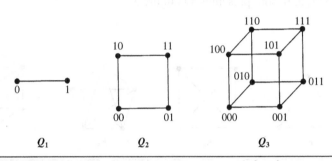

FIGURE 6   Cube de dimension n Q_n pour $n = 1$, 2 et 3

GRAPHES BIPARTIS

Quelquefois, un graphe a la propriété que l'ensemble de ses sommets peut être réparti en deux sous-ensembles disjoints de telle façon que chaque arc relie un sommet du premier sous-ensemble à un sommet du second sous-ensemble. Par exemple, le graphe représentant les mariages entre les gens d'un village, où chaque personne est représentée par un sommet et un mariage est représenté par un arc. Dans ce graphe, chaque arc relie un sommet du sous-ensemble des hommes et un sommet du sous-ensemble des femmes, ce qui conduit à la définition 5.

DÉFINITION 5.   Un graphe simple G est *biparti* si l'ensemble V de ses sommets peut être partitionné en deux ensembles non vides et disjoints V_1 et V_2 de telle façon que chaque arc du graphe relie un sommet de V_1 à un sommet de V_2 (de telle manière qu'il n'y ait aucun arc de G qui relie soit deux sommets de V_1, soit deux sommets de V_2).

Dans l'exemple 8, on démontrera que C_6 est un graphe biparti et, dans l'exemple 9, que K_3 n'est pas biparti.

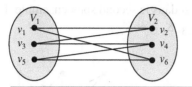

FIGURE 7   Démonstration que C_6 est un graphe biparti

EXEMPLE 8 C_6 est biparti, tel qu'il est démontré à la figure 7, puisque son ensemble de sommets peut être partitionné en deux sous-ensembles $V_1 = \{v_1, v_3, v_5\}$ et $V_2 = \{v_2, v_4, v_6\}$, et que tout arc de C_6 relie un sommet de V_1 à un sommet de V_2.   ■

EXEMPLE 9   Le graphe K_3 n'est pas biparti. Pour le démontrer, on note que si on divise l'ensemble des sommets de K_3 en deux ensembles disjoints, l'un de ces deux ensembles contient deux sommets. Si le graphe était biparti, ces deux sommets ne pourraient être reliés par un arc. Néanmoins, dans K_3, chaque sommet est relié à un autre sommet par un arc.   ■

EXEMPLE 10   Les graphes G et H présentés à la figure 8 sont-ils bipartis ?

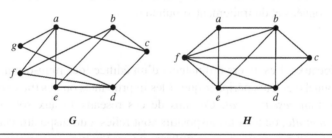

FIGURE 8   Graphes non orientés G et H

Solution : Le graphe G est biparti puisque son ensemble de sommets est l'union des deux ensembles disjoints $\{a, b, d\}$ et $\{c, e, f, g\}$, et que chaque arc relie un sommet du premier sous-ensemble à un sommet du second sous-ensemble. (À noter que pour que G soit biparti, il n'est pas nécessaire que chaque sommet de l'ensemble $\{a, b, d\}$ soit adjacent à chaque sommet de l'ensemble $\{c, e, f, g\}$. Par exemple, b et g ne sont pas adjacents.)

Le graphe H n'est pas biparti puisque son ensemble de sommets ne peut être partitionné en deux sous-ensembles de telle façon que les arcs ne relient pas des sommets du même sous-ensemble. (Le lecteur devra vérifier cette affirmation en considérant les sommets a, b et f.)   ■

EXEMPLE 11   **Graphes bipartis complets**   Le *graphe biparti complet* $K_{m, n}$ est un graphe dont l'ensemble des sommets est partitionné en deux sous-ensembles qui ont respectivement m et n sommets. Il y a un arc entre deux sommets si et seulement si un sommet est dans le premier sous-ensemble et que l'autre sommet est dans le second sous-ensemble. La figure 9 présente les graphes bipartis complets $K_{2,3}$, $K_{3,3}$, $K_{3,5}$ et $K_{2,6}$. ∎

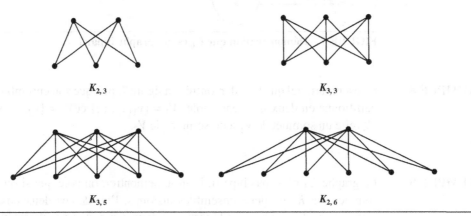

$K_{2,3}$ $\qquad\qquad\qquad\qquad$ $K_{3,3}$

$K_{3,5}$ $\qquad\qquad\qquad\qquad$ $K_{2,6}$

FIGURE 9   **Quelques graphes bipartis complets**

APPLICATIONS DE GRAPHES PARTICULIERS

On démontrera comment utiliser des graphes particuliers dans les modèles de la communication des données et du traitement simultané.

EXEMPLE 12   **Réseaux locaux**   Les divers ordinateurs d'un édifice (des mini-ordinateurs ou des ordinateurs personnels) et leurs périphériques (des imprimantes ou des traceurs) peuvent être reliés au moyen d'un *réseau local*. Certains de ces réseaux locaux sont construits selon une *topologie en étoile*, où tous les dispositifs sont reliés à un dispositif central de contrôle. Un réseau local peut être représenté en utilisant un graphe biparti complet $K_{1,n}$, comme dans la figure 10 a). Les messages sont envoyés d'un dispositif à un autre par le biais d'un dispositif central de contrôle.

Il existe d'autres types de réseaux locaux qui sont construits selon une *topologie en anneau*, où chaque dispositif est relié à exactement deux autres dispositifs. Les réseaux locaux en anneau sont modélisés en utilisant les cycles de dimension n, soit C_n, comme dans la figure 10 b). Les messages sont envoyés d'un dispositif à un autre en suivant un cycle jusqu'à ce qu'ils atteignent le destinataire du message.

Finalement, certains réseaux locaux utilisent une topologie hybride. Les messages peuvent être envoyés soit le long de l'anneau, soit vers le dispositif central. Cette redondance rend le réseau plus fiable ; les réseaux locaux qui y recourent sont modélisés en utilisant les roues W_n (voir la figure 10). ∎

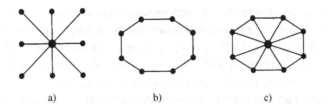

a)   b)   c)

FIGURE 10   Topologies en étoile, en anneau et hybride pour les réseaux locaux

EXEMPLE 13   **Réseaux d'interconnexion pour traitement simultané**   Jusqu'à tout récemment, les ordinateurs ne pouvaient exécuter les programmes que de façon séquentielle, une opération à la fois. Les algorithmes de résolution de problèmes étaient donc conçus pour exécuter une étape à la fois. De tels algorithmes sont appelés **séquentiels**. (À noter que presque tous les algorithmes décrits dans cet ouvrage sont de type séquentiel.) Cependant, quantité de problèmes comportant des calculs complexes, comme les simulations météorologiques, l'imagerie médicale, le décryptage, etc., ne peuvent être résolus dans un temps raisonnable en mode de traitement séquentiel, même si on utilise un superordinateur. En effet, il existe une limite physique à la vitesse de traitement d'un ordinateur, si bien que certains problèmes demeureront insolubles dans un temps raisonnable au moyen d'opérations séquentielles.

Le **traitement simultané**, où sont utilisés des ordinateurs avec plusieurs processeurs distincts, chacun ayant sa propre mémoire, ont permis de repousser les limites des ordinateurs séquentiels. Les **algorithmes parallèles**, qui partitionnent un problème en un certain nombre de sous-problèmes pouvant être résolus de manière simultanée, peuvent maintenant permettre de résoudre des problèmes complexes au moyen d'un ordinateur à multiprocesseur. Dans un algorithme parallèle, un simple flux d'instructions contrôle l'exécution de l'algorithme adressant les sous-problèmes à différents processeurs et dirigeant les entrées-sorties de ces sous-problèmes aux processeurs appropriés.

En mode de traitement simultané, un processeur aura souvent besoin des sorties provenant d'un autre processeur. En conséquence, ces processeurs ont besoin d'être interconnectés. On peut donc utiliser un type de graphe approprié pour représenter le réseau d'interconnexion des processeurs d'un ordinateur de traitement simultané. Dans la démonstration suivante, on décrira les types les plus courants de réseaux d'interconnexion pour des processeurs en parallèle. Le type de réseau d'interconnexion utilisé pour implanter un algorithme parallèle particulier dépend des exigences d'échange de données entre les processeurs, de la vitesse désirée et, bien entendu, du matériel disponible.

Les processeurs d'interconnexion réseau les plus simples, qui sont aussi les plus coûteux, incluent un lien bidirectionnel entre chaque paire de processeurs. Un tel réseau peut être illustré par K_n, soit le graphe complet à n sommets, quand il y a n processeurs. Le grave problème avec ce type de réseau d'interconnexion est le nombre très élevé de connexions nécessaires. Dans la réalité, quand il y a un grand nombre de processeurs, le nombre de connexions directes à chaque processeur est limité, ce qui rend impossible qu'un processeur soit en lien direct avec tous les autres. Par exemple, s'il y a 64 processeurs et qu'on veuille que chaque processeur soit directement connecté aux 63 autres, $C(64, 2) = 2016$ connexions seront nécessaires.

La manière la plus simple alors d'interconnecter n processeurs est d'utiliser un arrangement connu sous le nom de **tableau unidimensionnel**. Chaque processeur P_i, autre que P_1 et P_n, est connecté à ses voisins P_{i-1} et P_{i+1} au moyen d'un lien bidirectionnel. Le processeur P_1 est connecté seulement à P_2 et P_n est connecté seulement à P_{n-1}. La figure 11 montre la matrice linéaire pour six processeurs. L'avantage d'une matrice linéaire est que chaque processeur a au plus deux connexions directes avec les autres processeurs. Le désavantage est qu'il est quelquefois nécessaire d'utiliser un grand nombre de liens intermédiaires, appelés des **tronçons**, pour les processeurs qui doivent partager l'information.

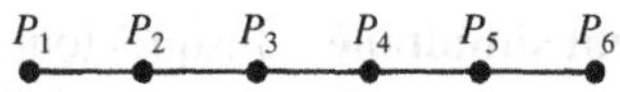

FIGURE 11   Tableau unidimensionnel pour six processeurs

Le **réseau maillé** (ou **tableau bidimensionnel**) est une manière commune d'interconnecter des ordinateurs. Dans un tel réseau, le nombre de processeurs est un carré parfait, c'est-à-dire que $n = m^2$. Les n processeurs sont nommés $P(i, j)$, $0 \leq i \leq m - 1$, $0 \leq j \leq m - 1$. Des liens bidirectionnels connectent le processeur $P(i, j)$ avec ses quatre processeurs voisins $P(i \pm 1, j)$ et $P(i, j \pm 1)$, pour autant que ces processeurs appartiennent à la maille. (À noter que quatre processeurs à chaque coin de la maille ont seulement deux processeurs adjacents et que les processeurs sur les frontières ont seulement trois voisins. On utilise parfois une variante du réseau maillé dans lequel chaque processeur a exactement quatre connexions (voir l'exercice 44 à la fin de cette section). Le réseau maillé limite le nombre de liens pour chaque processeur. La communication entre certaines paires de processeurs exige $O(\sqrt{n}) = O(m)$ liens intermédiaires (voir l'exercice 45 à la fin de cette section). La figure 12 présente le graphe d'un réseau maillé pour 16 processeurs.

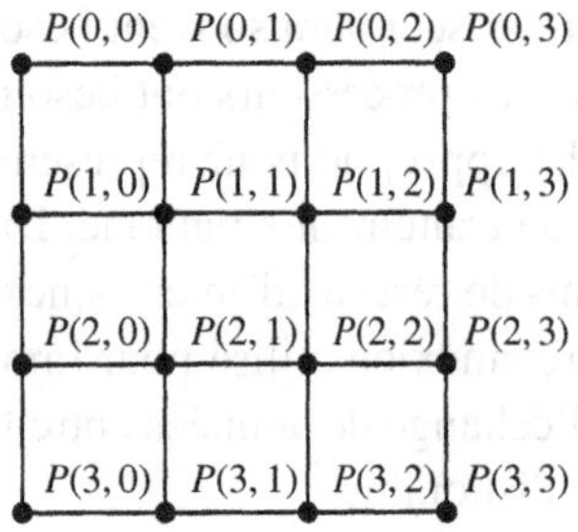

FIGURE 12   Réseau maillé pour 16 processeurs

Le réseau d'interconnexion possiblement le plus répandu est l'hypercube. Dans un tel réseau, le nombre de processeurs est une puissance entière de 2, soit $n = 2^m$. Les n processeurs sont dénotés P_0, ..., P_{n-1}. Chaque processeur est relié par le biais des connexions bidirectionnelles à m autres processeurs. Le processeur P_i est connecté aux processeurs dont les indices ont une représentation binaire qui diffère d'exactement 1 bit de la représentation binaire de i. Le réseau hypercube équilibre le nombre de connexions directes pour chaque processeur et le nombre de connexions intermédiaires requises, de telle sorte que les processeurs puissent communiquer entre eux. Plusieurs ordinateurs sont construits au moyen d'une structure hypercube, et de nombreux algorithmes parallèles ont été élaborés à partir d'un réseau hypercube. Le graphe Q_n, le cube de dimension n, représente le réseau hypercube avec n processeurs. La figure 13 présente un réseau hypercube pour huit processeurs, et elle montre une autre manière de tracer Q_3 que celle qui est illustrée à la figure 6. ■

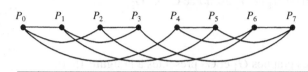

FIGURE 13   **Réseau hypercube pour huit processeurs**

GRAPHES ISSUS D'UN GRAPHE

Parfois, on n'aura besoin que d'une partie d'un graphe pour résoudre un problème. Par exemple, on ne s'occupera que de la partie d'un réseau informatique qui comprend les centres de traitement de New York, de Denver, de Détroit et d'Atlanta. Dans ce cas, on peut ignorer les autres centres de traitement et toutes les lignes qui ne relient pas deux à deux les quatre sites spécifiés. Dans le modèle pour un large réseau, on peut donc retirer les sommets correspondant aux sites qui ne sont pas parmi les quatre sites en question, ainsi que tous les arcs incidents aux sommets éliminés. Quand les arcs et les sommets sont enlevés d'un graphe, tout en gardant les extrémités des arcs restants, on obtient un graphe réduit. Un tel graphe est appelé un **sous-graphe** du graphe original.

> **DÉFINITION 6.**   Un *sous-graphe* du graphe $G = (V, E)$ est un graphe $H = (W, F)$, où $W \subseteq V$ et $F \subseteq E$.

EXEMPLE 14   Le graphe G illustré à la figure 14 est un sous-graphe de K_5. ■

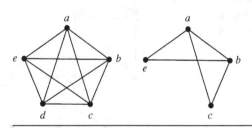

FIGURE 14   **Sous-graphe de K_5**

On peut combiner deux ou plusieurs graphes de différentes façons. Le nouveau graphe obtenu qui contient tous les sommets et les arcs des graphes originaux est appelé l'**union** des graphes. Voici une définition plus formelle de l'union de deux graphes simples.

DÉFINITION 7.   L'*union* de deux graphes simples $G_1 = (V, E)$ et $G_2 = (V_2, E_2)$ est un graphe simple qui contient l'ensemble des sommets $V_1 \cup V_2$ et l'ensemble des arcs $E_1 \cup E_2$. L'union de G_1 et G_2 est notée $G_1 \cup G_2$.

EXEMPLE 15   Trouvez l'union des graphes G_1 et G_2 présentés à la figure 15 a).

Solution : L'ensemble des sommets de l'union $G_1 \cup G_2$ est l'union des deux ensembles de sommets, notamment $\{a, b, c, d, e, f\}$. L'ensemble des arcs de cette union est l'union des deux ensembles des arcs. Cette union est présentée à la figure 15 b). ■

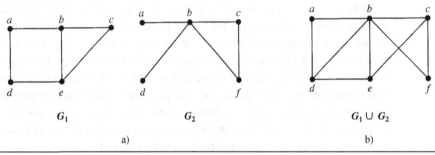

FIGURE 15   a) Graphes simples G_1 et G_2 b) Union $G_1 \cup G_2$

Exercices

Dans les exercices 1 à 3, trouvez le nombre de sommets, le nombre d'arcs et le degré de chaque sommet dans chacun des graphes non orientés. Identifiez les sommets isolés et les sommets pendants.

1.

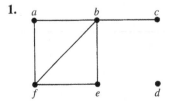

2.

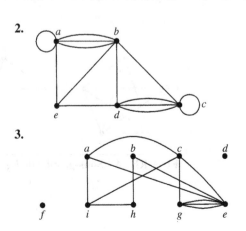

3.

4. Trouvez la somme des degrés des sommets de chacun des graphes des exercices 1 à 3 et vérifiez que cette somme est égale à deux fois le nombre des arcs de ces graphes.

5. Est-il possible d'avoir un graphe simple avec 15 sommets, chacun étant de degré 5 ?

6. Démontrez que, dans l'ensemble des invités, la somme des poignées de mains que tous les invités ont donné aux autres convives au cours d'une soirée est un nombre pair. Supposez qu'aucune personne ne se donne une poignée de mains à elle-même, bien entendu.

Dans les exercices 7 à 9, déterminez le nombre de sommets et d'arcs et trouvez le degré intérieur et le degré extérieur de chaque sommet pour les multigraphes orientés donnés.

7.

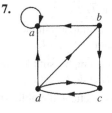

8.

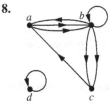

9.

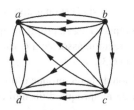

10. Pour chacun des graphes des exercices 7 à 9, déterminez directement la somme des degrés intérieurs des sommets et la somme des degrés extérieurs des sommets. Démontrez qu'ils sont tous les deux égaux au nombre d'arcs dans le graphe.

11. Construisez le graphe non orienté sous-jacent correspondant au graphe avec les arcs orientés de la figure 2.

12. Tracez les graphes suivants :
  a) K_7.   **b)** $K_{1,8}$.   **c)** $K_{4,4}$.
  d) C_7.   **e)** W_7.   **f)** Q_4.

Dans les exercices 13 à 17, déterminez si le graphe est un graphe biparti.

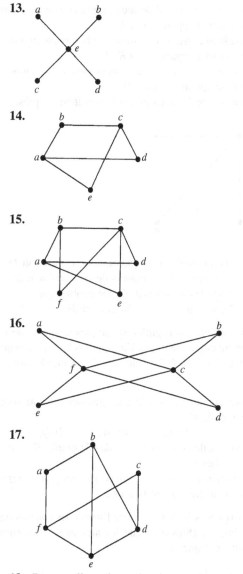

13.

14.

15.

16.

17.

18. Pour quelles valeurs de n les graphes suivants sont-ils bipartis ?
  a) K_n **b)** C_n **c)** W_n **d)** Q_n

19. Combien y a-t-il de sommets et d'arcs qui composent les graphes suivants ?
  a) K_n **b)** C_n **c)** W_n
  d) $K_{m,n}$ **e)** Q_n

20. Combien d'arcs un graphe contient-il s'il a des sommets de degrés 4, 3, 3, 2, 2 ? Tracez un tel graphe.

21. Existe-t-il un graphe simple avec cinq sommets ayant les degrés suivants ? Si c'est le cas, tracez ce graphe.
  a) 3, 3, 3, 3, 2   **b)** 1, 2, 3, 4, 5
  c) 1, 2, 3, 4 ,4   **d)** 3, 4, 3, 4, 3
  e) 0, 1, 2, 2, 3   **f)** 1, 1, 1, 1, 1

22. Combien existe-t-il de sous-graphes ayant au moins un sommet appartenant à K_2 ?

23. Combien existe-t-il de sous-graphes ayant au moins un sommet appartenant à K_3 ?

24. Combien y a-t-il de sous-graphes ayant au moins un sommet qui appartient à W_3 ?

25. Tracez tous les sous-graphes du graphe ci-après.

26. Soit G un graphe avec v sommets et e arcs. Soit M le degré maximal des sommets de G et soit m le degré minimal des sommets de G. Démontrez que

  a) $2e/v \geq m$.   **b)** $2e/v \leq M$.

Un graphe simple est **régulier** si tous les sommets de ce graphe ont un degré identique. Un graphe régulier est **régulier de degré** n si tous les sommets de ce graphe ont un degré n.

27. Pour quelles valeurs de n les graphes suivants sont-ils réguliers ?

  a) K_n **b)** C_n **c)** W_n **d)** Q_n

28. Pour quelles valeurs de m et de n le graphe $K_{m,n}$ est-il régulier ?

29. Combien y a-t-il de sommets dans un graphe régulier de degré 4 ayant 10 arcs ?

Dans les exercices 30 à 32, trouvez l'union des couples des graphes simples. (Supposez que les arcs avec les mêmes points sont identiques.)

30.

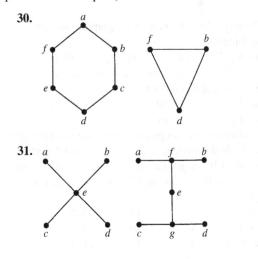

31.

32.

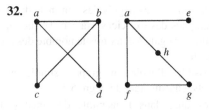

33. Le **graphe complémentaire** $\overline{G}$ d'un graphe simple G a les mêmes sommets que G. Deux sommets sont adjacents dans $\overline{G}$ si et seulement s'ils ne sont pas adjacents dans G. Trouvez les graphes ci-après.

  a) $\overline{K_n}$ **b)** $\overline{K_{m,n}}$ **c)** $\overline{C_n}$ **d)** $\overline{Q_n}$

34. Si G est un graphe simple avec 15 arcs et $\overline{G}$ a 13 arcs, combien de sommets y a-t-il dans G ?

35. Si le graphe simple G a v sommets et e arcs, combien y a-t-il d'arcs dans le graphe $\overline{G}$?

⋆36. Démontrez que si G est un graphe simple biparti avec v sommets et e arcs, alors $e \leq v^2/4$.

37. Démontrez que si G est un graphe simple avec n sommets, alors l'union de G et de $\overline{G}$ est K_n.

⋆38. Élaborez un algorithme permettant d'établir si un graphe est biparti ou non.

La **réciproque** d'un graphe orienté $G = (V, E)$, notée G^c, est le graphe orienté (V, F), où $(u, v) \in F$ si et seulement si $(v, u) \in E$.

39. Tracez la réciproque de chacun des graphes des exercices 7 à 9 de la section 7.1.

40. Démontrez que $(G^c)^c = G$ si G est un graphe orienté.

41. Démontrez que le graphe G est sa propre réciproque si et seulement si la relation associée à G est symétrique (voir la section 6.3).

42. Appliquez la définition de la réciproque d'un graphe orienté à la notion de réciproque d'un multigraphe orienté.

43. Tracez le réseau maillé qui permettra d'interconnecter neuf processeurs parallèles.

44. Dans une variante d'un réseau maillé pour interconnecter $n = m^2$ processeurs, le processeur $P(i, j)$ est connecté aux quatre processeurs $P((i \pm 1) \bmod m, j)$, $P(i, (j \pm 1) \bmod m)$, de telle façon que des connexions s'enroulent autour des angles de la maille. Tracez une variante de ce réseau maillé pour 16 processeurs.

45. Démontrez que chaque paire de processeurs dans un réseau maillé de $n = m^2$ processeurs peut communiquer en utilisant $O(\sqrt{n}) = O(m)$ tronçons entre les processeurs connectés directement.

7.3

Représentation et isomorphisme de graphes

INTRODUCTION

Il existe différentes façons de représenter un graphe. Comme on le verra au cours de ce chapitre, il est toujours souhaitable de choisir la représentation la plus appropriée selon la situation. Dans cette section, on montrera les diverses manières de représenter les graphes.

Quelquefois, deux graphes peuvent avoir exactement la même forme, au sens où il y a une bijection entre les ensembles de leurs sommets qui préserve les arcs. Dans un tel cas, les deux graphes sont **isomorphes**. La détermination de l'isomorphisme entre deux graphes est un problème important dans la théorie des graphes étudiée dans cette section.

REPRÉSENTATION DES GRAPHES

Une manière de représenter un graphe sans arcs multiples est d'énumérer tous les arcs de ce graphe. Une autre façon de représenter un graphe sans arcs multiples est d'utiliser des **listes d'adjacence** qui spécifient les sommets adjacents à chaque autre sommet du graphe.

EXEMPLE 1   Utilisez des listes d'adjacence pour décrire le graphe simple présenté à la figure 1.

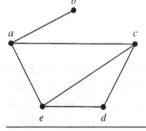

FIGURE 1   Graphe simple

Solution : Le tableau 1 énumère les sommets adjacents à chacun des autres sommets du graphe.   ■

TABLEAU 1 Liste d'adjacence d'un graphe simple	
Sommet	*Sommets adjacents*
a	b, c, e
b	a
c	a, d, e
d	c, e
e	a, c, d

EXEMPLE 2   Représentez le graphe orienté illustré à la figure 2 en énumérant tous les sommets qui sont des extrémités terminales des arcs partant de chaque sommet du graphe.

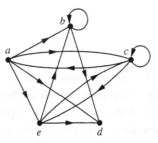

FIGURE 2   Illustration d'un graphe orienté

Solution : Le tableau 2 représente le graphe orienté illustré à la figure 2.   ■

TABLEAU 2 Liste d'adjacence d'un graphe orienté	
Sommet initial	*Sommets terminaux*
a	b, c, d, e
b	b, d
c	a, c, e
d	
e	b, c, d

MATRICES D'ADJACENCE

Élaborer des algorithmes à partir des listes des arcs ou des listes d'adjacence peut être une opération assez compliquée lorsqu'elle porte sur des graphes ayant de nombreux arcs. Pour simplifier ce calcul, les graphes peuvent être représentés au moyen de matrices. Les deux types les plus communément utilisés de matrices seront présentés dans cette section. L'un est fondé sur l'adjacence des sommets et l'autre sur l'incidence des sommets et des arcs.

Supposez que $G = (V, E)$ est un graphe simple, où $|V| = n$. Supposez aussi que les sommets de G sont, arbitrairement, $v_1, v_2, \ldots, v_n$. La **matrice d'adjacence A** (ou matrice associée $\mathbf{A}_G$) de G se rapportant à cet ensemble de sommets est la matrice booléenne $n \times n$ avec 1 comme (i, j)-ième élément quand v_i et v_j sont adjacents et 0 comme (i, j)-ième élément quand ils ne sont pas adjacents. En d'autres termes, si la matrice d'adjacence est $\mathbf{A} = [a_{ij}]$, alors

$$a_{ij} = \begin{cases} 1 & \text{si } \{v_i, v_j\} \text{ est un arc de } G, \\ 0 & \text{autrement.} \end{cases}$$

À noter qu'une matrice d'adjacence d'un graphe est fondée sur la relation d'ordre établie pour les sommets. Donc, il existe $n!$ matrices d'adjacence différentes pour un graphe comportant n sommets puisqu'il y a $n!$ possibilités d'ordonner ces sommets.

La matrice d'adjacence d'un graphe simple est symétrique, ce qui signifie que $a_{ij} = a_{ji}$, puisque chacun de ces éléments est 1 quand v_i et v_j sont adjacents et que chacun est 0 dans le cas inverse. De plus, puisqu'un graphe simple n'a pas de boucle, chaque élément a_{ii}, $i = 1$, 2, 3, ..., n est 0.

EXEMPLE 3

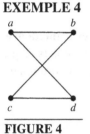

FIGURE 3
Graphe simple

Utilisez une matrice d'adjacence pour représenter le graphe présenté à la figure 3.

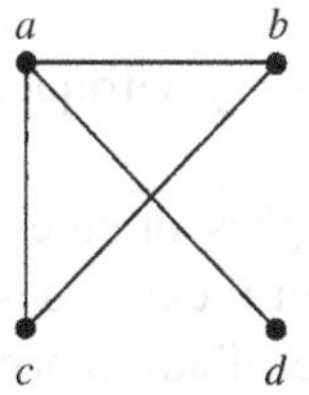

Solution : On ordonne les sommets dans l'ordre a, b, c, d. La matrice représentant ce graphe est donc

$$\begin{bmatrix} 0 & 1 & 1 & 1 \\ 1 & 0 & 1 & 0 \\ 1 & 1 & 0 & 0 \\ 1 & 0 & 0 & 0 \end{bmatrix}.$$

■

EXEMPLE 4

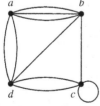

FIGURE 4
Graphe correspondant à une matrice d'adjacence

Tracez un graphe dont la matrice d'adjacence est la suivante :

$$\begin{bmatrix} 0 & 1 & 1 & 0 \\ 1 & 0 & 0 & 1 \\ 1 & 0 & 0 & 1 \\ 0 & 1 & 1 & 0 \end{bmatrix}$$

en considérant l'ordonnancement a, b, c, d des sommets.

Solution : Le graphe de cette matrice d'adjacence est présenté à la figure 4. ■

Les matrices d'adjacence permettent aussi de représenter les graphes non orientés comportant des boucles et des arcs multiples. Une boucle sur le sommet a_i est notée 1 à la (i, i)-ième position de la matrice d'adjacence. Quand il y a des arcs multiples, la matrice d'adjacence n'est plus une matrice zéro-un, puisque le (i, j)-ième élément de cette matrice est égal au nombre d'arcs qui sont associés à $\{a_i, a_j\}$. Tous les graphes non orientés, incluant les multigraphes et les pseudographes, ont des matrices d'adjacence symétriques.

EXEMPLE 5

FIGURE 5
Pseudographe

Utilisez une matrice d'adjacence pour représenter le pseudographe illustré à la figure 5.

Solution : La matrice d'adjacence utilisant l'ordonnancement des sommets a, b, c, d est la suivante :

$$\begin{bmatrix} 0 & 3 & 0 & 2 \\ 3 & 0 & 1 & 1 \\ 0 & 1 & 1 & 2 \\ 2 & 1 & 2 & 0 \end{bmatrix}.$$

■

Au chapitre 6, on a utilisé des matrices booléennes pour représenter les graphes orientés. La matrice pour un graphe orienté $G = (V, E)$ a la valeur 1 comme (i, j)-ième élément s'il existe un arc de v_i à v_j, où $v_1, v_2, ..., v_n$ est une liste arbitraire de sommets d'un graphe orienté. En d'autres termes, si $\mathbf{A} = [a_{ij}]$ est la matrice d'adjacence du graphe orienté correspondant à cette liste de sommets, alors

$$a_{ij} = \begin{cases} 1 & \text{si } (v_i, v_j) \text{ est un arc de } G, \\ 0 & \text{autrement.} \end{cases}$$

Il n'est pas nécessaire que la matrice d'adjacence d'un graphe orienté soit symétrique, puisqu'il pourrait ne pas y avoir un arc de a_j à a_i même s'il y a un arc de a_i à a_j.

Les matrices d'adjacence permettent aussi de représenter les multigraphes orientés. Encore une fois, de telles matrices ne sont pas des matrices booléennes lorsqu'il existe des arcs multiples de même orientation qui relient deux sommets. Dans une matrice d'adjacence d'un multigraphe orienté, a_{ij} est égal au nombre d'arcs qui sont associés aux sommets (v_i, v_j).

MATRICES D'INCIDENCE

Une autre manière courante de représenter les graphes est celle des **matrices d'incidence**. Soit $G = (V, E)$ un graphe non orienté. On suppose que $v_1, v_2, ..., v_n$ sont les sommets et que $e_1, e_2, ..., e_m$ sont les arcs de G. Alors, la matrice d'incidence correspondant à cet ordonnancement de V et de E est la matrice $\mathbf{M} = [m_{ij}]$, de dimension $n \times m$ où

$$m_{ij} = \begin{cases} 1 & \text{quand l'arc } e_j \text{ est incident à } v_i \\ 0 & \text{autrement.} \end{cases}$$

EXEMPLE 6   Représentez le graphe illustré à la figure 6 au moyen de sa matrice d'incidence.

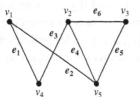

FIGURE 6   Graphe non orienté

Solution : La matrice d'incidence de ce graphe est la suivante :

$$\begin{array}{c} \\ v_1 \\ v_2 \\ v_3 \\ v_4 \\ v_5 \end{array} \begin{array}{c} \begin{array}{cccccc} e_1 & e_2 & e_3 & e_4 & e_5 & e_6 \end{array} \\ \left[\begin{array}{cccccc} 1 & 1 & 0 & 0 & 0 & 0 \\ 0 & 0 & 1 & 1 & 0 & 1 \\ 0 & 0 & 0 & 0 & 1 & 1 \\ 1 & 0 & 1 & 0 & 0 & 0 \\ 0 & 1 & 0 & 1 & 1 & 0 \end{array} \right]. \end{array}$$

■

Les matrices d'incidence permettent aussi de représenter des arcs multiples et des boucles. Les arcs multiples sont représentés dans une matrice d'incidence en remplissant les colonnes avec des valeurs identiques puisque ces arcs sont incidents à la même paire de sommets. Les boucles sont représentées en utilisant une colonne qui comprend exactement une entrée égale à 1, ce qui correspond au sommet qui est incident à cette boucle.

EXEMPLE 7   Représentez le pseudographe illustré à la figure 7 au moyen d'une matrice d'incidence.

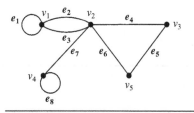

FIGURE 7   **Pseudographe**

Solution : La matrice d'incidence de ce graphe est la suivante :

$$
\begin{array}{c}
 \\ v_1 \\ v_2 \\ v_3 \\ v_4 \\ v_5
\end{array}
\begin{array}{c}
\begin{array}{cccccccc} e_1 & e_2 & e_3 & e_4 & e_5 & e_6 & e_7 & e_8 \end{array} \\
\left[\begin{array}{cccccccc}
1 & 1 & 1 & 0 & 0 & 0 & 0 & 0 \\
0 & 1 & 1 & 1 & 0 & 1 & 1 & 0 \\
0 & 0 & 0 & 1 & 1 & 0 & 0 & 0 \\
0 & 0 & 0 & 0 & 0 & 0 & 1 & 1 \\
0 & 0 & 0 & 0 & 1 & 1 & 0 & 0
\end{array}\right]
\end{array}
$$

ISOMORPHISME DES GRAPHES

Il est souvent utile de savoir s'il est possible de tracer deux graphes de la même façon. Par exemple, en chimie, on se sert de graphes pour modéliser les composés chimiques. Différents composés peuvent avoir la même formule moléculaire mais non la même structure. De tels composés seront représentés par des graphes qui ne peuvent être tracés de la même façon. Les graphes représentant des composés déjà connus peuvent permettre de déterminer la réelle nouveauté des composés trouvés.

Voici la terminologie permettant de définir des graphes ayant la même structure.

DÉFINITION 1.   Les graphes simples $G_1 = (V_1, E_1)$ et $G_2 = (V_2, E_2)$ sont *isomorphes* s'il existe une fonction bijective f de V_1 dans V_2 avec la propriété suivante : a et b sont adjacents dans G_1 si et seulement si $f(a)$ et $f(b)$ sont adjacents dans G_2 pour toutes les valeurs de a et de b dans V_1. Une telle fonction f est un *isomorphisme.* Ce terme vient du grec *isos* (égal) et *morphe* (forme).

En d'autres mots, lorsque deux graphes simples sont isomorphes, il existe une bijection entre les sommets de ces deux graphes qui préserve la relation d'adjacence.

EXEMPLE 8   Démontrez que les graphes $G = (V, E)$ et $H = (W, F)$ présentés à la figure 8 sont des graphes isomorphes.

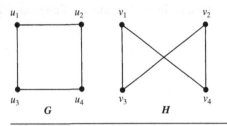

FIGURE 8   Graphes G et H

Solution : La fonction f avec $f(u_1) = v_1$, $f(u_2) = v_4$, $f(u_3) = v_3$ et $f(u_4) = v_2$ est une bijection entre V et W. Pour démontrer que cette bijection préserve l'adjacence, on note que les sommets adjacents dans G sont u_1 et u_2, u_1 et u_3, u_2 et u_4, et u_3 et u_4. Chacune des paires $f(u_1) = v_1$ et $f(u_2) = v_4$, $f(u_1) = v_1$ et $f(u_3) = v_3$, $f(u_2) = v_4$ et $f(u_4) = v_2$ ainsi que $f(u_3) = v_3$ et $f(u_4) = v_2$ sont adjacentes dans H. ∎

Il est souvent difficile de déterminer si deux graphes simples sont isomorphes. Il y a en effet $n!$ possibilités de bijections entre l'ensemble des sommets de deux graphes simples ayant n sommets. Vérifiez qu'une telle bijection préserve l'adjacence et que la non-adjacence est en pratique impossible à vérifier lorsque n est très grand.

Cependant, on peut souvent établir que deux graphes simples ne sont pas isomorphes en démontrant qu'ils ne partagent pas une propriété que des graphes isomorphes simples doivent nécessairement avoir. Une telle propriété est un **invariant** par rapport à l'isomorphisme de graphes simples. Par exemple, des graphes isomorphes simples doivent avoir le même nombre de sommets, puisqu'il y a une bijection entre l'ensemble des sommets de ces deux graphes. Des graphes isomorphes simples doivent aussi avoir le même nombre d'arcs, puisqu'il y a une bijection entre les sommets, ce qui établit donc une correspondance biunivoque entre leurs arcs. De plus, les degrés des sommets de graphes isomorphes sont identiques. Cela signifie qu'un sommet v de degré d dans G doit correspondre à un sommet $f(v)$ de degré d dans H, puisqu'un sommet w dans G est adjacent à v si et seulement si $f(v)$ et $f(w)$ sont adjacents dans H.

EXEMPLE 9   Démontrez que les graphes présentés à la figure 9 ne sont pas isomorphes.

Solution : Même si G et H ont effectivement cinq sommets et six arcs, on constate que H a un sommet de degré 1, soit le sommet e, tandis que G n'a pas de sommet de degré 1. Il s'ensuit que G et H ne sont pas isomorphes. ∎

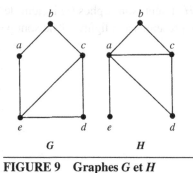

FIGURE 9   Graphes *G* et *H*

Le nombre de sommets, le nombre d'arcs et les degrés des sommets sont tous des invariants dans une condition d'isomorphisme. Si l'une ou l'autre de ces quantités diffère entre deux graphes simples, ces graphes ne peuvent être isomorphes. Cependant, lorsque ces quantités sont les mêmes, cela ne signifie pas nécessairement que les graphes sont isomorphes. Il n'y a pas d'ensemble d'invariants connus à l'heure actuelle qui permette de déterminer que deux graphes simples sont isomorphes.

EXEMPLE 10   Déterminez si les graphes présentés à la figure 10 sont isomorphes.

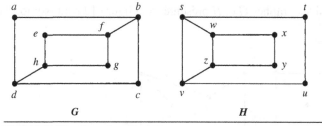

FIGURE 10   Graphes *G* et *H*

Solution : Les graphes *G* et *H* ont tous les deux 8 sommets et 10 arcs. Ils ont également quatre sommets de degré 2 et quatre sommets de degré 3. Puisque ces invariants concordent, il est concevable que ces graphes soient isomorphes. Néanmoins, *G* et *H* ne sont pas isomorphes. Pour le démontrer, on note que puisque $\deg(a) = 2$ dans *G*, *a* doit correspondre à *t*, à *u*, à *x* ou à *y* dans *H*, car ce sont les sommets qui ont le même degré 2 dans *H*. Cependant, chacun de ces quatre sommets dans *H* est adjacent à un autre sommet de degré 2 dans *H*, ce qui n'est pas le cas du sommet *a* dans *G*.

Une autre manière d'établir que *G* et *H* ne sont pas isomorphes est de noter que les sous-graphes de *G* et de *H* constitués des sommets de degré 3 et des arcs les reliant seraient isomorphes si les deux graphes G et H étaient isomorphes (le lecteur devra faire cette vérification). Néanmoins, les sous-graphes présentés à la figure 11 ne sont pas isomorphes.   ■

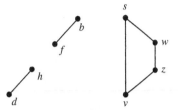

FIGURE 11   Sous-graphes de G et de H constitués des sommets de degré 3 et des arcs les reliant

Pour démontrer qu'une fonction f à partir d'un ensemble de sommets d'un graphe G dans un ensemble de sommets d'un graphe H est isomorphe, on doit montrer que f préserve les arcs. Une façon de procéder est d'utiliser les matrices d'adjacence. En particulier, pour démontrer que f est isomorphe, on peut prouver que la matrice d'adjacence de G est la même que la matrice d'adjacence de H, et ce, quand les colonnes et les lignes ont des étiquettes correspondant aux images sous f des sommets de G, qui sont les étiquettes de ces colonnes et de ces lignes dans la matrice d'adjacence de G. L'exemple 11 illustre cette méthode.

EXEMPLE 11   Déterminez si les graphes G et H présentés à la figure 12 sont isomorphes.

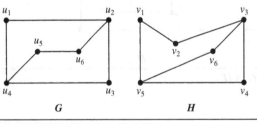

FIGURE 12   Graphes G et H

Solution : Les graphes G et H ont tous les deux six sommets et sept arcs. Ces deux graphes ont également quatre sommets de degré 2 et deux sommets de degré 3. On voit également que les sous-graphes de G et de H formés des sommets de degré 2 et des arcs les reliant sont isomorphes (le lecteur devra le vérifier). Puisque ces invariants dans G et H concordent, il est raisonnable d'envisager un isomorphisme f entre ces deux graphes.

On définira donc une fonction f, puis on déterminera s'il s'agit d'un isomorphisme. Puisque $\deg(u_1) = 2$ et puisque u_1 n'est pas adjacent à un autre sommet de degré 2, l'image de u_1 doit être soit v_4, soit v_6, qui sont les seuls sommets de degré 2 en H qui ne sont pas adjacents à un sommet de degré 2. Arbitrairement, on définit $f(u_1) = v_6$. (Si cette sélection n'aboutit pas à un isomorphisme, on essaiera alors $f(u_1) = v_4$.) Puisque u_2 est adjacent à u_1, les images possibles de u_2 sont v_3 et v_5. Arbitrairement, on définit $f(u_2) = v_3$. En continuant de cette façon et en utilisant l'adjacence des sommets et des degrés pour se guider, on établit $f(u_3) = v_4$, $f(u_4) = v_5$, $f(u_5) = v_1$ et $f(u_6) = v_2$. On a donc établi une bijection entre l'ensemble des sommets de G et l'ensemble des sommets de H, notamment $f(u_1) = v_6$, $f(u_2) = v_3$, $f(u_3) = v_4$, $f(u_4) = v_5$, $f(u_5) = v_1$, $f(u_6) = v_2$. On vérifie maintenant si f préserve les arcs. Pour ce faire, on examine la matrice d'adjacence de G, soit

$$\mathbf{A}_G = \begin{array}{c} \\ u_1 \\ u_2 \\ u_3 \\ u_4 \\ u_5 \\ u_6 \end{array} \begin{array}{c} \begin{matrix} u_1 & u_2 & u_3 & u_4 & u_5 & u_6 \end{matrix} \\ \begin{bmatrix} 0 & 1 & 0 & 1 & 0 & 0 \\ 1 & 0 & 1 & 0 & 0 & 1 \\ 0 & 1 & 0 & 1 & 0 & 0 \\ 1 & 0 & 1 & 0 & 1 & 0 \\ 0 & 0 & 0 & 1 & 0 & 1 \\ 0 & 1 & 0 & 0 & 1 & 0 \end{bmatrix} \end{array},$$

et la matrice d'adjacence de H avec les colonnes et les lignes définies par les images des sommets correspondants en G, soit

$$\mathbf{A}_H = \begin{array}{c} \\ v_6 \\ v_3 \\ v_4 \\ v_5 \\ v_1 \\ v_2 \end{array} \begin{array}{c} \begin{matrix} v_6 & v_3 & v_4 & v_5 & v_1 & v_2 \end{matrix} \\ \begin{bmatrix} 0 & 1 & 0 & 1 & 0 & 0 \\ 1 & 0 & 1 & 0 & 0 & 1 \\ 0 & 1 & 0 & 1 & 0 & 0 \\ 1 & 0 & 1 & 0 & 1 & 0 \\ 0 & 0 & 0 & 1 & 0 & 1 \\ 0 & 1 & 0 & 0 & 1 & 0 \end{bmatrix} \end{array}.$$

Puisque $\mathbf{A}_G = \mathbf{A}_H$, il s'ensuit que f préserve les arcs. En conclusion, f est donc un isomorphisme et, par conséquent, G et H sont isomorphes. À noter que si on avait démontré que f n'était pas un isomorphisme, on n'aurait *pas* pour autant établi que G et H n'étaient pas isomorphes, puisqu'on aurait pu avoir une autre correspondance des sommets de G et de H qui aurait pu satisfaire un isomorphisme. ■

Exercices

Dans les exercices 1 à 4, utilisez une liste d'adjacence pour représenter les graphes ci-après.

1.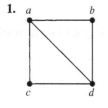

2.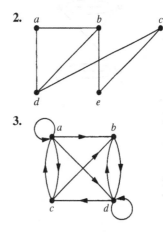

3.

4.

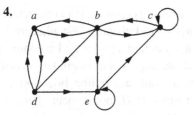

5. Représentez le graphe de l'exercice 1 au moyen d'une matrice d'adjacence.

6. Représentez le graphe de l'exercice 2 au moyen d'une matrice d'adjacence.

7. Représentez le graphe de l'exercice 3 au moyen d'une matrice d'adjacence.

8. Représentez le graphe de l'exercice 4 au moyen d'une matrice d'adjacence.

9. Représentez chacun des graphes suivants au moyen d'une matrice d'adjacence.

a) K_4 b) $K_{1,4}$ c) $K_{2,3}$
d) C_4 e) W_4 f) Q_3

Dans les exercices 10 à 12, tracez le graphe de la matrice d'adjacence présentée.

10. $\begin{bmatrix} 0 & 1 & 0 \\ 1 & 0 & 1 \\ 0 & 1 & 0 \end{bmatrix}$

11. $\begin{bmatrix} 0 & 0 & 1 & 1 \\ 0 & 0 & 1 & 0 \\ 1 & 1 & 0 & 1 \\ 1 & 1 & 1 & 0 \end{bmatrix}$

12. $\begin{bmatrix} 1 & 1 & 1 & 0 \\ 0 & 0 & 1 & 0 \\ 1 & 0 & 1 & 0 \\ 1 & 1 & 1 & 0 \end{bmatrix}$

Dans les exercices 13 à 15, représentez le graphe illustré au moyen d'une matrice d'adjacence.

13.   **14.**

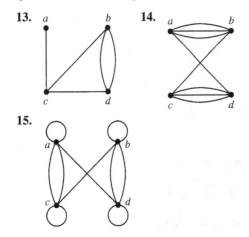

15.

Dans les exercices 16 à 18, tracez le graphe non orienté de la matrice d'adjacence donnée.

16. $\begin{bmatrix} 1 & 3 & 2 \\ 3 & 0 & 4 \\ 2 & 4 & 0 \end{bmatrix}$

17. $\begin{bmatrix} 1 & 2 & 0 & 1 \\ 2 & 0 & 3 & 0 \\ 0 & 3 & 1 & 1 \\ 1 & 0 & 1 & 0 \end{bmatrix}$

18. $\begin{bmatrix} 0 & 1 & 3 & 0 & 4 \\ 1 & 2 & 1 & 3 & 0 \\ 3 & 1 & 1 & 0 & 1 \\ 0 & 3 & 0 & 0 & 2 \\ 4 & 0 & 1 & 2 & 3 \end{bmatrix}$

Dans les exercices 19 à 21, trouvez la matrice d'adjacence du multigraphe orienté donné.

19.

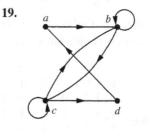

20.

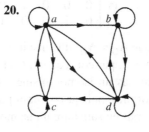

21.

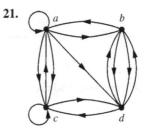

Dans les exercices 22 à 24, tracez le graphe de la matrice d'adjacence donnée.

22. $\begin{bmatrix} 1 & 0 & 1 \\ 0 & 0 & 1 \\ 1 & 1 & 1 \end{bmatrix}$

23. $\begin{bmatrix} 1 & 2 & 1 \\ 2 & 0 & 0 \\ 0 & 2 & 2 \end{bmatrix}$

24. $\begin{bmatrix} 0 & 2 & 3 & 0 \\ 1 & 2 & 2 & 1 \\ 2 & 1 & 1 & 0 \\ 1 & 0 & 0 & 2 \end{bmatrix}$

25. Déterminez si toute matrice booléenne carrée symétrique qui a des 0 sur sa diagonale est une matrice d'adjacence d'un graphe simple.

26. Utilisez une matrice d'incidence pour représenter les graphes illustrés aux exercices 1 et 2.

27. Utilisez une matrice d'incidence pour représenter les graphes illustrés aux exercices 13 à 15.

★28. Quelle est la somme des éléments d'une ligne d'une matrice d'adjacence d'un graphe non orienté ? et d'un graphe orienté ?

★29. Quelle est la somme des éléments d'une colonne d'une matrice d'adjacence d'un graphe non orienté ? et d'un graphe orienté ?

30. Quelle est la somme des éléments d'une ligne d'une matrice d'incidence d'un graphe non orienté ?

31. Quelle est la somme des éléments d'une colonne d'une matrice d'incidence pour un graphe non orienté ?

★32. Trouvez une matrice d'adjacence pour chacun des cas suivants :

  a) K_n.   **b)** C_n.   **c)** W_n.

  d) $K_{m,n}$.   **e)** Q_n.

★33. Trouvez les matrices d'incidence pour les graphes des questions a) à d) de l'exercice 32.

Dans les exercices 34 à 44, déterminez si les paires des graphes données sont isomorphes.

34.

35.

36.

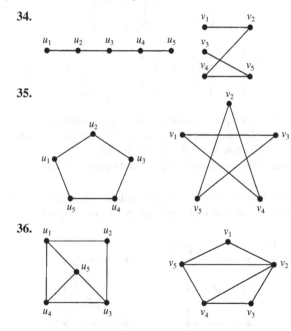

37.

38.

39.

40.

41.

42.

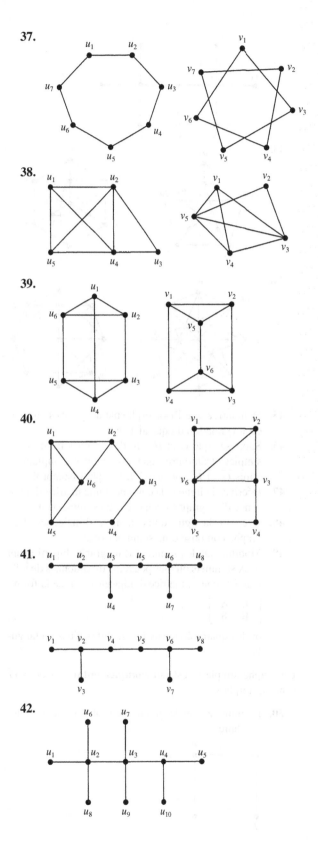

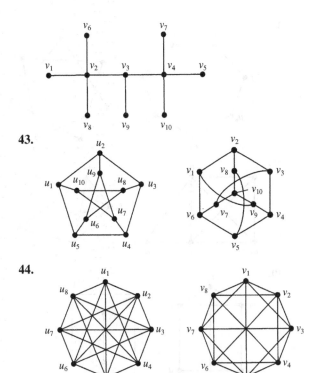

43.

44.

45. Démontrez que l'isomorphisme de graphes simples est une relation d'équivalence.

46. Supposez que G et H sont des graphes isomorphes simples. Démontrez que les graphes complémentaires $\overline{G}$ et $\overline{H}$ sont aussi des graphes isomorphes.

47. Décrivez la ligne et la colonne d'une matrice d'adjacence d'un graphe composé d'un sommet isolé.

48. Décrivez la ligne d'une matrice d'incidence d'un graphe composé d'un sommet isolé.

49. Montrez que les sommets d'un graphe biparti ayant deux sommets ou plus peuvent être ordonnés de telle manière que sa matrice d'adjacence soit de la forme

$$\begin{bmatrix} \mathbf{0} & \mathbf{A} \\ \mathbf{B} & \mathbf{0} \end{bmatrix}$$

où les quatre éléments forment des blocs rectangulaires.

Un graphe simple G est **autocomplémentaire** si G et $\overline{G}$ sont isomorphes.

50. Démontrez que le graphe suivant est autocomplémentaire.

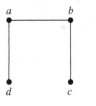

51. Trouvez un graphe simple autocomplémentaire ayant cinq sommets.

★52. Démontrez que si G est un graphe simple autocomplémentaire avec v sommets, alors $v \equiv 0$ ou $1 \pmod 4$.

53. Pour quels entiers n, C_n est-il autocomplémentaire ?

54. Combien y a-t-il de graphes simples non isomorphes qui comprennent n sommets, quand n est égal à
a) 2 ? **b)** 3 ? **c)** 4 ?

55. Combien y a-t-il de graphes simples non isomorphes ayant cinq sommets et trois arcs ?

56. Combien y a-t-il de graphes simples non isomorphes ayant six sommets et quatre arcs ?

57. Les graphes simples ayant les matrices d'adjacence suivantes sont-ils isomorphes ?

a) $\begin{bmatrix} 0 & 0 & 1 \\ 0 & 0 & 1 \\ 1 & 1 & 0 \end{bmatrix}$, $\begin{bmatrix} 0 & 1 & 1 \\ 1 & 0 & 0 \\ 1 & 0 & 0 \end{bmatrix}$

b) $\begin{bmatrix} 0 & 1 & 0 & 1 \\ 1 & 0 & 0 & 1 \\ 0 & 0 & 0 & 1 \\ 1 & 1 & 1 & 0 \end{bmatrix}$, $\begin{bmatrix} 0 & 1 & 1 & 1 \\ 1 & 0 & 0 & 1 \\ 1 & 0 & 0 & 1 \\ 1 & 1 & 1 & 0 \end{bmatrix}$

c) $\begin{bmatrix} 0 & 1 & 1 & 0 \\ 1 & 0 & 0 & 1 \\ 1 & 0 & 0 & 1 \\ 0 & 1 & 1 & 0 \end{bmatrix}$, $\begin{bmatrix} 0 & 1 & 0 & 1 \\ 1 & 0 & 0 & 0 \\ 0 & 0 & 0 & 1 \\ 1 & 0 & 1 & 0 \end{bmatrix}$

58. Déterminez si les graphes sans boucle ayant les matrices d'incidence suivantes sont isomorphes.

a) $\begin{bmatrix} 1 & 0 & 1 \\ 0 & 1 & 1 \\ 1 & 1 & 0 \end{bmatrix}$, $\begin{bmatrix} 1 & 1 & 0 \\ 1 & 0 & 1 \\ 0 & 1 & 1 \end{bmatrix}$

b) $\begin{bmatrix} 1 & 1 & 0 & 0 & 0 \\ 1 & 0 & 1 & 0 & 1 \\ 0 & 0 & 0 & 1 & 1 \\ 0 & 1 & 1 & 1 & 0 \end{bmatrix}$, $\begin{bmatrix} 0 & 1 & 0 & 0 & 1 \\ 0 & 1 & 1 & 1 & 0 \\ 1 & 0 & 0 & 1 & 0 \\ 1 & 0 & 1 & 0 & 1 \end{bmatrix}$

59. Appliquez la définition de l'isomorphisme des graphes simples à des graphes non orientés contenant des boucles et des arcs multiples.

60. Définissez l'isomorphisme de graphes orientés.

Dans les exercices 61 à 64, déterminez si les paires de graphes orientés qui sont représentées sont isomorphes.

61.

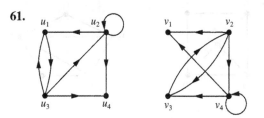

62.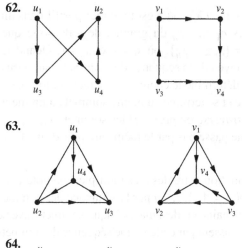

63.

64.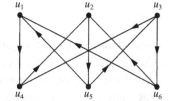

65. Démontrez que si G et H sont des graphes isomorphes orientés, alors les graphes réciproques de G et de H (définies préalablement à l'exercice 39 de la section 7.2) sont également isomorphes.

⋆**66.** Combien existe-t-il de graphes simples orientés non isomorphes deux à deux ayant n sommets si n est égal à

    a) 2 ?   **b)** 3 ?   **c)** 4 ?

⋆**67.** Quel est le produit d'une matrice d'incidence et de sa transposée pour un graphe non orienté ?

⋆**68.** Combien faut-il d'espace de stockage pour représenter un graphe simple ayant v sommets et e arcs en utilisant

    a) des listes d'adjacence ?

    b) une matrice d'adjacence ?

    c) une matrice d'incidence ?

7.4

Connexité

INTRODUCTION

De nombreux problèmes peuvent être modélisés au moyen de chemins tracés le long des arcs d'un graphe. Par exemple, le problème consistant à déterminer si un message peut être envoyé entre deux ordinateurs par des liens intermédiaires peut être étudié avec un modèle de graphe. Les problèmes d'efficacité du routage pour la livraison du courrier ou l'enlèvement des ordures ménagères, les diagnostics dans un réseau d'ordinateurs, etc., sont tous des cas pouvant être résolus à l'aide de modèles et de chemins sur ces graphes.

CHAÎNES OU CHEMINS

On définit d'abord la terminologie de base de la théorie des graphes à propos des chaînes ou des chemins.

DÉFINITION 1.   Une *chaîne* de longueur n de u à v, où n est un entier positif dans un graphe non orienté, est une séquence d'arcs $e_1, ..., e_n$ du graphe, de telle sorte que $f(e_1) = \{x_0, x_1\}$, $f(e_2) = \{x_1, x_2\}$, ..., $f(e_n) = \{x_{n-1}, x_n\}$, où $x_0 = u$ et $x_n = v$. Quand le graphe est simple, on définit cette chaîne au moyen de la séquence des sommets parcourus $x_0, x_1, ..., x_n$ (puisque la liste de ces sommets détermine le chemin de manière unique). La chaîne sera appelée un *cycle* si elle commence et se termine au même sommet ; autrement dit, si $u = v$. On dit que la chaîne ou le cycle *traverse* ou *parcourt* les sommets $x_1, x_2, ..., x_{n-1}$. Une chaîne ou un cycle est *simple* s'il ne passe pas par le même arc plus d'une fois.

Lorsqu'il n'est pas nécessaire de faire une distinction entre des arcs multiples, on notera une chaîne $e_1, e_2, ..., e_n$, où $f(e_i) = \{x_{i-1}, x_i\}$ et où $i = 1, 2, ..., n$ par la séquence des sommets $x_0, x_1, ..., x_n$. Cette notation identifie une seule chaîne en désignant chaque sommet traversé. En outre, il pourrait y avoir d'autres chaînes qui passent par cette même séquence de sommets.

EXEMPLE 1   Dans le graphe simple présenté à la figure 1, a, d, c, f, e est une chaîne simple de longueur 4, puisque $\{a, d\}$, $\{d, c\}$, $\{d, f\}$ et $\{f, e\}$ sont tous des arcs. Cependant, d, e, c, a n'est pas une chaîne, puisque $\{e, c\}$ n'est pas un arc. À noter que b, c, f, e, b est un cycle de longueur 4, puisque $\{b, c\}$, $\{c, f\}$, $\{f, e\}$ et $\{e, b\}$ sont des arcs et que cette chaîne commence et se termine au sommet b. La chaîne a, b, e, d, a, b de longueur 5 n'est pas une chaîne simple puisqu'elle comprend l'arc $\{a, b\}$ deux fois. ■

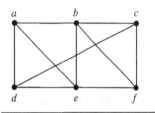

FIGURE 1   Graphe simple

Au chapitre 6, on a présenté les chemins et les circuits dans des graphes orientés. On définit maintenant de tels chemins pour les multigraphes orientés.

DÉFINITION 2.   Un chemin de longueur n, où n est un entier positif, entre u et v dans un multigraphe orienté est une séquence d'arcs $e_1, e_2, ..., e_n$ du graphe, de telle sorte que $f(e_1) = (x_0, x_1)$, $f(e_2) = (x_1, x_2)$, ..., $f(e_n) = (x_{n-1}, x_n)$, où $x_0 = u$ et $x_n = v$. Quand le graphe ne comprend pas d'arcs multiples, ce chemin peut être noté par la suite des sommets $x_0 x_1, x_2, ..., x_n$. Un chemin qui commence et se termine au même sommet est appelé un *circuit*. Un chemin ou circuit est *simple* s'il ne comprend pas le même arc plus d'une fois.

Lorsqu'il est inutile de faire la distinction entre des arcs multiples, on représentera le chemin e_1, e_2, ..., e_n, où $f(e_i) = \{x_{i-1}, x_i\}$ et où $i = 1, 2, ..., n$ par la séquence des sommets x_0, x_1, ..., x_n. Cette notation identifie un seul chemin au moyen des sommets qu'il traverse. Il peut y avoir d'autres chemins qui passent par cette même séquence de sommets.

CONNEXITÉ DANS UN GRAPHE NON ORIENTÉ

À quel moment un réseau informatique satisfait-il à la propriété que tous les ordinateurs du réseau, pris deux à deux, puissent partager l'information, si des messages peuvent être envoyés au moyen d'un ou de plusieurs ordinateurs intermédiaires ? Quand un graphe sert à représenter ce réseau informatique, où les sommets sont des ordinateurs et les arcs, les liens de communication, cette question devient : Existe-t-il toujours une chaîne entre deux sommets de ce graphe ?

DÉFINITION 3. Un graphe non orienté est *connexe* s'il existe une chaîne entre n'importe quelle paire de sommets distincts du graphe.

Par conséquent, n'importe quelle paire d'ordinateurs de ce réseau peuvent communiquer si et seulement si le graphe de ce réseau est connexe.

EXEMPLE 2 Le graphe G de la figure 2 est connexe puisqu'il existe une chaîne entre n'importe quelle paire de sommets distincts (le lecteur devra faire cette vérification). Cependant, le graphe H de la figure 2 n'est pas connexe. Par exemple, il n'y a pas de chaîne dans H entre les sommets a et d. ∎

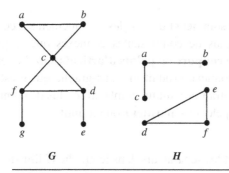

FIGURE 2 Graphes G et H

On a aussi besoin du théorème 1 suivant dans le chapitre 8.

THÉORÈME 1 Il existe une chaîne simple entre n'importe quelle paire de sommets distincts d'un graphe non orienté connexe.

Démonstration : Soit u et v deux sommets distincts d'un graphe non orienté connexe $G = (V, E)$. Puisque G est connexe, il existe au moins une chaîne entre u et v. Soit $x_0, x_1, …, x_n$, où $x_0 = u$ et $x_n = v$, la séquence des sommets d'une chaîne de moindre longueur. Cette chaîne de moindre longueur est simple. Pour le constater, on suppose qu'elle n'est pas simple. Alors, $x_i = x_j$ pour certaines valeurs i et j avec $0 \le i < j$. Cela signifie qu'il y aurait une chaîne de u à v de longueur inférieure passant par la suite de sommets $x_0, x_1, …, x_{i-1}$, $x_j …, x_n$ obtenue en supprimant des arcs reliant la suite de sommets $x_i, …, x_{j-1}$.   □

Un graphe qui n'est pas connexe est l'union de deux ou de plusieurs sous-graphes connexes, chaque paire de ceux-ci n'ayant pas de sommet en commun. Les sous-graphes connexes disjoints sont les **composantes connexes** du graphe.

EXEMPLE 3   Quelles sont les composantes connexes du graphe G présenté à la figure 3 ?

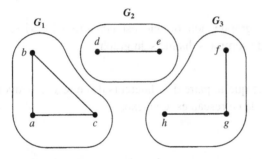

FIGURE 3   Graphe G et ses composantes connexes G_1, G_2 et G_3

Solution : Le graphe G est l'union des trois sous-graphes connexes disjoints G_1, G_2 et G_3 présentés à la figure 3. Ces trois sous-graphes sont les composantes connexes de G.   ■

Quelquefois, le retrait d'un sommet et de tous les arcs incidents à ce sommet conduit à former un sous-graphe ayant plus de composantes connexes que le graphe initial. Ces sommets sont appelés **points de coupure** ou **points d'articulation**. Le retrait d'un point de coupure à partir d'un graphe connexe produit un sous-graphe qui n'est pas connexe. De façon similaire, un arc dont le retrait produit un graphe avec plus de composantes connexes que dans le graphe initial est appelé un **séparateur** ou un **pont**.

EXEMPLE 4   Trouvez les points de coupure et les séparateurs dans le graphe G illustré à la figure 4.

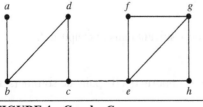

FIGURE 4   Graphe G

Solution : Les points de coupure de *G* sont *b*, *c* et *e*. Le retrait de l'un de ces sommets et de ses arcs adjacents sectionne le graphe. Les arcs séparateurs sont {*a*, *b*} et {*c*, *e*}. Le retrait de l'un d'eux donne un graphe non connexe. ■

CONNEXITÉ DANS LES GRAPHES ORIENTÉS

Il existe deux notions de connexité dans les graphes orientés selon la direction des arcs.

> **DÉFINITION 4.**   Un graphe orienté est *fortement connexe* s'il existe un chemin du sommet *a* au sommet *b* et du sommet *b* au sommet *a*, quels que soient les sommets représentés par *a* et *b* dans le graphe.

Pour qu'un graphe orienté soit fortement connexe, il doit exister une séquence d'arcs orientés à partir de n'importe quel sommet du graphe vers n'importe quel autre sommet du graphe. Un graphe orienté peut ne pas être fortement connexe, mais il peut être encore « d'une pièce ». Pour clarifier cette affirmation, on présente la définition 5.

> **DÉFINITION 5.**   Un graphe orienté est *faiblement connexe* s'il existe une chaîne entre n'importe quelle paire de sommets dans le graphe non orienté sous-jacent.

Cela signifie qu'un graphe orienté est faiblement connexe si et seulement s'il y a toujours une chaîne entre deux sommets quand on ne considère pas l'orientation des arcs. Bien entendu, tout graphe orienté fortement connexe est également faiblement connexe.

EXEMPLE 5   Les graphes *G* et *H* présentés à la figure 5 sont-ils fortement connexes ? Sont-ils faiblement connexes ?

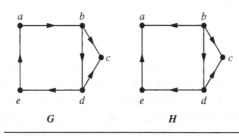

FIGURE 5   Graphes orientés *G* et *H*

Solution : Le graphe *G* est fortement connexe parce qu'il existe un chemin entre n'importe quelle paire de sommets dans ce graphe orienté (le lecteur devra faire cette vérification). Par conséquent, G est également faiblement connexe. Le graphe H n'est pas fortement connexe. Il n'existe pas de chemin orienté de a vers b dans ce graphe. Cependant, H est faiblement connexe, puisqu'il y a une chaîne entre n'importe quelle paire du graphe non orienté sous-jacent de H (le lecteur devra faire cette vérification).   ■

CHEMINS ET ISOMORPHISME

Il existe différentes manières de se servir des chemins et des circuits pour déterminer si deux graphes sont isomorphes. Par exemple, l'existence d'un cycle simple d'une longueur particulière est un invariant utile permettant de démontrer que deux graphes ne sont pas isomorphes. De plus, on peut utiliser des chemins pour construire des représentations qui pourraient être des isomorphismes.

Comme on l'a mentionné, un invariant isomorphe utile pour les graphes simples est l'existence d'un cycle simple de longueur k, où k est un nombre entier plus grand que 2. (La preuve qu'il s'agit effectivement d'un invariant sera faite à l'exercice 36 à la fin de cette section.) L'exemple 6 illustre comment cet invariant peut servir à démontrer que deux graphes ne sont pas isomorphes.

EXEMPLE 6   Déterminez si les graphes G et H présentés à la figure 6 sont isomorphes.

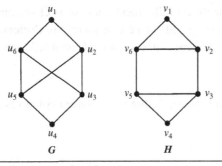

FIGURE 6   Graphes G et H

Solution : Les graphes G et H ont six sommets et huit arcs. Chacun a quatre sommets de degré 3 et deux sommets de degré 2. Ainsi, les trois invariants — nombre de sommets, nombre d'arcs et degrés des sommets — concordent pour les deux graphes. Cependant, H contient un cycle simple de longueur 3, notamment v_1, v_2, v_6, v_1, tandis que G n'a pas de circuit simple de longueur 3, comme on peut le déterminer par observation (tous les circuits simples de G sont au moins de longueur 4). Puisque l'existence d'un cycle simple de longueur 3 est un invariant isomorphe, G et H ne sont pas des graphes isomorphes.   ■

On a ainsi démontré comment l'existence d'un type de chemin, soit le circuit simple d'une longueur particulière, sert à démontrer que deux graphes ne sont pas isomorphes. On peut également utiliser les chemins pour trouver des représentations sont des isomorphismes potentiels.

EXEMPLE 7   Déterminez si les graphes G et H présentés à la figure 7 sont des graphes isomorphes.

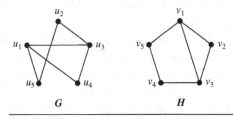

FIGURE 7   **Graphes G et H**

Solution : Les graphes G et H ont tous les deux cinq sommets et six arcs. De plus, tous les deux ont deux sommets de degré 3 et trois sommets de degré 2, ainsi qu'un cycle simple de longueur 3, un cycle simple de longueur 4 et un cycle simple de longueur 5. Puisque tous ces invariants isomorphes concordent, G et H pourraient être isomorphes. Pour trouver un isomorphisme, on peut suivre les chemins qui passent à travers tous les sommets, de telle sorte que les sommets correspondants dans les deux graphes aient les mêmes degrés. Par exemple, les chemins u_1, u_4, u_3, u_2, u_5 dans G et les chemins v_3, v_2, v_1, v_5, v_4 dans H passent tous les deux par tous les sommets du graphe, commencent à un sommet de degré 3, passent respectivement par des sommets de degré 2, 3 et 2, et aboutissent à un sommet de degré 2. En suivant ces chemins sur les graphes, on définit la représentation f avec $f(u_1) = v_3$, $f(u_4) = v_2$, $f(u_3) = v_1$, $f(u_2) = v_5$ et $f(u_5) = v_4$. Le lecteur pourra démontrer que f est un isomorphisme de telle sorte que G et H sont isomorphes en démontrant que f préserve les arcs ou en prouvant que si on se sert d'une relation d'ordre appropriée des sommets, les matrices d'adjacence de G et de H sont identiques. ∎

DÉNOMBREMENT DES CHEMINS OU DES CHAÎNES RELIANT DEUX SOMMETS

Le nombre de chemins (ou de chaînes) entre deux sommets d'un graphe peut être déterminé en se servant d'une matrice d'adjacence.

THÉORÈME 2   Soit G un graphe avec une matrice d'adjacence $\mathbf{A}$ qui respecte la relation d'ordre v_1, v_2, ..., v_n (avec des arcs orientés ou non orientés, avec la possibilité d'arcs multiples et de boucles). Le nombre de chemins différents de longueur r de v_i à v_j, où r est un nombre entier, est égal au (i, j)-ième élément de $\mathbf{A}^r$.

Démonstration : Ce théorème peut être démontré en utilisant l'induction mathématique. Soit G un graphe ayant la matrice d'adjacence $\mathbf{A}$ (en présumant l'ordonnancement $v_1, v_2, \ldots, v_n$ des sommets de G). Le nombre de chemins de v_i à v_j de longueur 1 est le (i, j)-ième élément de $\mathbf{A}$, puisque cet élément représente le nombre d'arcs de v_i à v_j.

On suppose que le (i, j)-ième élément de $\mathbf{A}^r$ est le nombre de chemins distincts de longueur r de v_i à v_j, ce qui constitue une hypothèse d'induction. Puisque $\mathbf{A}^{r+1} = \mathbf{A}^r\mathbf{A}$, le (i, j)-ième élément de $\mathbf{A}^{r+1}$ est égal à

$$b_{i1}a_{1j} + b_{i2}a_{2j} + \cdots + b_{in}a_{nj}$$

où b_{ik} est le (i, k)-ième élément de $\mathbf{A}^r$. En posant cette hypothèse d'induction, b_{ik} est le nombre de chemins de longueur r de v_i à v_k.

Un chemin de longueur $r + 1$ de v_i à v_j est constitué d'un chemin de longueur r depuis v_i vers un sommet intermédiaire quelconque v_k et un arc depuis v_k vers v_j. En appliquant le principe de la multiplication, le nombre de ces chemins est le produit du nombre de chemins de longueur r de v_i à v_k, notamment b_{ik}, et du nombre d'arcs de v_k à v_j, notamment a_{kj}. En additionnant ces produits pour tous les sommets intermédiaires possibles v_k et en appliquant le principe de l'addition, on obtient le résultat désiré. (Voir section 4.1.)   □

EXEMPLE 8   Combien existe-t-il de chemins de longueur 4 de a à d dans le graphe simple G présenté à la figure 8 ?

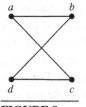

FIGURE 8
Graphe G

Solution : La matrice d'adjacence G (en ordonnant les sommets a, b, c, d) est la suivante :

$$\mathbf{A} = \begin{bmatrix} 0 & 1 & 1 & 0 \\ 1 & 0 & 0 & 1 \\ 1 & 0 & 0 & 1 \\ 0 & 1 & 1 & 0 \end{bmatrix}.$$

Donc, le nombre de chemins de longueur 4 de a à d est le $(1, 4)$-ième élément de $\mathbf{A}^4$. Puisque

$$\mathbf{A}^4 = \begin{bmatrix} 8 & 0 & 0 & 8 \\ 0 & 8 & 8 & 0 \\ 0 & 8 & 8 & 0 \\ 8 & 0 & 0 & 8 \end{bmatrix},$$

il y a exactement huit chemins de longueur 4 de a à d. En observant le graphe, on constate que a, b, a, b, d ; a, b, a, c, d ; a, b, d, b, d ; a, b, d, c, d ; a, c, a, b, d ; a, c, a, c, d ; a, c, d, b, d et a, c, d, c, d sont les huit chemins de a à d.   ■

Le théorème 2 servira à trouver la longueur du chemin le plus court entre deux sommets d'un graphe (voir l'exercice 32), ainsi qu'à déterminer si un graphe est connexe (voir les exercices 37 et 38).

Exercices

1. Les listes de sommets suivantes forment-elles des chaînes dans les graphes ci-dessous ? Lesquelles sont des chaînes simples ? Lesquelles sont des cycles ? Quelles sont les longueurs de celles qui sont des chaînes ?

   a) a, e, b, c, b **c)** e, b, a, d, b, e

   b) a, e, a, d, b, c, a **d)** c, b, d, a, e, c

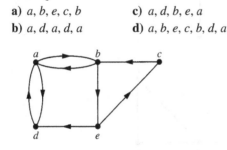

2. Les listes de sommets suivantes forment-elles des chaînes dans les graphes ci-dessous ? Lesquelles sont des chaînes simples ? Lesquelles sont des cycles ? Quelles sont les longueurs de celles qui sont des chaînes ?

   a) a, b, e, c, b **c)** a, d, b, e, a

   b) a, d, a, d, a **d)** a, b, e, c, b, d, a

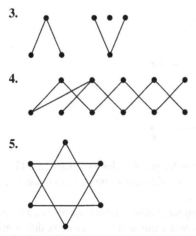

Dans les exercices 3 à 5, déterminez si le graphe représenté est connexe.

3.

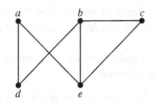

4.

5.

6. Combien de composantes connexes pouvez-vous trouver dans les graphes des exercices 3 à 5 ? Pour chacun de ces graphes, déterminez chacune des composantes connexes.

★7. Trouvez le nombre de chemins de longueur n entre deux sommets différents dans K_4 si n est égal à

   a) 2.   **b)** 3.   **c)** 4.   **d)** 5.

★**8.** Trouvez le nombre de chemins de longueur n entre deux sommets adjacents quelconques dans $K_{3,3}$ pour les valeurs de n de l'exercice 7.

★**9.** Trouvez le nombre de chemins de longueur n entre n'importe quelle paire de sommets non adjacents dans $K_{3,3}$ pour les valeurs de n de l'exercice 7.

10. Trouvez le nombre de chemins entre c et d dans le graphe de la figure 1 qui sont de longueur
   a) 2.   **b)** 3.   **c)** 4.   **d)** 5.   **e)** 6.   **f)** 7.

11. Trouvez le nombre de chemins de a à e dans le graphe orienté de l'exercice 2 qui sont de longueur
   a) 2.   **b)** 3.   **c)** 4.   **d)** 5.   **e)** 6.   **f)** 7.

★**12.** Démontrez qu'un graphe connexe ayant n sommets a au moins $n - 1$ arcs.

13. Soit $G = (V, E)$ un graphe simple. Soit R la relation dans V consistant en une paire de sommets (u, v) de telle façon qu'il existe un chemin de u à v qui vérifie que $u = v$. Démontrez que R est une relation d'équivalence.

★**14.** Démontrez que dans tout graphe simple, il existe un chemin à partir de tout sommet de degré impair à tout autre sommet de degré impair.

Dans les exercices 15 à 17, trouvez tous les points de coupure du graphe représenté.

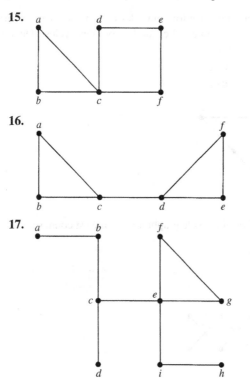

15.

16.

17.

18. Trouvez tous les séparateurs dans les graphes des exercices 15 à 17.

★**19.** Soit v un point terminal d'un pont. Démontrez que v est un point d'articulation si et seulement si ce sommet n'est pas pendant.

★**20.** Démontrez qu'un sommet c dans un graphe connexe simple G est un point de coupure si et seulement s'il existe des sommets u et v qui sont tous les deux différents de c, de telle sorte que tout chemin entre u et v passe par c.

★**21.** Démontrez qu'un graphe simple ayant au moins deux sommets possède au moins deux sommets qui ne sont pas des points de coupure.

★**22.** Démontrez qu'un arc dans un graphe simple est un séparateur si et seulement si cet arc ne fait pas partie d'un cycle simple de ce graphe.

23. Un lien de communication dans un réseau doit être doublé par un cycle de secours en cas de défaillance de ce lien. Pour chacun des réseaux de communication suivants, déterminez les liens qui doivent être doublés.

a)

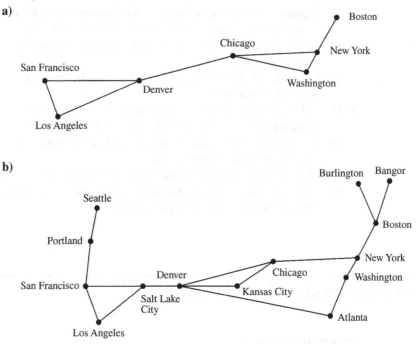

b)

Une **base de sommets** dans un graphe orienté est un ensemble de sommets qui vérifie l'existence d'un chemin vers chacun des sommets de ce graphe orienté qui n'appartient pas à cette base, à partir de n'importe quel sommet de cette base, et l'absence de chemin à partir d'un sommet de cette base vers un autre sommet de cette base.

24. Trouvez une base de sommets pour chacun des graphes orientés représentés aux exercices 7 à 9 de la section 7.2.

25. Quelle est la signification d'une base de sommets dans un graphe d'influence (décrit à l'exemple 2 de la section 7.1) ? Trouvez une base de sommets dans le graphe d'influence de cet exemple.

☞**26.** Démontrez que si un graphe simple connexe G est l'union des graphes G_1 et G_2, alors G_1 et G_2 ont au moins un sommet en commun.

★**27.** Démontrez que si un graphe simple G a k composantes connexes et que celles-ci ont respectivement $n_1, n_2, \ldots, n_k$ sommets, alors le nombre d'arcs de G ne peut excéder

$$\sum_{i=1}^{k} C(n_i, 2).$$

★**28.** Utilisez l'exercice 27 pour démontrer qu'un graphe simple ayant n sommets et k composantes connexes a au moins $(n-k)(n-k+1)/2$ arcs. (*Conseil :* Démontrez d'abord que

$$\sum_{i=1}^{k} n_i^2 \le n^2 - (k-1)(2n-k),$$

où n_i est le nombre de sommets de la i-ième composante connexe.)

★**29.** Démontrez qu'un graphe simple G avec n sommets est connexe s'il a plus de $(n-1)(n-2)/2$ arcs.

30. Décrivez la matrice d'adjacence d'un graphe qui a n composantes connexes quand les sommets de ce graphe sont listés successivement dans l'ordre des composantes connexes.

31. Combien y a-t-il de graphes simples connexes non isomorphes qui ont n sommets quand n est égal à

a) 2 ?   **b)** 3 ?   **c)** 4 ?   **d)** 5 ?

32. Expliquez comment le théorème 2 peut permettre de trouver la longueur du chemin le plus court à partir d'un sommet v vers un sommet w dans un graphe.

33. Utilisez le théorème 2 pour trouver la longueur du chemin le plus court entre a et f dans le multigraphe de la figure 1.

34. Utilisez le théorème 2 pour trouver la longueur du chemin le plus court de a à c dans le graphe orienté de l'exercice 2.

☞**35.** Soit P_1 et P_2 deux chemins simples entre les sommets u et v d'un graphe simple G qui ne contiennent pas le même ensemble de sommets. Démontrez qu'il existe un cycle simple dans G.

36. Démontrez que l'existence d'un cycle simple de longueur k, où k est un entier positif plus grand que 2, est un invariant isomorphe.

37. Expliquez comment le théorème 2 peut servir à déterminer si un graphe est connexe.

38. Utilisez l'exercice 37 pour démontrer que le graphe G de la figure 2 est connexe, même si le graphe H de cette figure n'est pas connexe.

7.5

Chaînes eulériennes et hamiltoniennes

INTRODUCTION

La ville de Königsberg en Prusse (maintenant Kaliningrad en Russie) était divisée en quatre quartiers par les bras de la rivière Pregel. Ces quartiers couvraient les deux régions sur les rives du Pregel, l'île de Kneiphof et la région entre les deux bras de la rivière Pregel. Au XVIIIe siècle, des ponts furent construits entre ces quartiers. La figure 1 illustre ces quartiers et ces ponts.

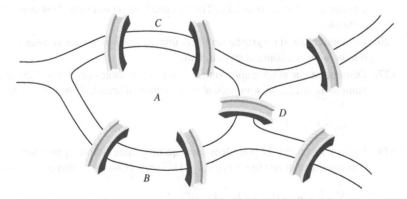

FIGURE 1   La ville de Königsberg au XVIIIe siècle

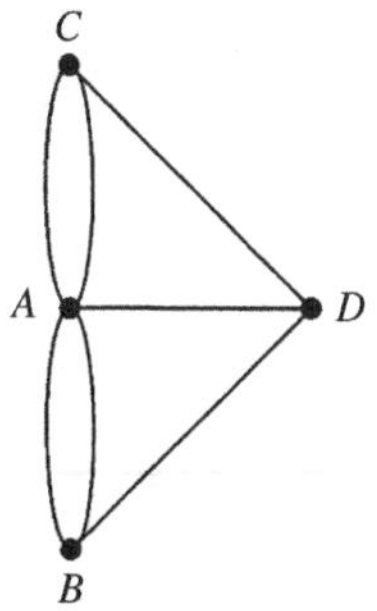

C

A • D

B

FIGURE 2
Modèle
multigraphe
de la ville de
Königsberg

Les gens de Königsberg avaient l'habitude de se promener longuement le dimanche. Ils se demandaient s'il était possible, en partant d'un point quelconque de la ville, de traverser tous les ponts sans passer deux fois par le même et de revenir à leur point de départ.

C'est le mathématicien suisse Leonhard Euler qui résolut ce problème. Sa solution, qui fut publiée en 1736, pourrait être l'illustration de la première utilisation de la théorie des graphes. Euler étudia le problème au moyen d'un multigraphe obtenu quand les quatre quartiers sont représentés par des sommets et que les ponts le sont par des arcs. Ce multigraphe est présenté à la figure 2.

Le problème du cheminement sur ces ponts sans jamais traverser deux fois le même pont peut donc être représenté par ce modèle. La question devient alors : Y a-t-il un cycle simple dans ce multigraphe qui puisse comprendre tous les arcs ?

DÉFINITION 1. Un *cycle eulérien* dans un graphe G est un cycle simple contenant tous les arcs de G. Une *chaîne eulérienne* dans un graphe G est une chaîne simple qui contient tous les arcs de G.

Les exemples suivants présentent le concept des cycles et des chaînes eulériens.

EXEMPLE 1 Parmi les graphes présentés à la figure 3, lesquels contiennent un cycle eulérien ? Parmi ceux qui ne vérifient pas cette propriété, lesquels ont une chaîne eulérienne ?

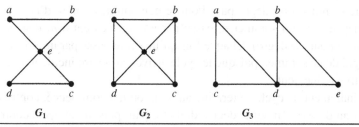

FIGURE 3 Graphes non orientés G_1, G_2 et G_3

Solution : Le graphe G_1 contient un cycle eulérien, par exemple a, e, c, d, e, b, a. Aucun des graphes G_2 ou G_3 n'a un cycle eulérien (le lecteur devra en faire la vérification). Cependant, G_3 a une chaîne eulérienne, notamment a, c, d, e, b, d, a, b, et G_2 n'en a pas (comme le lecteur devra le vérifier). ■

EXEMPLE 2 Parmi les graphes présentés à la figure 4, lesquels ont un cycle eulérien ? Parmi ceux qui n'ont pas ce cycle, lesquels ont une chaîne eulérienne ?

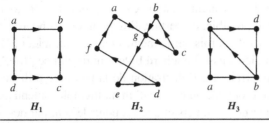

FIGURE 4   Graphes orientés H_1, H_2 et H_3

Solution : Le graphe H_2 a un cycle eulérien, par exemple a, g, c, b, g, e, d, f, a. Aucun des graphes H_1 ou H_3 n'a de cycle eulérien (comme le lecteur devra le vérifier). Le graphe H_3 a une chaîne eulérienne, notamment c, a, b, c, d, b, mais H_1 n'en a pas (comme le lecteur devra le vérifier). ∎

CONDITIONS NÉCESSAIRES ET SUFFISANTES POUR L'EXISTENCE DES CYCLES ET DES CHAÎNES EULÉRIENS

Il existe des critères de base qui permettent de déterminer si un multigraphe contient un cycle eulérien ou une chaîne eulérienne. Euler découvrit ces critères lorsqu'il résolut le fameux problème des ponts de Königsberg. On supposera que tous les graphes de cette section ont un nombre fini de sommets et d'arcs.

Que peut-on dire d'un multigraphe connecté qui aurait un cycle eulérien ? On voit que chaque sommet a un degré pair. Pour le démontrer, on note d'abord qu'un cycle eulérien commence avec un sommet a, passe par un arc incident à a, disons $\{a, b\}$. L'arc $\{a, b\}$ contribue pour 1 à deg(a). Chaque fois qu'un cycle passe par un sommet, il contribue pour 2 au degré de ce sommet, puisque le cycle arrive par un arc incident à ce sommet et repart par un autre arc incident.

Finalement, le cycle se termine au point où il a commencé, contribuant encore une fois pour 1 au deg(a). Par suite, deg(a) doit être pair, puisque le cycle contribue pour 1 quand il commence, pour 1 quand il se termine et pour 2 chaque fois qu'il passe par a (si c'est le cas). Un sommet autre que a a un degré pair parce que le cycle contribuera pour 2 à son degré chaque fois qu'il passera par ce sommet. On conclut que si un graphe connecté comprend un cycle eulérien, alors tous les sommets doivent avoir des degrés pairs.

Cette condition nécessaire pour l'existence d'un cycle eulérien est-elle aussi suffisante ? Autrement dit, est-ce qu'un cycle eulérien existe nécessairement dans un multigraphe connecté si tous ses sommets sont de degré pair ? On peut répondre à cette question de façon affirmative à l'aide d'une construction.

On suppose que G est un multigraphe connexe et que le degré de chaque sommet de G est pair. On formera un cycle simple qui commence à un sommet arbitraire a de G. Soit $x_0 = a$. D'abord, on choisit arbitrairement un arc $\{x_0, x_1\}$ incident au sommet a. On continue en construisant un chemin simple $\{x_0, x_1\}$, $\{x_1, x_2\}$, ..., $\{x_{n-1}, x_n\}$ aussi long que possible. Par exemple, dans le graphe G de la figure 5, on part du sommet a et on choisit une succession d'arcs $\{a, f\}$, $\{f, c\}$, $\{c, d\}$ et $\{b, a\}$.

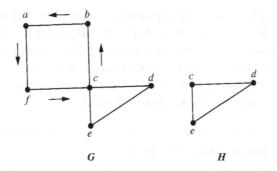

FIGURE 5   Construction d'un cycle eulérien dans *G*

La chaîne a une fin puisque le graphe a un nombre fini d'arcs. Elle commence au sommet *a* avec un arc de la forme {*a*, *x*} et se termine au sommet *a* avec un arc de la forme {*y*, *a*}. Cette propriété vient du fait que chaque fois que la chaîne passe par un sommet de degré pair, elle utilise seulement un arc pour parvenir à ce sommet, de telle façon qu'il reste un arc pour repartir de ce sommet. Cette chaîne pourra parcourir ou non tous les arcs du graphe.

On aura construit un cycle eulérien si tous les arcs sont utilisés. Dans le cas inverse, on considère le sous-graphe *H* obtenu à partir de *G* en éliminant les arcs déjà utilisés et les sommets qui ne sont incidents à aucun des arcs restants. Lorsqu'on supprime le cycle *a*, *f*, *c*, *b*, *a* à partir du graphe de la figure 5, on obtient le sous-graphe *H*.

Puisque *G* est connexe, *H* a au moins un sommet en commun avec le cycle qui a été supprimé. Soit *w* un tel sommet. (Dans cet exemple, *c* est le sommet.)

Chaque sommet de *H* a un degré pair (parce que tous les sommets de *G* ont un degré pair et que, pour chaque sommet, les paires d'arcs incidents à ce sommet ont été supprimées pour former *H*). À noter que *H* pourrait ne pas être connexe. En commençant au sommet *w*, on construit maintenant une chaîne simple dans *H* en choisissant les arcs nécessaires, comme cela a été fait dans *G*. Cette chaîne doit se terminer au sommet *w*. Par exemple, dans la figure 5, *c*, *d*, *e*, *c* est une chaîne de *H*. Ensuite, on forme un cycle dans *G* en aboutant le cycle dans *H* avec son cycle original dans *G* (cette construction est réalisable puisque *w* est l'un des sommets de ce cycle). On obtient le cycle *a*, *f*, *c*, *d*, *e*, *c*, *b*, *a* (voir la figure 5).

On continue ce processus jusqu'à ce que tous les arcs soient utilisés. (Le processus devra se terminer puisqu'il y a un nombre fini d'arcs dans ce graphe.) On obtient ainsi un cycle eulérien. La construction montre que si des sommets d'un multigraphe connexe ont tous un degré pair, alors ce graphe contient un cycle eulérien.

Ces résultats sont résumés dans le théorème 1.

THÉORÈME 1   Un multigraphe connexe admet un cycle eulérien si et seulement si chacun de ses sommets est de degré pair.

On peut maintenant résoudre le problème des ponts de Königsberg. Puisque le multi-graphe représentant ces ponts (voir la figure 2) a quatre sommets de degré impair, il n'existe pas de cycle eulérien. Il n'y a donc aucune façon de partir d'un point donné de la ville, de traverser chaque pont une fois seulement et de revenir à son point de départ.

L'algorithme 1 donne la procédure de construction pour trouver les cycles eulériens, comme il a été discuté au théorème 1. (Il y a ambiguïté, puisque les cycles de cette procédure sont choisis de manière arbitraire. Toutefois, les étapes de cette procédure ne seront pas décrites de manière plus précise dans le contexte actuel.)

ALGORITHME 1   Construction des cycles eulériens

Procédure *Euler* (*G* : multigraphe connexe avec tous les sommets de degré pair)
cycle := un cycle dans *G* commençant à un sommet arbitrairement choisi
        comprenant des arcs ajoutés successivement de manière à former une
        chaîne qui retourne à ce premier sommet
H := *G* avec les arcs qui ont été enlevés à ce cycle
tant que *H* a au moins une arête
début
        sous-cycle := un cycle dans *H* commençant à un sommet de *H* qui est
                également un point terminal d'un arc du *cycle*
        H := *H* avec les arcs du *sous-cycle* et tous les sommets isolés ayant été retirés
        cycle := *cycle* avec *sous-cycle* inséré au sommet approprié
fin {*cycle* est un cycle eulérien}

L'exemple 3 démontre comment les chaînes et les cycles eulériens permettent de résoudre certains types de casse-tête.

EXEMPLE 3   De nombreux jeux demandent de tracer, sans lever le crayon, une ligne continue qui ne repasse jamais par le même chemin. On peut résoudre ces casse-tête en utilisant les cycles et les chaînes eulériens. Par exemple, on examine le cas des **cimeterres de Mohammed** présenté à la figure 6. Ce dessin peut-il être tracé de la manière décrite, le dessin commençant et se terminant au même point ?

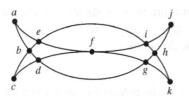

FIGURE 6   Cimeterres de Mohammed

Solution : On peut résoudre ce problème puisque le graphe *G* illustré à la figure 6 contient un cycle eulérien. En effet, on constate que tous les sommets sont de degré pair. On utilise l'algorithme 1 pour construire un cycle eulérien. Premièrement, on forme le cycle *a*, *b*, *d*, *c*, *b*, *e*, *i*, *f*, *e*, *a*. On obtient le sous-graphe *H* en supprimant les arcs de ce cycle et tous les sommets qui sont isolés, quand ces arcs sont enlevés. Puis, on forme le cycle *d*, *g*, *h*, *j*, *i*, *h*, *k*, *g*, *f*, *d* dans *H*. Avec ce cycle, on a utilisé tous les arcs de *G*. En aboutant ce nouveau cycle avec le premier de manière appropriée, on obtient le cycle eulérien *a*, *b*, *d*, *g*, *h*, *j*, *i*, *h*, *k*, *g*, *f*, *d*, *c*, *b*, *e*, *i*, *f*, *e*, *a*. Ce cycle représente la manière de tracer les cimeterres sans lever le crayon et sans repasser non plus par le même chemin. ∎

Il existe un autre algorithme permettant de construire les cycles eulériens ; il s'agit de l'algorithme de Fleury. Celui-ci est décrit dans les exercices à la fin de cette section.

On démontre maintenant qu'un multigraphe connexe possède une chaîne eulérienne (et non pas un cycle eulérien) si et seulement s'il a exactement deux sommets de degré impair. Premièrement, on suppose qu'un multigraphe connexe comprend une chaîne eulérienne de *a* à *b*, mais qu'il ne contient pas de cycle eulérien. Le premier arc de la chaîne contribue pour 1 au degré de *a*. Une contribution pour 2 au degré de *a* est obtenue chaque fois que la chaîne passe par le sommet *a*. Le dernier arc de la chaîne contribue pour 1 au degré de *b*. Chaque fois que la chaîne passe par *b*, elle contribue pour 2 au degré de ce sommet. En conséquence, à la fois *a* et *b* ont un degré impair. Tous les autres sommets ont un degré pair, puisque la chaîne contribue pour 2 au degré de ces sommets toutes les fois qu'elle passe par l'un d'eux.

On considère maintenant la réciproque. On suppose qu'un graphe a exactement deux sommets de degré impair, soit *a* et *b*, et on considère le graphe le plus grand qu'on puisse tracer à partir du graphe original par addition d'un arc {*a*, *b*}. Chaque sommet de ce graphe de taille supérieure a un degré impair, de telle sorte qu'il comprend un cycle eulérien. Le retrait de ce nouvel arc produit une chaîne eulérienne dans le graphe original. Le théorème 2 résume ces résultats.

THÉORÈME 2 Un multigraphe connexe admet une chaîne eulérienne et non un cycle eulérien si et seulement s'il a exactement deux sommets de degré impair.

EXEMPLE 4 Quels sont les graphes présentés à la figure 7 qui ont une chaîne eulérienne ?

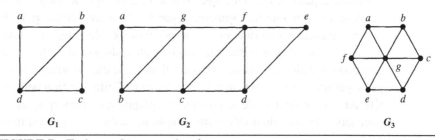

FIGURE 7 **Trois graphes non orientés**

Solution : Le graphe G_1 contient exactement deux sommets de degré impair, notamment b et d. Par conséquent, il existe une chaîne eulérienne devant avoir b et d comme points terminaux. Une telle chaîne eulérienne est d, a, b, c, d, b. De façon similaire, G_2 a exactement deux sommets de degré impair, notamment b et f, de telle sorte qu'il existe une chaîne eulérienne devant avoir les sommets b et f à titre de points terminaux. Une telle chaîne eulérienne est $b, a, g, f, e, d, c, g, b, c, f$. Le graphe G_3 n'a pas de chaîne eulérienne puisqu'il a six sommets de degré impair.   ■

En revenant au problème initial des ponts de Königsberg, est-il possible de partir d'un point quelconque de la ville, de passer sur tous les ponts et de terminer la promenade en un autre point de la ville ? On trouvera la solution à cette question en déterminant s'il y a une chaîne eulérienne dans le multigraphe représentant les ponts de Königsberg. Puisqu'on trouve quatre sommets de degré impair dans ce multigraphe, il n'y a pas de chaîne eulérienne. Un tel trajet est donc impossible.

On traitera les conditions nécessaires et suffisantes pour les chaînes et les cycles eulériens dans des graphes orientés à l'intérieur des exercices à la fin de cette section.

CIRCUITS ET CHAÎNES HAMILTONIENS

On a démontré les conditions nécessaires et suffisantes pour l'existence de chaînes et de cycles contenant tous les arcs d'un graphe une fois seulement. Est-il possible d'établir les mêmes constats pour des cycles simples ou des chaînes simples, mais qui comprendraient cette fois tous les sommets d'un graphe une fois seulement ?

> **DÉFINITION 2.** Une chaîne $x_0, x_1, ..., x_{n-1}, x_n$ dans le graphe $G = (V, E)$ est appelée une chaîne *hamiltonienne* si $V = \{x_0, x_1, ..., x_{n-1}, x_n\}$ et $x_i \neq x_j$ pour $0 \leq i < j \leq n$. Un cycle $x_0, x_1, ..., x_{n-1}, x_n, x_0$ (avec $n > 1$) dans le graphe $G = (V, E)$ est appelé un *cycle hamiltonien* si $x_0, x_1, ..., x_{n-1}, x_n$ est une chaîne hamiltonienne.

Cette terminologie provient du casse-tête du « Tour du monde » inventé en 1857 par le mathématicien irlandais Sir William Rowan Hamilton. Le jeu se présentait sous la forme d'un dodécaèdre de bois, c'est-à-dire un polyèdre à 12 faces en forme de pentagone régulier, comme dans la figure 8 a), comportant un gougeon et une chaînette à chaque sommet. Les 20 sommets de ce dodécaèdre portaient les noms des différentes villes du monde. Le jeu consistait à partir d'une ville quelconque et à voyager le long des arcs du dodécaèdre de manière à passer une fois seulement par les 19 autres villes, puis de revenir au point de départ. Le cycle parcouru était déterminé au moyen de gougeons et de chaînettes.

Comme il est impossible que chaque lecteur dispose d'un tel casse-tête, on considère la question équivalente suivante : Existe-t-il un cycle dans le graphe illustré à la figure 8 b) qui passe par tous les sommets une fois seulement ? Cette question permet de résoudre le casse-tête du « Tour du monde », puisque ce graphe est isomorphe au graphe formé par les sommets et les arcs du dodécaèdre. Une solution du casse-tête est illustrée à la figure 9.

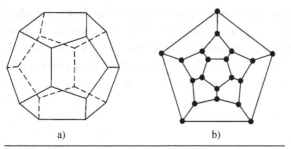

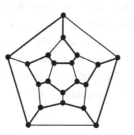

a)   b)

FIGURE 8   **Casse-tête du « Tour du monde »**
d'Hamilton

FIGURE 9   **Solution possible au casse-tête**
du « Tour du monde »

EXEMPLE 5   Parmi les graphes qui sont présentés à la figure 10, lesquels possèdent un cycle hamiltonien ?
Lesquels possèdent une chaîne hamiltonienne ?

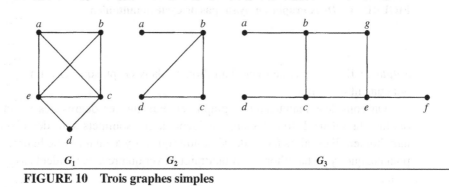

FIGURE 10   **Trois graphes simples**

Solution : Le graphe G_1 possède un cycle hamiltonien, soit a, b, c, d, e, a. Le graphe G_2 n'en possède pas puisque tout cycle qui contiendrait tous les sommets devrait contenir l'arc $\{a, b\}$ deux fois ; par contre, G_2 possède une chaîne hamiltonienne, notamment a, b, c, d. Enfin, G_3 n'a ni cycle ni chaîne hamiltonienne, puisque toute chaîne contenant tous les sommets devrait contenir l'arc $\{a, b\}$, $\{e, f\}$ et $\{c, d\}$ plus d'une fois. ∎

Y a-t-il une façon simple de déterminer si un graphe contient un cycle hamiltonien ou une chaîne hamiltonienne ? À première vue, il semblerait que oui, puisqu'on peut répondre simplement à la question similaire de savoir si un graphe possède un cycle eulérien. Cependant, il n'existe pas de critères nécessaires et suffisants pour démontrer l'existence de cycles hamiltoniens, même si de nombreux théorèmes donnent des conditions suffisantes pour l'existence de tels cycles. On peut également se servir de certaines propriétés pour démontrer qu'un graphe n'a pas de cycle hamiltonien. Par exemple, un graphe avec un sommet de degré 1 ne peut contenir de cycle hamiltonien, puisque dans un tel cycle, chaque sommet est incident à deux arcs dans le cycle. De plus, si un sommet dans un graphe est de degré 2, alors les deux arcs incidents à ce sommet doivent faire partie d'un cycle hamiltonien. À noter également que, quand on construit un cycle hamiltonien et que celui-ci passe par un sommet, alors tous les arcs restants qui sont incidents à ce sommet, autres que les deux servant à ce cycle, peuvent être ignorés. De plus, un cycle hamiltonien ne peut contenir un cycle de moindre longueur.

EXEMPLE 6   Démontrez qu'aucun des graphes illustrés à la figure 11 ne contient un cycle hamiltonien.

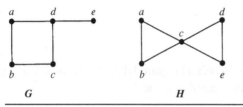

FIGURE 11   Deux graphes n'ayant pas de cycle hamiltonien

Solution : Il n'y a pas de cycle hamiltonien dans G, puisque G a un sommet de degré 1, notamment le sommet e.

On considère maintenant le graphe H. Puisque les degrés des sommets a, b, d et e ont tous la valeur 2, tous les arcs incidents à ces sommets sont des éléments d'un cycle hamiltonien. Il est alors facile de démontrer qu'il n'y a aucun cycle hamiltonien dans H car, pour chaque cycle hamiltonien, il faudrait trouver quatre arcs incidents à c, ce qui est impossible. ∎

EXEMPLE 7   Démontrez que K_n contient un cycle hamiltonien quel que soit $n \geq 3$.

Solution : On peut former un cycle hamiltonien dans K_n en partant de n'importe quel sommet. Un tel cycle traversera les sommets dans n'importe quel ordre, pour autant que la chaîne commence et se termine au même sommet et qu'il passe une fois seulement par tous les autres sommets. Cela est possible, puisqu'il existe des arcs dans K_n entre toutes les paires de sommets. ∎

On peut maintenant présenter un théorème qui établit les conditions suffisantes pour déterminer l'existence des cycles hamiltoniens.

THÉORÈME 3   Si G est un graphe simple connexe avec n sommets où $n \geq 3$, alors G a un cycle hamiltonien si le degré de chaque sommet est au moins égal à $n/2$.

À présent, on peut appliquer les cycles hamiltoniens au codage.

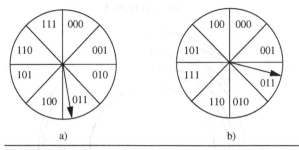

FIGURE 12   Conversion de la position d'un pointeur sous forme numérique

EXEMPLE 8   **Codes Gray**   La position d'un pointeur rotatif peut être représentée de manière numérique. Une façon d'y arriver est de diviser le cercle en 2^n arcs de longueur égale et d'attribuer une chaîne binaire de longueur n à chacun des arcs. Deux possibilités sont présentées à la figure 12 pour des chaînes binaires de longueur 3.

On peut déterminer la représentation numérique de la position du pointeur en utilisant un ensemble de n contacts. Chaque contact sert à lire un bit de la représentation numérique de la position. Cette méthode est présentée à la figure 13 pour les deux attributions provenant de la figure 12.

Quand le pointeur est proche de la frontière de deux arcs, on pourrait commettre une erreur en lisant sa position, ce qui risquerait d'entraîner une erreur grave dans la lecture de la chaîne binaire. Par exemple, dans le schème de codage de la figure 12 a), si on commet une faible erreur en déterminant la position du pointeur, on lit alors une chaîne binaire 100 au lieu de 011. De ce fait, les trois bits sont incorrects ! Pour minimiser l'effet d'une erreur sur la position du pointeur, il faut attribuer les chaînes binaires aux 2^n arcs de telle manière qu'il n'y ait qu'un bit de différence dans les chaînes binaires représentées par les arcs adjacents. C'est exactement la situation qui se présente dans le schème de codage de la figure 12 b). Une erreur de lecture du pointeur induit la chaîne binaire 010 au lieu de 011. Il n'y a alors qu'un bit d'erreur.

Un **code Gray** (ou **code binaire réfléchi**) est une manière d'étiqueter les arcs d'un cercle de telle sorte que les arcs adjacents sont étiquetés avec des chaînes binaires qui diffèrent exactement d'un bit. L'attribution présentée à la figure 12 b) est celle d'un code Gray. On peut trouver un code Gray en énumérant toutes les chaînes binaires de longueur n de telle façon que chacune diffère exactement d'une position à partir de la chaîne binaire précédente ; et la dernière chaîne diffère de la première exactement d'une position également. On peut ainsi modéliser ce problème en utilisant le cube de dimension n, soit Q_n. Pour résoudre ce problème, on aura besoin d'un cycle hamiltonien dans Q_n. De tels cycles hamiltoniens peuvent être trouvés facilement. Par exemple, il existe un cycle hamiltonien pour Q_3 illustré à la figure 14. La séquence des chaînes binaires différant exactement d'un bit par ce cycle hamiltonien est 000, 001, 011, 010, 110, 111, 101, 100.   ∎

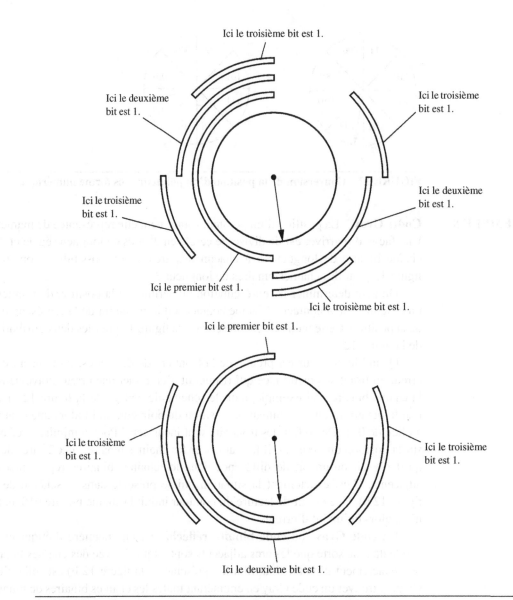

FIGURE 13   Représentation numérique de la position du pointeur

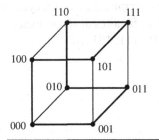

FIGURE 14   Cycle hamiltonien pour Q_3

Exercices

Dans les exercices 1 à 7, déterminez si chacun des graphes contient un cycle eulérien. Construisez un tel cycle s'il existe.

1.

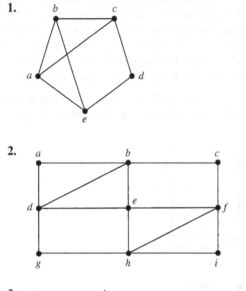

2.

3.

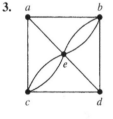

4.

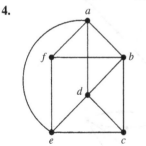

5.

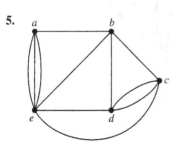

6.

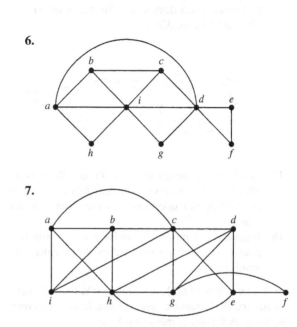

7.

8. Déterminez si le graphe de l'exercice 1 admet une chaîne eulérienne et construisez une telle chaîne si elle existe.

9. Déterminez si le graphe de l'exercice 2 admet une chaîne eulérienne et construisez une telle chaîne si elle existe.

10. Déterminez si le graphe de l'exercice 3 admet une chaîne eulérienne et construisez une telle chaîne si elle existe.

11. Déterminez si le graphe de l'exercice 4 admet une chaîne eulérienne et construisez une telle chaîne si elle existe.

12. Déterminez si le graphe de l'exercice 5 admet une chaîne eulérienne et construisez une telle chaîne si elle existe.

13. Déterminez si le graphe de l'exercice 6 admet une chaîne eulérienne et construisez une telle chaîne si elle existe.

14. Déterminez si le graphe de l'exercice 7 admet une chaîne eulérienne et construisez une telle chaîne si elle existe.

15. À Kaliningrad (nom russe de la ville de Königsberg), il y a aujourd'hui deux ponts de plus que les sept qui ont été construits au XVIIIe siècle. Ces deux nouveaux ponts font la jonction respectivement entre les régions B et C et les régions B et D. Est-il possible à un promeneur de traverser les neuf ponts de Kaliningrad une fois seulement et de revenir à son point de départ ?

16. Un promeneur peut-il traverser tous les ponts illustrés sur le plan ci-dessous une fois seulement et revenir à son point de départ ?

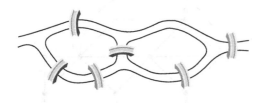

17. Les lignes médianes des rues d'une ville peuvent-elles être peintes sans passer deux fois par la même rue ? (Supposez que toutes les rues sont à double sens.)

18. Imaginez une procédure similaire à l'algorithme 1 pour la construction des chaînes d'Euler dans des multigraphes.

Dans les exercices 19 à 21, déterminez si la figure illustrée peut être tracée de manière continue sans lever le crayon ni repasser deux fois sur le même tracé.

19.

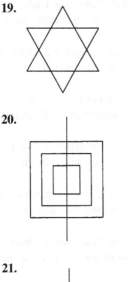

20.

21.

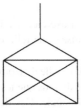

★**22.** Démontrez qu'un multigraphe orienté qui n'a pas de sommet isolé admet un cycle eulérien si et seulement si le graphe est faiblement connexe et que les degrés intérieur et extérieur de chaque sommet sont égaux.

★**23.** Démontrez qu'un multigraphe orienté qui n'a pas de sommet isolé admet une chaîne eulérienne, mais non un cycle eulérien, si et seulement si le graphe est faiblement connexe et que les degrés intérieur et extérieur sont égaux pour tous les sommets sauf deux. Pour ces deux sommets, l'un a un degré intérieur supérieur de 1 à son degré extérieur et l'autre a un degré extérieur supérieur de 1 à son degré intérieur.

Dans les exercices 24 à 28, déterminez si le graphe orienté illustré admet un cycle eulérien. Construisez ce cycle s'il existe.

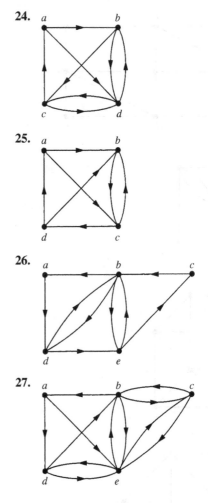

28.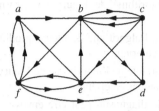

29. Déterminez si le graphe orienté de l'exercice 24 admet une chaîne eulérienne et construisez cette chaîne si elle existe.

30. Déterminez si le graphe orienté de l'exercice 25 admet une chaîne eulérienne et construisez cette chaîne si elle existe.

31. Déterminez si le graphe orienté de l'exercice 26 admet une chaîne eulérienne et construisez cette chaîne si elle existe.

32. Déterminez si le graphe orienté de l'exercice 27 admet une chaîne eulérienne et construisez cette chaîne si elle existe.

33. Déterminez si le graphe orienté de l'exercice 28 admet une chaîne eulérienne et construisez cette chaîne si elle existe.

*34. Élaborez un algorithme permettant de construire des cycles eulériens dans des graphes orientés.

35. Élaborez un algorithme permettant de construire des chaînes eulériennes dans des graphes orientés.

36. Pour quelles valeurs de n les graphes suivants admettent-ils un cycle hamiltonien ?
a) K_n **b)** C_n **c)** W_n **d)** Q_n

37. Pour quelles valeurs de n les graphes de l'exercice 36 admettent-ils une chaîne eulérienne mais non un cycle eulérien ?

38. Pour quelles valeurs de m et de n le graphe biparti complet $K_{m,n}$ admet-il
a) un cycle eulérien ?
b) une chaîne eulérienne ?

39. Trouvez le nombre minimal de fois qu'il est nécessaire de lever le crayon pour tracer chacun des graphes des exercices 1 à 7 sans passer deux fois sur le même tracé.

Dans les exercices 40 à 46, déterminez si le graphe illustré possède un cycle hamiltonien. Si c'est le cas, trouvez ce cycle, sinon donnez la preuve qu'un tel cycle n'existe pas.

40.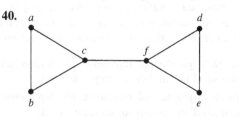

41.

42.

43.

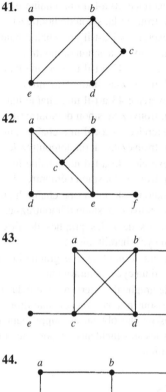

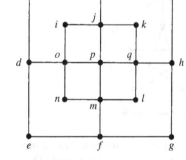

44.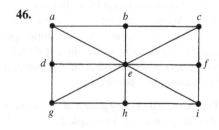

45.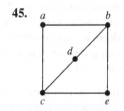

46.

47. Le graphe de l'exercice 40 a-t-il une chaîne hamiltonienne ? Si oui, trouvez-la, sinon démontrez-le.

48. Le graphe de l'exercice 41 a-t-il une chaîne hamiltonienne ? Si oui, trouvez-la, sinon démontrez-le.

49. Le graphe de l'exercice 42 a-t-il une chaîne hamiltonienne ? Si oui, trouvez-la, sinon démontrez-le.

50. Le graphe de l'exercice 43 a-t-il une chaîne hamiltonienne ? Si oui, trouvez-la, sinon démontrez-le.

★51. Le graphe de l'exercice 44 a-t-il une chaîne hamiltonienne ? Si oui, trouvez-la, sinon démontrez-le.

52. Le graphe de l'exercice 45 a-t-il une chaîne hamiltonienne ? Si oui, trouvez-la, sinon démontrez-le.

★53. Le graphe de l'exercice 46 a-t-il une chaîne hamiltonienne ? Si oui, trouvez-la, sinon démontrez-le.

54. Pour quelles valeurs de n les graphes de l'exercice 36 ont-ils un cycle hamiltonien ?

55. Pour quelles valeurs de m et de n le graphe biparti complet $K_{m, n}$ a-t-il un cycle hamiltonien ?

★56. Démontrez que le graphe de Petersen illustré dans le diagramme ci-dessous n'a pas de cycle hamiltonien, mais que le sous-graphe obtenu en supprimant un sommet v et tous les arcs incidents à v possède alors un cycle hamiltonien.

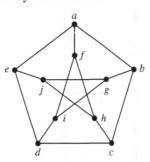

★57. Démontrez qu'il existe un code Gray d'ordre n chaque fois que n est un entier positif. De la même façon, démontrez que le cube de dimension n, Q_n, avec $n > 1$, a toujours un cycle hamiltonien. (*Conseil :* Appliquez l'induction mathématique. Démontrez comment dériver un code Gray d'ordre n à partir d'un code Gray d'ordre $n - 1$.)

L'**algorithme de Fleury**, qui permet de construire des cycles eulériens, commence avec un sommet arbitraire d'un multigraphe connexe et construit un cycle en choisissant les arcs successivement. Dès qu'un arc est choisi, il est retiré. Les arcs sont choisis successivement de telle sorte que chacun commence où le précédent se termine, et de telle façon que cet arc ne soit pas un séparateur (un pont), à moins qu'il n'y ait aucune autre possibilité.

58. Utilisez l'algorithme de Fleury pour trouver un cycle eulérien dans le graphe G de l'exemple 5.

★59. Exprimez l'algorithme de Fleury sous forme de pseudocode.

★★60. Démontrez que l'algorithme de Fleury produit toujours un cycle eulérien.

★61. Donnez une variante de l'algorithme de Fleury pour produire des chaînes eulériennes.

62. Un message de diagnostic peut être envoyé sur un réseau informatique afin d'effectuer les tests de tous les dispositifs par le biais de liens de communication. Quelle sorte de chaînes devez-vous utiliser pour tester tous les liens ? et pour tester tous les dispositifs ?

63. Démontrez qu'un graphe biparti ayant un nombre impair de sommets n'a pas de cycle hamiltonien.

Le **cavalier** est la pièce du jeu d'échecs qui peut se déplacer soit de deux cases horizontalement et d'une case verticalement, soit d'une case horizontalement et de deux cases verticalement. Autrement dit, le cavalier sur le carré (x, y) peut aller sur n'importe laquelle des cases $(x \pm 2, y \pm 1)$, $(x \pm 1, y \pm 2)$ si ces cases sont sur le jeu d'échecs ci-dessous.

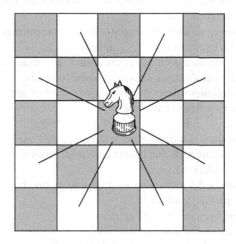

La **marche du cavalier** est composée d'une séquence de déplacements autorisés commençant à une case quelconque du jeu et passant par chaque case exactement une fois. La marche est réentrante (encore appelée **tour circulaire**) si un déplacement autorisé mène le cavalier à partir de la dernière case sur la case initiale du parcours. On peut modéliser les divers parcours du cavalier en utilisant un graphe où les sommets représentent les cases du jeu d'échecs et où les arcs représentent les déplacements autorisés entre les cases.

64. Tracez le graphe qui représente les déplacements autorisés d'un cavalier sur un jeu de 3×3.

65. Tracez le graphe qui représente les déplacements autorisés d'un cavalier sur un jeu de 3×4.

66. a) Démontrez que trouver le parcours sur un jeu de $m \times n$ équivaut à trouver une chaîne hamiltonienne sur le graphe représentant les déplacements autorisés d'un cavalier sur ce jeu.

b) Démontrez que trouver un tour circulaire sur un jeu de $m \times n$ équivaut à trouver un cycle hamiltonien sur le graphe correspondant.

★67. Démontrez qu'il existe une marche pour ce cavalier sur un jeu de 3×4.

★68. Démontrez qu'il n'existe pas de marche du cavalier sur un jeu de 3×3.

★69. Démontrez qu'il n'existe pas de marche du cavalier sur un jeu de 4×4.

70. Démontrez que le graphe représentant les déplacements autorisés d'un cavalier sur un jeu de $m \times n$, si m et n sont des entiers positifs, est un graphe biparti.

71. Démontrez qu'il n'y a pas de tour circulaire sur un jeu de $m \times n$ si m et n sont tous les deux impairs. (*Conseil :* Utilisez les résultats des exercices 63, 66 b) et 70.)

★72. Démontrez qu'il existe une marche du cavalier sur un jeu de 8×8. (*Conseil :* Construisez un parcours en vous servant de la méthode suivante inventée par Warnsdorff. Commencez sur n'importe quelle case, puis déplacez-vous sur une case connexe au nombre minimal de cases non utilisées. Cette méthode ne produit pas toujours le résultat voulu, mais on y arrive souvent de cette manière.)

7.6

Problèmes du plus court chemin (ou du chemin minimal)

INTRODUCTION

Quantité de problèmes peuvent être modélisés en utilisant des graphes avec des valeurs affectées à leurs arcs. À titre d'illustration, on considère la modélisation d'un réseau aérien. On construit le modèle graphique de base en représentant les aéroports par des sommets et les vols par des arcs.

Un réseau aérien comprenant des routes aériennes peut être modélisé en assignant les distances entre les villes aux divers arcs du graphe. Les problèmes d'horaires de vol peuvent être modélisés en assignant les temps de vol aux arcs du graphe. Les problèmes de tarifs peuvent aussi être modélisés en attribuant les prix aux arcs du graphe. La figure 1 illustre les trois types d'attribution de valeurs qu'on peut donner aux arcs d'un graphe représentant respectivement les distances, les temps de vol et les tarifs.

Les graphes dont les arcs sont affectés de valeurs sont des **graphes valués**. Ceux-ci servent à modéliser aussi les réseaux informatiques. Les coûts de communication (tel le coût mensuel de location d'une ligne téléphonique), les temps de réponse des ordinateurs connectés à ces lignes ou la distance entre les ordinateurs sont tous des éléments pouvant être étudiés au moyen de graphes valués. La figure 2 présente trois types de graphes valués illustrant trois manières d'attribuer des valeurs aux arcs du graphe, soit les coûts, les temps de réponse et les distances.

On trouve différents types de problèmes concernant les graphes valués, par exemple la détermination du chemin minimal entre deux sommets d'un réseau. Pour être plus précis, on dit que la **longueur du chemin** dans un graphe valué est la somme des valeurs attribuées aux arcs de ce graphe. (Le lecteur remarquera ici que l'usage du terme longueur est différent de celui pour un graphe non valué, lequel représente le nombre d'arcs parcourus.) La question est donc : Quel est le chemin minimal, autrement dit la longueur du chemin minimal entre

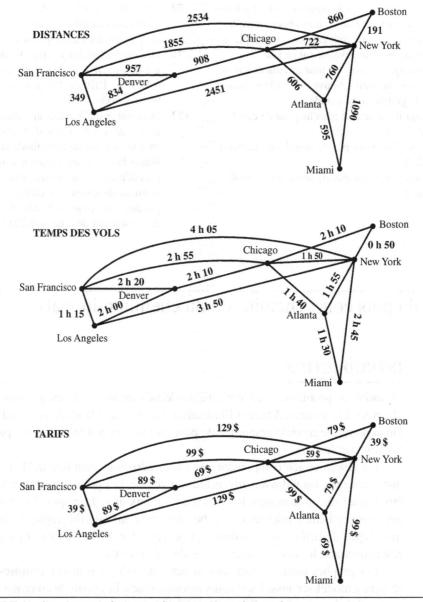

FIGURE 1 Graphes valués de modélisation d'un réseau aérien

deux sommets donnés ? Par exemple, sur le réseau aérien représenté par le graphe valué de la figure 1, quelle est la longueur du chemin minimal pour la distance entre Boston et Los Angeles ? Quelle combinaison de vols aboutira au temps de vol minimal (en négligeant les temps de correspondance dans les aéroports) entre Boston et Los Angeles ? Quel serait le tarif minimal entre ces deux villes ? Dans le réseau informatique illustré à la figure 2, quel serait le chemin de lignes téléphoniques de moindre coût pour connecter les ordinateurs de San Francisco avec ceux de New York ? Quel serait le chemin de lignes téléphoniques qui donnerait la réponse la plus rapide pour les communications entre San Francisco et New York ? Quel serait le chemin de lignes téléphoniques le plus court ?

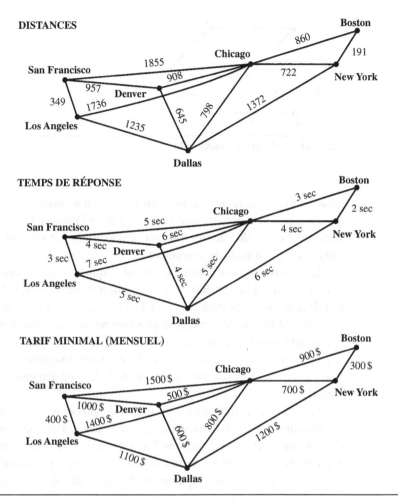

FIGURE 2 Graphes valués de modélisation d'un réseau informatique

ALGORITHME DU CHEMIN MINIMAL

Il existe différents algorithmes permettant de trouver le chemin minimal entre deux sommets dans un graphe valué. On exposera ici l'algorithme découvert par le mathématicien hollandais E. Dijkstra en 1959. La version qui sera décrite permet de résoudre le problème dans des graphes valués non orientés, où tous les poids sont positifs. Il est facile d'adapter cet algorithme pour résoudre les problèmes des chemins minimaux dans des graphes orientés.

Avant de donner une présentation formelle de l'algorithme, on présente d'abord un exemple qui le justifie.

EXEMPLE 1   Quelle est la longueur du chemin minimal entre a et z dans le graphe valué illustré à la figure 3 ?

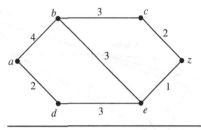

FIGURE 3   Graphe simple valué

Solution : Bien qu'ici le chemin minimal se voit au premier coup d'œil, on présentera quelques notions pour comprendre l'algorithme de Dijkstra. On résoudra ce problème en trouvant la longueur du chemin minimal à partir de a en passant par les sommets successifs, jusqu'à ce qu'on atteigne le sommet z.

Les seuls chemins commençant par a qui ne contiennent aucun sommet autre que a (jusqu'à ce que le sommet terminal soit atteint) sont a, b et a, d. Puisque les longueurs de a, b et de a, d sont respectivement 4 et 2, il s'ensuit que d est le sommet le plus proche de a.

On peut trouver le sommet le plus proche en examinant ensuite tous les autres chemins qui passent seulement par a et d (jusqu'à ce qu'on atteigne le sommet terminal). Le chemin le plus court jusqu'à b est encore a, b, qui a une longueur de 4, et le chemin le plus court jusqu'à e est a, d, e avec une longueur de 5. En conséquence, le sommet le plus proche de a est d.

Pour trouver le troisième sommet qui est encore le plus proche de a, il faut examiner les chemins qui passent seulement par a, d et b (jusqu'à ce que le sommet terminal soit atteint). Il existe un chemin de longueur 7 qui conduit à c, notamment a, b, c, et un chemin de longueur 6 qui conduit à z, notamment a, d, e, z. En conséquence, z est le prochain sommet le plus proche de a, et la longueur du chemin minimal a, z est donc 6.   ■

L'exemple 1 illustre les principes généraux sur lesquels se fonde l'algorithme de Dijkstra. À noter que le chemin minimal de a à z aurait pu être trouvé par simple observation. Cependant, quand les graphes contiennent un très grand nombre d'arcs, une telle observation est infaisable par des êtres humains ou des ordinateurs.

On considère maintenant le problème général qui consiste à trouver la longueur du chemin minimal entre a et z dans un graphe valué connexe simple non orienté. L'algorithme de Dijkstra permet de trouver la longueur du chemin minimal de a à un premier sommet, la longueur du chemin minimal de a à un deuxième sommet et ainsi de suite, jusqu'à ce qu'on ait trouvé la longueur du chemin minimal de a à z.

L'algorithme repose sur une série d'itérations. Un ensemble distinct de sommets est chaque fois reconstruit en ajoutant un nouveau sommet à chaque itération. Une procédure d'étiquetage est effectuée également à chaque itération. Au cours de cette procédure, un sommet w est étiqueté avec la longueur du chemin minimal de a à w, lequel ne contient que des sommets déjà sélectionnés. Le sommet qui est ajouté à l'ensemble sélectionné est celui qui satisfait le chemin minimal parmi tous les sommets qui ne sont pas encore sélectionnés.

Voici la description détaillée de l'algorithme de Dijkstra. Ce dernier commence en étiquetant a avec 0 et les autres sommets avec ∞. On utilise la notation $L_0(a) = 0$ et $L_0(v) = \infty$

pour ces étiquettes avant toute itération (l'indice 0 représente la 0-ième itération). Ces étiquettes indiquent la longueur des chemins minimaux de a vers les sommets, où les chemins ne contiennent que le sommet a. (Puisqu'il n'existe pas de chemin à partir de a vers un sommet différent de a, on considère comme ∞ la longueur du chemin minimal entre a et ce sommet.

L'algorithme de Dijkstra continue en construisant un ensemble sélectionné de sommets. Soit S_k cet ensemble après k itérations de la procédure d'étiquetage. On commence avec $S_0 = \varnothing$. L'ensemble S_k est formé de S_{k-1} en additionnant un sommet u non encore dans S_{k-1} avec l'étiquette minimale. Quand on ajoute u à S_k, on met à jour les étiquettes de tous les sommets qui ne sont pas encore dans S_k, de telle façon que $L_k(v)$, soit l'étiquette du sommet v au k-ième stade de l'itération, représente la longueur du chemin minimal de a à v qui contient seulement les sommets de S_k (autrement dit les sommets qui sont déjà compris dans l'ensemble sélectionné avec le sommet u).

Soit v un sommet qui n'est pas encore dans S_k. Pour mettre à jour l'étiquette de v, on note que $L_k(v)$ est la longueur du chemin minimal de a à v qui ne contient que les sommets dans S_k. La mise à jour peut être effectuée efficacement en respectant les observations suivantes : le chemin minimal de a à v qui contient seulement des éléments de S_k est soit le chemin minimal de a à v qui contient seulement les éléments de S_{k-1} (autrement dit les sommets sélectionnés excluant u), soit le chemin minimal de a à u à la $(k-1)$-ième étape avec l'ajout de l'arc (u, v). En d'autres termes,

$$L_k(a, v) = \min\{L_{k-1}(a, v), L_{k-1}(a, u) + w(u, v)\}.$$

Cette procédure est exécutée successivement en additionnant des sommets à l'ensemble sélectionné jusqu'à ce qu'on y ajoute z. Quand on ajoute z à l'ensemble sélectionné, son étiquette représente alors la longueur du chemin minimal de a à z. L'algorithme de Dijkstra est représenté par l'algorithme 1 ci-dessous. La démonstration en sera donnée ultérieurement.

ALGORITHME 1   Algorithme de Dijkstra

procédure *Dijkstra* (G : graphe simple connexe valué avec toutes les valeurs
      positives)
$\{G$ a des sommets $a = v_0, v_1, \ldots, v_n = z$ et les valeurs $w(v_i, v_j)$ où $w(v_i, v_j) = \infty$
      si $\{v_i, v_j\}$ n'est pas un arc dans $G\}$
pour $i := 1$ **à** n
    $L(v_i) := \infty$
$L(a) := 0$
$S := \varnothing$
$\{$les étiquettes sont initialisées de telle sorte que l'étiquette de a est 0, que toutes les
      autres étiquettes sont ∞ et que S est un ensemble vide$\}$
tant que $z \notin S$
début
    $u :=$ un sommet non dans S avec $L(u)$ minimal
    $S := S \cup \{u\}$

pour tous les sommets v non dans S
    si $L(u) + w(u, v) < L(v)$ **alors** $L(v) := L(u) + w(u, v)$
    {cette opération ajoute un sommet à S avec l'étiquette minimale et met à jour
      les étiquettes des sommets non dans S}
fin {$L(z)$ = longueur du chemin minimal de a à z}

L'exemple 2 illustre la manière dont fonctionne l'algorithme de Dijkstra. On démontrera par après que cet algorithme produit toujours la longueur du chemin minimal entre deux sommets d'un graphe valué.

EXEMPLE 2   Appliquez l'algorithme de Dijkstra pour trouver la longueur du chemin minimal entre les sommets a et z dans le graphe valué présenté à la figure 4 a).

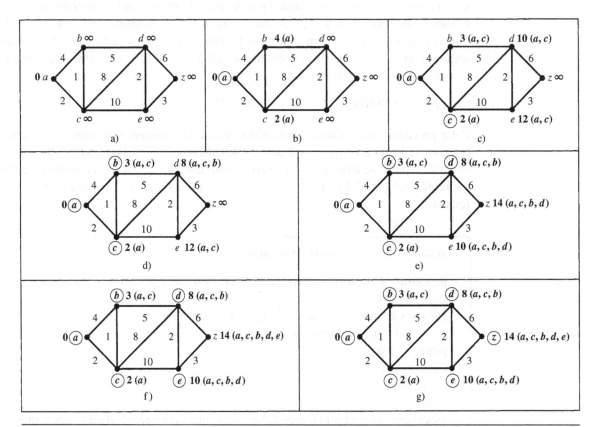

FIGURE 4   Utilisation de l'algorithme de Dijkstra pour trouver le chemin minimal de a à z

Solution : Les étapes d'utilisation de l'algorithme de Dijkstra pour trouver le chemin minimal entre a et z sont présentées à la figure 4. À chaque itération de l'algorithme, on encercle les sommets de l'ensemble S_k. Le chemin minimal de a à chacun des sommets contenant seulement les sommets de S_k est indiqué pour chaque itération. L'algorithme se termine quand z est encerclé. On trouve que le chemin minimal de a à z est a, c, b, d, e, z avec la longueur 13. ∎

Remarque : En appliquant l'algorithme de Dijkstra, il est quelquefois plus facile de noter dans un tableau les étiquettes des sommets à chaque étape, plutôt que de redessiner le graphe lui-même à chaque itération.

Maintenant, on utilise un argument inductif pour démontrer que l'algorithme de Dijkstra donne la longueur du chemin minimal entre deux sommets a et z dans un graphe valué connexe non orienté. À titre d'hypothèse de cette induction, on considère l'affirmation suivante : à la k-ième itération,

i) l'étiquette du sommet v, $v \neq 0$, dans S est la longueur du chemin minimal de a à ce sommet ;

ii) l'étiquette du sommet non dans S est la longueur du chemin minimal de a à ce sommet, qui contient seulement (en plus de ce sommet lui-même) tous les sommets dans S.

Quand $k = 0$, avant toute itération, $S = \{a\}$, de telle sorte que la longueur du chemin minimal de a à un autre sommet que a est ∞ ; et la longueur du chemin minimal de a à lui-même est 0 (on acceptera ici un chemin qui ne comprend aucun arc). La véracité du cas est donc vérifiée.

On suppose que cette hypothèse inductive est valide pour la k-ième itération. Soit v le sommet ajouté à S à la $(k + 1)$-ième itération, de telle sorte que v est un sommet non dans S à la fin de la k-ième itération avec l'étiquette minimale (dans le cas de liens, on peut utiliser tout sommet ayant l'étiquette minimale).

À partir de l'hypothèse inductive, on voit que les sommets dans S avant la $(k + 1)$-ième itération sont étiquetés avec la longueur du chemin minimal à partir de a. On constate aussi que v doit être étiqueté avec la longueur du chemin minimal à partir de a vers lui. Si ce n'était pas le cas, à la fin de la k-ième itération, il existerait un chemin de longueur plus petite que $L_k(v)$ qui contiendrait un sommet non dans S (parce que $L_k(v)$ est la longueur du chemin minimal de a à v contenant seulement les sommets dans S après la k-ième itération). Soit u le premier sommet non dans S d'un tel chemin. Il existerait donc un chemin plus court que $L_k(v)$ de a à u qui contiendrait seulement les sommets de S. Cette affirmation contredit le choix de v. Donc, i) se vérifie à la fin de la $(k + 1)$-ième itération.

Soit u un sommet non dans S après $k + 1$ itérations. Un chemin minimal de a à u contenant seulement les éléments de S contiendrait v ou ne le contiendrait pas. S'il ne contient pas v, selon l'hypothèse inductive, la longueur est alors $L_k(u)$. S'il contient v, il doit être constitué du chemin de a à v de longueur minimale qui contiendrait les éléments de S autres que v, suivis par l'arc de v à u. Dans ce cas, la longueur serait $L_k(v) + w(v, u)$. Cela prouve que l'affirmation ii) est vraie, puisque $L_{k+1}(u) = \min\{L_k(u), L_k(v) + w(v, u)\}$, et démontre le théorème 1.

THÉORÈME 1   L'algorithme de Dijkstra permet de trouver la longueur du chemin minimal entre deux sommets dans un graphe valué non orienté, simple et connexe.

On peut maintenant évaluer la complexité de calcul de l'algorithme de Dijkstra (pour les additions et les comparaisons). Cet algorithme n'utilise pas plus de $n - 1$ itérations, puisqu'un sommet est additionné à l'ensemble sélectionné à chaque itération. On a la solution si on peut évaluer le nombre d'opérations utilisées à chaque itération.

On peut déterminer le sommet qui n'est pas dans S_k avec l'étiquette minimale en n'utilisant pas plus de $n - 1$ comparaisons. Alors, on fait une addition et une comparaison pour mettre à jour l'étiquette de chaque sommet non encore dans S_k. Il s'ensuit que pas plus de $2(n - 1)$ opérations sont nécessaires à chaque itération, puisqu'il n'y a pas moins de $n - 1$ étiquettes à mettre à jour à chaque itération. Puisqu'on n'utilise pas plus de $n - 1$ itérations, chacune utilisant pas plus de $2(n - 1)$ opérations, on peut en déduire le théorème 2.

THÉORÈME 2   L'algorithme de Dijkstra utilise $O(n^2)$ opérations (additions et comparaisons) pour trouver la longueur du chemin minimal entre deux sommets dans un graphe valué non orienté, simple et connexe.

Exercices

1. Pour chacun des problèmes suivants qui décrivent un système de métro, trouvez le modèle de graphe valué permettant de répondre aux questions ci-après.
   a) Quel est le temps minimal requis pour voyager entre deux arrêts ?
   b) Quelle distance minimale doit-on franchir pour atteindre un arrêt à partir d'un autre arrêt ?
   c) Quel est le tarif minimal pour voyager entre deux arrêts si ces tarifs sont additionnés les uns aux autres pour donner le tarif total ?

Pour les exercices 2 à 4, trouvez la longueur du chemin minimal entre a et z dans le graphe valué donné.

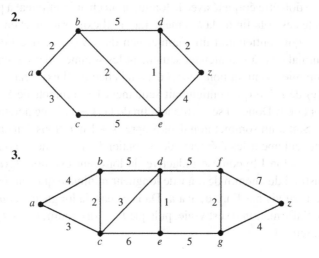

4.

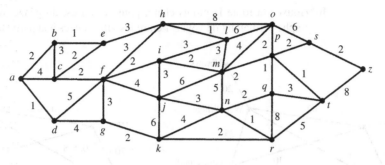

5. Quel est le chemin minimal entre a et z dans chacun des graphes valués des exercices 2 à 4 ?

6. Trouvez la longueur du chemin minimal entre les paires de sommets suivantes dans le graphe valué de l'exercice 3.

   a) a et d **b)** a et f **c)** c et f **d)** b et z

7. Trouvez les chemins minimaux dans le graphe valué de l'exercice 3 entre les paires de sommets de l'exercice 6.

8. Trouvez le chemin minimal (en milles) entre chacune des paires de villes suivantes dans le système de trafic aérien illustré à la figure 1.

   a) Entre New York et Los Angeles

   b) Entre Boston et San Francisco

   c) Entre Miami et Denver

   d) Entre Miami et Los Angeles

9. Trouvez la combinaison de vols qui requiert le temps minimal entre les villes, prises deux à deux, de l'exercice 8 en utilisant les temps de vol présentés à la figure 1.

10. Trouvez la combinaison de vols la moins chère reliant les paires de villes citées à l'exercice 8 en utilisant les tarifs présentés à la figure 1.

11. Trouvez la distance la plus courte entre deux ordinateurs dans le cas de chacun des sites suivants sur le réseau de communication présenté à la figure 2.

   a) Entre Boston et Los Angeles

   b) Entre New York et San Francisco

   c) Entre Dallas et San Francisco

   d) Entre Denver et New York

12. Trouvez la route qui a le temps de réponse le plus rapide entre les sites d'ordinateurs de l'exercice 11 en utilisant les temps de réponse donnés à la figure 2.

13. Trouvez la route la moins chère, pour ce qui est des coûts mensuels, entre les sites d'ordinateurs de l'exercice 11 en utilisant les coûts donnés à la figure 2.

14. Expliquez comment trouver le chemin ayant le nombre d'arcs minimal entre deux sommets dans un graphe non orienté en considérant ce problème sous l'angle du chemin minimal dans un graphe valué.

15. Appliquez l'algorithme de Dijkstra pour trouver la longueur du chemin minimal entre deux sommets dans un graphe connexe valué simple de manière à trouver la longueur du chemin minimal entre le sommet a et n'importe lequel des autres sommets de ce graphe.

16. Appliquez l'algorithme de Dijkstra pour trouver la longueur du chemin minimal entre deux sommets dans un graphe connexe valué simple de telle façon que vous pouvez construire le chemin minimal entre tous ces sommets.

17. Les graphes valués des figures suivantes illustrent le réseau routier principal dans le New Jersey. Le graphe a) illustre les distances entre les villes au moyen de ces routes et le graphe b) indique les postes de péage sur ces routes.

   a) Trouvez la route la plus courte, pour ce qui est de la distance, entre Newark et Camden et entre Newark et Cape May en utilisant ce réseau routier.

b) Trouvez la route la moins chère, pour ce qui est du péage, en passant par les routes du graphe permettant de voyager entre les villes citées à la partie a).

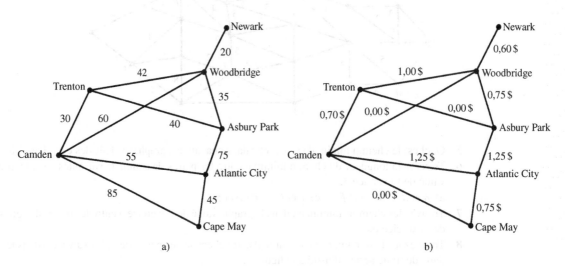

a)   b)

18. Le chemin minimal entre deux sommets d'un graphe valué est-il unique si les valeurs de ses arcs sont distinctes ?

19. Citez quelques applications où il est nécessaire de trouver la longueur du chemin simple le plus long entre deux sommets dans un graphe valué.

20. Quelle est la longueur du chemin simple le plus long dans le graphe valué de la figure 4 entre a et z? entre c et z?

L'**algorithme de Floyd** peut servir à trouver la longueur du chemin minimal entre des paires de sommets dans un graphe simple connexe valué. Cependant, cet algorithme ne permet pas de construire les chemins minimaux eux-mêmes. (Dans le tableau suivant, attribuez une valeur infinie à toute paire de sommets non connexe à un arc dans le graphe.)

21. Utilisez l'algorithme de Floyd pour trouver la distance entre toutes les paires de sommets dans le graphe valué de la figure 4.

ALGORITHME 2   Algorithme de Floyd

procédure $Floyd\,(G$: graphe simple valué)
$\{G$ a des sommets $v_1, v_2, \ldots, v_n$ et des valeurs $w(v_i, v_j)$ avec $w(v_i, v_j) = \infty$
    si (v_i, v_j) n'est pas un arc$\}$
pour $i := 1$ à n
    pour $j := 1$ à n
        $d(v_i, v_j) := w(v_i, v_j)$
pour $i := 1$ à n
    pour $j := 1$ à n
        pour $k := 1$ à n
            si $d(v_j, v_i) + d(v_i, v_k) < d(v_j, v_k)$ **alors** $d(v_j, v_k) :=$
            $d(v_j, v_i) + d(v_i, v_k)$
$\{d(v_i, v_j)$ est la longueur du chemin minimal entre v_i et $v_j\}$

★22. Démontrez que l'algorithme de Floyd détermine la distance minimale entre toutes les paires de sommets dans un graphe simple valué.

★23. Donnez une estimation asymptotique grand O du nombre d'opérations (comparaisons et additions) nécessaires à l'algorithme de Floyd pour déterminer la distance minimale entre toutes les paires de sommets dans un graphe simple valué ayant n sommets.

24. Démontrez que l'algorithme de Dijkstra n'est pas valide si les arcs ont des valeurs négatives.

7.7

Graphes planaires

INTRODUCTION

On considère le problème de la jonction de trois services publics distincts, tel qu'il est présenté à la figure 1. Peut-on raccorder ces trois maisons à chacun de ces services de façon qu'aucune canalisation ne se croise ? Ce problème peut être modélisé en utilisant le graphe biparti complet $K_{3,3}$. La question originale peut être reformulée ainsi : peut-on tracer $K_{3,3}$ dans le plan de manière qu'aucun des arcs ne se croise ?

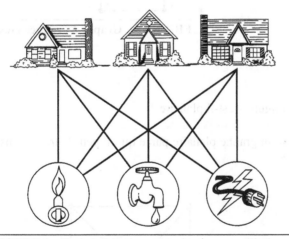

FIGURE 1   Trois habitations et trois réseaux utilitaires

Dans cette section, on étudiera la question du point de vue d'un graphe à tracer dans un plan sans arc. En particulier, on répondra au problème du raccordement de réseaux utilitaires à des habitations.

Il y a toujours plusieurs façons de représenter un graphe. Est-il possible de trouver au moins une manière de représenter ce graphe dans un plan sans que ses arcs ne se croisent ?

> **DÉFINITION 1.**   Un graphe est *planaire* s'il peut être tracé dans un plan sans qu'aucun de ses arcs en croise un autre (un croisement d'arcs est une intersection des lignes les représentant en un point autre que leurs points terminaux communs). Un tel tracé est appelé une *représentation planaire* du graphe.

Un graphe sera considéré comme planaire, même s'il est habituellement dessiné avec des intersections, puisqu'il est possible de tracer le même graphe d'une manière différente sans intersection.

EXEMPLE 1   Le graphe K_4 illustré à la figure 2 avec l'intersection de deux arcs est-il un graphe planaire ?

Solution : Le graphe K_4 est un graphe planaire parce qu'on peut le tracer sans intersection, comme l'illustre la figure 3.   ∎

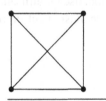

FIGURE 2   Graphe K_4

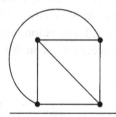

FIGURE 3   Graphe K_4 retracé sans intersection

EXEMPLE 2   Le graphe Q_3 présenté à la figure 4 est-il planaire ?

Solution : Le graphe Q_3 est un graphe planaire parce qu'on peut le tracer sans intersection, comme l'illustre la figure 5.   ∎

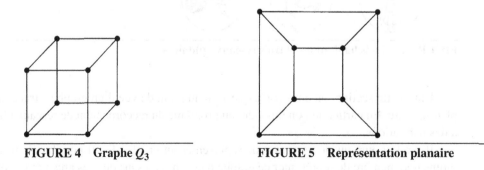

FIGURE 4   Graphe Q_3 FIGURE 5   Représentation planaire

On peut démontrer qu'un graphe est planaire en faisant une représentation planaire de celui-ci. Il est difficile de démontrer qu'un graphe n'est pas planaire. On donnera un exemple pour montrer comment cela peut être fait d'une manière commode. Plus tard, on élaborera des résultats généraux qui permettront de le faire.

EXEMPLE 3 Le graphe $K_{3,3}$ présenté à la figure 6 est-il planaire ?

Solution : Toute tentative pour tracer $K_{3,3}$ dans un plan sans intersection d'arcs est vouée à l'échec. En effet, dans quelque représentation planaire que ce soit de $K_{3,3}$, les sommets v_1 et v_2 doivent être connexes aux sommets v_4 et v_5. Les quatre arcs forment une courbe fermée qui divise le plan en deux régions, soit R_1 et R_2, comme le montre la figure 7 a). Le sommet v_3 est soit dans R_1, soit dans R_2. Quand v_3 est dans R_2, l'intérieur de la courbe fermée, les arcs entre v_3 et v_4 et entre v_3 et v_5 séparent R_2 en deux sous-régions, soit R_{21} et R_{22}, comme l'illustre la figure 7 b).

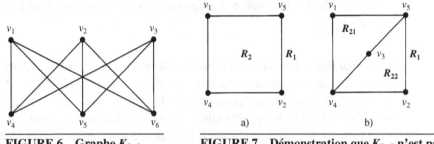

FIGURE 6 Graphe $K_{3,3}$ **FIGURE 7** Démonstration que $K_{3,3}$ n'est pas planaire

Ensuite, on note qu'il n'y a aucune façon de placer le sommet final v_6 sans créer une intersection. Si v_6 est dans R_1, alors l'arc entre v_6 et v_3 ne peut être tracé sans intersection. Si v_6 est dans R_{21}, alors l'arc entre v_2 et v_6 ne peut être tracé sans intersection. Si v_6 est dans R_{22}, alors l'arc entre v_1 et v_6 ne peut être tracé sans intersection.

La même argumentation s'applique quand v_3 est dans R_1. On laisse le soin au lecteur de la continuer (voir l'exercice 8 à la fin de cette section). Il s'ensuit donc que $K_{3,3}$ n'est pas un graphe planaire. ∎

L'exemple 3 permet de résoudre le problème du raccordement des services utilitaires à des habitations, comme il est décrit au début de cette section. Les trois habitations et les trois services utilitaires ne peuvent être connexes dans un plan sans qu'il y ait des croisements. Une démonstration similaire démontrera que K_5 n'est pas planaire (voir l'exercice 9 à la fin de cette section).

FORMULE D'EULER

Une représentation planaire d'un graphe divise le plan en **régions**, incluant une région ouverte. Par exemple, la représentation planaire du graphe illustré à la figure 8 divise le plan en six régions qui sont identifiées. Euler démontra que toutes les représentations planaires d'un graphe divisent le plan en un même nombre de régions. Il le prouva en trouvant une relation entre le nombre de régions, le nombre de sommets et le nombre d'arcs d'un graphe planaire.

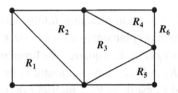

FIGURE 8   Régions de la représentation planaire d'un graphe

THÉORÈME 1   **FORMULE D'EULER**   Soit G un graphe simple planaire connexe avec e arcs et v sommets. Soit r le nombre de régions dans une représentation planaire de G. Alors, $r = e - v + 2$.

Démonstration : Premièrement, on spécifie une représentation planaire de G. On démontrera le théorème en construisant une suite de sous-graphes $G_1, G_2, ..., G_e = G$ et en ajoutant successivement un arc à chaque étape. On obtient ce résultat en appliquant la définition inductive suivante. De manière arbitraire, on prend un arc de G pour obtenir G_1. On obtient G_n à partir de G_{n-1} en additionnant de manière arbitraire un arc incident à un sommet déjà dans G_{n-1} et en ajoutant l'autre sommet incident à cet arc s'il n'est pas déjà dans G_{n-1}. Cette construction est possible, puisque G est connexe. Le graphe G est obtenu après avoir additionné e arcs. Soit r_n, e_n et v_n la représentation respective du nombre de régions, d'arcs et de sommets de la représentation planaire de G_n induite par la représentation planaire de G.

**FIGURE 9
Cas fondamental
de la preuve de la
formule d'Euler**

On établit la preuve par induction. La relation $r_1 = e_1 - v_1 + 2$ est vraie pour G_1, puisque $e_1 = 1$, $v_1 = 2$ et $r_1 = 1$ (voir la figure 9).

On suppose maintenant que $r_n = e_n - v_n + 2$. Soit $\{a_{n+1}, b_{n+1}\}$ l'arc ajouté à G_n pour obtenir G_{n+1}. Il y a maintenant deux possibilités. Dans le premier cas, à la fois a_{n+1} et b_{n+1} sont déjà dans G_n. Ces deux sommets sont sur la frontière de la région commune R, sinon il sera impossible d'ajouter l'arc $\{a_{n+1}, b_{n+1}\}$ à G_n sans qu'il y ait intersection de deux arcs (et G_{n+1} est un graphe planaire). L'addition de ce nouvel arc divise R en deux régions. En conséquence, $r_{n+1} = r_n + 1$, $e_{n+1} = e_n + 1$ et $v_{n+1} = v_n$. Par conséquent, chaque membre de cette formule mettant en relation le nombre de régions, d'arcs et de sommets croît exactement de un, de telle sorte que la formule reste toujours vraie. En d'autres termes, $r_{n+1} = e_{n+1} - v_{n+1} + 2$ (voir la figure 10 a).

Dans le deuxième cas, l'un des deux sommets du nouvel arc n'est pas encore dans G_n. On suppose que a_{n+1} est dans G_n, mais que b_{n+1} ne l'est pas. L'addition de ce nouvel arc ne crée pas de nouvelles régions, puisque b_{n+1} doit être dans la région qui a a_{n+1} sur sa frontière. En conséquence, $r_{n+1} = r_n$. De plus, $e_{n+1} = e_n + 1$ et $v_{n+1} = v_n + 1$. Chaque membre de cette formule mettant en relation le nombre de régions, d'arcs et de sommets reste identique, de telle sorte que la formule est toujours vraie. En d'autres termes, $r_{n+1} = e_{n+1} - v_{n+1} + 2$ (voir la figure 10 b).

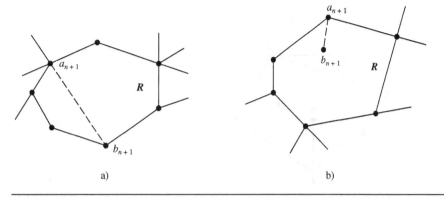

a)   b)

FIGURE 10   Addition d'un arc à G_n afin d'obtenir G_{n+1}

L'argumentation par induction est terminée. Ainsi, $r_n = e_n - v_n + 2$ pour toutes les valeurs de n. Puisque le graphe original est le graphe G_e, après avoir ajouté e arcs à celui-ci, le théorème est vrai.   □

L'exemple 4 illustre la formule d'Euler.

EXEMPLE 4   On suppose qu'un graphe simple planaire connexe comprend 20 sommets, chacun étant de degré 3. En combien de régions une représentation planaire de ce graphe divisera-t-elle le plan ?

Solution : Ce graphe a 20 sommets, chacun étant de degré 3, de telle sorte que $v = 20$. Puisque la somme des degrés des sommets $3v = 3 \cdot 20 = 60$ est égale à deux fois le nombre d'arcs, soit $2e$, on a $2e = 60$, soit $e = 30$. En conséquence, à partir de la formule d'Euler, le nombre de régions est

$$r = e - v + 2 = 30 - 20 + 2 = 12.$$ ■

La formule d'Euler peut être utilisée pour établir certaines inégalités qui doivent être satisfaites par des graphes planaires. L'une de ces inégalités est donnée dans le corollaire 1.

COROLLAIRE 1   Si G est un graphe simple planaire connexe avec e arêtes et v sommets, où $v \geq 3$, alors $e \leq 3v - 6$.

La preuve du corollaire 1 est fondée sur le concept de **degré** d'une région, lequel représente le nombre d'arcs sur la frontière de cette région. Quand un arc apparaît deux fois sur le contour d'une région, il contribue pour 2 au degré de la région. La figure 11 illustre les degrés des régions du graphe.

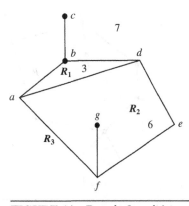

FIGURE 11   Degrés des régions

On peut maintenant démontrer le corollaire 1.

Démonstration : Un graphe simple planaire connexe, tracé dans un plan, divise ce plan en régions, par exemple en r régions. Le degré de chaque région est d'au moins 3. (Puisque les graphes présentés ici sont des graphes simples, il n'y a pas d'arcs multiples pouvant produire des régions de degré 2 ou des boucles pouvant produire des régions de degré 1.) En particulier, on note que le degré de la région ouverte est d'au moins 3, puisqu'il y a au moins trois sommets dans le graphe.

On remarque que la somme des degrés des régions est égale à exactement deux fois le nombre d'arcs dans le graphe, puisque chaque arc apparaît exactement deux fois sur le contour de la région (dans deux régions différentes ou deux fois dans la même région). Puisque chaque région a un degré plus grand ou égal à 3, il s'ensuit que

$$2e = \sum_{\text{toutes les régions } R} \deg(R) \geq 3r.$$

Alors,

$$(2/3)e \geq r.$$

En appliquant $r = e - v + 2$, qui est la formule d'Euler, on obtient

$$e - v + 2 \leq (2/3)e.$$

Il s'ensuit que $e/3 \leq v - 2$, ce qui démontre que $e \leq 3v - 6$. ☐

Ce corollaire permet de démontrer que K_5 n'est pas un graphe planaire.

EXEMPLE 5   Démontrez que le graphe K_5 n'est pas planaire en utilisant le corollaire 1.

Solution : Le graphe K_5 contient 5 sommets et 10 arcs. Cependant, l'inégalité $e \leq 3v - 6$ n'est pas satisfaite pour ce graphe puisque $e = 10$ et $3v - 6 = 9$. Donc, K_5 n'est pas un graphe planaire. ◼

On a préalablement démontré que $K_{3,3}$ n'est pas un graphe planaire. À noter cependant que ce graphe a 6 sommets et 9 arcs, ce qui signifie que l'inégalité $e = 9 \leq 12 = 3 \cdot 6 - 6$ est satisfaite. En conséquence, le fait que l'inégalité $e \leq 3v - 6$ est satisfaite *ne signifie pas* qu'un graphe est planaire. Cependant, le corollaire 2 du théorème 1 peut servir à démontrer que $K_{3,3}$ n'est pas un graphe planaire.

COROLLAIRE 2   Si un graphe simple planaire connexe a e arcs et v sommets avec $v \geq 3$ et aucun cycle de longueur 3, alors $e \leq 2v - 4$.

La démonstration du corollaire 2 est similaire à celle du corollaire 1, sauf que dans ce cas, il n'y a pas de cycle de longueur 3, ce qui implique que le degré d'une région doit être d'au moins 4. Le détail de cette démonstration est laissé au lecteur (voir l'exercice 13 à la fin de cette section).

EXEMPLE 6   Utilisez le corollaire 2 pour démontrer que le graphe $K_{3,3}$ n'est pas un graphe planaire.

Solution : Puisque $K_{3,3}$ n'a pas de cycle de longueur 3 (c'est une évidence puisque ce graphe est biparti), le corollaire 2 peut s'appliquer. Le graphe $K_{3,3}$ a 6 sommets et 9 arcs. Puisque $e = 9$ et $2v - 4 = 8$, le corollaire 2 permet de démontrer que $K_{3,3}$ n'est pas un graphe planaire. ■

THÉORÈME DE KURATOWSKI

On a vu que $K_{3,3}$ et K_5 ne sont pas des graphes planaires. Il est évident qu'un graphe n'est pas planaire s'il contient l'un de ces deux graphes comme sous-graphe. De plus, tous les graphes non planaires doivent contenir un sous-graphe qui peut être obtenu à partir de $K_{3,3}$ ou de K_5 au moyen de certaines opérations autorisées.

Si un graphe est planaire, tous les graphes sont obtenus en enlevant un arc $\{u, v\}$ et en additionnant un nouveau sommet w avec les arcs $\{u, w\}$ et $\{w, v\}$. Une telle opération est appelée une **sous-division élémentaire**. Les graphes $G_1 = (V_1, E_1)$ et $G_2 = (V_2, E_2)$ sont **homéomorphes** s'ils peuvent être obtenus à partir du même graphe au moyen d'une suite de sous-divisions élémentaires. Les trois graphes illustrés à la figure 12 sont homéomorphes, puisqu'ils peuvent tous être obtenus à partir du premier graphe par des sous-divisions élémentaires. (On laisse au lecteur le soin de déterminer les séquences de ces sous-divisions nécessaires pour obtenir G_2 et G_3 à partir de G_1.)

Le mathématicien polonais Kuratowski établit le théorème suivant en 1930, qui caractérise le concept des graphes planaires homéomorphes.

THÉORÈME 2   Un graphe est non planaire si et seulement s'il contient un sous-graphe homéomorphe à $K_{3,3}$ ou à K_5.

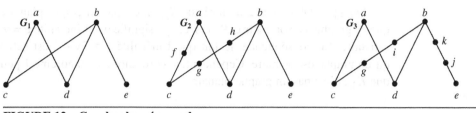

FIGURE 12   Graphes homéomorphes

Il est clair qu'un graphe contenant un sous-graphe homéomorphe à $K_{3,3}$ ou à K_5 est non planaire. Cependant, la preuve de la réciproque, c'est-à-dire que tous les graphes non planaires contiennent un sous-graphe homéomorphe à $K_{3,3}$ ou à K_5, est compliquée et ne sera pas faite ici. Les exemples suivants illustrent quelques applications du théorème de Kuratowski.

EXEMPLE 7   Déterminez si le graphe G illustré à la figure 13 est un graphe planaire.

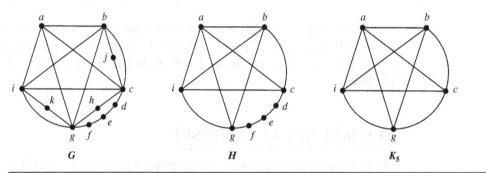

FIGURE 13   Graphe G non orienté, sous-graphe H homéomorphe à K_5 et graphe K_5

Solution : Le graphe G a un sous-graphe H homéomorphe à K_5. Le sous-graphe H est obtenu en enlevant h, j et k et tous les arcs incidents à ces sommets, et il est homéomorphe à K_5 puisqu'il peut être obtenu à partir de K_5 (avec les sommets a, b, c, g et i) au moyen d'une suite de sous-divisions élémentaires, en ajoutant les sommets d, e et f. (On laisse au lecteur le soin de construire la séquence de ces sous-divisions élémentaires.) Donc, G est un graphe non planaire.   ■

EXEMPLE 8   Le graphe de Petersen, illustré à la figure 14 a), est-il un graphe planaire ? (Le mathématicien danois Julius Petersen présenta ce graphe en 1891 ; ce dernier sert souvent à illustrer diverses propriétés théoriques des graphes.)

Solution : Le sous-graphe H du graphe de Petersen obtenu en supprimant b et les trois arcs ayant b comme point terminal, illustré à la figure 14 b), est homéomorphe à $K_{3,3}$ avec l'ensemble des sommets $\{f, d, j\}$ et $\{e, i, h\}$ puisqu'il peut être obtenu par une séquence de sous-divisions élémentaires, en supprimant $\{d, h\}$ et en ajoutant $\{c, h\}$ et $\{c, d\}$, puis en supprimant $\{e, f\}$ et en ajoutant $\{a, e\}$ et $\{a, f\}$ et, enfin, en supprimant $\{i, j\}$ et en ajoutant $\{g, i\}$ et $\{g, j\}$. Donc, le graphe de Petersen n'est pas un graphe planaire. ■

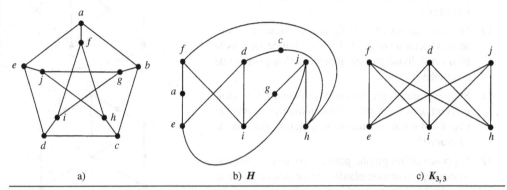

a)   b) H c) $K_{3,3}$

FIGURE 14   **a) Graphe de Petersen**   **b) Sous-graphe H homéomorphe à $K_{3,3}$**   **c) Graphe $K_{3,3}$**

Exercices

1. Pouvez-vous raccorder cinq maisons à deux réseaux utilitaires sans que les canalisations se croisent ?

Pour les exercices 2 à 4, tracez le graphe planaire correspondant sans aucune intersection.

2.

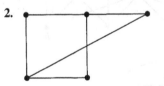

3.

4.

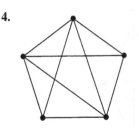

Pour les exercices 5 à 7, déterminez si le graphe présenté est un graphe planaire. Si c'est le cas, tracez-le sans intersection.

5.

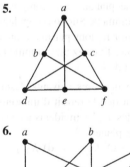

6.

7.

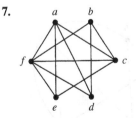

8. Complétez la démonstration de l'exemple 3.

9. Démontrez que K_5 est un graphe non planaire en utilisant un argument similaire à celui qui est donné à l'exemple 3.

10. Supposez qu'un graphe planaire connexe a 8 sommets, chacun de degré 3. En combien de régions le plan est-il divisé par une représentation planaire de ce graphe ?

11. Supposez qu'un graphe connexe planaire a 6 sommets, chacun de degré 4. En combien de régions le plan est-il divisé par une représentation planaire de ce graphe ?

12. Supposez qu'un graphe planaire connexe a 30 arcs. Si une représentation planaire de ce graphe divise le plan en 20 régions, combien de sommets ce graphe contient-il ?

13. Démontrez le corollaire 2.

14. Supposez qu'un graphe simple biparti planaire connexe a e arcs et v sommets. Démontrez que $e \leq 2v - 4$ si $v \geq 3$.

★15. Supposez qu'un graphe simple planaire connexe avec e arcs et v sommets ne contient aucun cycle simple de longueur 4 ou moins. Démontrez que $e \leq (5/3)v - (10/3)$ si $v \geq 4$.

16. Supposez qu'un graphe planaire a k composantes connexes, e arcs et v sommets. Supposez également que le plan est divisé en r régions par une représentation planaire du graphe. Trouvez une formule pour r en termes de e, de v et de k.

17. Parmi les graphes non planaires suivants, lesquels ont la propriété voulant que le retrait d'un sommet quelconque et de tous les angles incidents à ce sommet produise un graphe planaire ?
    a) K_5 **b)** K_6 **c)** $K_{3,3}$ **d)** $K_{3,4}$

Pour les exercices 18 à 20, déterminez si le graphe représenté est homéomorphe à $K_{3,3}$.

18.

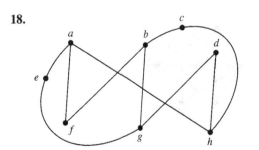

19.

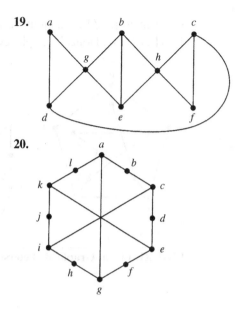

20.

Pour les exercices 21 à 23, utilisez le théorème de Kuratowski pour déterminer si le graphe illustré est un graphe planaire.

21.

22.

23.

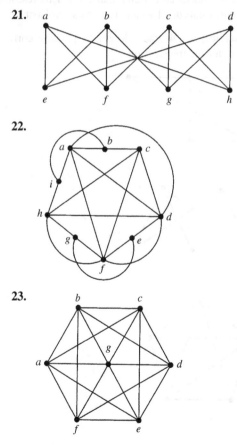

Le **nombre minimal de croisements** d'un graphe simple est le nombre minimal d'intersections pouvant se produire dans la représentation planaire de ce graphe si aucun groupe de trois arcs ne peut se croiser au même point.

24. Démontrez que $K_{3,3}$ a un nombre minimal de croisements égal à 1.

★★25. Trouvez le nombre minimal de croisements de chacun des graphes non planaires ci-après.

a) K_5 **b)** K_6 **c)** K_7
d) $K_{3,4}$ **e)** $K_{4,4}$ **f)** $K_{5,5}$

★26. Trouvez le nombre minimal de croisements d'un graphe de Petersen.

★★27. Démontrez que si m et n sont des entiers positifs, alors le nombre minimal de croisements de $K_{m,n}$ est plus petit ou égal à $mn(m-2)(n-2)/6$. (*Conseil*: Situez m sommets le long de l'axe x à intervalles équivalents et de manière symétrique par rapport à l'origine et placez n sommets le long de l'axe y à intervalles équivalents et symétriques par rapport à l'origine. Ensuite, reliez chacun des m sommets de l'axe x à chacun des n sommets de l'axe y et calculez le nombre d'intersections.)

L'**épaisseur** d'un graphe simple est le plus petit nombre de sous-graphes planaires de G qui ont G comme union.

28. Démontrez que $K_{3,3}$ a une épaisseur de 2.

★29. Trouvez l'épaisseur des graphes de l'exercice 25.

30. Démontrez que si G est un graphe simple connexe avec v sommets et e arcs, alors l'épaisseur de G est d'au moins $\lceil e/(3v-6) \rceil$.

★31. À partir de l'exercice 30, démontrez que l'épaisseur de K_n est d'au moins $\lfloor (n+7)/6 \rfloor$, quel que soit n comme entier positif.

32. Démontrez que si G est un graphe simple connexe ayant n sommets et e arcs et aucun cycle de longueur trois, alors l'épaisseur de G est au moins égale à $\lceil e/2v-4) \rceil$.

33. À partir de l'exercice 32, démontrez que l'épaisseur de $K_{m,n}$ est d'au moins $\lceil mn/(2m+2n-4)) \rceil$, quels que soient m et n comme entiers positifs.

★34. Tracez un graphe K_5 sur la surface d'un tore solide engendré par la rotation d'un cercle autour d'un axe extérieur au cercle de façon qu'aucun arc ne se croise.

★35. Tracez le graphe $K_{3,3}$ sur la surface d'un tore de façon qu'aucun arc ne se croise.

7.8

Coloriage de graphes

INTRODUCTION

Les problèmes relatifs au coloriage des régions sur les cartes, telles les mappemondes, ont souvent trouvé leur solution avec la théorie des graphes. Quand on colorie une carte[*], deux régions ayant une frontière commune doivent avoir des couleurs différentes. Une première manière de s'assurer que deux régions voisines n'ont jamais la même couleur est d'utiliser une couleur différente pour chaque région. On voit tout de suite que cette méthode est inefficace pour les cartes ayant de nombreuses régions, car il sera difficile de distinguer les couleurs similaires. Il vaudrait mieux essayer de trouver chaque fois le plus petit nombre de couleurs possible. On considère donc le problème de la détermination du nombre minimal de couleurs nécessaires pour colorier une carte de façon qu'aucune région adjacente n'ait la même couleur. Par exemple, pour la carte illustrée à la figure 1, quatre couleurs ont suffi, mais trois n'auraient pas été suffisantes (le lecteur devra le vérifier). Sur la carte de droite, trois couleurs ont été suffisantes, mais deux ne l'auraient pas été.

---

[*] On présume que toutes les régions de la carte sont connexes, ce qui élimine tout problème présenté par les entités géographiques telles que le Michigan.

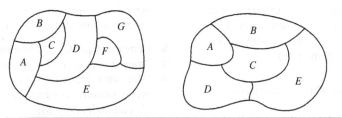

FIGURE 1   Deux cartes

Toute carte peut être représentée par un graphe. Pour établir cette correspondance, chaque région de la carte est représentée par un sommet. Des arcs relieront deux sommets si les régions qu'ils représentent ont une frontière commune. Deux régions qui ne se touchent qu'en un point ne sont pas considérées comme des régions adjacentes. Le graphe résultant est le **graphe dual** de la carte. De la façon dont on construit les graphes duals, il est clair que toute carte a un graphe dual planaire. La figure 2 illustre les graphes duals qui correspondent aux cartes de la figure 1.

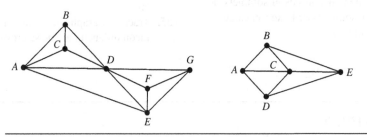

FIGURE 2   Graphes duals des cartes de la figure 1

Le problème du coloriage des régions d'une carte revient donc au problème du coloriage des sommets d'un graphe dual sans qu'aucune paire de sommets adjacents de ce graphe n'ait la même couleur. On donne la définition 1.

DÉFINITION 1.   Le coloriage d'un graphe simple est l'attribution d'une couleur à chaque sommet du graphe de telle façon qu'aucune paire de sommets adjacents ne reçoive la même couleur.

Un graphe peut être colorié en attribuant une couleur différente à chacun de ses sommets. Cependant, pour la plupart des graphes, on pourra trouver une méthode avec moins de couleurs que le nombre de sommets du graphe. Quel est le nombre minimal de couleurs nécessaires ?

DÉFINITION 2.   Le *nombre chromatique* d'un graphe est le nombre minimal de couleurs nécessaires pour le colorier.

À noter que rechercher le nombre chromatique maximal d'un graphe planaire revient à vouloir trouver le nombre maximal de couleurs nécessaires pour colorier une carte planaire de manière qu'aucune région adjacente ne reçoive la même couleur. Cette question a été étudiée pendant plus de 100 ans. La réponse est donnée au moyen de l'un des théorèmes mathématiques les plus fameux.

THÉORÈME 1   **Théorème des quatre couleurs**   Le nombre chromatique d'un graphe planaire n'est jamais supérieur à quatre.

Le **théorème des quatre couleurs** fut posé comme une conjecture dans les années 1850. Il fut finalement prouvé par les mathématiciens américains Kenneth Appel et Wolfgang Haken en 1976. Avant cette date, on avait établi de nombreuses démonstrations incorrectes, mais dont les erreurs étaient difficiles à détecter. De plus, plusieurs tentatives futiles avaient été faites pour construire des exemples contradictoires en traçant des cartes qui nécessitaient plus de quatre couleurs.

Sans doute la preuve fallacieuse la plus notoire de toutes les mathématiques fut celle du théorème des quatre couleurs publiée en 1879 par un avocat londonien, mathématicien amateur, Alfred Kempe. Les mathématiciens acceptèrent cette preuve jusqu'en 1890, jusqu'à ce que Percy Heawood eut trouvé l'erreur qui rendait incomplète l'argumentation de Kempe. Cependant, l'essence du raisonnement de Kempe demeura à la base du succès de la démonstration donnée par Appel et Haken. Cette preuve repose sur une minutieuse analyse cas par cas, effectuée par ordinateur. On démontra que si le théorème des quatre couleurs était faux, il existerait un contre-exemple pour l'un des 2000 types de cas analysés. Ensuite, ils démontrèrent qu'aucun de ces types de cas ne démontrait le contraire. Ils utilisèrent plus de 1000 heures sur ordinateur pour faire cette démonstration. Celle-ci engendra une importante controverse, en raison du rôle majeur qu'y avaient joué les ordinateurs. Ne pouvait-il y avoir une erreur dans un programme d'ordinateur qui aurait conduit à des résultats incorrects ? Cet argument est-il réellement une preuve alors qu'il dépend de ce qui pourrait être une réponse incorrecte de l'ordinateur ?

Le théorème des quatre couleurs ne s'applique qu'aux graphes planaires. Les graphes non planaires peuvent avoir un nombre chromatique arbitrairement plus grand, comme l'exemple 2 permettra de le démontrer.

Deux éléments sont nécessaires pour prouver que le nombre chromatique d'un graphe est n. Premièrement, il faut démontrer que le graphe peut être colorié avec n couleurs, ce qui est obtenu en faisant le coloriage en question. Deuxièmement, il faut démontrer que le graphe ne peut être colorié en utilisant moins de n couleurs. Les exemples suivants illustrent comment trouver les nombres chromatiques.

EXEMPLE 1   Quels sont les nombres chromatiques des graphes G et H illustrés à la figure 3 ?

Solution : Le nombre chromatique de G est d'au moins 3, puisque les sommets a, b et c doivent recevoir des couleurs différentes. Pour démontrer si G peut être colorié avec trois couleurs, on attribue le rouge au sommet a, le bleu au sommet b et le vert au sommet c.

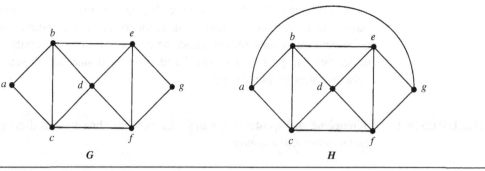

FIGURE 3   Graphes simples *G* et *H*

Ensuite, *d* peut (et doit) être colorié en rouge, puisqu'il est adjacent à *b* et à *c*. Le sommet *e* peut (et doit) être colorié en vert, puisqu'il est adjacent seulement à des sommets rouge et bleu. Le sommet *f* peut (et doit) être colorié en bleu, puisqu'il est adjacent seulement à des sommets rouge et vert. Finalement, *g* peut (et doit) être colorié en rouge puisqu'il est adjacent seulement à des sommets bleu et vert. Il est donc démontré qu'on peut colorier le graphe *G* en utilisant exactement trois couleurs. La figure 4 illustre ce coloriage.

Le graphe *H* est constitué du graphe *G* avec un arc reliant *a* et *g*. Toute tentative pour colorier *H* au moyen de trois couleurs doit suivre le même raisonnement que celui pour colorier *G*, sauf à la dernière étape, quand tous les sommets autres que *g* auront été coloriés. Alors, puisque *g* est adjacent (dans *H*) aux sommets coloriés en rouge, en bleu et en vert, il faut une quatrième couleur, disons le brun, pour colorier ce graphe. Donc, *H* a un nombre chromatique égal à 4. Un coloriage de *H* est présenté à la figure 4.   ■

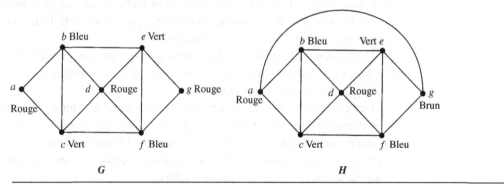

FIGURE 4   Coloriage des graphes *G* et *H*

EXEMPLE 2   Quel est le nombre chromatique de K_n ?

Solution : Un coloriage de K_n peut être obtenu en utilisant *n* couleurs et en attribuant une couleur différente à chaque sommet. Y a-t-il un coloriage avec moins de couleurs ? La réponse est non. Il n'y a pas deux sommets qui peuvent recevoir la même couleur, puisque toutes les paires de sommets de ce graphe sont adjacentes. Par conséquent, le nombre chromatique de K_n vaut n. (Il faut se rappeler que K_n n'est pas un graphe planaire quand $n \geq 5$, de telle sorte que ce résultat ne contredit pas le théorème des quatre couleurs.) Un coloriage de K_5 au moyen de cinq couleurs est présenté à la figure 5. ∎

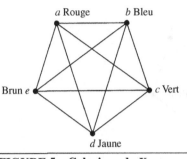

FIGURE 5 Coloriage de K_5

EXEMPLE 3 Quel est le nombre chromatique des graphes bipartis complets $K_{m, n}$ si m et n sont des nombres entiers positifs ?

Solution : Le nombre de couleurs nécessaires peut sembler dépendre de m et de n. Néanmoins, deux couleurs sont suffisantes : la couleur de l'ensemble des m sommets avec une couleur et l'ensemble des n sommets avec une seconde couleur. Puisque les arcs ne relient qu'un sommet de l'ensemble m à un sommet de l'ensemble n, aucun sommet adjacent ne peut avoir la même couleur. Un coloriage de $K_{3, 4}$ avec deux couleurs est présenté à la figure 6. ∎

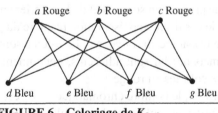

FIGURE 6 Coloriage de $K_{3, 4}$

Tous les graphes simples bipartis connexes ont un nombre chromatique de 2 ou de 1, puisque le raisonnement utilisé à l'exemple 3 s'applique à n'importe lequel de ces graphes. Réciproquement, tous les graphes ayant un nombre chromatique de 2 sont bipartis (voir les exercices 23 et 24 à la fin de cette section).

EXEMPLE 4 Quel est le nombre chromatique du graphe C_n ? (Il faut se rappeler que C_n est le cycle avec n sommets.)

Solution : On considère d'abord quelques cas individuels. Pour commencer, soit $n = 6$. On prend un sommet et on le colorie en rouge. On procède dans le sens horaire du dessin de C_6 présenté à la figure 7. Il est nécessaire d'attribuer une deuxième couleur, par exemple le bleu, au prochain sommet atteint. On continue dans le sens horaire ; le troisième sommet sera colorié en rouge, le quatrième, en bleu et le cinquième, en rouge. Finalement, le sixième sommet, qui est adjacent au premier, doit être colorié en bleu. Donc, le nombre chromatique de C_6 est 2. La figure 7 présente le schéma de coloriage.

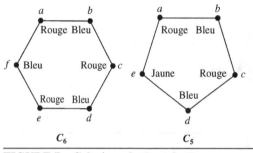

FIGURE 7   Coloriage de C_5 et de C_6

Ensuite, on prend $n = 5$ et on considère C_5. On prend un sommet et on le colorie en rouge. On continue dans le sens horaire. Il faut attribuer une deuxième couleur, disons le bleu, au prochain sommet atteint. En continuant dans le sens horaire, le troisième sommet doit être colorié en rouge et le quatrième, en bleu. Le cinquième sommet ne peut être colorié ni en rouge ni en bleu, puisqu'il est adjacent au quatrième sommet et au premier. En conséquence, il faudra utiliser une troisième couleur pour ce sommet. À noter qu'on aurait également besoin de trois couleurs si on avait colorié les sommets dans le sens antihoraire. Donc, le nombre chromatique de C_5 est 3. Un coloriage de C_5 au moyen de trois couleurs est présenté à la figure 7.

En général, il suffit de deux couleurs pour colorier C_n si n est un nombre pair. Pour construire un tel coloriage, il suffit de prendre un sommet et de le colorier en rouge, puis de continuer dans le sens horaire (dans le cas d'une représentation planaire du graphe) et de colorier le deuxième sommet en bleu, le troisième en rouge, etc. Le n-ième sommet peut être colorié en bleu puisque les deux sommets qui lui sont adjacents, notamment le $(n-1)$-ième et le premier sommet, sont tous deux coloriés en rouge.

Quand n est impair et que $n > 1$, le nombre chromatique de C_n est 3. Pour le démontrer, on prend un sommet initial. En utilisant seulement deux couleurs, il est nécessaire d'alterner les couleurs à mesure qu'on procède dans le sens horaire. Cependant, le n-ième sommet atteint est adjacent à deux sommets de couleurs différentes, soit le premier et le $(n-1)$-ième. Par conséquent, il faut utiliser une troisième couleur. ∎

APPLICATION DES COLORIAGES DE GRAPHES

Le coloriage des graphes offre une variété d'applications à des problèmes de planification ou d'attribution. L'exemple 5 illustre une planification d'examens.

EXEMPLE 5

Horaire des examens Comment une université peut-elle programmer les horaires des examens finaux de façon qu'aucun étudiant n'ait à passer deux examens en même temps ?

Solution : Ce problème de planification peut être résolu au moyen d'un modèle graphique ayant des sommets qui représentent les cours et des arcs entre deux sommets si un étudiant suit simultanément ces deux cours. Chaque tranche horaire pour un examen est représentée par une couleur différente. La planification des examens correspond alors au coloriage du graphe associé.

Par exemple, on suppose qu'il y a sept examens finaux à planifier, que les cours sont numérotés de 1 à 7 et que les paires de cours suivantes ont des étudiants communs : 1 et 2, 1 et 3, 1 et 4, 1 et 7, 2 et 3, 2 et 4, 2 et 5, 2 et 7, 3 et 4, 3 et 6, 3 et 7, 4 et 5, 4 et 6, 5 et 6, 5 et 7 et 6 et 7. La figure 8 présente le graphe associé à cet ensemble de cours. La planification consiste à colorier ce graphe.

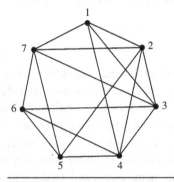

FIGURE 8 **Représentation graphique de l'horaire des examens finaux**

Puisque le nombre chromatique de ce graphe est 4 (le lecteur devra le vérifier), on a besoin de quatre tranches horaires. La figure 9 montre le coloriage du graphe au moyen de quatre couleurs et l'horaire qui lui est associé. ∎

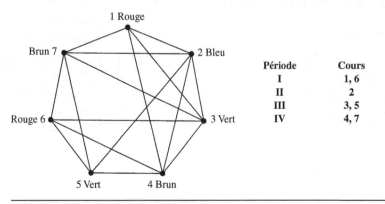

Période	Cours
I	1, 6
II	2
III	3, 5
IV	4, 7

FIGURE 9 **Utilisation du coloriage pour planifier les examens finaux**

On considère maintenant une application à l'attribution des canaux de télévision.

EXEMPLE 6   **Attribution des fréquences**   Les canaux de télévision 2 à 13 sont attribués aux stations nord-américaines de telle façon que deux stations à 240 km de distance ne puissent utiliser la même fréquence. Comment pouvez-vous modéliser cette attribution de canaux au moyen du coloriage d'un graphe ?

Solution : On construit un graphe en attribuant un sommet à chaque station. Deux sommets seront reliés par un arc s'ils sont situés à moins de 240 km de distance. Une attribution de canaux correspond au coloriage du graphe où chaque couleur représente un canal différent.   ■

L'exemple 7 donne une autre application du coloriage des graphes, cette fois pour des compilateurs.

EXEMPLE 7   **Registres d'index**   Avec des compilateurs efficaces, l'exécution des boucles est accélérée quand des variables souvent utilisées sont stockées temporairement dans des registres de l'unité centrale de traitement, au lieu de l'être dans la mémoire normale. Pour une boucle donnée, combien faut-il de registres d'index ? Ce problème peut être résolu en utilisant le coloriage de graphe. Pour établir ce modèle, on considère que chaque sommet du graphe représente une variable de la boucle. Il y aura un arc entre deux sommets si les variables qu'ils représentent doivent être stockées au même moment dans des registres durant l'exécution de la boucle. Alors, le nombre chromatique du graphe sera le nombre de registres nécessaires, puisqu'on devra attribuer des registres différents aux variables lorsque les sommets représentant ces variables sont adjacents dans le graphe.   ■

Exercices

1. Construisez les graphes duals pour chacun des schémas suivants :

a)

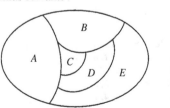

b)

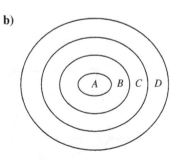

c)

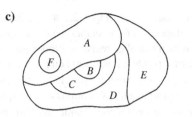

2. Trouvez le nombre de couleurs nécessaires pour colorier les graphes de l'exercice 1 de telle façon qu'aucune région adjacente n'ait la même couleur.

Pour les exercices 3 à 9, trouvez le nombre chromatique des graphes représentés :

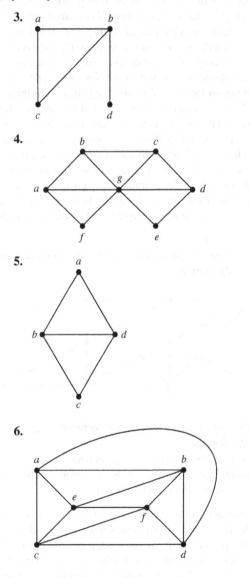

3.

4.

5.

6.

7.

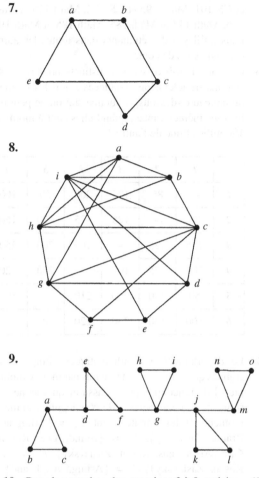

8.

9.

10. Pour les graphes des exercices 3 à 9, précisez s'il est possible de diminuer le nombre chromatique en retirant un sommet et tous les arcs qui lui sont incidents.

11. Quels sont les graphes qui ont un nombre chromatique de 1 ?

12. Quel est le nombre minimal de couleurs nécessaires pour colorier une carte des États-Unis ? Ne considérez pas les États adjacents s'ils ont simplement un point en commun. De plus, on suppose que le Michigan est une région. Considérez les sommets représentant l'Alaska et Hawaï comme des sommets isolés.

13. Quel est le nombre chromatique de W_n ?

14. Démontrez qu'un graphe simple qui a un cycle composé d'un nombre impair de sommets ne peut être colorié au moyen de deux couleurs.

15. Planifiez les examens finaux pour Math 115, Math 116, Math 185, Math 195, CS 101, CS 102, CS 273 et CS 473, en utilisant le nombre minimal de tranches horaires si aucun étudiant ne prend à la fois Math 115 et CS 473, Math 116 et CS 473, Math 195 et CS 101, Math 195 et CS 102, Math 115 et Math 116, Math 115 et Math 185, Math 185 et Math 195, mais qu'il y a des étudiants dans toutes les autres combinaisons de cours.

16. Combien faut-il de canaux distincts pour relier six stations de télévision distancées selon les données du tableau ci-dessous, si aucune station ne peut utiliser les mêmes canaux quand elles sont à moins de 150 milles l'une de l'autre ?

	1	*2*	*3*	*4*	*5*	*6*
1	—	85	175	200	50	100
2	85	—	125	175	100	160
3	175	125	—	100	200	250
4	200	175	100	—	210	220
5	50	100	200	210	—	100
6	100	160	250	220	100	—

17. Le département de mathématiques comporte six comités qui se rencontrent une fois par mois. Combien faut-il de rencontres pour s'assurer qu'aucune personne ne soit convoquée à deux rencontres au même moment, si les comités sont C_1 = {Arlinghaus, Brand, Zaslavsky}, C_2 = {Brand, Lee, Rosen}, C_3 = {Arlinghaus, Rosen, Zaslavsky}, C_4 = {Lee, Rosen, Zaslavsky}, C_5 = {Arlinghaus, Brand} et C_6 = {Brand, Rosen, Zaslavsky}.

18. Un zoo désire installer des habitats naturels pour ses animaux. Malheureusement, certains de ces animaux en mangeront d'autres si on les met en présence. Comment pouvez-vous construire un modèle graphique avec coloriage pour déterminer le nombre d'habitats distincts nécessaires et la manière de placer les animaux dans ces habitats ?

Le **coloriage des arcs** d'un graphe consiste à attribuer des couleurs aux arcs de telle façon que les arcs incidents à un même sommet reçoivent des couleurs différentes. L'**indice chromatique** d'un graphe est le nombre minimal de couleurs à utiliser pour colorier les arcs de ce graphe.

19. Trouvez l'indice chromatique de chacun des graphes des exercices 3 à 9.

★20. Trouvez l'indice chromatique de
   a) K_n.   **b)** $K_{m,n}$.   **c)** C_n.   **d)** W_n.

21. Une boucle de programme informatique comprend sept variables. Les variables et les étapes durant lesquelles elles doivent être stockées sont t : étapes

1 à 6 ; u : étape 2 ; v : étapes 2 à 4 ; w : étapes 1, 3 et 5 ; x : étapes 1 et 6 ; y : étapes 3 à 6 ; et z : étapes 4 et 5. Combien faut-il de registres d'index pour stocker ces variables pendant l'exécution du programme ?

22. Que pouvez-vous dire à propos du nombre chromatique d'un graphe qui a K_n comme sous-graphe ?

23. Démontrez qu'un graphe simple avec un nombre chromatique de 2 est un graphe biparti.

24. Démontrez qu'un graphe biparti connexe a un nombre chromatique de 2.

L'algorithme suivant sert à colorier un graphe simple. Premièrement, listez les sommets v_1, v_2, v_3, ..., v_n en ordre de degré décroissant, de telle façon que $\deg(v_1) \geq \deg(v_2) \geq \cdots \deg(v_n)$. Attribuez la couleur 1 à v_1 et au sommet suivant de la liste qui n'est pas adjacent à v_1 (s'il existe), et ainsi de suite à chaque sommet de la liste qui n'est pas adjacent au sommet qui n'est pas déjà colorié avec la couleur 1. Ensuite, attribuez la couleur 2 au premier sommet de la liste qui n'est pas encore colorié et, successivement, attribuez la couleur 2 aux sommets de cette liste qui ne sont pas déjà coloriés et qui ne sont pas adjacents aux sommets déjà coloriés avec la couleur 2. S'il reste des sommets non coloriés, attribuez la couleur 3 au premier sommet de la liste qui n'est pas encore colorié et utilisez la couleur 3 pour colorier successivement tous les sommets non encore coloriés et non adjacents aux sommets ayant déjà la couleur 3. Continuez ce processus jusqu'à ce que tous les sommets soient coloriés.

25. Effectuez le coloriage du graphe suivant en utilisant cet algorithme.

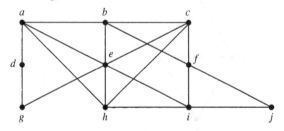

★26. Utilisez un pseudocode pour décrire cet algorithme de coloriage.

★27. Démontrez que le coloriage obtenu avec cet algorithme pourrait utiliser plus de couleurs qu'il n'est nécessaire pour colorier un graphe.

Le **k-coloriage** d'un graphe G est l'attribution d'un ensemble de k couleurs différentes aux sommets de G de telle manière qu'aucun sommet adjacent ne reçoive la même couleur. On notera $X_k(G)$ le plus petit entier positif n, de telle sorte que G ait un k-coloriage utilisant n couleurs. Par exemple, $X_2(C_4) = 4$. Pour le démontrer, on note qu'en utilisant seulement quatre couleurs, on peut attribuer deux couleurs à chaque sommet de C_4 comme c'est illustré ci-dessous, de telle façon qu'aucune paire de sommets adjacents ne reçoive la même couleur. De plus, il ne faut pas plus de quatre couleurs, parce que les sommets v_1 et v_2 ont déjà deux couleurs et qu'une couleur commune ne peut être attribuée à la fois à v_1 et à v_2.

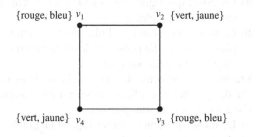

{rouge, bleu} v_1 v_2 {vert, jaune}

{vert, jaune} v_4 v_3 {rouge, bleu}

28. Trouvez les valeurs suivantes :

  a) $X_2(K_3)$.   **b)** $X_2(K_4)$.
  c) $X_2(W_4)$.   **d)** $X_2(C_5)$.
  e) $X_2(K_{3,4})$.   **f)** $X_3(K_5)$.
 ★**g)** $X_3(C_5)$ **h)** $X_3(K_{4,5})$.

★**29.** Soit G et H les graphes illustrés à la figure 3. Trouvez

  a) $X_2(G)$.   **b)** $X_2(H)$.   **c)** $X_3(G)$.   **d)** $X_3(H)$.

30. Quel est $X_k(G)$ si G est un graphe biparti et que k est un entier positif ?

31. Les fréquences d'un téléphone cellulaire sont attribuées par zones. Chaque zone reçoit un ensemble de fréquences à utiliser par le véhicule dans cette zone. La même fréquence ne peut être utilisée dans des zones où il peut y avoir interférence. Expliquez comment un k-coloriage d'un graphe peut servir à attribuer les k fréquences à chaque zone cellulaire d'une région.

Questions de révision

1. a) Définissez un graphe simple, un multigraphe, un pseudographe, un graphe orienté et un multigraphe orienté.

  b) Utilisez un exemple d'application de la modélisation de chacun de ces types de graphes. Par exemple, expliquez comment modéliser différents aspects d'un réseau informatique ou d'un réseau de trafic aérien.

2. Donnez au moins quatre exemples de la façon d'utiliser les graphes pour la modélisation.

3. Quelle est la relation entre la somme des degrés des sommets d'un graphe non orienté et le nombre d'arcs de ce graphe ? Expliquez pourquoi cette relation est vraie.

4. Pourquoi doit-il y avoir un nombre pair de sommets de degré impair dans un graphe non orienté ?

5. Quelle est la relation entre la somme des degrés intérieurs et la somme des degrés extérieurs des sommets dans un graphe orienté ? Expliquez pourquoi cette relation est vraie.

6. Décrivez les familles de graphes suivantes :

  a) K_n, les graphes complets avec n sommets.

  b) $K_{m,n}$, les graphes bipartis complets avec m et n sommets.

  c) C_n, le cycle avec n sommets.

  d) W_n, la roue de taille n.

  e) Q_n, le cube de dimension n.

7. Combien y a-t-il de sommets et combien y a-t-il d'arcs dans chacun des graphes des familles de la question 6 ?

8. a) Qu'est-ce qu'un graphe biparti ?

  b) Parmi les graphes K_n, C_n et W_n, lesquels sont des graphes bipartis ?

  c) Comment pouvez-vous déterminer si un graphe non orienté est biparti ?

9. a) Décrivez trois méthodes différentes qui peuvent servir à représenter un graphe.

  b) Tracez un graphe simple avec au moins cinq sommets et huit arcs. Illustrez ce graphe selon les méthodes décrites en a).

10. a) Que signifie pour deux graphes le fait d'être isomorphes ?

  b) Que représente un invariant dans le cas d'un isomorphisme de graphes simples ? Donnez au moins cinq exemples de tels invariants.

  c) Donnez un exemple de deux graphes qui ont le même nombre de sommets, d'arcs et de degrés de sommets, mais qui ne sont pas isomorphes.

  d) Existe-t-il un ensemble d'invariants connus permettant de déterminer efficacement si deux graphes simples sont isomorphes ?

11. a) Que signifie pour un graphe le fait d'être connexe ?

  b) Quelles sont les composantes connexes d'un graphe ?

12. a) Expliquez comment utiliser une matrice d'adjacence pour représenter un graphe.

b) Comment des matrices d'adjacence peuvent-elles déterminer un isomorphisme d'un ensemble de sommets d'un graphe G à un ensemble de sommets d'un graphe H ?

c) Comment une matrice d'adjacence d'un graphe peut-elle déterminer le nombre de chaînes de longueur r entre deux sommets d'un graphe si r est un entier positif ?

13. a) Définissez un cycle eulérien et une chaîne eulérienne dans un graphe non orienté.

b) Décrivez le fameux problème du pont de Königsberg et reformulez-le en fonction du cycle eulérien.

c) Comment pouvez-vous déterminer si un graphe non orienté a un cycle eulérien ?

d) Comment pouvez-vous déterminer si un graphe non orienté a un cycle eulérien ?

14. a) Définissez un cycle hamiltonien dans un graphe simple.

b) Donnez quelques propriétés d'un graphe simple qui impliquent l'absence de cycle hamiltonien.

15. Donnez des exemples d'au moins deux problèmes qui peuvent être résolus en trouvant le chemin minimal dans un graphe valué.

16. a) Décrivez l'algorithme de Dijkstra pour trouver le chemin minimal dans un graphe valué entre deux sommets.

b) Tracez un graphe valué avec au moins 10 sommets et 20 arcs. Utilisez l'algorithme de Dijkstra pour trouver le chemin minimal entre deux sommets de votre choix dans le graphe.

17. a) Que signifie pour un graphe le fait d'être planaire ?

b) Donnez un exemple d'un graphe non planaire.

18. a) Qu'est-ce que signifie la formule d'Euler dans le cas des graphes planaires ?

b) Comment la formule d'Euler pour les graphes planaires peut-elle permettre de démontrer qu'un graphe simple est non planaire ?

19. Établissez le théorème de Kuratowski sur la planarité des graphes et expliquez comment elle caractérise les graphes qui sont planaires.

20. a) Définissez le nombre chromatique d'un graphe.

b) Quel est le nombre chromatique du graphe K_n quand n est un entier positif ?

c) Quel est le nombre chromatique du graphe C_n quand n est un nombre entier positif plus grand que 2 ?

d) Quel est le nombre chromatique du graphe $K_{m,n}$ quand m et n sont des entiers positifs ?

21. Présentez le théorème des quatre couleurs. Existe-t-il des graphes qui ne peuvent être coloriés avec quatre couleurs ?

22. Expliquez comment le coloriage des graphes sert à la modélisation des problèmes. Donnez au moins deux exemples.

Exercices supplémentaires

1. Combien y a-t-il d'arcs dans un graphe régulier de degré 50 qui comprend 100 sommets ?

2. Combien y a-t-il de sous-graphes non isomorphes qui sont contenus dans K_3 ?

Dans les exercices 3 à 5, déterminez si la paire de graphes représentée est isomorphe.

3.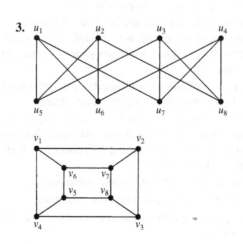

4.

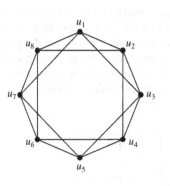

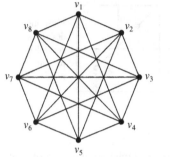

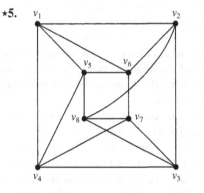

★5.

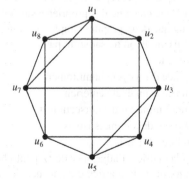

Le **graphe *m*-parti complet** $K_{n_1, n_2, ..., n_m}$ a des sommets répartis en m sous-ensembles de $n_1, n_2, ..., n_m$ éléments chacun. Les sommets sont adjacents si et seulement s'ils sont dans des sous-ensembles différents de cette répartition.

6. Tracez les graphes suivants :

    a) $K_{1, 2, 3}$.   **b)** $K_{2, 2, 2}$.   **c)** $K_{1, 2, 2, 3}$.

★7. Combien y a-t-il de sommets et combien y a-t-il d'arcs dans le graphe *m*-parti complet $K_{n_1, n_2, ..., n_m}$?

★8. a) Faites la preuve ou la preuve contraire qu'il y a toujours deux sommets qui ont le même degré dans un graphe simple fini ayant au moins deux sommets.

    b) Faites la preuve ou la preuve contraire de l'exercice a) pour des multigraphes finis.

Soit $G = (V, E)$ un graphe simple. Le **sous-graphe induit** par un sous-ensemble W de l'ensemble V des sommets est un graphe (W, F), où l'ensemble des arcs F contient un arc dans E si et seulement si les deux points terminaux de cet arc sont dans W.

9. Considérez le graphe illustré à la figure 3 de la section 7.4. Trouvez les sous-graphes induits par

    a) $\{a, b, c\}$.   **b)** $\{a, e, g\}$.

    c) $\{b, c, f, g, h\}$.

10. Soit n un nombre entier positif. Démontrez qu'un sous-graphe induit par un sous-ensemble non vide de l'ensemble des sommets de K_n est un graphe complet.

Une **clique** dans un graphe simple non orienté est un sous-graphe complet qui n'est pas contenu dans tout autre sous-graphe complet comportant plus d'éléments. Aux exercices 11 à 13, trouvez toutes les cliques des graphes illustrés.

11.

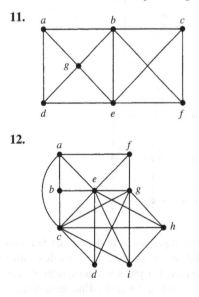

12.

13.

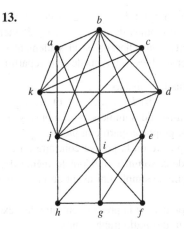

Un **ensemble dominant** de sommets dans un graphe simple est un ensemble de sommets tel que tous les autres sommets sont adjacents à au moins un sommet de cet ensemble. Un ensemble dominant avec le nombre minimal de sommets est appelé un **ensemble dominant minimal**. Aux exercices 14 à 16, trouvez un ensemble dominant minimal pour les graphes illustrés.

14.

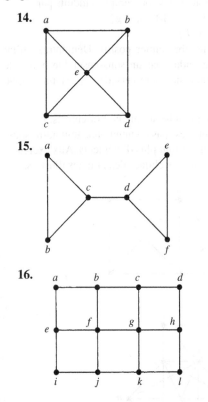

15.

16.

Un graphe simple peut permettre de déterminer le nombre de reines minimal dans un échiquier capables de contrôler l'échiquier au complet. Un jeu $n \times n$ comprend n^2 cases dans une configuration de $n \times n$ cases. Une reine dans une

position quelconque contrôle toutes les cases de la même ligne, de la même colonne et des deux diagonales qui se croisent sur cette case, comme c'est illustré. Le graphe simple approprié comporte n^2 sommets, un pour chaque case, et deux sommets sont adjacents si une reine dans la case, représentée par l'un de ces sommets, contrôle la case représentée par l'autre sommet.

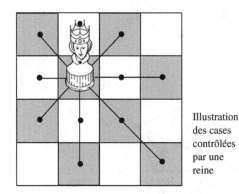

Illustration des cases contrôlées par une reine

17. Construisez le graphe simple représentant un échiquier de $n \times n$ avec les arcs représentant le contrôle des cases par les reines pour

a) $n = 3$. **b)** $n = 4$.

18. Expliquez comment le concept de l'ensemble dominant minimal s'applique au problème de détermination du nombre de reines minimal contrôlant un échiquier de $n \times n$.

★★19. Trouvez le nombre de reines minimal pouvant contrôler un jeu de $n \times n$ pour

a) $n = 3$. **b)** $n = 4$. **c)** $n = 5$.

20. Supposez que G_1 et H_1 sont isomorphes et que G_2 et H_2 le sont aussi. Faites la preuve ou la preuve contraire que $G_1 \cup G_2$ et $H_1 \cup H_2$ sont isomorphes.

21. Démontrez que chacune des propriétés suivantes est un invariant que deux graphes simples et isomorphes satisfont ensemble ou ne satisfont pas.

a) la connexité

b) l'existence d'un cycle hamiltonien

c) l'existence d'un cycle eulérien

d) le nombre minimal d'intersections C

e) le nombre n de sommets isolés

f) le fait d'être bipartis

22. Comment la matrice d'adjacence de $\overline{G}$ peut-elle être dérivée à partir de la matrice d'adjacence de G si G est un graphe simple ?

23. Combien y a-t-il de graphes simples bipartis connexes non isomorphes qui ont quatre sommets ?

★24. Combien y a-t-il de graphes simples connexes non isomorphes qui ont cinq sommets

a) s'il n'y a aucun sommet de degré plus grand que 2 ?

b) si le nombre chromatique est égal à 4 ?

c) s'ils sont non planaires ?

Un graphe orienté est *autoréciproque* s'il est isomorphe à sa réciproque.

25. Déterminez si les graphes suivants sont autoréciproques.

a)

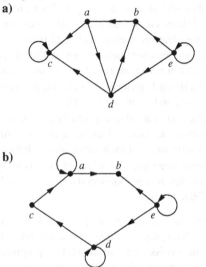

b)

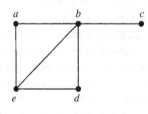

26. Démontrez que si le graphe orienté G est autoréciproque et que H est un graphe orienté isomorphe à G, alors G est également autoréciproque.

Une **orientation** dans un graphe simple non orienté est une attribution de direction à ses arcs de telle façon que le graphe résultant orienté est fortement connexe. Quand on trouve une orientation dans un graphe non orienté, ce graphe est **orientable**. Aux exercices 27 à 29, déterminez si le graphe simple illustré est orientable.

27.

28.

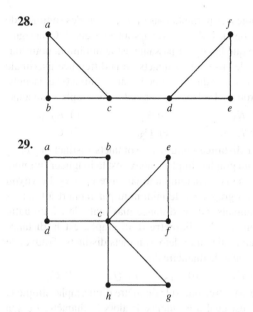

29.

30. En raison du trafic croissant au centre-ville, les ingénieurs civils prévoient modifier le sens des rues actuellement à double sens pour les mettre à sens unique. Expliquez comment modéliser ce problème.

★31. Démontrez qu'un graphe est non orientable s'il contient un séparateur.

Un **tournoi** est un graphe orienté tel que si u et v sont deux sommets de ce graphe, alors un et un seul des couples (u, v) et (v, u) est un arc.

32. Combien y a-t-il de tournois différents si on a n sommets ?

33. Quelle est la somme des degrés intérieurs et des degrés extérieurs d'un sommet dans un tournoi ?

★34. Démontrez que tous les tournois ont une chaîne hamiltonienne.

35. Deux poulets vivent dans une petite basse-cour, et l'un d'eux est dominant. Cela définit l'**ordre de dominance** de la basse-cour. Comment pouvez-vous utiliser un tournoi pour modéliser l'ordre de dominance ?

36. Supposez que G est un multigraphe connexe ayant $2k$ sommets de degré impair. Démontrez qu'il existe k sous-graphes qui ont G comme union où chacun de ces sous-graphes admet une chaîne eulérienne et qu'aucune paire de ces sous-graphes n'a un arc en commun. (*Conseil :* Additionnez k arcs au graphe reliant les paires de sommets de degré impair et utilisez un cycle eulérien dans ce graphe de taille supérieure.)

★37. Soit G un graphe simple ayant n sommets. La **largeur passante** de G, soit $B(G)$, est le minimum pour toutes les permutations $a_1, a_2, ..., a_n$ des sommets de G, de $\max\{|i - j| \mid a_i$ et a_j sont adjacents$\}$. Cela signifie que la largeur passante est le minimum pour toutes les listes de sommets de la différence maximale sur les indices attribués aux sommets adjacents. Trouvez les largeurs passantes des graphes suivants :

a) K_5.   **b)** $K_{1,3}$.   **c)** $K_{2,3}$.

d) $K_{3,3}$.   **e)** Q_3.   **f)** C_5.

⋆**38.** La **distance** entre deux sommets distincts v_1 et v_2 d'un graphe simple connexe est la longueur (nombre d'arcs) du chemin minimal entre v_1 et v_2. Le **rayon** d'un graphe est le minimum par rapport à tous les sommets v de la distance maximale de v à un autre sommet. Le **diamètre** d'un graphe est la distance maximale entre deux sommets distincts. Trouvez le rayon et le diamètre de

a) K_6.   **b)** $K_{4,5}$.   **c)** Q_3.   **d)** C_6.

⋆**39. a)** Montrez que si le diamètre d'un graphe simple G est égal à au moins 4, alors le diamètre de son complément $\overline{G}$ n'est pas plus de 2.

b) Démontrez que si le diamètre d'un graphe simple G est égal à au moins 3, alors le diamètre de son complément $\overline{G}$ n'est pas plus de 3.

⋆**40.** Supposez qu'un multigraphe a $2m$ sommets de degré impair. Démontrez que tout cycle qui contient tous les arcs de ce graphe doit contenir au moins m arcs plus d'une fois.

41. Trouvez le deuxième plus court chemin entre les sommets a et z dans la figure 3 de la section 7.6.

42. Élaborez un algorithme permettant de trouver le deuxième plus court chemin entre deux sommets dans un graphe valué connexe simple.

43. Trouvez le chemin minimal entre les sommets a et z qui passent par le sommet e dans le graphe valué de la figure 4 de la section 7.6.

44. Élaborez un algorithme permettant de trouver le chemin minimal entre deux sommets dans un graphe simple connexe qui passe par un troisième sommet spécifique.

⋆**45.** Démontrez que si G est un graphe simple avec au moins 11 sommets, alors soit G, soit $\overline{G}$ (le complément de G) est un graphe non planaire.

Un ensemble de sommets dans un graphe est **indépendant** si aucune paire de sommets de cet ensemble n'est adjacente. Le **nombre d'indépendance** d'un graphe est le nombre de sommets maximal dans un ensemble indépendant de sommets de ce graphe.

⋆**46.** Quel est le nombre d'indépendance de

a) K_n?   **b)** C_n?   **c)** Q_n?   **d)** $K_{m,n}$?

47. Démontrez que le nombre de sommets dans un graphe simple est plus petit que le ou égal au produit du nombre d'indépendance et du nombre chromatique de ce graphe.

48. Démontrez que le nombre chromatique d'un graphe est plus petit que ou égal à $v - i + 1$, où v est le nombre de sommets dans le graphe et i le nombre d'indépendance de ce graphe.

49. Supposez que pour obtenir un graphe simple aléatoire avec n sommets, vous deviez d'abord choisir un nombre réel p avec $0 \le p \le 1$. Pour chacune des $C(n, 2)$ paires de sommets distincts, vous obtenez un nombre aléatoire x entre 0 et 1. Si $0 \le x \le p$, vous reliez ces deux sommets au moyen d'un arc ; dans le cas contraire, vous ne reliez pas ces sommets.

a) Quelle est la probabilité d'obtenir un graphe avec m arcs où $0 \le m \le C(n, 2)$?

b) Quel est le nombre espéré d'arcs dans un graphe obtenu de façon aléatoire ayant n sommets si chaque arc y est inclus avec une probabilité p ?

c) Démontrez que si $p = 1/2$, alors tous les graphes simples avec n sommets ont la même probabilité d'être obtenus.

Une propriété qui se maintient quel que soit le nombre d'arcs ajoutés à un graphe simple (sans ajouter de sommets) est appelée une **croissance monotone**. Une propriété qui se maintient quel que soit le nombre d'arcs retirés dans un graphe simple sans enlever de sommets est appelée une **décroissance monotone**.

50. Pour chacune des propriétés suivantes, déterminez s'il s'agit d'une croissance monotone ou d'une décroissance monotone.

a) Le graphe G est connexe.

b) Le graphe G n'est pas connexe.

c) Le graphe G a un cycle eulérien.

d) Le graphe G a un cycle hamiltonien.

e) Le graphe G est planaire.

f) Le graphe G a un nombre chromatique de quatre.

g) Le graphe G a un rayon de trois.

h) Le graphe G a un diamètre de trois.

51. Démontrez que la propriété graphique P est une croissance monotone si et seulement si la propriété graphique Q est une décroissance monotone quand Q est la propriété de ne pas avoir la propriété P.

⋆⋆**52.** Supposez que P est une propriété de croissance monotone des graphes simples. Démontrez que la probabilité qu'un graphe aléatoire avec n sommets ait la propriété P est une fonction décroissante monotone de p, où p est la probabilité qu'un arc soit choisi dans le graphe.

t551Un graphe connexe ne contenant aucun circuit simple s'appelle un arbre. L'utilisation des arbres date de 1857, quand le mathématicien anglais Arthur Cayley les utilisa pour dénombrer certains types de composés chimiques. Depuis ce temps, on se sert des arbres pour résoudre des problèmes dans une grande variété de disciplines, comme le montreront les différents exemples de ce chapitre.

Les arbres sont particulièrement utiles en informatique. Par exemple, on les utilise pour construire des algorithmes permettant de repérer des éléments dans une liste ; pour élaborer au moindre coût des réseaux de lignes téléphoniques reliant des ordinateurs ; pour créer des programmes permettant de stocker et de transmettre des données. Les arbres peuvent aussi modeler des procédures exécutées à l'aide d'une suite de décisions. Les arbres constituent donc des outils précieux pour l'étude des algorithmes de tri.

8.1

Introduction aux arbres

La figure 1 présente un arbre généalogique des Bernoulli, la célèbre famille de mathématiciens suisses. L'arbre généalogique est un graphe dans lequel les sommets représentent les membres de la famille et les arcs, les relations entre les parents et les enfants. Le graphe non orienté qui représente un arbre généalogique constitue un exemple d'un type particulier de graphe qu'on appelle un **arbre**.

> **DÉFINITION 1.**   Un *arbre* est un graphe connexe non orienté sans circuit simple.

Puisqu'un arbre ne peut comporter de circuits simples, il ne peut contenir d'arcs multiples ni de boucles. Donc, tout arbre doit être un graphe simple.

EXEMPLE 1   Parmi les graphes présentés à la figure 2, lesquels sont des arbres ?

Solution : Les graphes G_1 et G_2 sont des arbres, puisque tous les deux sont des graphes connexes sans circuit simple. Le graphe G_3 n'est pas un arbre, car *e*, *b*, *a*, *d* et *e* constituent

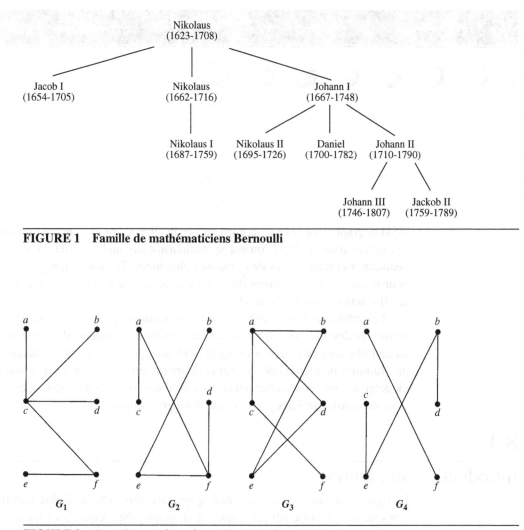

FIGURE 1   Famille de mathématiciens Bernoulli

FIGURE 2 G_1 et G_2 sont des arbres, G_3 et G_4 n'en sont pas.

un circuit simple dans ce graphe. Finalement, G_4 n'est pas un arbre puisqu'il n'est pas connexe.   ■

Tout graphe connexe qui ne contient aucun circuit simple est un arbre. Qu'en est-il des graphes ne contenant aucun circuit simple qui ne sont pas nécessairement connexes ? On appelle ces graphes des **forêts** et ils ont la propriété suivante : chacune de leurs composantes connexes est un arbre. La figure 3 présente une forêt.

Souvent, les arbres sont aussi définis comme des graphes non orientés ayant pour propriété qu'il existe un chemin simple et unique entre chaque couple de ses sommets ; le théorème 1 montre que cette définition est équivalente à la définition 1.

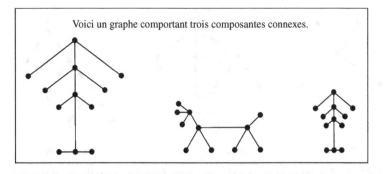

Voici un graphe comportant trois composantes connexes.

FIGURE 3   Exemple de forêt

THÉORÈME 1   Un graphe non orienté est un arbre si et seulement si chaque paire de sommets est reliée par un chemin simple et unique.

Démonstration : D'abord, on suppose que T est un arbre. Alors, T est un graphe connexe sans circuit simple. Soit x et y deux sommets de T. Puisque T est connexe, selon le théorème 1 de la section 7.4, il existe un chemin simple entre x et y. De plus, ce chemin doit être unique, car s'il y en avait un autre, le chemin formé en combinant le premier chemin de x à y suivi du chemin de y à x obtenu en inversant l'ordre du deuxième chemin de x à y formerait un circuit.

À présent, on suppose que chaque paire de sommets est reliée par un chemin simple et unique. Alors, T est connexe. De plus, T ne peut avoir de circuits simples. Pour démontrer cet énoncé, on suppose que T a eu un circuit simple qui contenait les sommets x et y. Alors, il y aurait deux chemins simples entre x et y, puisque le circuit simple est constitué d'un chemin simple de x à y et d'un deuxième chemin simple de y à x. Ainsi, un graphe comportant un chemin simple et unique entre deux sommets quelconques est un arbre.   □

Dans bon nombre des applications avec des arbres, on appelle le sommet particulier d'un arbre la **racine**. Une fois la racine spécifiée, on peut attribuer une direction à chaque sommet comme suit. Puisqu'il y a un chemin unique de la racine à chacun des sommets du graphe (selon le théorème 1), on oriente chaque arc en s'éloignant de la racine. Donc, l'arbre combiné avec sa racine produit un graphe orienté qu'on appelle une **arborescence**. On peut transformer un arbre non orienté en arborescence en choisissant n'importe quel sommet comme racine. À noter que les différents choix de racines produisent des arborescences différentes. Par exemple, la figure 4 présente les arborescences formées en désignant, d'une part, a comme la racine et, d'autre part, c comme la racine, respectivement, dans l'arbre T. On dessine habituellement une arborescence avec sa racine dans le haut du graphe. On peut omettre de dessiner les flèches indiquant la direction des arcs d'une arborescence puisque c'est le choix de la racine qui la détermine.

La terminologie relative aux arbres tire ses origines de la botanique et de la généalogie. On suppose que T est une arborescence. Si v est un sommet de T différent de la racine, le **père** de v est le sommet unique u tel qu'il y a un sommet orienté de u à v (le lecteur devra démontrer que ce sommet est unique). Lorsque u est le père de v, v s'appelle le **fils** de u. Les

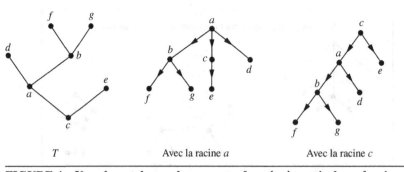

FIGURE 4   Un arbre et deux arborescences formées à partir de ce dernier

sommets ayant le même père s'appellent des **frères**. Les **ancêtres** d'un sommet différent de la racine sont les sommets du chemin partant de la racine à ce sommet, excluant le sommet en soi et incluant la racine (autrement dit, le père de son père, et ainsi de suite, jusqu'à ce que la racine soit atteinte). Les **descendants** d'un sommet v sont les sommets qui ont v comme ancêtre. Un sommet d'un arbre s'appelle une **feuille** s'il n'a pas de fils. Les sommets qui ont des fils s'appellent des **sommets internes**. La racine est un sommet interne à moins qu'elle ne soit le seul sommet du graphe, auquel cas elle est une feuille.

Si a est le sommet d'un arbre, un **sous-arbre** ayant a comme racine est le sous-graphe de l'arbre constitué de a, de ses descendants et de tous les arcs incidents à ces descendants.

EXEMPLE 2   Dans l'arborescence T (avec la racine a) présentée à la figure 5, trouvez le père de c, les fils de g, les frères de h, tous les ancêtres de e, tous les descendants de b, tous les sommets internes et toutes les feuilles. Quelle est l'arborescence dont la racine est g ?

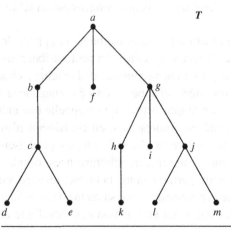

FIGURE 5   Arborescence T

Solution : Le père de *c* est *b*. Les fils de *g* sont *h*, *i* et *j*. Les frères de *h* sont *i* et *j*. Les ancêtres de *e* sont *c*, *b* et *a*. Les descendants de *b* sont *c*, *d* et *e*. Les sommets internes sont *a*, *b*, *c*, *g*, *h* et *j*. Les feuilles sont *d*, *e*, *f*, *i*, *k*, *l* et *m*. La figure 6 présente l'arborescence dont la racine est *g*. ■

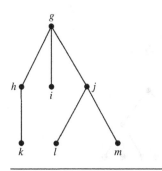

FIGURE 6   Sous-arbre dont la racine est *g*

On utilise les arborescences ayant pour propriété que tous leurs sommets internes ont le même nombre de fils dans plusieurs applications. Plus loin dans le présent chapitre, on aura recours à de tels arbres pour étudier des problèmes de recherche, de tri et de codage.

DÉFINITION 2.   Une arborescence s'appelle un *arbre m-aire* si chaque sommet interne n'a pas plus de *m* fils. L'arbre s'appelle un *arbre m-aire complet* si chaque sommet interne a exactement *m* fils. Un arbre *m*-aire avec *m* = 2 s'appelle un *arbre binaire*.

EXEMPLE 3   Les arborescences présentées à la figure 7 sont-elles des arbres *m*-aires complets pour un entier positif *m* ?

Solution : L'arbre T_1 est un arbre binaire complet puisque chacun de ses sommets internes a deux fils. L'arbre T_2 est un arbre ternaire complet puisque chacun de ses sommets internes a trois fils. Dans T_3, chaque sommet interne a cinq fils, donc T_3 est un arbre 5-aire complet. T_4 n'est pas un arbre *m*-aire complet pour tout *m* puisque certains de ses sommets internes ont deux fils et d'autres, trois. ■

Une **arborescence ordonnée** est une arborescence dans laquelle les fils de chaque sommet interne sont ordonnés. Les arborescences ordonnées sont dessinées de manière telle que les fils de chaque sommet interne sont illustrés de gauche à droite. À noter que la représentation conventionnelle d'une arborescence détermine une relation d'ordre pour ses sommets. On utilisera de telles relations d'ordre des sommets dans des dessins sans mentionner explicitement que l'on considère qu'une arborescence est ordonnée.

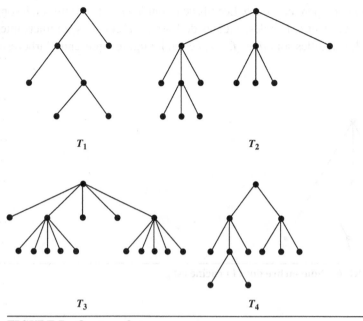

FIGURE 7   Quatre arborescences

Dans un arbre binaire ordonné, si un sommet interne a deux fils, le premier fils s'appelle **fils gauche** et le deuxième, **fils droit**. L'arbre dont la racine est le fils gauche d'un sommet s'appelle le **sous-arbre gauche** de ce sommet et l'arbre dont la racine est le fils droit d'un sommet s'appelle le **sous-arbre droit** du sommet. Le lecteur doit noter que, pour certaines applications, chaque sommet d'un arbre binaire qui diffère de la racine est désigné par le fils droit ou gauche de son père. Cette désignation s'emploie lorsque certains sommets n'ont qu'un seul fils. On aura recours à ces termes au besoin seulement.

EXEMPLE 4   Quels sont les fils droit et gauche de d dans l'arbre binaire T présenté à la figure 8 a), où l'ordre est celui du dessin ? Quels sont les sous-arbres gauche et droit de c ?

Solution : Le fils gauche de d est f et son fils droit est g. On montre les sous-arbres gauche et droit de c respectivement dans les figures 8 b) et 8 c).   ■

Comme pour les graphes, aucune terminologie standard n'existe pour décrire les arbres, les arborescences, les arborescences ordonnées et les arbres binaires. Les arbres sont largement utilisés en informatique, science relativement jeune. Le lecteur doit vérifier attentivement la signification donnée aux termes relatifs aux arbres pour éviter toute confusion.

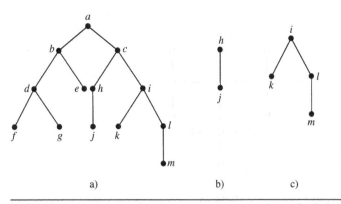

FIGURE 8 Arbre binaire T et sous-arbres gauche et droit du sommet c

ARBRES EN TANT QUE MODÈLES

On utilise les arbres comme modèles dans des domaines variés tels que l'informatique, la chimie, la généalogie, la botanique et la psychologie. On décrit maintenant une variété de ces modèles en fonction des arbres.

EXEMPLE 5 **Hydrocarbures saturés et arbres** On peut utiliser les graphes pour représenter les molécules, où les atomes sont représentés par des sommets et les liaisons entre ceux-ci, par des arcs. Le mathématicien Arthur Cayley découvrit les arbres en 1857, alors qu'il tentait d'énumérer les isomères des composés de la forme C_nH_{2n+2}, qu'on appelle des *hydrocarbures saturés*.

Dans les modèles d'hydrocarbures saturés, chaque atome de carbone est re-présenté par un sommet de degré 4 et chaque atome d'hydrogène, par un sommet de degré 1. Il y a $3n+2$ sommets dans un graphe représentant un composé de la forme C_nH_{2n+2}. Le nombre d'arcs dans un tel graphe est égal à la moitié de la somme des degrés des sommets. Ainsi, il y a $(4n+2n+2)/2 = 3n+1$ sommets dans ce graphe. Puisque le graphe est connexe et que le nombre d'arcs est égal au nombre de sommets moins un, il doit être un arbre (voir l'exercice 9 à la fin de la présente section).

Les arbres non isomorphes à n sommets de degré 4 et à $2n+2$ sommets de degré 1 représentent les différents isomères de C_nH_{2n+2}. Par exemple, lorsque $n=4$, il y a exactement deux arbres non isomorphes de ce type (le lecteur devra vérifier cet énoncé). Ainsi, il y a exactement deux isomères différents de C_4H_{10}. Leurs structures sont présentées à la figure 9. Ces deux isomères sont le butane et l'isobutane. ■

EXEMPLE 6 **Représentation des organisations** On peut modéliser la structure d'une grande entreprise en utilisant une arborescence. Chaque sommet de cet arbre représente une position dans l'entreprise. Un arc d'un sommet à un autre indique qu'une personne représentée par le sommet initial est le supérieur immédiat de la personne représentée par le sommet final. Le

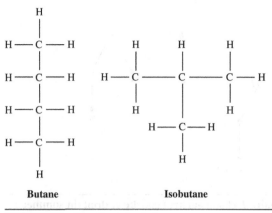

| Butane | Isobutane |

FIGURE 9   Isomères du butane

graphe présenté à la figure 10 illustre cet arbre. Dans l'entreprise représentée par cet arbre, le directeur du développement matériel travaille directement pour le vice-président du service de recherche et de développement.   ∎

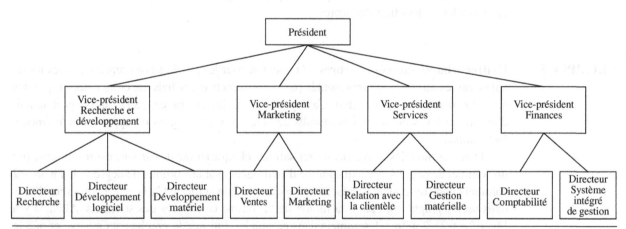

FIGURE 10   Arborescence représentant une entreprise informatique

EXEMPLE 7   **Système de fichiers informatiques**   Dans la mémoire d'un ordinateur, on peut organiser les fichiers en répertoires. Un répertoire peut contenir des fichiers et des sous-répertoires. Le répertoire central contient tout le système de fichiers informatiques. Ainsi, on peut représenter un système de fichiers à l'aide d'une arborescence dans laquelle la racine est le répertoire central, les sommets internes représentent les sous-répertoires et les feuilles représentent les fichiers ordinaires ou les répertoires vides. La figure 11 présente l'un de ces systèmes de fichiers. Dans ce système, le fichier khr se situe dans le répertoire rje.   ∎

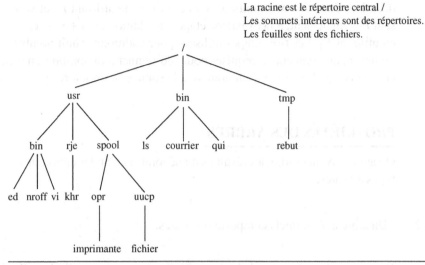

La racine est le répertoire central /
Les sommets intérieurs sont des répertoires.
Les feuilles sont des fichiers.

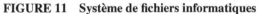

FIGURE 11   Système de fichiers informatiques

EXEMPLE 8   **Processeurs en parallèle reliés par un arbre**   Dans l'exemple 13 de la section 7.2, on a décrit différents réseaux d'interconnexion pour le traitement simultané. Un **réseau relié par un arbre** constitue une autre manière d'interconnecter les processeurs. Le graphe représentant un tel réseau est un arbre binaire complet. Un tel réseau interconnecte $n = 2^k - 1$ processeurs, où k est un entier positif. Un processeur représenté par le sommet v qui n'est pas une racine ou une feuille a trois connexions bidirectionnelles — une au processeur représenté par le père de v et deux aux processeurs représentés par les deux fils de v. Le processeur représenté par la racine a deux connexions bidirectionnelles qui le relient aux processeurs représentés par ses deux fils. Un processeur représenté par une feuille v a une seule connexion bidirectionnelle qui le relie au père de v. La figure 12 présente un réseau relié par un arbre avec sept processeurs.

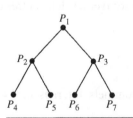

FIGURE 12   Réseau relié par un arbre de sept processeurs

Voici comment on peut utiliser un réseau relié par un arbre pour effectuer un calcul en parallèle. On montrera notamment comment recourir aux processeurs de la figure 12 pour ajouter huit nombres en utilisant trois étapes. À la première étape, on additionne x_1 et x_2 en utilisant P_4 ; x_3 et x_4 en utilisant P_5 ; x_5 et x_6 en utilisant P_6 ; x_7 et x_8 en utilisant P_7. À la deuxième étape, on additionne $x_1 + x_2$ et $x_3 + x_4$ en utilisant P_2 et $x_5 + x_6$ et $x_7 + x_8$ en utilisant P_3. Finalement, à la troisième étape, on additionne $x_1 + x_2 + x_3 + x_4$ et $x_5 + x_6 + x_7 + x_8$ en utilisant P_1. Les trois étapes utilisées pour additionner huit nombres se comparent favorablement aux sept étapes requises pour additionner huit nombres en série, où les étapes sont constituées de l'addition d'un nombre à la somme des nombres précédents dans la liste.   ■

PROPRIÉTÉS DES ARBRES

On aura souvent besoin des résultats du dénombrement des arcs et des sommets de différents types d'arbres.

THÉORÈME 2   Un arbre à n sommets comporte $n - 1$ arcs.

Démonstration : On choisit le sommet r comme racine de l'arbre. On établit une injection entre les arcs et les sommets, autres que r, en associant le sommet final d'un arc à cet arc. Puisqu'il y a $n - 1$ sommets, autres que r, il y a $n - 1$ arcs dans l'arbre.   □

Le nombre de sommets dans un arbre m-aire complet ayant un nombre donné de sommets internes est déterminé, comme le montre le théorème 3. Comme dans le théorème 2, on notera n le nombre de sommets dans un arbre.

THÉORÈME 3   Un arbre m-aire complet ayant i sommets internes contient $n = mi + 1$ sommets.

Démonstration : Chaque sommet, sauf la racine, est le fils d'un sommet interne. Puisque chacun des i sommets internes a m fils, il y a mi sommets dans l'arbre, mise à part la racine. Donc, l'arbre contient $n = mi + 1$ sommets.   □

On suppose que T est un arbre m-aire complet. Soit i le nombre de sommets internes et l le nombre de feuilles dans cet arbre. Une fois n, i ou l connu, il faut déterminer les deux autres quantités. Le théorème 4 montre comment trouver les deux autres quantités à partir de celle qui est connue.

THÉORÈME 4   Un arbre m-aire complet ayant

    i) n sommets comporte $i = (n - 1)/m$ sommets internes et $l = [(m - 1)n + 1]/m$ feuilles,

    ii) i sommets internes comporte $n = mi + 1$ sommets et $l = (m - 1)i + 1$ feuilles,

    iii) l feuilles comporte $n = (ml - 1)/(m - 1)$ sommets et $i = (l - 1)/(m - 1)$ sommets internes.

Démonstration : Soit n le nombre de sommets, i le nombre de sommets internes et l le nombre de feuilles. On peut démontrer les trois parties du théorème en utilisant l'égalité donnée dans le théorème 3, soit $n = mi + 1$ avec l'égalité $n = l + i$, qui est valide puisque chaque sommet est soit une feuille, soit un sommet interne. Ici on démontrera i). Le lecteur devra faire les démonstrations de ii) et de iii) dans des exercices ultérieurs.

En isolant i dans $n = mi + 1$ on obtient $i = (n - 1)/m$. Puis, en insérant cette expression à i dans l'équation $n = l + i$, on montre que $l = n - i = n - (n - 1)/m = [(m - 1)n + 1]/m$. □

L'exemple 9 illustre comment utiliser le théorème 4.

EXEMPLE 9 Supposez qu'une personne commence une chaîne de lettres. Chaque personne qui reçoit la lettre doit l'envoyer à quatre autres personnes. Seulement certaines personnes s'y prêtent. Combien de personnes ont vu la lettre, y compris la première personne, si personne ne reçoit plus d'une lettre et si la chaîne de lettres se termine après que 100 personnes ont lu la lettre mais ne l'ont pas envoyée ? Combien de personnes ont envoyé la lettre ?

Solution : On peut représenter la chaîne de lettres en utilisant un arbre 4-aire. Les sommets internes correspondent aux personnes qui ont envoyé la lettre et les feuilles, aux personnes qui ne l'ont pas envoyée. Puisque 100 personnes ne l'ont pas envoyée, le nombre de feuilles dans cette arborescence est $l = 100$. Ainsi, la partie iii) du théorème 4 démontre que le nombre de personnes qui ont envoyé la lettre est $n = (4 \cdot 100 - 1)/(4 - 1) = 133$. De plus, le nombre de sommets internes est $133 - 100 = 33$, c'est-à-dire que 33 personnes ont envoyé la lettre. ■

Il est souvent souhaitable d'utiliser des arborescences « équilibrées » pour que les sous-arbres de chaque sommet contiennent des chemins ayant environ la même longueur. Certaines définitions permettront de clarifier cette notion. Le **niveau** d'un sommet v dans une arborescence est égal à la longueur du chemin unique entre la racine et ce sommet. Le niveau de la racine est par définition égal à zéro. La **hauteur** ou **profondeur** d'une arborescence est le maximum des niveaux des sommets. En d'autres mots, la hauteur d'une arborescence est égale à la longueur du chemin le plus long d'une racine à un sommet quelconque.

EXEMPLE 10 Trouvez le niveau de chaque sommet dans l'arborescence présentée à la figure 13. Quelle est la hauteur de cet arbre ?

Solution : La racine a est au niveau 0 ; les sommets b, j et k sont au niveau 1 ; les sommets c, e, f et l sont au niveau 2 ; les sommets d, g, i, m et n sont au niveau 3 ; finalement, le sommet h est au niveau 4. Puisque le plus grand niveau de tout sommet est 4, cet arbre a une hauteur de 4. ■

Une arborescence m-aire de hauteur h est **équilibrée** si toutes les feuilles sont aux niveaux h ou $h - 1$.

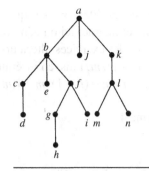

FIGURE 13   Arborescence

EXEMPLE 11   Parmi les arborescences présentées à la figure 14, lesquelles sont équilibrées ?

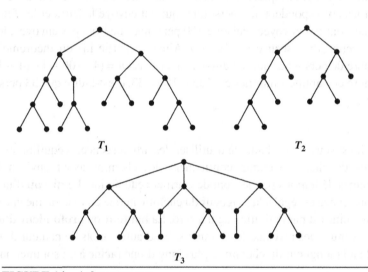

T_1 T_2

T_3

FIGURE 14   Arborescences

Solution : L'arborescence T_1 est équilibrée puisque toutes ses feuilles sont aux niveaux 3 et 4. Cependant, T_2 n'est pas équilibrée, car elle a des feuilles aux niveaux 2, 3 et 4. Finalement, T_3 est équilibrée, car toutes ses feuilles sont au niveau 3.   ■

Les résultats suivants donnent la hauteur et le nombre de feuilles dans des arbres m-aires.

THÉORÈME 5   Il y a au plus m^h feuilles dans un arbre m-aire de hauteur h.

Démonstration : Pour démontrer ce théorème, on utilise le principe de l'induction pour la hauteur. D'abord, on considère des arbres m-aires de hauteur 1. Ces trois arbres comportent une racine n'ayant pas plus de m fils, chacun étant une feuille. Ainsi, il n'y a pas plus de $m^1 = m$ feuilles dans un arbre m-aire de hauteur 1. Il s'agit de l'étape de base sur laquelle se fonde l'argument inductif.

À présent, on suppose que le résultat est vrai pour tous les arbres m-aires de hauteur inférieure à h ; il s'agit de l'hypothèse inductive. Soit T un arbre m-aire de hauteur h. Les feuilles de T sont les feuilles des sous-arbres de T obtenus en supprimant les arcs de la racine de chacun des sommets au niveau 1, comme le montre la figure 15.

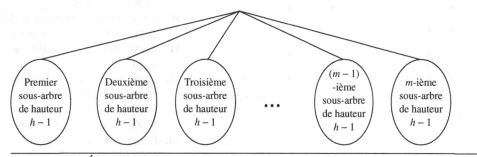

FIGURE 15   Étape inductive de la démonstration

Chacun de ces sous-arbres a une hauteur inférieure ou égale à $h - 1$. Donc, selon l'hypothèse inductive, chacune de ces arborescences a au plus m^{h-1} feuilles. Puisqu'il y a au plus m tels sous-arbres, chacun ayant au plus m^{h-1} feuilles, il y a au plus $m \cdot m^{h-1} = m^h$ feuilles dans l'arborescence. Cela termine l'argument inductif.   □

COROLLAIRE 1   Si un arbre m-aire de hauteur h comporte l feuilles, alors $h \geq \lceil \log_m l \rceil$. Si l'arbre m-aire est complet et équilibré, alors $h = \lceil \log_m l \rceil$. (Ici on utilisera le plafond. Il ne faut pas oublier que $\lceil x \rceil$ est le plus petit entier plus grand que ou égal à x.)

Démonstration : D'après le théorème 5, on sait que $l \leq m^h$. En prenant le logarithme en base m, on obtient $\log_m l \leq h$. Puisque h est un entier, on a $h \geq \lceil \log_m l \rceil$. À présent, on suppose que l'arbre est équilibré. Alors, chaque feuille est au niveau h ou $h - 1$ et, puisque la hauteur est h, il y a au moins une feuille au niveau h. Il s'ensuit qu'il doit y avoir plus de m^{h-1} feuilles (voir l'exercice 24 à la fin de la présente section). Puisque $l \leq m^h$, on a $m^{h-1} < l \leq m^h$. En prenant les logarithmes en base m dans cette inégalité, on obtient $h - 1 < \log_m l \leq h$. Donc, $h = \lceil \log_m l \rceil$.   □

Exercices

1. Parmi les graphes suivants, lesquels sont des arbres ?

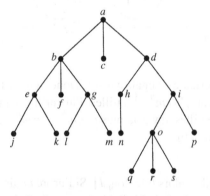

2. Répondez aux questions suivantes concernant l'arborescence illustrée.

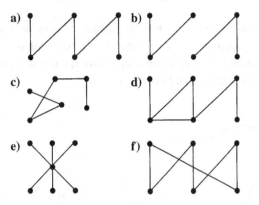

a) Quel sommet constitue la racine ?

b) Quels sommets sont internes ?

c) Quels sommets sont les feuilles ?

d) Quels sommets sont les fils de i ?

e) Quel sommet est le père de h ?

f) Quels sommets sont les frères de o ?

g) Quels sommets sont les ancêtres de m ?

h) Quels sommets sont les descendants de b ?

3. L'arborescence de l'exercice 2 est-elle un arbre m-aire complet pour un entier positif m ?

4. Quel est le niveau de chaque sommet de l'arbre de l'exercice 2 ?

5. Dessinez le sous-arbre de l'arbre de l'exercice 2 qui prend racine en

   a) a.   b) c.   c) e.

★6. Combien d'arbres non orientés et non isomorphes y a-t-il avec n sommets si

   a) $n = 3$?   b) $n = 4$?   c) $n = 5$?

★7. Répondez à la même question que celle de l'exercice 6 pour les arborescences (en utilisant l'isomorphisme pour les graphes orientés).

★8. Démontrez qu'un graphe simple est un arbre si et seulement s'il est connexe, mais que la suppression de ces arêtes produit un graphe non connexe.

★9. Soit G un graphe simple à n sommets. Démontrez que G est un arbre si et seulement si G est connexe et qu'il a $n - 1$ arêtes.

10. Quels graphes complets bipartis $K_{m, n}$, où m et n sont des entiers positifs, sont des arbres ?

11. Combien d'arcs un arbre ayant 10 000 sommets a-t-il ?

12. Combien de sommets un arbre 5-aire complet ayant 100 sommets internes a-t-il ?

13. Combien d'arcs un arbre binaire complet ayant 1000 sommets internes a-t-il ?

14. Combien de feuilles un arbre 3-aire complet ayant 100 sommets a-t-il ?

15. Supposez que 1000 personnes s'inscrivent à un tournoi d'échecs. Utilisez un modèle d'arborescence du tournoi pour déterminer combien de parties elles devront jouer pour couronner un champion, si un joueur est éliminé après avoir perdu une fois et que le jeu se poursuit jusqu'à ce qu'un seul participant n'ait pas perdu. (Supposez qu'il n'y a aucune partie nulle.)

16. Une chaîne de lettres commence quand 1 personne envoie une lettre à 5 autres personnes. Chaque personne qui reçoit la lettre envoie cette lettre à 5 autres personnes qui n'ont jamais reçu la lettre ou ne l'envoient pas. Supposez que 10 000 personnes envoient la lettre avant que se termine la chaîne et que personne ne reçoit plus d'une lettre. Combien de personnes reçoivent la lettre et combien ne l'envoient pas ?

17. Une chaîne de lettres commence quand 1 personne envoie une lettre à 10 autres personnes. Chaque personne doit envoyer cette lettre à 10 autres personnes et chaque lettre contient une liste des 6 personnes précédentes dans la chaîne. À moins qu'il y ait moins de 6 noms sur la liste, chaque personne envoie un dollar à la première personne sur cette liste, retire le nom de cette personne sur la liste, fait avancer chacun des 5 autres noms d'une position et insère son nom à la fin de la liste. Si aucune personne ne brise la chaîne et que personne ne reçoit plus d'une lettre, combien d'argent une personne dans la chaîne devrait-elle recevoir en tout ?

★**18.** Dessinez un arbre *m*-aire complet de hauteur 3 avec 76 feuilles, où *m* est un entier positif ou démontrez que cet arbre n'existe pas.

★**19.** Dessinez un arbre *m*-aire complet de hauteur 3 avec 84 feuilles, où *m* est un entier positif, ou démontrez que cet arbre n'existe pas.

★**20.** Un arbre *m*-aire complet *T* a 81 feuilles et est de hauteur 4.

    a) Donnez les majorants et les minorants de *m*.

    b) Qu'est-ce que *m* si *T* est également équilibré ?

Un **arbre *m*-aire complet de niveau** est un arbre *m*-aire complet dans lequel chaque feuille est au même niveau.

21. Construisez un arbre binaire complet de hauteur 4 et un arbre 3-aire complet de hauteur 3.

22. Combien de sommets et combien de feuilles un arbre *m*-aire complet de hauteur *h* a-t-il ?

23. Démontrez

    a) la partie ii) du théorème 4.

    b) la partie iii) du théorème 4.

☞**24.** Démontrez qu'un arbre *m*-aire équilibré et complet de hauteur *h* a plus de m^{h-1} feuilles.

25. Combien d'arcs y a-t-il dans une forêt de *t* arbres contenant au total *n* sommets ?

26. Expliquez comment on peut utiliser un arbre pour représenter la table des matières d'un livre organisé en chapitres, où chaque chapitre est organisé en sections et chaque section, en sous-sections.

27. Combien d'isomères différents les hydrocarbures saturés suivants ont-ils ?

    a) C_3H_8 **b)** C_5H_{12} **c)** C_6H_{14}

28. Que représente chacun des membres suivants dans un arbre hiérarchique d'entreprise ?

    a) le père d'un sommet

    b) le fils d'un sommet

    c) le frère d'un sommet

    d) les ancêtres d'un sommet

    e) les descendants d'un sommet

    f) le niveau d'un sommet

    g) la hauteur de l'arbre

29. Répondez aux mêmes questions que celles qui sont posées dans l'exercice 28 pour une arborescence représentant un système de fichiers informatiques.

30. **a)** Dessinez l'arbre binaire complet à 15 sommets qui représente un réseau relié par un arbre de 15 processeurs.

    b) Montrez comment on peut additionner 16 nombres en utilisant les 15 processeurs de la partie a) en quatre étapes.

31. Soit *n* la puissance de 2. Démontrez qu'on peut additionner *n* nombres en log *n* étapes en utilisant un réseau relié par un arbre de *n* − 1 processeurs.

★**32.** Un **arbre étiqueté** est un arbre auquel on attribue une étiquette à chaque sommet. Deux arbres étiquetés sont considérés comme isomorphes lorsqu'il y a un isomorphisme entre ceux-ci qui préserve les étiquettes des sommets. Combien d'arbres non isomorphes y a-t-il avec trois sommets étiquetés avec les entiers 1, 2 et 3 ? Combien d'arbres non isomorphes y a-t-il avec quatre sommets étiquetés avec les entiers 1, 2, 3 et 4 ?

L'**excentricité** d'un sommet d'un arbre non orienté est la longueur du chemin simple le plus long de ce sommet. Un sommet s'appelle **centre** si aucun sommet dans l'arbre n'a une excentricité plus petite que ce sommet. Dans les exercices 33 à 35, trouvez chaque sommet qui est un centre dans l'arbre donné.

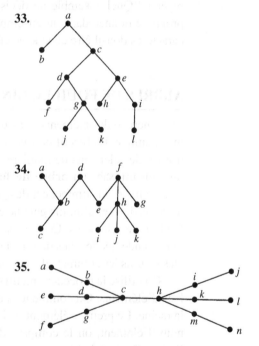

33.

34.

35.

36. Démontrez qu'il faut choisir un centre comme racine pour produire une arborescence de hauteur minimale à partir d'un arbre non orienté.

★**37.** Démontrez qu'un arbre a soit un centre, soit deux centres qui sont adjacents.

38. Montrez qu'on peut colorier chaque arbre en utilisant deux couleurs.

Les **arborescences de Fibonacci** T_n sont définies récursivement de la manière suivante. Les arborescences T_1 et T_2 sont toutes les deux des arborescences constituées d'un seul sommet et, pour *n* = 3, 4, …, l'arborescence T_n est construite à partir d'une racine ayant T_{n-1} comme sous-arbre gauche et T_{n-2} comme sous-arbre droit.

39. Dessinez les sept premières arborescences de Fibonacci.

★40. Combien de sommets, de feuilles et de sommets internes l'arborescence de Fibonacci T_n a-t-elle, où n est un entier positif ? Quelle est sa hauteur ?

8.2

Applications des arbres

INTRODUCTION

Voici maintenant trois questions auxquelles on peut répondre à l'aide des arbres. Comment les éléments d'une liste devraient-ils être énumérés de façon qu'un élément soit facile à repérer ? Quel ensemble de décisions devrait-on prendre pour trouver un objet ayant une propriété donnée dans un ensemble d'objets d'un certain type ? Comment un ensemble de caractères doit-il être codé avec efficacité à l'aide de chaînes binaires ?

ARBRES DE FOUILLE BINAIRE

La recherche des éléments dans une liste constitue l'une des tâches les plus importantes en informatique. L'objectif premier consiste à implanter un algorithme de fouille qui permet de trouver des éléments de manière efficace lorsqu'ils sont totalement ordonnés. Cela peut se faire en utilisant un **arbre de fouille binaire**. Celui-ci est un arbre binaire dans lequel chaque fils d'un sommet est désigné comme le fils droit ou gauche, aucun sommet n'a plus d'un fils droit et d'un fils gauche et chaque sommet est étiqueté par une clé, laquelle constitue l'un des éléments. Ces clés sont attribuées de sorte que la clé d'un sommet est à la fois plus grande que les clés de tous les sommets de son sous-arbre gauche et plus petite que les clés de tous les sommets de son sous-arbre droit.

On utilise la procédure récursive suivante pour former l'arbre de fouille binaire pour une liste d'éléments. On commence par un arbre contenant uniquement un sommet, notamment la racine. Le premier élément de la liste est attribué comme clé de la racine. Pour ajouter un nouvel élément, on le compare d'abord aux clés des sommets qui se trouvent déjà dans l'arbre. On part de la racine et on se déplace vers la gauche si l'élément est plus petit que la clé du sommet rencontré, si ce sommet a un fils gauche, ou on se déplace vers la droite si l'élément est plus grand que la clé du sommet respectif, si ce sommet a un fils droit. Lorsque l'élément est plus petit que le sommet respectif et que ce sommet n'a aucun fils gauche, alors un nouveau sommet ayant cet élément comme clé est inséré comme nouveau fils gauche. De même, lorsque l'élément est plus grand que le sommet respectif et que ce sommet n'a pas de fils droit, alors un nouveau sommet ayant cet élément comme clé est inséré comme nouveau fils droit. L'exemple 1 présente cette procédure.

EXEMPLE 1 Formez un arbre de fouille binaire pour les mots suivants : *mathématiques*, *physique*, *géographie*, *zoologie*, *météorologie*, *géologie*, *psychologie* et *chimie* (en ordre alphabétique).

Solution : La figure 1 présente les étapes utilisées pour construire cet arbre de fouille binaire. Le mot *mathématiques* est la clé de la racine. Puisque *physique* vient après *mathématiques* (en ordre alphabétique), on ajoute le fils droit de la racine ayant la clé *physique*. Puisque *géographie* vient avant *mathématiques*, on ajoute le fils gauche de la racine ayant la clé *géographie*. Ensuite, on ajoute le fils droit du sommet ayant la clé *physique* et on lui attribue la clé *zoologie* puisque *zoologie* vient après *mathématiques* et après *physique*. De même, on ajoute le fils gauche du sommet ayant la clé *physique* et on attribue à ce nouveau sommet la clé *météorologie*. On ajoute le fils droit du sommet ayant la clé *géographie* et on attribue à ce nouveau sommet la clé *géologie*. On ajoute le fils gauche du sommet ayant la clé *zoologie* et on lui attribue la clé *psychologie*. On ajoute le fils gauche du sommet ayant la clé *géographie* et on lui attribue la clé *chimie*. (Le lecteur devra effectuer toutes les comparaisons nécessaires à chaque étape.) ■

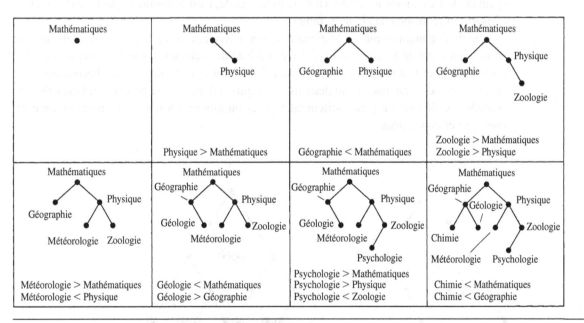

FIGURE 1 Construction d'un arbre de fouille binaire

ALGORITHME 1 **Algorithme de l'arbre de fouille binaire**

procédure *insertion* (*T* : arbre de fouille binaire, *x* : élément)
v := racine de *T*
{un sommet qui n'est pas présent dans *T* a la valeur *nulle*}
tant que *v* ≠ *nulle* et *étiquette*(*v*) ≠ *x*

début
> **si** $x <$ *étiquette*(v) **alors**
> **si** fils gauche de $v \neq$ *nulle* **alors** $v :=$ fils gauche de v
> **sinon** ajouter *nouveau sommet* comme fils gauche de v et définir $v := $ *nulle*
> **sinon**
> **si** fils droit de $v \neq$ *nulle* **alors** $v :=$ fils droit de v
> **sinon** ajouter *nouveau sommet* comme fils droit de v à T et définir $v := $ *nulle*
> **fin**
> **si** racine de $T =$ *nulle* **alors** ajouter un sommet r à l'arbre et l'étiqueter avec x
> **sinon si** *étiquette*(v) $\neq x$ **alors** étiqueter *nouveau sommet* avec x
> {$v =$ emplacement de x}

Pour repérer un élément, on tente de l'ajouter à un arbre de fouille binaire. L'algo-rithme 1 donne le pseudocode pour repérer un élément dans un arbre de fouille binaire et ajouter un nouveau sommet avec cet élément si l'élément n'est pas repéré. L'algorithme 1 repère x s'il est déjà la clé d'un sommet. Lorsque x n'est pas une clé, un nouveau sommet ayant la clé x est ajouté à l'arbre. Dans le pseudocode, v est le sommet ayant x comme clé et *étiquette*(v) représente la clé du sommet v.

On évalue maintenant la complexité computationnelle de cette procédure. On suppose qu'on a un arbre de fouille binaire T pour une liste de n éléments. On peut former un arbre binaire complet U à partir de T en ajoutant des sommets non étiquetés au besoin pour que chaque sommet ayant une clé ait deux fils. La figure 2 illustre cette procédure. Une fois cette procédure exécutée, on peut facilement repérer ou ajouter un nouvel élément comme clé sans ajouter de sommet.

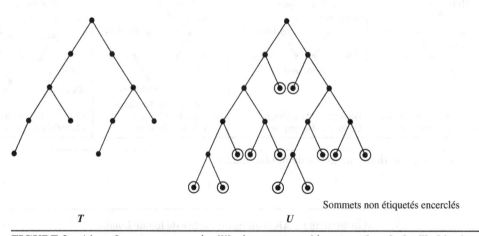

Sommets non étiquetés encerclés

T U

FIGURE 2   Ajout de sommets non équilibrés pour compléter un arbre de fouille binaire

Le plus grand nombre de comparaisons nécessaires pour ajouter un nouvel élément est égal à la longueur du chemin le plus long de U de la racine à une feuille. Les sommets internes de U sont les sommets de T. Il s'ensuit que U a n sommets internes. On peut maintenant utiliser la partie ii) du théorème 4 de la section 8.1 pour conclure que U a $n + 1$ feuilles. En utilisant le corollaire 1 de la section 8.1, on constate que la hauteur de U est plus grande que ou égale à $h = \lceil \log(n + 1) \rceil$. Par conséquent, il faut effectuer au moins $\lceil \log(n + 1) \rceil$ comparaisons pour ajouter un élément. À noter que si U est équilibré, sa hauteur est $\lceil \log(n + 1) \rceil$ (d'après le corollaire 1 de la section 8.1). Ainsi, si un arbre de fouille binaire est équilibré, l'identification et l'ajout d'un article n'exigent pas plus de $\lceil \log(n + 1) \rceil$ comparaisons. Un arbre de fouille binaire peut devenir déséquilibré à mesure qu'on y ajoute des éléments. Puisque les arbres de fouille binaire équilibrés ont une complexité optimale du pire cas pour la fouille binaire, on a créé des algorithmes pour rééquilibrer les arbres de fouille binaire à mesure que des éléments y sont ajoutés. Le lecteur intéressé pourra consulter des références sur les structures de données pour connaître la description de tels algorithmes.

ARBRES DE DÉCISION

On peut utiliser des arborescences pour modéliser des problèmes dans lesquels une suite de décisions mène à une solution. Par exemple, on peut avoir recours à un arbre de fouille binaire pour repérer des éléments à partir d'une suite de comparaisons, où chaque comparaison indique si l'élément a été repéré, ou s'il faut se diriger vers la droite ou vers la gauche dans un sous-arbre. Une arborescence dont le sommet interne correspond à une décision et qui a un sous-arbre à ses sommets pour chaque possibilité de résultat découlant de la décision s'appelle un **arbre de décision**. Les solutions possibles au problème correspondent aux chemins vers les feuilles de cette arborescence. L'exemple 2 illustre une application des arbres de décision.

EXEMPLE 2   Supposez qu'il y a sept pièces de monnaie de même poids et une pièce contrefaite de moindre poids. Combien de pesées faut-il effectuer à l'aide d'une balance pour déterminer laquelle des pièces est fausse ? Construisez un algorithme permettant de trouver cette fausse pièce de monnaie.

Solution : Il existe trois possibilités pour chaque pesée sur la balance. Les deux plateaux peuvent avoir le même poids, le premier peut être plus lourd que le deuxième, ou inversement. Par conséquent, l'arbre de décision pour la suite de pesées est un arbre 3-aire. Il y a au moins huit feuilles dans l'arbre de décision puisqu'il y a huit possibilités de résultat (puisque chacune des huit pièces peut être celle qui est fausse) et chaque possibilité de résultat doit être représentée par au moins une feuille. Le plus grand nombre de pesées nécessaires pour déterminer la fausse pièce est égal à la hauteur de l'arbre de décision. D'après le corollaire 1 de la section 8.1, il s'ensuit que la hauteur de l'arbre de décision est d'au moins $\lceil \log_3 8 \rceil = 2$. Ainsi, au moins deux pesées sont nécessaires.

Il est possible de déterminer la fausse pièce en effectuant deux pesées. La figure 3 présente l'arbre de décision illustrant cette procédure. ∎

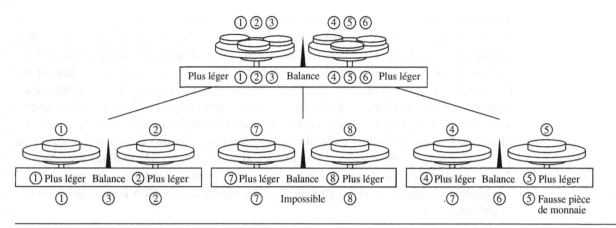

FIGURE 3   Arbre de décision pour trouver la fausse pièce de monnaie

Dans la section 4 du présent chapitre, on étudiera les algorithmes de tri en utilisant des arbres de décision.

CODES PRÉFIXES

On considère le problème suivant : comment peut-on utiliser des chaînes binaires pour coder les lettres de l'alphabet (où aucune distinction n'est faite entre les majuscules et les minuscules). On peut représenter chaque lettre par une chaîne binaire de longueur cinq, puisqu'il n'y a que 26 lettres et qu'il y a 32 chaînes binaires de longueur cinq. Le nombre total de bits utilisés pour coder les données est égal à cinq fois le nombre de caractères dans le texte lorsque chaque caractère est codé avec cinq bits. Est-il possible de trouver un code pour ces lettres de sorte que, lorsque les données sont codées, on puisse utiliser un moins grand nombre de bits ? Le cas échéant, on pourrait ainsi réduire l'espace mémoire utilisé et le temps de transmission.

On peut utiliser des chaînes binaires de longueurs différentes pour coder les lettres. Il faut coder les lettres qui surviennent le plus fréquemment en utilisant des chaînes binaires courtes, et des chaînes binaires plus longues pour coder les lettres qui surviennent moins souvent. Lorsque l'on code des lettres en utilisant des nombres variables de bits, il faut avoir recours à certaines méthodes pour déterminer si les bits pour chaque caractère ont un début et une fin. Par exemple, si la lettre *e* est codée avec 0, *a* avec 1 et *t* avec 01, alors la chaîne binaire 0101 pourrait correspondre à *eat*, *tea*, *eaea* ou *tt*.

Pour s'assurer qu'aucune chaîne ne correspond à plus d'une suite de lettres, la chaîne binaire pour une lettre ne doit jamais être la première partie de la chaîne binaire pour une autre lettre. Les codes ayant cette propriété s'appellent des **codes préfixes**. Par exemple, le codage de *e* avec 0, de *a* avec 10 et de *t* avec 11 est un code préfixe. On peut récupérer un mot à partir de la chaîne binaire unique qui permet d'en coder les lettres. Par exemple, la chaîne 10110 est le code pour *ate*. Pour le vérifier, on note que le 1 initial ne représente pas un caractère, mais que 10 représente *a* (et ne pourrait pas être la première partie de la chaîne binaire d'une autre lettre). Alors, le 1 suivant ne représente pas un caractère, mais 11 représente *t*. Le bit final, soit 0, représente *e*.

On peut représenter un code préfixe à l'aide d'un arbre binaire dans lequel les caractères sont les étiquettes des feuilles dans l'arbre. Les sommets de l'arbre sont étiquetés de sorte qu'on puisse attribuer à un arc menant au fils gauche un 0 et à un arc menant à un fils droit un 1. La chaîne binaire utilisée pour coder un caractère est la suite d'étiquettes des sommets dans le chemin unique de la racine à la feuille qui a ce caractère comme étiquette. Par exemple, l'arbre de la figure 4 représente le codage de *e* avec 0, de *a* avec 10, de *t* avec 110, de *n* avec 1110 et de *s* avec 1111.

On peut utiliser l'arbre représentant un code pour décoder une chaîne binaire. Par exemple, on considère le mot codé avec 11111011100 en utilisant le code de la figure 4. On peut décoder cette chaîne binaire en partant de la racine et en utilisant la suite de bits pour former un chemin qui s'arrête lorsqu'une feuille est atteinte. Chaque bit 0 prend le chemin parcourant le sommet menant au fils gauche du dernier sommet du chemin, et chaque bit 1 correspond au fils droit de ce sommet. Par conséquent, le 1111 initial correspond au chemin qui commence à la racine, se dirige vers la droite quatre fois et mène à une feuille dans le graphe qui a *s* comme étiquette, puisque la chaîne 1111 est le code pour *s*. Si on continue avec le cinquième bit, on atteint la feuille suivante après avoir été vers la droite puis vers la gauche, lorsque le sommet étiqueté avec *a*, qui est codé par 10, est parcouru. En commençant par le septième bit, on atteint une feuille tout de suite après avoir été vers la droite trois fois et puis vers la gauche, ensuite le sommet étiqueté avec *n*, qui est codé par 1110, est parcouru. Finalement, le dernier bit, soit 0, mène à la feuille qui est étiquetée avec *e*. Donc, le mot initial est *sane*.

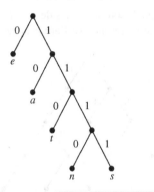

FIGURE 4 **Arbre binaire avec un code préfixe**

On peut construire un code préfixe à partir de tout arbre binaire où l'arc gauche sur chaque sommet interne est étiqueté par 0 et l'arc droit, par 1, et où les feuilles sont étiquetées par des caractères. Les caractères sont codés par la chaîne binaire formée en utilisant les étiquettes des arcs dans le chemin unique entre la racine et les feuilles.

On peut utiliser certains algorithmes, comme le code de Huffman, pour former des codes efficaces selon l'occurrence des caractères. Le détail de tels algorithmes n'est pas présenté ici.

Exercices

1. Construisez un arbre de fouille binaire pour les mots *banane*, *pêche*, *pomme*, *poire*, *noix de coco*, *mangue* et *papaye* en utilisant l'ordre alphabétique.

2. Construisez un arbre de fouille binaire pour les mots *œnologie*, *phrénologie*, *campanologie*, *ornithologie*, *ichtyologie*, *limnologie*, *alchimie* et *astrologie* en utilisant l'ordre alphabétique.

3. Combien de comparaisons sont-elles nécessaires pour repérer ou ajouter chacun des mots suivants dans l'arbre de fouille de l'exercice 1, en repartant à zéro chaque fois ?

   a) *poire*   b) *banane*

   c) *kumquat*   d) *orange*

4. Combien de comparaisons sont-elles nécessaires pour repérer ou ajouter chacun des mots suivants dans l'arbre de fouille de l'exercice 2, en repartant à zéro chaque fois ?

   a) *chiromancie*   b) *étymologie*

   c) *paléontologie* d) *glaciologie*

5. En utilisant l'ordre alphabétique, construisez un arbre de fouille binaire pour les mots dans la phrase « *Le rapide renard brun saute par-dessus le chien paresseux.* »

6. Combien de pesées sur une balance sont-elles nécessaires pour trouver une fausse pièce de monnaie parmi quatre pièces ? Construisez un algorithme permettant de trouver ladite pièce (la plus légère) en utilisant ce nombre de pesées.

7. Combien de pesées sur une balance sont-elles nécessaires pour trouver une fausse pièce de monnaie parmi quatre pièces si la fausse pièce peut être plus lourde ou plus légère que les autres ? Construisez un algorithme permettant de trouver la fausse pièce en utilisant ce nombre de pesées.

⋆8. Combien de pesées sur une balance sont-elles nécessaires pour trouver une fausse pièce de monnaie parmi huit pièces si la fausse pièce est plus lourde ou plus légère que les autres ? Construisez un algorithme permettant de trouver la fausse pièce en utilisant ce nombre de pesées.

⋆9. Combien de pesées sur une balance sont-elles nécessaires pour trouver une fausse pièce de monnaie parmi 12 pièces si la fausse pièce est plus légère que les autres ? Construisez un algorithme permettant de trouver ladite pièce (la plus légère) en utilisant ce nombre de pesées.

⋆10. Une pièce parmi quatre peut être fausse. Si elle est fausse, elle peut être plus légère ou plus lourde que les autres. Combien de pesées sont-elles nécessaires, en utilisant une balance, pour déterminer s'il y a une fausse pièce et, le cas échéant, si elle est plus légère ou plus lourde que les autres ? Construisez un algorithme permettant de trouver la fausse pièce et de déterminer si elle est plus légère ou plus lourde en utilisant ce nombre de pesées.

11. Parmi les codes suivants, lesquels sont des codes préfixes ?

    a) $a : 11$, $e : 00$, $t : 10$, $s : 01$

    b) $a : 0$, $e : 1$, $t : 01$, $s : 001$

    c) $a : 101$, $e : 11$, $t : 001$, $s : 011$, $n : 010$

    d) $a : 010$, $e : 11$, $t : 011$, $s : 1011$, $n : 1001$, $i : 10101$

12. Construisez un arbre binaire avec des codes préfixes représentant les codes suivants :

    a) $a : 11$, $e : 0$, $t : 101$, $s : 100$.

    b) $a : 1$, $e : 01$, $t : 001$, $s : 0001$, $n : 00001$.

    c) $a : 1010$, $e : 0$, $t : 11$, $s : 1011$, $n : 1001$, $i : 100001$.

13. Quels sont les codes de a, e, i, k, o, p et u si le code est représenté par l'arbre suivant ?

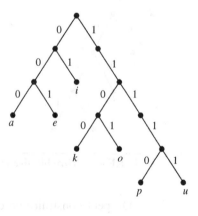

14. Étant donné le code $a : 001$, $b : 0001$, $e : 1$, $r : 0000$, $s : 0100$, $t : 011$ et $x : 01010$, trouvez le mot représenté par

    a) 01110100011.

    b) 0001110000.

    c) 0100101010.

    d) 01100101010.

8.3

Parcours d'un arbre

INTRODUCTION

On utilise souvent les arborescences ordonnées pour stocker des données. Il faut recourir à des procédures qui permettront de parcourir chaque sommet d'une arborescence ordonnée et d'accéder aux données. De nombreux algorithmes importants qui permettent de parcourir les sommets d'une arborescence ordonnée seront décrits. On peut également utiliser les arborescences ordonnées pour représenter différents types d'expressions, telles les expressions arithmétiques comportant des nombres, des variables et des opérations. Les différentes énumérations des sommets des arborescences ordonnées utilisées pour représenter les expressions sont utiles pour évaluer ces expressions.

SYSTÈMES D'ADRESSAGE UNIVERSELS

Les procédures permettant de parcourir tous les sommets d'une arborescence ordonnée sont basées sur les relations d'ordre des fils. Dans les arborescences ordonnées, les fils d'un sommet interne apparaissent de gauche à droite dans les illustrations représentant ces graphes orientés.

On présente maintenant une manière d'ordonner totalement les sommets d'une arborescence. Pour produire cet ordre, on doit d'abord étiqueter tous les sommets, ce qui se fait récursivement comme suit.

1. On étiquette la racine avec l'entier 0. Ensuite, on étiquette ses k fils (au niveau 1) de gauche à droite avec 1, 2, 3, …, k.

2. Pour chaque sommet v au niveau n avec l'étiquette A, on étiquette ses k_v fils, comme ils sont dessinés de gauche à droite, avec $A.1, A.2, …, A.k_v$.

En suivant cette procédure, un sommet v au niveau n, pour $n \geq 1$, est étiqueté $x_1.x_2.\cdots.x_n$, où le chemin unique de la racine à v passe par le x_1-ième sommet au niveau 1, le x_2-ième sommet au niveau 2, etc. Cette forme d'étiquetage s'appelle le **système d'adressage universel** de l'arborescence ordonnée.

On peut totalement ordonner les sommets en utilisant l'ordre lexicographique de leurs étiquettes dans le système d'adressage universel. Le sommet étiqueté $x_1.x_2.\cdots.x_n$ est plus petit que le sommet étiqueté $y_1.y_2.\cdots.y_m$ s'il existe un i, $0 \leq i \leq n$ tel que $x_1 = y_1, x_2 = y_2, …, x_{i-1} = y_{i-1}$ et $x_i < y_i$; ou si $n < m$ et $x_i = y_i$ pour $i = 1, 2, …, n$.

EXEMPLE 1   On présente les étiquettes du système d'adressage universel à côté des sommets dans l'arborescence ordonnée présentée à la figure 1. L'ordre lexicographique des étiquettes est $0 < 1$ $< 1.1 < 1.2 < 1.3 < 2 < 3 < 3.1 < 3.1.1 < 3.1.2 < 3.1.2.1 < 3.1.2.2 < 3.1.2.3 < 3.1.2.4$ $< 3.1.3 < 3.2 < 4 < 4.1 < 5 < 5.1 < 5.1.1 < 5.2 < 5.3.$ ■

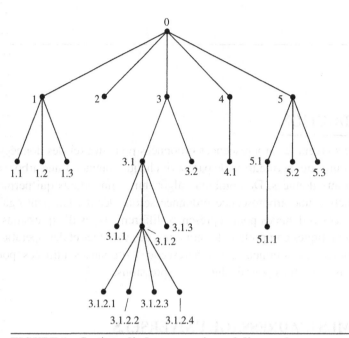

FIGURE 1   Système d'adressage universel d'une arborescence ordonnée

ALGORITHMES DE PARCOURS

Les procédures permettant de parcourir systématiquement chaque sommet d'une arborescence ordonnée sont appelées des **algorithmes de parcours**. Trois des algorithmes les plus couramment utilisés sont décrits, soit le **parcours préfixe**, le **parcours infixe** ou **symétrique** et le **parcours postfixe**. On peut définir chacun de ces algorithmes récursivement. On définit d'abord le parcours préfixe.

> **DÉFINITION 1.**   Soit T une arborescence ordonnée avec la racine r. Si T est constituée uniquement de r, alors r est le *parcours préfixe* de T. Sinon, on suppose que $T_1, T_2, \ldots T_n$ sont les sous-arbres de r de gauche à droite dans T. Le *parcours préfixe* débute en parcourant r. Il se poursuit avec le parcours préfixe de T_1, puis avec le parcours préfixe de T_2 et ainsi de suite jusqu'à ce que le parcours préfixe de T_n soit effectué.

Le lecteur devra vérifier que le parcours préfixe d'une arborescence ordonnée produit le même ordre que les sommets de l'ordre obtenu en utilisant le système d'adressage universel. La figure 2 indique la manière d'exécuter le parcours préfixe.

L'exemple 2 illustre le parcours préfixe.

EXEMPLE 2   Dans quel ordre un parcours préfixe traverse-t-il les sommets de l'arborescence ordonnée T présentée à la figure 3 ?

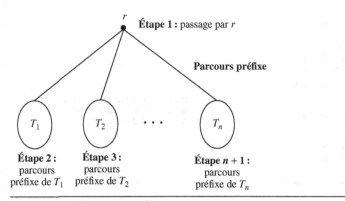

FIGURE 2   Parcours préfixe

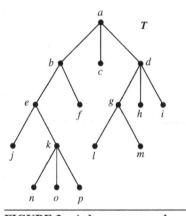

FIGURE 3   Arborescence ordonnée *T*

Solution : Les étapes du parcours préfixe de *T* sont présentées à la figure 4. On effectue un parcours préfixe de *T* en faisant d'abord l'énumération de la racine *a*, puis l'énumération préfixe du sous-arbre avec la racine *b*, l'énumération préfixe du sous-arbre avec la racine *c* (qui est simplement *c*) et l'énumération préfixe du sous-arbre avec la racine *d*.

L'énumération préfixe du sous-arbre avec la racine *b* commence avec l'énumération de *b*, ensuite les sommets du sous-arbre avec la racine *e* en parcours préfixe, puis le sous-arbre de la racine *f* en parcours préfixe (qui est simplement *f*). L'énumération préfixe du sous-arbre avec la racine *d* commence avec l'énumération de *d*, puis l'énumération préfixe du sous-arbre avec la racine *g*, du sous-arbre avec la racine *h* (qui est simplement *h*) et du sous-arbre avec la racine *i* (qui est simplement *i*).

L'énumération préfixe du sous-arbre avec la racine *e* commence avec *e*, puis l'énumération préfixe du sous-arbre avec la racine *j* (qui est simplement *j*), l'énumération préfixe du sous-arbre avec la racine *k*. L'énumération préfixe du sous-arbre avec la racine *g* est *g* suivie de *l*, puis de *m*. L'énumération préfixe du sous-arbre avec la racine *k* est *k*, *n*, *o*, *p*. Par conséquent, le parcours préfixe de *T* est *a*, *b*, *e*, *j*, *k*, *n*, *o*, *p*, *f*, *c*, *d*, *g*, *l*, *m*, *h*, *i*.   ■

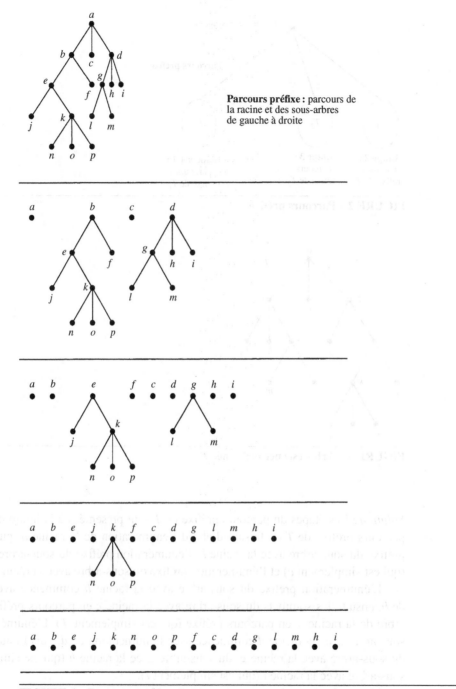

Parcours préfixe : parcours de
la racine et des sous-arbres
de gauche à droite

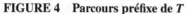

FIGURE 4   Parcours préfixe de *T*

À présent, on définit le parcours infixe ou symétrique.

DÉFINITION 2. Soit T une arborescence ordonnée avec la racine r. Si T est constituée uniquement de r, alors r est le *parcours infixe* de T. Sinon, on suppose que $T_1, T_2, ..., T_n$ sont les sous-arbres de r de gauche à droite. Le *parcours infixe* débute avec le parcours infixe de T_1, puis en parcourant r. Il se poursuit par le parcours infixe de T_2, puis le parcours infixe de T_3, ..., et finalement par le parcours infixe de T_n.

La figure 5 indique la manière dont le parcours infixe est exécuté.

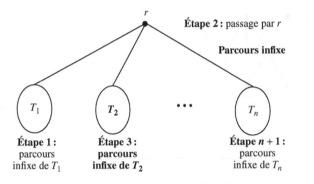

FIGURE 5 **Parcours infixe**

L'exemple 3 illustre comment s'effectue le parcours infixe.

EXEMPLE 3 Dans quel ordre un parcours infixe traverse-t-il les sommets de l'arborescence ordonnée T présentée à la figure 3 ?

Solution : Les étapes du parcours infixe de l'arborescence ordonnée T sont montrées à la figure 6. Le parcours infixe débute par un parcours infixe du sous-arbre ayant la racine b, la racine a, l'énumération infixe du sous-arbre avec la racine c, qui est simplement c, et l'énumération infixe du sous-arbre avec la racine d.

L'énumération infixe du sous-arbre avec la racine b commence par l'énumération infixe du sous-arbre avec la racine e, la racine b et f. L'énumération infixe du sous-arbre avec la racine d commence par l'énumération infixe du sous-arbre avec la racine g, suivie de la racine d, de h puis de i.

L'énumération infixe du sous-arbre avec la racine e est j, puis la racine e, puis l'énumération infixe du sous-arbre avec la racine k. L'énumération infixe du sous-arbre avec la racine g est l, g, m. L'énumération infixe du sous-arbre avec la racine k est n, k, o, p. Par conséquent, le parcours infixe de l'arborescence ordonnée est $j, e, n, k, o, p, b, f, a, c, l, g, m, d, h, i$. ■

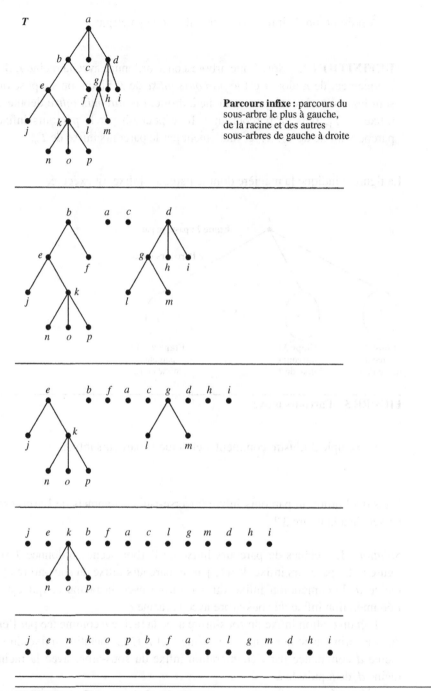

Parcours infixe : parcours du sous-arbre le plus à gauche, de la racine et des autres sous-arbres de gauche à droite

FIGURE 6   Parcours infixe de *T*

Voici la définition du parcours postfixe.

DÉFINITION 3.   Soit T une arborescence ordonnée avec la racine r. Si T est constituée uniquement de r, alors r est le *parcours postfixe* de T. Sinon, on suppose que $T_1, T_2, ..., T_n$ sont les sous-arbres de r de gauche à droite. Le *parcours postfixe* débute avec le parcours postfixe de T_1, de T_2, ..., puis de T_n et se termine en parcourant r.

La figure 7 indique la manière dont le parcours postfixe s'exécute. L'exemple 4 illustre comment s'effectue le parcours postfixe.

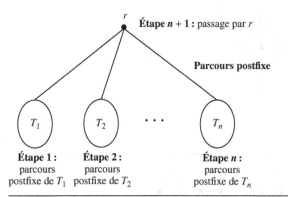

FIGURE 7   Parcours postfixe

EXEMPLE 4   Dans quel ordre un parcours postfixe traverse-t-il les sommets de l'arborescence ordonnée T présentée à la figure 3 ?

Solution : Les étapes du parcours postfixe de l'arborescence ordonnée T sont présentées à la figure 8. Le parcours postfixe débute par le parcours postfixe du sous-arbre ayant la racine b, le parcours postfixe du sous-arbre ayant la racine c, qui est simplement c, le parcours postfixe du sous-arbre avec la racine d, puis la racine a.

Le parcours postfixe du sous-arbre avec la racine b commence par le parcours postfixe du sous-arbre avec la racine e, suivi de f, puis de la racine b. Le parcours postfixe de l'arborescence avec la racine d commence par le parcours postfixe du sous-arbre avec la racine g, suivi de h, puis i et de la racine d.

Le parcours postfixe du sous-arbre avec la racine e commence par j, suivi du parcours postfixe du sous-arbre avec la racine k, puis de la racine e. Le parcours postfixe du sous-arbre avec la racine g est l, m, g. Le parcours postfixe du sous-arbre avec la racine k est n, o, p, k. Par conséquent, le parcours postfixe de T est $j, n, o, p, k, e, f, b, c, l, m, g, h, i, d, a$.   ∎

Il existe des manières simples d'énumérer les sommets d'une arborescence ordonnée selon un parcours préfixe, infixe ou postfixe. Pour ce faire, on trace d'abord une courbe

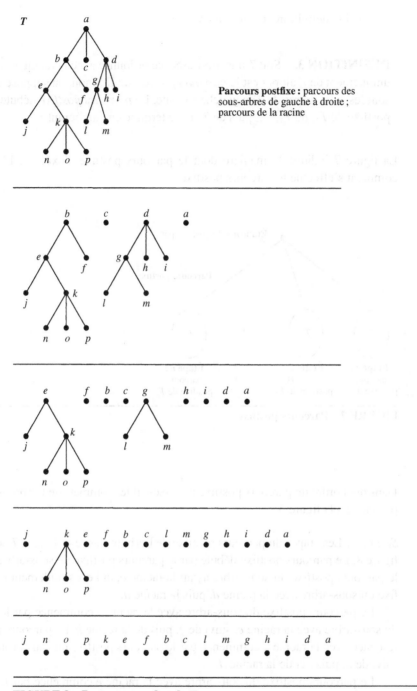

Parcours postfixe : parcours des sous-arbres de gauche à droite ; parcours de la racine

FIGURE 8   Parcours postfixe de T

autour de l'arborescence ordonnée en partant de la racine et en se déplaçant le long des sommets, comme le montre l'exemple de la figure 9. On peut énumérer les sommets en position préfixe en énumérant chaque sommet quand cette courbe passe par celui-ci pour la première fois. On peut énumérer les sommets en position infixe en énumérant une feuille la première fois que cette courbe passe par celle-ci et en énumérant chaque sommet interne la deuxième fois que la courbe passe par celui-ci. On peut énumérer les sommets en position postfixe en énumérant un sommet la dernière fois que cette courbe passe par celui-ci en revenant vers son père. Une fois ce parcours terminé dans l'arborescence de la figure 9, il s'ensuit que le parcours préfixe donne $a, b, d, h, e, i, j, c, f, g, k$, le parcours infixe donne h, $d, b, i, e, j, a, f, c, k, g$ et le parcours postfixe donne $h, d, i, j, e, b, f, k, g, c, a$.

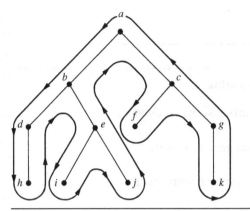

FIGURE 9 **Raccourci de parcours préfixe, infixe et postfixe d'une arborescence ordonnée**

Les algorithmes de parcours préfixe, infixe ou postfixe des arborescences ordonnées sont plus faciles à exprimer de manière récursive.

ALGORITHME 1 **Parcours préfixe**

procédure *préfixe* (T : arborescence ordonnée)
$r :=$ racine de T
ranger r dans la liste
pour chaque fils c de r de gauche à droite
début
      $T(c) :=$ sous-arbre avec c comme racine
      préfixe($T(c)$)
fin

ALGORITHME 2 **Parcours infixe**

procédure *infixe* (T : arborescence ordonnée)
$r :=$ racine de T
si r est une feuille **alors** créer la liste r
sinon

début

      $l :=$ premier fils de r de gauche à droite

      $T(l) :=$ sous-arbre ayant l comme racine

      infixe$(T(l))$

      ranger r dans la liste

      pour chaque fils c de r sauf pour l de gauche à droite

          $T(c) :=$ sous-arbre avec c comme racine

      infixe$(T(c))$

fin

ALGORITHME 3   **Parcours postfixe**

procédure *postfixe* (T : arborescence ordonnée)

$r :=$ racine de T

pour chaque fils c de r de gauche à droite

début

      $T(c) :=$ sous-arbre avec c comme racine

      postfixe$(T(c))$

fin

ranger r dans la liste

NOTATIONS INFIXÉE, PRÉFIXÉE ET POSTFIXÉE

On peut représenter les expressions compliquées telles que les propositions composées, les combinaisons d'ensembles et les expressions arithmétiques en utilisant des arborescences ordonnées. Par exemple, on considère la représentation d'une expression arithmétique comportant les opérateurs + (addition), − (soustraction), ∗ (multiplication), / (division) et ↑ (exponentiation ou élévation à une puissance). On utilisera des parenthèses pour indiquer l'ordre des opérations. On peut recourir à une arborescence ordonnée pour représenter de telles expressions, où les sommets internes correspondent aux opérations et les feuilles, aux variables ou aux nombres. Chaque opération s'effectue avec ses sous-arbres gauches et droits (dans cet ordre).

EXEMPLE 5   Quelle est l'arborescence ordonnée qui représente l'expression $((x + y) \uparrow 2) + ((x - 4)/3)$?

Solution : On peut construire l'arbre binaire de cette expression en allant de bas en haut. D'abord, il faut construire un sous-arbre pour l'expression $x + y$. Ensuite, il faut l'incorporer dans le plus grand sous-arbre représentant $(x + y) \uparrow 2$. De plus, il faut construire un sous-arbre représentant $x - 4$ et l'incorporer dans le sous-arbre représentant $(x - 4)/3$. Finalement, les sous-arbres représentant $(x + y) \uparrow 2$ et $(x - 4)/3$ sont combinés pour former l'arborescence ordonnée représentant $((x + y) \uparrow 2) + ((x - 4)/3)$. La figure 10 présente ces étapes. ∎

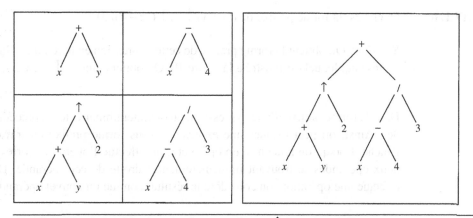

FIGURE 10 Arbre binaire représentant $((x + y) \uparrow 2) + ((x - 4)/3)$

Le parcours infixe de l'arbre binaire représentant une expression produit l'expression initiale avec les éléments ainsi que les opérations qui se retrouvent dans le même ordre que celui de départ, sauf pour les opérations unaires qui suivent immédiatement leurs opérandes. Par exemple, les parcours infixes des arbres binaires de la figure 11, qui représentent les expressions $(x + y)/(x + 3)$, $(x + (y/x)) + 3$ et $x + (y/(x + 3))$, mènent toutes à l'expression finie $x + y/x + 3$. Pour rendre ces expressions non ambiguës, il faut inclure les parenthèses dans le parcours infixe lorsqu'on rencontre une opération. L'expression entièrement mise entre parenthèses obtenue de cette manière est de **forme infixe**.

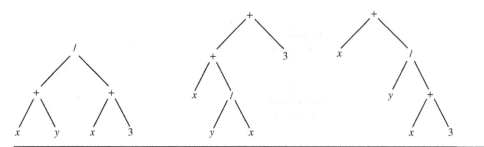

FIGURE 11 Arborescence représentant $(x + y)/(x + 3)$, $(x + (y/x)) + 3$ et $x + (y/(x + 3))$

On obtient la **forme préfixe** d'une expression lorsqu'on parcourt son arborescence de façon préfixe. Les expressions écrites sous forme préfixe sont en **notation polonaise**, nommée ainsi en l'honneur du logicien Jan Lukasiewicz (qui, en fait, était ukrainien et non polonais).

Comme une expression en notation préfixée (dans laquelle chaque opération a un nombre précis d'opérandes) n'est pas ambiguë, il n'est pas nécessaire de la mettre entre parenthèses. Le lecteur devra démontrer cet énoncé dans un exercice ultérieur.

EXEMPLE 6   Quelle est la forme préfixe de $((x+y)\uparrow 2) + ((x-4)/3)$?

Solution : On obtient la forme préfixe de cette expression en parcourant l'arbre binaire qui la représente, lequel est illustré à la figure 10. On obtient ainsi $+ \uparrow + x\, y\, 2\, / - x\, 4\, 3$.   ■

Dans la forme préfixe d'une expression, un opérateur binaire, tel +, précède ses deux opérandes. Ainsi, on peut évaluer une expression sous forme préfixe en travaillant de droite à gauche. Lorsqu'on rencontre un opérateur, on effectue l'opération correspondante avec les deux opérandes se trouvant immédiatement à droite de cet opérande. De plus, lorsqu'on effectue une opération, on considère le résultat comme un nouvel opérande.

EXEMPLE 7   Quelle est la valeur de l'expression préfixe $+ - * 2\, 3\, 5\, / \uparrow 2\, 3\, 4$?

Solution : Les étapes utilisées pour évaluer cette expression en partant de la droite et en allant vers la gauche, puis en effectuant les opérations à l'aide des opérandes du côté droit sont présentées à la figure 12. La valeur de cette expression est 3.   ■

$$+ \quad - \quad * \quad 2 \quad 3 \quad 5 \quad / \quad \underbrace{\uparrow \quad 2 \quad 3}_{2\uparrow 3 = 8} \quad 4$$

$$+ \quad - \quad * \quad 2 \quad 3 \quad 5 \quad \underbrace{/ \quad 8 \quad 4}_{8/4 = 2}$$

$$+ \quad - \quad \underbrace{* \quad 2 \quad 3}_{2*3 = 6} \quad 5 \quad 2$$

$$+ \quad \underbrace{- \quad 6 \quad 5}_{6 - 5 = 1} \quad 2$$

$$\underbrace{+ \quad 1 \quad 2}_{1 + 2 = 3}$$

Valeur de l'expression : 3

FIGURE 12   Évaluation d'une expression préfixe

On obtient la **forme postfixe** d'une expression en parcourant son arbre binaire de façon postordre. Les expressions écrites sous forme postfixe sont en **notation polonaise inverse**. Comme les expressions en notation polonaise inverse ne sont pas ambiguës, il n'est pas nécessaire de les mettre entre parenthèses. Le lecteur devra vérifier cet énoncé.

EXEMPLE 8 Quelle est la forme postfixe de l'expression $((x + y) \uparrow 2) + ((x - 4)/3)$?

Solution : La forme postfixe de l'expression s'obtient en effectuant un parcours postfixe de l'arbre binaire pour cette expression, lequel est présenté à la figure 10. On obtient ainsi l'expression postfixe $x\ y + 2 \uparrow x\ 4 - 3\ / +$. ■

Dans la forme postfixe d'une expression, un opérateur binaire suit ses deux opérandes. Donc, pour évaluer une expression à partir de sa forme postfixe, on doit travailler de gauche à droite en effectuant les opérations lorsqu'un opérateur suit deux opérandes. Après l'exécution de l'opération, le résultat de cette opération devient un nouvel opérande.

EXEMPLE 9 Quelle est la valeur de l'expression postfixe $7\ 2\ 3 * - 4 \uparrow 9\ 3\ / +$?

Solution : Les étapes utilisées pour évaluer cette expression en partant de la gauche et en effectuant les opérations lorsque deux opérations sont suivies d'un opérateur sont présentées à la figure 13. La valeur de cette expression est 4. ■

$7\ 2\ 3 * - 4 \uparrow 9\ 3\ / +$

$2 * 3 = 6$

$7\ 6 - 4 \uparrow 9\ 3\ / +$

$7 - 6 = 1$

$1\ 4 \uparrow 9\ 3\ / +$

$1^4 = 1$

$1\ 9\ 3\ / +$

$9/3 = 3$

$1\ 3 +$

$1 + 3 = 4$

FIGURE 13 Évaluation d'une expression postfixe

On peut utiliser les arborescences pour représenter d'autres types d'expressions, telles celles qui représentent les propositions composées et les combinaisons d'ensembles. Dans ces exemples, des opérateurs unaires surviennent, telle la négation d'une proposition. Pour représenter de tels opérateurs et leurs opérandes, on utilise un sommet pour représenter l'opérateur et le fils de ce sommet pour représenter l'opérande.

EXEMPLE 10   Trouvez l'arborescence ordonnée représentant la proposition composée $(\neg(p \wedge q)) \leftrightarrow$ $(\neg p \vee \neg q)$. Ensuite, utilisez cette arborescence pour trouver les formes préfixe, postfixe et infixe de cette expression.

Solution : L'arborescence de cette proposition composée se construit en partant du bas. D'abord, les sous-arbres de $\neg p$ et de $\neg q$ sont formés (où $\neg$ est considéré comme un opérateur unaire).

De plus, un sous-arbre pour $p \wedge q$ est formé. Alors, les sous-arbres pour $\neg(p \wedge q)$ et $(\neg p) \vee (\neg q)$ sont construits. Finalement, ces deux sous-arbres sont utilisés pour former l'arborescence finale. Les étapes de cette procédure sont présentées à la figure 14.

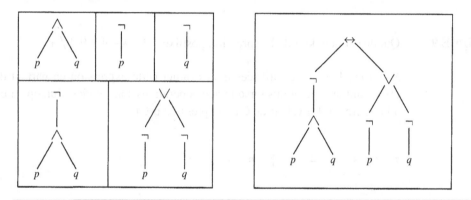

FIGURE 14   Construction d'une arborescence pour une proposition composée

Les formes préfixe, postfixe et infixe de cette expression se trouvent en effectuant un parcours préfixe, postfixe et infixe de cette arborescence (y compris les parenthèses), respectivement. Ces parcours donnent $\leftrightarrow \neg \wedge pq \vee \neg p \neg q$, $pq \wedge \neg p \neg q \neg \vee \leftrightarrow$ et $(\neg(p \wedge q))$ $\leftrightarrow ((\neg p) \vee (\neg q))$, respectivement.   ■

Puisque les expressions préfixe et postfixe ne sont pas ambiguës et qu'elles sont faciles à évaluer sans faire marche arrière et avant, on les utilise largement en informatique. De telles expressions sont très utiles dans l'élaboration de compilateurs.

Exercices

Dans les exercices 1 à 3, construisez le système d'adressage universel pour l'arborescence ordonnée illustrée. Ensuite, utilisez ce système pour ordonner les sommets en utilisant l'ordre lexicographique des étiquettes.

1.

2.

3.

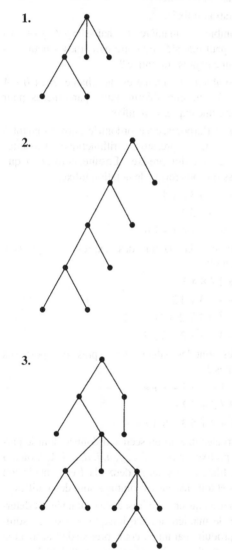

4. Supposez que l'adresse du sommet v dans l'arborescence ordonnée T est 3.4.5.2.4.

    a) À quel niveau est v ?

    b) Quelle est l'adresse du père de v ?

    c) Quel est le plus petit nombre de frères que peut avoir v ?

    d) Quel est le plus petit nombre possible de sommets de T si v a cette adresse ?

    e) Trouvez les autres adresses qui doivent apparaître.

5. Supposez que le sommet ayant la plus grande adresse dans l'arborescence ordonnée T a l'adresse 2.3.4.3.1. Est-il possible de déterminer le nombre de sommets de T ?

6. Les feuilles d'une arborescence ordonnée peuvent-elles avoir la liste d'adresses universelles suivante ? Si oui, construisez cette arborescence ordonnée.

    a) 1.1.1, 1.1.2, 1.2, 2.1.1.1, 2.1.2, 2.1.3, 2.2, 3.1.1, 3.1.2.1, 3.1.2.2, 3.2

    b) 1.1, 1.2.1, 1.2.2, 1.2.3, 2.1, 2.2.1, 2.3.1, 2.3.2, 2.4.2.1, 2.4.2.2, 3.1, 3.2.1, 3.2.2

    c) 1.1, 1.2.1, 1.2.2, 1.2.2.1, 1.3, 1.4, 2, 3.1, 3.2, 4.1.1.1

Pour les exercices 7 à 9, déterminez l'ordre dans lequel un parcours préfixe traverse les sommets de l'arborescence ordonnée.

7.

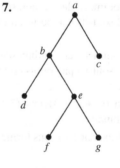

8.

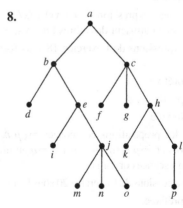

9.

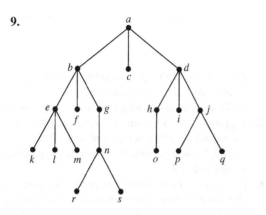

10. Dans quel ordre les sommets de l'arborescence ordonnée de l'exercice 7 sont-ils parcourus en utilisant un parcours infixe ?

11. Dans quel ordre les sommets de l'arborescence ordonnée de l'exercice 8 sont-ils parcourus en utilisant un parcours infixe ?

12. Dans quel ordre les sommets de l'arborescence ordonnée de l'exercice 9 sont-ils parcourus en utilisant un parcours infixe ?

13. Dans quel ordre les sommets de l'arborescence ordonnée de l'exercice 7 sont-ils parcourus en utilisant un parcours postfixe ?

14. Dans quel ordre les sommets de l'arborescence ordonnée de l'exercice 8 sont-ils parcourus en utilisant un parcours postfixe ?

15. Dans quel ordre les sommets de l'arborescence ordonnée de l'exercice 9 sont-ils parcourus en utilisant un parcours postfixe ?

16. Représentez l'expression $((x + 2) \uparrow 3)*(y - (3 + x)) - 5$ en utilisant un arbre binaire.

17. Écrivez l'expression de l'exercice 16 sous forme de
  a) notation préfixée.
  b) notation postfixée.
  c) notation infixée.

18. Représentez les expressions $(x + xy) + (x/y)$ et $x + ((xy + x)/y)$ en utilisant des arbres binaires.

19. Écrivez les expressions de l'exercice 18 sous forme de
  a) notation préfixée.
  b) notation postfixée.
  c) notation infixée.

20. Représentez les propositions composées $\neg(p \wedge q) \leftrightarrow (\neg p \vee \neg q)$ et $(\neg p \wedge (q \leftrightarrow \neg p)) \vee \neg q$ en utilisant des arborescences ordonnées.

21. Écrivez les expressions de l'exercice 20 sous forme de
  a) notation préfixée.

b) notation postfixée.
c) notation infixée.

22. Représentez $(A \cap B) - (A \cup (B - A))$ en utilisant une arborescence ordonnée.

23. Écrivez l'expression de l'exercice 22 sous forme de
  a) notation préfixée.
  b) notation postfixée.
  c) notation infixée.

★24. De combien de manières la chaîne $\neg p \wedge q \leftrightarrow \neg p \vee \neg q$ peut-elle s'écrire entre parenthèses pour produire une expression infixe ?

★25. De combien de manières la chaîne $A \cap B - A \cap B - A$ peut-elle s'écrire entre parenthèses pour produire une expression infixe ?

26. Dessinez l'arborescence ordonnée correspondant à chacune des expressions arithmétiques suivantes écrites en notation préfixée. Ensuite, écrivez chaque expression sous forme de notation infixée.
  a) $+ * + - 5\ 3\ 2\ 1\ 4$
  b) $\uparrow + 2\ 3 - 5\ 1$
  c) $* / 9\ 3 + * 2\ 4 - 7\ 6$

27. Quelle est la valeur des expressions préfixes suivantes ?
  a) $- * 2\ / 8\ 4\ 3$
  b) $\uparrow - * 3\ 3\ * 4\ 2\ 5$
  c) $+ - \uparrow 3\ 2\ \uparrow 2\ 3\ / 6 - 4\ 2$
  d) $* + 3 + 3\ \uparrow 3 + 3\ 3\ 3$

28. Quelles sont les valeurs des expressions postfixes suivantes ?
  a) $5\ 2\ 1 - - 3\ 1\ 4 + + *$
  b) $9\ 3\ / 5 + 7\ 2 - *$
  c) $3\ 2\ * 2\ \uparrow 5\ 3 - 8\ 4\ / * -$

29. Construisez une arborescence ordonnée dont le parcours préfixe est a, b, f, c, g, h, i, d, e, j, k, l, où a a quatre fils, c a trois fils, j a deux fils, b et e ont chacun un fils et tous les autres sommets sont des feuilles.

★30. Démontrez qu'une arborescence ordonnée est déterminée de manière unique lorsqu'une liste de sommets produite par un parcours préfixe de l'arbre et le nombre de fils de chaque sommet sont donnés.

★31. Démontrez qu'une arborescence ordonnée est déterminée de manière unique lorsqu'une liste de sommets produite par un parcours postfixe de l'arbre et le nombre de fils de chaque sommet sont donnés.

32. Démontrez que le parcours préfixe des deux arborescences ordonnées présentées ci-contre produisent la même liste de sommets. Notez que cela ne contredit pas l'énoncé de l'exercice 30, puisque le nombre de fils des sommets internes dans les deux arborescences ordonnées diffère.

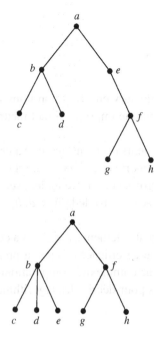

33. Démontrez que le parcours postfixe des deux arborescences ordonnées suivantes produisent la même liste de sommets. Notez que cela ne contredit pas l'énoncé de l'exercice 31, puisque le nombre de fils des sommets internes dans les deux arborescences ordonnées diffère.

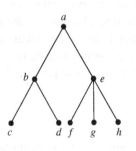

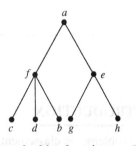

Les **formules bien formées** sous forme de notation préfixée dans un ensemble de symboles et un ensemble d'opérateurs binaires sont définies récursivement par les règles suivantes :

i) si x est un symbole, alors x est une formule bien formée sous forme de notation préfixée ;

ii) si X et Y sont des formules bien formées et que $*$ est un opérateur, alors $* XY$ est une formule bien formée.

34. Parmi les propositions suivantes, lesquelles sont des formules bien formées avec les symboles $\{x, y, z\}$ et l'ensemble des opérateurs binaires $\{\times, +, \circ\}$?

a) $\times + + x\, y\, x$

b) $\circ\, x\, y \times x\, z$

c) $\times \circ\, x\, z \times \times x\, y$

d) $\times + \circ\, x\, x \circ\, x\, x\, x$

★35. Démontrez que toute formule bien formée sous forme de notation préfixée pour un ensemble de symboles et un ensemble d'opérateurs binaires contient exactement un symbole de plus que le nombre d'opérateurs.

36. Donnez une définition d'une formule bien formée sous forme de notation postfixée pour un ensemble de symboles et un ensemble d'opérateurs binaires.

37. Donnez six exemples de formules bien formées ayant trois opérateurs ou plus sous forme de notation postfixée pour un ensemble de symboles $\{x, y, z\}$ et l'ensemble des opérateurs $\{+, \times, \circ\}$.

38. Élargissez la définition de formule bien formée sous forme de notation préfixée pour les ensembles des symboles et des opérateurs, où les opérateurs peuvent ne pas être binaires.

8.4

Arbres et tri

INTRODUCTION

Le problème de classement des éléments dans un ensemble survient dans bon nombre de contextes. Par exemple, pour produire un répertoire téléphonique imprimé, il faut mettre les noms des abonnés en ordre alphabétique.

On suppose qu'il y a une relation d'ordre total des éléments d'un ensemble. Au départ, les éléments dans un ensemble peuvent se trouver dans n'importe quel ordre. Un **tri** constitue une remise en ordre des éléments d'une liste en ordre croissant. Par exemple, avec le tri de la liste 7, 2, 1, 4, 5, 9, on obtient la liste 1, 2, 4, 5, 7, 9. Avec le tri de la liste d, h, c, a, f (en ordre alphabétique), on obtient la liste a, c, d, f, h.

Les ordinateurs sont largement utilisés pour trier différents éléments. Ainsi, on a consacré beaucoup d'efforts à la mise au point d'algorithmes de tri efficaces. Dans la présente section, on discute de plusieurs algorithmes de tri et de leur complexité computationnelle. Comme on le verra dans cette section, on utilise des arbres pour décrire les algorithmes de tri et analyser leur complexité.

COMPLEXITÉ DU TRI

On a mis au point plusieurs algorithmes de tri différents. Pour décider si un algorithme de tri en particulier est efficace, il faut évaluer sa complexité. En utilisant les arbres comme modèles, on peut trouver un minorant pour la complexité du pire cas des algorithmes de tri.

Il y a $n!$ relations d'ordre possibles pour n éléments, puisque chacune des $n!$ permutations de ces éléments peut constituer le bon ordre. Les algorithmes de tri étudiés ici sont basés sur les comparaisons binaires, autrement dit la comparaison de deux éléments à la fois. Le résultat de chacune de ces comparaisons limite l'ensemble des relations d'ordre possibles. Ainsi, on peut représenter un algorithme de tri en se basant sur les comparaisons binaires à l'aide d'un arbre de décision binaire dans lequel chaque sommet interne représente une comparaison de deux éléments. Chaque feuille représente l'une des $n!$ permutations de n éléments.

EXEMPLE 1   Dans la figure 1, on présente un arbre de décision qui ordonne les éléments de la liste a, b, c. ■

On mesure la complexité d'un tri basé sur les comparaisons binaires en fonction du nombre de comparaisons utilisées. Le plus grand nombre de comparaisons binaires nécessaires pour trier une liste de n éléments constitue la performance du pire cas de l'algorithme. Le plus grand nombre de comparaisons utilisées est égal au chemin le plus long dans l'arbre

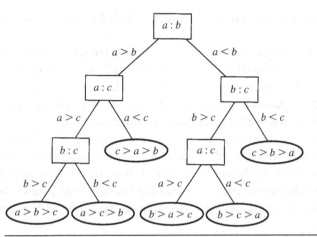

FIGURE 1   Arbre décisionnel pour trier trois éléments distincts

décisionnel représentant l'algorithme de tri. En d'autres mots, le plus grand nombre de comparaisons nécessaires est égal à la hauteur de l'arbre de décision. Puisque la hauteur de l'arbre de décision à $n!$ feuilles est d'au moins $\lceil \log n! \rceil$ (en utilisant le corollaire 1 de la section 8.1), au moins $\lceil \log n! \rceil$ comparaisons sont nécessaires, comme l'énonce le théorème 1.

THÉORÈME 1   Un algorithme de tri basé sur des comparaisons binaires exige au moins $\lceil \log n! \rceil$ comparaisons.

Selon l'exemple 6 de la section 1.8, il s'ensuit que $\lceil \log n! \rceil$ est $O(n \log n)$. En fait, puisque $\log n!$ est plus grand que $(n \log n)/4$ pour $n > 4$ (voir l'exercice 18), il s'ensuit qu'aucun algorithme de tri qui utilise des comparaisons comme méthode de tri ne peut avoir une complexité temporelle en pire cas meilleure que $O(n \log n)$. Par conséquent, un algorithme de tri est aussi efficace que possible (dans le sens d'une estimation grand O de la complexité temporelle) s'il a une complexité temporelle de $O(n \log n)$.

TRI PAR PERMUTATION

Le **tri par permutation** ou **tri par échange de paires de clés** (*bubble sort*) constitue l'un des algorithmes de tri les plus simples mais non l'un des plus efficaces. Il permet de dresser une liste en ordre croissant en comparant successivement des éléments adjacents et en les faisant changer de place s'ils se trouvent dans le mauvais ordre. Pour exécuter un tri par permutation, on effectue l'opération de base, soit mettre un plus grand élément à la place du plus petit élément suivant, en commençant au début de la liste et en parcourant toute la liste. On répète cette procédure jusqu'à ce que le tri soit achevé. On peut imaginer les éléments de la liste placés dans une colonne. Dans le tri par permutation, les plus petits éléments se déplacent vers le haut à mesure qu'on les fait changer de place avec des éléments plus grands. Les éléments plus grands se déplacent vers le bas. L'exemple 2 illustre cette procédure.

EXEMPLE 2   Utilisez le tri par permutation pour mettre 3, 2, 4, 1, 5 en ordre croissant.

Solution : On commence par comparer les deux premiers éléments, soit 3 et 2. Puisque
3 > 2, on met 3 à la place de 2, ce qui donne la liste 2, 3, 4, 1, 5. Puisque 3 < 4, on continue
en comparant 4 et 1. Puisque 4 > 1, on met 1 à la place de 4, ce qui donne 2, 3, 1, 4, 5.
Puisque 4 < 5, le premier passage est terminé. Avec le premier passage, le plus grand
élément, soit 5, se trouve assurément dans la bonne position.

Le deuxième passage débute par la comparaison de 2 et de 3. Puisqu'ils se trouvent dans
le bon ordre, 3 et 1 sont comparés. Puisque 3 > 1, on les change de place, ce qui donne 2, 1,
3, 4, 5. Puisque 3 < 4, ces nombres sont dans le bon ordre. Il n'est pas nécessaire d'effectuer
d'autres comparaisons pour ce passage puisque 5 se trouve déjà dans la bonne position. Avec
le deuxième passage, les deux éléments les plus grands, soit 4 et 5, sont assurément dans les
bonnes positions.

Le troisième passage commence par la comparaison de 2 et de 1. On les change de position puisque 2 > 1, ce qui donne 1, 2, 3, 4, 5. Puisque 2 < 3, ces deux éléments se trouvent
dans la bonne position. Il n'est pas nécessaire d'effectuer d'autres comparaisons pour ce
passage puisque 4 et 5 sont déjà dans les bonnes positions. Avec le troisième passage, les
trois éléments les plus grands, soit 3, 4, 5, sont assurément dans la bonne position.

Le quatrième passage est constitué d'une comparaison, notamment de la comparaison
de 1 et de 2. Puisque 1 < 2, ces éléments se trouvent dans le bon ordre, ce qui termine le tri
par permutation.

La figure 2 présente les étapes de cet algorithme.   ∎

Une description en pseudocode du tri par permutation est donnée dans l'algorithme 1.

ALGORITHME 1   Tri par permutation

procédure *tri par permutation* $(a_1, \ldots, a_n)$
pour $i := 1$ à $n - 1$
début
  pour $j := 1$ à $n - i$
   si $a_j > a_{j+1}$ **alors** faire changer a_j de place avec a_{j+1}
fin
$\{a_1, \ldots, a_n$ est en ordre croissant$\}$

Quelle est l'efficacité du tri par permutation ? Puisque $n - i$ comparaisons sont utilisées
durant le i-ième passage, le nombre total de comparaisons utilisées dans le tri par permutation d'une liste de n éléments est

$$(n - 1) + (n - 2) + \cdots + 2 + 1.$$

Il s'agit de la somme des $n - 1$ premiers entiers positifs ; d'après l'exemple 9 de la section 3.2,
cette somme est égale à $(n - 1)n/2$. Par conséquent, le tri par permutation utilise $n(n - 1)/2$
comparaisons pour ordonner une liste de n éléments.

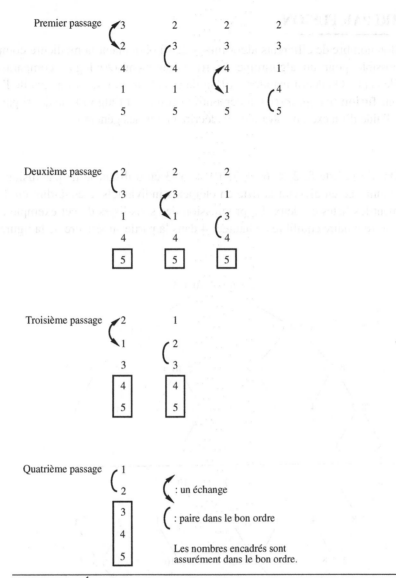

FIGURE 2 **Étapes du tri par permutation**

(À noter que le tri par permutation utilise toujours autant de comparaisons, puisqu'il se poursuit même si la liste est entièrement ordonnée au cours d'une étape intermédiaire.) Ainsi, l'algorithme de tri par permutation a une complexité du pire cas de $O(n^2)$. Puisque pour tout nombre réel positif c, $n(n - 1)/2 > cn \log n$ pour un entier positif n suffisamment grand, il s'ensuit que le tri par permutation n'a pas une complexité temporelle du pire cas de $O(n \log n)$. On doit trouver un autre algorithme pour atteindre cette estimation optimale de complexité du pire cas.

TRI PAR FUSION

Bon nombre de différents algorithmes de tri obtiennent la meilleure complexité du pire cas possible pour un algorithme de tri, notamment $O(n \log n)$ comparaisons pour trier n éléments. On décrit maintenant l'un de ces algorithmes, qu'on appelle l'**algorithme de tri par fusion** (*merge sort*). On démontrera comment l'algorithme de tri par fusion fonctionne à l'aide d'un exemple avant de le décrire en termes généraux.

EXEMPLE 3   On trie la liste 8, 2, 4, 6, 9, 7, 10, 1, 5, 3 en utilisant le tri par fusion. Un tri par fusion commence en divisant la liste en éléments individuels, c'est-à-dire en divisant successivement les listes en deux. La progression des sous-listes de cet exemple est représentée par l'arbre binaire équilibré de hauteur 4 dans la partie supérieure de la figure 3.

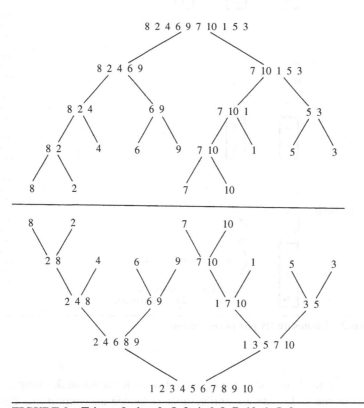

FIGURE 3   Tri par fusion de 8, 2, 4, 6, 9, 7, 10, 1, 5, 3

Le tri s'effectue en fusionnant successivement les paires de listes. À la première étape, des paires d'éléments distincts sont fusionnées dans des listes de longueur deux en ordre croissant. Ensuite, des fusions successives des paires de listes sont exécutées jusqu'à ce que toute la liste soit mise en ordre croissant. La succession de listes fusionnées en ordre croissant est représentée par l'arbre binaire équilibré de hauteur 4 dans la partie inférieure de la figure 3 (à noter que cet arbre apparaît à l'envers).   ■

En général, un tri par fusion s'effectue de manière itérative en divisant les listes en deux sous-listes de longueur égale (ou avec l'une des sous-listes qui a un élément de plus que l'autre) jusqu'à ce que chaque sous-liste contienne un élément. On peut représenter cette suite de sous-listes par un arbre binaire équilibré. Cette procédure se poursuit en fusionnant successivement des paires de listes, où les deux listes sont en ordre croissant, en une liste plus grande d'éléments en ordre croissant, jusqu'à ce que la liste initiale soit mise en ordre croissant. On peut représenter la suite de listes fusionnées par un arbre binaire équilibré.

On peut également décrire le tri par fusion de manière récursive. Pour effectuer un tri par fusion, on divise une liste en deux sous-listes de longueur égale, ou égale à une unité près, en triant chaque sous-liste à l'aide de l'algorithme de tri par fusion et en fusionnant les deux listes. Le lecteur devra donner une description complète de la version récursive du tri par fusion.

Pour implanter le tri par fusion, il faut utiliser un algorithme efficace permettant de fusionner deux listes ordonnées en une grande liste ordonnée. Cette procédure est maintenant décrite.

EXEMPLE 4 On explique comment fusionner deux listes, soit 2, 3, 5, 6 et 1, 4. Le tableau 1 présente les étapes qui seront utilisées.

TABLEAU 1 Fusion des listes triées 2, 3, 5, 6 et 1, 4

Première liste	Deuxième liste	Liste fusionnée	Comparaison
2 3 5 6	1 4		1 < 2
2 3 5 6	4	1	2 < 4
3 5 6	4	1 2	3 < 4
5 6	4	1 2 3	4 < 5
5 6		1 2 3 4	
		1 2 3 4 5 6	

Tout d'abord, on compare les plus petits éléments dans les deux listes, soit 2 et 1, respectivement. Puisque 1 est plus petit, on le place au début de la liste de fusion et on le retire de la deuxième liste. À cette étape, la première liste est 2, 3, 5, 6, la deuxième est 4, et la liste combinée est 1.

Ensuite, on compare 2 et 4, soit les deux éléments les plus petits des deux listes. Puisque 2 est plus petit, on l'ajoute à la liste combinée et on le retire de la première liste. À cette étape, la première liste est 2, 3, 5, 6, la deuxième est 4 et la liste combinée est 1, 2.

On continue en comparant 3 et 4, soit les plus petits éléments de leurs listes respectives. Puisque 3 est le plus petit de ces deux éléments, on l'ajoute à la liste combinée et on le retire de la première liste. À cette étape, la première liste est 5, 6, la deuxième est 4 et la liste combinée est 1, 2, 3.

Ensuite, on compare 5 et 4, soit les deux éléments les plus petits des deux listes. Puisque 4 est le plus petit de ces deux éléments, on l'ajoute à la liste combinée et on le retire de la deuxième liste. À cette étape, la première liste est 5, 6, la deuxième est vide et la liste combinée est 1, 2, 3, 4.

Finalement, puisque la deuxième liste est vide, on peut ajouter tous les éléments de la première liste à la fin de la liste combinée dans l'ordre dans lequel ils apparaissent à l'intérieur de la première liste, ce qui donne la liste ordonnée suivante : 1, 2, 3, 4, 5, 6.   ∎

On étudie maintenant le problème général de la fusion de deux listes ordonnées L_1 et L_2 en une liste ordonnée L. On peut utiliser la procédure suivante. On commence par une liste vide L. On compare les plus petits éléments des deux listes. On met le plus petit de ces deux éléments à la fin de L et on le retire de la liste dans laquelle il se trouvait. Ensuite, si la liste L_1 ou L_2 est vide, on ajoute l'autre liste non vide à L, ce qui termine la fusion. Si L_1 et L_2 ne sont pas vides, on répète ce processus. L'algorithme 2 donne une description de cette procédure en pseudocode.

ALGORITHME 2   Fusion de deux listes

procédure *fusion* (L_1, L_2 : listes)
$L :=$ liste vide
tant que L_1 et L_2 sont toutes deux non vides
début

        retirer le plus petit du premier élément de L_1 et du premier élément de L_2 de
            la liste dans laquelle il se trouve et le placer à la fin de L

        si le retrait de cet élément produit une liste vide, **alors** retirer tous les
            éléments de l'autre liste et les ajouter à L

fin {L est la liste fusionnée avec des éléments en ordre croissant}

On aura besoin d'estimations du nombre de comparaisons utilisées pour fusionner deux listes ordonnées dans l'analyse du tri par fusion. On peut facilement obtenir cette estimation pour l'algorithme 2. Chaque fois qu'une comparaison d'un élément de L_1 et d'un élément de L_2 est exécutée, un élément de plus est ajouté à la liste fusionnée L. Cependant, lorsque L_1 ou L_2 est vide, aucune comparaison supplémentaire n'est nécessaire. Ainsi, l'algorithme 2 est moins efficace lorsque $m + n - 2$ comparaisons sont effectuées, où m et n sont le nombre d'éléments de L_1 et de L_2, respectivement, ce qui laisse un élément dans L_1 et L_2. La comparaison suivante sera la dernière, car elle rendra l'une de ces listes vide. Donc, l'algorithme 2 n'utilise pas plus de $m + n - 1$ comparaisons. Le lemme 1 résume ce résultat.

LEMME 1   On peut fusionner deux listes triées de m éléments et de n éléments en une liste triée en n'utilisant pas plus de $m + n - 1$ comparaisons.

Parfois, on peut fusionner deux listes triées de longueur m et n en utilisant beaucoup moins que $m + n - 1$ comparaisons. Par exemple, lorsque $m = 1$, on peut appliquer une procédure de fouille binaire pour mettre l'élément de la première liste dans la deuxième liste. Cela n'exige que $\lceil \log n \rceil$ comparaisons, ce nombre étant beaucoup plus petit que $m + n - 1 = n$ pour $m = 1$. Par ailleurs, pour certaines valeurs de m et de n, le lemme 1 donne la meilleure liaison possible. Autrement dit, il y a des listes de m et de n éléments qu'on ne peut fusionner en utilisant moins de $m + n - 1$ comparaisons (voir l'exercice 7 à la fin de la présente section).

On peut à présent analyser la complexité du tri par fusion. Plutôt que d'étudier le problème général, on suppose que n, le nombre d'éléments dans la liste, est une puissance de 2, soit 2^m. Cela simplifiera l'analyse, mais lorsque ce n'est pas le cas, on peut appliquer plusieurs modifications qui donneront la même estimation.

À la première étape de la procédure de division, la liste est séparée en deux sous-listes de 2^{m-1} éléments chacune, au niveau 1 de l'arbre produit par la division. Ce processus se poursuit, divisant les deux sous-listes de 2^{m-1} éléments en quatre sous-listes de 2^{m-2} éléments chacune au niveau 2, et ainsi de suite. En général, il y a 2^{k-1} listes au niveau $k - 1$, chacune comportant 2^{m-k+1} éléments. Ces listes au niveau $k - 1$ sont divisées en 2^k listes au niveau k, chacune ayant 2^{m-k} éléments. À la fin de cette procédure, on obtient 2^m listes chacune ayant un élément au niveau m.

On commence la fusion en combinant des paires des 2^m listes de un élément en 2^{m-1} listes, au niveau $m - 1$, chacune ayant deux éléments. Pour ce faire, 2^{m-1} paires de listes de un élément chacune sont fusionnées. La fusion de chaque liste exige exactement une comparaison.

La procédure se poursuit de manière telle qu'au niveau $k(k = m, m - 1, m - 2, \ldots, 3, 2, 1)$, 2^k listes chacune ayant 2^{m-k} éléments sont fusionnées en 2^{k-1} listes, chacune ayant 2^{m-k+1} éléments, au niveau $k - 1$. Pour ce faire, il faut au total 2^{k-1} fusions de deux listes, chacune ayant 2^{m-k} éléments. Cependant, selon le lemme 1, chacune de ces fusions peut s'exécuter en utilisant au plus $2^{m-k} + 2^{m-k} - 1 = 2^{m-k+1} - 1$ comparaisons. Donc, pour passer du niveau k au niveau $k - 1$, on peut utiliser au plus $2^{k-1}(2^{m-k+1} - 1)$ comparaisons. En résumant toutes ces estimations, on voit que le nombre de comparaisons requises pour le tri par fusion est d'au plus

$$\sum_{k=1}^{m} 2^{k-1}(2^{m-k+1} - 1) = \sum_{k=1}^{m} 2^m - \sum_{k=1}^{m} 2^{k-1}$$
$$= m2^m - (2^m - 1),$$
$$= n \log n - n + 1,$$

puisque $m = \log n$ et $n = 2^m$. (On a évalué $\sum_{k=1}^{m} 2^m$ en notant qu'il s'agit de la somme de m éléments identiques, chacun étant égal à 2^m. On a évalué $\sum_{k=1}^{m} 2^{k-1}$ en utilisant la formule pour la somme des éléments dans une progression géométrique de l'exemple 6 de la section 3.2.)

Cette analyse montre que le tri par fusion produit la meilleure estimation grand O possible pour le nombre de comparaisons nécessaires pour l'algorithme de tri, comme l'énonce le théorème 2.

THÉORÈME 2 Le nombre de comparaisons nécessaires pour trier par fusion une liste de n éléments est $O(n \log n)$.

On décrira un autre algorithme efficace, soit le tri par segmentation, dans les exercices.

Exercices

1. Utilisez un tri par permutation pour trier 3, 1, 5, 7, 4 en présentant les listes obtenues à chaque étape.

2. Utilisez un tri par permutation pour trier d, f, k, m, a, b en présentant les listes obtenues à chaque étape.

⋆3. Adaptez l'algorithme de tri par permutation pour qu'il s'arrête lorsqu'aucun échange supplémentaire n'est nécessaire. Exprimez cette version plus efficace de l'algorithme en pseudocode.

4. Utilisez un tri par fusion pour ordonner 4, 3, 2, 5, 1, 8, 7, 6. Spécifiez toutes les étapes utilisées par l'algorithme.

5. Utilisez un tri par fusion pour ordonner b, d, a, f, g, h, z, p, o, k. Spécifiez toutes les étapes utilisées par l'algorithme.

6. Combien d'étapes sont nécessaires pour fusionner les paires de listes suivantes à l'aide de l'algorithme 2 ?
   a) 1, 3, 5, 7, 9 ; 2, 4, 6, 8, 10
   b) 1, 2, 3, 4, 5 ; 6, 7, 8, 9, 10
   c) 1, 5, 6, 7, 8 ; 2, 3, 4, 9, 10

7. Démontrez qu'il y a des listes de m éléments et de n éléments telles qu'on ne peut les fusionner en une liste triée à l'aide de l'algorithme 2 avec moins de $m + n - 1$ comparaisons.

⋆8. Quel est le plus petit nombre de comparaisons nécessaires pour fusionner deux listes en ordre croissant en une liste en ordre croissant lorsque le nombre d'éléments dans les deux listes est de
   a) 1, 4 ?   b) 2, 4 ?   c) 3, 4 ?   d) 4, 4 ?

Avec le **tri par sélection** (*selection sort*), on commence par trouver le plus petit élément de la liste. Cet élément est placé au tout début de la liste. Ensuite, le plus petit élément parmi le reste des éléments est trouvé et placé en deuxième position. Cette procédure se répète jusqu'à ce que toute la liste soit triée.

9. Triez les listes suivantes à l'aide du tri par sélection.
   a) 3, 5, 4, 1, 2
   b) 5, 4, 3, 2, 1
   c) 1, 2, 3, 4, 5

10. Rédigez l'algorithme de sélection en pseudocode.

11. Combien de comparaisons sont utilisées pour exécuter un tri par sélection de n éléments ?

Le **tri par segmentation** (*quick sort*) est un algorithme efficace. Pour trier a_1, a_2, ..., a_n, cet algorithme commence par prendre le premier élément a_1 et forme ensuite deux sous-listes, la première contenant les éléments inférieurs à a_1, dans l'ordre dans lequel ils apparaissent, et la deuxième contenant les éléments plus grands que a_1, dans l'ordre dans lequel ils apparaissent. Ensuite, a_1 est placé à la fin de la première sous-liste. Cette procédure se répète de manière récursive pour chaque sous-liste, jusqu'à ce que toutes les sous-listes contiennent un élément. La liste ordonnée de n éléments s'obtient en combinant les sous-listes d'un élément dans l'ordre dans lequel elles apparaissent.

12. Triez 3, 5, 7, 8, 1, 9, 2, 4, 6 en utilisant le tri par segmentation.

13. Soit a_1, a_2, ..., a_n la liste de n nombres réels distincts. Combien de comparaisons sont nécessaires pour former deux sous-listes à partir de cette liste, la première contenant des éléments plus petits que a_1 et la seconde, des éléments plus grands que a_1 ?

14. Rédigez l'algorithme de tri par segmentation en pseudocode.

15. Quel est le plus grand nombre de comparaisons nécessaires pour ordonner une liste de quatre éléments en utilisant l'algorithme de tri par segmentation ?

16. Quel est le plus petit nombre de comparaisons nécessaires pour ordonner une liste de quatre éléments en utilisant l'algorithme de tri par segmentation ?

17. Déterminez la complexité du pire cas de l'algorithme de tri par segmentation en fonction du nombre de comparaisons utilisées.

⋆18. Démontrez que log $n!$ est plus grand que $(n \log n)/4$ pour $n > 4$. (*Conseil :* Commencez par l'inégalité $n! > n(n-1)(n-2) \cdots \lceil n/2 \rceil$.)

⋆19. Rédigez l'algorithme de tri par fusion en pseudocode.

8.5

Arbres de recouvrement

INTRODUCTION

On considère le système routier du Québec représenté par le graphe simple de la figure 1 a). La seule manière de maintenir les routes ouvertes en hiver est de les déneiger souvent. Le ministère des Transports veut déneiger le moins grand nombre de routes possible, de sorte qu'il y ait toujours des routes déneigées reliant deux villes quelconques. Comment cela peut-il se faire ?

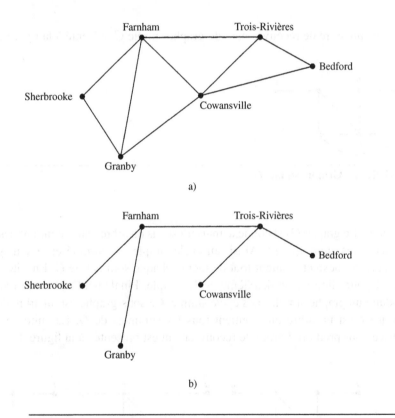

FIGURE 1   a) Système routier   b) Ensemble des routes à déneiger

Il faut déneiger au moins cinq routes pour s'assurer qu'il y a un chemin entre deux villes quelconques. La figure 1 b) présente cet ensemble de routes. À noter que le sous-graphe représentant ces routes est un arbre, puisqu'il est connexe et contient six sommets et cinq arcs.

On a résolu ce problème à l'aide d'un sous-graphe connexe ayant le nombre minimal d'arêtes contenant tous les sommets du graphe simple initial. Ce type de graphe doit être un arbre.

> **DÉFINITION 1.**   Soit G un graphe simple. Un *arbre de recouvrement* de G est un sous-graphe de G qui est un arbre contenant chaque sommet de G.

Un graphe simple avec un arbre de recouvrement doit être connexe, puisqu'il y a un chemin dans l'arbre de recouvrement entre deux sommets. L'inverse s'applique également ; autrement dit, tout graphe simple connexe a un arbre de recouvrement. Un exemple sera présenté avant de démontrer le résultat.

EXEMPLE 1   Trouvez un arbre de recouvrement du graphe simple G présenté à la figure 2.

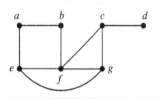

FIGURE 2   Graphe simple G

Solution : Le graphe G est connexe mais n'est pas un arbre, car il contient des cycles simples. On retire les arêtes $\{a, e\}$. Ainsi, un cycle simple est éliminé et le sous-graphe résultant demeure connexe et contient tout de même chaque sommet de G. Ensuite, on retire l'arête $\{e, f\}$ pour éliminer un deuxième cycle simple. Finalement, on retire l'arête $\{c, g\}$ pour produire un graphe simple sans cycle simple. Ce sous-graphe est un arbre de recouvrement, puisque c'est un arbre qui contient tous les sommets de G. La suite de retraits d'arêtes utilisée pour produire l'arbre de recouvrement est présentée à la figure 3.

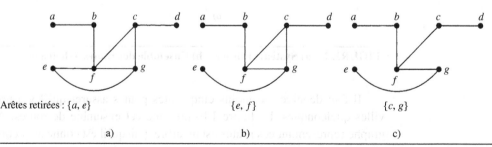

Arêtes retirées : $\{a, e\}$ $\{e, f\}$ $\{c, g\}$

a)   b)   c)

FIGURE 3   Production d'un arbre de recouvrement de G en retirant les arêtes qui forment des cycles simples

L'arbre présenté à la figure 3 n'est pas le seul arbre de recouvrement de *G*. Par exemple, chacun des arbres présentés à la figure 4 est un arbre de recouvrement de *G*. ∎

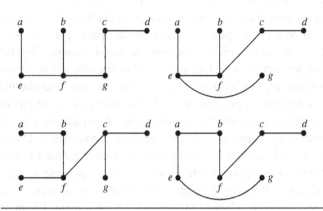

FIGURE 4 Arbres de recouvrement de *G*

THÉORÈME 1   Un graphe simple est connexe si et seulement s'il admet un arbre de recouvrement.

Démonstration : D'abord, on suppose qu'un graphe simple *G* admet un arbre de recouvrement *T*. L'arbre *T* contient tous les sommets de *G*. De plus, il y a un chemin dans *T* entre deux de ses sommets. Puisque *T* est un sous-graphe de *G*, il y a un chemin dans *G* entre deux de ses sommets. Ainsi, *G* est connexe.

À présent, on suppose que *G* est connexe. Si *G* n'est pas un arbre, il doit contenir un cycle simple. On retire une arête de l'un de ces cycles simples. Le sous-graphe résultant a une arête de moins, mais il contient tout de même toutes les arêtes de *G* et est connexe. Si ce sous-graphe n'est pas un arbre, il a un cycle simple ; donc, comme auparavant, on retire une arête qui se trouve dans un cycle simple. On répète ce processus jusqu'à ce qu'il ne reste aucun cycle simple. Cela est possible puisqu'il n'y a qu'un nombre fini de sommets dans le graphe. Le processus se termine lorsqu'il ne reste aucun cycle simple. Un arbre en découle puisque le graphe demeure connexe à mesure que des arêtes sont retirées. Cet arbre est un arbre de recouvrement puisqu'il contient tous les sommets de *G*. ◻

ALGORITHMES DE CONSTRUCTION DES ARBRES DE RECOUVREMENT

La démonstration du théorème 1 produit un algorithme permettant de trouver les arbres de recouvrement en retirant les arêtes des cycles simples. Cet algorithme est inefficace, car il exige que les cycles simples soient identifiés. Plutôt que de construire des arbres de recouvrement en retirant les arêtes, on peut les construire en ajoutant successivement des arêtes. On présente deux algorithmes basés sur ce principe.

On peut construire un arbre de recouvrement pour un graphe simple connexe en utilisant une **fouille en profondeur**. On formera une arborescence, et l'arbre de recouvrement constituera le graphe non orienté sous-jacent de cette arborescence. On choisit de façon arbitraire un sommet du graphe comme racine. On forme un chemin qui part de ce sommet en y ajoutant successivement des arêtes, où chaque nouvelle arête est incidente à la dernière arête sur le chemin et à un sommet qui n'est pas déjà sur le chemin. On continue à ajouter des arêtes à ce chemin autant qu'il est possible. Si le chemin passe par tous les sommets du graphe, l'arbre constitué par ce chemin est un arbre de recouvrement. Cependant, si le chemin ne croise pas tous les sommets, il faut ajouter d'autres arêtes. On retourne à l'avant-dernier sommet du chemin et, si c'est possible, on forme un nouveau chemin en commençant le parcours par ce sommet et en passant par les sommets qui n'ont pas déjà été parcourus. Si cela ne peut se faire, on retourne à un autre sommet du chemin, c'est-à-dire qu'on retourne de deux sommets vers l'arrière sur le chemin et on recommence. On répète cette procédure en commençant par le dernier sommet parcouru et en remontant le chemin un sommet à la fois, ce qui forme de nouveaux chemins les plus longs possible jusqu'à ce qu'on ne puisse plus ajouter d'arêtes. Puisque le graphe a un nombre fini d'arêtes et qu'il est connexe, ce processus se termine en produisant un arbre de recouvrement. Chaque sommet qui termine un chemin à une étape de l'algorithme sera une feuille dans l'arborescence et chaque sommet à partir duquel un chemin est construit en commençant par ce sommet sera un sommet interne. Le lecteur doit noter la nature récursive de cette procédure. De plus, on remarque que si les sommets dans le graphe sont ordonnés, les choix de sommets à chaque étape de la procédure sont tous déterminés lorsqu'on choisit toujours le premier sommet disponible dans la relation d'ordre. Cependant, on n'ordonnera pas toujours explicitement les sommets d'un graphe.

L'exemple 2 présente le parcours en retour arrière.

EXEMPLE 2   Effectuez une fouille en profondeur pour trouver un arbre de recouvrement pour le graphe G présenté à la figure 5.

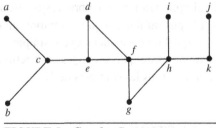

FIGURE 5   Graphe G

Solution : La figure 6 présente les étapes utilisées par une fouille en profondeur pour produire un arbre de recouvrement de G. On commence de façon arbitraire par le sommet f. Un chemin est construit en ajoutant successivement des arêtes incidentes à des sommets qui ne se trouvent pas déjà sur le chemin, tant et aussi longtemps que cela est possible. On obtient ainsi un chemin *f*, *g*, *h*, *k*, *j*. (On note que d'autres chemins pourraient être construits.) Ensuite, on effectue un retour arrière à *k*. Aucun chemin ne commence par *k* et ne contient des sommets déjà parcourus. Donc, on effectue un retour arrière jusqu'à *h*. On forme le chemin *h*, *i*. Ensuite, on retourne en arrière vers *h* et puis à *f*. À partir de *f*, on construit un chemin *f*, *d*, *e*, *c*, *a*. Ensuite, on effectue un retour arrière jusqu'à *c* et on forme le chemin *c*, *b*. On obtient l'arbre de recouvrement. ■

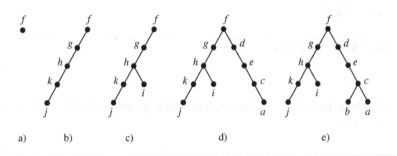

FIGURE 6   Fouille en profondeur de *G*

On peut également produire un arbre de recouvrement pour un graphe simple en utilisant une **fouille en largeur**. Encore une fois, une arborescence sera construite et le graphe non orienté sous-jacent de cette arborescence forme l'arbre de recouvrement. On choisit de façon arbitraire une racine à partir des sommets du graphe. Ensuite, on ajoute toutes les arêtes incidentes à ce sommet. Les nouveaux sommets ajoutés à cette étape deviennent les sommets du niveau 1 dans l'arbre de recouvrement. On les ordonne de façon arbitraire. Ensuite, pour chaque sommet du niveau 1 parcouru en ordre, on ajoute chaque arête incidente à ce sommet à l'arbre jusqu'à ce qu'il ne produise plus de cycle simple. On ordonne les fils de chaque sommet du niveau 1 de façon arbitraire. Cela produit les sommets du niveau 2 dans l'arbre. On suit la même procédure jusqu'à ce que tous les sommets dans l'arbre aient été ajoutés. La procédure se termine, car il n'y a qu'un nombre fini d'arêtes dans le graphe. Un arbre de recouvrement en découle puisqu'on a créé un arbre contenant tous les sommets du graphe. L'exemple 3 présente une fouille en largeur.

EXEMPLE 3   Effectuez une recherche en largeur pour trouver un arbre de recouvrement pour le graphe présenté à la figure 7.

Solution : La figure 8 présente les étapes de la procédure de la fouille en largeur. On choisit le sommet *e* comme racine. Ensuite, on ajoute les arêtes incidentes à tous les sommets adjacents à *e*, soit les arêtes de *e* à *b*, *d*, *f* et *i*. Ces quatre sommets se trouvent au niveau 1 dans l'arbre. Ensuite, on ajoute les arêtes de ces sommets de niveau 1 aux sommets adjacents qui ne se trouvent pas déjà dans l'arbre. Ainsi, les arêtes de *b* à *a* et *c* sont ajoutées, tout comme les arêtes de *d* à *h*, de *f* à *j* et *g* et de *i* à *k*. Les nouveaux sommets *a*, *c*, *h*, *j*, *g* et *k* sont au niveau 2. Ensuite, on ajoute des arêtes à partir de ces nouveaux sommets aux sommets

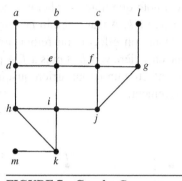

FIGURE 7   Graphe *G*

adjacents qui ne se trouvent pas déjà dans le graphe. Ainsi, les arêtes de *g* à *l* et de *k* à *m* sont ajoutées.   ∎

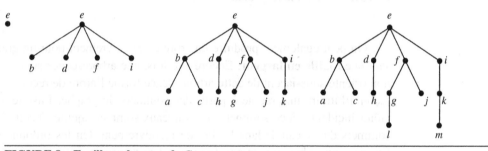

FIGURE 8   Fouille en largeur de *G*

RETOUR ARRIÈRE

On peut résoudre certains problèmes uniquement en effectuant une recherche exhaustive de toutes les solutions possibles. Une manière de rechercher systématiquement une solution consiste à utiliser un arbre de décision, où chaque sommet interne représente une décision et chaque feuille, une solution possible. Pour trouver une solution au moyen du retour arrière, on crée d'abord une suite de décisions afin de trouver une solution tant et aussi longtemps que cela est possible. La suite de décisions peut être représentée par un chemin dans un arbre de décision. Quand on sait qu'il n'est pas possible de trouver de solution à partir d'autres suites de décisions, on effectue un retour arrière vers le père du sommet actuel et on trouve une solution à l'aide d'une autre suite de décisions, si cela est possible. La procédure se poursuit jusqu'à ce qu'une solution soit trouvée ou qu'il ait été établi qu'aucune solution n'existe. Les exemples 4 à 6 démontrent l'utilité du retour arrière.

EXEMPLE 4   **Coloriage des graphes**   Comment pouvez-vous utiliser le retour arrière pour décider si on peut colorier un graphe en utilisant *n* couleurs ?

Solution : On peut résoudre ce problème à l'aide du retour arrière de la manière suivante. D'abord, on choisit un sommet *a* et on lui attribue la couleur 1. Ensuite, on choisit un deuxième sommet, *b*, et si *b* n'est pas adjacent à *a*, on lui attribue la couleur 1. Sinon, on attribue la couleur 2 à *b*. Ensuite, on passe à un troisième sommet, *c*. On utilise la couleur 1 pour *c*, le cas échéant. Sinon, on utilise la couleur 2, si c'est possible. On utilisera la couleur 3 seulement si les couleurs 1 ou 2 ne peuvent être utilisées. On continue ce processus jusqu'à ce qu'on ait attribué l'une des *n* couleurs à chaque sommet additionnel, en utilisant toujours la première couleur disponible dans la liste. Si on atteint un sommet qui ne peut être colorié par aucune des *n* couleurs, on effectue un retour arrière jusqu'à la dernière tâche effectuée et on modifie la couleur du dernier sommet colorié en utilisant la prochaine couleur disponible dans la liste. S'il n'est pas possible de modifier cette couleur, on retourne vers l'arrière, aux tâches précédentes (une étape vers l'arrière à la fois) jusqu'à ce qu'il soit possible de changer la couleur d'un sommet. Ensuite, on continue à attribuer des couleurs aux sommets additionnels aussi longtemps que c'est possible. Si un coloriage utilisant *n* couleurs existe, on retourne vers l'arrière pour le produire. (Malheureusement, cette procédure peut être extrêmement inefficace.)

On considère le problème qui consiste à colorier le graphe présenté à la figure 9 avec trois couleurs. L'arbre présenté à cette même figure illustre la manière d'utiliser le retour arrière pour construire un graphe à trois couleurs. Dans cette procédure, le rouge est d'abord utilisé, puis le bleu et, finalement, le vert. Cet exemple simple peut évidemment se faire sans retour arrière, mais il illustre bien la technique.

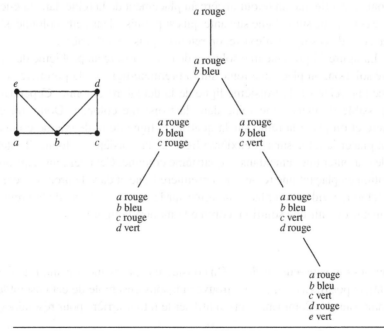

FIGURE 9   **Coloriage d'un graphe à l'aide du retour arrière**

Dans cet arbre, le chemin initial partant de la racine, qui représente l'attribution du rouge à a, mène à un coloriage avec a rouge, b bleu, c rouge et d vert. Il est impossible de colorier e en utilisant l'une de ces trois couleurs lorsque a, b, c et d sont coloriés ainsi. Donc, on effectue un retour arrière vers le père du sommet représentant ce coloriage. Puisqu'on ne peut utiliser aucune autre couleur pour d, on effectue un retour arrière d'un niveau de plus. Ensuite, on remplace la couleur de c par vert. On obtient ainsi le graphe colorié en attribuant le rouge à d et le vert à e.   ■

EXEMPLE 5   **Problème des n reines**   Le problème des n reines consiste à savoir comment on peut placer n reines sur un échiquier de $n \times n$ de manière telle que deux reines ne puissent en attaquer une autre. Comment peut-on utiliser le retour arrière pour résoudre le problème des n reines ?

Solution : Pour résoudre ce problème, on doit trouver n positions sur un échiquier de $n \times n$ de sorte que deux de ces positions ne se trouvent pas sur la même ligne, dans la même colonne ou sur la même diagonale (une diagonale est constituée de toutes les positions (i, j) avec $i + j = m$ pour un certain m, ou $i - j = m$ pour un certain m). On utilisera le retour arrière pour résoudre le problème des n reines. On commence avec un échiquier vide. À l'étape $k + 1$, on tente de placer une reine de plus sur l'échiquier dans la $(k + 1)$-ième colonne, où il y a déjà des reines dans les premières k colonnes. On examine les cases dans la $(k + 1)$-ième colonne en commençant par la case sur la première ligne, en cherchant une position pour placer cette reine pour qu'elle ne se trouve pas sur la même ligne ou sur la même diagonale que la reine qui est déjà sur l'échiquier. (On sait déjà qu'elle ne se trouve pas dans la même colonne.) S'il est impossible de trouver une position pour placer la reine dans la $(k + 1)$-ième colonne, on effectue un retour arrière au placement de la reine dans la k-ième colonne, et on place cette reine sur la ligne suivante qui est permise dans cette colonne, si cette ligne existe. Si aucune de ces lignes n'existe, on retourne plus vers l'arrière.

La figure 10 présente une solution de retour arrière au problème des quatre reines. Dans cette solution, on place une reine sur la première ligne de la première colonne. Ensuite, on place une reine sur la troisième ligne de la deuxième colonne. Cependant, il devient ainsi impossible de placer une reine dans la troisième colonne. Donc, on effectue un retour arrière et on place la reine sur la quatrième ligne de la deuxième colonne. Ce faisant, on peut placer la reine sur la deuxième ligne de la troisième colonne. Toutefois, il est impossible d'ajouter une reine dans la quatrième colonne. Cela démontre qu'on n'obtient aucune solution en plaçant une reine sur la première ligne et dans la première colonne. On retourne à l'échiquier vide et on place une reine sur la deuxième ligne de la première colonne. Cela permet d'obtenir une solution, comme le montre la figure 10.   ■

EXEMPLE 6   **Sommes des sous-ensembles**   On considère le problème suivant. Étant donné un ensemble d'entiers positifs x_1, x_2, ..., x_n, trouvez un sous-ensemble de cet ensemble d'entiers dont la somme vaut M. Comment peut-on utiliser le retour arrière pour résoudre ce problème ?

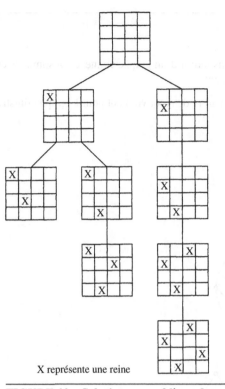

X représente une reine

FIGURE 10 **Solution au problème des quatre reines à l'aide du retour arrière**

Solution : On commence avec une somme sans éléments. On construit la somme en ajoutant des éléments successivement. Un entier dans la suite est inclus si la somme demeure inférieure à *M* lorsque cet entier est ajouté à la somme. Si la somme est atteinte et que cette addition de tous les éléments est plus grande que *M*, on effectue un retour arrière en ne tenant pas compte du dernier élément de la somme.

La figure 11 présente une solution à l'aide du retour arrière au problème de la recherche d'un sous-ensemble de {31, 27, 15, 11, 7, 5} dont la somme est égale à 39. ∎

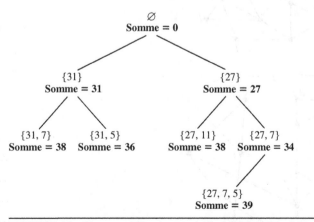

FIGURE 11 **Trouver une somme égale à 39 à l'aide du retour arrière**

Exercices

1. Combien d'arêtes devez-vous retirer d'un graphe connexe à *n* sommets et à *m* arêtes pour produire un arbre de recouvrement ?

Dans les exercices 2 à 6, trouvez un arbre de recouvrement pour le graphe illustré en retirant les arêtes dans les cycles simples.

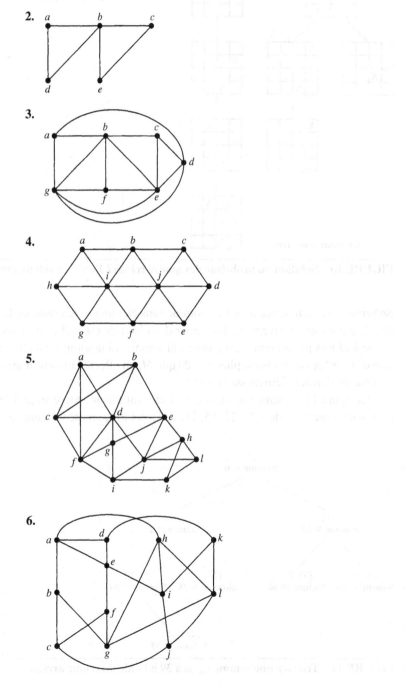

2.

3.

4.

5.

6.

7. Pour chacun des graphes suivants, trouvez un arbre de recouvrement.

a) K_5 **b)** $K_{4,4}$ **c)** $K_{1,6}$

d) Q_3 **e)** C_5 **f)** W_5

Dans les exercices 8 à 10, dessinez les arbres de recouvrement des graphes simples donnés.

8.

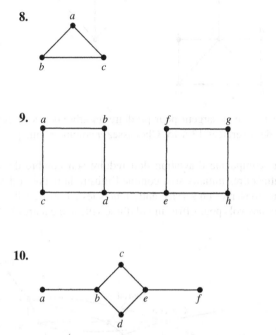

9.

10.

⋆11. Combien d'arbres de recouvrement différents chacun des graphes simples suivants a-t-il ?

a) K_3 **b)** K_4

c) $K_{2,2}$ **d)** C_5

⋆12. Combien d'arbres de recouvrement non isomorphes chacun des graphes simples suivants a-t-il ?

a) K_3 **b)** K_4 **c)** K_5

Dans les exercices 13 à 15, effectuez une recherche en profondeur pour produire un arbre de recouvrement pour le graphe simple donné. Choisissez a comme racine pour cet arbre de recouvrement et supposez que les sommets sont ordonnés en ordre alphabétique.

13.

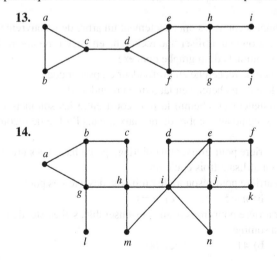

14.

15.

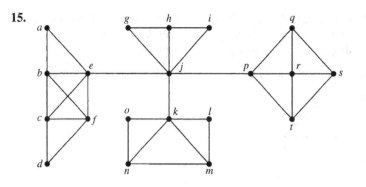

16. Effectuez une recherche en largeur pour produire un arbre de recouvrement pour chacun des graphes simples des exercices 13 à 15. Choisissez a comme racine pour chacun des arbres de recouvrement.

17. Supposez qu'une compagnie d'aviation doit réduire son nombre de vols pour épargner de l'argent. Si ses itinéraires initiaux sont comme l'illustre la figure ci-dessous, quels vols peut-elle éliminer pour conserver un service entre toutes les paires de villes (où il peut être nécessaire de combiner des vols pour offrir un vol d'une ville à une autre) ?

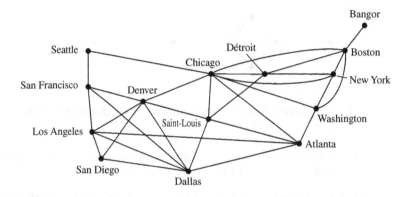

18. Quand l'arête d'un graphe simple connexe doit-elle se trouver dans tous les arbres de recouvrement de ce graphe ?

19. Quels graphes simples connexes ont exactement un arbre de recouvrement ?

20. Expliquez comment on peut utiliser une recherche en largeur ou une recherche en profondeur pour ordonner les sommets d'un graphe connexe.

⋆21. Écrivez la procédure de recherche en profondeur en pseudocode.

⋆22. Écrivez la procédure de recherche en largeur en pseudocode.

⋆23. Montrez que la longueur du chemin le plus court entre les sommets v et w dans un graphe simple connexe est égale au nombre de niveaux u dans l'arbre de recouvrement de largeur G avec la racine v.

24. Utilisez le retour arrière pour trouver un coloriage pour chacun des graphes des exercices 5 à 7 de la section 7.8 en utilisant trois couleurs.

25. Utilisez le retour arrière pour résoudre le problème des n reines pour les valeurs suivantes de n.
  a) $n = 3$ **b)** $n = 5$ **c)** $n = 6$

26. Utilisez le retour arrière pour trouver un sous-ensemble, s'il existe, de l'ensemble $\{27, 24, 19, 14, 11, 8\}$ avec la somme
  a) 20.   **b)** 41.   **c)** 60.

27. Expliquez comment on peut utiliser le retour arrière pour trouver la chaîne ou le circuit hamiltonien dans un graphe.

28. a) Expliquez comment on peut utiliser le retour arrière pour trouver son chemin dans un labyrinthe, étant donné une position de départ et d'arrivée. Considérez le labyrinthe divisé en positions, où à chaque position l'ensemble des déplacements disponibles inclut l'une des quatre possibilités (vers le haut, vers le bas, vers la droite, vers la gauche).

b) Trouvez un chemin à partir de la position de départ marquée par X jusqu'à la sortie du labyrinthe.

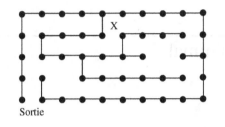

Une **forêt de recouvrement** du graphe G est une forêt qui contient chaque sommet de G, de manière telle que deux sommets sont réunis dans le même arbre de la forêt lorsqu'il y a un chemin dans G entre ces deux sommets.

29. Démontrez que tout graphe simple fini a une forêt de recouvrement.

30. Combien d'arbres y a-t-il dans la forêt de recouvrement d'un graphe ?

31. Combien d'arêtes devez-vous récupérer pour produire la forêt de recouvrement d'un graphe de n sommets, de m arêtes et de c composantes connexes ?

32. Élaborez un algorithme permettant de construire la forêt de recouvrement d'un graphe basé sur la suppression d'arêtes qui forment des circuits simples.

33. Élaborez un algorithme permettant de construire la forêt de recouvrement d'un graphe basé sur la recherche en profondeur.

34. Élaborez un algorithme permettant de construire la forêt de recouvrement d'un graphe basé sur le parcours en largeur.

Soit T_1 et T_2 des arbres de recouvrement d'un graphe. La **distance** entre T_1 et T_2 est le nombre d'arêtes dans T_1 et T_2 qui ne sont pas communes à T_1 et à T_2.

35. Trouvez la distance entre chaque paire d'arbres de recouvrement présentés dans les figures 3 et 4 du graphe G de la figure 2.

★36. Supposez que T_1, T_2 et T_3 sont des arbres de recouvrement du graphe simple G. Montrez que la distance entre T_1 et T_3 n'excède pas la somme de la distance entre T_1 et T_2 et de la distance entre T_2 et T_3.

★★37. Supposez que T_1 et T_2 sont des arbres de recouvrement du graphe simple G. De plus, supposez que e_1 est une arête dans T_1 qui n'est pas dans T_2. Démontrez qu'il y a une arête e_2 dans T_2 qui n'est pas dans T_1 de manière telle que T_1 demeure un arbre de recouvrement si e_1 en est retiré et que e_2 y est ajouté, et que T_2 demeure un arbre de recouvrement si e_2 en est retiré et que e_1 y est ajouté.

★38. Démontrez qu'il est possible de trouver une suite d'arbres de recouvrement menant d'un arbre de recouvrement quelconque à tout autre arbre en retirant successivement une arête et en en ajoutant une autre.

Une **arborescence de recouvrement** d'un graphe orienté est une arborescence contenant des arêtes du graphe de manière telle que chaque sommet du graphe est l'extrémité d'une des arêtes de l'arbre.

39. Pour chacun des graphes orientés des exercices 24 à 28 de la section 7.5, trouvez une arborescence de recouvrement du graphe ou démontrez que cette arborescence n'existe pas.

⋆40. Démontrez qu'un graphe orienté connexe dans lequel chaque sommet a le même degré intérieur et le même degré extérieur a une arborescence de recouvrement. (*Conseil* : Utilisez le cycle eulérien.)

⋆41. Élaborez un algorithme permettant de construire une arborescence de recouvrement pour les graphes orientés connexes dans lesquels chaque sommet a le même degré intérieur et le même degré extérieur.

8.6
Arbres générateurs de coût minimal

INTRODUCTION

Une entreprise prévoit construire un réseau de communication reliant cinq centres de calcul. Tout couple de ces centres peut être relié par une ligne téléphonique spécialisée. Quelles liaisons devraient être effectuées pour s'assurer qu'il y a un chemin entre deux centres de calcul de manière à réduire au minimum les coûts globaux du réseau ? On peut modéliser ce problème en utilisant le graphe valué présenté à la figure 1. Dans cette figure, les sommets représentent des centres de calcul, les arêtes sont des possibilités de lignes spécialisées et les coûts sur les sommets sont les taux de location mensuels des lignes représentées par les arêtes. On peut résoudre ce problème en trouvant un arbre de recouvrement pour que la somme des coûts des arêtes de l'arbre soit réduite au minimum. Cet arbre de recouvrement s'appelle un **arbre générateur de coût minimal**.

ALGORITHMES DES ARBRES GÉNÉRATEURS DE COÛT MINIMAL

On peut résoudre une grande variété de problèmes en trouvant un arbre de recouvrement dans un graphe valué pour que la somme des coûts des arêtes de l'arbre soit minimale.

> **DÉFINITION 1.**   Un *arbre générateur de coût minimal* dans un graphe valué connexe est un arbre de recouvrement dont la somme des coûts est minimale.

On présente deux algorithmes permettant de construire des arbres générateurs de coût minimal. Ces deux algorithmes s'exécutent en ajoutant successivement des arêtes de faible coût à partir des arêtes ayant une propriété donnée et n'ayant pas déjà été utilisées. Ces algorithmes sont des exemples d'**algorithmes voraces**. Un algorithme vorace est une procédure qui pose un choix optimal à chacune de ses étapes. L'optimisation de chaque étape d'un algorithme ne garantit pas la production d'une solution globale optimale. Cependant, les deux algorithmes présentés dans cette section qui permettent de construire des arbres générateurs de coût minimal sont des algorithmes voraces qui produisent des solutions optimales.

Le premier algorithme abordé ici fut créé par Robert Prim en 1957, bien que la notion de base de cet algorithme ait des origines plus anciennes. Pour exécuter l'**algorithme de Prim**, on commence par choisir une arête ayant le coût le plus faible et par mettre celle-ci dans l'arbre de recouvrement. On ajoute successivement à l'arbre les arêtes de coût minimal qui sont incidentes à un sommet qui se trouve déjà dans l'arbre et qui ne forme pas un cycle simple avec les arêtes déjà dans l'arbre. On arrête lorsqu'on a ajouté $n - 1$ arêtes.

Plus loin dans la présente section, on prouvera que cet algorithme produit un arbre générateur de coût minimal pour tout graphe valué connexe. L'algorithme 1 donne une description en pseudocode de l'algorithme de Prim.

ALGORITHME 1 **Algorithme de Prim**

procédure *Prim* (G : graphe non orienté connexe valué à n sommets)
$T :=$ une arête de coût minimal
pour $i := 1$ **à** $n - 2$
début
    $e :=$ une arête de coût minimal incidente à un sommet dans T et ne formant
        pas un cycle simple dans T si elle est ajoutée à T
    $T := T$ avec e ajoutée
fin {T est un arbre générateur de coût minimal de G}

À noter que le choix d'une arête à ajouter à une étape de l'algorithme n'est pas déterminé lorsque plus d'une arête ayant le même coût satisfait aux critères approximatifs. Il faut ordonner les arêtes pour obtenir un choix déterministe. On ne s'intéressera pas à cette question dans le reste de la section. De plus, il convient de noter qu'il peut y avoir plus d'un arbre de coût minimal pour un graphe simple valué connexe (voir l'exercice 9). Les exemples 1 et 2 illustrent la manière d'utiliser l'algorithme de Prim.

EXEMPLE 1   Utilisez l'algorithme de Prim pour concevoir un réseau de communication à coût minimal reliant tous les ordinateurs représentés par le graphe de la figure 1.

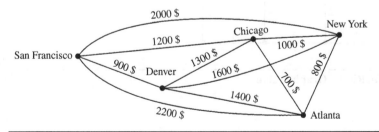

FIGURE 1   **Graphe valué démontrant les coûts de location mensuels des lignes d'un réseau d'ordinateurs**

Solution : On résout ce problème en trouvant un arbre générateur de coût minimal dans le graphe de la figure 1. L'algorithme de Prim est exécuté en choisissant l'arête initiale de coût minimal et en ajoutant successivement les arêtes de coût minimal qui sont incidentes à un sommet dans l'arbre et qui ne forment pas de cycles simples. Les arêtes plus foncées de la figure 2 présentent un arbre générateur de coût minimal produit par l'algorithme de Prim, avec un choix posé à chaque étape illustrée.   ∎

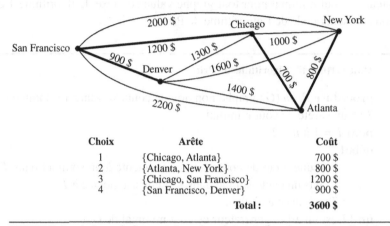

Choix	Arête	Coût
1	{Chicago, Atlanta}	700 $
2	{Atlanta, New York}	800 $
3	{Chicago, San Francisco}	1200 $
4	{San Francisco, Denver}	900 $
	Total :	**3600 $**

FIGURE 2   Arbre générateur de coût minimal pour le graphe valué de la figure 1

EXEMPLE 2   Utilisez l'algorithme de Prim pour trouver un arbre générateur de coût minimal dans le graphe présenté à la figure 3.

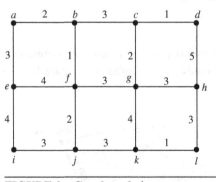

FIGURE 3   Graphe valué

Solution : Un arbre générateur de coût minimal construit à l'aide de l'algorithme de Prim est présenté à la figure 4. Les arêtes successives choisies sont illustrées.   ∎

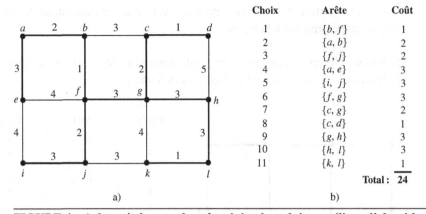

Choix	Arête	Coût
1	$\{b, f\}$	1
2	$\{a, b\}$	2
3	$\{f, j\}$	2
4	$\{a, e\}$	3
5	$\{i, \ j\}$	3
6	$\{f, g\}$	3
7	$\{c, g\}$	2
8	$\{c, d\}$	1
9	$\{g, h\}$	3
10	$\{h, l\}$	3
11	$\{k, l\}$	1
	Total :	24

a)   b)

FIGURE 4   **Arbre générateur de coût minimal produit en utilisant l'algorithme de Prim**

Le deuxième algorithme abordé ici fut découvert par Joseph Kruskal en 1956, bien que la notion de base utilisée ait été décrite beaucoup plus tôt. Pour exécuter l'**algorithme de Kruskal**, on choisit dans le graphe une arête ayant un coût minimal.

On ajoute successivement des arêtes de coût minimal qui ne forment pas un circuit simple avec les arêtes déjà choisies. On arrête après que $n - 1$ arêtes ont été sélectionnées.

Un exercice à la fin de la présente section demande au lecteur de démontrer que l'algorithme de Kruskal produit un arbre générateur de coût minimal pour chaque graphe valué connexe. Le pseudocode de l'algorithme de Kruskal est donné dans l'algorithme 2.

ALGORITHME 2   **Algorithme de Kruskal**

procédure *Kruskal* (*G* : graphe non orienté connexe valué avec *n* sommets)
$T :=$ graphe vide
pour $i := 1$ à $n - 1$
début
> $e :=$ toute arête de *G* ayant un coût minimal qui ne forme pas un cycle simple
> lorsqu'elle est ajoutée à *T*
> $T := T$ avec *e* ajoutée
fin {*T* est un arbre générateur de coût minimal de *G*}

À noter la différence entre les algorithmes de Prim et de Kruskal. Dans l'algorithme de Prim, on choisit des arêtes de coût minimal qui sont incidentes à un sommet se trouvant déjà dans l'arbre et ne formant pas un cycle. Dans l'algorithme de Kruskal, on choisit plutôt des arêtes de coût minimal qui ne sont pas nécessairement incidentes à un sommet déjà dans l'arbre et ne forment pas un circuit. À remarquer que dans l'algorithme de Prim, si les arêtes ne sont pas ordonnées, il peut y avoir plus d'un choix pour l'arête à ajouter à une étape donnée de cette procédure. Par conséquent, on doit ordonner les arêtes pour obtenir une procédure déterministe. L'exemple 3 illustre la manière d'utiliser l'algorithme de Kruskal.

EXEMPLE 3   Utilisez l'algorithme de Kruskal pour trouver un arbre générateur de coût minimal dans le graphe valué présenté à la figure 3.

Solution : Un arbre générateur de coût minimal et le choix des arêtes à chaque étape de l'algorithme de Kruskal sont présentés à la figure 5.   ■

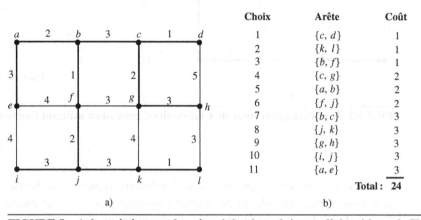

Choix	Arête	Coût
1	$\{c, d\}$	1
2	$\{k, l\}$	1
3	$\{b, f\}$	1
4	$\{c, g\}$	2
5	$\{a, b\}$	2
6	$\{f, j\}$	2
7	$\{b, c\}$	3
8	$\{j, k\}$	3
9	$\{g, h\}$	3
10	$\{i, j\}$	3
11	$\{a, e\}$	3
	Total :	24

a)   b)

FIGURE 5   Arbre générateur de coût minimal produit avec l'algorithme de Kruskal

On démontre que l'algorithme de Prim produit un arbre générateur de coût minimal dans un graphe valué connexe.

Démonstration : Soit G un graphe valué connexe. On suppose que les arêtes successives choisies par l'algorithme de Prim sont $e_1, e_2, ..., e_{n-1}$. Soit S l'arbre ayant $e_1, e_2, ..., e_{n-1}$ comme arêtes et S_k l'arbre ayant $e_1, e_2, ..., e_k$ comme arêtes. Soit T un arbre générateur de coût minimal de G contenant les arêtes $e_1, e_2, ..., e_k$, où k est l'entier maximal ayant pour propriété qu'un arbre générateur de coût minimal existe et qu'il contient les premières k arêtes choisies avec l'algorithme de Prim. Un théorème en découle si on peut démontrer que $S = T$.

On suppose que $S \neq T$, tel que $k < n - 1$. Par conséquent, T contient $e_1, e_2, ..., e_k$ mais pas e_{k+1}. On considère le graphe constitué de T avec e_{k+1}. Puisque ce graphe est connexe et qu'il comporte n arêtes, c'est-à-dire trop d'arêtes pour être un arbre, il doit contenir un cycle simple. Celui-ci doit contenir e_{k+1}, puisqu'il n'y avait pas de cycle simple en T. De plus, il doit y avoir une arête dans le cycle simple qui n'appartient pas à S_{k+1} puisque S_{k+1} est un arbre. On part d'une extrémité de e_{k+1} qui est également une extrémité de l'une des arêtes $e_1, ..., e_k$ et on suit ce cycle jusqu'à ce qu'on atteigne une arête qui n'est pas dans S_{k+1}. On peut alors trouver une arête e qui n'est pas dans S_{k+1} et qui a une extrémité qui est également une extrémité de l'une des arêtes $e_1, e_2, ..., e_k$. En supprimant e de T et en ajoutant e_{k+1}, on obtient un arbre T' avec $n - 1$ arêtes (il s'agit d'un arbre puisqu'il n'a pas de cycle simple). À noter que l'arbre T' contient $e_1, e_2, ..., e_k, e_{k+1}$. De plus, puisque e_{k+1} a été choisi avec l'algorithme de Prim à la $(k + 1)$-ième étape et que e était également disponible à cette étape, le coût de e_{k+1} est inférieur ou égal au coût de e. D'après cette observation, il s'ensuit que T' est également un arbre générateur de coût minimal, puisque la somme des coûts de ses arêtes ne dépasse pas la somme des coûts des arêtes de T. Ce raisonnement vient donc contredire le choix de k comme entier maximal, tel qu'un arbre générateur de coût minimal existe contenant $e_1, \ldots, e_k$. Ainsi, $k = n - 1$ et $S = T$. Il s'ensuit que l'algorithme de Prim produit un arbre générateur de coût minimal. ☐

Exercices

1. Aucune des routes présentées dans le graphe suivant n'est asphaltée. Les longueurs des routes entre les paires de villes sont représentées par des valeurs d'arêtes. Quelles routes faudrait-il asphalter pour qu'il y ait un chemin de routes asphaltées entre chaque paire de villes et pour avoir une longueur minimale de route asphaltée ? (*Remarque :* Ces villes se trouvent dans le Nevada.)

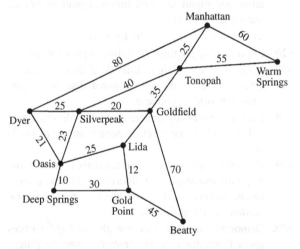

Dans les exercices 2 à 4, vous devez utiliser l'algorithme de Prim pour trouver un arbre générateur de coût minimal pour le graphe valué donné.

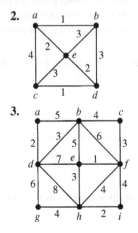

4.

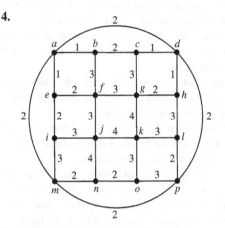

5. Utilisez l'algorithme de Kruskal pour concevoir le réseau de communication décrit au début de la section.

6. Utilisez l'algorithme de Kruskal pour trouver un arbre générateur de coût minimal pour le graphe valué de l'exercice 2.

7. Utilisez l'algorithme de Kruskal pour trouver un arbre générateur de coût minimal pour le graphe valué de l'exercice 3.

8. Utilisez l'algorithme de Kruskal pour trouver un arbre générateur de coût minimal pour le graphe valué de l'exercice 4.

9. Trouvez un graphe simple valué connexe ayant le moins grand nombre possible d'arêtes et ayant plus d'un arbre générateur de coût minimal.

10. Une **forêt génératrice de coût minimal** dans un graphe valué est une forêt de recouvrement ayant un coût minimal. Expliquez comment on peut adapter les algorithmes de Prim et de Kruskal pour construire une forêt génératrice de coût minimal.

L'**arbre générateur de coût maximal** dans un graphe non orienté valué connexe est un arbre de recouvrement ayant le coût le plus élevé possible.

11. Élaborez un algorithme similaire à l'algorithme de Prim permettant de construire un arbre générateur de coût maximal pour un graphe valué connexe.

12. Élaborez un algorithme similaire à l'algorithme de Kruskal permettant de construire un arbre générateur de coût maximal pour un graphe valué connexe.

13. Trouvez un arbre générateur de coût maximal pour le graphe valué de l'exercice 2.

14. Trouvez un arbre générateur de coût maximal pour le graphe valué de l'exercice 3.

15. Trouvez un arbre générateur de coût maximal pour le graphe valué de l'exercice 4.

16. Trouvez le deuxième réseau de communication le moins coûteux reliant les cinq centres de calcul dans le problème posé au début de la section.

★17. Élaborez un algorithme permettant de trouver le deuxième arbre de recouvrement dans un graphe valué connexe.

★18. Montrez qu'une arête de coût le plus faible dans un graphe valué connexe doit faire partie de tout arbre générateur de coût minimal.

19. Démontrez qu'il existe un arbre générateur de coût minimal dans un graphe valué connexe si les coûts des sommets sont tous différents.

20. Supposez que le réseau d'ordinateurs reliant les villes de la figure 1 doit comporter une liaison directe entre New York et Denver. Quelles autres liaisons devez-vous inclure pour qu'il y ait une liaison entre toutes les paires de centres de calcul et pour réduire les coûts au minimum ?

21. Trouvez un arbre de recouvrement ayant un coût minimal total contenant les arêtes $\{e, i\}$ et $\{g, k\}$ dans le graphe valué de la figure 3.

22. Élaborez un algorithme permettant de trouver un arbre de recouvrement ayant un coût minimal contenant un ensemble donné d'arêtes dans un graphe simple non orienté valué connexe.

23. Exprimez l'algorithme créé dans l'exercice 22 en pseudocode.

L'**algorithme de Sollin** permet d'obtenir un arbre générateur de coût minimal à partir d'un graphe simple valué connexe $G = (V, E)$ en ajoutant successivement des groupes d'arêtes. On suppose que les sommets de V sont ordonnés. On ordonne ainsi les arêtes où $\{u_0, v_0\}$ précède $\{u_1, v_1\}$ si u_0 précède u_1 ou si $u_0 = u_1$ et v_0 précède v_1. L'algorithme débute en choisissant simultanément l'arête de coût mini-

mal incidente à chaque sommet. La première arête rencontrée dans l'énumération est sélectionnée si deux arêtes sont de même coût. On obtient ainsi un graphe sans cycle simple, autrement dit une forêt d'arbres (dans l'exercice 24, le lecteur devra en faire la démonstration). Ensuite, on choisit simultanément pour chaque arbre dans la forêt l'arête la plus courte entre un sommet dans cet arbre et un sommet dans un arbre différent. De nouveau, on sélectionne la première arête dans l'énumération si deux arêtes sont de même coût. (On obtient ainsi un graphe sans cycle simple contenant un plus petit nombre d'arbres qu'auparavant – voir l'exercice 24.) On continue ce processus d'ajout simultané d'arêtes pour relier des arbres jusqu'à ce que $n - 1$ arêtes aient été choisies. À cette étape, un arbre générateur de coût minimal a été construit.

★24. Démontrez que l'addition d'arêtes à chaque étape de l'algorithme de Sollin produit une forêt.

25. Utilisez l'algorithme de Sollin afin de produire un arbre générateur de coût minimal pour le graphe valué présenté à la
   a) figure 1.   **b)** figure 3.

★26. Exprimez l'algorithme de Sollin en pseudocode.

★★27. Démontrez que l'algorithme de Sollin produit un arbre générateur de coût minimal dans un graphe valué non orienté connexe.

★28. Démontrez que la première étape de l'algorithme de Sollin produit une forêt contenant au moins $\lceil n/2 \rceil$ arêtes.

★29. Démontrez que s'il y a r arbres dans la forêt à une étape intermédiaire de l'algorithme de Sollin, alors au moins $\lceil r/2 \rceil$ arêtes sont ajoutées par l'itération suivante de l'algorithme.

★30. Démontrez qu'il ne reste pas plus de $\lfloor n/2^k \rfloor$ arbres après l'exécution de la première étape de l'algorithme de Sollin et après l'exécution de la deuxième étape $k - 1$ fois.

★31. Démontrez que l'algorithme de Sollin exige au plus $\log n$ itérations pour produire un arbre générateur de coût minimal à partir d'un graphe valué non orienté connexe à n sommets.

32. Prouvez que l'algorithme de Kruskal produit des arbres générateurs de coût minimal.

Questions de révision

1. **a)** Donnez la définition d'un arbre.
   b) Donnez la définition d'une forêt.

2. Peut-il y avoir deux chemins simples différents entre les sommets d'un arbre ?

3. Donnez au moins trois exemples de la manière dont on peut utiliser les arbres en modélisation.

4. a) Définissez une arborescence et la racine de cet arbre.

  b) Définissez le père d'un sommet et le fils d'un sommet dans une arborescence.

  c) Qu'est-ce qu'un sommet interne, une feuille et un sous-arbre dans une arborescence ?

  d) Dessinez une arborescence ayant au moins 10 sommets, où le degré de chaque sommet ne dépasse pas 3. Identifiez la racine, le père de chaque sommet, le fils de chaque sommet, les sommets internes et les feuilles.

5. a) Combien d'arêtes un arbre à n sommets admet-il ?

  b) Que devez-vous savoir pour déterminer le nombre d'arêtes dans une forêt comportant n sommets ?

6. a) Définissez un arbre m-aire complet.

  b) Combien de sommets possède un arbre m-aire complet s'il a i sommets internes ? Combien de feuilles cet arbre a-t-il ?

7. a) Quelle est la hauteur d'une arborescence ?

  b) Qu'est-ce qu'un arbre équilibré ?

  c) Combien de feuilles un arbre m-aire de hauteur h a-t-il ?

8. a) Qu'est-ce qu'un arbre de fouille binaire ?

  b) Élaborez un algorithme permettant de construire un arbre de fouille binaire.

  c) Formez un arbre de fouille binaire pour les mots *vireo*, *warbler*, *egret*, *grosbeak*, *nuthatch* et *kingfisher*.

9. a) Qu'est-ce qu'un code préfixe ?

  b) Comment un arbre binaire peut-il représenter un code préfixe ?

10. a) Définissez le parcours préfixe, infixe et postfixe d'un arbre.

  b) Donnez un exemple de parcours préfixe, postfixe et infixe d'un arbre binaire de votre choix ayant au moins 12 sommets.

11. a) Expliquez comment utiliser des parcours préfixe, infixe et postfixe pour trouver les formes préfixe, infixe et postfixe d'une expression arithmétique.

  b) Dessinez l'arborescence ordonnée qui représente $((x-3) + ((x/4) + (x-y) \uparrow 3))$.

  c) Trouvez les formes préfixe et postfixe de l'expression de la partie b).

12. Montrez que le nombre de comparaisons qu'utilise un algorithme de tri est d'au moins $\lceil \log n! \rceil$.

13. a) Décrivez l'algorithme de tri par permutation.

  b) Utilisez l'algorithme de tri par permutation pour mettre la liste 5, 2, 4, 1, 3 en ordre croissant.

  c) Donnez une estimation grand O du nombre de comparaisons qu'utilise le tri par permutation.

14. a) Décrivez l'algorithme de tri par fusion.

  b) Utilisez l'algorithme de tri par fusion pour mettre la liste 4, 10, 1, 5, 3, 8, 7, 2, 6, 9 en ordre croissant.

  c) Donnez une estimation grand O du nombre de comparaisons qu'utilise le tri par fusion.

15. a) Qu'est-ce que l'arbre de recouvrement d'un graphe simple ?

  b) Quels graphes simples admettent des arbres de recouvrement ?

  c) Décrivez au moins deux applications différentes nécessitant la recherche d'un arbre de recouvrement d'un graphe simple.

16. a) Décrivez deux algorithmes différents pour trouver l'arbre de recouvrement d'un graphe simple.

  b) Illustrez comment on peut utiliser les deux algorithmes décrits en a) pour trouver l'arbre de recouvrement d'un graphe simple, en utilisant le graphe de votre choix avec au moins 8 sommets et 15 arêtes.

17. a) Expliquez comment on peut utiliser le retour arrière pour déterminer si un graphe simple peut être colorié en utilisant n couleurs.

  b) Démontrez, à l'aide d'un exemple, comment on peut utiliser l'algorithme du retour arrière pour montrer qu'un graphe ayant un nombre chromatique égal à 4 ne peut être colorié avec trois couleurs, mais qu'il peut être colorié avec quatre couleurs.

18. a) Qu'est-ce qu'un arbre générateur de coût minimal dans un graphe simple ?

  b) Décrivez au moins deux applications différentes exigeant qu'on trouve un arbre générateur de coût minimal dans un graphe simple.

19. a) Décrivez les algorithmes de Kruskal et de Prim pour trouver des arbres générateurs de coût minimal.

  b) Illustrez comment utiliser les algorithmes de Kruskal et de Prim pour trouver un arbre générateur de coût minimal à l'aide d'un graphe valué ayant au moins 8 sommets et 15 arêtes.

Exercices supplémentaires

★1. Démontrez qu'un graphe simple est un arbre si et seulement s'il ne contient aucun cycle simple et que l'ajout d'une arête reliant deux sommets non adjacents produit un nouveau graphe ayant exactement un cycle simple (où les circuits qui contiennent les mêmes arêtes ne sont pas considérés comme différents.)

★2. Combien d'arborescences non isomorphes y a-t-il avec six sommets ?

3. Montrez que tout arbre ayant au moins une arête doit avoir au moins deux sommets pendants.

4. Démontrez qu'un arbre à n sommets ayant $n - 1$ sommets pendants doit être isomorphe à $K_{1, n-1}$.

5. Quelle est la somme des degrés des sommets d'un arbre à n sommets ?

★6. Supposez que $d_1, d_2, ..., d_n$ sont n entiers positifs dont la somme est $2n - 2$. Démontrez qu'il existe un arbre avec n sommets tel que les degrés de ces sommets sont $d_1, d_2, ..., d_n$.

7. Démontrez que tout arbre est un graphe planaire.

8. Démontrez que tout arbre est biparti.

9. Démontrez que toute forêt peut être coloriée à l'aide de deux couleurs.

Un **B-arbre de degré** k est une arborescence telle que toutes les feuilles se trouvent au même niveau, la racine admet au moins deux fils et au plus k fils à moins qu'elle ne soit une feuille et chaque sommet interne différent de la racine admet au moins $\lceil k/2 \rceil$ fils mais pas plus de k fils. On peut accéder à des fichiers d'ordinateur de manière efficace lorsqu'on utilise des B-arbres pour les représenter.

10. Dessinez trois B-arbres différents de degré 3 et de hauteur 4.

★11. Donnez un majorant et un minorant pour le nombre de feuilles dans un B-arbre de degré k ayant une hauteur h.

★12. Donnez un majorant et un minorant pour la hauteur d'un B-arbre de degré k avec n feuilles.

Une arborescence T est un **arbre de type** S_k si elle satisfait à la définition récursive suivante. Elle est un arbre de type S_0 si elle a un sommet. Pour $k > 0$, T est un arbre de type S_k si on peut la construire à partir de deux arbres de type S_{k-1} en faisant de la racine de l'une les racines de l'arbre de type S_k et en faisant de la racine de l'autre le fils de la racine du premier arbre de type S_k.

13. Dessinez un arbre de type S_k pour $k = 0, 1, 2, 3, 4$.

14. Démontrez qu'un arbre de type S_k a 2^k sommets et un sommet unique au niveau k. Ce sommet au niveau k s'appelle l'**anse**.

★15. Supposez que T est un arbre de type S_k avec l'anse v. Démontrez qu'on peut obtenir T à partir des arbres disjoints $T_0, T_1, ..., T_{k-1}$, où v ne se trouve dans aucun de ces arbres, où T_i est un arbre de type S_i pour $i = 0, 1, ..., k - 1$, en reliant v à r_0 et r_i à r_{i+1} pour $i = 0, 1, ..., k - 2$.

L'énumération des sommets d'une arborescence ordonnée **par ordre de niveaux** commence par la racine, ensuite des sommets au niveau 1 de gauche à droite, puis des sommets au niveau 2 de gauche à droite, etc.

16. Énumérez les sommets des arborescences ordonnées des figures 3 et 9 de la section 8.3 par ordre de niveaux.

17. Élaborez un algorithme permettant d'énumérer les sommets d'une arborescence ordonnée par ordre de niveaux.

★18. Élaborez un algorithme permettant de déterminer si un ensemble d'adresses universelles peut être constitué des adresses des feuilles d'une arborescence.

19. Élaborez un algorithme permettant de construire une arborescence à partir des adresses universelles de ses feuilles.

Le **tri par insertion** s'exécute en analysant les éléments d'une liste un à un, en commençant par le deuxième élément. Chaque élément est comparé aux éléments précédents de la liste, lesquels ont été placés dans l'ordre approprié, et cet élément est inséré dans la bonne position parmi ceux-ci, déplaçant ainsi l'élément qui était dans cette position et tous les éléments qui sont à sa droite d'une position vers la droite.

20. Triez la liste 3, 2, 4, 5, 1 en utilisant le tri par insertion.

21. Rédigez le tri par insertion en pseudocode.

22. Déterminez la complexité du pire cas du tri par insertion en fonction du nombre de comparaisons utilisées.

23. Supposez que e est une arête dans un graphe simple qui est incidente à un sommet pendant. Démontrez que e doit se trouver dans tout arbre de recouvrement.

Un **ensemble d'articulations** est un ensemble d'arêtes tel que le retrait de celles-ci produit un sous-graphe ayant plus de composantes connexes que le graphe initial, mais aucun sous-ensemble propre à cet ensemble d'arêtes ne possède cette propriété.

24. Démontrez qu'un ensemble d'articulations doit avoir au moins une arête en commun avec tout arbre de recouvrement de ce graphe.

Un **cactus** est un graphe connexe dans lequel aucune arête ne se trouve dans plus d'un cycle simple ne passant par aucun sommet, mis à part son sommet initial, à plus d'une reprise ou son sommet initial mis à part son extrémité (où deux cycles qui contiennent les mêmes arêtes ne sont pas considérés comme différents).

25. Parmi les graphes suivants lesquels sont des cactus ?

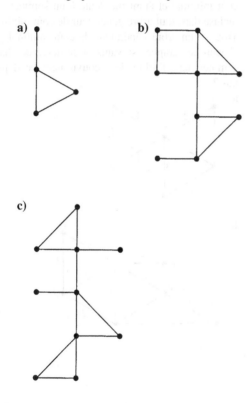

26. Un arbre est-il nécessairement un cactus ?

27. Démontrez qu'un cactus est formé lorsqu'on ajoute un cycle contenant de nouvelles arêtes qui commencent et se terminent au sommet d'un arbre.

★28. Démontrez que si tout circuit ne passant pas par un sommet autre que son sommet initial à plus d'une reprise dans un graphe connexe contient un nombre impair d'arêtes, alors ce graphe doit être un cactus.

Un **arbre de recouvrement à degré restreint** d'un graphe simple G est un arbre de recouvrement ayant la propriété selon laquelle le degré d'un sommet dans cet arbre ne peut

dépasser une limite donnée. Les arbres de recouvrement à degré restreint sont utiles dans les modèles des systèmes de transport où le nombre de routes à une intersection est limité, dans les modèles de réseaux de communication où le nombre de liaisons entrant dans un nœud est limité, etc.

Dans les exercices 29 à 31, trouvez un arbre de recouvrement à degré restreint dans un graphe donné où chaque sommet a un degré plus petit ou égal à 3, ou démontrez que cet arbre de recouvrement n'existe pas.

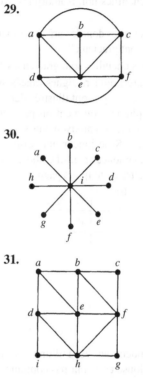

32. Démontrez qu'un arbre de recouvrement à degré restreint dans un graphe simple dans lequel chaque arête a un degré ne dépassant pas 2 est constitué d'une seule chaîne hamiltonienne dans le graphe.

33. Un arbre à n sommets est **gracieux** si on peut étiqueter ses sommets à l'aide des entiers 1, 2, …, n de manière telle que les valeurs absolues des différences des étiquettes de sommets adjacents sont toutes différentes. Démontrez que les arbres suivants sont gracieux.

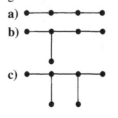

d)

Une **chenille** est un arbre qui contient un seul chemin de manière telle que tout sommet n'étant pas contenu dans ce chemin est adjacent à un sommet dans le chemin.

34. Dans l'exercice 33, quels graphes sont des chenilles ?

35. Combien y a-t-il de chenilles non isomorphes avec six sommets ?

⋆36. a) Est-ce que tous les arbres dont les arêtes forment un chemin unique sont gracieux ?

   ⋆⋆b) Est-ce que toutes les chenilles sont gracieuses ?

37. Supposez que les quatre premiers signes placés sur un jeu de tictacto sont ceux qui sont illustrés dans la figure ci-dessous. Expliquez comment on peut utiliser un arbre pour présenter les mouvements successifs possibles de ce jeu. Si le joueur qui adopte la croix joue en premier, ce joueur peut-il élaborer une stratégie qui lui permettra de toujours gagner ?

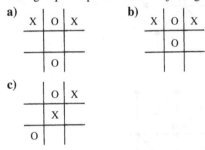

38. Trois couples se rendent au bord d'une rivière. Chaque femme est jalouse et ne fait pas confiance à son mari lorsqu'il se trouve avec l'une des autres femmes (et qu'il peut être avec d'autres personnes) mais pas avec elle. Comment six personnes peuvent-elles traverser de l'autre côté de la rivière en utilisant un bateau qui ne peut contenir plus de deux personnes de façon qu'aucun mari ne se trouve seul avec une femme autre que la sienne ? Utilisez un modèle de théorie de graphe.

⋆39. Supposez que e est une arête dans un graphe valué qui est incidente au sommet v tel que le coût de e ne dépasse pas le coût de toute autre arête qui est incidente à v. Démontrez qu'il existe un arbre générateur de coût minimal contenant cette arête.

⋆40. Démontrez que si aucune paire d'arêtes dans un graphe valué n'a le même coût, alors l'arête ayant le coût minimal et étant incidente à un sommet v est incluse dans tout arbre générateur de coût minimal.

41. Trouvez un arbre générateur de coût minimal pour chacun des graphes suivants où le degré de chaque sommet dans l'arbre de recouvrement ne dépasse pas 2.

a)

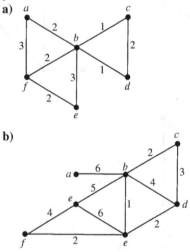

b)

Les circuits d'ordinateurs ou d'autres dispositifs électroniques ont des entrées dont la valeur est 0 ou 1, et ils produisent des sorties dont la valeur est aussi 0 ou 1. Ainsi, on peut construire des circuits avec divers éléments de base possédant deux états distincts. Ces éléments comprennent les commutateurs qui peuvent être à l'état de marche ou d'arrêt ou des dispositifs optiques qui peuvent être allumés ou éteints. En 1938, Claude Shannon fit la démonstration des règles de base de la logique (d'abord établies par George Boole en 1854, dans son livre *The Laws of Thought*), lesquelles peuvent servir à concevoir ces circuits. Ces règles constituent la base de l'algèbre booléenne.

Dans ce chapitre, on développera les propriétés de base de l'algèbre booléenne. Les opérations d'un circuit sont définies par une fonction booléenne qui spécifie la valeur de sortie de chaque ensemble d'entrées. Quand on construit un circuit, la première étape consiste à représenter sa fonction booléenne par une expression fondée sur les opérations de base de l'algèbre booléenne. On présentera un algorithme permettant de produire de telles expressions. L'expression ainsi obtenue peut contenir bien plus d'opérations qu'il n'est nécessaire pour représenter la fonction. Plus loin dans ce chapitre, des méthodes seront décrites pour trouver une expression ayant le nombre minimal de sommes et de produits qui représente une fonction booléenne. Les méthodes qui seront présentées, soit les représentations de Karnaugh et la méthode de Quine-McCluskey, sont importantes pour la conception de circuits efficaces.

9.1

Fonctions booléennes

INTRODUCTION

L'algèbre booléenne régit les opérations et les règles permettant de travailler avec l'ensemble $\{0, 1\}$. Les commutateurs électroniques ou optiques peuvent être étudiés en utilisant cet ensemble et ces règles d'algèbre booléenne. Le plus souvent, on utilisera les trois opérations de l'algèbre booléenne suivantes : le complément, la somme booléenne et le produit booléen. Le **complément** d'un élément est défini par $\overline{0} = 1$ et $\overline{1} = 0$. La somme booléenne représentée par + ou par OU admet les propriétés suivantes :

$$1 + 1 = 1 \qquad 1 + 0 = 1 \qquad 0 + 1 = 1 \qquad 0 + 0 = 0$$

Le produit booléen, représenté par $\cdot$ ou par *ET*, admet les propriétés suivantes :

$$1 \cdot 1 = 1 \qquad 1 \cdot 0 = 0 \qquad 0 \cdot 1 = 0 \qquad 0 \cdot 0 = 0$$

Quand il n'y a pas de risque de confusion, le symbole $\cdot$ peut être omis, comme c'est le cas dans les produits algébriques. À moins qu'il n'y ait des parenthèses dans l'expression, les règles de priorité des opérateurs booléens sont celles-ci : on calcule d'abord tous les compléments, puis les produits booléens et ensuite les sommes booléennes. Cette méthode est présentée à l'exemple 1.

EXEMPLE 1   Trouvez la valeur de $1 \cdot 0 + \overline{(0 + 1)}$.

Solution : En appliquant la définition du complément de la somme et du produit booléen, il s'ensuit que

$$
\begin{aligned}
(1 \cdot 0) + \overline{(0 + 1)} &= 0 + \overline{1} \\
&= 0 + 0 \\
&= 0.
\end{aligned}
$$

■

Le complément, la somme booléenne et le produit booléen correspondent respectivement aux opérateurs logiques $\neg$, $\vee$ et $\wedge$, où 0 correspond à F (faux) et 1 correspond à V (vrai). Les résultats de l'algèbre booléenne peuvent donc être directement traduits sous forme de résultats portant sur des propositions. Réciproquement, des résultats concernant des propositions peuvent être traduits en énoncés dans le cadre de l'algèbre booléenne.

EXPRESSIONS ET FONCTIONS BOOLÉENNES

TABLEAU 1		
x	y	$F(x, y)$
1	1	0
1	0	1
0	1	0
0	0	0

Soit $B = \{0, 1\}$. La variable x est une **variable booléenne** si elle ne peut prendre que l'une des deux valeurs dans B. Une fonction de B^n, soit l'ensemble $\{(x_1, x_2, ..., x_n) \mid x_i \in B, 1 \le i \le n\}$, dans B est une **fonction booléenne de degré** n.

Les valeurs d'une fonction booléenne sont souvent présentées dans des tableaux. Par exemple, la fonction booléenne $F(x, y)$, qui prend la valeur 1 quand $x = 1$ et $y = 0$ et la valeur 0 dans tous les autres cas, est représentée dans le tableau 1.

Les fonctions booléennes peuvent être représentées en utilisant des expressions composées de variables et d'opérations booléennes. Les **expressions booléennes** en les variables $x_1, x_2, ..., x_n$ sont définies récursivement comme suit :

0, 1, $x_1, x_2, ..., x_n$ sont des expressions booléennes ;

si E_1 et E_2 sont des expressions booléennes, alors $\overline{E}_1$, $(E_1 E_2)$ et $(E_1 + E_2)$ sont des expressions booléennes.

Chaque expression booléenne représente une fonction booléenne. Les valeurs de cette fonction sont obtenues en substituant 0 ou 1 aux variables de cette expression. Dans la section 9.2, on démontrera que toute fonction booléenne peut être représentée par une expression booléenne.

EXEMPLE 2   Trouvez les valeurs de la fonction booléenne représentée par $F(x, y, z) = xy + \overline{z}$.

Solution: Les valeurs de cette fonction sont présentées dans le tableau 2.   ■

Les fonctions booléennes F et G à n variables sont égales si et seulement si $F(b_1, b_2, \ldots, b_n) = G(b_1, b_2, \ldots, b_n)$ quelles que soient $b_1, b_2, \ldots, b_n$ dans B. Deux expressions booléennes différentes qui représentent la même fonction sont **équivalentes**. Par exemple, les expressions booléennes xy, $xy + 0$ et $xy \cdot 1$ sont équivalentes. Le **complément** de la fonction booléenne F est la fonction $\overline{F}$, où $\overline{F}(x_1, \ldots, x_n) = \overline{F(x_1, \ldots, x_n)}$.

TABLEAU 2

x	y	z	xy	$\overline{z}$	$F(x, y, z) = xy + \overline{z}$
1	1	1	1	0	1
1	1	0	1	1	1
1	0	1	0	0	0
1	0	0	0	1	1
0	1	1	0	0	0
0	1	0	0	1	1
0	0	1	0	0	0
0	0	0	0	1	1

TABLEAU 3   Fonctions booléennes de degré 2

x	y	F_1	F_2	F_3	F_4	F_5	F_6	F_7	F_8	F_9	F_{10}	F_{11}	F_{12}	F_{13}	F_{14}	F_{15}	F_{16}
1	1	1	1	1	1	1	1	1	1	0	0	0	0	0	0	0	0
1	0	1	1	1	1	0	0	0	0	1	1	1	1	0	0	0	0
0	1	1	1	0	0	1	1	0	0	1	1	0	0	1	1	0	0
0	0	1	0	1	0	1	0	1	0	1	0	1	0	1	0	1	0

Soit F et G des fonctions booléennes de degré n. La **somme booléenne** $F + G$ et le **produit booléen** FG sont définis selon

$$(F + G)(x_1, \ldots, x_n) = F(x_1, \ldots, x_n) + G(x_1, \ldots, x_n),$$
$$(FG)(x_1, \ldots, x_n) = F(x_1, \ldots, x_n)G(x_1, \ldots, x_n).$$

Une fonction booléenne de degré 2 est une fonction définie dans un ensemble à quatre éléments, notamment les couples d'éléments de $B = \{0, 1\}$ dans B, qui est un ensemble à deux éléments. Par conséquent, il existe 16 fonctions booléennes différentes de degré 2. Le tableau 3 illustre les valeurs de ces 16 fonctions $F_1, F_2, \ldots, F_{16}$.

EXEMPLE 3   Combien existe-t-il de fonctions booléennes différentes de degré n ?

Solution : À partir de la règle du produit, il s'ensuit qu'il y a 2^n différentes n-tuples de 0 et de 1. Puisqu'une fonction booléenne est une attribution de 0 ou de 1 à chacune de ces différentes 2^n n-tuples, la règle du produit démontre qu'il existe 2^{2^n} fonctions booléennes différentes.   ■

Le tableau 4 montre le nombre de fonctions booléennes différentes de degré 1 à 6. Le nombre de fonctions différentes croît très rapidement.

TABLEAU 4 Nombre de fonctions booléennes de degré n	
Degré	*Nombre*
1	4
2	16
3	256
4	65 536
5	4 294 967 296
6	18 446 744 073 709 551 616

IDENTITÉS DE L'ALGÈBRE BOOLÉENNE

Il existe de nombreuses identités dans l'algèbre booléenne. Les plus importantes sont présentées dans le tableau 5. Ces identités sont particulièrement importantes pour simplifier la conception des circuits. Chacune des identités du tableau 5 peut être démontrée au moyen d'un tableau. On démontrera l'une des règles de distributivité de cette façon dans l'exemple 4. Les preuves des autres propriétés sont laissées à titre d'exercice à la fin de cette section.

TABLEAU 5 Identités booléennes	
Identité	*Nom*
$\overline{\overline{x}} = x$	Double complément
$x + x = x$ $x \cdot x = x$	Idempotence
$x + 0 = x$ $x \cdot 1 = x$	Identité
$x + 1 = 1$ $x \cdot 0 = 0$	Dominance
$x + y = y + x$ $xy = yx$	Commutativité
$x + y = y + x$ $x(yz) = (xy)z$	Associativité

TABLEAU 5 (suite)	
$x + yz = (x + y)(x + z)$ $x(y + z) = xy + xz$	Distributivité
$\overline{(xy)} = \overline{x} + \overline{y}$ $\overline{(x + y)} = \overline{x}\ \overline{y}$	Lois de De Morgan

EXEMPLE 4   Démontrez que la loi distributive $x(y + z) = xy + xz$ est valide.

Solution : La vérification de cette identité est démontrée au tableau 6. Cette identité est valide parce que les deux dernières colonnes de cette table concordent. ∎

TABLEAU 6

x	y	z	$y + z$	xy	xz	$x(y + z)$	$xy + xz$
1	1	1	1	1	1	1	1
1	1	0	1	1	0	1	1
1	0	1	1	0	1	1	1
1	0	0	0	0	0	0	0
0	1	1	1	0	0	0	0
0	1	0	1	0	0	0	0
0	0	1	1	0	0	0	0
0	0	0	0	0	0	0	0

Les identités du tableau 5 permettront de démontrer d'autres identités, comme dans l'exemple 5.

EXEMPLE 5   Démontrez la **loi d'absorption** $x(x + y) = x$ en utilisant les identités de l'algèbre booléenne. (Cette loi est appelée loi d'absorption puisqu'elle absorbe $x + y$ en x et laisse x inchangée.)

Solution : Voici les étapes permettant de dériver cette identité et les lois qu'il convient d'utiliser :

$$
\begin{aligned}
x(x + y) &= (x + 0)\,(x + y) && \text{Identité de la somme booléenne} \\
&= x + 0 \cdot y && \text{Distributivité de la somme booléenne sur le produit booléen} \\
&= x + y \cdot 0 && \text{Commutativité du produit booléen} \\
&= x + 0 && \text{Dominance du produit booléen} \\
&= x && \text{Identité de la somme booléenne}
\end{aligned}
$$
∎

DUALITÉ

Les identités du tableau 5 apparaissent deux par deux (sauf pour la loi du double complément). Pour expliquer cette relation entre chaque couple d'identités, on utilise le concept de dualité. Le **dual** d'une expression booléenne est obtenu en interchangeant respectivement les sommes et les produits booléens, ainsi que les valeurs 0 et 1.

EXEMPLE 6   Trouvez les duals de $x(y + 0)$ et de $\overline{x} \cdot 1 + (\overline{y} + z)$.

Solution : En interchangeant les signes $\cdot$ et $+$ puis en interchangeant les 0 et les 1 de cette expression, on obtient leurs duals. Ces derniers sont respectivement $x + (y \cdot 1)$ et $(\overline{x} + 0)$ $(\overline{y}z)$. ∎

Le dual d'une fonction booléenne F représentée par une expression booléenne est la fonction représentée par le dual de cette expression. Cette fonction duale, représentée par F^d, ne dépend pas de l'expression booléenne particulière servant à représenter F. Une identité entre deux fonctions représentées par des expressions booléennes reste valide lorsqu'elle est appliquée aux expressions duales des deux membres de l'identité (voir l'exercice 22 pour cette démonstration). Ce résultat, soit le **principe de dualité**, permet d'obtenir de nouvelles identités.

EXEMPLE 7   Construisez une identité à partir de la loi d'absorption $x(x + y) = x$ donnée à l'exemple 5, en utilisant les duals.

Solution : En prenant les duals des deux membres de cette identité, on obtient l'identité $x + xy = x$, qui est également une loi d'absorption. ∎

DÉFINITION ABSTRAITE D'ALGÈBRE BOOLÉENNE

Dans cette section, on s'est concentré sur les fonctions et les expressions booléennes. Cependant, les résultats établis peuvent être traduits en résultats qui peuvent comprendre des propositions ou des ensembles. Pour cette raison, il est important de définir de manière abstraite les algèbres booléennes. Ainsi, dès qu'on démontrera qu'une structure particulière est une structure booléenne, alors tous les résultats établis pour les algèbres booléennes s'appliqueront de manière globale à cette structure particulière.

On peut définir les algèbres booléennes de différentes façons. La plus commune est de spécifier les propriétés que ces opérations doivent satisfaire, comme dans la définition suivante.

DÉFINITION 1. Une **algèbre booléenne** est un ensemble B muni de deux opérations binaires $\vee$ et $\wedge$, des éléments 0 et 1 et d'un opérateur unaire $^-$ de sorte que les propriétés suivantes soient satisfaites quels que soient x, y et z dans B.

$$\left.\begin{array}{l} x \vee 0 = x \\ x \wedge 1 = x \end{array}\right\} \quad \textbf{Identité}$$

$$\left.\begin{array}{l} x \vee \overline{x} = 1 \\ x \wedge \overline{x} = 0 \end{array}\right\} \quad \textbf{Domination}$$

$$\left.\begin{array}{l} (x \vee y) \vee z = x \vee (y \vee z) \\ (x \wedge y) \wedge z = x \wedge (y \wedge z) \end{array}\right\} \quad \textbf{Associativité}$$

$$\left.\begin{array}{l} x \vee y = y \vee x \\ x \wedge y = y \wedge x \end{array}\right\} \quad \textbf{Commutativité}$$

$$\left.\begin{array}{l} x \vee (y \wedge z) = (x \vee y) \wedge (x \vee z) \\ x \wedge (y \vee z) = (x \wedge y) \vee (x \wedge z) \end{array}\right\} \quad \textbf{Distributivité}$$

En appliquant ces lois dans la définition 1, il est possible d'en démontrer beaucoup d'autres qui s'appliquent à toutes les algèbres booléennes, par exemple la loi de dominance et la loi d'idempotence (voir les exercices 25 à 32).

À partir de la discussion précédente, $B = \{0, 1\}$ satisfait à toutes ces propriétés avec les opérateurs *OU* et *ET* et le complément. L'ensemble des propositions à n variables, avec les opérateurs $\vee$ et $\wedge$, **F** et **V** et l'opérateur de négation, satisfont également à toutes les propriétés de l'algèbre booléenne comme on l'a montré au tableau 5 de la section 1.2. De la même façon, l'ensemble des sous-ensembles d'un ensemble universel U avec les opérations d'union et d'intersection, l'ensemble vide, l'ensemble universel ainsi que l'opérateur du complément d'un ensemble, est une algèbre booléenne comme on a pu le voir au tableau 1 de la section 1.5. Ainsi, pour établir des résultats à propos de chaque expression, proposition et ensemble, il suffit de démontrer les résultats concernant les algèbres booléennes abstraites.

Les algèbres booléennes peuvent également être définies en utilisant la notion de treillis, introduite au chapitre 6. Il convient de se rappeler qu'un treillis L est un ensemble partiellement ordonné dans lequel chaque paire d'éléments x, y admet un majorant, représenté par maj(x, y) et un minorant représenté par mnr(x, y). Au moyen de ces deux éléments x et y de L, on peut définir deux opérations $\vee$ et $\wedge$ sur les couples d'éléments de L selon $x \vee y = \text{maj}(x, y)$ et $x \wedge y = \text{mnr}(x, y)$.

Pour qu'un treillis L soit une algèbre booléenne telle qu'elle a été établie à la définition 1, il doit avoir deux propriétés. Premièrement, le treillis doit être **complémenté**. Un treillis est complémenté s'il admet un élément minimal 0 et un élément maximal 1 et, pour chaque élément x du treillis, il doit exister un élément $\overline{x}$ tel que $x \vee \overline{x} = 1$ et $x \wedge \overline{x} = 0$. Deuxièmement, il doit être **distributif**, ce qui signifie que, quelles que soient x, y et z dans L, $x \vee (y \wedge z) = (x \vee y) \wedge (x \vee z)$ et $x \wedge (y \vee z) = (x \wedge y) \vee (x \wedge z)$. La démonstration qu'un treillis complémenté et distributif correspond à une algèbre booléenne est le sujet de l'exercice 33 à la fin de cette section.

Exercices

1. Trouvez les valeurs des expressions suivantes :
   a) $1 \cdot \overline{0}$. b) $1 + \overline{1}$.
   c) $\overline{0} \cdot 0$. d) $\overline{(1 + 0)}$.

2. Trouvez, si elles existent, les valeurs des variables booléennes x qui satisfont les équations suivantes :
   a) $x \cdot 1 = 0$. b) $x + x = 0$.
   c) $x \cdot 1 = x$. d) $x \cdot \overline{x} = 1$.

3. Quelles sont les valeurs des variables booléennes x et y satisfaisant à $xy = x + y$?

4. Combien y a-t-il de fonctions booléennes différentes de degré 7 ?

5. Démontrez la **loi d'absorption** $x + xy = x$ en utilisant les lois du tableau 5.

☞6. Démontrez que $F(x, y, z) = xy + xz + yz$ a la valeur 1 si et seulement si deux des variables x, y et z ont la valeur 1.

7. Démontrez que $x\overline{y} + y\overline{z} + \overline{x}z = \overline{x}y + \overline{y}z + x\overline{z}$.

Les exercices 8 à 15 traitent l'algèbre booléenne définie par la somme booléenne et le produit booléen dans l'ensemble $\{0, 1\}$.

8. Vérifiez la loi du double complément.

9. Vérifiez les lois de l'idempotence.

10. Vérifiez les lois d'identité.

11. Vérifiez les lois de dominance.

12. Vérifiez les lois commutatives.

13. Vérifiez les lois associatives.

14. Vérifiez la première loi distributive du tableau 5.

15. Vérifiez les lois de De Morgan.

L'opérateur booléen $\oplus$, appelé opérateur *XOU*, est défini par $1 \oplus 1 = 0$, $1 \oplus 0 = 1$, $0 \oplus 1 = 1$ et $0 \oplus 0 = 0$.

16. Simplifiez les expressions suivantes :
    a) $x \oplus 0$. b) $x \oplus 1$.
    c) $x \oplus x$. d) $x \oplus \overline{x}$.

17. Démontrez la validité des expressions suivantes :
    a) $x \oplus y = (x + y)\overline{(xy)}$.
    b) $x \oplus y = (x\overline{y}) + (\overline{x}y)$.

18. Démontrez que $x \oplus y = y \oplus x$.

19. Les égalités suivantes sont-elles valides ou non ?
    a) $x \oplus (y \oplus z) = (x \oplus y) \oplus z$
    b) $x + (y \oplus z) = (x + y) \oplus (x + z)$
    c) $x \oplus (y + z) = (x \oplus y) + (x \oplus z)$

20. Déterminez les duals des expressions booléennes suivantes :
    a) $x + y$. b) $\overline{x}\,\overline{y}$.
    c) $xyz + \overline{x}\,\overline{y}\,\overline{z}$. d) $x\overline{z} + x \cdot 0 + \overline{x} \cdot 1$.

⋆21. Supposez que F est une fonction booléenne représentée par une expression booléenne des variables x_1, ..., x_n. Démontrez que $F^d(x_1, ..., x_n) = \overline{F(\overline{x}_1, ..., \overline{x}_n)}$.

⋆22. Démontrez que si F et G sont des fonctions booléennes représentées par des expressions booléennes de n variables et que $F = G$, alors $F^d = G^d$, où F^d et G^d sont les fonctions booléennes représentées par les duals des expressions booléennes représentant respectivement F et G. (*Conseil* : Utilisez les résultats de l'exercice 21.)

⋆23. Combien y a-t-il de fonctions booléennes distinctes $F(x, y, z)$ qui vérifient $F(\overline{x}, \overline{y}, \overline{z}) = F(x, y, z)$ pour toutes les valeurs des variables booléennes x, y et z ?

⋆24. Combien existe-t-il de fonctions booléennes distinctes $F(x, y, z)$ qui satisfont $F(\overline{x}, y, z) = F(x, \overline{y}, z) = F(x, y, \overline{z})$ pour toutes les valeurs des variables booléennes x, y et z ?

Pour les exercices 25 à 32, utilisez les lois de la définition 1 pour démontrer que les propriétés énoncées sont valides dans toute algèbre booléenne.

25. Démontrez que dans une algèbre booléenne, les **propriétés** $x \vee x = x$ et $x \wedge x = x$ sont valides pour tout élément x.

26. Démontrez que dans une algèbre booléenne, tout élément x admet un complément $\overline{x}$ tel que $x \vee \overline{x} = 1$ et $x \wedge \overline{x} = 0$.

27. Démontrez que dans une algèbre booléenne, le complément de l'élément 0 est l'élément 1 et réciproquement.

28. Démontrez que dans une algèbre booléenne, la **loi du double complément** est valide, c'est-à-dire que $\overline{\overline{x}} = x$ pour tout élément x.

29. Démontrez que les lois de De Morgan sont valides dans une algèbre booléenne. Autrement dit, démontrez que pour tout x et pour tout y, $\overline{(x \vee y)} = \overline{x} \wedge \overline{y}$ et $\overline{(x \wedge y)} = \overline{x} \vee \overline{y}$.

30. Démontrez que dans une algèbre booléenne, les **propriétés modulaires** s'appliquent. Autrement dit, démontrez que $x \wedge (y \vee (x \wedge z)) = (x \wedge y) \vee (x \wedge z)$, et que $x \vee (y \wedge (x \vee z)) = (x \vee y) \wedge (x \vee z)$.

31. Démontrez que dans une algèbre booléenne, si $x \vee y = 0$, alors $x = 0$ et $y = 0$ et que si $x \wedge y = 1$, alors $x = 1$ et $y = 1$.

32. Démontrez que dans une algèbre booléenne, le **dual** d'une identité, obtenu en interchangeant les opérateurs $\vee$ et $\wedge$ et en interchangeant les éléments 0 et 1, est également une identité valide.

33. Démontrez qu'un treillis complémenté et distributif constitue une algèbre booléenne.

9.2

Représentations des fonctions booléennes

Dans cette section, on étudiera deux problèmes importants de l'algèbre booléenne. Le premier est celui-ci : étant donné les valeurs d'une fonction booléenne, comment peut-on trouver une expression booléenne qui représente cette fonction ? On résoudra ce problème en montrant que toute fonction booléenne peut être représentée par une addition booléenne de produits booléens des variables et de leurs compléments. La solution à ce problème montre que toute fonction booléenne peut être représentée en utilisant les trois opérateurs booléens ·, + et ¯. Le deuxième problème est celui-ci : existe-t-il un ensemble réduit d'opérateurs qui peut servir à représenter toutes les fonctions booléennes ? On répondra à cette question en démontrant que toute fonction booléenne peut être représentée au moyen d'un seul opérateur. Ces deux problèmes sont particulièrement importants dans la conception des circuits.

DÉVELOPPEMENT DE L'ADDITION DE PRODUITS

Les exemples suivants illustrent une façon de trouver une expression booléenne représentant une fonction booléenne.

EXEMPLE 1   Trouvez les expressions booléennes qui représentent les fonctions $F(x, y, z)$ et $G(x, y, z)$ illustrées au tableau 1.

TABLEAU 1				
x	y	z	F	G
1	1	1	0	0
1	1	0	0	1
1	0	1	1	0
1	0	0	0	0
0	1	1	0	0
0	1	0	0	1
0	0	1	0	0
0	0	0	0	0

Solution : Une expression qui prend la valeur 1 quand $x = z = 1$ et $y = 0$ et la valeur 0 dans tous les autres cas est nécessaire pour représenter F. Une telle expression peut être formée en prenant le produit booléen de x, de $\overline{y}$ et de z. Ce produit, soit $x\overline{y}z$, prend la valeur 1 si et seulement si $x = \overline{y} = z = 1$, ce qui est le cas si et seulement si $x = z = 1$ et $y = 0$.

Pour représenter G, on a besoin d'une expression qui est égale à 1 quand $x = y = 1$ et $z = 0$ ou quand $x = z = 0$ et $y = 1$. On peut former une expression avec ces valeurs en prenant la somme booléenne de deux produits booléens distincts. Le produit booléen $xy\overline{z}$ a la valeur 1 si et seulement si $x = y = 1$ et $z = 0$. De la même façon, le produit $\overline{x}y\overline{z}$ prend la valeur 1 si et seulement si $x = z = 0$ et $y = 1$. L'addition booléenne de ces deux produits $xy\overline{z} + \overline{x}y\overline{z}$ représente G, puisque celle-ci prend la valeur 1 si et seulement si $x = y = 1$ et $z = 0$, ou $x = z = 0$ et $y = 1$. ■

L'exemple 1 illustre la procédure permettant de construire une expression booléenne qui représente une fonction dont les valeurs sont spécifiées. Chaque combinaison de valeurs des variables pour laquelle la fonction prend la valeur 1 nécessite un produit booléen des variables ou de leurs compléments.

> **DÉFINITION 1.** Un *littéral* est une variable booléenne ou son complément. Un *minterme* des variables booléennes $x_1, x_2, \ldots, x_n$ est un produit booléen $y_1 y_2 \ldots y_n$ où $y_i = x_i$ ou $y_i = \overline{x}_i$. Par conséquent, un minterme est un produit de n littéraux, avec un littéral pour chacune des variables.

Le minterme prend la valeur 1 pour une et une seule combinaison des valeurs de ses variables. De façon plus précise, le minterme $y_1 y_2 \ldots y_n$ vaut 1 si et seulement si chaque élément y_i est égal à 1. Cela se produit si et seulement si $x_i = 1$ quand $y_i = x_i$ et $x_i = 0$ quand $y_i = \overline{x}_i$.

EXEMPLE 2   Trouvez le minterme qui vaut 1 si $x_1 = x_3 = 0$ et $x_2 = x_4 = x_5 = 1$ et qui vaut 0 dans tous les autres cas.

Solution : Le minterme $\overline{x}_1 x_2 \overline{x}_3 x_4 x_5$ satisfait à ces conditions. ■

En prenant les sommes booléennes de différents mintermes, on peut construire une expression booléenne admettant un ensemble spécifique de valeurs. En particulier, une addition booléenne de mintermes prend la valeur 1 quand exactement un des mintermes de la somme vaut 1. Il prend la valeur 0 pour toutes les autres combinaisons des valeurs des variables. En conséquence, étant donné une fonction booléenne, on peut former une somme booléenne de mintermes qui prend la valeur 1 quand cette fonction booléenne vaut 1 et qui prend la valeur 0 quand la fonction vaut 0. Les mintermes de cette addition booléenne correspondent aux combinaisons des valeurs pour lesquelles la fonction prend la valeur 1. La somme des mintermes qui représentent la fonction est appelée le **développement de la somme de produits** ou la **forme normale disjonctive** de cette fonction booléenne.

EXEMPLE 3   Trouvez le développement de la somme de l'addition de produits de la fonction $F(x, y, z) = (x + y)\overline{z}$.

Solution : La première étape est de trouver les valeurs de F (voir le tableau 2). Le développement de l'addition de produits de F est la somme booléenne des trois mintermes correspondant aux trois lignes de ce tableau qui donnent à la fonction la valeur 1. On obtient

$$F(x, y, z) = xy\overline{z} + x\overline{y}\,\overline{z} + \overline{x}y\overline{z}.$$

■

TABLEAU 2					
x	y	z	$x+y$	$\overline{z}$	$(x+y)\overline{z}$
1	1	1	1	0	0
1	1	0	1	1	1
1	0	1	1	0	0
1	0	0	1	1	1
0	1	1	1	0	0
0	1	0	1	1	1
0	0	1	0	0	0
0	0	0	0	1	0

Il est également possible de trouver une expression booléenne qui représente une fonction booléenne en prenant un produit booléen de sommes booléennes. Le résultat est appelé la **forme normale conjonctive** ou le **développement du produit des sommes** de la fonction. On peut trouver ces développements en prenant les duals des développements de la somme des produits de la fonction. La manière de trouver de tels développements est décrite à l'exercice 10 à la fin de cette section.

COMPLÉTUDE FONCTIONNELLE

Toute fonction booléenne peut être exprimée comme une somme booléenne de mintermes. Chaque minterme est un produit booléen de variables booléennes ou de leurs compléments. Cela démontre que toute fonction booléenne peut être représentée au moyen des opérateurs booléens $\cdot$, $+$ et $^{-}$. Puisque toute fonction booléenne peut être représentée au moyen de ces opérateurs, on dit que l'ensemble $\{\cdot, +, ^{-}\}$ est un ensemble **fonctionnellement complet**. Maintenant, est-il possible de trouver un ensemble plus restreint d'opérateurs satisfaisant la complétude fonctionnelle ? La réponse est oui si l'un des trois opérateurs de cet ensemble peut être exprimé au moyen des deux autres. On applique alors les lois de De Morgan, qui permettent d'éliminer toutes les additions booléennes au moyen de l'identité

$$x + y = \overline{\overline{x}\ \overline{y}}.$$

En effet, on prend les compléments des deux membres de la deuxième loi de De Morgan donnée au tableau 5 de la section 9.1, puis on applique la loi de double complémentation. Alors, l'ensemble $\{\cdot, ^{-}\}$ est un ensemble fonctionnellement complet. De la même façon, on peut éliminer tous les produits booléens au moyen de l'identité

$$xy = \overline{\overline{x} + \overline{y}}.$$

Cette fois, on prend les compléments des deux membres de la première loi de De Morgan donnée au tableau 5 de la section 9.1, puis on applique la loi de double complémentation. Par conséquent, l'ensemble $\{+, ^{-}\}$ est fonctionnellement complet. On note que l'ensemble $\{+, \cdot\}$ n'est pas fonctionnellement complet puisqu'il est impossible d'exprimer la fonction booléenne $F(x) = \overline{x}$ au moyen de ces opérateurs (voir l'exercice 19).

Donc, on a trouvé deux ensembles de deux opérateurs chacun qui sont fonctionnellement complets. Est-il possible de trouver un ensemble encore plus restreint d'opérateurs fonctionnellement complet, c'est-à-dire un ensemble qui ne contiendrait qu'un seul opérateur ? Un tel ensemble existe. On définit deux opérateurs, l'opérateur $|$ appelé *NON-ET* défini par $1 \mid 1 = 0$ et $1 \mid 0 = 0 \mid 1 = 0 \mid 0 = 1$, et l'opérateur $\downarrow$ appelé *NON-OU* défini par $1 \downarrow 1 = 1 \downarrow 0 = 0 \downarrow 1 = 0$ et $0 \downarrow 0 = 1$. Ces deux ensembles $\{|\}$ et $\{\downarrow\}$ sont des ensembles fonctionnellement complets. Pour démontrer que $\{|\}$ est fonctionnellement complet, puisque $\{\cdot, ^-\}$ est fonctionnellement complet, tout ce qu'on doit faire est de démontrer que les deux opérateurs $\cdot$ et $^-$ peuvent être exprimés au moyen du seul opérateur $|$. On le démontre de la manière suivante :

$$\overline{x} = x \mid x,$$
$$xy = (x \mid y) \mid (x \mid y).$$

Le lecteur pourra vérifier ces identités à l'exercice 14 et démontrer que l'ensemble $\{\downarrow\}$ est fonctionnellement complet aux exercices 15 et 16.

Exercices

1. Trouvez un produit booléen des variables booléennes x, y et z ou de leurs compléments qui prend la valeur 1 si et seulement si

a) $x = y = 0$, $z = 1$.

b) $x = 0$, $y = 1$, $z = 0$.

c) $x = 0$, $y = z = 1$.

d) $x = y = z = 0$.

2. Trouvez les développements de la somme des produits des fonctions booléennes suivantes :

a) $F(x, y) = \overline{x} + y$.   **b)** $F(x, y) = x\overline{y}$.

c) $F(x, y) = 1$.   **d)** $F(x, y) = \overline{y}$.

3. Trouvez les développements de la somme des produits des fonctions booléennes suivantes :

a) $F(x, y, z) = x + y + z$.

b) $F(x, y, z) = (x + z)y$.

c) $F(x, y, z) = x$.

d) $F(x, y, z) = x\overline{y}$.

4. Trouvez le développement de la somme des produits de la fonction booléenne $F(x, y, z)$ qui est égale à 1 si et seulement si

a) $x = 0$.   **b)** $xy = 0$.

c) $x + y = 0$.   **d)** $xyz = 0$.

5. Trouvez le développement de la somme des produits de la fonction booléenne $F(w, x, y, z)$ qui a la valeur 1 si et seulement si un nombre impair de w, x, y et z a la valeur 1.

6. Trouvez le développement de la somme des produits de la fonction booléenne $F(x_1, x_2, x_3, x_4, x_5)$ qui a la valeur 1 si et seulement si trois de ces variables x_1, x_2, x_3, x_4 et x_5 ou plus ont la valeur 1.

Une autre manière de trouver une expression booléenne qui représente une fonction booléenne est de former un produit booléen d'additions booléennes de littéraux. Aux exercices 7 à 11, on traite ces cas.

7. Trouvez une somme booléenne contenant soit x ou $\overline{x}$, soit y ou $\overline{y}$, soit z ou $\overline{z}$ qui a la valeur 0 si et seulement si

a) $x = y = 1$, $z = 0$.

b) $x = y = z = 0$.

c) $x = z = 0$, $y = 1$.

8. Trouvez un produit booléen de sommes booléennes de littéraux qui a la valeur 0 si et seulement si $x = y = 1$ et $z = 0$, $x = z = 0$ et $y = 1$, ou $x = y = z = 0$. (*Conseil :* Prenez les produits booléens des sommes booléennes trouvées aux points a), b) et c) de l'exercice 7.)

9. Démontrez que l'addition booléenne $y_1 + y_2 + \cdots + y_n$, où $y_i = x_i$ ou $y_i = \overline{x}_i$ prend la valeur 0 pour exactement une combinaison des valeurs de ces variables, notamment quand $x_i = 0$ si $y_i = x_i$ et $x_i = 1$ si $y_i = \overline{x}_i$. Cette somme booléenne est appelée un **maxterme**.

10. Démontrez qu'une fonction booléenne peut être représentée comme un produit booléen de maxtermes. Cette représentation est appelée le **développement en produit de sommes** ou la **forme normale conjonctive** de la fonction. (*Conseil :* Il faut inclure un maxterme de ce produit pour chaque combinaison de variables où la fonction prend la valeur 0.)

11. Trouvez le développement en produit de sommes de chacune des fonctions booléennes de l'exercice 3.

12. Exprimez chacune des fonctions booléennes suivantes au moyen des opérateurs $\cdot$ et $^-$.

a) $x + y + z$ **b)** $x + \overline{y}(\overline{x} + z)$

c) $\overline{(x + \overline{y})}$ **d)** $\overline{x}(x + \overline{y} + \overline{z})$

13. Exprimez chacune des fonctions booléennes de l'exercice 12 au moyen des opérateurs $+$ et $^-$.

14. Démontrez que

a) $\overline{x} = x \mid x$.

b) $xy = (x \mid y) \mid (x \mid y)$.

c) $x + y = (x \mid x) \mid (y \mid y)$.

15. Démontrez que

a) $\overline{x} = x \downarrow x$.

b) $xy = (x \downarrow x) \downarrow (y \downarrow y)$.

c) $x + y = (x \downarrow y) \downarrow (x \downarrow y)$.

16. Démontrez que $\{\downarrow\}$ est fonctionnellement complet en utilisant les résultats de l'exercice 15.

17. Exprimez chacune des fonctions booléennes de l'exercice 3 au moyen de l'opérateur $\mid$.

18. Exprimez chacune des fonctions booléennes de l'exercice 3 au moyen de l'opérateur $\downarrow$.

19. Démontrez que l'ensemble d'opérateurs $\{+, \cdot\}$ n'est pas un ensemble fonctionnellement complet.

20. Les ensembles d'opérateurs suivants sont-ils fonctionnellement complets ?

a) $\{+, \oplus\}$ **b)** $\{^-, \oplus\}$ **c)** $\{\cdot, \oplus\}$

9.3

Portes logiques

INTRODUCTION

L'algèbre booléenne sert à modéliser des circuits de dispositifs électroniques. Chaque entrée et chaque sortie d'un tel dispositif peut être perçue comme un élément de l'ensemble $\{0, 1\}$. Un ordinateur ou tout autre dispositif électronique est composé d'un certain nombre de circuits. Chaque circuit peut être conçu en appliquant les règles de l'algèbre booléenne présentées aux sections 9.1 et 9.2. Les éléments de base des circuits sont appelés des **portes**. Chaque type de porte exécute une opération booléenne. Dans cette section, on définira plusieurs types de portes. Au moyen de celles-ci, on appliquera les règles de l'algèbre booléenne pour concevoir des circuits capables d'exécuter diverses tâches. Les circuits qui seront étudiés dans ce chapitre produisent des sorties qui dépendent seulement des entrées et non de l'état courant de ces circuits. En d'autres termes, ces circuits, appelés **circuits combinatoires**, n'ont aucune capacité de mémorisation.

On construira des circuits combinatoires au moyen de trois types d'éléments. Le premier est un inverseur qui accepte les valeurs d'une fonction booléenne et qui produit le complément de cette valeur comme sortie. Le symbole d'un inverseur est illustré à la figure 1 a). L'entrée dans un inverseur est illustrée à gauche de l'élément et la sortie est illustrée à droite de celui-ci.

Le deuxième type d'élément est la porte *OU*. Les entrées à cette porte sont les valeurs de deux variables booléennes ou plus, et la sortie est la somme booléenne de ces valeurs. Le

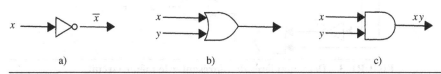

a)   b)   c)

FIGURE 1   **Principaux types de portes**

symbole d'une porte *OU* est illustré à la figure 1 b). Les entrées sont à gauche de l'élément et la sortie est à droite de celui-ci.

Le troisième type d'élément est la porte *ET*. Les entrées à cette porte sont les valeurs de deux variables booléennes ou plus et la sortie est le produit booléen de ces valeurs. Le symbole d'une porte *ET* est illustré à la figure 1 c). Les entrées à cette porte sont à gauche de l'élément et la sortie est à droite de celui-ci.

On permettra ici des entrées multiples aux portes *ET* et *OU*. Les entrées à chacune de ces portes sont illustrées à gauche de l'élément et la sortie est illustrée à droite de celui-ci. La figure 2 montre des exemples de portes *ET* et de portes *OU* avec *n* entrées.

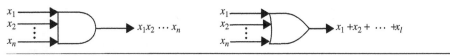

FIGURE 2   Portes avec *n* entrées

COMBINAISON DE PORTES

On peut construire des circuits combinatoires au moyen d'une combinaison d'inverseurs, de portes *OU* et de portes *ET*. Dans une telle combinaison de circuits, certaines portes peuvent partager les mêmes entrées. Ce cas est illustré dans l'un des deux graphiques de la figure 3. Une méthode consiste à se servir des branchements qui indiquent toutes les portes qui utilisent une entrée donnée. L'autre méthode consiste à indiquer cette entrée séparément pour chaque porte. La figure 3 illustre ces deux méthodes de représentation graphique des portes à partir des mêmes valeurs d'entrée.

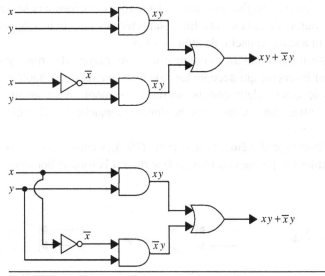

FIGURE 3   Deux manières de représenter le même circuit

On note également que la sortie d'une porte peut servir d'entrée à un ou à plusieurs éléments, comme le montre la figure 3. Les deux schémas de cette même figure décrivent le circuit produisant la sortie $xy + \overline{x}y$.

EXEMPLE 1   Construisez les circuits permettant de générer les sorties suivantes : a) $(x + y)\overline{x}$, b) $\overline{x}\,\overline{(y + \overline{z})}$, c) $(x + y + z)(\overline{x}\,\overline{y}\,\overline{z})$.

Solution : Les circuits qui permettent de générer ces sorties sont illustrés à la figure 4.   ∎

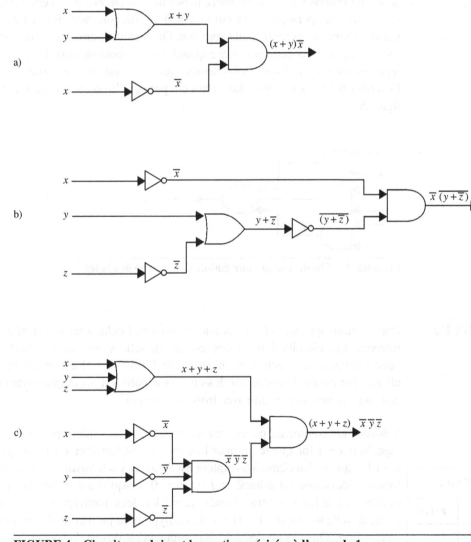

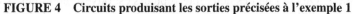

FIGURE 4   Circuits produisant les sorties précisées à l'exemple 1

EXEMPLES DE CIRCUITS

On présente maintenant quelques exemples de circuits permettant d'effectuer des fonctions utiles.

EXEMPLE 2   Un comité de trois personnes prend les décisions dans une organisation. Pour chaque proposition soumise, chaque vote est soit oui, soit non. Une proposition est acceptée si elle est appuyée par au moins deux votes. Concevez un circuit qui permet de déterminer si une proposition est acceptée.

Solution : Posons $x = 1$ si la première personne vote oui et $x = 0$ si elle vote non ; posons $y = 1$ si la deuxième personne vote oui et $y = 0$ si elle vote non. Posons $z = 1$ si la troisième personne vote oui et $z = 0$ si elle vote non. On peut alors construire un circuit qui produira la sortie 1 à partir des entrées x, y et z quand deux valeurs ou plus de x, de y et de z sont 1. La représentation de la fonction booléenne qui a ces valeurs de sortie est $xy + xz + yz$ (voir l'exercice 6 à la section 9.1). Le circuit qui permet d'implanter cette fonction est illustré à la figure 5.   ∎

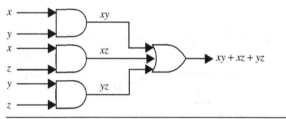

FIGURE 5   Circuit conçu pour établir la majorité des votes

EXEMPLE 3   Dans certains systèmes électriques de va-et-vient, l'éclairage est contrôlé par plusieurs interrupteurs. Les circuits doivent être conçus de telle sorte que n'importe quel interrupteur puisse commander l'éclairage, c'est-à-dire l'allumer s'il est éteint et l'éteindre s'il est allumé. On essaie de concevoir des circuits capables d'accomplir cette tâche d'abord avec deux interrupteurs et ensuite avec trois interrupteurs.

Solution : On commence par concevoir un circuit à deux interrupteurs commandant un éclairage. Soit $x = 1$ lorsque le premier interrupteur est fermé et $x = 0$ lorsqu'il est ouvert. Soit $y = 1$ lorsque le deuxième interrupteur est fermé et $y = 0$ lorsqu'il est ouvert. Soit $F(x, y) = 1$ lorsque l'éclairage est allumé et $F(x, y) = 0$ lorsqu'il est éteint. On peut arbitrairement décider que la lumière sera allumée quand les deux interrupteurs seront fermés des deux côtés, de telle sorte que $F(1, 1) = 1$. Cette hypothèse permet de déterminer toutes les autres valeurs de F. Quand l'un des deux interrupteurs est ouvert, la lumière s'éteint, de telle sorte que $F(1, 0) = F(0, 1) = 0$. Quand l'autre interrupteur est ouvert, la lumière s'allume, de telle sorte que $F(0, 0) = 1$. Le tableau 1 représente ces valeurs. On voit que $F(x, y) = xy + \overline{x}\,\overline{y}$. Cette fonction est établie par le circuit illustré à la figure 6.

TABLEAU 1

x	y	$F(x, y)$
1	1	1
1	0	0
0	1	0
0	0	1

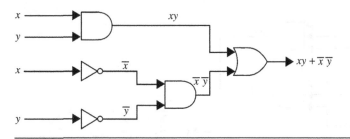

FIGURE 6   **Circuit pour un éclairage contrôlé par deux interrupteurs**

On conçoit maintenant le même circuit mais pour trois interrupteurs. Soit x, y et z les variables booléennes qui indiquent si l'un de ces trois interrupteurs est fermé. On établit $x = 1$ quand le premier interrupteur est fermé et $x = 0$ quand il est ouvert, $y = 1$ quand le deuxième interrupteur est fermé et $y = 0$ quand il est ouvert, et $z = 1$ quand le troisième interrupteur est fermé et $z = 0$ quand il est ouvert. Soit $F(x, y, z) = 1$ quand la lumière est allumée et $F(x, y, z) = 0$ quand elle est éteinte. Arbitrairement, on choisit que la lumière est allumée quand les trois interrupteurs sont fermés, de telle sorte que $F(1, 1, 1) = 1$. Cette hypothèse détermine toutes les autres valeurs de F. Quand un interrupteur est ouvert, la lumière s'éteint, de telle sorte que $F(1, 1, 0) = F(1, 0, 1) = F(0, 1, 1) = 0$. Quand le deuxième interrupteur est ouvert, la lumière s'allume, de telle sorte que $F(1, 0, 0) = F(0, 1, 0) = F(0, 0, 1) = 1$. Finalement, quand le troisième interrupteur est ouvert, la lumière s'éteint de nouveau, de telle sorte que $F(0, 0, 0) = 0$. Le tableau 2 affiche les valeurs de cette fonction.

TABLEAU 2			
x	y	z	$F(x, y, z)$
1	1	1	1
1	1	0	0
1	0	1	0
1	0	0	1
0	1	1	0
0	1	0	1
0	0	1	1
0	0	0	0

La fonction F peut être représentée par le développement de la somme des produits de telle sorte que $F(x, y, z) = xyz + x\overline{y}\,\overline{z} + \overline{x}y\overline{z} + \overline{x}\,\overline{y}z$. Le circuit illustré à la figure 7 établit cette fonction. ∎

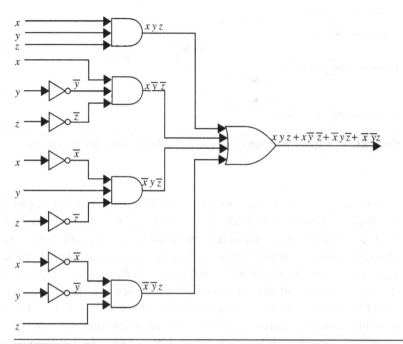

FIGURE 7   Circuit pour un éclairage contrôlé par trois interrupteurs

ADDITIONNEURS

TABLEAU 3 Entrées et sorties d'un demi-additionneur			
Entrée		**Sortie**	
x	**y**	**s**	**c**
1	1	0	1
1	0	1	0
0	1	1	0
0	0	0	0

On illustre maintenant comment des circuits logiques permettent d'effectuer des additions de deux entiers positifs à partir de leur représentation binaire. On construira ce circuit à partir de certaines composantes électroniques, et ce circuit pourra servir à trouver $x + y$ quand x et y sont deux bits. Les entrées à ce circuit seront x et y puisque chacune peut prendre la valeur 0 ou la valeur 1. La sortie consistera en deux bits, notamment s et c, s étant le bit de la somme et c, le bit de la retenue. Ce circuit est appelé un **circuit à sorties multiples** puisqu'il possède plusieurs sorties. Le circuit conçu ici est appelé un **demi-additionneur** puisqu'il additionne deux bits sans considérer de retenue à partir d'une addition précédente. Les entrées-sorties d'un demi-additionneur sont illustrées au tableau 3. Dans ce dernier, on voit que $c = xy$ et que $s = x\overline{y} + \overline{x}y = (x + y)\overline{(xy)}$. Par conséquent, le circuit illustré à la figure 8 permet de calculer le bit de la somme s et le bit de la retenue c à partir des bits x et y.

On utilisera l'**additionneur complet** pour calculer le bit de la somme et le bit de la retenue quand on additionne deux bits avec une retenue. Les entrées dans un additionneur

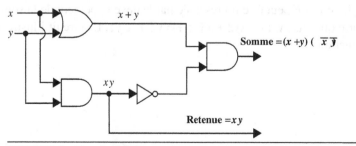

FIGURE 8   Demi-additionneur

complet sont les bits x et y et la retenue c_i. Les sorties sont le bit de la somme s et le bit de la retenue c_{i+1}. Les entrées et les sorties d'un additionneur complet sont illustrées au tableau 4.

TABLEAU 4 Entrées et sorties d'un additionneur complet				
Entrée			*Sortie*	
x	y	c_i	s	c_{i+1}
1	1	1	1	1
1	1	0	0	1
1	0	1	0	1
1	0	0	1	0
0	1	1	0	1
0	1	0	1	0
0	0	1	1	0
0	0	0	0	0

Les deux sorties d'un additionneur complet, le bit de la somme s et le bit de la retenue c_{i+1} sont données par le développement de la somme des produits $xyc_i + x\overline{y}\,\overline{c}_i + \overline{x}y\overline{c}_i + \overline{x}\,\overline{y}c_i$ et $xyc_i + xy\overline{c}_i + x\overline{y}c_i + \overline{x}yc_i$ respectivement. Cependant, au lieu de concevoir l'additionneur complet en partant de zéro, on utilisera des demi-additionneurs pour produire la sortie désirée. La figure 9 illustre un circuit additionneur complet utilisant des demi-additionneurs.

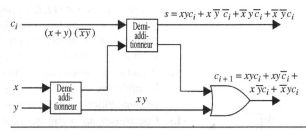

FIGURE 9 Additionneur complet

Finalement, à la figure 10, on montre comment utiliser des additionneurs complets et des demi-additionneurs pour faire la somme des entiers à trois bits $(x_2x_1x_0)_2$ et $(y_2y_1y_0)_2$ afin de remplacer la somme, $(s_3s_2s_1s_0)_2$. À noter que s_3, soit le bit de plus grand poids de la somme, est donné par la retenue c_2.

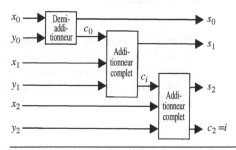

FIGURE 10 Addition de deux entiers à trois bits au moyen de deux additionneurs complets et d'un demi-additionneur

Exercices

Aux exercices 1 à 5, trouvez les sorties des circuits représentés.

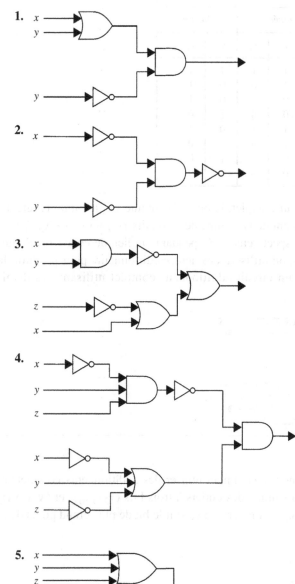

1.

2.

3.

4.

5.

6. Construisez les circuits à partir d'inverseurs, de portes *ET* et de portes *OU* afin de produire les sorties suivantes :

   a) $\overline{x} + y$.　　　　　**b)** $\overline{(x + y)}x$.

   c) $xyz + \overline{x}\,\overline{y}\,\overline{z}$.　　**d)** $\overline{(\overline{x} + z)(y + \overline{z})}$.

7. Concevez un circuit qui permet d'établir le vote majoritaire de cinq personnes.

8. Concevez un circuit pour un éclairage contrôlé par quatre interrupteurs lorsque le basculement de n'importe lequel de ces interrupteurs allume la lumière si elle est éteinte et l'éteint si elle est allumée.

9. Démontrez comment on peut trouver la somme de deux entiers à cinq bits en utilisant des additionneurs complets et des demi-additionneurs.

10. Construisez un circuit pour un demi-soustracteur en utilisant des portes *ET* et des portes *OU* et des inverseurs. Un **demi-soustracteur** a deux bits comme entrée, et il produit le bit de la soustraction et une retenue comme sortie.

11. Construisez un circuit pour un soustracteur complet en utilisant les portes *ET*, les portes *OU* et des inverseurs. Un **soustracteur complet** a deux bits et une retenue comme entrée, et il produit une sortie qui est le bit de la soustraction et une retenue.

12. À partir des circuits des exercices 10 et 11, trouvez la différence de deux entiers à quatre bits quand le premier entier est plus grand que le deuxième.

★13. Construisez un circuit qui permet de comparer des entiers à deux bits $(x_1 x_0)_2$ et $(y_1 y_0)_2$ en retournant une sortie de 1 quand le premier de ces nombres est le plus grand et une sortie de 0 autrement.

★14. Construisez un circuit qui permet de calculer le produit de deux entiers à deux bits $(x_1 x_0)_2$ et $(y_1 y_0)_2$. Le circuit doit avoir quatre bits de sortie pour les bits du produit.

Deux portes souvent utilisées dans les circuits sont les portes *NON-ET* et *NON-OU*. Quand les portes *NON-ET* et *NON-OU* servent à représenter des circuits, on n'a besoin d'aucun autre type de porte. La représentation de ces portes est la suivante :

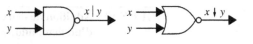

⋆**15.** Utilisez des portes *NON-ET* pour construire des circuits qui généreront les sorties suivantes :

    a) $\overline{x}$.   **b)** $x + y$.   **c)** xy.   **d)** $x \oplus y$.

⋆**16.** Utilisez des portes *NON-OU* pour construire des circuits pour les sorties obtenues à l'exercice 15.

⋆**17.** Construisez un demi-additionneur au moyen de portes *NON-ET*.

⋆**18.** Construisez un demi-additionneur en utilisant des portes *NON-OU*.

Un **multiplexeur** est un circuit de commutation qui produit comme sortie l'un des ensembles de bits d'entrée en se fondant sur la valeur de bits de contrôle.

19. Construisez un multiplexeur au moyen de portes *ET*, de portes *OU* et d'inverseurs qui aurait comme entrée les quatre bits x_0, x_1, x_2 et x_3, et deux bits de contrôle c_0 et c_1. Établissez le circuit de telle manière que x_i soit la sortie quand i est la valeur de l'entier à deux bits $(c_1 c_0)_2$.

9.4

Minimisation de circuits

INTRODUCTION

L'efficacité des circuits combinatoires dépend du nombre de portes et de leur agencement. Le procédé de conception d'un circuit combinatoire commence avec la définition d'une table qui spécifie les sorties de chaque combinaison des valeurs d'entrée. On peut toujours utiliser le développement de la somme des produits d'un circuit pour trouver un ensemble de portes logiques qui implantera ce circuit. Cependant, le développement en somme de produits peut contenir plus de termes qu'il n'est nécessaire. On peut combiner les termes d'un développement de la somme des produits qui diffèrent seulement en une variable, de telle sorte que dans un terme on trouve cette variable et dans l'autre terme on trouve le complément de celle-ci. Par exemple, on considère le circuit qui a pour sortie 1 si et seulement si $x = y = z = 1$ ou $x = z = 1$ et $y = 0$. Le développement en somme de produits de ce circuit est $xyz + x\overline{y}z$. Les deux produits de ce développement ne diffèrent qu'en une variable, soit y. Par conséquent, ils peuvent être combinés comme suit :

$$xyz + x\overline{y}z = (y + \overline{y})(xz)$$
$$= 1 \cdot (xz)$$
$$= xz.$$

Donc, xz est une expression booléenne qui représente le circuit avec moins d'opérateurs. Dans la figure 1, on montre deux installations différentes de ce circuit. Alors que le premier utilise trois portes plus un inverseur, on note que le deuxième circuit n'utilise qu'une seule porte.

Cet exemple démontre que la combinaison des termes dans le développement de la somme des produits d'un circuit conduit à une expression plus simple pour ce circuit. On décrira deux procédures qui simplifient le développement de la somme des produits. Le but de ces deux procédures est d'obtenir des sommes booléennes de produits booléens qui contiennent le plus petit nombre possible de produits de littéraux, de telle sorte que ces produits contiennent le plus petit nombre possible de littéraux pour toutes les sommes de produits représentant une fonction booléenne.

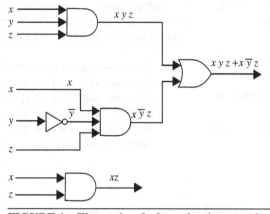

FIGURE 1   Illustration de deux circuits ayant la même sortie

Les techniques décrites dans cette section pour simplifier les développements en somme de produits sont toujours en usage. Cependant, les circuits construits à l'époque actuelle font souvent appel à des types d'éléments plus complexes que des portes *ET*, des portes *OU* et des inverseurs. D'autres procédures servent à simplifier ces nouveaux circuits constitués d'éléments plus complexes. Néanmoins, plusieurs de ces méthodes reposent sur des concepts similaires à ceux qui sont décrits dans cette section.

DIAGRAMMES DE KARNAUGH

Dans une expression booléenne représentant un circuit, pour réduire le nombre de termes, il est nécessaire de trouver des termes à combiner. La méthode graphique, appelée les **diagrammes de Karnaugh**, permet de trouver les termes à combiner pour des fonctions booléennes comportant un nombre relativement réduit de variables. Cette méthode fut trouvée par Maurice Karnaugh en 1953 et elle est issue des travaux précédents de E. W. Veitch. (Cette méthode ne s'applique habituellement que lorsque la fonction ne comprend pas plus de six variables.) Les diagrammes de Karnaugh offrent une méthode visuelle pour simplifier les développements de la somme des produits.

Toutefois, les diagrammes de Karnaugh se prêtent peu à la mécanisation de ce procédé. On illustrera d'abord comment les diagrammes de Karnaugh permettent de simplifier des développements de fonctions booléennes avec deux variables.

Il y a quatre mintermes possibles dans le développement de la somme des produits d'une fonction booléenne avec deux variables x et y. Un diagramme de Karnaugh pour une fonction booléenne de ces deux variables est constitué de quatre cases. On écrit 1 dans la case représentant un minterme si ce dernier se trouve dans le développement. Les cases sont **adjacentes** si les mintermes qu'elles représentent diffèrent d'exactement un littéral. Par exemple, la case représentant $\overline{x}y$ est adjacente aux cases représentant xy et $\overline{x}\,\overline{y}$. Les quatre cases et les termes qu'elles représentent sont illustrés à la figure 2.

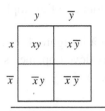

FIGURE 2   **Diagramme de Karnaugh pour deux variables**

EXEMPLE 1   Trouvez les diagrammes de Karnaugh pour les expressions suivantes : a) $xy + \overline{x}y$, b) $x\overline{y} + \overline{x}y$, c) $x\overline{y} + \overline{x}y + \overline{x}\,\overline{y}$.

Solution : On met 1 dans chaque case où le minterme en question est présent dans le développement en somme de produits. Les trois diagrammes de Karnaugh sont illustrés à la figure 3. ∎

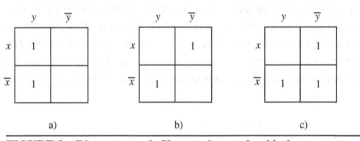

a)   b)   c)

FIGURE 3   **Diagrammes de Karnaugh pour les développements en somme de produits de l'exemple 1**

On peut identifier les mintermes pouvant être combinés à partir de ces diagrammes. Chaque fois qu'on trouve des 1 dans deux cases adjacentes du diagramme de Karnaugh, les mintermes représentés dans ces cases peuvent être combinés en un produit comportant seulement une de ces variables. Par exemple, $x\overline{y}$ et $\overline{x}\,\overline{y}$ sont représentés dans des cases adjacentes et peuvent donc être combinés en $\overline{y}$, puisque $x\overline{y} + \overline{x}\,\overline{y} = (x + \overline{x})\,\overline{y} = \overline{y}$. De plus, si on trouve des 1 dans chacune des quatre cases, les quatre mintermes peuvent alors être combinés en un seul terme, notamment l'expression booléenne 1 qui ne comporte aucune des variables. On encercle les blocs de cases dans un diagramme de Karnaugh qui représente les mintermes pouvant être combinés, puis on trouve la somme de produits correspondante. Le but est d'identifier le plus grand nombre de blocs possible et de couvrir tous les 1 avec le plus petit nombre de blocs possible, et ce, en utilisant toujours les blocs les plus larges.

EXEMPLE 2   Simplifiez les développements en somme de produits donnés à l'exemple 1.

Solution : Le regroupement des mintermes est illustré à la figure 4, et les diagrammes de Karnaugh sont utilisés pour ces développements. Les développements minimaux de ces sommes de produits sont les suivants : a) y, b) $x\overline{y} + \overline{x}y$, c) $\overline{x} + \overline{y}$.   ■

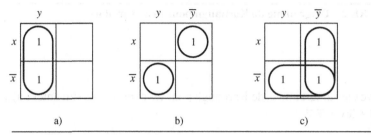

a)   b)   c)

FIGURE 4   Simplification du développement en somme de produits de l'exemple 1

Le diagramme de Karnaugh à trois variables est un rectangle divisé en huit cases. Les cases représentent les huit mintermes possibles de trois variables. Deux cases sont dites adjacentes si les mintermes qu'elles représentent diffèrent d'exactement un littéral. L'une des façons de créer un diagramme de Karnaugh à trois variables est illustrée à la figure 5 a). Ce diagramme peut être comparé à un cylindre tel qu'il est montré dans la figure 5 b). Sur ce cylindre, deux cases ont un côté commun si et seulement si elles sont adjacentes.

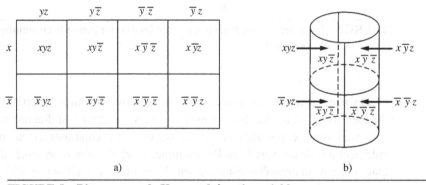

a)   b)

FIGURE 5   Diagrammes de Karnaugh à trois variables

Pour simplifier un développement en somme de produits avec trois variables, on utilise un diagramme de Karnaugh pour identifier les blocs de mintermes pouvant être combinés. Ces blocs de deux cases adjacentes représentent des paires de mintermes qui peuvent être combinées en un produit de deux littéraux ; les blocs de 2×2 et les blocs de 4×1 qui représentent les mintermes peuvent être combinés en un seul littéral ; et les blocs de huit cases représentent un produit ne contenant aucun littéral, notamment la fonction 1. La figure 6 illustre des blocs de 1×2, de 2×1, de 2×2, de 4×1 et de 4×2, ainsi que les produits qu'ils représentent.

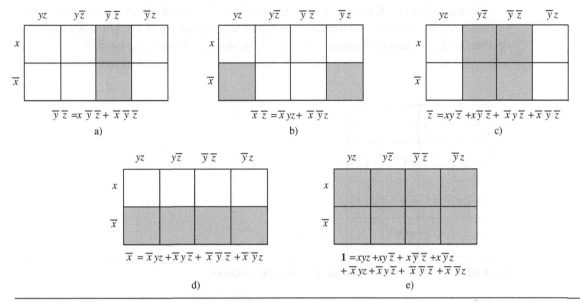

FIGURE 6 Blocs dans les diagrammes de Karnaugh à trois variables

On cherche à identifier les blocs les plus grands possible sur le diagramme et à couvrir toutes les cases 1 du diagramme avec le nombre minimal de blocs, en utilisant d'abord les blocs les plus grands. On choisit toujours les blocs les plus grands. À noter qu'il y a plusieurs façons d'obtenir ce résultat. L'exemple 3 illustre l'utilisation des diagrammes de Karnaugh à trois variables.

EXEMPLE 3 Utilisez les diagrammes de Karnaugh pour simplifier les développements en somme de produits suivants : a) $xy\overline{z} + x\overline{y}\,\overline{z} + \overline{x}yz + \overline{x}\,\overline{y}\,\overline{z}$, b) $x\overline{y}z + x\overline{y}\,\overline{z} + \overline{x}yz + \overline{x}\,\overline{y}z + \overline{x}\,\overline{y}\,\overline{z}$, c) $xyz + xy\overline{z} + x\overline{y}z + x\overline{y}\,\overline{z} + \overline{x}yz + \overline{x}\,\overline{y}z + \overline{x}\,\overline{y}\,\overline{z}$.

Solution : Les diagrammes de Karnaugh pour ces développements en somme de produits sont illustrés à la figure 7. Le regroupement des blocs montre que les développements minimaux en sommes booléennes de produits booléens sont a) $x\overline{z} + \overline{y}\,\overline{z} + \overline{x}yz$, b) $\overline{y} + \overline{x}z$, c) $x + \overline{y} + z$. ■

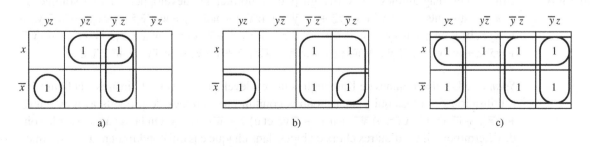

FIGURE 7 Utilisation des diagrammes de Karnaugh à trois variables

Un diagramme de Karnaugh à quatre variables est un carré qui est divisé en 16 cases. Les cases représentent les 16 mintermes possibles avec quatre variables. L'une des façons de dessiner le diagramme de Karnaugh à quatre variables est illustrée à la figure 8.

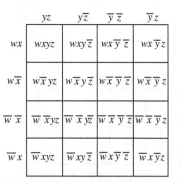

FIGURE 8   Diagramme de Karnaugh à quatre variables

Deux cases sont adjacentes si et seulement si les mintermes qu'elles représentent diffèrent d'un littéral. En conséquence, chaque case est adjacente à quatre autres cases. Le diagramme de Karnaugh du développement de la somme des produits avec quatre variables peut être comparé à l'expansion d'un tore, de telle sorte que les cases adjacentes ont une frontière commune (voir l'exercice 20). La simplification du développement de la somme des produits à quatre variables est effectuée en identifiant les blocs de 2, de 4, de 8 et de 16 cases qui représentent les mintermes pouvant être combinés. Chaque case représentant un minterme doit soit être utilisée pour former un produit composé de moins de littéraux, soit être incluse dans le développement de la somme. La figure 9 illustre plusieurs exemples de blocs représentant des produits de trois littéraux, des produits de deux littéraux et un littéral unique.

Comme dans le cas des diagrammes de Karnaugh à deux ou à trois variables, on cherche à identifier les blocs de 1 les plus grands sur le diagramme et à recouvrir le maximum de cases 1 au moyen du minimum de blocs, en choisissant d'abord les blocs les plus grands. Les blocs les plus grands sont toujours utilisés. L'exemple 4 illustre la manière d'utiliser des diagrammes de Karnaugh à quatre variables.

EXEMPLE 4   Utilisez des diagrammes de Karnaugh pour simplifier les développements en somme de produits suivants : a) $wxyz + wxy\overline{z} + wx\overline{y}\ \overline{z} + w\overline{x}yz + w\overline{x}\ \overline{y}z + w\overline{x}\ \overline{y}\ \overline{z} + \overline{w}xyz + \overline{w}\ \overline{x}yz + \overline{w}\ \overline{x}y\overline{z}$, b) $wx\overline{y}\ \overline{z} + w\overline{x}yz + w\overline{x}y\overline{z} + w\overline{x}\ \overline{y}\ \overline{z} + \overline{w}x\overline{y}\ \overline{z} + \overline{w}\ \overline{x}y\overline{z} + \overline{w}\ \overline{x}\ \overline{y}\ \overline{z}$, c) $wxy\overline{z} + wx\overline{y}\ \overline{z} + w\overline{x}yz + w\overline{x}y\overline{z} + w\overline{x}\ \overline{y}\ \overline{z} + \overline{w}xyz + \overline{w}xy\overline{z} + \overline{w}x\overline{y}\ \overline{z} + \overline{w}x\overline{y}z + \overline{w}\ \overline{x}yz + \overline{w}\ \overline{x}\ \overline{y}\ \overline{z}$.

Solution : Les diagrammes de Karnaugh pour ces développements sont illustrés à la figure 10. L'utilisation des blocs qui y sont montrés conduit aux sommes de produits a) $wyz + wx\overline{z} + w\overline{x}\ \overline{y} + \overline{w}\ \overline{x}y + \overline{w}x\overline{y}z$, b) $\overline{y}\ \overline{z} + w\overline{x}y + \overline{x}y\overline{z}$ et c) $\overline{z} + \overline{w}x + w\overline{x}y$. On laisse au lecteur le soin de déterminer s'il y a d'autres choix de blocs dans chaque cas qui conduiraient à des sommes de produits différentes tout en représentant les mêmes fonctions booléennes. ■

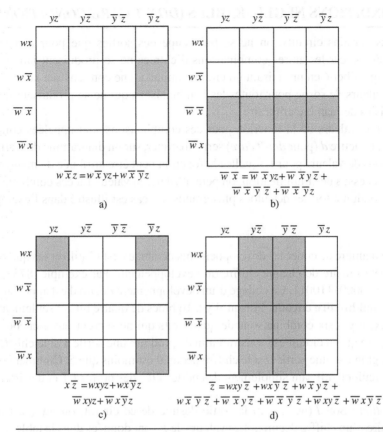

FIGURE 9   Blocs dans les diagrammes de Karnaugh à quatre variables

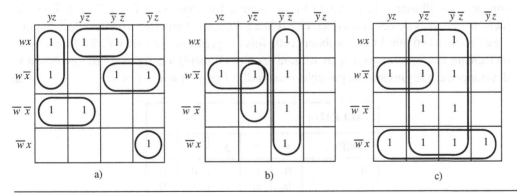

FIGURE 10   Utilisation des diagrammes de Karnaugh à quatre variables

CONDITIONS NÉGLIGEABLES (*DON'T CARE CONDITIONS*)

Dans certains circuits, on ne se préoccupe des sorties que pour certaines combinaisons d'entrées, car les autres combinaisons d'entrées ne se produisent jamais. Cela donne une certaine liberté en produisant un circuit simple qui ne contient que la sortie désirée, puisque les valeurs de sortie pour toutes les combinaisons qui ne se produisent jamais peuvent être choisies de manière arbitraire.

Les valeurs de la fonction pour ces combinaisons sont appelées **conditions négligeables**. La lettre *d* (pour *don't care*) sert à marquer, sur un diagramme de Karnaugh, ces combinaisons de valeurs pour lesquelles la fonction peut être attribuée de manière arbitraire. Dans ce processus de simplification, on peut attribuer la valeur 1 à ces combinaisons d'entrées, ce qui conduit à former des blocs plus grands. Ce cas est illustré dans l'exemple 5.

EXEMPLE 5   Une manière de coder les développements décimaux est d'utiliser les quatre bits du développement binaire de chaque chiffre du développement. Par exemple, 873 est encodé comme ceci : 100001110011. Ce codage d'un développement décimal est appelé un **développement décimal binaire encodé**. Puisqu'il y a 16 blocs de quatre bits et seulement 10 chiffres décimaux, il y a six combinaisons de quatre bits qui ne servent pas à encoder les chiffres. On suppose qu'un circuit est construit afin de produire une sortie 1 si le chiffre décimal est 5 ou plus grand, et une sortie 0 si le chiffre décimal est moins que 5. Comment peut-on construire ce circuit en utilisant simplement des portes *OU*, des portes *ET* et des inverseurs ?

Solution : Soit $F(w, x, y, z)$ la sortie désirée de ce circuit, où *wxyz* est le développement binaire d'un chiffre décimal. Les valeurs de F sont données dans le tableau 1. La figure 11 a) montre le diagramme de Karnaugh pour F, où la lettre *d* identifie les positions négligeables. On peut soit inclure, soit exclure des cases *d* à partir des blocs, ce qui donne de nombreux choix pour ces blocs. Par exemple, si on exclut toutes les cases *d* et qu'on forme des blocs comme c'est illustré à la figure 11 b), on obtient l'expression $w\overline{x}\,\overline{y} + \overline{w}xy + \overline{w}xz$. En incluant certaines de ces cases *d*, en en excluant d'autres et en reformant des blocs comme c'est illustré à la figure 11 c), on obtient cette fois l'expression $w\overline{x} + \overline{w}xy + x\overline{y}z$. Finalement, en incluant toutes les cases *d* et en utilisant les blocs illustrés à la figure 11 d), on obtient le développement le plus simple possible, c'est-à-dire $F(x, y, z) = w + xy + xz$. ∎

TABLEAU 1					
Chiffre	*w*	*x*	*y*	*z*	*F*
0	0	0	0	0	0
1	0	0	0	1	0
2	0	0	1	0	0
3	0	0	1	1	0
4	0	1	0	0	0
5	0	1	0	1	1
6	0	1	1	0	1
7	0	1	1	1	1
8	1	0	0	0	1
9	1	0	0	1	1

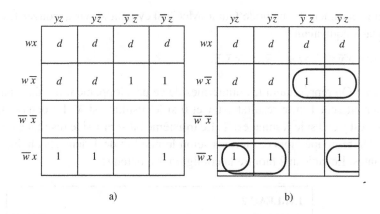

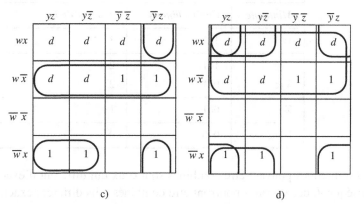

FIGURE 11   Diagrammes de Karnaugh pour *F* montrant les positions négligeables

MÉTHODE DE QUINE-McCLUSKEY

On a vu que les diagrammes de Karnaugh permettent de produire des développements minimaux de la somme des fonctions booléennes, comme des sommes booléennes de produits booléens. Il reste que ces diagrammes sont complexes si on a plus de quatre variables. En outre, leur utilisation repose sur un examen visuel afin d'identifier les termes du groupe. À cause de toutes ces raisons, on a cherché une autre méthode permettant de simplifier ces développements de la somme des produits et qui pourrait être mécanisée. La méthode de Quine-McCluskey est l'une des solutions trouvées. Elle s'applique aux fonctions booléennes ayant un très grand nombre de variables. Cette méthode fut élaborée en 1950 par W. V. Quine et E. J. McCluskey Jr. Fondamentalement, cette méthode comporte deux étapes. La première étape consiste à identifier les termes à inclure dans un développement minimal de la somme booléenne des produits booléens. La deuxième étape détermine quels termes sont vraiment nécessaires. On démontrera le fonctionnement de cette méthode dans l'exemple 6.

EXEMPLE 6   Montrez comment la méthode Quine-McCluskey peut servir à trouver les développements minimaux équivalant à

$$xyz + x\overline{y}z + \overline{x}yz + \overline{x}\,\overline{y}z + \overline{x}\,\overline{y}\,\overline{z}.$$

Solution : On représentera les mintermes de ce développement par des chaînes binaires. Le premier bit sera 1 si le résultat est x et 0 si le résultat est $\overline{x}$. Le deuxième bit sera 1 si le résultat est y et 0 si le résultat est $\overline{y}$. Le troisième bit sera 1 si le résultat est z et 0 si le résultat est $\overline{z}$. On regroupe alors ces termes selon le nombre de 1 dans les chaînes binaires correspondantes. Le tableau 2 montre la configuration obtenue.

TABLEAU 2

Minterme	Chaîne binaire	Nombre de 1
xyz	111	3
$x\overline{y}z$	101	2
$\overline{x}yz$	011	2
$\overline{x}\,\overline{y}z$	001	1
$\overline{x}\,\overline{y}\,\overline{z}$	000	0

Les mintermes pouvant être combinés sont ceux qui diffèrent d'exactement un littéral. Par conséquent, deux termes pourront être combinés s'ils diffèrent exactement d'un 1 dans les chaînes binaires qui les représentent. Lorsque deux mintermes sont combinés dans un produit, celui-ci contient donc deux littéraux. On représente un tel produit en utilisant un tiret pour représenter la variable qui n'apparaît pas. Par exemple, les mintermes $x\overline{y}z$ et $\overline{x}\,\overline{y}z$ représentés par les chaînes binaires 101 et 001 peuvent être combinés en $\overline{y}z$, qui est représenté par la chaîne -01. Toutes les paires de mintermes pouvant être combinées et le produit obtenu par ces combinaisons sont illustrés au tableau 3.

TABLEAU 3

	Terme	Chaîne binaire		Étape 1 Terme	Chaîne		Étape 2 Terme	Chaîne
1	xyz	111	(1, 2)	xz	$1-1$	(1, 2, 3, 4)	z	$--1$
2	$x\overline{y}z$	101	(1, 3)	yz	-11			
3	$\overline{x}yz$	011	(2, 4)	$\overline{y}z$	-01			
4	$\overline{x}\,\overline{y}z$	001	(3, 4)	$\overline{x}z$	$0-1$			
5	$\overline{x}\,\overline{y}\,\overline{z}$	000	(4, 5)	$\overline{x}\,\overline{y}$	$00-$			

Ensuite, toutes les paires de produits de deux littéraux pouvant être combinés sont combinées en un littéral. On peut combiner deux de ces produits s'ils contiennent des littéraux pour la même paire de variables et si les littéraux pour seulement une de ces deux variables diffèrent. Autrement dit, ces chaînes doivent avoir un tiret à la même position et doivent différer exactement d'une des autres valeurs. On peut combiner les produits yz et $\overline{y}z$, représentés par les chaînes -11 et -01 en z, représentée par la chaîne $--1$. Le tableau 3 montre toutes les combinaisons de mintermes qu'on peut former de cette manière.

Dans le tableau 3, on indique également les termes utilisés pour former les produits avec moins de littéraux ; ces termes seront inutiles pour le développement minimal. L'étape suivante est d'identifier un ensemble minimal de produits nécessaires pour représenter la fonction booléenne. On prend d'abord les produits qui n'ont pas été utilisés pour construire les produits réduits (avec moins de littéraux). Ensuite, on construit le tableau 4, qui comprend une ligne pour chaque produit sélectionné, et on combine les termes originaux et chaque terme original d'une colonne. Enfin, on inscrit un X dans la case si le terme original du développement de la somme des produits est utilisé pour former le produit sélectionné.

TABLEAU 4					
	xyz	$x\overline{y}\,z$	$\overline{x}\,yz$	$\overline{x}\,\overline{y}\,z$	$\overline{x}\,\overline{y}\,\overline{z}$
z	X	X	X	X	
$\overline{x}\,\overline{y}$				X	X

De ce cas, on dit que le produit sélectionné **couvre** le minterme original. On a besoin d'inclure au moins un produit qui couvre chacun des mintermes originaux. Par conséquent, chaque fois qu'une colonne contient un X, on doit utiliser le produit correspondant à la ligne de ce X. À partir du tableau 4, on constate que z et $\overline{x}\,\overline{y}$ sont tous deux nécessaires. Donc, le résultat final est $z + \overline{x}\,\overline{y}$. ∎

Comme c'est illustré dans l'exemple 6, la méthode de Quine-McCluskey permet d'exécuter successivement sept étapes afin de simplifier un développement de la somme des produits. Ces étapes sont les suivantes :

1. Exprimer chaque minterme contenant n variables par une chaîne binaire de longueur n avec 1 dans la i-ième position si le résultat est x_i et 0 dans cette position si le résultat est $\overline{x}_i$.

2. Regrouper les chaînes binaires selon le nombre de 1 dans chacune d'elles.

3. Déterminer tous les produits ayant $n-1$ variables qu'on peut former en prenant la somme booléenne des mintermes. Les mintermes qui peuvent être combinés sont représentés par des chaînes binaires qui diffèrent exactement d'une position. On représente ces produits dans $n-1$ variables avec des chaînes qui ont un 1 dans la i-ième position si le résultat est x_i dans le produit et 0 dans cette position si le résultat est $\overline{x}_i$, ainsi qu'un tiret dans cette position s'il n'y a aucun littéral comprenant x_i dans le produit.

4. Déterminer tous les produits dans les $n-2$ variables qu'on peut former en faisant la somme booléenne des produits dans les $n-1$ variables trouvées à l'étape précédente. Les produits dans les $n-1$ variables pouvant être combinés sont représentés par des chaînes binaires ayant un tiret dans la même position et qui diffèrent exactement d'une position.

5. Continuer en combinant les produits booléens pour obtenir des produits réduits, autant qu'il est possible.

6. Récupérer tous les produits booléens qui n'ont pas été utilisés pour former un produit booléen réduit.

7. Trouver le plus petit ensemble de ces produits booléens, de telle sorte que la somme de ces produits représente la fonction booléenne. Ce résultat est obtenu en construisant un tableau qui montre les mintermes couverts par les produits. Chaque minterme peut être couvert par au moins un produit. (Il s'agit de la partie la plus difficile de la méthode. Cette partie peut être mécanisée en utilisant une procédure de retour arrière.)

Un dernier exemple illustrera comment cette procédure permet de simplifier un développement de la somme des produits avec quatre variables.

EXEMPLE 7   Utilisez la méthode de Quine-McCluskey pour simplifier le développement en somme de produits $wxy\overline{z} + w\overline{x}yz + w\overline{x}y\overline{z} + \overline{w}xyz + \overline{w}x\overline{y}z + \overline{w}\,\overline{x}yz + \overline{w}\,\overline{x}\,\overline{y}z$.

Solution : On représente d'abord les mintermes par des chaînes binaires, puis on regroupe ces mintermes selon le nombre de 1 dans les chaînes binaires. Cette étape est illustrée dans le tableau 5. Tous les produits booléens pouvant être formés en prenant des sommes booléennes des produits sont montrés dans le tableau 6.

TABLEAU 5		
Terme	*Chaîne binaire*	*Nombre de 1*
$wxy\overline{z}$	1110	3
$w\overline{x}yz$	1011	3
$\overline{w}xyz$	0111	3
$w\overline{x}\,y\overline{z}$	1010	2
$\overline{w}x\overline{y}z$	0101	2
$\overline{w}\,\overline{x}yz$	0011	2
$\overline{w}\,\overline{x}\,\overline{y}z$	0001	1

TABLEAU 6

	Term	Chaîne binaire	*Étape 1*			*Étape 2*		
				Terme	Chaîne		Terme	Chaîne
1	$wxy\overline{z}$	1110	(1, 4)	$wy\overline{z}$	1–10	(3, 5, 6, 7)	$\overline{w}z$	0– –1
2	$w\overline{x}yz$	1011	(2, 4)	$w\overline{x}y$	101–			
3	$\overline{w}xyz$	0111	(2, 6)	$\overline{x}yz$	–011			
4	$w\overline{x}y\overline{z}$	1010	(3, 5)	$\overline{w}xz$	01–1			
5	$\overline{w}x\overline{y}z$	0101	(3, 6)	$\overline{w}yz$	0–11			
6	$\overline{w}\,\overline{x}yz$	0011	(5, 7)	$\overline{w}\,\overline{y}z$	0–01			
7	$\overline{w}\,\overline{x}\,\overline{y}z$	0001	(6, 7)	$\overline{w}\,\overline{x}z$	00–1			

Les seuls produits qui n'ont pas été utilisés pour former les produits réduits sont $\overline{w}z$, $wy\overline{z}$, $w\overline{x}y$ et $\overline{x}yz$. Dans le tableau 7, on montre les mintermes couverts par chacun de ces produits. Pour couvrir ces mintermes, on doit inclure $\overline{w}z$ et $wy\overline{z}$, puisque ces produits sont les seuls qui couvrent $\overline{w}xyz$ et $wxy\overline{z}$, respectivement. Après avoir inclus ces deux produits, on constate qu'il ne reste que l'un des deux. Par conséquent, on peut prendre soit $\overline{w}z + wy\overline{z} + w\overline{x}y$, soit $\overline{w}z + wy\overline{z} + \overline{x}yz$ comme réponse finale. ∎

TABLEAU 7

	$wxy\overline{z}$	$w\overline{x}yz$	$\overline{w}xyz$	$w\overline{x}y\overline{z}$	$\overline{w}x\overline{y}z$	$\overline{w}\,\overline{x}yz$	$\overline{w}\,\overline{x}\,\overline{y}z$
$\overline{w}z$			X		X	X	X
$wy\overline{z}$	X			X			
$w\overline{x}y$		X		X			
$\overline{x}yz$		X				X	

Exercices

1. **a)** Tracez un diagramme de Karnaugh pour une fonction de deux variables et inscrivez 1 dans la case représentant $\overline{x}y$.
   b) Quels sont les mintermes représentés par les cases adjacentes à cette case ?
2. Trouvez les développements en somme de produits représentées par chacun des diagrammes de Karnaugh suivants :

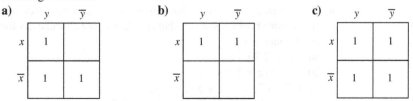

3. Tracez les diagrammes de Karnaugh des développements en somme de produits à deux variables suivante :

a) $x\overline{y}$.   **b)** $xy + \overline{x}\,\overline{y}$.   **c)** $xy + x\overline{y} + \overline{x}y + \overline{x}\,\overline{y}$.

4. Utilisez un diagramme de Karnaugh pour trouver le développement minimal représenté par l'addition booléenne de produits booléens de chacune des fonctions suivantes des variables booléennes x et y.

a) $\overline{x}y + \overline{x}\,\overline{y}$ **b)** $xy + x\overline{y}$ **c)** $xy + x\overline{y} + \overline{x}y + \overline{x}\,\overline{y}$

5. a) Tracez un diagramme de Karnaugh pour une fonction à trois variables. Inscrivez 1 dans la case qui représente $\overline{x}y\overline{z}$.

   b) Quels sont les mintermes qui sont représentés par les cases adjacentes à cette case ?

6. Utilisez les diagrammes de Karnaugh pour trouver des circuits simplifiés ayant la même sortie que les circuits représentés ci-dessous.

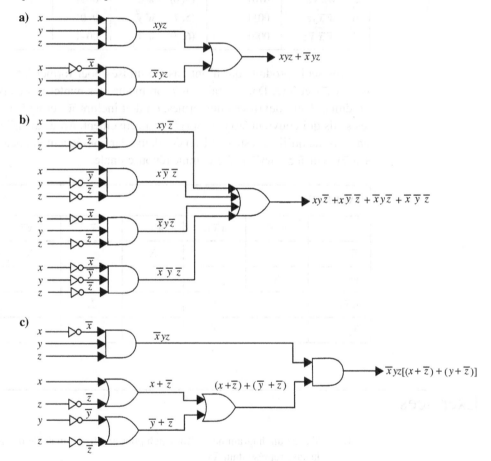

7. Tracez les diagrammes de Karnaugh des développements en somme de produits à trois variables suivants.

a) $x\overline{y}\,\overline{z}$ **b)** $\overline{x}yz + \overline{x}\,\overline{y}\,\overline{z}$ **c)** $xyz + xy\overline{z} + \overline{x}y\overline{z} + \overline{x}\,\overline{y}z$

8. Utilisez un diagramme de Karnaugh pour trouver un développement minimal représenté par une somme booléenne de produits booléens pour chacune des fonctions suivantes des variables booléennes x et y.

a) $\overline{x}yz + \overline{x}\,\overline{y}z$

b) $xyz + xy\overline{z} + \overline{x}yz + \overline{x}y\overline{z}$

c) $xy\overline{z} + x\overline{y}z + x\overline{y}\,\overline{z} + \overline{x}yz + \overline{x}\,\overline{y}z$

d) $xyz + x\overline{y}z + x\overline{y}\,\overline{z} + \overline{x}yz + \overline{x}y\overline{z} + \overline{x}\,\overline{y}\,\overline{z}$

9. a) Tracez un diagramme de Karnaugh pour une fonction à quatre variables. Inscrivez 1 dans la case qui représente $\overline{w}xy\overline{z}$.

b) Quels sont les mintermes qui sont représentés dans les cases adjacentes à cette case-ci ?

10. Utilisez un diagramme de Karnaugh pour trouver un développement minimal représenté par une somme booléenne de produits booléens de chacune des fonctions suivantes des variables booléennes x et y.

a) $wxyz + wx\overline{y}z + wx\overline{y}\,\overline{z} + w\overline{x}y\overline{z} + w\overline{x}\,\overline{y}z$

b) $wxy\overline{z} + wx\overline{y}z + w\overline{x}yz + \overline{w}x\overline{y}z + \overline{w}\,\overline{x}y\overline{z} + \overline{w}\,\overline{x}\,\overline{y}z$

c) $wxyz + wxy\overline{z} + wx\overline{y}z + w\overline{x}\,\overline{y}\,\overline{z} + w\overline{x}\,\overline{y}\,\overline{z} + \overline{w}x\overline{y}z + \overline{w}\,\overline{x}y\overline{z} + \overline{w}\,\overline{x}\,\overline{y}z$

d) $wxyz + wxy\overline{z} + wx\overline{y}z + w\overline{x}yz + w\overline{x}y\overline{z} + \overline{w}xyz + \overline{w}\,\overline{x}yz + \overline{w}\,\overline{x}y\overline{z} + \overline{w}\,\overline{x}\,\overline{y}z$

11. a) Combien y a-t-il de cases dans un diagramme de Karnaugh à cinq variables ?

b) Combien de cases sont adjacentes à une case donnée dans un diagramme de Karnaugh à cinq variables ?

★12. Utilisez les diagrammes de Karnaugh pour trouver le développement minimal de la somme booléenne des produits booléens des fonctions booléennes ayant pour entrée le code binaire de chaque chiffre décimal et comme sortie un 1 si et seulement si le chiffre correspondant à cette entrée est

a) impair. **b)** non divisible par 3. **c)** ni 4, ni 5, ni 6.

★13. Supposez qu'il y a cinq membres d'un comité, mais que Simon et Jean votent toujours contre Marcus. Construisez un circuit qui permet d'obtenir le vote majoritaire de ce comité en utilisant cette relation entre les votes.

14. Utilisez la méthode de Quine-McCluskey pour simplifier les développements en somme de produits de l'exemple 3.

15. Utilisez la méthode de Quine-McCluskey pour simplifier les développements en somme de produits de l'exemple 8.

16. Utilisez la méthode de Quine-McCluskey pour simplifier les développements en somme de produits de l'exemple 4.

17. Utilisez la méthode de Quine-McCluskey pour simplifier les développements en somme de produits de l'exemple 10.

★18. Expliquez comment les diagrammes de Karnaugh permettent de simplifier des développements en produit de sommes à trois variables. (*Conseil :* Marquez avec un 0 tous les maxtermes de cette expansion et combinez les blocs de maxtermes.)

19. Utilisez la méthode de l'exercice 18 pour simplifier le développement en produit de sommes $(x + y + z)(x + y + \overline{z})(x + \overline{y} + z)(x + \overline{y} + z)(\overline{x} + y + z)$.

★20. Tracez un diagramme de Karnaugh pour les 16 mintermes de quatre variables booléennes sur la surface d'un tore.

21. Construisez un circuit à l'aide de portes *OU*, de portes *ET* et d'inverseurs qui produit une sortie 1 si le chiffre décimal encodé en utilisant une expansion décimale binaire encodée est divisible par 3 et une sortie 0 autrement.

Aux exercices 22 à 24, trouvez le développement en somme de produits donnée par le diagramme de Karnaugh illustré avec les conditions négligeables indiquées avec la lettre *d*.

22.

	yz	$y\overline{z}$	$\overline{y}\,\overline{z}$	$\overline{y}z$
wx	d	1	d	1
$w\overline{x}$		d	d	
$\overline{w}\,\overline{x}$		d	1	
$\overline{w}x$		1	d	

23.

	yz	$y\overline{z}$	$\overline{y}\,\overline{z}$	$\overline{y}z$
wx	1			1
$w\overline{x}$		d	1	
$\overline{w}\,\overline{x}$		1	d	
$\overline{w}x$	d			d

24.

	yz	$y\overline{z}$	$\overline{y}\,\overline{z}$	$\overline{y}z$
wx		d	d	1
$w\overline{x}$	d	d	1	d
$\overline{w}\,\overline{x}$				
$\overline{w}x$	1	1	1	d

Questions de révision

1. Définissez une fonction booléenne de degré n.

2. Combien y a-t-il de fonctions booléennes de degré 2 ?

3. Donnez une définition récursive de l'ensemble des expressions booléennes.

4. **a)** Quel est le dual d'une expression booléenne ?

   b) Énoncez le principe de la dualité. Comment pouvez-vous l'utiliser pour trouver de nouvelles identités comportant des expressions booléennes ?

5. Expliquez comment vous pouvez construire un développement de la somme des produits d'une fonction booléenne.

6. **a)** Que signifie pour un ensemble d'opérateurs d'être fonctionnellement complet ?

   b) L'ensemble $\{+, \cdot\}$ est-il fonctionnellement complet ?

   c) Existe-t-il des ensembles formés d'un seul opérateur qui sont fonctionnellement complets ?

7. Expliquez comment vous pouvez construire un circuit électrique en va-et-vient à deux interrupteurs, en utilisant des portes *OU*, des portes *ET* et des inverseurs.

8. Construisez un demi-additionneur en utilisant des portes *OU*, des portes *ET* et des inverseurs.

9. Existe-t-il un type unique de porte logique permettant de construire tous les circuits se servant seulement de portes *OU*, de portes *ET* et d'inverseurs ?

10. **a)** Expliquez comment les diagrammes de Karnaugh permettent de simplifier les développements en somme de produits à trois variables booléennes.

    b) Utilisez un diagramme de Karnaugh pour simplifier le développement de la somme des produits $xyz + x\overline{y}z + x\overline{y}\,\overline{z} + \overline{x}yz + \overline{x}\,\overline{y}\,\overline{z}$.

11. **a)** Expliquez comment les diagrammes de Karnaugh permettent de simplifier les développements en somme de produits avec quatre variables booléennes.

    b) Utilisez un diagramme de Karnaugh pour simplifier le développement en somme de produits $wxyz + wxy\overline{z} + wx\overline{y}z + wx\overline{y}\,\overline{z} + w\overline{x}yz + w\overline{x}\,\overline{y}z + \overline{w}xyz + \overline{w}\,\overline{x}yz + \overline{w}\,\overline{x}y\overline{z}$.

12. **a)** Qu'est-ce qu'une condition négligeable ?

    b) Expliquez comment des conditions négligeables peuvent servir à construire un circuit au moyen de portes *OU*, de portes *ET* et d'inverseurs afin de générer une sortie 1 si un chiffre décimal est plus grand que ou égal à 6 et une sortie 0 si ce chiffre est moins grand que 6.

13. a) Expliquez comment la méthode de Quine-McCluskey permet de simplifier des développements de la somme des produits.

b) Utilisez cette méthode pour simplifier $xy\overline{z} + x\overline{y}\,\overline{z} + \overline{x}y\overline{z} + \overline{x}\,\overline{y}z + \overline{x}\,\overline{y}\,\overline{z}$.

Exercices supplémentaires

1. Pour quelles valeurs des variables booléennes *x*, *y* et *z* obtient-on

    a) $x + y + z = xyz$?   **b)** $x(y + z) = x + yz$?

    c) $\overline{x}\,\overline{y}\,\overline{z} = x + y + z$?

2. Soit *x* et *y* deux variables appartenant à l'ensemble {0, 1}. S'ensuit-il nécessairement que $x = y$ s'il existe une valeur *z* dans l'ensemble {0, 1}, telle que

    a) $xz = yz$?   **b)** $x + z = y + z$?

    c) $x \oplus z = y \oplus z$?   **d)** $x \downarrow z = y \downarrow z$?

    e) $x \mid z = y \mid z$?

Une fonction booléenne *F* est **autoduale** si et seulement si $F(x_1, \ldots, x_n) = \overline{F(\overline{x}_1, \ldots, \overline{x}_n)}$.

3. Parmi les fonctions suivantes, lesquelles sont autoduales?

    a) $F(x, y) = x$ **b)** $F(x, y) = xy + \overline{x}\,\overline{y}$

    c) $F(x, y) = x + y$ **d)** $F(x, y) = xy + \overline{x}y$.

4. Donnez un exemple d'une fonction booléenne autoduale de trois variables.

★5. Combien existe-t-il de fonctions booléennes de degré *n* qui sont autoduales?

On définit la relation $\leq$ dans un ensemble de fonctions booléennes de degré *n* comme celle qui satisfait $F \leq G$ quand *F* et *G* sont des fonctions booléennes si et seulement si $G(x_1, x_2, \ldots, x_n) = 1$ chaque fois que $F(x_1, x_2, \ldots, x_n) = 1$.

6. Déterminez si $F \leq G$ ou si $G \leq F$ pour les paires de fonctions suivantes :

    a) $F(x, y) = x$, $G(x, y) = x + y$.

    b) $F(x, y) = x + y$, $G(x, y) = xy$.

    c) $F(x, y) = \overline{x}$, $G(x, y) = x + y$.

7. Démontrez que si *F* et *G* sont des fonctions booléennes de degré *n*, alors

    a) $F \leq F + G$.   **b)** $FG \leq F$.

8. Démontrez que si *F*, *G* et *H* sont des fonctions booléennes de degré *n*, alors $F + G \leq H$ si et seulement si $F \leq H$ et $G \leq H$.

★9. Démontrez que la relation $\leq$ est une relation d'ordre partiel dans l'ensemble des fonctions booléennes de degré *n*.

★10. Tracez le diagramme de Hasse pour l'ensemble partiellement ordonné formé des 16 fonctions booléennes de degré 2 (voir le tableau 3 de la section 9.1) avec la relation d'ordre partiel $\leq$.

★11. Pour chacune des égalités suivantes, faites la preuve qu'il s'agit d'une identité ou trouvez un ensemble de valeurs des variables qui prouve que ce n'est pas une identité.

    a) $x \mid (y \mid z) = (x \mid y) \mid z$

    b) $x \downarrow (y \downarrow z) = (x \downarrow y) \downarrow (x \downarrow z)$

    c) $x \downarrow (y \mid z) = (x \downarrow y) \mid (x \downarrow z)$

Définissez l'opérateur booléen $\odot$ comme suit : $1 \odot 1 = 1$, $1 \odot 0 = 0$, $0 \odot 1 = 0$ et $0 \odot 0 = 1$.

12. Démontrez que $x \odot y = xy + \overline{x}\,\overline{y}$.

13. Démontrez que $x \odot y = \overline{(x \oplus y)}$.

14. Démontrez que chacune des identités suivantes est vérifiée.

a) $x \odot x = 1$ **b)** $x \odot \overline{x} = 0$

c) $x \odot y = y \odot x$

15. Est-il toujours vrai que $(x \odot y) \odot z = x \odot (y \odot z)$?

★16. Déterminez si l'ensemble $\{\odot\}$ est fonctionnellement complet.

★17. Combien existe-t-il de fonctions parmi les 16 fonctions booléennes à deux variables x et y qu'on peut représenter au moyen de seulement l'ensemble d'opérateurs suivant, les variables x et y et les valeurs 0 et 1 ?

a) $\{^-\}$

b) $\{\cdot\}$

c) $\{+\}$

d) $\{\cdot, +\}$

La représentation d'une porte *NON-OU* qui produit la sortie $x \oplus y$ à partir de x et de y est la suivante :

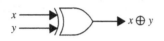

18. Déterminez la sortie pour chacun des circuits suivants :

a)

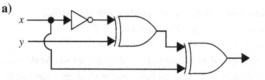

b)

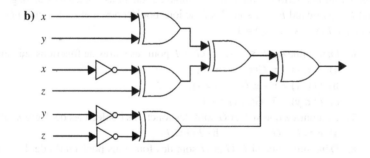

19. Démontrez comment on peut construire un demi-additionneur en utilisant moins de portes que celles qui sont employées à la figure 8 de la section 9.3 au moyen de portes *NON-OU* en plus des portes *OU*, des portes *ET* et des inverseurs.

20. Concevez un circuit qui permet de déterminer si trois ou plus de quatre personnes d'un comité votent oui sur une question, quand chacune de ces personnes se sert d'un commutateur pour exprimer son vote.

Une **porte à seuil** produit une sortie y qui est soit 0, soit 1, selon les valeurs d'entrées d'un ensemble de variables booléennes $x_1, x_2, \ldots, x_n$. Une porte à seuil a une **valeur de seuil** T qui est un nombre réel et une **pondération** $w_1, w_2, \ldots, w_n$ qui sont aussi des nombres réels. La sortie y d'une porte à seuil est 1 si et seulement si $w_1 x_1 + w_2 x_2 + \cdots, w_n x_n \geq T$. Le diagramme ci-contre illustre une porte à seuil avec une valeur de seuil de T et une des pondérations $w_1, w_2, \ldots, w_n$. Ce type de porte est surtout utilisé pour modéliser des phénomènes de neurophysiologie ou d'intelligence artificielle.

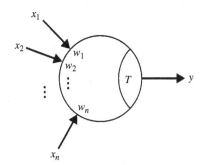

21. Une porte à seuil représente une fonction booléenne. Trouvez l'expression booléenne pour la fonction booléenne qui est représentée par la porte à seuil ci-dessous.

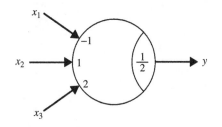

22. Une fonction booléenne qui peut être représentée par une porte à seuil est appelée une **fonction de seuil.** Démontrez que chacune des fonctions suivantes est une fonction de seuil.

a) $F(x) = \overline{x}$

b) $F(x, y) = x + y$

c) $F(x, y) = xy$

d) $F(x, y) = x \mid y$

e) $F(x, y) = x \downarrow y$

f) $F(x, y, z) = x + yz$

g) $F(w, x, y, z) = w + xy + z$

h) $F(w, x, y, z) = wxz + x\overline{y}z$

★23. Démontrez que $F(x, y) = x \oplus y$ n'est pas une fonction de seuil.

★24. Démontrez que $F(w, x, y, z) = wx + yz$ n'est pas une fonction de seuil.

Modélisation computationnelle 10

Les ordinateurs peuvent accomplir bon nombre de tâches. Si on considère une tâche, deux questions se posent. D'abord, on veut savoir s'il est possible d'accomplir cette tâche à l'aide d'un ordinateur. Si la réponse est affirmative, la seconde question porte sur la façon d'accomplir cette tâche. On utilise des modèles computationnels afin de répondre à ces questions.

On étudiera trois types de structures utilisées dans les modèles computationnels, notamment les grammaires, les machines à états finis et les machines de Turing. Les grammaires servent à générer les mots d'un langage et à déterminer si un mot se trouve dans un langage donné. Les langages formels, qui sont générés à partir de grammaires, fournissent des modèles pour les langages naturels comme le français, et pour les langages de programmation comme le Pascal, le Fortran, le Prolog et le C. Les grammaires sont extrêmement importantes dans la construction et la théorie des compilateurs. Les grammaires dont on discutera ici furent d'abord utilisées par le linguiste américain Noam Chomsky dans les années 1950.

On utilise différents types de machines à états finis dans les modèles. Toutes les machines à états finis comportent un ensemble d'états incluant un état de départ, un alphabet d'entrée et une fonction de transition qui attribue un autre état à chaque couple d'état et d'entrée. Les états d'une machine à états finis lui confèrent des capacités de mémoire limitées. Certaines machines à états finis produisent un symbole de sortie pour chaque transition ; on peut utiliser ces machines pour modéliser différents types de machines, notamment les distributeurs automatiques, les retardeurs, les calculatrices binaires et les reconnaisseurs de langage. On étudiera également les machines à états finis sans sortie mais qui admettent des états finaux. De telles machines sont largement employées dans la reconnaissance du langage. Les chaînes qui sont reconnues sont celles qui amènent l'état de départ à un état final. On peut relier ensemble les concepts relatifs aux grammaires et à ceux des machines à états finis. On attribuera des caractéristiques aux ensembles qui sont reconnus par les machines à états finis et on démontrera que ces ensembles sont créés par un certain type de grammaire.

Finalement, on étudiera la machine de Turing. On montrera comment on peut utiliser les machines de Turing pour reconnaître des ensembles et pour évaluer certaines fonctions en théorie des nombres. Finalement, on discutera de la thèse de Church-Turing qui stipule que tout calcul effectif peut être exécuté à l'aide d'une machine de Turing.

10.1

Langages et grammaires

INTRODUCTION

On peut combiner les mots de la langue française de nombreuses manières. En appliquant les règles de la grammaire française, on peut savoir si une combinaison de mots constitue une phrase valide. Par exemple, *la grenouille écrit bien* est une phrase valide. En effet, celle-ci est formée d'un groupe nominal, *la grenouille*, constitué de l'article *la* et du nom *grenouille*, puis d'un groupe verbal, *écrit bien*, constitué du verbe *écrit* et de l'adverbe *bien*. Le fait qu'il s'agit d'un énoncé absurde n'est pas important, car on ne considère que la **syntaxe** (ou la forme) de la phrase et non la **sémantique** (ou la signification). On note également que la combinaison des mots *nage rapidement mathématique* n'est pas une phrase valide, car elle ne respecte pas les règles de la grammaire française.

La syntaxe d'un **langage naturel**, c'est-à-dire d'une langue parlée comme le français, l'anglais, l'allemand ou l'espagnol, est extrêmement complexe. En fait, il ne semble pas possible de préciser toutes les règles syntaxiques pour une langue naturelle. Les recherches effectuées dans la traduction automatisée d'une langue à une autre ont mené à la notion de **langage formel**. Celui-ci, contrairement à une langue naturelle, est défini par un ensemble spécifique de règles de syntaxe. Les règles de syntaxe sont importantes non seulement en linguistique, qui est l'étude des langues naturelles, mais également dans l'étude des langages de programmation.

On décrira les phrases d'un langage formel en utilisant une grammaire. Les grammaires sont utiles quand on considère les deux catégories de problèmes qui se posent le plus souvent dans les applications des langages de programmation : Comment peut-on déterminer si une combinaison de mots constitue une phrase valide dans un langage formel ? Comment peut-on créer des phrases valides dans un langage formel ?

Avant de donner la définition technique d'une grammaire, on décrira un exemple de grammaire permettant de créer un sous-ensemble du français. On définit ce sous-ensemble du français en utilisant une liste de règles qui décrivent la manière dont on peut créer une phrase valide. Les règles sont les suivantes :

1. une **phrase** est constituée d'un **groupe nominal** suivi d'un **groupe verbal** ;

2. un **groupe nominal** est constitué d'un **article** suivi d'un **adjectif**, puis d'un **nom** ou

3. un **groupe nominal** est formé d'un **article** suivi d'un **nom** ;

4. un **groupe verbal** est composé d'un **verbe** suivi d'un **adverbe** ou

5. un **groupe verbal** est constitué d'un **verbe** ;

6. un article est *un* ou *une* ou

7. un article est *le* ou *la* ;

8. un adjectif est *gros* ou

9. un adjectif est *affamé* ;

10. un nom est *lapin* ou

11. un nom est *mathématicien* ;

12. un verbe est *mange* ou

13. un verbe est *saute* ;

14. un adverbe est *rapidement* ou

15. un adverbe est *avidement*.

À partir de ces règles, on peut former des phrases valides en utilisant un ensemble de remplacements jusqu'à ce qu'on ne puisse plus utiliser de règles. Par exemple, on peut effectuer la suite de substitutions suivante :

phrase
groupe nominal   groupe verbal
article   adjectif   nom   groupe verbal
article   adjectif   nom   verbe   adverbe
le **adjectif   nom   verbe   adverbe**
le gros **nom   verbe   adverbe**
le gros lapin **verbe   adverbe**
le gros lapin saute **adverbe**
le gros lapin saute rapidement

On obtient alors une phrase valide. D'autres phrases valides pourraient être : *un mathématicien affamé mange avidement, un gros mathématicien saute, le lapin mange rapidement*, et ainsi de suite. De plus, on peut voir que *le rapidement mange mathématicien* n'est pas une phrase valide.

GRAMMAIRES SYNTAGMATIQUES

Avant de donner une définition formelle d'une grammaire, on définit d'abord quelques termes.

DÉFINITION 1. Un *vocabulaire* (ou *alphabet*) V est un ensemble fini non vide d'éléments appelés des *symboles*. Un *mot* dans V est une chaîne de longueur finie d'éléments de V. La *chaîne vide*, notée λ, est la chaîne qui ne contient aucun symbole. L'ensemble de tous les mots dans V est noté V^*. Un *langage dans* V est un sous-ensemble de V^*.

À noter que λ, la chaîne vide, est la chaîne qui ne contient aucun symbole. Elle est différente de $\varnothing$, l'ensemble vide. Il s'ensuit que $\{\lambda\}$ est l'ensemble contenant exactement une chaîne, notamment la chaîne vide.

On peut définir des langages de différentes manières. On peut par exemple énumérer tous les mots du langage. On peut aussi préciser certains critères auxquels doit satisfaire un mot pour appartenir à ce langage. Dans la présente section, on décrira une autre manière de spécifier un langage au moyen d'une grammaire, tel l'ensemble de règles qui a été décrit dans l'introduction.

Une grammaire fournit un ensemble de symboles de différents types et un ensemble de règles pour créer les mots. Plus précisément, une grammaire est constituée d'un **vocabulaire** V, qui est un ensemble de symboles utilisés pour engendrer des membres du langage. Certains des éléments du vocabulaire ne peuvent être remplacés par d'autres symboles. Ce sont les **terminaux**, et les autres membres du vocabulaire, qu'on peut remplacer par d'autres symboles, sont les **non-terminaux**. Les ensembles de terminaux et de non-terminaux sont généralement notés respectivement T et N. Dans l'exemple de l'introduction de la présente section, l'ensemble des terminaux est {*un*, *le*, *lapin*, *mathématicien*, *saute*, *mange*, *rapidement*, *avidement*}, et l'ensemble des non-terminaux est {**phrase**, **groupe nominal**, **groupe verbal**, **adjectif**, **article**, **nom**, **verbe**, **adverbe**}. Le **symbole de départ**, noté S, est l'élément particulier du vocabulaire avec lequel on commence toujours. Dans l'exemple de l'introduction, le symbole de départ est **phrase**. Les règles qui définissent à quel moment on peut remplacer une chaîne de V^*, soit l'ensemble de toutes les chaînes d'éléments dans le vocabulaire, par une autre chaîne, sont appelées les **productions** de la grammaire. On notera $w_0 \rightarrow w_1$ la production qui précise qu'on peut remplacer w_0 par w_1. Les productions de la grammaire données dans l'introduction de la présente section ont été énumérées. La première production, écrite à l'aide de cette notation, est **phrase** → **groupe nominal groupe verbal**. On peut résumer cela à l'aide de la définition 2.

DÉFINITION 2.   Une *grammaire syntagmatique* $G = (V, T, S, P)$ est constituée d'un vocabulaire V, d'un sous-ensemble T de V composé de terminaux, d'un symbole de départ S de V et d'un ensemble de productions P. L'ensemble $V - T$ est noté N. Les éléments de N sont appelés des *symboles non terminaux*. Chaque production de P doit contenir au moins un non-terminal du côté gauche.

EXEMPLE 1   Soit $G = \{V, T, S, P\}$ où $V = \{a, b, A, B, S\}$, $T = \{a, b\}$, S est le symbole de départ et $P = \{S \rightarrow ABa, A \rightarrow BB, B \rightarrow ab, AB \rightarrow b\}$. G est un exemple de grammaire syntagmatique.   ∎

On s'intéresse maintenant aux mots qu'on peut créer avec les productions d'une grammaire syntagmatique.

DÉFINITION 3.   Soit $G = (V, T, S, P)$ une grammaire syntagmatique. Soit $w_0 = lz_0r$ (autrement dit la concaténation de l, de z_0 et de r) et $w_1 = lz_1r$ des chaînes dans V. Si $z_0 \rightarrow z_1$ est une production de G, on dit que w_1 est *directement dérivable* à partir de w_0 et on écrit $w_0 \Rightarrow w_1$. Si $w_0, w_1, ..., w_n$, où $n \geq 0$, sont des chaînes dans V de telle sorte que $w_0 \Rightarrow w_1, w_1 \Rightarrow w_2, ..., w_{n-1} \Rightarrow w_n$, alors on dit que w_n *est dérivable à partir de* w_0 et on écrit $w_0 \overset{*}{\Rightarrow} w_n$. La suite des étapes utilisées pour obtenir w_n à partir de w_0 s'appelle une *dérivation*.

EXEMPLE 2   La chaîne *Aaba* est directement dérivable à partir de *ABa* dans la grammaire de l'exemple 1, puisque $B \to ab$ est une production dans la grammaire. La chaîne *abababa* est dérivable de *ABa*, puisque $ABa \Rightarrow Aaba \Rightarrow BBaba \Rightarrow Bababa \Rightarrow abababa$, si on utilise successivement les productions $B \to ab$, $A \to BB$, $B \to ab$ et $B \to ab$.   ■

> **DÉFINITION 4.**   Soit $G = \{V, T, S, P\}$ une grammaire syntagmatique. Le *langage créé à partir de G* (ou le *langage de G*), noté $L(G)$, est l'ensemble de toutes les chaînes de terminaux qui sont dérivables à partir de l'état de départ S. En d'autres mots,
>
> $$L(G) = \{w \in T^* \mid S \overset{*}{\Rightarrow} w\}.$$

Les exemples 3 et 4 illustrent le langage créé par une grammaire syntagmatique.

EXEMPLE 3   Soit G la grammaire ayant le vocabulaire $V = \{S, A, a, b\}$, l'ensemble de terminaux $T = \{a, b\}$, le symbole de départ S et les productions $P = \{S \to aA, S \to b, A \to aa\}$. Quel est le langage $L(G)$ de la grammaire ?

Solution : À partir de l'état de départ S, on peut dériver *aA* en utilisant la production $S \to aA$. On peut également utiliser la production $S \to b$ pour dériver *b*. À partir de *aA*, on peut recourir à la production $A \to aa$ pour dériver *aaa*. On ne peut dériver aucun mot de plus. Ainsi, $L(G) = \{b, aaa\}$.   ■

EXEMPLE 4   Soit G la grammaire ayant le vocabulaire $V = \{S, 0, 1\}$, l'ensemble de terminaux $T = \{0, 1\}$, le symbole de départ S et les productions $P = \{S \to 11S, S \to 0\}$. Quel est le langage $L(G)$ de la grammaire ?

Solution : À partir de S, on peut dériver 0 en utilisant $S \to 0$, ou 11*S* en utilisant $S \to 11S$. À partir de 11*S*, on peut dériver soit 110, soit 1111*S*. À partir de 1111*S*, on peut dériver 11110 et 111111*S*. À toute étape de la dérivation, on peut soit ajouter deux 1 à la fin de la chaîne, soit terminer la dérivation en ajoutant un 0 à la fin de la chaîne. On suppose que $L(G) = \{0, 110, 11110, 1111110, \ldots\}$ est l'ensemble de toutes les chaînes qui commencent par un nombre pair de 1 et qui se terminent par un 0. On peut prouver cet énoncé par le principe de l'induction qui montre que, après avoir utilisé n productions, les seules chaînes de terminaux produites sont celles qui sont constituées de $n - 1$ ou d'un moins grand nombre de concaténations de 11 suivi de 0. Le lecteur devra démontrer cet énoncé dans un exercice ultérieur.   ■

Il faut souvent résoudre le problème consistant à construire une grammaire qui crée un langage donné. Les exemples 5, 6 et 7 décrivent des problèmes de ce type.

EXEMPLE 5   Trouvez une grammaire syntagmatique qui permet de créer l'ensemble $\{0^n1^n \mid n = 0, 1, 2, …\}$

Solution : On peut utiliser deux productions pour obtenir toutes les chaînes constituées d'une chaîne de 0 suivie d'une chaîne du même nombre de 1, incluant la chaîne nulle. La première permet de construire des chaînes successivement plus longues dans le langage en ajoutant un 0 au début de la chaîne et un 1 à la fin. La deuxième production remplace S par la chaîne vide. La solution est la grammaire $G = (V, T, S, P)$, où $V = \{0, 1, S\}$, $T = \{0, 1\}$, S est le symbole de départ et les productions sont

$$S \to 0S1$$
$$S \to \lambda.$$

Le lecteur devra vérifier que cette grammaire permet de créer le bon ensemble dans un exercice ultérieur.   ∎

L'exemple 5 comportait l'ensemble de chaînes de 0 suivies de 1, où le nombre de 0 et le nombre de 1 sont les mêmes. Dans l'exemple 6, on considère l'ensemble de chaînes composées de 0 et suivies de 1, où le nombre de 0 et le nombre de 1 peuvent différer.

EXEMPLE 6   Trouvez une grammaire syntagmatique permettant de créer l'ensemble $\{0^m1^n \mid m$ et n sont des entiers non négatifs$\}$.

Solution : On donnera deux grammaires G_1 et G_2 qui permettent de créer cet ensemble. Cela illustre le fait que deux grammaires peuvent créer le même langage.

La grammaire G_1 a l'alphabet $V = \{S, 0, 1\}$, les terminaux $T = \{0, 1\}$ et les productions $S \to 0S, S \to S1$ et $S \to \lambda$. La grammaire G_1 crée le bon ensemble puisque, lorsqu'on utilise la première production m fois, on place m 0 au début de la chaîne et que, lorsqu'on utilise la deuxième production n fois, on place n 1 à la fin de la chaîne. Le lecteur devra démontrer cet énoncé dans un exercice ultérieur.

La grammaire G_2 a l'alphabet $V = \{S, A, 0, 1\}$, les terminaux $T = \{0, 1\}$ et les productions $S \to 0S, S \to 1A, S \to 1, A \to 1A, A \to 1, S \to \lambda$. Le lecteur devra démontrer que cette grammaire produit le bon ensemble dans un exercice ultérieur.   ∎

Parfois, un ensemble facile à décrire ne peut être produit qu'en utilisant une grammaire complexe. L'exemple 7 illustre cette situation.

EXEMPLE 7   Une grammaire qui produit l'ensemble $\{0^n1^n2^n \mid n = 0, 1, 2, 3, …\}$ est $G = (V, T, S, P)$ où $V = \{0, 1, 2, S, A, B\}$, $T = \{0, 1, 2\}$, avec l'état de départ S et les productions $S \to 0SAB$, $S \to \lambda, BA \to AB, 0A \to 01, 1A \to 11, 1B \to 12, 2B \to 22$. Le lecteur devra démontrer que cet énoncé est valide dans un exercice ultérieur. La grammaire donnée constitue le type le plus simple de grammaire pouvant produire cet ensemble, dans un sens qui sera clarifié plus loin dans la présente section. Le lecteur se demande sans doute d'où provient cette grammaire, puisqu'il semble difficile de la créer spontanément. Il est rassurant de savoir qu'on peut construire cette grammaire systématiquement en utilisant des techniques de la théorie computationnelle, qui dépassent le cadre de cette étude. ∎

TYPES DE GRAMMAIRES SYNTAGMATIQUES

On peut classifier les grammaires syntagmatiques en fonction des types de productions qu'on a le droit d'utiliser. On décrira le modèle de classification introduit par Noam Chomsky. Dans la section 10.4, on verra que les différents types de langages définis dans ce modèle correspondent aux classes de langages qu'on peut reconnaître en utilisant différents modèles de machines de calcul.

Une grammaire de **type 0** n'a aucune restriction quant à ses productions. Une grammaire de **type 1** ne peut que comporter des productions ayant la forme $w_1 \rightarrow w_2$, où la longueur de w_2 est plus grande que ou égale à la longueur de w_1, ou de la forme $w_1 \rightarrow \lambda$. Une grammaire de **type 2** peut avoir des productions ayant la forme $w_1 \rightarrow w_2$ seulement, où w_1 est un symbole unique qui n'est pas un symbole terminal. Une grammaire de **type 3** peut uniquement comprendre des productions ayant la forme $w_1 \rightarrow w_2$ avec $w_1 = A$ et $w_2 = aB$ ou $w_2 = a$, où A et B sont des symboles non terminaux et a est un symbole terminal ou avec $w_1 = S$ et $w_2 = \lambda$.

À partir de ces définitions, on constate que toute grammaire de type 3 est une grammaire de type 2, toute grammaire de type 2 est une grammaire de type 1 et toute grammaire de type 1 est une grammaire de type 0. Les grammaires de type 2 sont appelées des **grammaires algébriques** ou grammaires hors-contexte (*context free grammars*) puisqu'on peut remplacer un symbole non terminal qui est le côté gauche de la production dans une chaîne lorsqu'il apparaît, peu importe ce qui se trouve dans la chaîne. Un langage créé par une grammaire de type 2 est appelé un **langage algébrique**. Lorsqu'il y a une production de la forme $lw_1r \rightarrow lw_2r$ (mais pas de la forme $w_1 \rightarrow w_2$), la grammaire est de type 1 ou **contextuelle** puisqu'on peut remplacer uniquement w_1 par w_2 lorsqu'il est entouré des chaînes l et r. Les grammaires de type 3 sont également appelées des **grammaires régulières**. Les langages produits par une grammaire régulière sont **réguliers**. La section 10.4 traite la relation qui existe entre les langages réguliers et les machines à états finis. À la figure 1, le diagramme de Venn montre la relation qui existe entre différents types de grammaires.

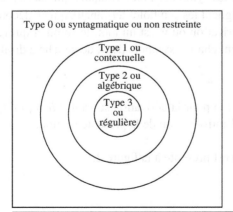

Type 0 ou syntagmatique ou non restreinte

Type 1 ou contextuelle

Type 2 ou algébrique

Type 3 ou régulière

FIGURE 1   Types de grammaires

EXEMPLE 8   À l'exemple 6, on a vu que $\{0^m1^n \mid m, n = 0, 1, 2, \ldots\}$ est un langage régulier puisqu'il peut être produit par une grammaire régulière, notamment la grammaire G_2 de l'exemple 6.   ■

EXEMPLE 9   À partir de l'exemple 5, il s'ensuit que $\{0^n1^n \mid n = 0, 1, 2, \ldots\}$ est un langage algébrique, puisque les productions de cette grammaire sont $S \to 0S1$ et $S \to \lambda$. Cependant, il ne s'agit pas d'un langage régulier. C'est ce qu'on démontrera dans la section 10.4.   ■

EXEMPLE 10   L'ensemble $\{0^n1^n2^n \mid n = 0, 1, 2, \ldots\}$ est un langage contextuel, puisqu'il peut être produit par un langage de type 1, comme le montre l'exemple 7, mais non par un langage de type 2. (Cet énoncé sera démontré dans l'exercice 28 des exercices supplémentaires à la fin du présent chapitre.)   ■

Le tableau 1 résume la liste des termes employés pour classifier les grammaires syntagmatiques.

TABLEAU 1 Types de grammaires	
Type	*Restrictions sur les productions $w_1 \to w_2$*
0	Aucune restriction
1	$l(w_1) \leq l(w_2)$ ou $w_2 = \lambda$
2	$w_1 = A$, où A est un symbole non terminal
3	$w_1 = A$ et $w_2 = aB$ ou $w_2 = a$, où $A \in N$, $B \in N$ et $a \in T$ ou $S \to \lambda$

ARBRES DE DÉRIVATION

On peut représenter graphiquement une dérivation dans le langage produit par une grammaire algébrique en utilisant une arborescence ordonnée, appelée un **arbre de dérivation** ou **arbre d'analyse**. La racine de cet arbre représente le symbole de départ. Les sommets internes de l'arbre représentent les symboles non terminaux qui surviennent dans la dérivation. Les feuilles de l'arbre désignent les symboles terminaux qui en découlent. Si la production $A \to w$ survient dans la dérivation où w est un mot, le sommet qui représente A admet des sommets fils qui représentent chaque symbole de w, de gauche à droite.

EXEMPLE 11   Construisez un arbre de dérivation pour la dérivation suivante : *le lapin affamé mange rapidement*, qui a été donnée dans l'introduction de la présente section.

Solution : L'arbre de dérivation est présenté à la figure 2.   ■

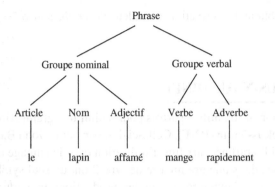

FIGURE 2 **Arbre de dérivation**

Le problème qui consiste à déterminer si une chaîne appartient au langage produit par une grammaire algébrique survient dans plusieurs applications, comme la construction de compilateurs. Deux approches permettant de résoudre ce problème sont données dans l'exemple 12.

EXEMPLE 12 Déterminez si le mot *cbab* appartient au langage créé par la grammaire $G = (V, T, S, P)$, où $V = \{a, b, c, A, B, C, S\}$, $T = \{a, b, c\}$, S est le symbole de départ et les productions sont

$$S \to AB$$
$$A \to Ca$$
$$B \to Ba$$
$$B \to Cb$$
$$B \to b$$
$$C \to cb$$
$$C \to b.$$

Solution : On peut aborder ce problème de la manière suivante. On commence par S et on tente de dériver *cbab* en utilisant un ensemble de productions. Puisqu'il n'y a qu'une seule production avec S du côté gauche, on doit commencer par $S \Rightarrow AB$. Ensuite, on utilise la seule production qui a A du côté gauche, notamment $A \to Ca$, pour obtenir $S \Rightarrow AB \Rightarrow CaB$. Puisque *cbab* commence par les symboles *cb*, on utilise la production $C \to cb$. Cela donne $S \Rightarrow Ab \Rightarrow CaB \Rightarrow cbaB$. On termine en utilisant la production $B \to b$ pour obtenir $S \Rightarrow AB \Rightarrow CaB \Rightarrow cbaB \Rightarrow cbab$. L'approche qu'on vient d'utiliser s'appelle l'**analyse descendante**, puisqu'elle commence par le symbole de départ et se poursuit en appliquant successivement des productions.

Il existe une autre approche qui permet de résoudre ce problème. Il s'agit de l'**analyse ascendante**. Dans cette approche, on commence par la fin. Puisque *cbab* est la chaîne qu'il faut dériver, on peut utiliser la production $C \to cb$, de telle sorte que $Cab \Rightarrow cbab$. Ensuite, on peut utiliser la production $A \to Ca$, de telle sorte que $Ab \Rightarrow Cab \Rightarrow cbab$. En ayant recours à la production $B \to b$, on obtient $AB \Rightarrow Ab \Rightarrow Cab \Rightarrow cbab$. Finalement, en utilisant $S \to AB$, on obtient la dérivation complète de *cbab*, soit $S \Rightarrow AB \Rightarrow Ab \Rightarrow Cab \Rightarrow cbab$. ∎

FORME DE BACKUS-NAUR (BNF)

Il existe une autre notation qu'on utilise parfois pour définir une grammaire de type 2, qu'on appelle la **forme de Backus-Naur (BNF)**. Celle-ci doit son nom à John Backus, son concepteur, et à Peter Naur, qui l'a raffinée aux fins d'utilisation dans le langage de programmation ALGOL. Les productions dans une grammaire de type 2 ont un seul symbole non terminal du côté gauche. Plutôt que d'énumérer toutes les productions individuellement, on peut combiner toutes celles qui ont le même symbole non terminal du côté gauche en un seul énoncé. Plutôt que d'utiliser le symbole $\to$ dans la production, on recourt au symbole $::=$. On met tous les symboles non terminaux entre des parenthèses de la forme $\langle \rangle$, et on énumère tous les côtés droits des productions dans le même énoncé en les séparant par des barres verticales. Par exemple, on peut combiner les productions $A \to Aa$, $A \to a$ et $A \to AB$ en $\langle A \rangle ::= \langle A \rangle a \mid a \mid \langle A \rangle \langle B \rangle$.

EXEMPLE 13   Quelle est la forme de Backus-Naur de la grammaire pour un sous-ensemble du français décrit dans l'introduction à la présente section ?

Solution : La forme de Backus-Naur pour cette grammaire est la suivante :

$\langle phrase \rangle ::= \langle groupe\ nominal \rangle \langle groupe\ verbal \rangle$
$\langle groupe\ nominal \rangle ::= \langle article \rangle \langle adjectif \rangle \langle nom \rangle \mid \langle article \rangle \langle nom \rangle$
$\langle groupe\ verbal \rangle ::= \langle verbe \rangle \langle adverbe \rangle \mid \langle verbe \rangle$
$\langle article \rangle ::= le \mid un$
$\langle adjectif \rangle ::= gros \mid affamé$
$\langle nom \rangle ::= lapin \mid mathématicien$
$\langle verbe \rangle ::= mange \mid saute$
$\langle adverbe \rangle ::= rapidement \mid avidement$

∎

EXEMPLE 14   Donnez la forme de Backus-Naur pour la production d'entiers signés en notation décimale. (Un **entier signé** est un entier non négatif précédé d'un signe plus ou moins.)

Solution : Voici la forme de Backus-Naur pour une grammaire qui produit des entiers signés :

$\langle entier\ signé \rangle ::= \langle signe \rangle \langle entier \rangle$
$\langle signe \rangle ::= + \mid -$
$\langle entier \rangle ::= \langle chiffre \rangle \mid \langle chiffre \rangle \langle entier \rangle$
$\langle chiffre \rangle ::= 0 \mid 1 \mid 2 \mid 3 \mid 4 \mid 5 \mid 6 \mid 7 \mid 8 \mid 9$

∎

Exercices

Les exercices 1 à 3 se rapportent à la grammaire ayant le symbole de départ **phrase**, l'ensemble de terminaux $T =$ {*le*, *endormi*, *heureux*, *tortue*, *lièvre*, *dépasse*, *court*, *rapidement*, *lentement*}, l'ensemble de non-terminaux $N =$ {**groupe nominal, groupe verbal transitif, groupe verbal intransitif, article, adjectif, nom, verbe, adverbe**} et les productions suivantes :

phrase → **groupe nominal   groupe verbal transitif   groupe nominal**

phrase → **groupe nominal   groupe verbal intransitif**

groupe nominal → **article   nom   adjectif**

groupe nominal → **article   nom**

groupe verbal transitif → **verbe transitif**

groupe verbal intransitif →
verbe intransitif   adverbe

groupe verbal intransitif → **verbe intransitif**

article → *le*

adjectif → *endormi*

adjectif → *heureux*

nom → *tortue*

nom → *lièvre*

verbe transitif → *dépasse*

verbe intransitif → *court*

adverbe → *rapidement*

adverbe → *lentement*

1. Utilisez l'ensemble de productions pour démontrer que chacune des phrases suivantes est une phrase valide.
   a) *le lièvre heureux court*
   b) *la tortue endormie court rapidement*
   c) *la tortue dépasse le lièvre*
   d) *le lièvre endormi dépasse la tortue heureuse*

2. Trouvez cinq autres phrases valides, en plus de celles qui sont données à l'exercice 1.

3. Démontrez que *le lièvre court la tortue endormie* n'est pas une phrase valide.

★4. Soit $V = \{S, A, B, a, b\}$ et $T = \{a, b\}$. Trouvez le langage produit par la grammaire $\{V, T, S, P\}$ lorsque l'ensemble P des productions est composé de
   a) $S \rightarrow AB, A \rightarrow ab, B \rightarrow bb$.
   b) $S \rightarrow AB, S \rightarrow aA, A \rightarrow a, B \rightarrow ba$.
   c) $S \rightarrow AB, S \rightarrow AA, A \rightarrow aB, A \rightarrow ab, B \rightarrow b$.
   d) $S \rightarrow AA, S \rightarrow B, A \rightarrow aaA, A \rightarrow aa, B \rightarrow bB, B \rightarrow b$.
   e) $S \rightarrow AB, A \rightarrow aAb, B \rightarrow bBa, A \rightarrow \lambda, B \rightarrow \lambda$.

5. Construisez une dérivation de S en $0^3 1^3$ en utilisant la grammaire donnée à l'exemple 5.

6. Démontrez que la grammaire donnée à l'exemple 5 produit l'ensemble $\{0^n 1^n \mid n = 0, 1, 2, \ldots\}$.

7. a) Construisez une dérivation de S en $0^2 1^4$ en utilisant la grammaire G_1 de l'exemple 6.
   b) Construisez une dérivation de S en $0^2 1^4$ en utilisant la grammaire G_2 de l'exemple 6.

8. a) Démontrez que la grammaire G_1 donnée à l'exemple 6 produit l'ensemble $\{0^m 1^n \mid m, n = 0, 1, 2, \ldots\}$.
   b) Démontrez que la grammaire G_2 de l'exemple 6 produit le même ensemble.

9. Construisez une dérivation de S en $0^2 1^2 2^2$ dans la grammaire donnée à l'exemple 7.

★10. Démontrez que la grammaire donnée à l'exemple 7 produit l'ensemble $\{0^n 1^n 2^n \mid n = 0, 1, 2, \ldots\}$.

★11. Trouvez une grammaire syntagmatique pour chacun des langages ci-après.
   a) l'ensemble de toutes les chaînes binaires contenant un nombre pair de 0 et aucun 1
   b) l'ensemble de toutes les chaînes binaires composées d'un 1 suivi d'un nombre impair de 0
   c) l'ensemble de toutes les chaînes binaires contenant un nombre pair de 0 et un nombre pair de 1
   d) l'ensemble de toutes les chaînes binaires contenant dix 0 ou plus et aucun 1
   e) l'ensemble de toutes les chaînes contenant plus de 0 que de 1
   f) l'ensemble de toutes les chaînes contenant un nombre égal de 0 et de 1
   g) l'ensemble de toutes les chaînes contenant un nombre inégal de 0 et de 1

12. Construisez des grammaires syntagmatiques pour produire chacun des ensembles suivants :
   a) $\{01^{2n} \mid n \geq 0\}$.
   b) $\{0^n 1^{2n} \mid n \geq 0\}$.
   c) $\{0^n 1^m 0^n \mid m \geq 0, n \geq 0\}$.

13. Soit $V = \{S, A, B, a, b\}$ et $T = \{a, b\}$. Déterminez si $G = (V, T, S, P)$ est une grammaire de type 0 mais pas une grammaire de type 1, une grammaire de type 1 mais pas une grammaire de type 2, ou une grammaire de type 2 mais pas une grammaire de type 3 si P, l'ensemble des productions, est
   a) $S \rightarrow aAB, A \rightarrow Bb, B \rightarrow \lambda$.
   b) $S \rightarrow aA, A \rightarrow a, A \rightarrow b$.
   c) $S \rightarrow ABa, AB \rightarrow a$.
   d) $S \rightarrow ABA, A \rightarrow aB, B \rightarrow ab$.
   e) $S \rightarrow bA, A \rightarrow B, B \rightarrow a$.
   f) $S \rightarrow aA, aA \rightarrow B, B \rightarrow aA, A \rightarrow b$.
   g) $S \rightarrow bA, A \rightarrow b, S \rightarrow \lambda$.

h) $S \rightarrow AB$, $B \rightarrow aAb$, $aAb \rightarrow b$.

i) $S \rightarrow aA$, $A \rightarrow bB$, $B \rightarrow b$, $B \rightarrow \lambda$.

j) $S \rightarrow A$, $A \rightarrow B$, $B \rightarrow \lambda$.

14. Un **palindrome** est une chaîne qui peut être lue de gauche à droite ou de droite à gauche en donnant le même résultat. Autrement dit, c'est une chaîne w où $w = w^R$, où w^R est l'inverse de la chaîne w. Trouvez une grammaire algébrique qui produit l'ensemble de tous les palindromes dans l'alphabet $\{0, 1\}$.

★15. Soit G_1 et G_2 des grammaires algébriques qui produisent respectivement les langages $L(G_1)$ et $L(G_2)$. Montrez qu'il existe une grammaire algébrique qui produit chacun des ensembles suivants :

a) $L(G_1) \cup L(G_2)$.   **b)** $L(G_1)L(G_2)$.

c) $L(G_1)^*$.

16. Trouvez les chaînes construites en utilisant les arbres de dérivation ci-après.

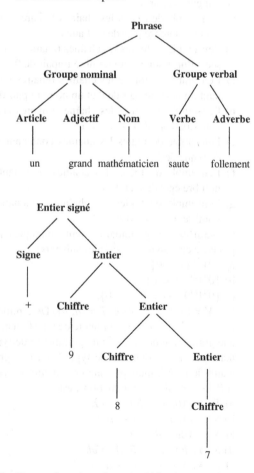

17. Construisez des arbres de dérivation pour les phrases de l'exercice 1.

18. Soit G la grammaire avec $V = \{a, b, c, S\}$, $T = \{a, b, c\}$, le symbole de départ est S et les productions sont $S \rightarrow abS$, $S \rightarrow bcS$, $S \rightarrow bbS$, $S \rightarrow a$, $S \rightarrow cb$. Construisez des arbres de dérivation pour

a) *bcbba*.   **b)** *bbbcbba*.

c) *bcabbbbbcb*.

★19. Utilisez l'analyse descendante pour déterminer si chacune des chaînes suivantes appartient au langage produit par la grammaire de l'exemple 12.

a) *baba*   **b)** *abab*

c) *cbaba*   **d)** *bbbcba*

★20. Utilisez l'analyse ascendante pour déterminer si les chaînes de l'exercice 19 appartiennent au langage produit par la grammaire de l'exemple 12.

21. Construisez un arbre de dérivation pour -109 en utilisant la grammaire donnée à l'exemple 14.

22. a) Si la forme de Backus-Naur pour les productions est la suivante, quelles sont les productions dans une grammaire ?

$\langle expression \rangle ::= (\langle expression \rangle) \mid$
$\qquad\qquad\qquad \langle expression \rangle + \langle expression \rangle \mid$
$\qquad\qquad\qquad \langle expression \rangle * \langle expression \rangle \mid$
$\qquad\qquad\qquad \langle variable \rangle$
$\qquad variable ::= x \mid y$

b) Trouvez un arbre de dérivation pour $(x * y) + x$ dans cette grammaire.

23. a) Construisez une grammaire syntagmatique qui permet de créer tous les nombres décimaux signés, constitués d'un signe $+$ ou $-$, d'un entier non négatif et d'une fraction décimale qui est soit la chaîne vide, soit une virgule décimale suivie d'un entier positif, où les zéros initiaux dans un entier sont autorisés.

b) Donnez la forme de Backus-Naur pour cette grammaire.

c) Construisez un arbre de dérivation pour $-31{,}4$ dans cette grammaire.

24. a) Construisez une grammaire syntagmatique pour l'ensemble de toutes les fractions de la forme a/b, où a est un entier signé en notation décimale et b est un entier positif.

b) Quelle est la forme de Backus-Naur pour cette grammaire ?

c) Construisez un arbre de dérivation pour $+311/17$ dans cette grammaire.

25. Soit G une grammaire et R la relation contenant le couple (w_0, w_1) si et seulement si w_1 est directement dérivable à partir de w_0 dans G. Quelle est la fermeture réflexive et transitive de R ?

10.2

Machines à états finis avec sortie

INTRODUCTION

On peut modéliser plusieurs types d'appareils, entre autres les composantes des ordinateurs, à l'aide d'une structure appelée machine à nombre fini d'états ou machine à états finis. Plusieurs machines à états finis sont couramment utilisées dans les modèles. Toutes ces versions de machines à états finis comprennent un ensemble fini d'états, avec un état initial spécifique, un alphabet d'entrée et une fonction de transition qui attribue l'état suivant à chaque état et un couple d'entrée. Dans la présente section, on étudiera les machines à états finis qui produisent une sortie. On démontrera comment on peut utiliser les machines à états finis pour modéliser un distributeur automatique, un retardeur, une machine qui additionne les entiers et une machine qui détermine si une chaîne binaire contient ou non une séquence spécifique.

Avant de donner des définitions, on montrera comment on peut modéliser un distributeur automatique. Un distributeur automatique accepte des pièces de 5 cents, de 10 cents et de 25 cents. Lorsqu'on y a déposé au moins 30 cents, l'appareil rend immédiatement en monnaie ce qui excède 30 cents. Une fois 30 cents déposés et la monnaie excédentaire retournée, le client peut presser un bouton orange et obtenir un jus d'orange ou presser un bouton rouge et obtenir un jus de pomme. On peut décrire le fonctionnement de l'appareil en définissant ses états, la manière dont il change d'état lorsqu'il reçoit des données et la sortie qu'il produit pour chaque combinaison d'entrée et d'état en cours.

L'appareil peut se trouver dans l'un ou l'autre de sept états s_i pour $i = 0, 1, 2, \ldots, 6$, où s_i est l'état dans lequel l'appareil a reçu $5i$ cents. L'appareil commence à l'état s_0, lorsqu'il a reçu 0 cent. Les entrées possibles sont 5 cents, 10 cents, 25 cents, le bouton orange (O) et le bouton rouge (R). Les différentes sorties sont rien (n), 5 cents, 10 cents, 15 cents, 20 cents, 25 cents, un jus d'orange et un jus de pomme.

On illustre la manière dont fonctionne ce modèle d'appareil à l'aide de l'exemple suivant. On suppose qu'un étudiant insère un 10 cents, puis un 25 cents, qu'il reçoit 5 cents de monnaie et presse ensuite sur le bouton orange pour obtenir un jus d'orange. L'appareil commence à l'état s_0. La première entrée est 10 cents ; elle fait passer l'état de l'appareil à s_2 et ne produit aucune sortie. La deuxième entrée est 25 cents ; elle fait passer l'état de l'appareil de s_2 à s_6 et produit 5 cents de sortie. L'entrée suivante est le bouton orange, qui fait repasser l'état de l'appareil de s_6 à s_0 (puisque la machine retourne à son état initial) et produit un jus d'orange comme sortie.

On peut répertorier tous les changements d'état et la sortie de cet appareil dans une table. Pour ce faire, il faut préciser, pour chacune des combinaisons d'état et d'entrée, l'état suivant et la sortie produite. Le tableau 1 présente les transitions et les sorties pour chacune des paires d'état et d'entrée.

	État suivant					Sortie				
	Entrée					*Entrée*				
État	5	10	25	*O*	*R*	5	10	25	*O*	*R*
s_0	s_1	s_2	s_5	s_0	s_0	n	n	n	n	n
s_1	s_2	s_3	s_6	s_1	s_1	n	n	n	n	n
s_2	s_3	s_4	s_6	s_2	s_2	n	n	5	n	n
s_3	s_4	s_5	s_6	s_3	s_3	n	n	10	n	n
s_4	s_5	s_6	s_6	s_4	s_4	n	n	15	n	n
s_5	s_6	s_6	s_6	s_5	s_5	n	5	20	n	n
s_6	s_6	s_6	s_6	s_0	s_0	5	10	25	JO	JP

TABLEAU 1   Table d'états pour un distributeur automatique

On peut également présenter les opérations d'un appareil en utilisant un graphe orienté avec des arcs étiquetés, où chaque état est représenté par un cercle, les arcs représentent les transitions et les arcs sont étiquetés par l'entrée et la sortie pour cette transition. La figure 1 montre ce graphe orienté pour le distributeur automatique.

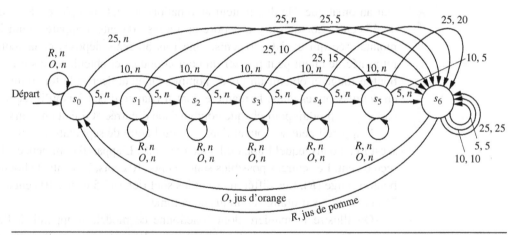

FIGURE 1   Distributeur automatique

MACHINES À ÉTATS FINIS AVEC SORTIE

Voici maintenant la définition d'une machine à états finis avec sortie.

DÉFINITION 1. Une *machine à états finis* $M = (S, I, O, f, g, s_0)$ est constituée d'un ensemble fini d'*états S*, d'un *alphabet d'entrée* fini *I*, d'un *alphabet de sortie* fini *O*, d'une *fonction de transition f* qui attribue à chaque couple d'état et d'entrée un nouvel état et d'une *fonction de sortie g* qui attribue à chaque couple d'état et d'entrée une sortie et d'un état initial s_0.

Soit $M = (S, I, O, f, g, s_0)$ une machine à états finis. On peut utiliser une **table d'états** (ou table de transition d'états) pour représenter les valeurs de la fonction de transition f et de la fonction de sortie g pour tous les couples d'état et d'entrée. On avait déjà construit une table d'états pour le distributeur automatique dont on a discuté dans l'introduction de la présente section.

EXEMPLE 1 La table d'états présentée au tableau 2 décrit une machine à états finis avec $S = \{s_0, s_1, s_2, s_3\}$, $I = \{0, 1\}$ et $O = \{0, 1\}$. Les valeurs de la fonction de transition f sont présentées dans les deux premières colonnes, et les valeurs de la fonction de sortie g sont présentées dans les deux dernières colonnes. ■

On peut également représenter une machine à états finis en utilisant un **diagramme d'états**, qui est un graphe orienté avec des arcs étiquetés. Dans ce diagramme, chaque état est représenté par un cercle. Les flèches étiquetées avec la paire d'entrée et de sortie sont présentées pour chaque transition.

EXEMPLE 2 Construisez le diagramme d'états pour la machine à états finis avec la table d'états présentée au tableau 2.

Solution : Le diagramme d'états pour cette machine est présenté à la figure 2. ■

TABLEAU 2				
	f		g	
	Entrée		**Entrée**	
État	0	1	0	1
s_0	s_1	s_0	1	0
s_1	s_3	s_0	1	1
s_2	s_1	s_2	0	1
s_3	s_2	s_1	0	0

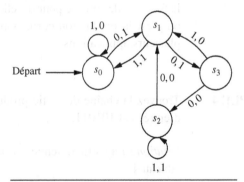

FIGURE 2 Diagramme d'états pour la machine à états finis présentée au tableau 2

EXEMPLE 3 Construisez la table d'états pour la machine à états finis avec le diagramme d'états présenté à la figure 3.

Solution : La table d'états pour cette machine est présentée au tableau 3. ■

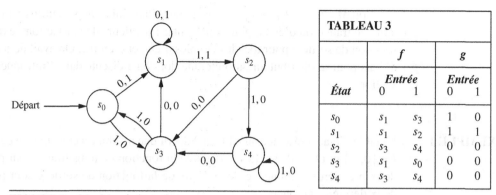

TABLEAU 3				
	f		g	
	Entrée		**Entrée**	
État	0	1	0	1
s_0	s_1	s_3	1	0
s_1	s_1	s_2	1	1
s_2	s_3	s_4	0	0
s_3	s_1	s_0	0	0
s_4	s_3	s_4	0	0

FIGURE 3   Machine à états finis

Une chaîne d'entrée fait passer l'état de départ par une suite d'états, qui sont déterminés par la fonction de transition. À la lecture de la chaîne d'entrée symbole par symbole (de gauche à droite), chaque symbole d'entrée fait passer la machine d'un état à un autre. Puisque chaque transition produit une sortie, toute chaîne d'entrée engendre une chaîne de sortie.

On suppose que la chaîne d'entrée est $x = x_1x_2 \cdots x_k$. Alors, la lecture de cette entrée fait passer la machine de l'état s_0 à l'état s_1 où $s_1 = f(s_0, x_1)$, puis à l'état s_2 où $s_2 = f(s_1, x_2)$, et ainsi de suite, ce parcours se terminant à l'état $s_k = f(s_{k-1}, x_k)$. Cette suite de transitions produit une chaîne de sortie $y_1 y_2 \cdots y_k$, où $y_1 = g(s_0, x_1)$ est la sortie qui correspond à la transition de s_0 à s_1, $y_2 = g(s_1, x_2)$ est la sortie correspondant à la transition de s_1 à s_2, et ainsi de suite. En général, $y_j = g(s_{j-1}, x_j)$ pour $j = 1, 2, …, k$. Ainsi, on peut étendre la définition de la fonction de sortie g pour qu'elle s'applique aux chaînes d'entrée de telle sorte que $g(x) = y$, où y est la production correspondant à la chaîne d'entrée x. Cette notation est utile dans plusieurs applications.

EXEMPLE 4   Trouvez la chaîne de sortie produite par la machine à états finis de la figure 3 si la chaîne d'entrée est 101011.

Solution : La sortie obtenue est 001000. Les états et les sorties successifs sont présentés au tableau 4.   ∎

TABLEAU 4							
Entrée	1	0	1	0	1	1	–
État	s_0	s_3	s_1	s_2	s_3	s_0	s_3
Sortie	0	0	1	0	0	0	–

On peut maintenant présenter quelques exemples de machines à états finis utiles. Ces exemples illustrent le fait que les états de la machine à états finis lui confèrent une capacité de mémoire limitée. On peut utiliser ces états pour se rappeler les propriétés des symboles qui ont été lus par la machine. Cependant, puisqu'il n'y a qu'un nombre fini d'états différents, on ne peut utiliser les machines à états finis dans certaines circonstances, ce qui sera illustré à la section 10.4.

EXEMPLE 5   Le retardeur constitue un élément important dans les dispositifs électroniques. Il produit, comme sortie, la chaîne d'entrée au bout d'un délai précis. Comment peut-on construire une machine à états finis pour retarder une chaîne d'entrée d'une unité, autrement dit pour produire, comme sortie, la chaîne binaire $0x_1, x_2 \cdots x_{k-1}$, si la chaîne binaire d'entrée est $x_1x_2 \cdots x_k$?

Solution : On peut construire un retardeur qui admet deux entrées possibles, notamment 0 et 1. La machine doit avoir un état de départ s_0. Puisque la machine doit se souvenir de l'entrée précédente, qui était soit 0, soit 1, deux autres états s_1 et s_2 sont requis, où la machine est à l'état s_1 si l'entrée précédente était 1 et à l'état s_2 si l'entrée précédente était 0. Une sortie 0 est produite pour la transition initiale à partir de s_0. Chaque transition à partir de s_1 produit une sortie 1, et chaque transition de s_2 produit une sortie 0. La sortie obtenue si l'entrée est la chaîne $x_1 \cdots x_k$ est la chaîne qui commence par 0, suivi de x_1, suivi de x_2, ..., et se termine par x_{k-1}. Le diagramme d'états pour cette machine est présenté à la figure 4.   ■

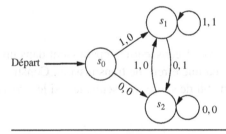

FIGURE 4   Retardeur

EXEMPLE 6   Construisez une machine à états finis qui permet d'additionner deux entiers en utilisant leurs représentations en base 2.

Solution : Lorsque $(x_n \cdots x_1x_0)_2$ et $(y_n \cdots y_1y_0)_2$ sont additionnés, on suit la procédure suivante (décrite dans la section 2.4). Premièrement, les bits x_0 et y_0 sont additionnés, ce qui produit un bit de somme z_0 et un bit de retenue c_0. Ce bit de retenue est soit 0, soit 1. Alors, les bits x_1 et y_1 sont additionnés avec la retenue c_0. Cela produit un bit de somme z_1 et un bit de retenue c_1. Cette procédure se poursuit jusqu'à la n-ième étape, où x_n, y_n et la retenue précédente c_{n-1} sont additionnés pour produire le bit de somme z_n et le bit de retenue c_n, ce qui est égal au bit de somme z_{n+1}.

On peut construire une machine à états finis pour effectuer cette addition en utilisant uniquement deux états. Pour simplifier cette procédure, on suppose que les bits initiaux x_n et y_n sont 0 (sinon, il faudrait prendre des mesures particulières pour le bit de somme z_{n+1}).

L'état de départ s_0 est utilisé si la retenue précédente est 0 (ou pour additionner les bits d'extrême droite). On utilise l'autre état, soit s_1, si la retenue précédente est 1. Puisque les entrées de la machine sont des couples de bits, il existe quatre entrées possibles. On les représente par 00 (lorsque les deux bits sont 0), 01 (lorsque le premier bit est 0 et le deuxième est 1), 10 (lorsque le premier bit est 1 et le deuxième est 0) et 11 (lorsque les deux bits sont 1). Les transitions et les sorties sont construites à partir de la somme des deux bits qui sont représentés par l'entrée et la retenue qui est représentée par l'état. Par exemple, lorsque la machine se trouve à l'état s_1 et reçoit 01 comme entrée, l'état suivant est s_1 et la sortie est 0, puisque la somme obtenue est $0 + 1 + 1 = (10)_2$. Le diagramme d'états pour cette machine est illustré à la figure 5. ■

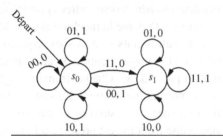

FIGURE 5   Machine à états finis pour l'addition

EXEMPLE 7   Dans un certain codage, lorsque trois 1 consécutifs apparaissent dans un message, le destinataire du message sait qu'il y a eu une erreur de transmission. Construisez une machine à états finis qui produit un 1 comme bit de sortie si et seulement si les trois derniers bits reçus sont tous des 1.

Solution : Trois états sont nécessaires dans cette machine. L'état de départ s_0 se souvient que la valeur d'entrée précédente, le cas échéant, n'était pas un 1. L'état s_1 se souvient que l'entrée précédente était un 1, mais que l'entrée précédant l'entrée précédente, le cas échéant, n'était pas un 1. L'état s_2 se souvient que les deux entrées précédentes étaient des 1. Une entrée 1 fait passer s_0 à s_1 puisqu'à présent un 1, et non deux 1 consécutifs, ont été lus ; elle fait passer s_1 à s_2 puisqu'à présent deux 1 consécutifs ont été lus ; et elle fait revenir s_2 à lui-même puisqu'au moins deux 1 consécutifs ont été lus. Une entrée 0 fait passer chaque état à s_0, car cette entrée interrompt toute chaîne de 1 consécutifs. La sortie pour la transition de s_2 vers lui-même après la lecture d'un 1 est 1, puisque cette combinaison d'entrée et d'état montre qu'il y a eu lecture de trois 1 consécutifs. Toutes les autres sorties sont 0. Le diagramme d'états de cette machine est présenté à la figure 6. ■

La machine illustrée à la figure 6 constitue un exemple de **reconnaisseur de langage**, car elle produit une sortie 1 si et seulement si la chaîne d'entrée lue jusque-là admet une propriété spécifique. La reconnaissance de langage est une application importante des machines à états finis.

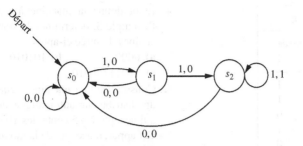

FIGURE 6 **Machine à états finis qui produit une sortie 1 si et seulement si la chaîne d'entrée lue jusqu'à ce point se termine par 111**

Types de machines à états finis Plusieurs types de machines à états finis ont été mis au point pour modéliser les machines de calcul. Dans la présente section, on a donné une définition d'un type de machine à états finis. Pour celui-ci, les sorties correspondent aux transitions entre les états. Les machines de ce type sont appelées **machines de Mealy**, car elles furent d'abord étudiées par G. H. Mealy en 1955. Un autre type important de machine à états finis avec sortie est celui où la sortie est déterminée uniquement par l'état. Ce type de machine à états finis est appelé **machine de Moore**, car c'est E. F. Moore qui introduisit ce type de machine en 1956. Les machines de Moore sont abordées dans certains exercices à la fin de la présente section.

Dans l'exemple 7, on a montré comment on pouvait utiliser une machine de Mealy pour reconnaître un langage. Cependant, à cette fin, on a normalement recours à un autre type de machine à états finis qui ne produit aucune sortie. Les machines à états finis sans sortie, également connues sous le nom d'automates finis, comportent un ensemble d'états finaux et reconnaissent une chaîne si et seulement si elles font passer l'état de départ de la machine à un état final. On étudiera ce type de machine dans la section 10.3.

Exercices

1. Dessinez les diagrammes d'états pour les machines à états finis admettant les tables d'états ci-après.

a)

	f		g	
	Entrée		*Entrée*	
État	0	1	0	1
s_0	s_1	s_0	0	1
s_1	s_0	s_2	0	1
s_2	s_1	s_1	0	0

b)

	f		g	
	Entrée		*Entrée*	
État	0	1	0	1
s_0	s_1	s_0	0	0
s_1	s_2	s_0	1	1
s_2	s_0	s_3	0	1
s_3	s_1	s_2	1	0

c)

État	f Entrée 0	f Entrée 1	g Entrée 0	g Entrée 1
s_0	s_0	s_4	1	1
s_1	s_0	s_3	0	1
s_2	s_0	s_2	0	0
s_3	s_1	s_1	1	1
s_4	s_1	s_0	1	0

2. Donnez les tables d'états pour les machines à états finis admettant les diagrammes d'états ci-après.

a)

b)

c)

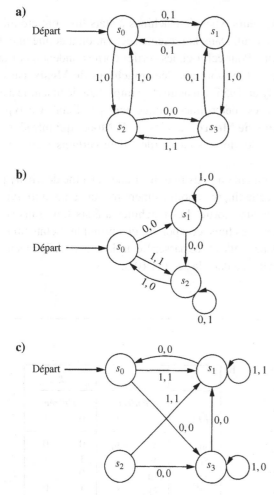

3. Étant donné la machine à états finis présentée à l'exemple 2, déterminez la sortie pour chacune des chaînes d'entrée ci-après.

a) 0111   **b)** 11011011

c) 01010101010

4. Étant donné la machine à états finis présentée à l'exemple 3, déterminez la sortie pour chacune des chaînes d'entrée ci-après.

a) 0000   **b)** 101010

c) 11011100010

5. Construisez une machine à états finis qui modélise un distributeur automatique de boissons gazeuses qui accepte les 5 cents, les 10 cents et les 25 cents. Cet appareil accepte de la monnaie jusqu'à ce qu'on y ait inséré 35 cents. Il remet la monnaie pour toute somme supérieure à 35 cents. Ensuite, le client doit presser sur un bouton pour obtenir un cola, une racinette (*root beer*) ou un soda au gingembre (*ginger ale*).

6. Construisez une machine à états finis qui modélise un distributeur automatique de journaux pourvu d'une porte qu'on peut ouvrir uniquement après que trois 10 cents (et toute autre quantité de pièces de monnaie) ou un 25 cents et un 10 cents (et toute autre quantité de pièces de monnaie) ont été insérés. Lorsque l'accès est possible, le client ouvre la porte, prend le journal et referme la porte. Cette machine ne remet jamais de monnaie, peu importe la quantité excédentaire d'argent qui a été insérée. Le client suivant ne peut pas bénéficier du supplément qui peut avoir été déposé précédemment.

7. Construisez une machine à états finis qui retarde une chaîne d'entrée de deux bits et produit 00 pour les deux premiers bits de sortie.

8. Construisez une machine à états finis qui modifie les bits en position d'indice pair, en commençant par le deuxième bit, d'une chaîne d'entrée, et qui ne modifie pas les autres bits.

9. Construisez une machine à états finis pour l'entrée en communication dans un ordinateur, où l'utilisateur entre en communication à l'aide d'un numéro d'identification, qui est considéré comme une seule entrée, et d'un mot de passe, qui est considéré comme une seule entrée. Si le mot de passe est erroné, le système demande à l'utilisateur d'entrer de nouveau son numéro d'identification.

10. Construisez une machine à états finis pour une serrure à combinaison qui contient les nombres 1 à 40 et qui n'est ouverte que si la bonne combinaison, 10 une fois à droite, 8 deux fois à gauche et 37 une fois à droite, est donnée. Chaque entrée est un triplet constitué d'un nombre, de l'orientation du tour et du nombre de tours dans cette direction.

11. Construisez une machine à états finis pour une boîte de péage qui permet l'ouverture d'une barrière après qu'on y a déposé 25 cents, soit en 5 cents et en 10 cents, soit avec une pièce de 25 cents. La machine ne rend pas la monnaie excédentaire, et aucun crédit n'est accordé au prochain conducteur si le précédent a déposé plus de 25 cents.

12. Construisez une machine à états finis qui produit une sortie 1 si le nombre de symboles d'entrée lus jusqu'à ce moment est divisible par 3 et une sortie 0 autrement.

13. Construisez une machine à états finis qui détermine si la chaîne d'entrée a un 1 dans la dernière position et un 0 dans la troisième position par rapport à la dernière position lue jusqu'à présent.

14. Construisez une machine à états finis qui détermine si la chaîne d'entrée lue jusqu'à présent se termine avec au moins cinq 1 consécutifs.

15. Construisez une machine à états finis qui détermine si le mot *ordinateur* a été lu dans les dix derniers caractères de l'entrée lue jusqu'à présent, où l'entrée peut être toute chaîne de lettres de l'alphabet français.

Une **machine de Moore** $M = (S, I, O, f, g, s_0)$ est constituée d'un ensemble fini d'états, d'un alphabet d'entrée I, d'un alphabet de sortie O, d'une fonction de transition f qui attribue un état suivant à chaque paire d'état et d'entrée, d'une fonction de sortie g qui attribue une sortie à chaque état et d'un état de départ s_0. On peut représenter une machine de Moore soit par une table énumérant les transitions pour chaque paire d'état et d'entrée et les sorties pour chaque état, soit par un diagramme d'états qui présente les états, les transitions entre les états et la sortie pour chaque état. Dans le diagramme, les transitions sont indiquées par des flèches étiquetées par l'entrée, et les sorties sont présentées à côté des états.

16. Construisez le diagramme d'états pour la machine de Moore munie de la table d'états ci-après.

État	f Entrée 0	f Entrée 1	g
s_0	s_0	s_2	0
s_1	s_3	s_0	1
s_2	s_2	s_1	1
s_3	s_2	s_0	1

17. Construisez la table d'états pour la machine de Moore munie du diagramme d'états suivant. Chaque chaîne d'entrée d'une machine de Moore M produit une chaîne de sortie. La sortie correspondant à la chaîne d'entrée $a_1 a_2 \cdots a_k$ est la chaîne $g(s_0)g(s_1) \ldots g(s_k)$, où $s_1 = f(s_{i-1}, a_i)$ pour $i = 1, 2, \ldots, k$.

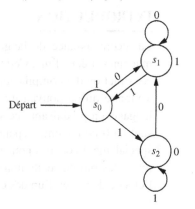

18. Trouvez la chaîne de sortie produite par la machine de Moore de l'exercice 16, étant donné les chaînes d'entrée ci-après.
a) 0101　　**b)** 111111
c) 11101110111

19. Trouvez la chaîne de sortie produite par la machine de Moore de l'exercice 17, étant donné les chaînes d'entrée de l'exercice 18.

20. Construisez une machine de Moore qui donne une sortie 1 lorsque le nombre de symboles dans la chaîne d'entrée lue jusqu'à présent est divisible par 4.

21. Construisez une machine de Moore qui détermine si une chaîne d'entrée contient un nombre pair ou impair de 1. La machine devrait produire 1 comme sortie si un nombre pair de 1 se trouve dans la chaîne, et elle devrait produire 0 comme sortie si un nombre impair de 1 se trouve dans la chaîne.

10.3

Machines à états finis sans sortie

INTRODUCTION

La reconnaissance de langage constitue l'une des applications les plus importantes des machines à états finis. Cette application joue un rôle fondamental dans la conception et la construction des compilateurs pour les langages de programmation. Dans la section 10.2, on a montré qu'on pouvait utiliser une machine à états finis avec sortie pour reconnaître un langage, en produisant une sortie 1 lorsqu'une chaîne du langage avait été lue et en produisant un 0 autrement. Cependant, il existe d'autres types de machines à états finis qui sont spécialement conçues pour reconnaître des langages. Plutôt que de produire une sortie, ces machines ont des états finaux. Une chaîne est reconnue si et seulement si elle transforme l'état de départ en l'un des états finaux.

ENSEMBLE DE CHAÎNES

Avant de discuter des machines à états finis sans sortie, voici quelques principes élémentaires sur les ensembles de chaînes. On utilisera régulièrement les opérations décrites dans cette discussion sur la reconnaissance du langage par les machines à états finis.

> **DÉFINITION 1.**   On suppose que A et B sont des sous-ensembles de V^*, où V est un vocabulaire. La **concaténation** de A et de B, notée AB, est l'ensemble de toutes les chaînes de la forme xy où x est une chaîne dans A et y est une chaîne dans B.

EXEMPLE 1   Soit $A = \{0, 11\}$ et $B = \{1, 10, 110\}$. Trouvez AB et BA.

Solution : L'ensemble AB contient toutes les concaténations d'une chaîne dans A et d'une chaîne dans B. Ainsi, $AB = \{01, 010, 0110, 111, 1110, 11110\}$. L'ensemble BA contient toutes les concaténations d'une chaîne de B et d'une chaîne de A. Ainsi, $BA = \{10, 111, 100, 1011, 1100, 11011\}$. ∎

À noter qu'on n'a pas nécessairement $AB = BA$ lorsque A et B sont des sous-ensembles de V^*, où V est un alphabet, comme l'illustre l'exemple 1.

À partir de la définition de la concaténation de deux ensembles de chaînes, on peut définir A^n pour $n = 0, 1, 2, \ldots$ Cela est défini récursivement selon

$$A^0 = \{\lambda\}$$
$$A^{n+1} = A^n A \text{ pour } n = 0, 1, 2, \ldots$$

EXEMPLE 2   Soit $A = \{1, 00\}$. Trouvez A^n pour $n = 0$, 1, 2 et 3.

Solution : On a $A^0 = \{\lambda\}$ et $A^1 = A^0 A = \{\lambda\}A = \{1, 00\}$. Pour trouver A^2, on prend des concaténations de couples d'éléments de A. On obtient ainsi $A^2 = \{11, 100, 001, 0000\}$. Pour trouver A^3, on prend des concaténations des éléments dans A^2 et A ; on obtient $A^3 = \{111, 1100, 1001, 10000, 0011, 00100, 00001, 000000\}$. ■

> **DÉFINITION 2.**   On suppose que A est un sous-ensemble de V^*. Alors, la *fermeture de Kleene* de A, notée A^*, est l'ensemble constitué des concaténations d'un nombre arbitraire de chaînes de A. Autrement dit, $A^* = \bigcup_{k=0}^{\infty} A^k$.

EXEMPLE 3   Quelles sont les fermetures de Kleene des ensembles $A = \{0\}$, $B = \{0, 1\}$ et $C = \{11\}$?

Solution : La fermeture de Kleene de A est la concaténation de la chaîne 0 avec elle-même, et ce, un nombre arbitraire de fois. Ainsi, $A^* = \{0^n \mid n = 0, 1, 2, \ldots\}$. La fermeture de Kleene de B est la concaténation d'un nombre arbitraire de chaînes où chacune des chaînes est 0 ou 1. Il s'agit de l'ensemble de toutes les chaînes dans l'alphabet $V = \{0, 1\}$. Autrement dit, $B^* = V^*$. Finalement, la fermeture de Kleene de C est la concaténation de la chaîne 11 avec elle-même, et ce, un nombre arbitraire de fois. Ainsi, C^* est l'ensemble des chaînes constituées d'un nombre pair de 1. Autrement dit, $C^* = \{1^{2n} \mid n = 0, 1, 2, \ldots\}$. ■

AUTOMATES FINIS

On donne maintenant une définition de la machine à états finis sans sortie. De telles machines sont également appelées **automates finis**, et c'est l'expression qui sera employée dans ce manuel. Ces machines diffèrent des machines à états finis étudiées dans la section 10.2, en ce sens qu'elles ne produisent pas de sortie, mais qu'elles comportent un ensemble d'états finaux. Comme on le verra, elles reconnaissent les chaînes qui font passer l'état de départ à un état final.

> **DÉFINITION 3.**   Un *automate fini* $M = (S, I, f, s_0, F)$ est constitué d'un ensemble fini d'*états* S, d'un *alphabet d'entrée* fini I, d'une *fonction de transition* f qui attribue un état suivant à chaque paire d'état et d'entrée, d'un état initial s_0 et d'un sous-ensemble F de S constitué d'*états finaux*.

On peut représenter un automate fini en utilisant soit des tables d'états, soit des diagrammes d'états. Les états finaux sont indiqués dans les diagrammes d'états par des doubles cercles.

EXEMPLE 4   Construisez le diagramme d'états pour l'automate fini $M = (S, I, f, s_0, F)$, où $S = \{s_0, s_1, s_2, s_3\}$, $I = \{0, 1\}$, $F = \{s_0, s_3\}$ et la fonction de transition f est décrite au tableau 1.

TABLEAU 1		
		f
	Entrée	
État	0	1
s_0	s_0	s_1
s_1	s_0	s_2
s_2	s_0	s_0
s_3	s_2	s_1

Solution : Le diagramme d'états est présenté à la figure 1. À noter que, puisque les entrées 0 et 1 font passer s_2 à s_0, on écrit 0, 1 sous l'arc de s_2 à s_0.   ■

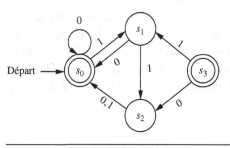

FIGURE 1   Diagramme d'états pour un automate fini

On peut élargir le sens de la fonction de transition pour qu'elle soit définie pour tout couple d'états et de chaînes. Soit $x = x_1 x_2 \cdots x_k$ une chaîne dans I^*. Alors, $f(s_1, x)$ est l'état obtenu en utilisant chaque symbole successif de x, de gauche à droite, comme entrée, en commençant par l'état s_1. À partir de s_1, on passe à l'état $s_2 = f(s_1, x_1)$, puis à l'état $s_2 = f(s_2, x_2)$, et ainsi de suite, avec $f(s_1, x) = f(s_k, x_k)$.

On dit qu'une chaîne x est **reconnue** ou **acceptée** par la machine $M = (S, I, f, s_0, F)$ si elle fait passer l'état initial s_0 à un état final, autrement dit si $f(s_0, x)$ est un état dans F. Le **langage reconnu** ou **accepté** par la machine M, noté $L(M)$, est l'ensemble de toutes les chaînes qui sont reconnues par M. Deux automates finis sont **équivalents** s'ils reconnaissent le même langage.

EXEMPLE 5   Déterminez le langage reconnu par les automates finis M_1, M_2 et M_3 présentés à la figure 2.

Solution : Le seul état final de M_1 est s_0. Les chaînes qui ramènent s_0 à lui-même sont celles qui sont constituées de zéro 1 ou de plusieurs 1 consécutifs. Ainsi, $L(M_1) = \{1^n \mid n = 0, 1, 2, \ldots\}$.

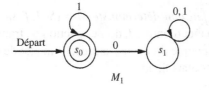

M_1

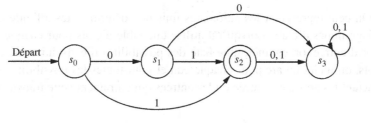

M_2

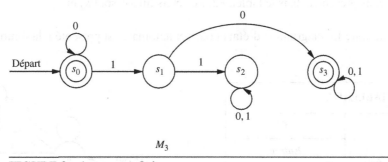

M_3

FIGURE 2 **Automates finis**

Le seul état final de M_2 est s_2. Les seules chaînes qui font passer s_0 à s_2 sont 1 et 01. Ainsi, $L(M_2) = \{1, 01\}$.

Les états finaux de M_3 sont s_0 et s_3. Les seules chaînes qui ramènent s_0 à lui-même sont λ, 0, 00, 000, …, autrement dit toute chaîne de zéro 0 ou de plusieurs 0 consécutifs. Les seules chaînes qui font passer s_0 à s_3 sont les chaînes de zéro 0 ou de plusieurs 0 consécutifs, puis de 10 et ensuite de n'importe quelle chaîne. Ainsi, $L(M_3) = \{0^n, 0^n10x \mid n = 0, 1, 2, …,$ et x est une chaîne quelconque$\}$. ■

Les automates finis dont on a discuté jusqu'à maintenant sont **déterministes** (ou à comportement déterminé), car pour chaque couple d'état et de valeur d'entrée, il y a un état suivant unique donné par la fonction de transition. Il existe un autre type important d'automate fini où il peut y avoir plusieurs possibilités d'états suivants pour chaque couple de valeur d'entrée et d'état. De telles machines sont dites **non déterministes**. Les automates finis non déterministes sont importants quand on veut déterminer quels langages peut reconnaître un automate fini.

> **DÉFINITION 4.**   Un *automate fini non déterministe* $M = (S, I, f, s_0, F)$ est constitué d'un ensemble d'états S, d'un alphabet d'entrée I, d'une fonction de transition f qui attribue un ensemble d'états à chaque couple d'état et d'entrée, d'un état de départ s_0 et d'un sous-ensemble F de S constitué des états finaux.

On peut représenter les automates finis non déterministes à l'aide de tables d'états ou de diagrammes d'états. Lorsqu'on utilise une table d'états pour chaque couple d'état et de valeur d'entrée, on énumère une liste des possibilités d'états suivants. Dans le diagramme d'états, on inclut un arc pour chaque état et pour toutes les possibilités d'états suivants, en étiquetant les arcs par l'entrée ou les entrées qui entraînent cette transition.

EXEMPLE 6   Trouvez le diagramme d'états pour un automate fini non déterministe à l'aide de la table d'états présentée dans le tableau 2. Les états finaux sont s_2 et s_3.

Solution : Le diagramme d'états pour cet automate est présenté à la figure 3.   ■

TABLEAU 2		
	f	
	Entrée	
État	**0**	**1**
s_0	s_0, s_1	s_3
s_1	s_0	s_1, s_3
s_2		s_0, s_2
s_3	s_2, s_1, s_2	s_1

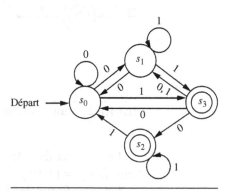

FIGURE 3   Automate fini non déterministe avec la table d'états donnée au tableau 2

EXEMPLE 7   Trouvez la table d'états pour l'automate fini non déterministe avec le diagramme d'états présenté à la figure 4.

Solution : La table d'états est donnée dans le tableau 3.   ■

Que signifie, pour un automate fini non déterministe, le fait de reconnaître une chaîne $x = x_1 x_2 \cdots x_k$? Le premier symbole d'entrée x_1 fait passer l'état de départ s_0 à un ensemble d'états S_1. Le symbole d'entrée suivant x_2 fait passer chacun des états de S_1 à un ensemble d'états. Soit S_2 l'union de ces ensembles. On poursuit ce processus, en incluant à chaque étape tous les états obtenus en utilisant un état obtenu à l'étape précédente et le symbole

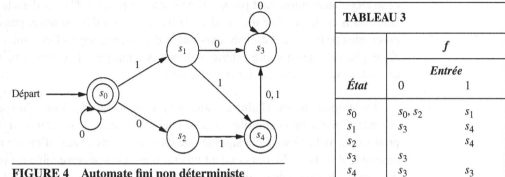

FIGURE 4 Automate fini non déterministe

TABLEAU 3		
	f	
	Entrée	
État	0	1
s_0	s_0, s_2	s_1
s_1	s_3	s_4
s_2		s_4
s_3	s_3	
s_4	s_3	s_3

d'entrée actuel. On **reconnaît** ou on **accepte** la chaîne x s'il y a un état final dans l'ensemble de tous les états qu'on peut obtenir à partir de s_0 en utilisant x. Le **langage reconnu** par un automate fini non déterministe est l'ensemble de toutes les chaînes reconnues par cet automate.

EXEMPLE 8   Trouvez le langage reconnu par l'automate fini non déterministe présenté à la figure 4.

Solution : Puisque s_0 est un état final et qu'il y a une transition de s_0 vers lui-même lorsque 0 est l'entrée, la machine reconnaît toutes les chaînes constituées de zéro 0 ou de plusieurs 0 consécutifs. De plus, puisque s_4 est un état final, toute chaîne ayant s_4 dans l'ensemble d'états qui peut être atteint à partir de s_0 avec cette chaîne d'entrée est reconnue. Les seules chaînes de ce type sont les chaînes constituées de zéro 0 ou de plusieurs 0 consécutifs, puis de 01 ou de 11. Puisque s_0 et s_4 sont les seuls états finaux, le langage reconnu par la machine est $\{0^n, 0^n01, 0^n11 \mid n \geq 0\}$. ■

Il est important de noter qu'un langage reconnu par un automate fini non déterministe est également reconnu par un automate fini déterministe. On tirera profit de cette particularité dans la section suivante, lorsqu'on déterminera quels langages un automate fini reconnaît.

THÉORÈME 1   Si le langage L est reconnu par un automate fini non déterministe M_0, alors L est également reconnu par un automate fini déterministe M_1.

Démonstration : On décrit la manière de construire l'automate fini déterministe M_1 qui reconnaît L à partir de M_0, qui est l'automate fini non déterministe reconnaissant ce langage. Chaque état de M_1 sera constitué d'un ensemble d'états dans M_0. Le symbole de départ de M_1 est $\{s_0\}$, qui est l'ensemble contenant l'état de départ de M_0. L'ensemble d'entrée de M_1 est le même que l'ensemble d'entrée de M_0. Étant donné un état $\{s_{i_1}, s_{i_2}, ..., s_{i_k}\}$ de M_1, le symbole d'entrée x véhicule cet état à l'union des ensembles des états suivants pour les éléments de cet ensemble, autrement dit l'union des ensembles $f(s_{i_1})$, $f(s_{i_2})$, ..., $f(s_{i_k})$. Les états de M_1 sont tous les sous-ensembles de S, l'ensemble des états de M_0, qu'on obtient de cette façon en commençant par s_0. (Il peut y avoir jusqu'à 2^n états dans la machine déterministe, où n est le nombre d'états dans la machine non déterministe, puisque tous les sous-ensembles peuvent se présenter sous forme d'états, y compris l'ensemble vide, quoique, en règle générale, un nombre inférieur d'états s'applique.) Les états finaux de M_1 sont les ensembles qui contiennent un état final de M. □

On suppose qu'une chaîne d'entrée est reconnue par M_0. Alors, l'un des états qu'on peut atteindre à partir de s_0 en utilisant cette chaîne d'entrée est un état final (le lecteur devra le prouver par induction). Cela signifie que dans M_1, cette chaîne d'entrée mène de $\{s_0\}$ à un ensemble d'états de M_0 qui contient un état final. Ce sous-ensemble est un état final de M_1, donc cette chaîne est également reconnue par M_1. De plus, une chaîne d'entrée qui n'est pas reconnue par M_0 ne mène à aucun des états finaux de M_0. (Le lecteur devra expliciter la preuve de cet énoncé.) Par conséquent, cette chaîne d'entrée ne mène pas de $\{s_0\}$ à un état final de M_1.

EXEMPLE 9   Trouvez un automate fini déterministe qui reconnaît le même langage que l'automate fini non déterministe de l'exemple 7.

Solution : L'automate déterministe présenté à la figure 5 est construit à partir de l'automate non déterministe de l'exemple 7. Les états de cet automate déterministe sont des sous-ensembles de l'ensemble de tous les états de la machine non déterministe. L'état suivant d'un sous-ensemble en dessous d'un symbole d'entrée est le sous-ensemble contenant les états suivants de la machine non déterministe de tous les éléments de ce sous-ensemble. Par exemple, à l'entrée de 0, $\{s_0\}$ passe à $\{s_0, s_2\}$ puisque s_0 accepte les transitions avec lui-même et à s_2 dans la machine non déterministe ; l'ensemble $\{s_0, s_2\}$ passe à $\{s_1, s_4\}$ à l'entrée de 1, puisque s_0 passe uniquement à s_1 et s_2 à s_4 à l'entrée de 1 dans la machine non déterministe ; et l'ensemble $\{s_1, s_4\}$ passe à $\{s_3\}$ à l'entrée de 0, puisque s_1 et s_4 vont tous les deux passer à s_3 uniquement à l'entrée de 0 dans la machine déterministe. Tous les sous-ensembles obtenus ainsi sont compris dans la machine à états finis déterministe. À noter que l'ensemble vide est l'un des états de cette machine, puisqu'il se trouve dans le sous-ensemble contenant tous les états suivants de $\{s_3\}$ à l'entrée de 1. L'état de départ est $\{s_0\}$, et l'ensemble d'états finaux comprend tous ceux qui comportent s_0 ou s_4. ■

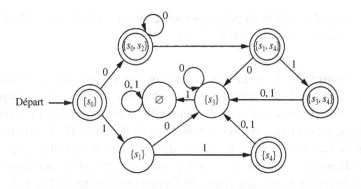

FIGURE 5   Automate déterministe équivalant à l'automate non déterministe de l'exemple 7

Exercices

1. Soit $A = \{0, 11\}$ et $B = \{00, 01\}$. Trouvez chacun des ensembles suivants :
   a) AB.　　**b)** BA.　　**c)** A^2.　　**d)** B^3.

2. Démontrez que si A est un ensemble de chaînes, alors $A\varnothing = \varnothing A = \varnothing$.

3. Trouvez toutes les paires d'ensembles de chaînes A et B pour lesquelles $AB = \{10, 111, 1010, 1000, 10111, 101000\}$.

4. Démontrez que les égalités suivantes sont valides.
   a) $\{\lambda\}^* = \{\lambda\}$
   b) $(A^*)^* = A^*$ pour tout ensemble de chaînes A

5. Décrivez les éléments de l'ensemble A^* pour les valeurs suivantes de A.
   a) $\{10\}$　　**b)** $\{111\}$　　**c)** $\{0, 01\}$　　**d)** $\{1, 101\}$

6. Soit V un alphabet et soit A et B deux sous-ensembles de V^*. Démontrez que $|AB| \le |A||B|$.

7. Soit V un alphabet et soit A et B deux sous-ensembles de V^* tels que $A \subseteq B$. Démontrez que $A^* \subseteq B^*$.

8. Supposez que A est un sous-ensemble de V^*, où V est un alphabet. Déterminez si chacun des énoncés suivants est vrai ou faux.
   a) $A \subseteq A^2$　　　　　　**b)** Si $A = A^2$, alors $\lambda \in A$
   c) $A\{\lambda\} = A$　　　　　　**d)** $(A^*)^* = A^*$
   e) $A^*A = A^*$　　　　　　　**f)** $|A^n| = |A|^n$

9. Déterminez si la chaîne 11101 se trouve ou non dans les ensembles ci-après.
   a) $\{0, 1\}^*$　　　　　　**b)** $\{1\}^*\{0\}^*\{1\}^*$　　　**c)** $\{11\}\{1\}^*\{01\}$
   d) $\{11\}^*\{01\}^*$　　　　**e)** $\{111\}^*\{0\}^*\{1\}$　　**f)** $\{111, 000\}\{00, 01\}$

10. Déterminez si les chaînes ci-après sont reconnues par l'automate fini déterministe de la figure 1.
    a) 010　　　　　　**b)** 1101　　**c)** 1111110　　　　**d)** 010101010

11. Déterminez si les chaînes dans chacun des ensembles suivants sont reconnues par l'automate fini déterministe de la figure 1.
    a) $\{0\}^*$　　　　　　**b)** $\{0\}\{0\}^*$　　　**c)** $\{1\}\{0\}^*$
    d) $\{01\}^*$　　　　　**e)** $\{0\}^*\{1\}^*$　　**f)** $\{1\}\{0, 1\}^*$

Dans les exercices 12 à 16, trouvez le langage reconnu par l'automate fini déterministe donné.

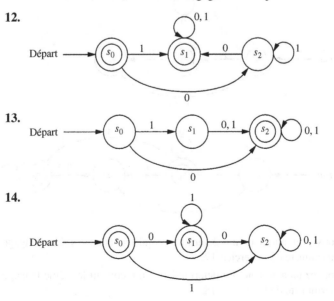

15.

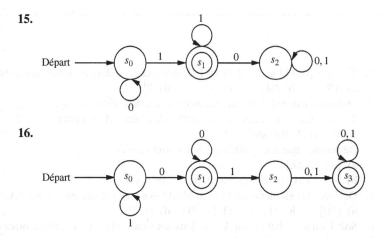

16.

Dans les exercices 17 à 21, trouvez le langage reconnu par l'automate fini non déterministe donné.

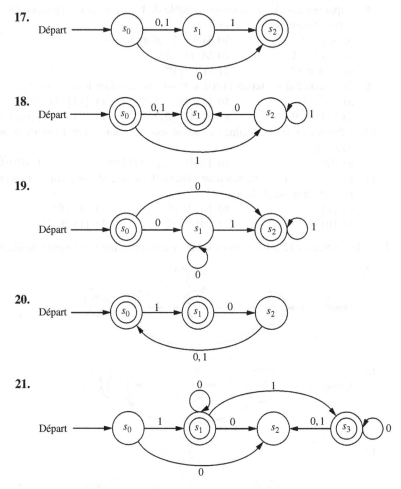

17.

18.

19.

20.

21.

22. Trouvez un automate fini déterministe qui reconnaît le même langage que l'automate fini non déterministe de l'exercice 17.

23. Trouvez un automate fini déterministe qui reconnaît le même langage que l'automate fini non déterministe de l'exercice 18.

24. Trouvez un automate fini déterministe qui reconnaît le même langage que l'automate fini non déterministe de l'exercice 19.

25. Trouvez un automate fini déterministe qui reconnaît le même langage que l'automate fini non déterministe de l'exercice 20.

26. Trouvez un automate fini déterministe qui reconnaît le même langage que l'automate fini non déterministe de l'exercice 21.

27. Trouvez un automate fini déterministe qui reconnaît chacun des ensembles ci-après.
    a) $\{0\}$ b) $\{1, 00\}$ c) $\{1^n \mid n = 2, 3, 4, \ldots\}$

28. Trouvez un automate fini non déterministe qui reconnaît chacun des langages de l'exercice 27 et qui admet moins d'états, si c'est possible, que l'automate déterministe que vous avez trouvé dans cet exercice.

★29. Démontrez qu'il n'existe aucun automate fini qui reconnaît l'ensemble de chaînes binaires contenant un nombre égal de 0 et de 1.

10.4

Reconnaissance de langage

INTRODUCTION

On a vu qu'on pouvait utiliser les automates finis comme reconnaisseurs de langage. Quels ensembles ces machines peuvent-elles reconnaître ? Bien que ce problème semble très difficile à résoudre, un automate fini peut reconnaître une propriété simple des ensembles. Ce problème fut d'abord résolu en 1956 par le mathématicien américain Stephen Kleene. Ce dernier a démontré qu'il existait un automate fini qui reconnaissait un ensemble si et seulement si cet ensemble pouvait être construit à partir de l'ensemble vide, de la chaîne vide et des chaînes à un élément en prenant les concaténations, les unions et les fermetures de Kleene, et ce, dans un ordre arbitraire. Les ensembles qui peuvent être construits ainsi sont dits **ensembles réguliers**.

On a défini les grammaires régulières dans la section 10.1. À cause de la terminologie employée, il n'est pas surprenant qu'il existe un lien entre les ensembles réguliers, qui sont les ensembles reconnus par un automate fini, et les grammaires régulières. Un ensemble est régulier si et seulement s'il est généré par une grammaire régulière.

Finalement, il existe aussi des ensembles qu'aucun automate fini ne peut reconnaître. On donnera un exemple d'un tel ensemble. On discutera brièvement de modèles computationnels plus puissants, tels que les automates programmables en pile et les machines de Turing, à la fin de la présente section.

ENSEMBLES RÉGULIERS

Les ensembles réguliers sont ceux qu'on peut former en utilisant des opérations de concaténation, d'union et de fermeture de Kleene en ordre arbitraire, en commençant par l'ensemble vide, la chaîne vide et les ensembles à un élément. On verra que les ensembles réguliers sont ceux qu'on peut reconnaître en utilisant un automate fini. Pour définir les ensembles réguliers, il faut d'abord définir les expressions régulières.

> **DÉFINITION 1.**   Les *expressions régulières* dans un ensemble *I* sont définies récursivement comme suit :
>
> - le symbole ∅ est une expression régulière ;
> - le symbole λ est une expression régulière ;
> - le symbole *x* est une expression régulière pour tout $x \in I$;
> - les symboles (**AB**), (**A** ∪ **B**) et **A*** sont des expressions régulières, quelles que soient les expressions régulières **A** et **B**.

Toute expression régulière représente un ensemble défini par les règles suivantes :

- ∅ représente l'ensemble vide, autrement dit l'ensemble sans chaînes ;

- λ représente l'ensemble {λ}, l'ensemble contenant la chaîne vide ;

- *x* représente l'ensemble {*x*} contenant la chaîne avec un symbole *x* ;

- (**AB**) représente la concaténation des ensembles représentés par **A** et **B** ;

- (**A** ∪ **B**) représente l'union des ensembles représentés par **A** et **B** ;

- **A*** représente la fermeture de Kleene de l'ensemble représenté par **A**.

Les ensembles représentés par les expressions régulières sont appelés **ensembles réguliers**. À partir de là, on emploiera des expressions régulières pour décrire des ensembles réguliers, de telle sorte que lorsqu'on parle de l'ensemble régulier **A**, cela signifie l'ensemble régulier représenté par l'expression régulière **A**. L'exemple 1 montre comment utiliser les expressions régulières pour définir des ensembles réguliers.

EXEMPLE 1   Quelles sont les chaînes dans les ensembles réguliers définis par les expressions régulières **10***, **(10)***, **0** ∪ **01**, **0(0** ∪ **1)*** et **(0*1)*** ?

Solution : Les ensembles réguliers représentés par ces expressions sont donnés dans le tableau 1, comme devrait le vérifier le lecteur.   ∎

TABLEAU 1

Expression	Chaîne
10*	Un 1 suivi d'un nombre quelconque de 0 (incluant aucun 0)
(10)*	Un nombre quelconque de copies de la chaîne 10 (incluant la chaîne vide)
0 ∪ **01**	La chaîne 0 ou la chaîne 01
0(0 ∪ **1)***	Toute chaîne commençant par 0
(0*1)*	Toute chaîne ne se terminant pas par 0

THÉORÈME DE KLEENE

En 1956, Kleene prouva que les ensembles réguliers étaient les ensembles reconnus par un automate fini, d'où le théorème suivant.

THÉORÈME 1

THÉORÈME DE KLEENE   Un ensemble est régulier si et seulement s'il est reconnu par un automate fini.

Le théorème de Kleene constitue l'un des résultats centraux de la théorie des automates. On prouvera uniquement la partie *seulement si* du théorème, notamment que chaque ensemble régulier est reconnu par un automate fini. La preuve de la partie *si*, c'est-à-dire qu'un ensemble reconnu par un automate fini est régulier, devra être établie par le lecteur dans un exercice ultérieur.

Démonstration : On se souvient qu'un ensemble régulier est défini en fonction des expressions régulières, qui sont définies récursivement. On peut prouver que tout ensemble régulier est reconnu par un automate fini si on peut démontrer que

1. $\varnothing$ est reconnu par un automate fini ;
2. $\{\lambda\}$ est reconnu par un automate fini ;
3. $\{a\}$ est reconnu par un automate fini, quel que soit le symbole a de I ;
4. AB est reconnu par un automate fini si A et B le sont ;
5. $A \cup B$ est reconnu par un automate fini si A et B le sont ;
6. A^* est reconnu par un automate fini si A l'est.   ☐

On considère maintenant chacune de ces tâches. Premièrement, on démontre que $\varnothing$ est reconnu par un automate fini non déterministe. Pour ce faire, tout ce dont on a besoin, c'est d'un automate sans états finaux. Cet automate est présenté à la figure 1 a).

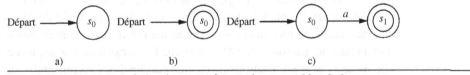

a)   b)   c)

FIGURE 1   Automate fini qui reconnaît certains ensembles de base

Deuxièmement, on démontre que $\{\lambda\}$ est reconnu par un automate fini. Pour ce faire, tout ce dont on a besoin, c'est d'un automate qui reconnaît λ, la chaîne vide, mais aucune autre. On établit cette démonstration en faisant passer l'état de départ s_0 à un état final sans transition, de sorte qu'aucune autre chaîne ne fasse passer s_0 à un état final. L'automate non déterministe de la figure 1 b) présente cette machine.

Troisièmement, on démontre que $\{a\}$ est reconnu par un automate fini non déterministe. Pour ce faire, on peut utiliser une machine ayant un état de départ s_0 et un état final s_1. On a une transition de s_0 à s_1 lorsque l'entrée est a et qu'il n'y a aucune autre transition. La seule chaîne reconnue par cette machine est a. La figure 1 c) présente cette machine.

Ensuite, on démontre que AB et $A \cup B$ peuvent être reconnus par un automate fini si A et B sont des langages reconnus par un automate fini. On suppose que A est reconnu par $M_A = (S_A, I, f_A, s_A, F_A)$ et que B est reconnu par $M_B = (S_B, I, f_B, s_B, F_B)$.

On commence par construire une machine à états finis $M_{AB} = (S_{AB}, I, f_{AB}, S_{AB}, F_{AB})$ qui reconnaît AB, la concaténation de A et de B. On construit une telle machine en combinant les machines de A et de B en parallèle, de telle sorte qu'une chaîne de A fait passer la machine combinée de s_A, l'état de départ de M_A, à s_B, l'état de départ de M_B. Une chaîne de B doit amener la machine combinée de s_B à l'état final de la machine combinée. Par conséquent, on effectue la construction suivante. On note S_{AB} l'ensemble $S_A \cup S_B$. L'état de départ s_{AB} est le même que s_A. L'ensemble d'états finaux F_{AB} est l'ensemble d'états finaux de M_B qui inclut s_{AB} si et seulement si $\lambda \in A \cap B$. Les transitions dans M_{AB} comprennent toutes les transitions dans M_A et dans M_B, ainsi que certaines nouvelles transitions. Pour chaque transition dans M_A qui mène à un état final, on forme une transition dans M_{AB} à partir du même état à s_B, et ce, à partir de la même entrée. Ainsi, une chaîne de A fait passer M_{AB} de s_{AB} à s_B, et puis une chaîne de B fait passer s_B à un état final de M_{AB}. De plus, pour chaque transition à partir de s_B, on forme une transition dans M_{AB} de s_{AB} au même état. La figure 2 a) illustre cette construction.

On construit maintenant une machine $M_{A \cup B} = \{S_{A \cup B}, I, f_{A \cup B}, s_{A \cup B}, F_{A \cup B}\}$ qui reconnaît $A \cup B$. On peut construire cet automate en combinant M_A et M_B en parallèle, en utilisant un nouvel état de départ qui a les transitions qu'admettent s_A et s_B. Soit $S_{A \cup B} = S_A \cup S_B \cup \{s_{A \cup B}\}$, où $s_{A \cup B}$ est un nouvel état qui est l'état de départ de $M_{A \cup B}$. Soit l'ensemble d'états finaux $F_{A \cup B}$ qui est $F_A \cup F_B \cup \{s_{A \cup B}\}$ si $\lambda \in A \cup B$ et $F_A \cup F_B$ autrement. Les transitions de $M_{A \cup B}$ comprennent toutes celles dans M_A et dans M_B. De plus, pour chaque transition de s_A vers un état s à l'entrée de i, on inclut une transition de $s_{A \cup B}$ vers s à l'entrée de i, et pour chaque transition de s_B vers l'état s à l'entrée de i, on inclut une transition de $s_{A \cup B}$ vers s à l'entrée de i. Ainsi, une chaîne dans A mène de $s_{A \cup B}$ vers un état final dans la nouvelle machine, et une chaîne de B mène de $s_{A \cup B}$ vers un état final dans la nouvelle machine. La figure 2 b) illustre la construction de $M_{A \cup B}$.

Finalement, on construit $M_{A*} = (S_{A*}, I, f_{A*}, S_{A*}, F_{A*})$, une machine qui reconnaît $A*$, c'est-à-dire la fermeture de Kleene de A. S_{A*} est défini comme comprenant tous les états de S_A et un état supplémentaire s_{A*}, qui est l'état de départ de la nouvelle machine. L'ensemble des états finaux F_{A*} englobe tous les états de F_A ainsi que l'état de départ s_{A*}, puisque λ doit être reconnu. Pour reconnaître des concaténations d'un nombre arbitraire de chaînes de A, on inclut toutes les transitions de M_A, ainsi que les transitions de s_{A*} qui correspondent aux transitions de s_A et aux transitions de chaque état final qui correspondent aux transitions de s_A. Avec cet ensemble de transitions, une chaîne constituée de concaténations de chaînes de A amènera s_{A*} à l'état final lorsque la première chaîne de A aura été lue, et elle retournera à un état final lorsque la deuxième chaîne de A aura été lue, et ainsi de suite. La figure 2 c) illustre la construction utilisée.

On peut construire un automate fini non déterministe à partir de tout ensemble régulier en utilisant la procédure décrite dans la présente démonstration. L'exemple 2 illustre la manière d'effectuer cette procédure.

EXEMPLE 2   Construisez un automate fini non déterministe qui reconnaît l'ensemble régulier $\mathbf{1}^* \cup \mathbf{01}$.

Solution : On commence par construire une machine qui reconnaît $\mathbf{1}^*$. Cela est accompli en utilisant la machine qui reconnaît $\mathbf{1}$ et en utilisant la construction pour M_{A*} décrite dans la démonstration. Ensuite, on construit une machine qui reconnaît $\mathbf{01}$, en utilisant les machines

a)

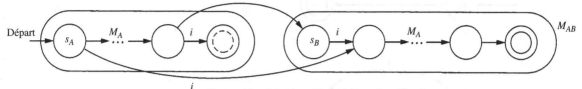

La transition vers l'état final de M_A produit une transition vers s_B.

La transition de s_B dans M_B produit une transition de $s_{AB} = s_A$.

L'état de départ est $s_{AB} = s_A$, qui est final si s_A et s_B sont finaux.   Les états finaux comprennent tous les états finis de M_B.

b)

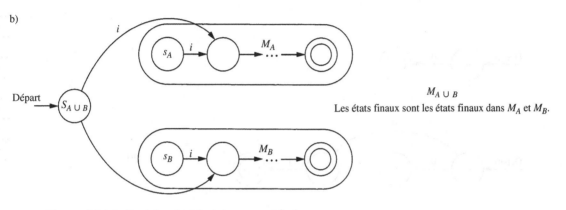

$M_{A \cup B}$

Les états finaux sont les états finaux dans M_A et M_B.

$s_{A \cup B}$ est le nouvel état de départ, lequel est final si s_A ou s_B est final.

c)

Les transitions de s_A produisent A transitions à partir de s_{A^*} et tous les états finaux de M_A.

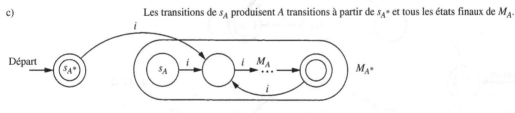

s_{A^*} est le nouvel état de départ, lequel est un état final.   Les états finaux comprennent tous les états finaux de M_A.

FIGURE 2 **Construction d'un automate permettant de reconnaître les concaténations, les unions et les fermetures de Kleene**

qui reconnaissent **0** et **1** et la construction dans la démonstration de M_{AB}. Finalement, en ayant recours à la construction dans la démonstration de $M_{A \cup B}$, on construit la machine pour **1* ∪ 01**. Les automates finis utilisés dans cette construction sont présentés à la figure 3. Les états dans les machines successives ont été étiquetés en utilisant différents indices, même lorsqu'un état est formé à partir d'un état précédemment utilisé dans une autre machine. À noter que la construction donnée ici ne produit pas la machine la plus simple qui reconnaît **1* ∪ 01**. Une machine beaucoup plus simple qui reconnaît cet ensemble est présentée à la figure 3 b). ■

a)

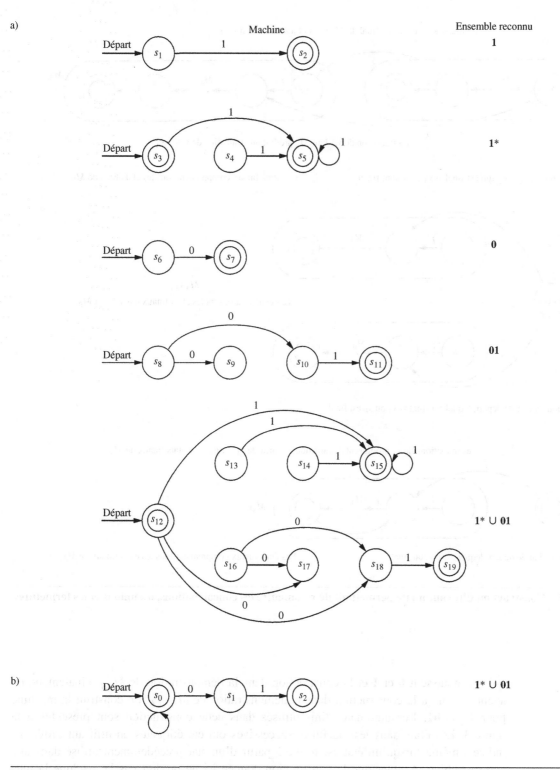

Machine   Ensemble reconnu

b)

FIGURE 3   Automate fini non déterministe reconnaissant 1* ∪ 01

ENSEMBLES RÉGULIERS ET GRAMMAIRES RÉGULIÈRES

Dans la section 10.1, on a introduit les grammaires syntagmatiques et on a défini différents types de grammaires. Entre autres, on a défini les grammaires régulières ou de type 3, qui sont des grammaires de la forme $G = (V, T, S, P)$, où chaque production a la forme $S \rightarrow \lambda$, $A \rightarrow a$ ou $A \rightarrow aB$, où a est un symbole terminal et A et B sont des symboles non terminaux. Comme le suggère la terminologie, il existe une relation étroite entre les grammaires régulières et les ensembles réguliers.

THÉORÈME 2   Un ensemble est généré par une grammaire régulière si et seulement s'il constitue un ensemble régulier.

Démonstration : Tout d'abord, on démontre qu'un ensemble généré par une grammaire régulière est un ensemble régulier. On suppose que $G = (V, T, S, P)$ est une grammaire régulière générant l'ensemble $L(G)$. Pour démontrer que $L(G)$ est régulier, on construit une machine à états finis non déterministe $M = (S, I, f, s_0, F)$ qui reconnaît $L(G)$. Soit S, l'ensemble des états contenant un état s_A pour chaque symbole non terminal A de G et un état additionnel s_F, qui est un état final. L'état de départ s_0 est l'état formé à partir du symbole de départ S. Les transitions de M sont formées à partir des productions de G de la manière suivante. Une transition de s_A vers s_F à l'entrée de a est comprise si $A \rightarrow a$ est une production, et une transition de s_A vers s_B à l'entrée de a est comprise si $A \rightarrow aB$ est une production. L'ensemble d'états finaux comprend s_F et comprend également s_0 si $S \rightarrow \lambda$ est une production de G. Il n'est pas difficile de montrer que le langage reconnu par M est identique au langage produit par la grammaire G, c'est-à-dire que $L(M) = L(G)$. On établit cela en déterminant les mots qui mènent vers un état final. Le lecteur devra compléter la preuve dans un exercice ultérieur. $\square$

Avant de démontrer l'implication inverse, on montre comment construire une machine non déterministe qui reconnaît le même ensemble comme grammaire régulière.

EXEMPLE 3   Construisez un automate fini non déterministe qui reconnaît le langage généré par la grammaire régulière $G = (V, T, S, P)$ où $V = \{0, 1, A, S\}$, $T = \{0, 1\}$, et les productions dans P sont $S \rightarrow 1A$, $S \rightarrow 0$, $S \rightarrow \lambda$, $A \rightarrow 0A$, $A \rightarrow 1A$ et $A \rightarrow 1$.

Solution : Le diagramme d'états pour un automate fini non déterministe qui reconnaît $L(G)$ est présenté à la figure 4. On construit cet automate en suivant la procédure décrite dans la démonstration. Dans cet automate, s_0 est l'état correspondant à S, s_1 est l'état qui correspond à A et s_2 est l'état final. ∎

On complète maintenant la démonstration du théorème 2.

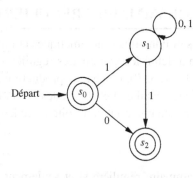

FIGURE 4   Automate fini non déterministe reconnaissant $L(G)$

Démonstration : On démontre que si un ensemble est régulier, c'est qu'il est généré par une grammaire régulière. On suppose que M est une machine d'états finis qui reconnaît cet ensemble avec la propriété que s_0, l'état de départ de M, n'est jamais l'état suivant pour une transition. (On peut trouver une telle machine dans l'exercice 14.) Le langage $G = (V, T, S, P)$ est défini ainsi : l'ensemble V de symboles de G est formé en attribuant un symbole à chaque état de S et à chaque symbole d'entrée dans I ; l'ensemble T de symboles terminaux de G est constitué des symboles de G formés à partir des symboles d'entrée de I ; le symbole de départ S est le symbole formé à partir de l'état de départ s_0 ; l'ensemble P de productions de G est formé à partir des transitions dans M. Notamment, si l'état s passe à un état final à l'entrée de a, alors la production $A_s \rightarrow a$ est comprise dans P, où A_s est le symbole non terminal formé à partir de l'état s. Si l'état s passe à l'état t à l'entrée de a, alors la production $A_s \rightarrow aA_t$ est comprise dans P. La production $S \rightarrow \lambda$ est comprise dans P si et seulement si $\lambda \in L(M)$. Puisque les productions de G correspondent aux transitions de M et que les productions menant aux terminaux correspondent aux transitions vers les états finaux, il n'est pas difficile de démontrer que $L(G) = L(M)$. Le lecteur devra compléter cette preuve dans un exercice ultérieur.   □

L'exemple 4 illustre la construction utilisée pour produire une grammaire à partir d'un automate qui génère un langage reconnu par ce même automate.

EXEMPLE 4   Trouvez une grammaire régulière qui génère l'ensemble régulier reconnu par l'automate fini présenté à la figure 5.

Solution : La grammaire $G = (V, T, S, P)$ génère l'ensemble reconnu par cet automate, où $V = \{S, A, B, 0, 1\}$, où les symboles S, A et B correspondent respectivement aux états s_0, s_1 et s_2, $T = \{0, 1\}$, S est le symbole de départ et les productions sont $S \rightarrow 0A$, $S \rightarrow 1B$, $S \rightarrow 1$, $S \rightarrow \lambda$, $A \rightarrow 0A$, $A \rightarrow 1B$, $A \rightarrow 1$, $B \rightarrow 0A$, $B \rightarrow 1B$ et $B \rightarrow 1$.   ■

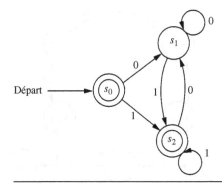

FIGURE 5 Automate fini

UN ENSEMBLE NON RECONNU PAR UN AUTOMATE FINI

On a vu qu'un ensemble est reconnu par un automate fini si et seulement s'il est régulier. On montre ici qu'il existe des ensembles qui ne sont pas réguliers en décrivant un tel ensemble. La technique employée pour démontrer que cet ensemble n'est pas régulier illustre une méthode importante servant à prouver que certains ensembles ne sont pas réguliers.

EXEMPLE 5   Démontrez que l'ensemble $\{0^n1^n \mid n = 0, 1, 2, \ldots\}$, constitué de toutes les chaînes composées d'un bloc de 0 suivi d'un bloc d'un nombre égal de 1, n'est pas régulier.

Solution : On suppose que cet ensemble est régulier. Alors, il existe un automate fini déterministe $M = (S, I, f, s_0, F)$ qui peut le reconnaître. Soit N le nombre d'états de cette machine, autrement dit $N = |S|$. Puisque M reconnaît toutes les chaînes composées d'un nombre de 0 suivi d'un nombre égal de 1, M doit reconnaître 0^N1^N. Soit $s_0, s_1, s_2, \ldots, s_{2N}$ la suite d'états qu'on obtient en partant de s_0 et en utilisant les symboles de 0^N1^N comme entrée, de telle sorte que $s_1 = f(s_0, 0)$, $s_2 = f(s_1, 0)$, ..., $s_N = f(s_{N-1}, 0)$, $s_{N+1} = f(s_N, 1)$, ..., $s_{2N} = f(s_{2N-1}, 1)$. À noter que s_{2N} est un état final.

Puisqu'il n'y a que N états, le principe des nids de pigeon montre qu'au moins deux des premiers $N + 1$ états, soit $s_0, \ldots, s_N$, doivent être identiques. Soit s_i et s_j ces deux états identiques, où $0 \le i < j \le N$. Cela signifie que $f(s_i, 0^t) = s_j$, où $t = i - j$. Il s'ensuit qu'il existe une boucle menant de s_i à lui-même, qu'on obtient en utilisant l'entrée 0 t fois au total dans le diagramme d'états présenté à la figure 6.

À présent, on considère la chaîne d'entrée $0^N0^t1^N = 0^{N+t}1^N$. Au départ de ce bloc, il y a t 0 consécutifs de plus que de 1 consécutifs qui le suivent. Puisque cette chaîne n'est pas de la forme 0^n1^n (puisqu'elle contient plus de 0 que de 1), elle n'est pas reconnue par M. Par conséquent, $f(s_0, 0^{N+t}1^N)$ ne peut être un état final. Cependant, lorsqu'on utilise la chaîne $0^{N+t}1^N$ comme entrée, on termine avec le même état qu'auparavant, notamment s_{2N}, parce que les t 0 additionnels dans cette chaîne font parcourir toute la boucle à partir de s_i jusqu'à lui-même une fois de plus, comme le montre la figure 6. Ensuite, le reste de la chaîne conduit au même état qu'auparavant. Cette contradiction démontre que $\{0^n1^n \mid n = 1, 2, \ldots\}$ n'est pas régulier.   ■

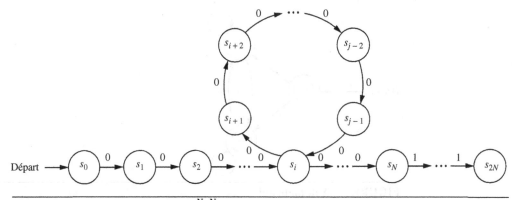

FIGURE 6   Chemin produit par 0^N1^N

TYPES DE MACHINES PLUS PUISSANTES

Plusieurs types de calculs ne peuvent être effectués à l'aide d'automates finis. La principale limite de cette machine est sa capacité de mémoire limitée. Cette limitation de la mémoire l'empêche de reconnaître des langages qui ne sont pas réguliers, tel $\{0^n1^n \mid n = 0, 1, 2, ...\}$. Puisqu'un ensemble est régulier si et seulement s'il est le langage généré par une grammaire régulière, l'exemple 5 montre qu'aucune grammaire régulière ne produit l'ensemble $\{0^n1^n \mid n = 0, 1, 2, ...\}$. Cependant, il existe une grammaire algébrique qui reconnaît cet ensemble. Cette grammaire a été donnée dans l'exemple 5 de la section 10.1.

En raison des limites des machines à états finis, il est nécessaire d'utiliser d'autres modèles computationnels plus puissants. L'**automate programmable avec pile** constitue l'un de ces modèles. Un automate programmable avec pile englobe toutes les composantes d'un automate fini, mais il est également muni d'une pile, laquelle lui procure une capacité de mémoire illimitée. On peut placer les symboles sur le dessus des piles ou les retirer de dessous les piles. L'automate programmable avec pile reconnaît un ensemble de deux manières. D'abord, l'ensemble est reconnu s'il est composé de toutes les chaînes qui produisent une pile vide lorsqu'elles sont utilisées comme entrée. Deuxièmement, un ensemble est reconnu s'il est constitué de toutes les chaînes qui mènent à un état final lorsqu'il est utilisé comme entrée. On peut démontrer qu'un ensemble est reconnu par un automate programmable avec pile si et seulement s'il s'agit du langage produit par une grammaire algébrique.

Cependant, on ne peut exprimer certains ensembles dans le langage produit pas une grammaire algébrique, par exemple $\{0^n1^n2^n \mid n = 0, 1, 2, ...\}$. On expliquera pourquoi un automate programmable avec pile ne peut reconnaître cet ensemble, mais on ne le démontrera pas puisque la machine nécessaire n'a pas été mise au point. (Cependant, une méthode de démonstration est donnée à l'exercice 28 dans les exercices supplémentaires à la fin du présent chapitre.) On peut utiliser la pile pour montrer que la chaîne commence par une suite de 0 suivie d'un nombre égal de 1 en plaçant un symbole sur la pile pour chaque 0 (tant et aussi longtemps qu'il y a lecture des 0), et en retirant l'un de ces symboles pour chaque 1 (tant qu'il y a des 1 suivis de 0). Cependant, lorsque ce processus est accompli, la pile est vide et il n'y a pas de manière de déterminer si le nombre de 2 est le même que le nombre de 0 dans la chaîne.

Il existe d'autres machines qu'on appelle **automates linéaires bornés**, qui sont plus puissantes que les automates programmables avec pile et qui peuvent reconnaître des ensembles tel $\{0^n 1^n 2^n \mid n = 0, 1, 2, \ldots\}$. Les automates linéaires bornés peuvent notamment reconnaître les langages contextuels. Cependant, ces machines ne peuvent reconnaître tous les langages produits par les grammaires syntagmatiques. Pour dépasser les limites de ces types de machines, on utilise un modèle appelé **machine de Turing**. Celle-ci est munie de toutes les composantes comprises dans une machine à états finis, mais elle comporte en plus un ruban, potentiellement infini dans les deux directions. Une tête de lecture et d'écriture permet de lire et d'écrire sur ce ruban et peut se déplacer vers l'avant ou l'arrière le long du ruban. Les machines de Turing peuvent reconnaître tous les langages produits par les grammaires syntagmatiques. De plus, elles peuvent modéliser tous les calculs qu'on peut effectuer sur les machines de calcul. En raison de leur puissance, les machines de Turing sont largement étudiées en informatique théorique ; elles le seront brièvement dans la prochaine section.

Exercices

1. Décrivez en mots les chaînes dans chacun des ensembles réguliers ci-après.

   a) **1*0**   **b)** **1*00***

   c) **111 ∪ 001**   **d)** **(1 ∪ 00)***

   e) **(00*1)***   **f)** **(0 ∪ 1)(0 ∪ 1)*00**

2. Déterminez si 1011 appartient à chacun des ensembles réguliers ci-après.

   a) **10*1***   **b)** **0*(10 ∪ 11)***

   c) **0(01)*1***   **d)** **1*01(0 ∪ 1)**

   e) **(10)*(11)***   **f)** **1(00)*(11)***

   g) **(10)*1011**   **h)** **(1 ∪ 00)(01 ∪ 0)1***

3. Exprimez chacun des ensembles suivants en utilisant une expression régulière.

   a) l'ensemble des chaînes de un ou de plusieurs 0 suivis d'un 1

   b) l'ensemble des chaînes de deux symboles ou plus suivis de trois 0 ou plus

   c) l'ensemble des chaînes n'ayant soit aucun 1 précédant un 0, soit aucun 0 précédant un 1

   d) l'ensemble de chaînes contenant une chaîne de 1 telle que le nombre de 1 est égal à 2 modulo 3, suivi d'un nombre pair de 0

4. Construisez un automate fini déterministe qui reconnaît les ensembles suivants à partir de I^*, où I est un alphabet.

   a) $\varnothing$ **b)** $\{\lambda\}$ **c)** $\{a\}$, où $a \in I$

*5. Montrez que si A est un ensemble régulier, alors A^R, l'ensemble de tous les inverses des chaînes dans A, est également régulier.

6. Trouvez un automate fini qui reconnaît

   a) $\{\lambda, 0\}$.   **b)** $\{0, 11\}$.   **c)** $\{0, 11, 000\}$.

7. En utilisant les constructions décrites dans la démonstration du théorème de Kleene, trouvez des automates finis non déterministes qui reconnaissent chacun des ensembles ci-après.

   a) **0*1***   **b)** **(0 ∪ 11)***   **c)** **01* ∪ 00*1**

8. Construisez un automate fini non déterministe qui reconnaît le langage produit par la grammaire régulière $G = (V, T, S, P)$, où $V = \{0, 1, S, A, B\}$, $T = \{0, 1\}$, S est le symbole de départ et l'ensemble de productions est

   a) $S \to 0A, S \to 1B, A \to 0, B \to 0$.

   b) $S \to 1A, S \to 0, S \to \lambda, A \to 0B, B \to 1B, B \to 1$.

   c) $S \to 1B, S \to 0, A \to 1A, A \to 0B, A \to 1, A \to 0, B \to 1$.

Dans les exercices 9 à 11, construisez une grammaire régulière $G = (V, T, S, P)$ qui produit le langage reconnu par la machine d'états finis donnée.

9.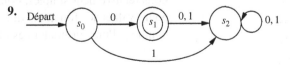

10.

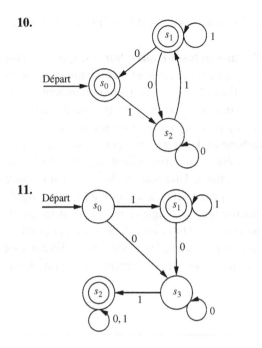

11.

comme propriété que son état de départ n'est pas parcouru de nouveau.

★**15.** Soit $M = (S, I, f, s_0, F)$ un automate fini déterministe. Montrez que le langage reconnu par M, $L(M)$, est infini si et seulement s'il existe un mot x reconnu par M, où $l(x) \geq |S|$.

★**16.** Le **lemme de pompage** est une technique importante utilisée pour prouver que certains ensembles ne sont pas réguliers. Selon le lemme de pompage, si $M = (S, I, f, s_0, F)$ est un automate fini déterministe et si x est une chaîne de $L(M)$, le langage reconnu par M où $l(x) \geq |S|$, alors il existe trois chaînes u, v et w dans I^*, de telle sorte que $x = uvw$, $l(uv) \leq |S|$ et $l(v) \geq 1$ et $uv^i w \in L(M)$ pour $i = 0, 1, 2, \ldots$ Démontrez le lemme de pompage. (*Conseil :* Référez-vous à la même notion que dans l'exemple 5.)

★**17.** Montrez que l'ensemble $\{0^{2n}1^n\}$ n'est pas régulier. Vous pouvez utiliser le lemme de pompage de l'exercice 16.

★**18.** Montrez que l'ensemble $\{1^{n^2} \mid n = 0, 1, 2, \ldots\}$ n'est pas régulier. Vous pouvez utiliser le lemme de pompage de l'exercice 16.

★**19.** Montrez que l'ensemble de palindromes sur $\{0, 1\}$ n'est pas régulier. Vous pouvez utiliser le lemme de pompage de l'exercice 16. (*Conseil :* Considérez les chaînes de la forme $0^N 10^N$.)

★★**20.** Montrez qu'un ensemble reconnu par un automate fini est régulier. (Il s'agit de la partie *si* du théorème de Kleene.)

12. Montrez que l'automate fini construit à partir d'une grammaire régulière dans la démonstration du théorème 2 reconnaît l'ensemble généré par cette grammaire.

13. Montrez que la grammaire régulière construite à partir d'un automate fini dans la démonstration du théorème 2 génère l'ensemble reconnu par cet automate.

14. Montrez que tout automate fini non déterministe est équivalent à un autre automate semblable qui admet

10.5

Machines de Turing

INTRODUCTION

On peut utiliser les automates finis étudiés dans le présent chapitre comme modèles computationnels globaux. Les tâches qu'ils peuvent exécuter sont limitées. Par exemple, les automates finis peuvent reconnaître des ensembles réguliers, mais ils ne peuvent reconnaître plusieurs ensembles faciles à décrire, par exemple $\{0^n 1^n \mid n \geq 0\}$, que les ordinateurs reconnaissent en utilisant de la mémoire. On peut utiliser un automate fini pour évaluer des fonctions relativement simples, comme la somme de deux nombres, mais on ne peut y recourir pour évaluer les fonctions qui peuvent l'être par un ordinateur, comme le produit de deux nombres. Pour surmonter ces obstacles, on peut utiliser une machine plus puissante appelée machine de Turing, qui doit son nom à Alan Turing, célèbre mathématicien et informaticien qui la créa dans les années 1930.

Essentiellement, une machine de Turing est constituée d'une unité de commande qui, à toute étape, se trouve dans un état parmi un nombre fini d'états différents, ainsi que d'un ruban divisé en cellules, lequel peut se mouvoir dans deux directions potentiellement infinies. Les machines de Turing ont une tête de lecture et d'écriture qui leur permet de lire et d'écrire sur ce ruban et qui peut se déplacer vers l'avant ou l'arrière le long du ruban, changeant d'état en fonction du symbole du ruban qui est lu. Les machines de Turing sont plus puissantes que les machines à états finis, car elles sont dotées d'une capacité de mémoire inexistante dans les machines à états finis. On montrera comment utiliser les machines de Turing pour reconnaître des ensembles, notamment les ensembles que les machines à états finis ne peuvent reconnaître. On montrera également comment évaluer des fonctions à l'aide des machines de Turing. Celles-ci constituent les modèles computationnels les plus généraux ; essentiellement, elles peuvent accomplir les mêmes tâches qu'un ordinateur.

DÉFINITION D'UNE MACHINE DE TURING

On donnera d'abord une définition formelle du concept de machine de Turing. Par la suite, on expliquera comment interpréter cette définition en fonction d'une tête de lecture qui peut lire et écrire des symboles sur un ruban et se déplacer vers la droite ou la gauche sur ce ruban.

DÉFINITION 1. Une machine de Turing $T = (S, I, f, s_0)$ est constituée d'un ensemble fini d'états S, d'un alphabet I contenant le symbole vide B, d'une fonction partielle f de $S \times I$ dans $S \times I \times \{R, L\}$ et d'un état de départ s_0.

Il convient de se rappeler, comme on l'a mentionné dans la note précédant l'exercice 39 de la section 1.6, qu'une fonction partielle n'est définie que pour les éléments dans son domaine de définition. Cela signifie que, pour certains couples (état, symbole), la fonction partielle f peut ne pas être définie. Toutefois, si on considère un couple pour lequel elle est définie, il existe un triplet unique (état, symbole, direction) qui correspond à cette paire.

Pour interpréter cette définition par rapport à une machine, on considère une unité de commande et un ruban divisé en cellules, potentiellement infini dans les deux directions, qui admet uniquement un nombre fini de symboles non vides en tout temps, comme l'illustre la figure 1. L'opération qu'exécutera la machine de Turing à chaque étape d'exploitation dépend de la valeur de la fonction partielle f pour l'état en cours et le symbole du ruban.

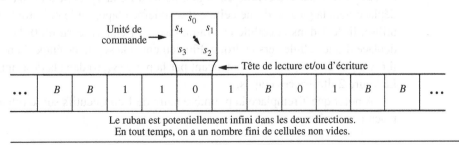

FIGURE 1 **Représentation d'une machine de Turing**

À chaque étape, l'unité de commande lit le symbole en cours x sur le ruban. Si l'unité de commande se trouve à l'état s et si la fonction partielle f est définie pour le couple (s, x) avec $f(s, x) = (s', x', d)$, l'unité de commande

1. entre dans l'état s',

2. écrit le symbole x' *sur* la cellule en cours, supprime x et

3. se déplace vers la droite d'une cellule si $d = R$ ou se déplace vers la gauche d'une cellule si $d = L$.

On écrit cette étape sous la forme d'un cinq-tuple (s, x, s', x', d). Si la fonction partielle f n'est pas définie pour le couple (s, x), alors la machine de Turing T s'arrêtera.

Une manière courante de définir une machine de Turing consiste à préciser un ensemble de cinq-tuples de la forme (s, x, s', x', d). L'ensemble des états et l'alphabet d'entrée sont implicitement définis lorsqu'on utilise une telle définition.

Au début de l'opération, on suppose que la machine de Turing se trouve à l'état initial s_0 et qu'elle doit être positionnée sur le symbole non vide le plus à gauche sur le ruban. Si le ruban est complètement vide, on peut positionner la tête de lecture sur n'importe quelle cellule. On appellera le positionnement de la tête de lecture sur le symbole de ruban non vide le plus à gauche la *position initiale* de la machine.

L'exemple 1 illustre le fonctionnement d'une machine de Turing.

EXEMPLE 1   Quel est le ruban final lorsque la machine de Turing T définie par les sept cinq-tuples $(s_0, 0, s_0, 0, R)$, $(s_0, 1, s_1, 1, R)$, (s_0, B, s_3, B, R), $(s_1, 0, s_0, 0, R)$, $(s_1, 1, s_2, 0, L)$, (s_1, B, s_3, B, R), $(s_2, 1, s_3, 0, R)$ est exécutée sur le ruban présenté à la figure 2 a) ?

Solution : On commence l'opération par l'état s_0 et on place T sur le symbole non vide le plus à gauche sur le ruban. La première étape, où le cinq-tuple $(s_0, 0, s_0, 0, R)$ est utilisé, lit le 0 dans la cellule non vide la plus à gauche, demeure à l'état s_0, écrit un 0 dans cette cellule et se déplace d'une cellule vers la droite. La deuxième étape, où le cinq-tuple $(s_1, 1, s_1, 1, R)$ est utilisé, lit le 1 dans la cellule en cours, passe à l'état s_1, écrit un 1 dans cette cellule et se déplace d'une cellule vers la droite. La troisième étape, où le cinq-tuple $(s, 0, s_0, 0, R)$ est utilisé, lit le 0 dans la cellule en cours, passe à l'état s_0, écrit un 0 dans cette cellule et se déplace d'une cellule vers la droite. La quatrième étape, où le cinq-tuple $(s_0, 1, s_1, 1, R)$ est utilisé, lit le 1 dans la cellule en cours, passe à l'état s_1, écrit un 1 dans cette cellule et se déplace vers la droite d'une cellule. La cinquième étape, où le cinq-tuple $(s_1, 1, s_2, 0, L)$ est utilisé, lit le 1 dans la cellule en cours, passe à l'état s_2, écrit un 0 dans cette cellule et se déplace vers la gauche d'une cellule. La sixième étape, où le cinq-tuple $(s_2, 1, s_3, 0, R)$ est utilisé, lit le 1 dans la cellule en cours, passe à l'état s_3, écrit un 0 dans cette cellule et se déplace d'une cellule vers la droite. Finalement, à la septième étape, la machine s'arrête, car il n'y a pas de cinq-tuple commençant par la paire $(s_3, 0)$ dans la description de la machine. La figure 2 illustre ces étapes.

À noter que T remplace la première paire de 1 consécutifs sur le ruban par des 0, puis la machine s'arrête.   ■

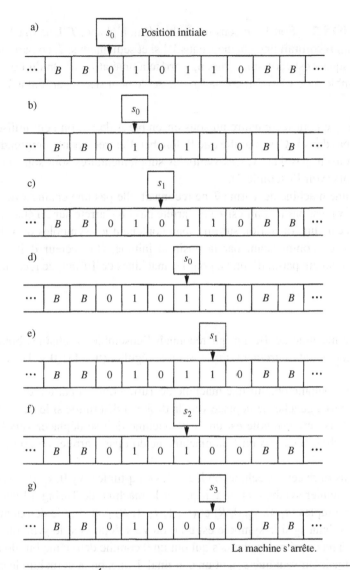

FIGURE 2 **Étapes produites par l'exécution de *T* sur le ruban de la figure 1**

RECONNAISSANCE D'ENSEMBLES À L'AIDE DES MACHINES DE TURING

On peut utiliser une machine de Turing pour reconnaître un ensemble. Pour ce faire, il faut définir la notion d'état final comme suit. Un *état final* d'une machine de Turing *T* est un état qui n'est le premier état d'aucun cinq-tuple dans la description de *T* au moyen de cinq-tuples (par exemple, l'état s_3 de l'exemple 1).

On peut maintenant expliquer ce que signifie la reconnaissance d'une chaîne pour une machine de Turing. Étant donné une chaîne, on écrit des symboles consécutifs de cette chaîne dans des cellules consécutives.

> **DÉFINITION 2.**   Soit V un sous-ensemble d'un alphabet T. Une machine de Turing T $= (S, I, f, s_0)$ **reconnaît** une chaîne x dans V^* si et seulement si T, en partant de la position initiale lorsque x est écrit sur le ruban, s'arrête à un état final. On dit que T reconnaît un sous-ensemble A de V^* si T reconnaît x si et seulement si x appartient à A.

À noter que pour reconnaître un sous-ensemble A de V^*, on peut utiliser des symboles qui ne sont pas dans V. Cela signifie que l'alphabet d'entrée I peut comprendre des symboles qui ne se trouvent pas dans V. Ces symboles supplémentaires sont souvent utilisés comme des marqueurs (voir l'exemple 3).

Quand une machine de Turing T ne reconnaît-elle pas une chaîne x de V^*? La réponse est celle-ci : x n'est pas reconnu si T ne s'arrête pas ou s'arrête sur un état qui n'est pas final lorsqu'il exécute une opération sur un ruban contenant les symboles de x dans des cellules consécutives, en commençant par la position initiale. (Le lecteur doit comprendre qu'il s'agit d'une manière parmi d'autres, pour les machines de Turing, de reconnaître des ensembles.)

EXEMPLE 2   Trouvez une machine de Turing qui reconnaît l'ensemble de chaînes binaires ayant un 1 comme deuxième bit (autrement dit l'ensemble régulier $(\mathbf{0} \vee \mathbf{1})\mathbf{1}(\mathbf{0} \vee \mathbf{1})^*$).

Solution : On souhaite obtenir une machine de Turing qui, en partant de la cellule du ruban non vide la plus à gauche, se déplace vers la droite et détermine si le deuxième symbole est un 1. Si le deuxième symbole est un 1, la machine doit se déplacer vers l'état final. Si le deuxième symbole n'est pas un 1, la machine ne doit pas s'arrêter ou doit s'arrêter à un état non final.

Pour construire cette machine, on inclut les cinq-tuples $(s_0, 0, s_1, 0, R)$ et $(s_0, 1, s_1, 1, R)$ pour lire le premier symbole et on fait passer la machine de Turing à l'état s_1. Ensuite, on inclut les cinq-tuples $(s_1, 0, s_2, 0, R)$ et $(s_1, 1, s_3, 1, R)$ pour lire le deuxième symbole et se déplacer vers l'état s_2 si symbole est un 0 ou vers l'état s_3 si le symbole est un 1. On ne cherche pas à reconnaître les chaînes qui ont un 0 comme deuxième bit, donc s_2 ne doit pas être un état final. On veut que s_3 soit un état final. Donc, on peut inclure le cinq-tuple $(s_2, 0, s_2, 0, R)$. Puisqu'on ne cherche pas à reconnaître la chaîne vide ou une chaîne avec un bit, on inclut également les cinq-tuples $(s_0, B, s_2, 0, R)$ et $(s_1, B, s_2, 0, R)$.

La machine de Turing T constituée des sept cinq-tuples énumérés précédemment s'arrêtera à l'état final s_3 si et seulement si la chaîne binaire a au moins deux bits et si le deuxième bit de la chaîne d'entrée est un 1. Si la chaîne binaire contient moins de deux bits ou si le deuxième bit n'est pas un 1, la machine s'arrêtera à l'état non final s_2.   ∎

Étant donné un ensemble régulier, on peut construire une machine de Turing qui se déplace toujours vers la droite (comme dans l'exemple 2). Pour construire cette machine, on trouve d'abord un automate fini qui reconnaît l'ensemble et qui construit ensuite une machine de Turing, en utilisant la fonction de transition de la machine à états finis, qui se déplace toujours vers la droite.

L'exemple 3 montre comment on peut construire une machine de Turing qui reconnaît un ensemble non régulier.

EXEMPLE 3   Trouvez une machine de Turing qui peut reconnaître l'ensemble $\{0^n 1^n \mid n \geq 1\}$.

Solution : Pour construire cette machine, on utilise un symbole de ruban auxiliaire M comme marqueur. On a $V = \{0, 1\}$ et $I = \{0, 1, M\}$. On souhaite simplement reconnaître des chaînes dans V^*. On aura un état final s_6. La machine de Turing remplace successivement un 0 à la position la plus à gauche de la chaîne par un M et un 1 à la position la plus à droite de la chaîne par un M, allant de droite à gauche et se terminant sur un état final si et seulement si la chaîne est constituée d'un bloc de 0 suivi d'un bloc du même nombre de 1.

Bien que cela soit facile à décrire et que la machine de Turing puisse facilement exécuter cette procédure, la machine dont on a besoin est assez compliquée. On utilise le marqueur M pour tenir compte des symboles les plus à droite et les plus à gauche déjà examinés. Les cinq-tuples utilisés sont $(s_0, 0, s_1, M, R)$, $(s_1, 0, s_1, 0, R)$, $(s_1, 1, s_1, 1, R)$, (s_1, M, s_2, M, L), (s_1, B, s_2, B, L), $(s_2, 1, s_3, M, L)$, $(s_3, 1, s_3, 1, L)$, $(s_3, 0, s_4, 0, L)$, (s_3, M, s_5, M, R), $(s_4, 0, s_4, 0, L)$, (s_4, M, s_0, M, R) et (s_5, M, s_6, M, R). Par exemple, la chaîne 000111 se transformerait successivement en M00111, M0011M, MM011M, MM01MM, MMM1MM, $MMMMMM$ lorsque la machine fonctionne, et ce, jusqu'à ce qu'elle s'arrête. (À noter que cette chaîne n'est pas modifiée par toutes les étapes de la procédure exécutée par la machine de Turing.)

Le lecteur devra (dans l'exercice 13 à la fin de la présente section) décrire le fonctionnement de cette machine de Turing et expliquer pourquoi elle reconnaît l'ensemble $\{0^n 1^n \mid n \geq 1\}$.   ∎

On peut montrer qu'une machine de Turing est capable de reconnaître un ensemble si et seulement s'il peut être produit par une grammaire de type 0 ou, autrement dit, si l'ensemble est produit par une grammaire syntagmatique. La démonstration de cet énoncé ne sera pas présentée ici.

ÉVALUATION DE FONCTIONS À L'AIDE DES MACHINES DE TURING

On peut considérer une machine de Turing comme un ordinateur qui trouve les valeurs d'une fonction partielle. Pour comprendre cela, on suppose que la machine de Turing T, étant donné la chaîne x comme entrée, s'arrête à la chaîne y sur son ruban. On peut définir $T(x) = y$. Le domaine de T est l'ensemble des chaînes pour lesquelles T s'arrête ; $T(x)$ n'est pas définie si T ne s'arrête pas lorsque x est donné comme entrée. On peut considérer la machine de Turing comme une machine qui calcule les valeurs d'une fonction définie sur des chaînes. Toutefois, comment est-il possible d'utiliser les machines de Turing pour évaluer des fonctions définies sur des entiers, sur des paires d'entiers, sur des triplets d'entiers et ainsi de suite ?

Pour considérer une machine de Turing comme un calculateur de fonctions entre l'ensemble des k-tuples d'entiers non négatifs et l'ensemble des entiers non négatifs (de telles fonctions sont appelées **fonctions de la théorie des nombres**), on doit trouver une manière de représenter les k-tuples des entiers sur un ruban. Pour ce faire, on utilise les

représentations unaires des entiers. On représente l'entier non négatif n par une chaîne de longueur $n + 1$ constituée uniquement de 1. Par exemple, 0 est représenté par la chaîne 1, et 5, par la chaîne 111111. Pour représenter le k-tuple $(n_1, n_2, ..., n_k)$, on utilise une chaîne de $n_1 + 1$ bits 1, suivie d'un astérisque, suivi d'une chaîne de $n_2 + 1$ bits 1, suivie d'un astérisque et ainsi de suite, en terminant par une chaîne de $n_k + 1$ bits 1. Par exemple, pour représenter le quatre-tuple (2, 0, 1, 3), on utilise la chaîne 111 * 1 * 11* 1111.

On peut maintenant considérer une machine de Turing T qui évalue une série de fonctions $T, T^2, ..., T^k, ...$ La fonction T^k est définie par l'opération de T sur des k-tuples d'entiers représentés par des représentations unaires des entiers séparés par des astérisques.

EXEMPLE 4   Construisez une machine de Turing permettant d'additionner deux entiers non négatifs.

Solution : On doit construire une machine de Turing T qui calcule la fonction $f(n_1, n_2)$ $= n_1 + n_2$. La paire (n_1, n_2) est représentée par une chaîne de $n_1 + 1$ bits 1, suivie d'un astérisque, suivi de $n_2 + 1$ bits 1. La machine T doit considérer cette paire comme une entrée et doit produire comme sortie un ruban avec $n_1 + n_2 + 1$ bits 1. Pour ce faire, on peut procéder comme suit. La machine commence au 1 le plus à gauche de la chaîne d'entrée et exécute des étapes pour effacer ce 1, en s'arrêtant si $n_1 = 0$ pour qu'il n'y ait plus de 1 avant l'astérisque ; elle remplace l'astérisque par le 1 le plus à gauche et puis s'arrête. Pour ce faire, on peut utiliser les cinq-tuples suivants : $(s_0, 1, s_1, B, R)$, $(s_1, *, s_3, B, R)$, $(s_1, 1, s_2, B, R)$, $(s_2, 1, s_2, 1, R)$ et $(s_2, *, s_3, 1, R)$. ■

Malheureusement, la construction de machines de Turing pour évaluer des fonctions relativement simples peut s'avérer extrêmement exigeante. Par exemple, la machine de Turing qu'on utilise pour multiplier deux entiers non négatifs, décrite dans de nombreux manuels, a 31 cinq-tuples et 11 états. S'il est difficile de construire des machines de Turing pour évaluer des fonctions relativement simples, on se demande quelles sont les possibilités de construire des machines de Turing pour les fonctions plus compliquées. Pour simplifier ce problème, on peut utiliser une machine de Turing à ruban multiple qui utilise plus d'un ruban simultanément et combiner des machines de Turing à ruban multiple pour les compositions des fonctions. On peut démontrer que, quelle que soit la machine de Turing à plusieurs rubans, il existe une machine de Turing à ruban simple qui peut accomplir la même chose.

Une fonction qui peut être évaluée par une machine de Turing est dite *calculable*. Il est relativement simple de montrer qu'il existe des fonctions en théorie des nombres qui ne sont pas calculables. Cependant, il n'est pas aussi facile d'obtenir une telle fonction. La *fonction du castor occupé*, définie dans la note précédant l'exercice 23 à la fin de la présente section, est un exemple de fonction non calculable. Pour montrer que la fonction du castor occupé n'est pas calculable, on peut démontrer qu'elle croît plus rapidement que toute fonction calculable (voir l'exercice 24).

DIFFÉRENTS TYPES DE MACHINES DE TURING

On peut définir de plusieurs façons une machine de Turing. On peut également accroître les capacités de la machine de Turing de nombreuses manières. Par exemple, on peut permettre à une machine de Turing de se déplacer vers la droite, la gauche ou pas du tout à chaque étape. Une machine de Turing peut fonctionner avec plusieurs rubans, en utilisant des $(2 + 3n)$-tuples pour la décrire lorsque n rubans sont utilisés. Le ruban peut être en deux dimensions et alors, à chaque étape, on peut se déplacer vers le haut, le bas, la droite ou la gauche, et non simplement vers la droite ou la gauche, comme dans le cas du ruban à une dimension. On peut admettre des têtes de ruban multiples qui lisent différentes cellules simultanément. De plus, on peut permettre à la machine de Turing d'être non déterministe, en autorisant qu'un couple (état, symbole de ruban) apparaisse possiblement comme premier élément dans plus d'un cinq-tuple de la machine de Turing. On peut également réduire les capacités d'une machine de Turing de différentes manières. Par exemple, on peut limiter à un seul côté le développement infini du ruban, ou on peut limiter l'alphabet pour qu'il ne comporte que deux symboles. Toutes ces variations des machines de Turing ont été étudiées en détail.

Toutefois, quelle que soit la variation ou la combinaison de variations employée, l'important est qu'on ne peut jamais accroître ou réduire la puissance de la machine. La machine de Turing définie dans la présente section peut accomplir les mêmes tâches que ces variantes, et inversement. On utilise parfois ces variantes pour simplifier l'exécution de certaines tâches, qui seraient difficiles à accomplir si on avait recours à la machine de Turing décrite dans la définition 1. Ces variantes n'étendent jamais la puissance de la machine.

THÈSE DE CHURCH-TURING

Les machines de Turing sont relativement simples. Elles ne peuvent comporter qu'un nombre fini d'états et elles ne peuvent lire et écrire qu'un symbole à la fois sur un ruban unidimensionnel. Malgré cela, les machines de Turing demeurent extrêmement puissantes. On a vu qu'on pouvait construire des machines de Turing pour additionner des nombres et les multiplier. Bien qu'il puisse être difficile de créer une machine de Turing pour évaluer une fonction en particulier qu'on peut calculer avec un algorithme, on peut toujours créer une telle machine. C'est ce que Turing avait pour objectif lorsqu'il a inventé ses machines.

De plus, il existe un grand nombre de résultats qui appuient la **thèse de Church-Turing**, qui énonce que, pour tout problème résoluble à l'aide d'un algorithme efficace, il y a une machine de Turing qui peut résoudre ce problème. Cet énoncé est qualifié de *thèse* plutôt que de théorème, car la notion de résolution par un algorithme efficace est informelle et imprécise, contrairement à la notion de résolution par une machine de Turing, qui est formelle et précise. On doit certainement, par ailleurs, considérer tout problème qu'on peut résoudre avec un ordinateur et un logiciel écrit dans un langage quelconque, même si une quantité illimitée de mémoire est requise, comme étant un problème résoluble.

Diverses théories formelles ont été élaborées pour cerner la notion de computabilité effective. Celles-ci comprennent la théorie de Turing et le Lambda-calcul de Church, ainsi que des théories introduites par Kleene et par Post. A priori, ces théories semblent très différentes. Toutefois, chose surprenante, on peut prouver qu'elles sont équivalentes en démontrant qu'elles définissent exactement les mêmes catégories de fonctions. Avec ces preuves, il semble que les idées originales de Turing, formulées avant l'invention des ordinateurs modernes, décrivent les capacités ultimes de ces machines.

Exercices

1. Soit T la machine de Turing définie par les 5-tuples $(s_0, 0, s_1, 1, R)$, $(s_0, 1, s_1, 0, R)$, $(s_0, B, s_1, 0, R)$, $(s_1, 0, s_2, 1, L)$, $(s_1, 1, s_1, 0, R)$ et $(s_1, B, s_2, 0, L)$. Pour chacun des rubans initiaux ci-après, déterminez un ruban final lorsque T s'arrête, en supposant que T commence en position initiale.

   a)

$\cdots$	B	B	0	0	1	1	B	B	$\cdots$

   b)

$\cdots$	B	B	1	0	1	B	B	B	$\cdots$

   c)

$\cdots$	B	B	1	1	B	0	1	B	$\cdots$

   d)

$\cdots$	B	B	B	B	B	B	B	B	$\cdots$

2. Soit T la machine de Turing définie par les 5-tuples $(s_0, 0, s_1, 0, R)$, $(s_0, 1, s_1, 0, L)$, $(s_0, B, s_1, 1, R)$, $(s_1, 0, s_2, 1, R)$, $(s_1, 1, s_1, 1, R)$, $(s_1, B, s_2, 0, R)$ et $(s_2, B, s_3, 0, R)$. Pour chacun des rubans initiaux ci-après, déterminez le ruban final lorsque T s'arrête, en supposant que T commence en position initiale.

   a)

$\cdots$	B	B	0	1	0	1	B	B	$\cdots$

   b)

$\cdots$	B	B	1	1	1	B	B	B	$\cdots$

   c)

$\cdots$	B	B	0	0	B	0	0	B	$\cdots$

   d)

$\cdots$	B	B	B	B	B	B	B	B	$\cdots$

3. Que fait la machine de Turing décrite par les 5-tuples $(s_0, 0, s_0, 0, R)$, $(s_0, 1, s_1, 0, R)$, (s_0, B, s_2, B, R), $(s_1, 0, s_1, 0, R)$, $(s_1, 1, s_0, 1, R)$ et (s_1, B, s_2, B, R) lorsqu'on lui donne une chaîne binaire en entrée ?

4. Que fait la machine de Turing décrite par les 5-tuples $(s_0, 0, s_1, B, R)$, $(s_0, 1, s_1, 1, R)$, $(s_1, 0, s_1, 0, R)$, $(s_1, 1, s_2, 1, R)$, $(s_2, 0, s_1, 0, R)$, $(s_2, 1, s_3, 0, L)$, $(s_3, 0, s_4, 0, R)$ et $(s_3, 1, s_4, 0, R)$ lorsqu'on lui donne une chaîne binaire en entrée ?

5. Construisez une machine de Turing avec les symboles de ruban 0, 1 et B qui remplace le premier 0 par un 1 et ne modifie aucun des autres symboles sur le ruban.

6. Construisez une machine de Turing avec les symboles de ruban 0, 1 et B qui, étant donné une chaîne binaire comme entrée, remplace tous les 0 sur le ruban par des 1 et ne modifie aucun des 1 sur le ruban.

7. Construisez une machine de Turing avec les symboles de ruban 0, 1 et B qui, étant donné une chaîne binaire comme entrée, remplace tous les 1 sauf celui le plus à gauche sur le ruban par des 0 et ne modifie aucun autre symbole sur le ruban.

8. Construisez une machine de Turing avec les symboles de ruban 0, 1 et B qui, étant donné une chaîne binaire comme entrée, remplace les deux premiers 1 consécutifs sur le ruban par des 0 et ne modifie aucun autre symbole sur le ruban.

9. Construisez une machine de Turing qui reconnaît l'ensemble de toutes les chaînes binaires se terminant par un 0.

10. Construisez une machine de Turing qui reconnaît l'ensemble de toutes les chaînes binaires contenant au moins deux 1.

11. Construisez une machine de Turing qui reconnaît l'ensemble de toutes les chaînes binaires contenant un nombre pair de 1.

12. Montrez, à chaque étape, le contenu du ruban de la machine de Turing de l'exemple 3 en commençant par chacune des chaînes ci-après.
    a) 0011　　b) 00011　　c) 101100　　d) 000111

13. Expliquez pourquoi la machine de Turing de l'exemple 3 reconnaît une chaîne binaire si et seulement si cette chaîne est de la forme $0^n 1^n$, où n est un entier positif.

★14. Construisez une machine de Turing qui reconnaît l'ensemble $\{0^{2n} 1^n \mid n \geq 0\}$.

★15. Construisez une machine de Turing qui reconnaît l'ensemble $\{0^n 1^n 2^n \mid n \geq 0\}$.

16. Construisez une machine de Turing qui évalue la fonction $f(n) = n + 2$ pour tous les entiers non négatifs n.

17. Construisez une machine de Turing qui évalue la fonction $f(n) = n - 3$ si $n \geq 3$ et $f(n) = 0$ pour $n = 0, 1, 2$.

18. Construisez une machine de Turing qui évalue la fonction $f(n) = n \bmod 3$.

19. Construisez une machine de Turing qui évalue la fonction $f(n) = 3$ si $n \geq 5$ et $f(n) = 0$ si $n = 0, 1, 2, 3$ ou 4.

20. Construisez une machine de Turing qui évalue la fonction $f(n_1, n_2) = n_2 + 2$, quel que soit le couple d'entiers non négatifs n_1 et n_2.

★21. Construisez une machine de Turing qui évalue la fonction $f(n_1, n_2) = \min(n_1, n_2)$, quel que soit le couple d'entiers non négatifs n_1 et n_2.

22. Construisez une machine de Turing qui calcule la fonction $f(n_1, n_2) = n_1 + n_2 + 1$ pour tout entier non négatif n_1 et n_2.

Soit $B(n)$ le nombre maximal de 1 que peut imprimer une machine de Turing à n états avec l'alphabet $\{1, B\}$ sur un ruban initialement vide. Le problème qui consiste à déterminer $B(n)$ pour des valeurs particulières de n s'appelle le **problème du castor occupé**. Ce problème fut d'abord étudié par Tibor Rado en 1962. Aujourd'hui, on sait que $B(2) = 4$, $B(3) = 6$ et $B(4) = 13$, mais on ne connaît pas $B(n)$ pour $n \geq 5$.

★23. Montrez que $B(2)$ est plus grand que ou égal à 4 en trouvant une machine de Turing à deux états et un alphabet $\{1, B\}$ qui s'arrête lorsque quatre 1 consécutifs se trouvent sur le ruban.

★★24. Montrez que la machine de Turing ne peut évaluer la fonction $B(n)$. (*Conseil*: Supposez qu'il y a une machine de Turing qui évalue $B(n)$ en binaire. Construisez une machine de Turing T qui, en commençant par un ruban vide, écrit n en binaire, évalue $B(n)$ en binaire et convertit $B(n)$ de binaire à unaire. Montrez que, pour un n suffisamment grand, le nombre d'états de T est inférieur à $B(n)$, ce qui crée une contradiction.)

Questions de révision

1. **a)** Définissez une grammaire syntagmatique.
   b) Que signifie pour une chaîne d'être dérivable à partir d'une chaîne w par une grammaire syntagmatique G ?

2. **a)** Quel est le langage produit par une grammaire syntagmatique G ?
   b) Quel est le langage produit par la grammaire G avec le vocabulaire $\{S, 0, 1\}$, l'ensemble de terminaux $T = \{0, 1\}$, le symbole de départ S et les productions $S \rightarrow 000S$, $S \rightarrow 1$?
   c) Donnez une grammaire syntagmatique qui produit l'ensemble $\{01^n \mid n = 0, 1, 2, \dots\}$.

3. **a)** Définissez une grammaire de type 1.
   b) Donnez un exemple de grammaire qui n'est pas une grammaire de type 1.
   c) Définissez une grammaire de type 2.
   d) Donnez un exemple de grammaire qui n'est pas de type 2, mais qui est de type 1.
   e) Définissez une grammaire de type 3 ou algébrique.
   f) Donnez un exemple de grammaire qui n'est pas de type 3, mais qui est de type 2.

4. **a)** Définissez une grammaire régulière.
   b) Définissez un langage régulier.
   c) Donnez un exemple de grammaire qui n'est pas régulière, mais qui est de type 3.

  d) Montrez que l'ensemble $\{0^m1^n \mid m, n = 0\ 1, 2, \ldots\}$ est un langage régulier.

 5. a) Qu'est-ce que la forme de Backus-Naur ?

  b) Donnez un exemple de la forme de Backus-Naur d'une grammaire pour un sous-ensemble du français de votre choix.

 6. a) Qu'est-ce qu'une machine à états finis ?

  b) Montrez comment vous pouvez modéliser un distributeur automatique qui n'accepte que les pièces de 25 cents et qui fournit une boisson gazeuse après avoir reçu 75 cents, en utilisant une machine à états finis.

 7. a) Qu'est-ce que la fermeture de Kleene d'un ensemble de chaînes ?

  b) Trouvez la fermeture de Kleene de l'ensemble $\{11, 0\}$.

 8. a) Définissez un automate fini.

  b) Qu'est-ce que cela signifie pour une chaîne d'être reconnue par un automate fini ?

 9. a) Définissez un automate fini non déterministe.

  b) Montrez que, étant donné un automate fini non déterministe, il existe un automate fini déterministe qui reconnaît le même langage.

 10. a) Définissez l'ensemble des expressions régulières dans l'ensemble I.

  b) Expliquez comment les expressions régulières sont utilisées pour représenter des ensembles réguliers.

 11. Énoncez le théorème de Kleene.

 12. Montrez qu'une grammaire régulière génère un ensemble si et seulement s'il est un ensemble régulier.

 13. Donnez un exemple d'un ensemble qui n'est pas reconnu par un automate fini. Montrez qu'aucun automate fini ne le reconnaît.

 14. Définissez une machine de Turing.

 15. Décrivez comment on utilise les machines de Turing pour reconnaître les ensembles.

 16. Décrivez comment on utilise les machines de Turing pour évaluer les fonctions en théorie des nombres.

Exercices supplémentaires

 ★1. Trouvez une grammaire syntagmatique qui génère chacun des langages ci-après.

  a) l'ensemble des chaînes binaires de la forme $0^{2n}1^{3n}$, où n est un entier non négatif

  b) l'ensemble des chaînes binaires ayant deux fois plus de 0 que de 1

  c) l'ensemble des chaînes binaires de la forme w^2, où w est une chaîne binaire

 ★2. Trouvez une grammaire syntagmatique qui génère l'ensemble $\{0^{2n} \mid n \geq 0\}$.

Pour les exercices 3 et 4, soit $G = (V, T, S, P)$ la grammaire syntagmatique avec $V = \{(,), S, A, B\}$, $T = \{(,)\}$, le symbole de départ S et les productions $S \to A, A \to AB, A \to B, B \to (A)$ et $B \to (\ )$, $S \to \lambda$

 3. Construisez les arbres de dérivation des expressions suivantes :

  a) $(( ))$.   **b)** $()(( ))$.   **c)** $((( )( )))$.

 ★4. Montrez que $L(G)$ est l'ensemble de toutes les chaînes bien formées de parenthèses, qui a été défini dans le chapitre 3.

Une grammaire algébrique est **ambiguë** s'il existe un mot dans $L(G)$ avec deux dérivations qui produisent différents arbres de dérivation, considérés comme des arborescences ordonnées.

 5. Montrez que la grammaire $G = (V, T, S, P)$ avec $V = \{0, S\}$, $T = \{0\}$, l'état de départ S et les productions $S \to 0S$, $S \to S0$ et $S \to 0$ est ambiguë en construisant deux arbres de dérivation différents pour 0^3.

6. Montrez que la grammaire $G = (V, T, S, P)$ avec $V = \{0, S\}$, $T = \{0\}$, l'état de départ S et les productions $S \to 0S$, $S \to 0$ n'est pas ambiguë.

7. Supposez que A et B sont des ensembles finis de V^*, où V est un alphabet. Est-il nécessairement vrai que $|AB| = |BA|$?

8. Pour chacun des énoncés suivants, établissez si l'énoncé est vrai ou faux en considérant les sous-ensembles A, B et C de V^*, où V est un alphabet.

   a) $A(B \cup C) = AB \cup AC$ **b)** $A(B \cap C) = AB \cap AC$

   c) $(AB)C = A(BC)$ **d)** $(A \cup B)^* = A^* \cup B^*$

9. Soit A et B deux sous-ensembles de V^*, où V est un alphabet. A-t-on $A \subseteq B$ si $A^* \subseteq B^*$?

10. Quel ensemble de chaînes qui admettent leurs symboles dans l'ensemble $\{0, 1, 2\}$ est représenté par l'expression régulière $(\mathbf{2^*})(\mathbf{0} \cup (\mathbf{12^*}))\mathbf{*}$?

La **hauteur-étoile** $h(E)$ d'une expression régulière dans l'ensemble I est définie récursivement selon

$$h(\varnothing) = 0 \,;$$
$$h(\mathbf{x}) = 0 \text{ si } \mathbf{x} \in I \,;$$
$$h(\mathbf{E_1} \cup \mathbf{E_2})) = h((\mathbf{E_1 E_2})) = \max(h(\mathbf{E_1}), h(\mathbf{E_2})) \text{ si } \mathbf{E_1} \text{ et } \mathbf{E_2} \text{ sont des expressions régulières} \,;$$
$$h(\mathbf{E^*}) = h(\mathbf{E}) + 1 \text{ si } \mathbf{E} \text{ est une expression régulière.}$$

11. Trouvez la hauteur-étoile de chacune des expressions régulières ci-après.

   a) $\mathbf{0^*1}$ **b)** $\mathbf{0^*1^*}$

   c) $\mathbf{(0^*01)^*}$ **d)** $\mathbf{((0^*1)^*)^*}$

   e) $\mathbf{(010^*)(1^*01^*)^*((01)^*(10)^*)^*}$ **f)** $\mathbf{(((((0^*)1)^*0)^*)1)^*}$

★12. Pour chacune des expressions régulières ci-après, trouvez une expression régulière qui représente le même langage avec une hauteur-étoile minimale.

   a) $\mathbf{(0^*1^*)^*}$ **b)** $\mathbf{(0(01^*0)^*)^*}$ **c)** $\mathbf{(0^* \cup (01)^* \cup 1^*)^*}$

13. Construisez une machine à états finis avec sortie qui produit une sortie 1 si la chaîne binaire lue jusque-là comme entrée contient quatre 1 ou plus. Ensuite, construisez un automate fini déterministe qui reconnaît cet ensemble.

14. Construisez une machine à états finis avec sortie qui produit une sortie 1 si la chaîne binaire lue jusque-là comme entrée contient quatre 1 consécutifs ou plus. Ensuite, construisez un automate fini déterministe qui reconnaît cet ensemble.

15. Construisez une machine à états finis avec sortie qui produit une sortie 1 si la chaîne binaire lue jusque-là comme entrée se termine avec quatre 1 consécutifs ou plus. Ensuite, construisez un automate fini déterministe qui reconnaît cet ensemble.

16. Un état s' dans une machine à états finis est **accessible** à partir de l'état s s'il existe une chaîne d'entrée x, de telle sorte que $f(s, x) = s'$. Un état s est **transitoire** s'il n'existe aucune chaîne d'entrée non vide x telle que $f(s, x) = s$. Un état s s'appelle un **puits** si $f(s, x) = s$, quelle que soit la chaîne d'entrée x.

Répondez aux questions ci-dessous concernant une machine à états finis à l'aide du diagramme d'états illustré à la page suivante.

   a) Quels états sont accessibles à partir de s_0 ?

   b) Quels états sont accessibles à partir de s_2 ?

   c) Quels sont les états transitoires ?

   d) Quels états sont des puits ?

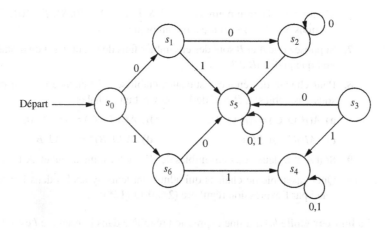

★**17.** Soit S, I et O trois ensembles finis, où $|S| = n$, $|I| = k$ et $|O| = m$.
  a) Combien de machines à états finis différentes (machines de Mealy) $M = (S, I, O, f, g, s_0)$ pouvez-vous construire, dans lesquelles l'état de départ s_0 peut être choisi arbitrairement ?
  b) Combien de machines de Moore $M = (S, I, O, f, g, s_0)$ pouvez-vous construire, dans lesquelles l'état de départ s_0 peut être choisi arbitrairement ?

★**18.** Soit S et I deux ensembles finis, où $|S| = n$ et $|I| = k$. Combien d'automates finis différents $M = (S, I, f, s_0, F)$ peut-on trouver si l'état de départ s_0 et le sous-ensemble F de S constitué d'états finaux peuvent être choisis arbitrairement
  a) si les automates sont déterministes ?
  b) si les automates peuvent être non déterministes ? (*Note :* Y compris les automates déterministes.)

19. Construisez un automate fini déterministe équivalant à un automate non déterministe avec le diagramme d'états ci-après.

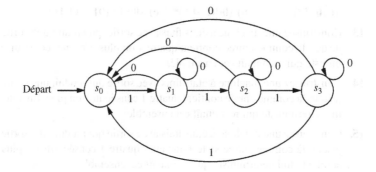

20. Quel langage l'automate de l'exercice 19 reconnaît-il ?
21. Construisez des automates finis qui reconnaissent les états ci-après.
  a) $0^*(10)^*$ **b)** $(01 \cup 111)^*10^*(0 \cup 1)$
  c) $(001 \cup (11)^*)^*$
★**22.** Trouvez des expressions régulières qui représentent l'ensemble de toutes les chaînes de 0 et de 1
  a) constituées de blocs de nombres pairs de 1 qui sont parfois séparés par des blocs de nombres impairs de 0.
  b) ayant au moins deux 0 consécutifs ou trois 1 consécutifs.
  c) n'ayant pas trois 0 consécutifs ni deux 1 consécutifs.
★**23.** Montrez que si A est un ensemble régulier, alors $\overline{A}$ l'est aussi.
★**24.** Montrez que si A et B sont des ensembles réguliers, alors $A \cap B$ l'est aussi.

★**25.** Trouvez des automates finis qui reconnaissent les ensembles de chaînes de 0 et de 1 ci-après.

a) l'ensemble des chaînes qui commencent par au plus trois 0 consécutifs et qui contiennent au moins deux 1 consécutifs

b) l'ensemble des chaînes comportant un nombre pair de symboles et qui ne contiennent pas la suite 101

c) l'ensemble des chaînes ayant au moins trois blocs de deux 1 ou plus et au moins deux 0

★**26.** Montrez que $\{0^{2^n} \mid n \in \mathbf{Z}\}$ n'est pas régulier. Vous pouvez utiliser le lemme de pompage donné à l'exercice 16 de la section 10.4.

★**27.** Montrez que $\{1^p \mid p$ est premier$\}$ n'est pas régulier. Vous pouvez utiliser le lemme de pompage donné à l'exercice 16 de la section 10.4.

★**28.** Voici un résultat pour les langages algébriques similaire au lemme de pompage pour les ensembles réguliers : soit $L(G)$ le langage reconnu par un langage algébrique G. Il existe une composante N telle que si z est un mot dans $L(G)$ avec $l(w) \geq N$, alors z peut s'écrire $uvwxy$, où $l(vwx) \leq N$, $l(vx) \geq 1$ et $uv^i wx^i y$ appartient à $L(G)$ pour $i = 0, 1, 2, 3, \ldots$ En utilisant ce résultat, montrez qu'il n'existe aucune grammaire algébrique G avec $L(G) = \{0^n 1^n 2^n \mid n = 0, 1, 2, \ldots\}$.

Fonctions exponentielles et logarithmiques

Dans cette annexe, certaines propriétés fondamentales des fonctions exponentielles et des logarithmes seront révisées. Ces propriétés servent tout au long du manuel. On recommande aux étudiants qui désirent une révision plus approfondie de consulter les livres de calcul différentiel et intégral.

FONCTIONS EXPONENTIELLES

Soit n un nombre entier positif et soit b un nombre réel positif. La fonction $f_b(n) = b^n$ est définie par

$$f_b(n) = b^n = b \cdot b \cdot b \cdots b,$$

où n facteurs de b sont multipliés dans le membre de droite de l'équation.

On peut définir la fonction $f_b(x) = b^x$ pour tout nombre réel x en utilisant des techniques du calcul différentiel et intégral. La fonction $f_b(x) = b^x$ est appelée **fonction exponentielle à base b**. On n'abordera pas la façon de trouver les valeurs des fonctions exponentielles à base b quand x n'est pas un nombre entier.

Le théorème 1 présente deux propriétés importantes qui sont satisfaites par les fonctions exponentielles. On trouvera la démonstration de celles-ci et des autres propriétés connexes dans les manuels de calcul différentiel et intégral.

THÉORÈME 1

Soit b un nombre réel. Alors,

 1. $b^{x+y} = b^x b^y$,
 2. $(b^x)^y = b^{xy}$.

La figure 1 illustre les graphiques de quelques fonctions exponentielles.

FONCTIONS LOGARITHMIQUES

On suppose que b est un nombre réel avec $b > 1$. Alors, la fonction exponentielle b^x est strictement croissante (ce qui est démontré à l'aide du calcul différentiel). C'est une fonction bijective de l'ensemble des nombres réels dans l'ensemble des nombres réels non négatifs.

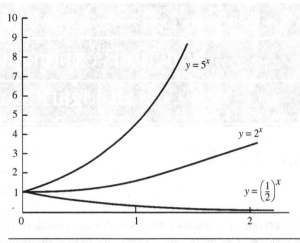

FIGURE 1   Graphes des fonctions exponentielles à bases 1/2, 2 et 5

Donc, cette fonction admet une fonction inverse appelée la **fonction logarithmique à base** b. En d'autres termes, si b est un nombre réel plus grand que 1 et si x un nombre positif réel, alors

$$b^{\log_b x} = x.$$

La valeur de cette fonction en x est appelée le **logarithme à base** b **de** x. À partir de la définition, il s'ensuit que

$$\log_b b^x = x.$$

Le théorème 2 énonce plusieurs propriétés des logarithmes.

THÉORÈME 2   Soit b un nombre réel plus grand que 1. Alors,

> 1. $\log_b(xy) = \log_b x + \log_b y$, quels que soient les nombres réels positifs x et y,
> 2. $\log_b(x^y) = y \log_b x$, quel que soit le nombre réel positif x.

Démonstration : Puisque $\log_b(xy)$ est l'unique nombre réel tel que $b^{\log_b(xy)} = xy$, pour prouver le théorème 1, il suffit de démontrer que $b^{\log_b x + \log_b y} = xy$. En se référant à la partie 1 du théorème 1, on en déduit que

$$b^{\log_b x + \log_b y} = b^{\log_b x} \, b^{\log_b y}$$
$$= xy.$$

Pour démontrer la partie 2, il suffit de démontrer que $b^{y \log_b x} = x^y$. En appliquant la partie 2 du théorème 1, on en déduit que

$$b^{y \log_b x} = (b^{\log_b x})^y$$
$$= x^y. \qquad \square$$

Le théorème 3 relie entre eux les logarithmes de bases différentes.

THÉORÈME 3   Soit a et b des nombres réels plus grands que 1 et soit x un nombre réel positif. Alors,

$$\log_a x = \log_b x / \log_b a.$$

Démonstration : Pour prouver ce résultat, il suffit de démontrer que

$$b^{\log_a x \cdot \log_b a} = x.$$

En appliquant la partie 2 du théorème 1, on en déduit que

$$b^{\log_a x \cdot \log_b a} = (b^{\log_b a})^{\log_a x}$$
$$= a^{\log_a x}$$
$$= x.$$

Cela complète la démonstration.   □

Puisque la base utilisée le plus souvent pour les logarithmes dans ce texte est $b = 2$, la notation $\log x$ sera utilisée tout au long du texte pour représenter le $\log_2 x$.

Le graphe de la fonction $f(x) = \log x$ est illustré à la figure 2. À partir du théorème 3, quand on utilise une base b autre que 2, une fonction qui est un multiple constant de la fonction $\log x$, on obtient notamment $(1/\log b) \log x$.

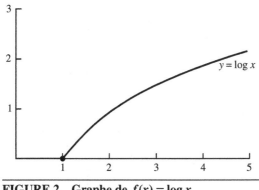

FIGURE 2   Graphe de $f(x) = \log x$

Exercices

1. Exprimez chacune des quantités suivantes comme une puissance de 2.
a) $2 \cdot 2^2$ **b)** $(2^2)^3$ **c)** $2^{(2^2)}$

2. Trouvez chacune des quantités suivantes :
a) $\log_2 1024$.   **b)** $\log_2 1/4$.   **c)** $\log_4 8$.

3. Supposez que $\log_4 x = y$. Trouvez chacune des quantités suivantes :

a) $\log_2 x$.   **b)** $\log_8 x$.   **c)** $\log_{16} x$.

☞**4.** Soit a, b et c des nombres réels positifs. Démontrez que $a^{\log_b c} = c^{\log_b a}$.

5. Tracez le graphe de $f(x) = b^x$ si b est égal à
a) 3.   **b)** 1/3.   **c)** 1.

6. Tracez le graphe de $f(x) = \log_b x$ si b est égal à
a) 4.   **b)** 100.   **c)** 1000.

Les algorithmes présentés dans ce texte sont définis soit en langage courant, soit sous forme de pseudocode. Le pseudocode constitue une étape intermédiaire entre une description des étapes d'une procédure en langage courant et une spécification de cette procédure au moyen d'un langage de programmation. Au nombre des avantages du pseudocode, on peut citer la simplicité avec laquelle on peut l'écrire et le comprendre et la facilité de produire des expressions informatiques (dans une variété de langages de programmation) à partir du pseudocode.

Cette annexe décrit le format et la syntaxe du pseudocode utilisé dans ce manuel. Ce pseudocode est conçu de telle façon que sa structure fondamentale ressemble à celle du langage Pascal, qui est un langage de programmation couramment enseigné. Cependant, le pseudocode utilisé ici sera beaucoup plus libre qu'un langage de programmation formel, puisqu'un grand nombre de descriptions d'étapes en langage courant sont autorisées.

Cette annexe n'est pas destinée à une étude formelle. Elle servira plutôt de référence lorsque les étudiants consulteront les descriptions des algorithmes donnés dans le texte et lorsqu'ils écriront des solutions en pseudocodes.

ÉNONCÉS DES PROCÉDURES

Le pseudocode d'un algorithme commence avec un énoncé de la **procédure** qui donne le nom de l'algorithme, la liste des variables d'entrée et la description du type de variable que chaque entrée représente. Par exemple, l'énoncé

procédure maximum (L : liste des entiers)

est le premier énoncé de la description en pseudocode de l'algorithme qu'on a appelé *maximum* et qui sert à trouver le nombre le plus grand dans une liste de L entiers.

AFFECTATIONS ET AUTRES TYPES D'ÉNONCÉS

Une instruction d'affectation sert à attribuer des valeurs aux variables. Dans une telle instruction, le membre de gauche représente le nom de la valeur et le membre de droite est une expression comprenant des constantes ou des variables de diverses valeurs ou des fonctions définies par des procédures. Le membre de droite peut contenir n'importe quelle opération arithmétique. Cependant, dans les pseudocodes de ce manuel, on accepte n'importe quelle opération définie, même si cette dernière ne peut être exécutée qu'au moyen d'un grand nombre d'opérations en langage de programmation.

Le symbole := désigne une affectation. Ainsi, un énoncé d'affectation a la forme

> *variable* := *expression*

Par exemple, l'énoncé

> *max* := *a*

affecte à la variable *max* la valeur *a*. Un énoncé tel

> *x* := plus grand entier de la liste *L*

signifie que *x* prend comme valeur le nombre entier le plus grand de la liste *L*. Pour traduire cet énoncé en langage de programmation, il faudra sans doute plus qu'un énoncé. De même, l'instruction

> interchanger *a* et *b*

peut être utilisée pour interchanger les valeurs de *a* et de *b*. On peut aussi exprimer cet énoncé unique au moyen de plusieurs énoncés d'affectation (voir l'exercice 2 à la fin de cette annexe) mais, par souci de simplification, on préfère le plus souvent la forme de pseudocode abrégée.

BLOCS D'ÉNONCÉS

Les énoncés peuvent être regroupés en blocs dans le cas de procédures complexes. Ces blocs sont délimités par les énoncés **début** et **fin**. Tous les énoncés d'un bloc sont ensuite décalés de la même marge.

> **début**
>   énoncé 1
>   énoncé 2
>   énoncé 3

$\vdots$

      énoncé n

fin

Les énoncés d'un même bloc sont exécutés de manière séquentielle.

COMMENTAIRES

Dans le pseudocode de ce manuel, les énoncés entre accolades ne sont pas exécutés. De tels énoncés servent de commentaires ou de rappels expliquant le fonctionnement de la procédure. Par exemple, l'énoncé

$\{x$ est le plus grand élément de $L\}$

sert à se rappeler qu'à ce point de la procédure, la variable x est égale au plus grand élément de la liste L.

CONSTRUCTIONS CONDITIONNELLES

La forme la plus simple de construction conditionnelle qui sera utilisée est la suivante :

si condition **alors** énoncé

ou

si condition **alors**
début
      bloc d'énoncés
fin

Dans ce cas, on vérifie la condition et, si celle-ci est remplie, alors l'énoncé indiqué est exécuté. Par exemple, dans l'algorithme 1 de la section 2.1, qui recherche le maximum d'un ensemble d'entiers, on utilise un énoncé conditionnel pour vérifier si $max < a_i$ pour chaque variable ; si c'est le cas, on affecte la valeur de a_i à max.

Souvent, on a besoin d'un type de construction plus général. Cela s'applique quand on désire exécuter une fonction lorsque la condition indiquée est remplie et une autre dans le cas contraire. On utilise alors la construction

---

si condition **alors** énoncé 1
sinon énoncé 2

À noter que l'un des énoncés 1 et 2 ou les deux peuvent être remplacés par un bloc d'énoncés. Quelquefois, on a besoin d'utiliser une forme encore plus générale de condition. La forme générale d'une construction conditionnelle est alors

---

si condition 1 **alors** énoncé 1
sinon si condition 2 **alors** énoncé 2
sinon si condition 3 **alors** énoncé 3
   .
   .
   .
sinon si condition n **alors** énoncé n
sinon énoncé $n + 1$

Avec cette construction, si la condition 1 est remplie, alors l'énoncé 1 est exécuté et le programme sort de cette construction. Si la condition 1 n'est pas remplie, le programme vérifie si la condition 2 l'est. Si c'est le cas, l'énoncé 2 est exécuté et le programme sort de cette construction, etc. Donc, si aucune des conditions n − 1 n'est remplie, mais que la condition n l'est, alors l'énoncé n est exécuté. Finalement, si aucune des conditions 1, 2, 3, ..., n n'est remplie, alors c'est l'énoncé $n + 1$ qui est exécuté. Chacun des énoncés $n + 1$ peut être remplacé pas un bloc d'énoncés.

CONSTRUCTIONS EN BOUCLE

Il existe deux types de constructions en boucle dans le pseudocode de ce manuel. La première est la construction « pour », de la forme

---

pour *variable* := *valeur initiale* **à** *valeur finale*
      énoncé

---

pour *variable* := *valeur initiale* **à** *valeur finale*
début
      bloc d'énoncés
fin

Ici, au début de la boucle, on attribue à la *variable* la valeur *valeur initiale* si la *valeur initiale* est plus petite ou égale à la *valeur finale*, et les énoncés à la fin de cette construction sont exécutés avec la valeur de la *variable*. Alors, la *variable* est incrémentée de 1, et l'énoncé (ou le bloc d'énoncés) est exécuté avec cette nouvelle valeur de la *variable*. Le procédé se répète jusqu'à ce que la *variable* atteigne la *valeur finale*. Après que ces instructions sont exécutées avec la *variable* égale à la *valeur finale*, l'algorithme passe à l'énoncé suivant. Quand la *valeur initiale* excède la *valeur finale*, aucun des énoncés de la boucle n'est exécuté.

On peut utiliser une construction en boucle « pour » afin de trouver la somme des nombres positifs entiers de 1 à *n* au moyen du pseudocode suivant :

---

somme := 0
pour $i := 1$ à *n*
      somme := *somme* + *i*

De la même façon, on utilise dans ce manuel l'énoncé « pour » sous sa forme la plus générale, soit

---

pour tous les éléments ayant une certaine propriété

Cela signifie que l'énoncé (ou le bloc d'énoncés qui suit) est exécuté séquentiellement pour les éléments ayant la propriété donnée.

Le deuxième type de construction en boucle qui sera utilisé est la construction « tant que ». Celle-ci a la forme suivante :

---

tant que condition
  énoncé

---

ou

---

tant que condition
début
      bloc d'énoncés
fin

Avec cette construction, la condition donnée est vérifiée et, si elle est remplie, les énoncés qui suivent sont exécutés, ce qui pourrait changer les valeurs des variables faisant partie de cette condition. Si la condition est encore remplie après que ces instructions ont été exécutées, les instructions sont exécutées de nouveau. Cela se poursuit jusqu'à ce que la condition ne soit plus remplie. À titre d'exemple, on peut trouver la somme des entiers de 1 à *n* en utilisant le bloc de pseudocode suivant qui inclut une construction « tant que ».

---

somme := 0
tant que $n > 0$
début
      somme := *somme* + *n*
      $n := n - 1$
fin

À noter que n'importe laquelle des constructions « pour » peut devenir une construction « tant que » (voir l'exercice 3 à la fin de cette annexe). Cependant, il est souvent plus facile de comprendre la construction « pour ». Ainsi, on pourra utiliser la construction « pour » de préférence à la construction « tant que » correspondante, s'il y a lieu.

UTILISATION D'UNE PROCÉDURE DANS UNE AUTRE PROCÉDURE

Dans une procédure, on peut utiliser une autre procédure (ou cette procédure elle-même dans le cas d'un programme récursif) simplement en utilisant le nom de cette procédure suivi des entrées de cette procédure.

Par exemple,

---

max(L)

---

exécutera la procédure *max* avec la liste d'entrées *L*. Après que toutes les étapes de cette procédure ont été exécutées, l'exécution continue avec l'énoncé suivant de la procédure.

Exercices

1. Quelle est la différence entre les deux blocs d'instructions d'affectation suivants ?

    $a := b$
    $b := c$
et
    $b := c$
    $a := b$

2. Décrivez une procédure qui utilise des instructions d'affectation pour interchanger les valeurs des variables *x* et *y*. Quel est le nombre minimal d'instructions d'affectation qui est nécessaire ?

3. Démontrez comment une boucle de la forme

    pour $i :=$ *valeur initiale* **à** *valeur finale*
      énoncé

peut être réécrite en utilisant la construction « tant que ».

Les fonctions génératrices sont des outils importants dans la résolution de certains problèmes de dénombrement. On présentera ici les deux manières d'utiliser de telles fonctions pour la résolution de ces problèmes. Premièrement, on démontrera comment se servir des fonctions génératrices pour modéliser des problèmes de dénombrement. Ensuite, on démontrera comment résoudre des relations de récurrence en utilisant des fonctions génératrices.

La **fonction génératrice** de la suite de nombres réels a_0, a_1, a_2, ... a_k, ... est la série infinie

$$G(x) = a_0 + a_1x = a_2x^2 + \cdots + a_kx^k + \cdots = \sum_{k=0}^{\infty} a_kx^k.$$

On peut définir des fonctions génératrices pour des suites finies de nombres réels par extension d'une suite finie a_0, a_1, ..., a_n en une suite infinie en posant $a_{n+1} = 0$, $a_{n+2} = 0$, ... La fonction génératrice $G(x)$ de cette suite infinie $\{a_n\}$ est un polynôme de degré n, puisque aucun terme de la forme a_jx^j avec $j > n$ n'apparaît, ce qui signifie que

$$G(x) = a_0 + a_1x + \cdots a_nx^n.$$

EXEMPLE 1   Quelle est la fonction génératrice de la suite 1, 1, 1, 1, 1, 1 ?

Solution : La fonction génératrice de 1, 1, 1, 1, 1, 1 est

$$1 + x + x^2 + x^3 + x^4 + x^5.$$

En appliquant l'exemple 6 de la section 3.2, on obtient

$$(x^6 - 1)/(x - 1) = 1 + x + x^2 + x^3 + x^4 + x^5.$$

En conséquence, $f(x) = (x^6 - 1)/(x - 1)$ est une fonction génératrice de la suite 1, 1, 1, 1, 1, 1. ∎

EXEMPLE 2   Soit m un nombre entier positif. Soit $a_k = C(m, k)$ pour $k = 0, 1, 2, ..., m$. Quelle est la fonction génératrice de la suite a_0, a_1, ..., a_m ?

Solution : La fonction génératrice de cette suite est

$$G(x) = C(m, 0) + C(m, 1)x + C(m, 2)x^2 + \cdots + C(m, m)x^m.$$

Grâce au théorème du binôme, on obtient $G(x) = (1 + x)^m$. ∎

REMARQUES SUR LES SÉRIES

On notera ici quelques faits importants à propos des séries lorsqu'on travaille avec des fonctions génératrices. On peut se référer aux manuels de calcul différentiel et intégral pour une discussion plus rigoureuse sur les séries et des résultats connexes.

EXEMPLE 3 La fonction $f(x) = 1/(1 - x)$ est la fonction génératrice de la suite 1, 1, 1, 1, ..., puisque

$$1/(1 - x) = 1 + x + x^2 + \cdots$$

pour $|x| < 1$. ∎

EXEMPLE 4 La fonction $f(x) = 1/(1 - ax)$ est la fonction génératrice de la suite 1, a, a^2, a^3, ..., puisque

$$1/(1 - ax) = 1 + ax + a^2x^2 + \cdots$$

quand $|ax| < 1$ ou de façon équivalente pour $|x| < 1/|a|$ avec $a \neq 0$. ∎

On aura également besoin de résultats sur la manière d'additionner et de multiplier deux fonctions génératrices. On trouvera la preuve de ces résultats dans les manuels de calcul différentiel et intégral.

THÉORÈME 1 Soit $f(x) = \sum_{k=0}^{\infty} a_k x^k$ et $g(x) = \sum_{k=0}^{\infty} b_k x^k$. Alors,

$$f(x) + g(x) = \sum_{k=0}^{\infty} (a_k + b_k)x^k$$

et

$$f(x)g(x) = \sum_{k=0}^{\infty} \left(\sum_{j=0}^{k} a_j b_{k-j} \right) x^k.$$

L'exemple 5 illustre l'application du théorème 1.

EXEMPLE 5 Soit $f(x) = 1/(1 - x)^2$. On applique l'exemple 3 pour trouver les coefficients a_0, a_1, a_2, ... dans le développement $f(x) = \sum_{k=0}^{\infty} a_k x^k$.

Solution : À partir de l'exemple 3, on constate que

$$1/(1 - x) = 1 + x + x^2 + x^3 + \cdots.$$

Par conséquent, à partir du théorème 1, on obtient

$$1/(1-x)^2 = \sum_{k=0}^{\infty} \left(\sum_{j=0}^{k} 1 \right) x^k = \sum_{k=0}^{\infty} (k+1)x^k.$$ ∎

Remarque : On peut également déduire ce résultat de l'exemple 3 à l'aide du calcul différentiel. L'emploi des dérivées est une technique utile pour obtenir de nouvelles identités à partir d'identités connues entre fonctions génératrices.

PROBLÈMES DE DÉNOMBREMENT ET FONCTIONS GÉNÉRATRICES

Aux chapitres 4 et 5, on a élaboré des techniques permettant de dénombrer des r-combinaisons à partir d'un ensemble à n éléments quand il y a répétition et qu'on doit tenir compte de contraintes additionnelles. De tels problèmes équivalent à établir le nombre de solutions d'équations de la forme

$$e_1 + e_2 + \cdots + e_n = C,$$

où C est une constante et où chaque élément e_i est un entier soumis à une contrainte spécifique. Les fonctions génératrices peuvent également servir à résoudre des problèmes de dénombrement de ce type, comme le démontre l'exemple 6.

EXEMPLE 6 Trouvez le nombre de solutions de

$$e_1 + e_2 + e_3 = 17,$$

où e_1, e_2 et e_3 sont des entiers avec $2 \le e_1 \le 5$, $3 \le e_2 \le 6$ et $4 \le e_3 \le 7$.

Solution : Le nombre de solutions satisfaisant aux contraintes indiquées est le coefficient de x^{17} dans le développement de

$$(x^2 + x^3 + x^4 + x^5)(x^3 + x^4 + x^5 + x^6)(x^4 + x^5 + x^6 + x^7).$$

En effet, on a obtenu un terme égal à x^{17} dans le produit en choisissant un terme x^{e_1} dans la première somme, un terme x^{e_2} dans la deuxième somme et un terme x^{e_3} dans la troisième somme, de façon que les exposants e_1, e_2 et e_3 satisfont l'équation $e_1 + e_2 + e_3 = 17$ et les contraintes données.

Il est facile de constater que le coefficient de x^{17} dans ce produit est 3. Donc, il y a trois solutions. (À noter que le calcul de ce coefficient comporte à peu près autant de travail que l'énumération de toutes les solutions de cette équation avec les contraintes données. Cependant, la méthode illustrée ici peut être utilisée pour résoudre des classes de problèmes de dénombrement beaucoup plus vastes avec des formules spéciales, comme on le verra.) ∎

EXEMPLE 7 De combien de façons différentes pouvez-vous distribuer huit biscuits identiques à trois enfants de manière que chacun reçoive au moins deux biscuits mais pas plus de quatre ?

Solution : Puisque chaque enfant reçoit au moins deux biscuits mais pas plus de quatre, il existe pour chaque enfant un facteur égal à

$$(x^2 + x^3 + x^4)$$

dans la fonction génératrice de la suite $\{c_n\}$, où c_n est le nombre de manières de distribuer n biscuits.

Puisqu'il y a trois enfants, on a comme fonction génératrice

$$(x^2 + x^3 + x^4)^3.$$

On a besoin du coefficient x^8 dans ce produit, car les termes x^8 de l'extension correspondent aux manières de sélectionner trois termes, avec un terme provenant de chaque facteur, avec des exposants s'additionnant jusqu'à 8. De plus, les exposants de chaque terme provenant du premier, du deuxième et du troisième facteur représentent le nombre de biscuits que le premier, le deuxième et le troisième enfant reçoit, respectivement. Les calculs montrent que ce coefficient est égal à 6. Par conséquent, il y a six façons de distribuer les biscuits pour que chaque enfant reçoive au moins deux biscuits mais pas plus de quatre. ∎

EXEMPLE 8   Utilisez des fonctions génératrices pour trouver le nombre de k-combinaisons d'un ensemble à n éléments. Supposez que le théorème du binôme a déjà été établi.

Solution : Chacun des n éléments de l'ensemble contribue au terme $(1 + x)$ dans la fonction génératrice $f(x) = \sum_{k=0}^{n} a_k x^k$. Ici $f(x)$ est la fonction génératrice de $\{a_k\}$, où a_k représente le nombre de k-combinaisons d'un ensemble à n éléments. Par conséquent,

$$f(x) = (1 + x)^n.$$

Toutefois, selon le théorème du binôme, on a

$$f(x) = \sum_{k=0}^{n} \binom{n}{k} x^k,$$

où

$$\binom{n}{k} = \frac{n!}{k!(n-k)!}.$$

Donc, $C(n, k)$, le nombre de k-combinaisons d'un ensemble à n éléments, est égal à

$$\frac{n!}{k!(n-k)!}.$$ ∎

Remarque : On a démontré le théorème du binôme de la section 4.3 en utilisant la formule pour le nombre de r-combinaisons d'un ensemble à n éléments. Cet exemple démontre que le théorème du binôme, qui peut être prouvé par induction, peut servir à dériver la formule pour le nombre de r-combinaisons d'un ensemble à n éléments.

UTILISATION DES FONCTIONS GÉNÉRATRICES POUR LA RÉSOLUTION DES RELATIONS DE RÉCURRENCE

On peut trouver la solution d'une relation de récurrence avec ses conditions initiales si on trouve une formule explicite pour la fonction génératrice qui lui est associée. Cela est illustré dans les exemples suivants.

EXEMPLE 9
Résolvez la relation de récurrence $a_k = 3a_{k-1}$ pour $k = 1, 2, 3, \ldots$ avec la condition initiale $a_0 = 2$.

Solution : Soit $G(x)$ la fonction génératrice pour la suite $\{a_k\}$ qui est $G(x) = \sum_{k=0}^{\infty} a_k x^k$. Premièrement, on note que

$$xG(x) = \sum_{k=0}^{\infty} a_k x^{k+1} = \sum_{k=1}^{\infty} a_{k-1} x^k.$$

En utilisant la relation de récurrence, on constate que

$$G(x) - 3xG(x) = \sum_{k=0}^{\infty} a_k x^k - 3 \sum_{k=1}^{\infty} a_{k-1} x^k$$

$$= a_0 + \sum_{k=1}^{\infty} (a_k - 3a_{k-1}) x^k$$

$$= 2,$$

puisque $a_0 = 2$ et $a_k = 3a_{k-1}$. Il s'ensuit que

$$G(x) - 3xG(x) = (1 - 3x)G(x) = 2.$$

En résolvant $G(x)$, on démontre que $G(x) = 2/(1 - 3x)$. En utilisant l'identité $1/(1 - ax) = \sum_{k=0}^{\infty} a^k x^k$, on obtient

$$G(x) = 2 \sum_{k=0}^{\infty} 3^k x^k = \sum_{k=0}^{\infty} 2 \cdot 3^k x^k.$$

Donc, $a_k = 2 \cdot 3^k$. ∎

EXEMPLE 10
Supposez qu'un mot de codage comprend n chiffres en notation décimale et qu'il contient un nombre pair d'occurrences du chiffre 0. Soit a_n le nombre de mots valides de longueur n. Dans l'exemple 7 de la section 5.1, on démontre que la suite $\{a_n\}$ satisfait la relation de récurrence

$$a_n = 8a_{n-1} + 10^{n-1},$$

avec la condition initiale $a_1 = 9$. Utilisez des fonctions génératrices pour trouver une formule explicite pour a_n.

Solution : Pour simplifier les calculs, posons $a_0 = 1$. En utilisant la relation de récurrence, on obtient $a_1 = 8a_0 + 10^0 = 8 + 1 = 9$, ce qui est cohérent avec la condition initiale.

On multiplie les deux membres de la relation de récurrence par x^n afin d'obtenir

$$a_n x^n = 8a_{n-1} x^n + 10^{n-1} x^n.$$

Soit $G(x) = \sum_{n=0}^{\infty} a_n x^n$ la fonction génératrice de la suite $a_0, a_1, a_2, \ldots$ En formant les séries d'indices commençant en $n = 1$, dont les termes généraux respectifs sont donnés par chacun des deux membres de l'équation ci-dessus, on obtient

$$G(x) - 1 = \sum_{n=1}^{\infty} a_n x^n = \sum_{n=1}^{\infty} (8a_{n-1} x^n + 10^{n-1} x^n)$$

$$= 8 \sum_{n=1}^{\infty} a_{n-1} x^n + \sum_{n=1}^{\infty} 10^{n-1} x^n$$

$$= 8x \sum_{n=1}^{\infty} a_{n-1} x^{n-1} + x \sum_{n=1}^{\infty} 10^{n-1} x^{n-1}$$

$$= 8x \sum_{n=0}^{\infty} a_n x^n + x \sum_{n=0}^{\infty} 10^n x^n$$

$$= 8xG(x) + x/(1 - 10x),$$

où on a utilisé l'exemple 4 pour évaluer la deuxième somme. Par conséquent, on a

$$G(x) - 1 = 8xG(x) + x/(1 - 10x).$$

En résolvant pour $G(x)$, on a

$$G(x) = \frac{1 - 9x}{(1 - 8x)(1 - 10x)}.$$

En développant le membre de droite de cette équation en fractions partielles (comme on l'a fait dans l'intégration des fractions rationnelles en calcul intégral), cela donne

$$G(x) = \frac{1}{2}\left(\frac{1}{1 - 8x} + \frac{1}{1 - 10x}\right).$$

En appliquant deux fois l'exemple 4 (une fois avec $a = 8$ et une autre avec $a = 10$), on obtient

$$G(x) = \frac{1}{2}\left(\sum_{n=0}^{\infty} 8^n x^n + \sum_{n=0}^{\infty} 10^n x^n\right)$$

$$= \sum_{n=0}^{\infty} \frac{1}{2}(8^n + 10^n) x^n.$$

Donc, on a démontré que

$$a_n = \frac{1}{2}(8^n + 10^n). \blacksquare$$

Exercices

1. Trouvez la fonction génératrice de la suite 2, 2, 2, 2, 2, 2.

2. Trouvez la fonction génératrice de la suite 1, 4, 16, 64, 256.

3. De combien de manières différentes pouvez-vous distribuer 10 ballons entre quatre enfants si chaque enfant reçoit au moins 2 ballons ?

4. Utilisez les fonctions génératrices pour trouver le nombre de manières de choisir une douzaine de bagels de trois variétés — œufs, salés et ordinaires — s'il y a au moins deux bagels de chaque type mais pas plus de trois bagels salés.

5. Quelle est la fonction génératrice pour c_k, où c_k représente le nombre de manières de faire la monnaie de k dollars, en utilisant des billets de 1 \$, de 2 \$, de 5 \$ et de 10 \$?

6. Donnez une interprétation combinatoire du coefficient a_6 de x^6 dans le développement $(1 + x + x^2 + x^3 + \cdots)^n$. Utilisez cette interprétation pour trouver a_6.

7. Quelle est la fonction génératrice pour a_k, où a_k est le nombre de solutions de $x_1 + x_2 + x_3 = k$, où x_1, x_2 et x_3 sont des entiers avec $x_1 \geq 2$, $0 \leq x_2 \leq 3$ et $2 \leq x_3 \leq 5$?

8. Déterminez les suites admettant les fonctions suivantes comme fonctions génératrices.

   a) $(1 + x)^4$ b) $(3 + x)^5$
   c) $(x^2 + 1)^3$ d) $1/(1 - 2x)$
   e) $5/(1 - x^2)$ f) $1/(1 - 2x)^2$

9. Trouvez une expression simple pour la fonction génératrice de $\{a_k\}$, $k = 0, 1, 2, \ldots$, si
   a) $a_k = 3$.   b) $a_k = 5^k$.   c) $a_k = k + 1$.

★10. Utilisez les fonctions génératrices pour démontrer l'identité de Pascal : $C(n, r) = C(n - 1, r) + C(n - 1, r - 1)$ (*Conseil :* Utilisez l'identité $(1 + x)^n = (1 + x)^{n-1} + x(1 + x)^{n-1}$.)

11. Utilisez une fonction génératrice pour résoudre la relation de récurrence $a_k = 7a_{k-1}$ avec la condition initiale $a_0 = 5$.

12. Utilisez une fonction génératrice pour résoudre la relation de récurrence $a_k = 3a_{k-1} + 2$ avec la condition initiale $a_0 = 1$.

13. Utilisez une fonction génératrice pour résoudre la relation de récurrence $a_k = 3a_{k-1} + 4^{k-1}$ avec la condition initiale $a_0 = 1$.

14. Utilisez une fonction génératrice pour résoudre la relation de récurrence $a_k = 5a_{k-1} - 6a_{k-2}$ avec les conditions initiales $a_0 = 1$ et $a_1 = 30$.

15. Utilisez une fonction génératrice afin de trouver une formule explicite pour les nombres de Fibonacci.

CHAPITRE 1

Section 1.1

1. **a)** Oui, V **b)** Oui, F **c)** Oui, V **d)** Oui, F
   e) Non **f)** Non **g)** Oui, V

3. **a)** Ce n'est pas jeudi aujourd'hui. **b)** Il y a de la pollution dans le New Jersey.
   c) $2 + 1 \neq 3$ **d)** L'été dans le Maine n'est pas chaud et n'est pas ensoleillé.

5. **a)** $p \wedge q$ **b)** $p \wedge \neg q$ **c)** $\neg p \wedge \neg q$ **d)** $p \vee q$
   e) $p \rightarrow q$ **f)** $(p \vee q) \wedge (p \rightarrow \neg q)$ **g)** $q \leftrightarrow p$

7. **a)** $\neg p$ **b)** $p \wedge \neg q$ **c)** $p \rightarrow q$ **d)** $\neg p \rightarrow \neg q$
   e) $p \rightarrow q$ **f)** $q \wedge \neg p$ **g)** $q \rightarrow p$

9. **a)** *OU* inclusif : il est permis de suivre un cours de mathématiques discrètes si vous avez déjà suivi un cours de calcul ou un cours d'informatique, ou les deux. *OU* exclusif : il est permis de prendre un cours de mathématiques discrètes si vous avez suivi un cours de calcul ou un cours d'informatique, mais non les deux à la fois. Dans ce cas, le *OU* inclusif s'applique.

   b) *OU* inclusif : vous pouvez prendre la remise offerte ou obtenir le prêt à 2 % ou vous pouvez prendre à la fois la remise et le prêt à 2 %. *OU* exclusif : vous pouvez prendre la remise ou vous pouvez obtenir un prêt à 2 %, mais vous ne pouvez avoir l'un et l'autre. C'est le *OU* exclusif qui s'applique.

   c) *OU* inclusif : vous pouvez commander deux mets de la colonne A et aucun de la colonne B, ou trois mets de la colonne B et aucun de la colonne A, ou cinq mets incluant deux mets de la colonne A et trois mets de la colonne B. *OU* exclusif : vous pouvez commander deux mets de la colonne A ou trois mets de la colonne B mais non les deux. Il est à peu près certain que c'est le *OU* exclusif qui s'applique.

   d) *OU* inclusif : l'école sera fermée s'il est tombé plus de 60 cm de neige ou que le facteur vent est en dessous de −40 °C, ou les deux. *OU* exclusif : l'école sera fermée s'il est tombé plus de 60 cm de neige ou si le facteur vent est inférieur à 40 °C mais non les deux. C'est certainement le *OU* inclusif qui s'applique.

11. **a)** Si le vent souffle du nord-est, alors il neige.
    b) Si le temps reste chaud pendant une semaine, alors les pommiers fleuriront.
    c) Si les Bleus gagnent le championnat, alors ils auront vaincu les Rouges.
    d) Si vous allez au sommet du mont Tremblant, alors vous aurez marché 15 km.
    e) Si vous êtes célèbre, alors vous deviendrez professeur dans cette université.
    f) Si vous conduisez pendant plus de 600 km, alors vous devrez refaire le plein.
    g) Si votre garantie est valable, alors vous avez acheté votre chaîne stéréo depuis moins de 90 jours.

13. **a)** Réciproque : « Je ferai du ski demain seulement s'il neige aujourd'hui. » Contraposée : « Si je ne fais pas de ski demain, c'est qu'il n'aura pas neigé aujourd'hui. »

b) Réciproque : « Si je viens en classe, il y aura un test. » Contraposée : « Si je ne viens pas en classe, alors il n'y aura pas de test. »

c) Réciproque : « Un entier positif est un nombre premier s'il n'admet aucun diviseur autre que 1 et lui-même. » Contraposée : « Si un entier positif admet un diviseur autre que 1 et lui-même, il n'est pas un nombre premier. »

15. **a)**

p	$\neg p$	$p \wedge \neg p$
V	F	F
F	V	F

b)

p	$\neg p$	$p \vee \neg p$
V	F	V
F	V	V

c)

p	q	$\neg q$	$p \vee \neg q$	$(p \vee \neg q) \to q$
V	V	F	V	V
V	F	V	V	F
F	V	F	F	V
F	F	V	V	F

d)

p	q	$p \vee q$	$p \wedge q$	$(p \vee q) \to (p \wedge q)$
V	V	V	V	V
V	F	V	F	F
F	V	V	F	F
F	F	F	F	V

e)

p	q	$p \to q$	$\neg q$	$\neg p$	$\neg q \to \neg p$	$(p \to q) \leftrightarrow (\neg q \to \neg p)$
V	V	V	F	F	V	V
V	F	F	V	F	F	V
F	V	V	F	V	V	V
F	F	V	V	V	V	V

f)

p	q	$p \to q$	$q \to p$	$(p \to q) \to (q \to p)$
V	V	V	V	V
V	F	F	V	V
F	V	V	F	F
F	F	V	V	V

17. **a)**

p	q	$p \to \neg q$
V	V	F
V	F	V
F	V	V
F	F	V

b)

p	q	$\neg p \leftrightarrow q$
V	V	F
V	F	V
F	V	V
F	F	F

c)

p	q	$(p \rightarrow q) \vee (\neg p \rightarrow q)$
V	V	V
V	F	V
F	V	V
F	F	V

d)

p	q	$(p \rightarrow q) \wedge (\neg p \rightarrow q)$
V	V	V
V	F	F
F	V	V
F	F	F

e)

p	q	$(p \leftrightarrow q) \vee (\neg p \leftrightarrow q)$
V	V	V
V	F	V
F	V	V
F	F	V

f)

p	q	$(\neg p \leftrightarrow \neg q) \leftrightarrow (p \leftrightarrow q)$
V	V	V
V	F	V
F	V	V
F	F	V

19. a)

p	q	r	$p \rightarrow (\neg q \vee r)$
V	V	V	V
V	V	F	F
V	F	V	V
V	F	F	V
F	V	V	V
F	V	F	V
F	F	V	V
F	F	F	V

b)

p	q	r	$\neg p \rightarrow (q \rightarrow r)$
V	V	V	V
V	V	F	V
V	F	V	V
V	F	F	V
F	V	V	V
F	V	F	F
F	F	V	V
F	F	F	V

c)

p	q	r	$(p \rightarrow q) \vee (\neg p \rightarrow r)$
V	V	V	V
V	V	F	V
V	F	V	V
V	F	F	V
F	V	V	V
F	V	F	V
F	F	V	V
F	F	F	V

d)

p	q	r	$(p \rightarrow q) \wedge (\neg p \rightarrow r)$
V	V	V	V
V	V	F	V
V	F	V	F
V	F	F	F
F	V	V	V
F	V	F	F
F	F	V	V
F	F	F	F

e)

p	q	r	$(p \leftrightarrow q) \vee (\neg q \leftrightarrow r)$
V	V	V	V
V	V	F	V
V	F	V	V
V	F	F	F
F	V	V	F
F	V	F	V
F	F	V	V
F	F	F	V

f)

p	q	r	$(\neg p \leftrightarrow \neg q) \leftrightarrow (q \leftrightarrow r)$
V	V	V	V
V	V	F	F
V	F	V	V
V	F	F	F
F	V	V	F
F	V	F	V
F	F	V	F
F	F	F	V

21. a) L'opérateur *OU* donne 11 11111 ; l'opérateur *ET* donne 00 00000 ; l'opérateur *OU* exclusif donne 11 11111.

b) L'opérateur *OU* donne 111 11010 ; l'opérateur *ET* donne 101 00000 ; l'opérateur *OU* exclusif donne 010 11010.

c) L'opérateur *OU* donne 10011 11001 ; l'opérateur *ET* donne 00010 00000 ; l'opérateur *OU* exclusif donne 10001 11001.

d) L'opérateur *OU* donne 11111 11111 ; l'opérateur *ET* donne 00000 00000 ; l'opérateur *OU* exclusif donne 11111 11111.

23. 0,2 ; 0,6

25. 0,8 ; 0,6

27. Spécifications incohérentes

Section 1.2

1. Les tables de vérité des équivalences proposées sont les suivantes :

p	$p \wedge V$	$p \vee F$	$p \wedge F$	$p \vee V$	$p \vee p$	$p \wedge p$
V	V	V	F	V	V	V
F	F	F	F	V	F	F

3. a)

p	q	$p \vee q$	$q \vee p$
V	V	V	V
V	F	V	V
F	V	V	V
F	F	F	F

b)

p	q	$p \wedge q$	$q \wedge p$
V	V	V	V
V	F	F	F
F	V	F	F
F	F	F	F

5.

p	q	r	$q \vee r$	$p \wedge (q \vee r)$	$p \wedge q$	$p \wedge r$	$(p \wedge q) \vee (p \wedge r)$
V	V	V	V	V	V	V	V
V	V	F	V	V	V	F	V
V	F	V	V	V	F	V	V
V	F	F	F	F	F	F	F
F	V	V	V	F	F	F	F
F	V	F	V	F	F	F	F
F	F	V	V	F	F	F	F
F	F	F	F	F	F	F	F

7. a)

p	q	$p \wedge q$	$(p \wedge q) \rightarrow p$
V	V	V	V
V	F	F	V
F	V	F	V
F	F	F	V

b)

p	q	$p \vee q$	$p \rightarrow (p \vee q)$
V	V	V	V
V	F	V	V
F	V	V	V
F	F	F	V

c)

p	q	$\neg p$	$p \rightarrow q$	$\neg p \rightarrow (p \rightarrow q)$
V	V	F	V	V
V	F	F	F	V
F	V	V	V	V
F	F	V	V	V

d)

p	q	$p \wedge q$	$p \rightarrow q$	$(p \wedge q) \rightarrow (p \rightarrow q)$
V	V	V	V	V
V	F	F	F	V
F	V	F	V	V
F	F	F	V	V

e)

p	q	$p \rightarrow q$	$\neg (p \rightarrow q)$	$\neg (p \rightarrow q) \rightarrow p$
V	V	V	F	V
V	F	F	V	V
F	V	V	F	V
F	F	V	F	V

f)

p	q	$p \rightarrow q$	$\neg (p \rightarrow q)$	$\neg q$	$\neg (p \rightarrow q) \rightarrow \neg q$
V	V	V	F	F	V
V	F	F	V	V	V
F	V	V	F	F	V
F	F	V	F	V	V

9. Dans chacun des cas, on démontrera que si l'hypothèse est vraie, alors la conclusion l'est aussi.

a) Si l'hypothèse $p \wedge q$ est vraie, alors par définition même de la conjonction, la conclusion p est également vraie.

b) Si l'hypothèse p est vraie, alors par définition de la disjonction, la conclusion $p \vee q$ est également vraie.

c) Si l'hypothèse $\neg p$ est vraie, autrement dit si p est fausse, alors la conclusion $p \rightarrow q$ est vraie.

d) Si l'hypothèse $p \wedge q$ est vraie, alors à la fois p et q sont vraies, de telle sorte que la conclusion $p \rightarrow q$ est également vraie.

e) Si l'hypothèse $\neg (p \rightarrow q)$ est vraie, alors $p \rightarrow q$ est fausse, de telle sorte que la conclusion p est vraie (et que q est fausse).

f) Si l'hypothèse $\neg (p \rightarrow q)$ est vraie, alors $p \rightarrow q$ est fausse, de telle sorte que p est vraie et que q est fausse. Donc, la conclusion $\neg q$ est vraie.

11. a) Si p est vraie, alors $p \vee (p \wedge q)$ est vraie, puisque la première proposition dans la disjonction est vraie. D'un autre côté, si p est fausse, alors $p \wedge q$ est également fausse, de telle sorte que $p \vee (p \wedge q)$ est fausse. Puisque p et $(p \wedge q)$ ont toujours la même valeur de vérité, les deux membres sont équivalents.

b) Si p est fausse, alors $p \wedge (p \vee q)$ est fausse, puisque la première partie de la conjonction est fausse. D'un autre côté, si p est vraie, alors les deux membres de la conjonction sont vrais, puisque $p \vee q$ est également vraie. Puisque p et $p \wedge (p \vee q)$ ont toujours la même valeur de vérité, les deux membres sont équivalents.

13. Cette implication est fausse uniquement quand $\neg q \wedge (p \to q)$ est vraie et que $\neg p$ est fausse. Pour que $\neg p$ soit fausse, p doit être vraie. Pour que $\neg q \wedge (p \to q)$ soit vraie, $\neg q$ doit être vraie, de telle sorte que q est fausse. Puisque p est vraie, cela rend $p \to q$ fausse, ce qui est contradictoire.

15. Il n'y a pas équivalence logique puisque quand p, q et r sont toutes les trois fausses, $(p \to q) \to r$ est fausse, mais $p \to (q \to r)$ est vraie.

17. La proposition $\neg p \leftrightarrow q$ est vraie quand $\neg p$ et q ont les mêmes valeurs de vérité, ce qui signifie que p et q ont différentes valeurs de vérité. De façon similaire, $p \leftrightarrow \neg q$ est vraie exactement dans les mêmes cas. Par conséquent, ces deux expressions sont logiquement équivalentes.

19. La proposition $\neg (p \leftrightarrow q)$ est vraie quand $p \leftrightarrow q$ est fausse, ce qui signifie que p et q ont des valeurs de vérité différentes. Puisque cela se produit précisément quand $\neg p \leftrightarrow q$ est vraie, les deux expressions sont logiquement équivalentes.

21. Si on prend deux fois les duals, chaque $\vee$ se change en une $\wedge$ puis de nouveau en une $\vee$; chaque $\wedge$ se change en une $\vee$ et de nouveau en une $\wedge$; chaque **V** devient **F** puis redevient **V**; chaque **F** devient **V** puis de nouveau **F**. Par conséquent, $(s*)* = s$.

23. Soit p et q des propositions composées équivalentes comprenant seulement les opérateurs $\vee$, $\wedge$ et $\neg$, ainsi que **V** et **F**. À noter que $\neg p$ et $\neg q$ sont également équivalentes. On utilise les lois de De Morgan aussi souvent que c'est nécessaire, de manière à pousser ces négations aussi loin que possible à l'intérieur de ces deux propositions composées, en changeant les $\vee$ en des $\wedge$ et réciproquement, et en changeant les **V** en **F** et réciproquement. Cela démontre que $\neg p$ et $\neg q$ sont les mêmes, puisque $p*$ et $q*$, sauf que chaque proposition atomique p_i dans ceux-ci est remplacée par sa négation. Donc, on peut conclure que $p*$ et $q*$ sont équivalentes puisque $\neg p$ et $\neg q$ le sont.

25. $(p \wedge q \wedge \neg r) \vee (p \wedge \neg q \wedge r) \vee (\neg p \wedge q \wedge r)$

27. Étant donné une proposition composée p, on établit sa table de vérité, puis on écrit une proposition q de forme normale disjonctive qui est logiquement équivalente à p. Puisque q ne nécessite que $\neg$, $\wedge$ et $\vee$, cela démontre que ces trois opérateurs forment un ensemble fonctionnellement complet.

29. D'après l'exercice 27, étant donné une proposition composée p, on peut écrire une proposition q qui est logiquement équivalente à p et qui ne nécessite que les opérateurs $\neg$, $\wedge$ et $\vee$. En appliquant la loi de De Morgan, on peut éliminer toutes les occurrences de $\wedge$ en remplaçant $p_1 \wedge p_2 \wedge \cdots \wedge p_n$ par $\neg(\neg p_1 \vee \neg p_2 \vee \cdots \vee \neg p_n)$.

31. $\neg (p \wedge q)$ est vraie si soit p, soit q ou les deux sont fausses; et cette proposition est fausse si p et q sont toutes deux vraies. Puisque cet énoncé est la définition de $p \mid q$, les deux propositions composées sont logiquement équivalentes.

33. $\neg (p \vee q)$ est vraie quand p et q sont toutes deux fausses et elle est fausse autrement. Puisque cet énoncé est la définition de $p \downarrow q$, les deux propositions sont logiquement équivalentes.

35. $((p \downarrow p) \downarrow q) \downarrow ((p \downarrow p) \downarrow q)$

37. Ce résultat provient directement de la table de vérité de la définition de $p \mid q$.

39. 16

41. $p \to q$ est fausse si et seulement si p est vraie et que q est fausse. De la même façon, $\neg q \to \neg p$ est fausse si et seulement si $\neg q$ est vraie et que $\neg p$ est fausse; c'est le cas si p est vraie et que q est fausse. Par conséquent, $p \to q$ et $\neg q \to \neg p$ sont des propositions logiquement équivalentes.

Section 1.3

1. a) V   **b)** V   **c)** F

3. a) V   **b)** F   **c)** F   **d)** F

5. a) Il existe un étudiant qui passe plus de cinq heures par jour en classe.

    b) Tous les étudiants passent plus de cinq heures par jour en classe.

    c) Il y a un étudiant qui ne passe pas plus de cinq heures par jour en classe.

    d) Aucun étudiant ne passe plus de cinq heures par jour en classe.

7. a) $\exists x(P(x) \land Q(x))$

    b) $\exists x(P(x) \land \neg Q(x))$

    c) $\forall x(P(x) \lor Q(x))$

    d) $\forall x \neg (P(x) \lor Q(x))$

9. a) $\forall x L(x, \text{Georges})$

    b) $\forall x \exists y L(x, y)$

    c) $\exists y \forall x L(x, y)$

    d) $\forall x \exists y \neg L(x, y)$

    e) $\exists x \neg L(\text{Lydia}, x)$

    f) $\exists x \forall y \neg L(y, x)$

    g) $\exists x(\forall y L(y, x) \land \forall z((\forall w L(w, z)) \to z = x))$

    h) $\exists x \exists y(x \neq y \land L(\text{Lyne}, x) \land L(\text{Lyne}, y) \land \forall z (L(\text{Lyne}, z) \to (z = x \lor z = y)))$

    i) $\forall x L(x, x)$

    j) $\exists x \forall y(L(x, y) \to x = y)$

11. a) $\forall x P(x)$, où $P(x)$ est « x a besoin d'un cours de mathématiques discrètes. », et l'univers du discours est l'ensemble de tous les étudiants en informatique.

    b) $\exists x P(x)$, où $P(x)$ est « x possède un ordinateur personnel. », et l'univers du discours est l'ensemble des étudiants de cette classe.

    c) $\forall x \exists y P(x, y)$, où $P(x, y)$ est « x a pris y. », l'univers du discours x est l'ensemble des étudiants de cette classe et l'univers du discours de y est l'ensemble des classes d'informatique.

    d) $\exists x \exists y P(x, y)$, où $P(x, y)$ et les univers du discours sont les mêmes qu'en c).

    e) $\forall x \forall y P(x, y)$, où $P(x, y)$ est « x a été dans y. », l'univers du discours pour x est l'ensemble des étudiants de cette classe et l'univers du discours pour y est l'ensemble des bâtiments du campus.

    f) $\exists x \exists y \forall z(P(x, y) \to Q(z, z))$, où $P(z, y)$ est « z est dans y. », et $Q(x, z)$ est « x a été dans z. » ; l'univers du discours pour x est l'ensemble des étudiants de cette classe, l'univers du discours pour y est l'ensemble des bâtiments du campus ; l'univers du discours pour z est l'ensemble des salles de classe.

    g) $\forall x \forall y \exists z(P(z, y) \land Q(x, z))$ avec les mêmes définitions qu'en f)

13. a) V   **b)** V   **c)** F

    d) F   **e)** V   **f)** F

15. a) $P(1, 3) \lor P(2, 3) \lor P(3, 3)$

    b) $P(1, 1) \land P(1, 2) \land P(1, 3)$

    c) $P(1, 1) \land P(1, 2) \land P(1, 3) \land P(2, 1) \land P(2, 2) \land P(2, 3) \land P(3, 1) \land P(3, 2) \land P(3, 3)$

    d) $P(1, 1) \lor P(1, 2) \lor P(1, 3) \lor P(2, 1) \lor P(2, 2) \lor P(2, 3) \lor P(3, 1) \lor P(3, 2) \lor P(3, 3)$

    e) $(P(1, 1) \land P(1, 2) \land P(1, 3)) \lor (P(2, 1) \land P(2, 2) \land P(2, 3)) \lor (P(3, 1) \land P(3, 2) \land P(3, 3))$

    f) $(P(1, 1) \lor P(2, 1) \lor P(3, 1)) \land (P(1, 2) \lor P(2, 2) \lor P(3, 2)) \land (P(1, 3) \lor P(2, 3) \lor P(3, 3))$

17. a) $\forall x(P(x) \to \neg Q(x))$

    b) $\forall x(Q(x) \to R(x))$

    c) $\forall x(P(x) \to \neg R(x))$

    d) La conclusion n'en découle pas. Il peut y avoir des professeurs vaniteux puisque les prémisses n'éliminent pas la possibilité qu'il y ait d'autres personnes vaniteuses en plus des personnes ignorantes.

19. a) $\forall x(P(x) \to \neg Q(x))$

    b) $\forall x(R(x) \to \neg S(x))$

    c) $\forall x(\neg Q(x) \to S(x))$

    d) $\forall x(P(x) \to \neg R(x))$

    e) La conclusion en découle. On suppose que x est un bébé. Alors, selon la première prémisse, x est illogique, de telle sorte que la troisième prémisse x est rejetée. La deuxième prémisse énonce que x peut apprivoiser un crocodile, alors x n'est pas rejetée. Par conséquent, x ne peut apprivoiser un crocodile.

21. $\neg(\exists x \forall y P(x, y)) \leftrightarrow \forall x(\neg \forall y P(x, y)) \leftrightarrow \forall x \exists y \neg P(x, y)$

23. Les deux énoncés sont vrais précisément quand au moins l'une de $P(x)$ et de $Q(x)$ est vraie pour au moins une valeur de x dans l'univers du discours.

25. a) Si A est vraie, alors les deux membres sont logiquement équivalents à $\forall x P(x)$. Si A est fausse, le membre de gauche est faux. De plus, pour chaque x, $P(x) \land A$ est fausse, de telle sorte que le membre de droite est faux. Donc, les deux membres sont logiquement équivalents.

    b) Si A est vraie, alors les deux membres sont logiquement équivalents à $\exists x P(x)$. Si A est fausse, le membre de gauche est faux. De plus, pour chaque x, $P(x) \land A$ est fausse, de telle sorte que $\exists x(P(x) \land A)$ est fausse. Donc, les deux membres sont logiquement équivalents.

27. Pour démontrer qu'ils sont logiquement équivalents, soit $P(x)$ l'énoncé « x est positif. », et soit $Q(x)$

l'énoncé « x est négatif. » dans l'univers du discours de l'ensemble des entiers. Alors, $\exists x P(x) \wedge \exists x Q(x)$ est vraie, mais $\exists x (P(x) \wedge Q(x))$ est fausse.

29. a) On suppose que $\forall x P(x) \wedge \exists x Q(x)$ est vraie. Alors, $P(x)$ est vraie pour toutes les valeurs de x et il y a un élément y pour lequel $Q(y)$ est vraie. Puisque $P(x) \wedge Q(y)$ est vraie pour toutes les valeurs de x et qu'il y a une valeur y pour laquelle $Q(y)$ est vraie, $\forall x \exists y (P(x) \wedge Q(y))$ est vraie. Réciproquement, on suppose que la deuxième proposition est vraie. Soit x un élément de l'univers du discours. Il existe une valeur y telle que $Q(y)$ est vraie, de telle sorte que $\exists x Q(x)$ est vraie. Puisque $\forall x P(x)$ est également vraie, il s'ensuit que la première proposition est vraie.

b) On suppose que $\forall x P(x) \vee \exists x Q(x)$ est vraie. Alors, $P(x)$ est vraie pour toutes les valeurs de x ou il existe une valeur de y pour laquelle $Q(y)$ est vraie. Dans le premier cas, $P(x) \vee Q(y)$ est vraie pour toutes les valeurs de x, de telle sorte que $\forall x \exists y (P(x) \vee Q(y))$ est vraie. Dans le dernier cas, $Q(y)$ est vraie pour une valeur particulière de y, de telle sorte que $P(x) \vee Q(y)$ est vraie pour toutes les valeurs de x. Par conséquent, $\forall x \exists y (P(x) \vee Q(y))$ est vraie. Réciproquement, on suppose que la deuxième proposition est vraie. Si $P(x)$ est vraie pour toutes les valeurs de x, alors la première proposition est vraie. Si elle ne l'est pas, $P(x)$ est fausse pour une certaine valeur de x et, pour cette valeur x, il existe une valeur y de telle sorte que $P(x) \vee Q(y)$ est vraie. Donc, $Q(y)$ doit être vraie, de telle sorte que $\exists y Q(y)$ est vraie. Il s'ensuit que la première proposition est valide.

31. a) Vraie.

b) Fausse, à moins que l'univers du discours ne soit constitué que d'un seul élément.

c) Vraie

33. $\exists x P(x) \wedge \forall x \forall y ((P(x) \wedge P(y)) \rightarrow x = y)$

35. On démontrera comment une expression peut être transformée sous la forme prénexe normale (FNP) si ses sous-expressions peuvent être transformées en FNP. Alors, en travaillant de l'intérieur vers l'extérieur, toute expression peut être transformée en FNP. (Pour formaliser cet argument, il est nécessaire d'utiliser l'induction mathématique pour les ensembles qui seront présentés à la section 3.3.) Selon le résultat de l'exercice 29 de la section 1.2, on peut supposer que la proposition utilise seulement des disjonctions et des négations à titre de connecteurs. On note maintenant que toute proposition sans quantificateur est déjà en FNP. (Cela constitue la base de l'argument.) On suppose que la proposition est de la forme $QxP(x)$, où Q est un quantificateur. Puisque $P(x)$ est une expression plus courte que la proposition originale, on peut la mettre en FNP. Alors, Qx suivie par cette FNP est de nouveau en FNP et elle est équivalente à la proposition originale. Puis, on suppose que la proposition est de la forme $\neg P$. Si P est déjà en FNP, on place le signe de négation après tous les quantificateurs en utilisant les équivalences du tableau 3. Finalement, on suppose que cette proposition est de la forme $P \vee Q$, où chaque proposition P et Q est en FNP. Si une proposition seulement, P ou Q, a des quantificateurs, alors on peut se référer à l'exercice 24 pour placer ce quantificateur avant les deux propositions. Si les deux propositions P et Q ont des quantificateurs, on peut se référer aux exercices 23, 28 ou 29 b) pour réécrire $P \vee Q$ avec deux quantificateurs précédant la disjonction d'une proposition de la forme $R \vee S$ et, ensuite, on peut mettre $R \vee S$ en FNP.

Section 1.4

1. a) $\{-1, 1\}$

b) $\{1, 2, 3, 4, 5, 6, 7, 8, 9, 10, 11\}$

c) $\{0, 1, 4, 9, 16, 25, 36, 49, 64, 81\}$

d) $\varnothing$

3. a) Oui   **b)** Non   **c)** Non

5. a) Vrai   **b)** Vrai   **c)** Faux

d) Vrai   **e)** Vrai   **f)** Faux

7. On suppose que $x \in A$. Puisque $A \subseteq B$, cela implique que $x \in B$. Puisque $B \subseteq C$, on constate que $x \in C$. Puisque $x \in A$ implique que $x \in C$, il s'ensuit que $A \subseteq C$.

9. a) 1   **b)** 1   **c)** 2   **d)** 3

11. a) $\{\varnothing, \{a\}\}$

b) $\{\varnothing, \{a\}, \{b\}, \{a, b\}\}$

c) $\{\varnothing, \{\varnothing\}, \{\{\varnothing\}\}, \{\varnothing\{\varnothing\}\}\}$

13. a) 8   **b)** 16   **c)** 2

15. a) $\{(a, y), (b, y), (c, y), (d, y), (a, z), (b, z), (c, z), (d, z)\}$

b) $\{(y, a), (y, b), (y, c), (y, d), (z, a), (z, b), (z, c), (z, d)\}$

17. L'ensemble des triplets (a, b, c), où a est une compagnie aérienne et b et c sont des villes.

19. $\varnothing \times A = \{(x, y) \mid x \in \varnothing$ et $y \in A\} = \varnothing = \{(x, y) \mid x \in A$ et $y \in \varnothing\} = A \times \varnothing$

21. *mn*

23. On doit démontrer que $\{\{a\}, \{a, b\}\} = \{\{c\}, \{c, d\}\}$ si et seulement si $a = c$ et $b = d$. La partie « si » est immédiate. On suppose que les deux ensembles sont égaux. Premièrement, on considère le cas où $a \neq b$. Alors, $\{\{a\}, \{a, b\}\}$ contient exactement deux éléments, l'un des deux comportant un seul élément. Alors, $\{\{c\}, \{c, d\}\}$ doit avoir la même propriété, de sorte que $c \neq d$ et $\{c\}$ est l'élément contenant exactement un élément. Donc, $\{a\} = \{c\}$, ce qui implique que $a = c$. Les ensembles à deux éléments $\{a, b\}$ et $\{c, d\}$ doivent être égaux. Puisque $a = c$ et

que $a \neq b$, il s'ensuit que $b = d$. Ensuite, on suppose que $a = b$. Alors, $\{\{a\}, \{a, b\}\} = \{\{a\}\}$, un ensemble avec un élément. Donc, $\{\{c\}, \{c, d\}\}$ a seulement un élément, ce qui ne peut se produire que lorsque $c = d$ et que l'ensemble est $\{\{c\}\}$. Il s'ensuit que $a = c$ et $b = d$.

25. Soit $S = \{a_1, a_2, ..., a_n\}$. On représente chaque sous-ensemble de S avec une chaîne binaire de longueur n où le i-ième bit est 1 si et seulement si $a_i \in S$. Pour générer tous les sous-ensembles de S, on énumère toutes les chaînes binaires 2^n de longueur n (par exemple, en ordre croissant) et on écrit les sous-ensembles correspondants.

Section 1.5

1. a) L'ensemble des étudiants qui habitent à moins de 1 km de l'école et qui s'y rendent à pied.

b) L'ensemble des étudiants qui habitent à moins de 1 km de l'école ou qui s'y rendent à pied (ou les deux).

c) L'ensemble des étudiants qui habitent à moins de 1 km de l'école, mais qui ne s'y rendent pas à pied.

d) L'ensemble des étudiants qui se rendent à pied à l'école, mais qui habitent à plus de 1 km de celle-ci.

3. a) $\{0, 1, 2, 3, 4, 5, 6\}$ **b)** $\{3\}$

c) $\{1, 2, 4, 5\}$ **d)** $\{0, 6\}$

5. $\overline{\overline{A}} = \{x \mid \neg(x \in \overline{A})\} = \{x \mid \neg(\neg x \in A)\} = \{x \mid x \in A\} = A$

7. a) $A \cup B = \{x \mid x \in A \vee x \in B\}$
$$= \{x \mid x \in B \vee x \in A\} = B \cup A$$

b) $A \cap B = \{x \mid x \in A \wedge x \in B\}$
$$= \{x \mid x \in B \wedge x \in A\} = B \cap A$$

9. a) $x \in \overline{(A \cup B)} \Leftrightarrow x \notin (A \cup B) \Leftrightarrow$
$\neg(x \in A \vee x \in B) \Leftrightarrow \neg(x \in A) \wedge$
$\neg(x \in B) \Leftrightarrow x \notin A \wedge x \notin B \Leftrightarrow$
$x \in \overline{A} \wedge x \in \overline{B} \Leftrightarrow x \in \overline{A} \cap \overline{B}$

b)

A	B	$A \cup B$	$\overline{(A \cup B)}$	$\overline{A}$	$\overline{B}$	$\overline{A} \cup \overline{B}$
1	1	1	0	0	0	0
1	0	1	0	0	1	0
0	1	1	0	1	0	0
0	0	0	1	1	1	1

11. a) $x \in \overline{A \cap B \cap C} \Leftrightarrow x \notin A \cap B \cap C \Leftrightarrow$
$x \notin A \vee x \notin B \vee x \notin C \Leftrightarrow x \in \overline{A} \vee x \in \overline{B} \vee x \in \overline{C} \Leftrightarrow x \in \overline{A} \cup \overline{B} \cup \overline{C}$

b)

A	B	C	$A \cap B \cap C$	$\overline{(A \cap B \cap C)}$	$\overline{A}$	$\overline{B}$	$\overline{C}$	$\overline{A} \cup \overline{B} \cup \overline{C}$
1	1	1	1	0	0	0	0	0
1	1	0	0	1	0	0	1	1
1	0	1	0	1	0	1	0	1
1	0	0	0	1	0	1	1	1
0	1	1	0	1	1	0	0	1
0	1	0	0	1	1	0	1	1
0	0	1	0	1	1	1	0	1
0	0	0	0	1	1	1	1	1

13. Chacun des deux ensembles de part et d'autre de l'égalité est égal à $\{x \mid x \in A \land x \notin B\}$.

15. a) $x \in A \cup (B \cup C) \Leftrightarrow$
$(x \in A) \lor (x \in (B \cup C)) \Leftrightarrow (x \in A) \lor$
$(x \in B \lor x \in C) \Leftrightarrow (x \in A \lor x \in B) \lor$
$(x \in C) \Leftrightarrow x \in (A \cup B) \cup C$

b) Mêmes solutions qu'en a), avec $\cup$ remplacé par $\cap$ et $\lor$ remplacé par $\land$

c) $x \in A \cup (B \cap C) \Leftrightarrow (x \in A) \lor$
$(x \in (B \cap C)) \Leftrightarrow (x \in A) \lor$
$(x \in B \land x \in C) \Leftrightarrow (x \in A \lor x \in B) \land$
$(x \in A \lor x \in C) \Leftrightarrow x \in (A \cup B) \cap (A \cup C)$

17. a) $\{4, 6\}$ **b)** $\{0, 1, 2, 3, 4, 5, 6, 7, 8, 9, 10\}$
c) $\{4, 5, 6, 8, 10\}$ **d)** $\{0, 2, 4, 5, 6, 7, 8, 9, 10\}$

19. a) $B \subseteq A$ **b)** $A \subseteq B$ **c)** $A \cap B = \varnothing$
d) Rien, puisque l'expression est toujours vraie.   **e)** $A = B$

21. $A \subseteq B \Leftrightarrow \forall x (x \in A \to x \in B) \Leftrightarrow$
$\forall x (x \notin B \to x \notin A) \Leftrightarrow \forall x (x \in \overline{B} \to x \in \overline{A})$
$\Leftrightarrow \overline{B} \subseteq \overline{A}$

23. L'ensemble des étudiants qui étudient en informatique mais non en mathématiques ou qui étudient en mathématiques mais non en informatique.

25. Un élément fait partie de $(A \cup B) - (A \cap B)$ s'il est dans l'union de A et de B, mais non dans l'intersection de A et de B, ce qui signifie qu'il est dans A ou dans B mais non à la fois dans A et dans B. C'est le sens exact de l'appartenance d'un élément à $A \oplus B$.

27. a) $A \oplus A = (A - A) \cup (A - A) = \varnothing \cup \varnothing = \varnothing$
b) $A \oplus \varnothing = (A - \varnothing) \cup (\varnothing - A) = A \cup \varnothing = A$
c) $A \oplus U = (A - U) \cup (U - A) = \varnothing \cup \overline{A} = \overline{A}$
d) $A \oplus \overline{A} = (A - \overline{A}) \cup (\overline{A} - A) = A \cup \overline{A} = U$

29. $B = \varnothing$

31. Oui. On suppose que $x \in A$ mais que $x \notin B$. Si $x \in C$, alors $x \notin A \oplus C$ mais $x \in B \oplus C$, ce qui est une contradiction. Si $x \notin C$, alors $x \in A \oplus C$ mais $x \notin B \oplus C$, ce qui est une contradiction. Par conséquent, $A \subseteq B$. De façon similaire, $B \subseteq A$ de sorte que $A = B$.

33. Oui

35. a) $\{1, 2, 3, \ldots, n\}$ **b)** $\{1\}$
37. a) A_n **b)** $\{0, 1\}$
39. a) $\{1, 2, 3, 4, 7, 8, 9, 10\}$
b) $\{2, 4, 5, 6, 7\}$
c) $\{1, 10\}$

41. Le bit en n-ième position de la chaîne binaire pour la différence de deux ensembles est 1 si le n-ième bit de la première chaîne est 1 et le n-ième bit de la deuxième chaîne est 0, et il est 0 autrement.

43. a) 1 11110 00000 00000 00000 00000 ∨ 0 11100 10000 00001 00010 10000 = 1 11110 10000 00001 00010 10000, représentant $\{a, b, c, d, e, g, p, t, v\}$

b) 1 11110 00000 00000 00000 00000 ∧ 0 11100 10000 00001 00010 10000 = 0 11100 00000 00000 00000 00000, représentant $\{b, c, d\}$

c) (1 11110 00000 00000 00000 00000 ∨ 0 00110 01100 00110 00011 00110) ∧ (0 11100 100000 00001 00010 10000 ∨ 0 01010 00100 00010 00001 00111) = 1 11110 01100 00110 00011 00110 ∧ 0 11110 10100 00011 00011 10111 = 0 11110 00100 00010 00011 00110, représentant $\{b, c, d, e, i, o, t, u, x, y\}$

d) 1 11110 00000 00000 00000 00000 ∨ 0 11100 10000 00001 00010 10000 ∨ 0 01010 00100 00010 00001 00111 ∨ 0 00110 01100 00110 00011 00110 = 1 11110 11100 00111 00011 10111, représentant $\{a, b, c, d, e, g, h, i, n, o, p, t, u, v, x, y, z\}$

45. a) $\{1, 2, 3, \{1, 2, 3\}\}$

b) $\{\varnothing\}$

c) $\{\varnothing, \{\varnothing\}\}$

d) $\{\varnothing, \{\varnothing\}, \{\varnothing, \{\varnothing\}\}\}\}$

47. a) $\{3 \cdot a, 3 \cdot b, 1 \cdot c, 4 \cdot d\}$

b) $\{2 \cdot a, 2 \cdot b\}$

c) $\{1 \cdot a, 1 \cdot c\}$

d) $\{1 \cdot b, 4 \cdot d\}$

e) $\{5 \cdot a, 5 \cdot b, 1 \cdot c, 4 \cdot d\}$

49. $\overline{F} = \{0,4 \text{ Alice}, 0,1 \text{ Bernard}, 0,6 \text{ Frédérique}, 0,9 \text{ Oscar}, 0,5 \text{ Rita}\}$, $\overline{R} = \{0,6 \text{ Alice}, 0,2 \text{ Bernard}, 0,8 \text{ Frédérique}, 0,1 \text{ Oscar}, 0,3 \text{ Rita}\}$

51. $F \cap R = \{0,4 \text{ Alice}, 0.8 \text{ Bernard}, 0,2 \text{ Frédérique}, 0,1 \text{ Oscar}, 0,5 \text{ Rita}\}$

Section 1.6

1. a) $f(0)$ n'est pas définie.

b) $f(x)$ n'est pas définie pour $x < 0$.

c) $f(x)$ n'est pas bien définie, car il y a deux valeurs distinctes qui sont attribuées à chaque valeur de x.

3. a) Ce n'est pas une fonction.

b) C'est une fonction.

c) Ce n'est pas une fonction.

5. a) 1   **b)** 0

c) 0   **d)** −1

e) 3   **f)** −1

7. C'est une fonction surjective seulement dans le cas a).

9. Ce sont des fonctions surjectives seulement dans les cas a) et d).

11. a) Oui   **b)** Non

c) Oui   **d)** Non

13. a) $f(S) = \{0, 1, 3\}$

b) $f(S) = \{0, 1, 3, 5, 8\}$

c) $f(S) = \{0, 8, 16, 40\}$

d) $f(S) = \{1, 12, 33, 65\}$

15. a) Soit x et y des éléments distincts de A. Puisque g est une fonction injective, $g(x)$ et $g(y)$ sont des éléments distincts de B. Puisque f est une fonction injective, $f(g(x)) = (f \circ g)(x)$ et $f(g(y))$ $= (f \circ g)(y)$ sont des éléments distincts de C. Par conséquent, $f \circ g$ est une fonction injective.

b) Soit $y \in C$. Puisque f est une fonction surjective, $y = f(b)$ pour au moins une valeur $b \in B$. Maintenant, puisque g est une fonction surjective, $b = g(x)$ pour au moins une valeur $x \in A$. Par conséquent, $y = f(b) = f(g(x)) = (f \circ g)(x)$. Il s'ensuit que $f \circ g$ est une fonction surjective.

17. Non. Par exemple, on suppose que $A = \{a\}$, $B = \{b, c\}$ et $C = \{d\}$. Soit $g(a) = b$, $f(b) = d$ et $f(c) = d$, f et $f \circ g$ sont des fonctions surjectives, mais g n'en est pas une.

19. $(f + g)(x) = x^2 + x + 3$, $(fg)(x) = x^3 + 2x^2 + x + 2$

21. La fonction f est injective puisque $f(x_1) = f(x_2) \Leftrightarrow ax_1 + b = ax_2 + b \Leftrightarrow ax_1 = ax_2 \Leftrightarrow x_1 = x_2$. La fonction f est une fonction surjective puisque $f((y - b)/a) = y$ et que $f^{-1}(y) = (y - b)/a$.

23. Soit $f(1) = a$, $f(2) = a$. Soit $S = \{1\}$ et $T = \{2\}$. Alors, $f(S \cap T) = f(\varnothing) = \varnothing$ mais $f(S) \cap f(T) = \{a\} \cap \{a\} = \{a\}$.

25. a) $\{x \mid 0 \leq x < 1\}$

b) $(x \mid -1 \leq x < 2)$

c) $\varnothing$

27. $f^{-1}(\overline{S}) = \{x \in A \mid f(x) \notin S\} = \overline{\{x \in A \mid f(x) \in S\}}$
$= \overline{f^{-1}(S)}$

29. On suppose que $N \le x < N + 1$. Si $N + \frac{1}{2} \le x$, alors $\lfloor 2x \rfloor = 2N + 1, \lfloor x \rfloor = N$ et $\lfloor x + \frac{1}{2} \rfloor = N + 1$, de telle sorte que $\lfloor 2x \rfloor = \lfloor x \rfloor + \lfloor x + \frac{1}{2} \rfloor$. Si $x < N + \frac{1}{2}$, alors $\lfloor 2x \rfloor = 2N$ et $\lfloor x \rfloor = \lfloor x + \frac{1}{2} \rfloor = N$, et de nouveau l'identité en découle.

31.

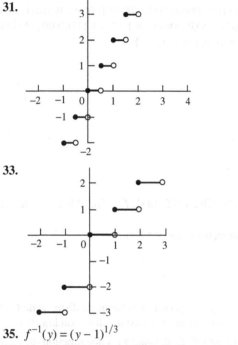

33.

35. $f^{-1}(y) = (y - 1)^{1/3}$

37. a) $f_{A \cap B}(x) = 1 \Leftrightarrow x \in A \cap B \Leftrightarrow x \in A$ et $x \in B$
$\Leftrightarrow f_A(x) = 1$ et $f_B(x) = 1 \Leftrightarrow f_A(x) f_B(x) = 1$

b) $f_{A \cup B}(x) = 1 \Leftrightarrow x \in A \cup B \Leftrightarrow x \in A$ ou $x \in B$
$\Leftrightarrow f_A(x) = 1$ ou $f_B(x) = 1 \Leftrightarrow$
$f_A(x) + f_B(x) - f_A(x) f_B(x) = 1$

c) $f_{\overline{A}}(x) = 1 \Leftrightarrow x \in \overline{A} \Leftrightarrow x \notin A \Leftrightarrow f_A(x) = 0 \Leftrightarrow$
$1 - f_A(x) = 1$

d) $f_{A \oplus B}(x) = 1 \Leftrightarrow x \in A \oplus B \Leftrightarrow (x \in A$ et $x \notin B)$
ou $(x \notin A$ et $x \in B) \Leftrightarrow$
$f_A(x) + f_B(x) - 2f_A(x) f_B(x) = 1$

39. a) Le domaine est $\mathbf{Z}$; le codomaine est $\mathbf{R}$; le domaine de définition est l'ensemble des entiers non nuls; l'ensemble des valeurs pour lesquelles f est indéfinie est $\{0\}$. Ce n'est pas une fonction totale.

b) Le domaine est $\mathbf{Z}$; le codomaine est $\mathbf{Z}$; le domaine de définition est $\mathbf{Z}$; l'ensemble des valeurs pour lesquelles f est indéfinie est $\varnothing$. C'est une fonction totale.

c) Le domaine est $\mathbf{Z} \times \mathbf{Z}$; le codomaine est $\mathbf{Q}$; le domaine de définition est $\mathbf{Z} \times (\mathbf{Z} - \{0\})$; l'ensemble des valeurs pour lesquelles f est indéfinie est $\mathbf{Z} \times \{0\}$. Ce n'est pas une fonction totale.

d) Le domaine est $\mathbf{Z} \times \mathbf{Z}$; le codomaine est $\mathbf{Z}$; le domaine de définition est $\mathbf{Z} \times \mathbf{Z}$; l'ensemble des valeurs pour lesquelles f est indéfinie est $\varnothing$. C'est une fonction totale.

e) Le domaine est $\mathbf{Z} \times \mathbf{Z}$; le codomaine est $\mathbf{Z}$; le domaine de définition est $\{(m, n) \mid m > n\}$; l'ensemble des valeurs pour lesquelles f est indéfinie est $\{(m, n) \mid m \le n\}$. Ce n'est pas une fonction totale.

Section 1.7

1. a) 3   **b)** −1
   c) 787   **d)** 2639

3. a) $a_0 = 2, a_1 = 3, a_2 = 5, a_3 = 9$
   b) $a_0 = 1, a_1 = 4, a_2 = 27, a_3 = 256$
   c) $a_0 = 0, a_1 = 0, a_2 = 1, a_3 = 1$
   d) $a_0 = 0, a_1 = 1, a_2 = 2, a_3 = 3$

5. a) 20   **b)** 11
   c) 30   **d)** 511

7. a) 1533   **b)** 510
   c) 4923   **d)** 9842

9. a) 21   **b)** 78
   c) 18   **d)** 18

11. $\sum_{j=1}^{n} (a_j - a_{j-1}) = a_n - a_0$

13. a) n^2 **b)** $n(n+1)/2$

15. a) 0   **b)** 1680
   c) 1   **d)** 1024

17. 34

19. a) Ensemble dénombrable : −1, −2, −3, −4, …

b) Ensemble dénombrable : 0, 2, −2, 4, −4, …

c) Ensemble non dénombrable

d) Ensemble dénombrable : 0, 7, −7, 14, −14, …

21. On suppose que $A - B$ est dénombrable. Alors, puisque $A = (A - B) \cup B$, les éléments de A peuvent être énumérés en une suite si on alterne les éléments de $A - B$ et les éléments de B. Cela contredit l'affirmation de non-dénombrabilité de A.

23. On suppose que B est dénombrable. Alors, les éléments de B peuvent être énumérés comme $b_1, b_2, b_3,$ … Puisque A est un sous-ensemble de B, en prenant la sous-suite de $\{b_n\}$ qui contient les éléments qui sont dans A, on obtient la liste des éléments de A. Puisque A est non dénombrable, il est impossible que B soit dénombrable.

25. On suppose que A_1, A_2, A_3, … sont des ensembles dénombrables. Puisque A_i est dénombrable, on peut énumérer ces éléments dans la suite a_{i1}, a_{i2}, a_{i3}, … Les éléments de l'ensemble $\bigcup_{i=1}^{n} A_i$ peuvent être énumérés en dressant la liste de tous les éléments a_{ij} avec $i + j = 2$, puis tous les éléments a_{ij} avec $i + j = 3$, puis tous les éléments a_{ij} avec $i + j = 4$, etc.

27. Il existe un nombre fini, notamment 2^m, de chaînes binaires de longueur m. L'ensemble de toutes les chaînes binaires est l'union des chaînes binaires de longueur m avec $m = 0, 1, 2, …$ Puisque l'union d'un nombre dénombrable d'ensembles dénombrables est un nombre dénombrable, alors il y a un nombre dénombrable de chaînes binaires.

29. Pour tout alphabet fini, il existe un nombre fini de chaînes de longueur n si n est un entier positif. Si on applique le résultat de l'exercice 25, il s'ensuit qu'il existe un nombre fini de chaînes dans n'importe quel alphabet fini. Puisque l'ensemble des programmes informatiques dans un langage particulier est un sous-ensemble de l'ensemble de toutes les chaînes d'un alphabet fini, c'est-à-dire un ensemble dénombrable, alors en appliquant les résultats de l'exercice 22, on en déduit qu'il s'agit d'un ensemble lui-même dénombrable.

31. L'exercice 29 démontre qu'il y a seulement un nombre dénombrable de programmes informatiques. En conséquence, il y a seulement un nombre dénombrable de fonctions calculables. Comme le démontre l'exercice 30, puisqu'il y a un nombre non dénombrable de fonctions, toutes les fonctions ne sont pas des fonctions calculables.

Section 1.8

1. a) Oui   **b)** Oui   **c)** Non
   d) Oui   **e)** Oui   **f)** Oui

3. $x^4 + 9x^3 + 4x + 7 \leq 4x^4$ dès que $x > 9$, de sorte que $x^4 + 9x^3 + 4x + 7$ est $O(x^4)$.

5. $(x^2 + 1)/(x + 1) = x - 1 + 2/(x + 1) < x$ chaque fois que $x > 1$. Donc, $(x^2 + 1)/(x + 1)$ est $O(x)$.

7. a) 3   **b)** 3   **c)** 1   **d)** 0

9. $x^2 + 4x + 17 \leq 3x^3$ chaque fois que $x > 17$, de sorte que $x^2 + 4x + 17$ est $O(x^3)$. Cependant, si x^3 était $O(x^2 + 4x + 17)$, alors $x^3 < C(x^2 + 4x + 17) < 3Cx^2$ pour une certaine constante de C et pour toute valeur de x suffisamment grande, ce qui implique que $x < C$ pour toute valeur suffisamment grande de x, ce qui est impossible. Donc, x^3 n'est pas $O(x^2 + 4x + 17)$.

11. $3x^4 + 1 \leq 4x^4 = 8(x^4/2)$ pour toute valeur de $x > 1$, de telle sorte que $3x^4 + 1$ est $O(x^4/2)$. Aussi, $x^4/2 \leq 3x^4 + 1$ pour toute valeur de $x > 0$, de telle sorte que $x^4/2$ est $O(3x^4 + 1)$.

13. Puisque $2^n < 3^n$ pour toute valeur de $n > 0$, il s'ensuit que 2^n est $O(3^n)$. Cependant, si 3^n était $O(2^n)$, alors il existe une constante de C telle que $3^n \leq C \cdot 2^n$ pour des valeurs de n suffisamment grandes. Il s'ensuit que $C \geq (3/2)^n$ pour des valeurs suffisamment grandes de n, ce qui est impossible. Donc, 3^n n'est pas égal à $O(2^n)$.

15. Toutes les fonctions pour lesquelles il existe des nombres réels k et C avec $|f(x)| \leq C$ pour $x > k$. Ce sont les fonctions $f(x)$ bornées pour toutes les valeurs de x suffisamment grandes.

17. Il existe des constantes C_1, C_2, k_1 et k_2, de telle sorte que $|f(x)| \leq C_1|g(x)|$ pour toutes les valeurs de $x > k_1$ et que $|g(x)| \leq C_2|h(x)|$ pour toutes les valeurs de $x > k_2$. Donc, pour $x > \max(k_1, k_2)$, il s'ensuit que $|f(x)| \leq C_1|g(x)| \leq C_1 C_2|h(x)|$. Cela démontre que $f(x)$ est égal à $O(h(x))$.

19. a) $O(n^3)$ **b)** $O(n^5)$ **c)** $O(n^3 \cdot n!)$

21. a) $O(n^2 \log n)$ **b)** $O(n^2(\log n)^2)$
   c) $O(n^{2^n})$

23. Si $f(x)$ est $\Theta(g(x))$, alors il existe des constantes C_1 et C_2 avec $C_1|g(x)| \leq |f(x)| \leq C_2|g(x)|$. Il s'ensuit que $|f(x)| \leq C_2|g(x)|$ et $|g(x)| \leq (1/C_1)|f(x)|$ pour $x > k$. Alors, $f(x)$ est $O(g(x))$ et $g(x)$ est $O(f(x))$. Réciproquement, on suppose que $f(x)$ est $O(g(x))$ et que $g(x)$ est $O(f(x))$. Alors, il existe des constantes C_1, C_2, k_1 et k_2 de telle sorte que $|f(x)| \leq C_1|g(x)|$ pour $x > k_1$ et $|g(x)| \leq C_2|f(x)|$ pour $x > k_2$. On peut supposer que $C_2 > 0$ (on peut accroître C_2 autant qu'on le désire). Alors, on a $(1/C_2)|g(x)| \leq |f(x)| \leq C_1|g(x)|$ pour $x > \max(k_1, k_2)$. Donc, $f(x)$ est $\Theta(g(x))$.

25.

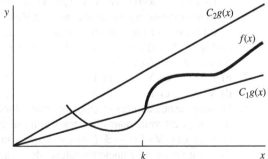

27. Puisque $f(x)$ est $O(g(x))$, il existe des constantes C et l de telle façon que $|f(x)| \le C|g(x)|$ pour $x > l$. Donc, $|f^k(x)| \le C^k|g^k(x)|$ pour $x > l$, de telle sorte que $f^k(x)$ est $O(g^k(x))$ en prenant la constante C^k.

29. Puisque $f(x)$ et g(x) sont des fonctions croissantes et non bornées, on peut supposer que $f(x) \ge 1$ et $g(x) \ge 1$ pour des valeurs suffisamment grandes de x. Il existe des constantes C et k avec $f(x) \le Cg(x)$ pour $x > k$. Cela implique que $\log f(x) \le \log C + \log g(x) < 2 \log g(x)$ pour des valeurs suffisamment grandes de x. Donc, $\log f(x)$ est égal à $O(\log g(x))$.

31. a) $\lim\limits_{x \to \infty} x^2/x^3 = \lim\limits_{x \to \infty} 1/x = 0$

b) $\lim\limits_{x \to \infty} \dfrac{x \log x}{x^2} = \lim\limits_{x \to \infty} \dfrac{\log x}{x} = \lim\limits_{x \to \infty} \dfrac{1}{x\ln2} = 0$
(en utilisant la règle de l'Hôpital)

c) $\lim\limits_{x \to \infty} \dfrac{x^2}{2^x} = \lim\limits_{x \to \infty} \dfrac{2x}{2^x \cdot \ln2} = \lim\limits_{x \to \infty} \dfrac{2}{2^x \cdot (\ln2)^2}$
$= 0$ (en utilisant la règle de l'Hôpital)

d) $\lim\limits_{x \to \infty} \dfrac{x^2 + x + 1}{x^2} = \lim\limits_{x \to \infty}\left(1 + \dfrac{1}{x} + \dfrac{1}{x^2}\right) = 1 \ne 0$

33.

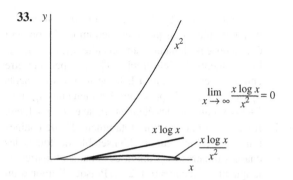

$\lim\limits_{x \to \infty} \dfrac{x \log x}{x^2} = 0$

35. Non. On prend $f(x) = 1/x^2$ et $g(x) = 1/x$.

37. a) Puisque $\lim\limits_{x \to \infty} f(x)/g(x) = 0$, $|f(x)|/|g(x)| < 1$ pour des valeurs suffisamment grandes de x. Donc, $|f(x)| < |g(x)|$ pour $x > k$ avec certaines constantes k. Par conséquent, $f(x)$ est $O(g(x))$.

b) Soit $f(x) = g(x) = x$. Alors, $f(x)$ est $O(g(x))$, mais $f(x)$ n'est pas $O(g(x))$ puisque $f(x)/g(x) = 1$.

39. Puisque $f_2(x)$ est $O(g(x))$, en se référant à l'exercice 37 a) on peut déduire que $f_2(x)$ est $O(g(x))$. En appliquant le corollaire 1, on obtient $f_1(x) + f_2(x)$ qui est $O(g(x))$.

41. On peut aisément démontrer que $(n - i)(i + 1) \ge n$ pour $i = 0, 1, \ldots, n - 1$. Donc, $(n!)^2 = (n \cdot 1)((n - 1)\cdot2) \cdot ((n - 2)\cdot3) \ldots (2\cdot(n - 1))\cdot(1 \cdot n) \ge n^n$. Donc, $2 \log n! \ge n \log n$.

Exercices supplémentaires

1. a) $q \to p$ **b)** $q \wedge p$

c) $\neg q \vee \neg p$ **d)** $q \leftrightarrow p$

3. a) La proposition ne peut être fausse à moins que $\neg p$ soit fausse, de telle sorte que p est vraie. Si p est vraie et q est vraie, alors $\neg q \wedge (p \to q)$ est fausse, et cette implication est vraie. Si p est vraie et que q est fausse, alors $p \to q$ est fausse, de telle sorte que $\neg q \wedge (p \to q)$ est fausse et l'implication est vraie.

b) La proposition ne peut être fausse à moins que q soit fausse. Si q est fausse et p est vraie, alors $(p \vee q) \wedge \neg p$ est fausse et l'implication est vraie. Si q est fausse et p est fausse, alors $(p \vee q) \wedge \neg p$ est fausse et l'implication est vraie.

5. $(p \wedge q \wedge r \wedge \neg s) \vee (p \wedge q \wedge \neg r \wedge s) \vee (p \wedge \neg q \wedge r \wedge s) \vee (\neg p \wedge q \wedge r \wedge s)$

7. a) F   **b)** V   **c)** F
d) V   **e)** F   **f)** V

9. On suppose que $\exists x(P(x) \to Q(x))$ est vraie. Alors, soit que $Q(x_0)$ est vraie pour quelques valeurs de x_0 et, dans ce cas, $\forall xP(x) \to \exists xQ(x)$ est vraie ; soit que $P(x_0)$ est fausse pour quelques valeurs de x_0, auquel cas $\forall xP(x) \to \exists xQ(x))$ est vraie. Réciproquement, on suppose que $\exists x(P(x) \to Q(x))$ est fausse. Cela signifie que $\forall x(P(x) \wedge \neg Q(x))$ est vraie, ce qui implique que $\forall xP(x)$ et que $\forall x(\neg Q(x))$ sont vraies. Cette dernière proposition est équivalente à $\neg\exists xQ(x)$. Donc, $\forall xP(x) \to \exists xQ(x))$ est fausse.

11. Non

13. $\forall x \forall z \exists y T(x, y, z)$, où $T(x, y, z)$ représente l'énoncé signifiant que l'étudiant x a suivi le cours y offert par le département z quand les univers du discours sont l'ensemble des étudiants de la classe, l'ensemble des cours à cette université et l'ensemble des départements d'informatique.

15. a) $\overline{A}$ **b)** $A \cap B$ **c)** $A - B$
d) $\overline{A} \cap \overline{B}$ **e)** $A \oplus B$

17. Oui

19. a) $A \cap \overline{A} = \{x \mid x \in A \wedge x \notin A\} = \varnothing$
b) $A \cup \overline{A} = \{x \mid x \in A \vee x \notin A\} = U$

21. $A - (A - B) = A - (A \cap \overline{B}) = A \cap \overline{(A \cap \overline{B})} = A \cap (\overline{A} \cup B) = (A \cap \overline{A}) \cup (A \cap B) = \varnothing \cup (A \cap B) = (A \cap B)$

23. Soit $A = \{1\}$, $B = \varnothing$, $C = \{1\}$. Alors, $(A - B) - C = \varnothing$ mais $A - (B - C) = \{1\}$.

25. Non. Par exemple, soit $A = B = \{a, b\}$, $C = \varnothing$ et $D = \{a\}$. Alors, $(A - B) - (C - D) = \varnothing - \varnothing = \varnothing$ mais $(A - C) - (B - D) = \{a, b\} - \{b\} = \{a\}$.

27. a) $|\varnothing| \leq |A \cap B| \leq |A| \leq |A \cup B| \leq |U|$
b) $|\varnothing| \leq |A - B| \leq |A \oplus B| \leq |A \cup B| \leq |A| + |B|$

29. a) Oui, non
b) Oui, non
c) La fonction f admet pour inverse $f^{-1}(a) = 3$, $f^{-1}(b) = 4$, $f^{-1}(c) = 2$ et $f^{-1}(d) = 1$. La fonction g n'admet pas d'inverse.

31. Soit $f(a) = f(b) = 1$, $f(c) = f(d) = 2$, $S = \{a, c\}$ et $T = \{b, d\}$. Alors, $f(S \cap T) = f(\varnothing) = \varnothing$, mais $f(S) \cap f(T) = \{1, 2\} \cap \{1, 2\} = \{1, 2\}$.

33. a) 60   **b)** 6144
c) 20   **d)** 0

35. Soit P_n l'ensemble des polynômes de degré inférieur ou égal à n avec des coefficients entiers de valeur absolue inférieure ou égale à n. Alors, P_n est un ensemble fini pour tout n. Puisque tous les polynômes de degré n admettent au plus n racines réelles distinctes, il existe seulement un nombre fini de nombres algébriques qui sont des racines de polynômes dans P_n. Puisque l'ensemble des valeurs algébriques est l'union des ensembles des racines des polynômes dans P_n pour $n = 1, 2, 3, \ldots$, d'après les résultats de l'exercice 25 de la section 1.7, on en déduit qu'il s'agit d'un ensemble dénombrable.

37. $O(x^2 2^x)$

39. À noter que

$$\frac{n!}{2^n} = \frac{n}{2} \cdot \frac{n-1}{2} \cdots \frac{3}{2} \cdot \frac{2}{2} \cdot \frac{1}{2} > \frac{n}{2} \cdot 1 \cdot 1 \cdots 1 \cdot \frac{1}{2} = \frac{n}{4}.$$

Puisque $n!/2^n$ croît sans limite au fur et à mesure que n croît, $n!$ ne peut pas être borné par un nombre constant de fois 2^n pour des valeurs suffisamment grandes de n. Donc, $n!$ n'est pas $O(2^n)$.

CHAPITRE 2

Section 2.1

1. $max := 1$, $i := 2$, $max := 8$, $i := 3$, $max := 12$, $i := 4$, $i := 5$, $i := 6$, $i := 7$, $max := 14$, $i := 8$, $i := 9$, $i := 10$, $i := 11$

3. **procédure** *somme* $(a_1, \ldots, a_n$: entiers$)$
somme $:= a_1$
pour $i := 2$ **à** n
    somme $:=$ *somme* $+ a_i$
{*somme* a la valeur requise}

5. **procédure** *remplacer* $(x, y$: nombres réels$)$
$z := x$
$x := y$
$y := z$
Le nombre minimal d'affectations nécessaires est trois.

7. Fouille linéaire : $i := 1$, $i := 2$, $i := 3$, $i := 4$, $i := 5$, $i := 6$, $i := 7$, *emplacement* $:= 7$; fouille binaire : $i := 1$, $j := 8$, $m := 4$, $i := 5$, $m := 6$, $i := 7$, $m := 7$, $j := 7$, *emplacement* $:= 7$

9. **procédure** *insérer* $(x, a_1, a_2, \ldots, a_n$: entiers$)$
{la liste est ordonnée : $a_1 \leq a_2 \leq \cdots \leq a_n$}
$a_{n+1} := x + 1$
$i := 1$
tant que $x > a_i$
    $i := i + 1$
pour $j := 0$ **à** $n - i$
    $a_{n-j+1} := a_{n-j}$
$a_i := x$
{x a été inséré dans la bonne position}

11. **procédure** *premier plus grand* $(a_1, \ldots, a_n$: entiers$)$
$max := a_1$
emplacement $:= 1$
pour $i := 2$ **à** n
début
    si $max < a_i$ **alors**
    début
        $max := a_i$
        emplacement $:= i$
    fin
fin

13. **procédure** *moyenne-médiane-max-min* $(a, b, c$: entiers$)$
moyenne $:= (a + b + c)/3$
{les six différents ordonnancements de a, b, c par rapport à $\geq$ seront traités séparément}
si $a > b$ **alors**
début
    si $b > c$ **alors**
    médiane $:= b$; $max := a$; $min := c$
fin
    …
(Le reste de l'algorithme est similaire.)

15. procédure *trois premiers* (a_1, a_2, ..., a_n : entiers)
  si $a_1 > a_2$ **alors** échanger a_1 avec a_2
    si $a_2 > a_3$ **alors** échanger a_2 avec a_3
    si $a_1 > a_2$ **alors** échanger a_1 avec a_2

17. procédure *surjective* (f : fonction de A à B où
    $A = \{a_1, ..., a_n\}$, $B = \{b_1, ..., b_m\}$, a_1, ..., a_n,
    b_1, ..., b_m sont des entiers)
  pour $i := 1$ **à** m
    chercher(b_i) := 0
  dénombrement := 0
  pour $j := 1$ **à** n
    si chercher($f(a_j)$) = 0 **alors**
    début
      chercher($f(a_j)$) := 1
      dénombrement := *dénombrement* + 1
    fin
  si *dénombrement* = m **alors** *surjective* := **vrai**
  sinon *surjective* := **faux**

19. procédure *uns* (a : chaîne binaire, $a = a_1a_2 \cdots a_n$)
  uns := 0
  pour $i := 1$ **à** n
  début
    si $a_i = 1$ **alors**
    uns := *uns* + 1
  fin {*uns* est le nombre de uns dans la chaîne binaire a}

21. procédure *fouille trichotomique* (x : entier, a_1, a_2,
    ..., a_n : entiers en ordre non décroissant)
  $i := 1$
  $j := n$
  tant que $i < j - 1$
  début
    $l = \lfloor (i + j)/3 \rfloor$
    $u = \lfloor 2(i + j)/3 \rfloor$
    si $x > a_u$ **alors** $i := u + 1$
    sinon si $x > a_l$ **alors**
    début
      $i := l + 1$
      $j := u$
    fin
    sinon $j := l$
  fin
  si $x = a_i$ **alors** *emplacement* := i
  sinon si $x = a_j$ **alors** *emplacement* := j
  sinon *emplacement* := 0

{*emplacement* est l'indice de l'élément égal à x (0 si non trouvé)}

23. procédure *trouver un mode* (a_1, a_2, ..., a_n : entiers non décroissants)
  dénombrement mode := 0
  $i := 1$
  tant que $i \leq n$
  début
    valeur := a_i
    dénombrement := 1
    tant que $i \leq n$ **et** $a_i = valeur$
    début
      dénombrement := *dénombrement* + 1
      $i := i + 1$
    fin
    si *dénombrement* > *dénombrement mode* **alors**
    début
      dénombrement mode := *dénombrement*
      mode := *valeur*
    fin
  fin
{*mode* est la première valeur apparaissant le plus souvent}

25. procédure *trouver copie* (a_1, a_2, ..., a_n : entiers)
  emplacement := 0
  $i := 2$
  tant que $i \leq n$ **et** *emplacement* = 0
  début
    $j := 1$
    tant que $j < i$ **et** *emplacement* = 0
    si $a_i = a_j$ **alors** *emplacement* := i
    sinon $j := j + 1$
    $i := i + 1$
  fin
{*emplacement* est l'indice de la première valeur qui répète une valeur précédente dans la suite}

27. procédure *trouver décroissement* (a_1, a_2, ..., a_n : entiers positifs)
  emplacement := 0
  $i := 2$
  tant que $i \leq n$ et *emplacement* = 0
    si $a_i < a_{i-1}$ **alors** *emplacement* := i
    sinon $i := i + 1$
{*emplacement* est l'indice de la première valeur inférieure à la valeur qui précède}

Section 2.2

1. $2n - 1$

3. Linéaire

5. $O(n)$

7. a) *puissance* := 1, $y := 1$, $i := 1$, *puissance* := 2, $y := 3$, $i := 2$, *puissance* := 4, $y := 15$

b) $2n$ multiplications et n additions

9. a) $2^{10^9} \sim 10^{3 \times 10^8}$ **b)** 10^9 **c)** $3{,}96 \times 10^7$
d) $3{,}16 \times 10^4$ **e)** 29 **f)** 12
11. a) 36 années **b)** 13 jours **c)** 19 minutes
13. Le nombre moyen de comparaisons est $(3n+4)/2$.

15. $O(\log n)$
17. $O(n)$
19. $O(n^2)$
21. $O(n)$

Section 2.3

1. a) Oui **b)** Non **c)** Oui **d)** Non
3. On suppose que $a \mid b$. Alors, il existe un entier k tel que $ka = b$. Puisque $a(ck) = bc$, il s'ensuit que $a \mid bc$.
5. Si $a \mid b$ et $b \mid a$, on a les entiers c et d tels que $b = ac$ et $a = bd$. Ainsi, $a = acd$. Puisque $a \neq 0$, il s'ensuit que $cd = 1$. Ainsi, soit $c = d = 1$ ou $c = d = -1$. Donc, $a = b$ ou $a = -b$.
7. Puisque $ac \mid bc$, on a l'entier k tel que $ack = bc$. Donc, $ak = b$. Par conséquent, $a \mid b$.
9. a) 2, 5 **b)** −11, 10 **c)** 34, 7 **d)** 77, 0
e) 0, 0 **f)** 0, 3 **g)** −1, 2 **h)** 4, 0
11. $2^8 \cdot 3^4 \cdot 5^2 \cdot 7$
13. On suppose que $\log_2 3 = a/b$, où $a, b \in \mathbf{Z}^+$ et $b \neq 0$. Alors, $2^{a/b} = 3$ tel que $2^a = 3^b$, ce qui ne respecte pas le théorème fondamental de l'arithmétique. Donc, $\log_2 3$ est irrationnel.
15. a) Oui **b)** Non **c)** Oui **d)** Oui
17. Si $a \bmod m = b \bmod m$, alors a et b ont le même reste lorsqu'ils sont divisés par m. Donc, $a = q_1 m + r$ et $b = q_2 m + r$, où $0 \leq r < m$. Il s'ensuit que $a - b = (q_1 - q_2)m$ tel que $m \mid (a - b)$. Il s'ensuit que $a \equiv b \pmod{m}$.
19. On suppose que n n'est pas premier, de telle sorte que $n = ab$, où a et b sont des entiers plus grands que 1. Puisque $a > 1$, selon l'identité du conseil, $2^a - 1$ est un facteur de $2^n - 1$ qui est plus grand que 1, et le deuxième facteur de cette identité est également plus grand que 1. Donc, $2^n - 1$ n'est pas premier.

21. a) 2 **b)** 4 **c)** 12
23. $\phi(p^k) = p^k - p^{k-1}$
25. Il y a un b avec $(b-1)k < n \leq bk$. Ainsi, $(b-1)k \leq n - 1 < bk$. On divise par k pour obtenir $b - 1 < n/k \leq b$ et $b - 1 \leq (n-1)/k < b$. Donc, $\lceil n/k \rceil = b$ et $\lfloor (n-1)/k \rfloor = b - 1$.
27. a) 1 **b)** 2 **c)** 3 **d)** 9
29. a) Non **b)** Non **c)** Oui **d)** Non
31. Puisque $\min(x, y) + \max(x, y) = x + y$, l'exposant de p_i dans la décomposition en facteurs premiers de $\mathrm{pgcd}(a, b) \cdot \mathrm{ppcm}(a, b)$ est la somme des exposants de p_i dans les décompositions en facteurs premiers respectives de a et de b.
33. Soit $m = tn$. Puisque $a \equiv b \pmod{m}$, il existe un entier s tel que $a = b + sm$. Ainsi, $a = b + (st)n$, de sorte que $a \equiv b \pmod{n}$.
35. Soit $m = c = 2$, $a = 0$ et $b = 1$. Alors, $0 = ac \equiv bc = 2 \pmod 2$, mais $0 = a \not\equiv b = 1 \pmod 2$.
37. Puisque $a \equiv b \pmod{m}$, il existe un entier s tel que $a = b + sm$, de telle sorte que $a - b = sm$. Alors, $a^k - b^k = (a - b)(a^{k-1} + a^{k-2}b + \cdots + ab^{k-2} + b^{k-1})$, $k \geq 2$, qui est également un multiple de m. Il s'ensuit que $a^k \equiv b^k \pmod{m}$.
39. a) 7, 19, 7, 7, 18, 0
b) On prend l'espace disponible suivant **mod** 31.
41. 2, 6, 7, 10, 8, 2, 6, 7, 10, 8, …
43. a) GR QRW SDVV JR
b) QB ABG CNFF TB
c) QX UXM AHJJ ZX

Section 2.4

1. a) 6 **b)** 3 **c)** 11 **d)** 3
3. 8
5. a) 111 00111
b) 100 01101 10100
c) 10 11111 01011 01100
7. a) 31 **b)** 513 **c)** 341 **d)** 26 896
9. On convertit chaque chiffre hexadécimal en un bloc de quatre bits.
11. a) 10 00000 01110
b) 10 01101 01101 01011

c) 1 01010 11101 11010
d) 110 11110 11111 01011 00111 01101
13. La représentation en base 2 d'un entier est cette somme unique.
15. Soit $a = (a_{n-1}a_{n-2} \cdots a_1 a_0)_{10}$. Alors, $a = 10^{n-1}a_{n-1} + 10^{n-2}a_{n-2} + \cdots + 10a_1 + a_0 \equiv a_{n-1} + a_{n-2} + \cdots + a_1 + a_0 \pmod 3$, puisque $10^j \equiv 1 \pmod 3$ pour tous les entiers non négatifs j. Il s'ensuit que $3 \mid a$ si et seulement si 3 divise la somme des chiffres décimaux de a.

17. Soit $a = (a_{n-1}a_{n-2} \cdots a_1a_0)_2$. Alors, $a = a_0 + 2a_1 + 2^2a_2 + \cdots + 2^{n-1}a_{n-1} \equiv a_0 - a_1 + a_2 - a_3 + \cdots \pm a_{n-1} \pmod 3$. Il s'ensuit que a est divisible par 3 si et seulement si la somme des chiffres binaires dans les positions paires moins la somme des chiffres binaires dans les positions impaires est divisible par 3.

19. a) -6 **b)** 13 **c)** -14 **d)** 0

21. Le complément de un concernant la somme se trouve en additionnant les compléments de l'un des deux entiers, sauf qu'on utilise une retenue dans le bit de poids fort comme retenue du dernier bit de la somme.

23. $4n$

25. **procédure** *Cantor* (x : entier positif)

$n := 1$; $f := 1$

tant que $(n + 1) * f \leq x$

début

  $n := n + 1$

  $f := f * n$

fin

$y := x$

tant que $n > 0$

début

  $a_n := \lfloor y/f \rfloor$

  $y := y - a_n * f$

  $f := f/n$

  $n := n - 1$

fin $\{x = a_n n! + a_{n-1}(n-1)! + \cdots + a_1 1!\}$

27. Première étape : $c = 0$, $d = 0$, $s_0 = 1$; deuxième étape : $c = 0$, $d = 1$, $s_1 = 0$; troisième étape : $c = 1$, $d = 1$, $s_2 = 0$; quatrième étape : $c = 1$, $d = 1$, $s_3 = 0$; cinquième étape : $c = 1$, $d = 1$, $s_4 = 1$; sixième étape : $c = 1$, $s_5 = 1$

29. **procédure** *soustraire* (a, b : entiers positifs, $a > b$,

$a = (a_{n-1}a_{n-2} \cdots a_1a_0)_2$,

$b = (b_{n-1}b_{n-2} \cdots b_1b_0)_2)$

$B := 0$ {B est l'emprunt}

pour $j := 0$ à $n - 1$

début

  si $a_j \geq b_j + B$ **alors**

  début

    $s_j := a_j - b_j - B$

    $B := 0$

  fin

  sinon

  début

    $s_j := a_j + 2 - b_j - B$

    $B := 1$

  fin

fin $\{(s_{n-1}s_{n-2} \cdots s_1s_0)_2$ est la différence}

31. **procédure** *comparer* (a, b : entiers positifs et

$a = (a_n a_{n-1} \cdots a_1a_0)_2$

$b = (b_n b_{n-1} \cdots b_1b_0)_2)$

$k := n$

tant que $a_k = b_k$ et $k > 0$

  $k := k - 1$

si $a_k = b_k$ **alors** imprimer « a est égal à b »

si $a_k > b_k$ imprimer « a est plus grand que b »

si $a_k < b_k$ **alors** imprimer « a est plus petit que b »

33. $O(\log n)$

Section 2.5

1. a) $1 = (-1) \cdot 10 + 1 \cdot 11$

  b) $1 = 21 \cdot 21 + (-10) \cdot 44$

  c) $12 = (-1) \cdot 36 + 48$

  d) $1 = 13 \cdot 55 + (-21) \cdot 34$

  e) $3 = 11 \cdot 213 + (-20) \cdot 117$

  f) $223 = 1 \cdot 0 + 1 \cdot 223$

  g) $1 = 37 \cdot 2347 + (-706) \cdot 123$

  h) $2 = 1128 \cdot 3454 + (-835) \cdot 4666$

  i) $1 = 2468 \cdot 9999 + (-2221) \cdot 11111$

3. $15 \cdot 7 = 105 \equiv 1 \pmod{26}$

5. 7

7. 52

9. On suppose que b et c sont tous deux des inverses de a modulo m. Alors, $ba \equiv 1 \pmod m$ et $ca \equiv 1 \pmod m$. Ainsi, $ba \equiv ca \pmod m$. Puisque $\text{pgcd}(a, m) = 1$, il s'ensuit, selon le théorème 2, que $b \equiv c \pmod m$.

11. $x \equiv 8 \pmod 9$

13. Soit $m' = m/\text{pgcd}(c, m)$. Puisque tous les facteurs communs de m et de c sont divisibles par m pour obtenir m', il s'ensuit que m' et c sont des entiers premiers entre eux. Puisque m divise $(ac - bc) = (a - b)c$, il s'ensuit que m' divise $(a - b)c$. En se référant au lemme 1, on constate que m' divise $a - b$, tel que $a \equiv b \pmod{m'}$.

15. On suppose que $x^2 \equiv 1 \pmod p$. Alors, p divise $x^2 - 1 = (x + 1)(x - 1)$. En se référant au lemme 2, il s'ensuit que $p \mid (x + 1)$ ou $p \mid (x - 1)$, tel que $x \equiv -1 \pmod p$ ou $x \equiv 1 \pmod p$.

17. a) On suppose que $ia \equiv ja \pmod p$, où $1 \leq i < j < p$. Alors, p divise $ja - ia = a(j - i)$. D'après le théorème 1, puisque a n'est pas divisible par p, p divise $j - i$, ce qui est impossible puisqu'on a $j - i$ qui est un entier positif inférieur à p.

b) Selon a), puisque aucune paire d'éléments parmi a, $2a$, ..., $(p-1)a$ ne produit des entiers congruents modulo p, alors chacun doit être congruent à un nombre différent de 1 à $p - 1$. Il s'ensuit que $a \cdot 2a \cdot 3a \cdots (p-1) \cdot a \equiv 1 \cdot 2 \cdot 3 \cdots (p-1) \pmod{p}$. Il s'ensuit que $(p-1)! \cdot a^{p-1} \equiv (p-1)! \pmod{p}$.

c) Selon le théorème de Wilson et c), si p ne divise pas a, il s'ensuit que $(-1) \cdot a^{p-1} \equiv -1 \pmod{p}$. Ainsi, $a^{p-1} \equiv 1 \pmod{p}$.

d) Si $p \mid a$, alors $p \mid a^p$. Donc, $a^p \equiv a \equiv 0 \pmod{p}$. Si p ne divise pas a, alors $a^{p-1} \equiv 1 \pmod{p}$, selon c). En multipliant les deux côtés de cette congruence par a, on obtient $a^p \equiv a \pmod{p}$.

19. On suppose que p est un nombre premier apparaissant dans la décomposition en facteurs premiers de $m_1 m_2 \cdots m_n$. Puisque les m_i sont des entiers premiers entre eux, p est le facteur d'exactement un de m_i, par exemple m_j. Puisque m_j divise $a - b$, il s'ensuit que $a - b$ admet le facteur p dans sa décomposition en facteurs premiers à une puissance au moins aussi grande que la puissance à laquelle il apparaît dans la décomposition en facteurs premiers de m_j. Il s'ensuit que $m_1 m_2 \cdots m_n$ divise $a - b$, tel que $a \equiv b \pmod{m_1 m_2 \cdots m_n}$.

21. $x \equiv 1 \pmod{6}$

23. a) Selon le petit théorème de Fermat, on obtient $2^{10} \equiv 1 \pmod{11}$. Ainsi, $2^{340} = (2^{10})^{34} \equiv 1^{34} = 1 \pmod{11}$.

b) Puisque $32 \equiv 1 \pmod{31}$, il s'ensuit que $2^{340} = (2^5)^{68} = 32^{68} \equiv 1^{68} = 1 \pmod{31}$.

c) Puisque 11 et 31 sont des entiers premiers entre eux et que $11 \cdot 31 = 341$, il s'ensuit que, selon a) et b) et l'exercice 19, $2^{340} \equiv 1 \pmod{341}$.

25. $0 = (0, 0)$, $1 = (1, 1)$, $2 = (2, 2)$, $3 = (0, 3)$, $4 = (1, 4)$, $5 = (2, 0)$, $6 = (0, 1)$, $7 = (1, 2)$, $8 = (2, 3)$, $9 = (0, 4)$, $10 = (1, 0)$, $11 = (2, 1)$, $12 = (0, 2)$, $13 = (1, 3)$, $14 = (2, 4)$

27. On a $m_1 = 99$, $m_2 = 98$, $m_3 = 97$ et $m_4 = 95$, tel que $m = 99 \cdot 98 \cdot 97 \cdot 95 = 89\,403\,930$. On trouve que $M_1 = m/m_1 = 903\,070$, $M_2 = m/m_2 = 912\,285$, $M_3 = m/m_3 = 921\,690$ et $M_4 = m/m_4 = 941\,094$. En utilisant l'algorithme d'Euclide, on calcule que $y_1 = 37$, $y_2 = 33$, $y_3 = 24$ et $y_4 = 4$ sont des inverses de M_k modulo m_k pour $k = 1, 2, 3, 4$, respectivement. Il s'ensuit que la solution est $65 \cdot 903\,070 \cdot 37 + 2 \cdot 912\,285 \cdot 33 + 51 \cdot 921\,690 \cdot 24 + 10 \cdot 941\,094 \cdot 4 = 3\,397\,886\,480 \equiv 537\,140 \pmod{89\,403\,930}$.

29. Si on se base sur l'exercice 28, il s'ensuit que $\text{pgcd}(2^b - 1, (2^a - 1) \bmod(2^b - 1)) = \text{pgcd}(2^b - 1, 2^{a \bmod b} - 1)$. Puisque les exposants compris dans le calcul sont b et $a \bmod b$, les mêmes que les quantités comprises dans le calcul de $\text{pgcd}(a, b)$, les étapes utilisées avec l'algorithme d'Euclide pour calculer $\text{pgcd}(2^a - 1, 2^b - 1)$ fonctionnent parallèlement à celles qui sont utilisées pour calculer $\text{pgcd}(a, b)$ et démontrent que $\text{pgcd}(2^a - 1, 2^b - 1) = 2^{\text{pgcd}(a, b)} - 1$.

31. On suppose que l'on connaît $n = pq$ et $(p-1)(q-1)$. Pour trouver p et q, on note d'abord que $(p-1)(q-1) = pq - p - q + 1 = n - (p + q) + 1$. À partir de cela, on peut trouver $s = (p + q)$. Puisque $q = s - p$, on obtient $n = p(s - p)$. Ainsi, $p^2 - ps + n = 0$. On peut maintenant utiliser la formule quadratique pour trouver p. Une fois p trouvé, on peut trouver q puisque $q = n/p$.

33. *SILVER*

Section 2.6

1. a) 3×4 b) $\begin{bmatrix} 1 \\ 4 \\ 3 \end{bmatrix}$

   c) $\begin{bmatrix} 2 & 0 & 4 & 6 \end{bmatrix}$

   d) 1 e) $\begin{bmatrix} 1 & 2 & 1 \\ 1 & 0 & 1 \\ 1 & 4 & 3 \\ 3 & 6 & 7 \end{bmatrix}$

3. a) $\begin{bmatrix} 1 & 11 \\ 2 & 18 \end{bmatrix}$ b) $\begin{bmatrix} 2 & -2 & -3 \\ 1 & 0 & 2 \\ 9 & -4 & 4 \end{bmatrix}$

5. $\begin{bmatrix} 9/5 & -6/5 \\ -1/5 & 4/5 \end{bmatrix}$

7. $\mathbf{0} + \mathbf{A} = [0 + a_{ij}] = [a_{ij} + 0] = \mathbf{0} + \mathbf{A}$

9. $\mathbf{A} + (\mathbf{B} + \mathbf{C}) = [a_{ij} + (b_{ij} + c_{ij})]$
$$= [(a_{ij} + b_{ij}) + c_{ij}]$$
$$= (\mathbf{A} + \mathbf{B}) + \mathbf{C}$$

11. Le nombre de lignes de $\mathbf{A}$ est égal au nombre de colonnes de $\mathbf{B}$, et le nombre de colonnes de $\mathbf{A}$ est égal au nombre de lignes de $\mathbf{B}$.

13. $\mathbf{A}(\mathbf{BC}) = \left[\sum_q a_{iq} \left(\sum_r b_{qr} c_{rl} \right) \right]$

$= \left[\sum_q \sum_r a_{iq} b_{qr} c_{rl} \right]$

$= \left[\sum_r \sum_q a_{iq} b_{qr} c_{rl} \right]$

$= \left[\sum_r \left(\sum_q a_{iq} b_{qr} \right) c_{rl} \right]$

$= (\mathbf{AB})\mathbf{C}$

15. $\mathbf{A}^n = \begin{bmatrix} 1 & n \\ 0 & 1 \end{bmatrix}$

17. **a)** Soit $\mathbf{A} = [a_{ij}]$ et $\mathbf{B} = [b_{ij}]$. Alors, $(\mathbf{A} + \mathbf{B}) = [a_{ij} + b_{ij}]$. On obtient $(\mathbf{A} + \mathbf{B})^t = [a_{ji} + b_{ji}] = [a_{ji}] + [b_{ji}] = \mathbf{A}^t + \mathbf{B}^t$.

b) En utilisant la même notation que dans a), on obtient

$\mathbf{B}^t \mathbf{A}^t = \left[\sum_q b_{qi} a_{jq} \right] = \left[\sum_q a_{jq} b_{qi} \right] = (\mathbf{AB})^t$,

puisque le (i, j)-ième élément est le (j, i)-ième élément de $\mathbf{AB}$.

19. Le résultat s'ensuit puisque

$\begin{bmatrix} a & b \\ c & d \end{bmatrix} \begin{bmatrix} d & -b \\ -c & a \end{bmatrix} = \begin{bmatrix} ad - bc & 0 \\ 0 & ad - bc \end{bmatrix}$

$= (ad - bc)\mathbf{I}_2$

$= \begin{bmatrix} d & -b \\ -c & a \end{bmatrix} \begin{bmatrix} a & b \\ c & d \end{bmatrix}$.

21. $\mathbf{A}^n(\mathbf{A}^{-1})^n = \mathbf{A}(\mathbf{A} \cdots (\mathbf{A}(\mathbf{A}\mathbf{A}^{-1})\mathbf{A}^{-1}) \cdots \mathbf{A}^{-1})\mathbf{A}^{-1}$ selon l'associativité. Puisque $\mathbf{A}\mathbf{A}^{-1} = \mathbf{I}$, en partant de l'intérieur, on constate que $\mathbf{A}^n(\mathbf{A}^{-1})^n = \mathbf{I}$. De même, $(\mathbf{A}^{-1})^n \mathbf{A}^n = \mathbf{I}$. Donc, $(\mathbf{A}^n)^{-1} = (\mathbf{A}^{-1})^n$.

23. On utilise m_2 multiplications pour trouver chacun des $m_1 m_3$ éléments du produit. Donc, on utilise $m_1 m_2 m_3$ multiplications.

25. $\mathbf{A}_1((\mathbf{A}_2 \mathbf{A}_3)\mathbf{A}_4)$

27. $x_1 = 1, x_2 = -1, x_3 = -2$

29. **a)** $\begin{bmatrix} 1 & 1 & 1 \\ 1 & 1 & 1 \\ 1 & 0 & 1 \end{bmatrix}$ **b)** $\begin{bmatrix} 0 & 0 & 1 \\ 1 & 0 & 0 \\ 0 & 0 & 1 \end{bmatrix}$

c) $\begin{bmatrix} 1 & 1 & 1 \\ 1 & 1 & 1 \\ 1 & 0 & 1 \end{bmatrix}$

31. **a)** $\begin{bmatrix} 1 & 0 & 0 \\ 1 & 1 & 0 \\ 1 & 0 & 1 \end{bmatrix}$ **b)** $\begin{bmatrix} 1 & 0 & 0 \\ 1 & 0 & 1 \\ 1 & 1 & 0 \end{bmatrix}$

c) $\begin{bmatrix} 1 & 0 & 0 \\ 1 & 1 & 1 \\ 1 & 1 & 1 \end{bmatrix}$

33. **a)** $\mathbf{A} \vee \mathbf{B} = [a_{ij} \vee b_{ij}] = [b_{ij} \vee a_{ij}] = \mathbf{B} \vee \mathbf{A}$

b) $\mathbf{A} \wedge \mathbf{B} = [a_{ij} \wedge b_{ij}] = [b_{ij} \wedge a_{ij}] = \mathbf{B} \wedge \mathbf{A}$

35. **a)** $\mathbf{A} \vee (\mathbf{B} \wedge \mathbf{C}) = [a_{ij}] \vee [b_{ij} \wedge c_{ij}]$

$= [a_{ij} \vee (b_{ij} \wedge c_{ij})]$

$= [(a_{ij} \vee b_{ij}) \wedge (a_{ij} \vee c_{ij})]$

$= [a_{ij} \vee b_{ij}] \wedge [a_{ij} \vee c_{ij}]$

$= (\mathbf{A} \vee \mathbf{B}) \wedge (\mathbf{A} \vee \mathbf{C})$

b) $\mathbf{A} \wedge (\mathbf{B} \vee \mathbf{C}) = [a_{ij}] \wedge [b_{ij} \vee c_{ij}]$

$= [a_{ij} \wedge (b_{ij} \vee c_{ij})]$

$= [(a_{ij} \wedge b_{ij}) \vee (a_{ij} \wedge c_{ij})]$

$= [a_{ij} \wedge b_{ij}] \vee [a_{ij} \wedge c_{ij}]$

$= (\mathbf{A} \wedge \mathbf{B}) \vee (\mathbf{A} \wedge \mathbf{C})$

37. $\mathbf{A} \odot (\mathbf{B} \odot \mathbf{C}) = \left[\bigvee_q a_{iq} \wedge \left(\bigvee_r (b_{qr} \wedge c_{rl}) \right) \right]$

$= \left[\bigvee_q \bigvee_r (a_{iq} \wedge b_{qr} \wedge c_{rl}) \right]$

$= \left[\bigvee_r \bigvee_q (a_{iq} \wedge b_{qr} \wedge c_{rl}) \right]$

$= \left[\bigvee_r \left(\bigvee_q (a_{iq} \wedge b_{qr}) \right) \wedge c_{rl} \right]$

$= (\mathbf{A} \odot \mathbf{B}) \odot \mathbf{C}$

Exercices supplémentaires

1. **a)** **procédure** *dernier max* $(a_1, \ldots, a_n : \text{entiers})$

    $max := a_1$

    $dernier := 1$

    $i := 2$

    tant que $i \leq n$

    début

      si $a_i \geq max$ **alors**

      début

        $max := a_i$

        $dernier := i$

      fin

    $i := i + 1$

  fin {*dernier* est l'emplacement de la dernière occurrence du plus grand entier de la liste}

b) $2n - 1 = O(n)$ comparaisons

3. a) procédure *pair zéros* ($b_1 b_2 \cdots b_n$: chaîne binaire, $n \geq 2$)

    $x := b_1$

    $y := b_2$

    $k := 2$

    tant que ($k < n$ et ($x \neq 0$ ou $y \neq 0$))

    début

        $k := k + 1$

        $x := y$

        $y := b_k$

    fin

    si ($x = 0$ et $y = 0$) **alors** imprimer « OUI »

    sinon imprimer « NON »

  b) $O(n)$ comparaisons

5. 5, 22, –12, –29

7. Puisque $ac \equiv bc \pmod{m}$, il existe un entier k tel que $ac = bc + km$. Ainsi $a - b = km/c$. Puisque $a - b$ est un entier, $c \mid km$. Si on suppose que $d = \text{pgcd}(m, c)$, on écrit $c = de$. Puisque aucun facteur de e ne divise m/d, il s'ensuit que $d \mid m$ et $e \mid k$. Donc, $a - b = (k/e)(m/d)$, où $k/e \in \mathbf{Z}$ et $m/d \in \mathbf{Z}$. Donc, $a \equiv b \pmod{m/d}$.

9. 1

11. 1

13. $(a_n a_{n-1} \cdots a_1 a_0)_{10} = \Sigma_{k=0}^{n} 10^k a_k \equiv \Sigma_{k=0}^{n} a_k \pmod{9}$ puisque $10^k \equiv 1 \pmod{9}$ pour tout entier non négatif k.

15. a) Pas des entiers premiers deux à deux

  b) Entiers premiers deux à deux

  c) Entiers premiers deux à deux

  d) Entiers premiers deux à deux

17. a) La fonction de décodage est $g(q) = \overline{a}(q - b) \bmod 26$, où $\overline{a}$ est l'inverse de a modulo 26.

  b) PLEASE SEND MONEY

19. $x \equiv 28 \pmod{30}$

21. $\mathbf{A}^{4n} = \begin{bmatrix} 1 & 0 \\ 0 & 1 \end{bmatrix}$, $\mathbf{A}^{4n+1} = \begin{bmatrix} 0 & 1 \\ -1 & 0 \end{bmatrix}$,

$\mathbf{A}^{4n+2} = \begin{bmatrix} -1 & 0 \\ 0 & -1 \end{bmatrix}$ et $\mathbf{A}^{4n+3} = \begin{bmatrix} 0 & -1 \\ 1 & 0 \end{bmatrix}$,

pour $n \geq 0$

23. On suppose que

$$\mathbf{A} = \begin{bmatrix} a & b \\ c & d \end{bmatrix}.$$

Soit

$$\mathbf{B} = \begin{bmatrix} 0 & 1 \\ 0 & 0 \end{bmatrix}.$$

Puisque $\mathbf{AB} = \mathbf{BA}$, il s'ensuit que $c = 0$ et $a = d$.

Soit

$$\mathbf{B} = \begin{bmatrix} 0 & 0 \\ 1 & 0 \end{bmatrix}.$$

Puisque $\mathbf{AB} = \mathbf{BA}$, il s'ensuit que $b = 0$. Donc,

$$\mathbf{A} = \begin{bmatrix} a & 0 \\ 0 & a \end{bmatrix} = a\mathbf{I}.$$

25. procédure *multiplication de matrices triangulaires* ($\mathbf{A}$, $\mathbf{B}$: matrices triangulaires supérieures $n \times n$, $\mathbf{A} = [a_{ij}]$, $\mathbf{B} = [b_{ij}]$)

pour $i := 1$ à n

début

  pour $j := i$ à n

  début

    $c_{ij} := 0$

    pour $k := i$ à j

      $c_{ij} := c_{ij} + a_{ik} b_{kj}$

  fin

fin

27. $(\mathbf{AB})(\mathbf{B}^{-1}\mathbf{A}^{-1}) = \mathbf{A}(\mathbf{BB}^{-1})\mathbf{A}^{-1} = \mathbf{AIA}^{-1} = \mathbf{AA}^{-1} = \mathbf{I}$. De même, $(\mathbf{B}^{-1}\mathbf{A}^{-1})(\mathbf{AB}) = \mathbf{I}$. Ainsi, $(\mathbf{AB})^{-1} = \mathbf{B}^{-1}\mathbf{A}^{-1}$.

29. a) Soit $\mathbf{A} \odot \mathbf{0} = [b_{ij}]$. Ainsi, $b_{ij} = (a_{i1} \wedge 0) \vee \cdots \vee (a_{ip} \vee 0) = 0$. Donc, $\mathbf{A} \odot \mathbf{0} = \mathbf{0}$. De même, $\mathbf{0} \odot \mathbf{A} = \mathbf{0}$.

  b) $\mathbf{A} \vee \mathbf{0} = [a_{ij} \vee 0] - [a_{ij}] = \mathbf{A}$. Donc, $\mathbf{A} \vee \mathbf{0} = \mathbf{A}$. De même, $\mathbf{0} \vee \mathbf{A} = \mathbf{A}$.

  c) $\mathbf{A} \wedge \mathbf{0} = [a_{ij} \wedge 0] = [0] = \mathbf{0}$. Donc, $\mathbf{A} \wedge \mathbf{0} = \mathbf{0}$. De même, $\mathbf{0} \wedge \mathbf{A} = \mathbf{0}$.

CHAPITRE 3

Section 3.1

1. a) Addition   **b)** Simplification

  c) *Modus ponens*   **d)** *Modus tollens*

  e) Syllogisme par hypothèse

3. a) Contre-vérité d'affirmer la conclusion

  b) Raisonnement circulaire

  c) Argument valide selon le *modus tollens*

  d) Argument valide selon le syllogisme disjonctif

  e) Contre-vérité d'ignorer l'hypothèse

5. La proposition est vraie selon la **preuve vide**, puisque 0 n'est pas un entier positif.

7. $P(1)$ est vraie puisque $(a + b)^1 = a + b \geq a^1 + b^1 = a + b$; c'est une **preuve directe**.

9. Soit $n = 2k + 1$ et $m = 2l + 1$ des entiers impairs. Alors, $n + m = 2(k + l + 1)$ est pair.

11. On suppose que r est rationnel, que i est irrationnel et que $s = r + i$ est rationnel. Alors, d'après l'exercice 10, $s + (-r) = i$ est rationnel, ce qui est une contradiction.

13. Puisque $\sqrt{2} \cdot \sqrt{2} = 2$ est rationnel et que $\sqrt{2}$ est irrationnel, le produit des deux nombres irrationnels n'est pas nécessairement irrationnel.

15. $41^2 - 41 + 41 = 41^2$ qui est composé, donc $n^2 - n + 41$ n'est pas nécessairement premier.

17. On suppose que $3^{1/3} = a/b$, où $a, b \in \mathbf{Z}$, $b \neq 0$ et pgcd$(a, b) = 1$. Alors, $3 = a^3/b^3$, d'où $3b^3 = a^3$. Donc $3 \mid a^3$, qui ne peut se produire que si $3 \mid a$. Soit $a = 3m$. Alors, $3b^3 = 27m^3$, ou $b^3 = 9m^3$. Ainsi, $3 \mid b^3$, ce qui démontre que $3 \mid b$. Il s'agit d'une contradiction de la supposition selon laquelle pgcd$(a, b) = 1$.

19. Si $x \leq y$, alors $\max(x, y) + \min(x, y) = y + x = x + y$. Si $x \geq y$, alors $\max(x, y) + \min(x, y) = x + y$. Puisqu'il s'agit des deux seuls cas, l'égalité s'applique toujours.

21. Il y a quatre cas. ***Cas 1:*** $x \geq 0$ et $y \geq 0$. Alors, $|x| + |y| = x + y = |x + y|$. ***Cas 2:*** $x < 0$ et $y < 0$. Alors, $|x| + |y| = -x + (-y) = -(x + y) = |x + y|$ puisque $x + y < 0$. ***Cas 3:*** $x \geq 0$ et $y < 0$. Alors, $|x| + |y| = x + (-y)$. Si $x \geq -y$, alors $|x + y| = x + y$. Cependant, puisque $y < 0$, $-y > y$, de sorte que $|x| + |y| = x + (-y) > x + y = |x + y|$. Si $x < -y$, alors $|x + y| = -(x + y) = -x + (-y)$. Puisque $x \geq 0$, $x \geq -x$, de sorte que $|x| + |y| = x + (-y) \geq -x + (-y) = |x + y|$. ***Cas 4:*** $x < 0$ et $y \geq 0$. Ce cas est identique au cas 3, sauf que les rôles de x et y sont inversés.

23. D'abord, on suppose que n est pair, donc que $n = 2k + 1$ pour un entier k. Alors, $5n + 6 = 5(2k + 1) + 6 = 10k + 11 = 2(5k + 5) + 1$. Donc, $5n + 6$ est impair. Pour prouver la réciproque, on suppose que n est pair, donc que $n = 2k$ pour un entier k. Alors, $5n + 6 = 10k + 6 = 2(5k + 3)$, d'où $5n + 6$ est pair. Ainsi, n est impair si et seulement si $5n + 6$ est impair.

25. $a^2 \equiv b^2 \pmod{p}$ si et seulement si $p \mid (a^2 - b^2) = (a + b)(a - b)$. Selon l'unicité de la décomposition d'un entier en facteurs premiers, cela équivaut à $p \mid (a - b)$ ou à $p \mid (a + b)$, c'est-à-dire que $a \equiv b \pmod{p}$ ou $a \equiv -b \pmod{p}$.

27. Cette proposition est vraie. On suppose que $m \neq 1$ et que $m \neq -1$. Alors, mn admet un diviseur m plus grand que 1. Comme $mn = 1$ et que 1 n'admet aucun diviseur autre que 1, alors $m = 1$ ou $m = -1$. Dans le premier cas, $n = 1$ et dans le second, $n = -1$ puisque $n = 1/m$.

29. L'entier positif 3 ne représente pas la somme de deux carrés des entiers. Donc, la proposition est fausse.

31. On fait une démonstration par l'absurde. On suppose que $a_1, a_2, \dots, a_n$ sont plus petits que A, où A est la moyenne de ces nombres. Alors, $a_1 + a_2 + \cdots + a_n < nA$. En divisant les deux côtés de l'équation par n, on démontre que $A = (a_1 + a_2 + \cdots + a_n)/n < A$, ce qui est une contradiction.

33. On démontre que les quatre énoncés sont équivalents en montrant que i) implique ii), ii) implique iii), iii) implique iv) et iv) implique i). Tout d'abord, on suppose que n est pair. Donc, $n = 2k$ pour un entier k. Alors, $n + 1 = 2k + 1$, d'où $n + 1$ est impair. Cela démontre que i) implique ii). Ensuite, on suppose que $n + 1$ est impair, donc que $n + 1 = 2k + 1$ pour un entier k. Alors, $3n + 1 = 2n + (n + 1) = 2(n + k) + 1$, ce qui démontre que $3n + 1$ est impair et que ii) implique iii). Ensuite, on suppose que $3n + 1$ est impair, donc que $3n + 1 = 2k + 1$ pour un entier k. Donc, $3n = (2k + 1) - 1 = 2k$, d'où $3n$ est pair, ce qui démontre que iii) implique iv). Finalement, on suppose que n n'est pas pair. Alors, n est impair. Donc, $n = 2k + 1$ pour un entier k. Alors, $3n = 3(2k + 1) = 6k + 3 = 2(3k + 1) + 1$, d'où $3n$ est impair. Cela complète la démonstration que iv) implique i).

35. Les entiers 3, 5 et 7 sont trois nombres premiers de la forme souhaitée.

37. Selon la deuxième prémisse, il y a un lion qui ne boit pas de café. On suppose que Léo est cette créature. Par simplification, on sait que Léo est un lion. D'après le *modus ponens* et la première prémisse, on sait que Léo est féroce. Donc, Léo est féroce et ne boit pas de café. D'après la définition du quantificateur existentiel, il existe des créatures féroces qui ne boivent pas de café. Autrement dit, certaines créatures féroces ne boivent pas de café.

39. On suppose qu'on a les $n + 1$ premiers entiers premiers $p_1, p_2, \dots, p_{n+1}$. Donc, $p_1 p_2 \cdots p_{n+1}$ est divisible par plus de n premiers.

41. On suppose que $p_1, p_2, \dots, p_n$ sont tous les nombres premiers congruents à 3 modulo 4, sauf 3 lui-même. Soit $q = 4p_1 p_2 \cdots p_n + 3$. Alors, $q \equiv 3 \pmod 4$ et q n'est pas divisible par p_i, $i = 1, 2, \dots, n$ ou par 3. Puisque q doit avoir au moins un facteur premier qui est congruent à 3 modulo 4, il doit y avoir un nombre premier de ce type qui ne se trouve pas dans la liste. Il s'agit d'une preuve d'existence non constructive.

43. On suppose que $p_1 \to p_4 \to p_2 \to p_5 \to p_3 \to p_1$. Pour prouver que l'une de ces propositions implique n'importe laquelle des autres, on utilise simplement le syllogisme par hypothèse à plusieurs reprises.

45. Soit $a = \sqrt{2}$ et $b = \sqrt{2}$. Si $c = a^b$ est rationnel, on a terminé. Si c est irrationnel, alors $c^b = (a^b)^b = (\sqrt{2}^{\sqrt{2}})^{\sqrt{2}} = (\sqrt{2})^2 = 2$ est rationnel. Cette preuve est non constructive.

47. Chaque domino placé sur l'échiquier recouvre exactement une case blanche et une case noire. Donc, un ensemble de dominos recouvre exactement le même nombre de cases blanches et de cases noires. En retirant les coins opposés, puisqu'on obtient un échiquier ayant 2 cases noires de plus que de cases blanches, ou 2 cases blanches de plus que de cases noires, aucun ensemble de dominos ne peut recouvrir l'échiquier lorsque les coins sont retirés.

49. Valide

Section 3.2

1. $n(n + 1)$

3. Soit $P(n)$ « $\Sigma_{j=0}^{n} 3 \cdot 5^j = 3(5^{n+1} - 1)/4$ ». ÉTAPE DE BASE : $P(0)$ est vraie puisque $\Sigma_{j=0}^{0} 3 \cdot 5^j = 3 = 3(5^1 - 1)/4$. ÉTAPE INDUCTIVE : On suppose que $\Sigma_{j=0}^{n} 3 \cdot 5^j = 3(5^{n+1} - 1)/4$. Alors, $\Sigma_{j=0}^{n+1} 3 \cdot 5^j = (\Sigma_{j=0}^{n} 3 \cdot 5^j) + 3 \cdot 5^{n+1} = 3(5^{n+1} - 1)/4 + 3 \cdot 5^{n+1} = 3(5^{n+1} + 4 \cdot 5^{n+1} - 1)/4 = 3(5^{n+2} - 1)/4$.

5. En examinant les petites valeurs de n, on établit la conjecture selon laquelle $P(n)$ est vraie, où $P(n)$ est l'énoncé « $\Sigma_{j=1}^{n} \frac{1}{2^j} = \frac{2^n - 1}{2^n}$ ». ÉTAPE DE BASE : $P(1)$ est vraie et est $\frac{1}{2} = \frac{2^1 - 1}{2^1}$. ÉTAPE INDUCTIVE : On suppose que $\Sigma_{j=1}^{n} \frac{1}{2^j} = \frac{2^n - 1}{2^n}$. Alors, $\Sigma_{j=1}^{n+1} \frac{1}{2^j} = (\Sigma_{j=1}^{n} \frac{1}{2^j}) + \frac{1}{2^{n+1}} = \frac{2^n - 1}{2^n} + \frac{1}{2^{n+1}} = \frac{2^{n+1} - 2 + 1}{2^{n+1}} = \frac{2^{n+1} - 1}{2^{n+1}}$.

7. Soit $P(n)$ « $\Sigma_{j=1}^{n} j^2 = n(n+1)(2n+1)/6$ ». ÉTAPE DE BASE : $P(1)$ est vraie puisque $\Sigma_{1}^{1} j^2 = 1 = 1(1+1)(2 \cdot 1 + 1)/6$. ÉTAPE INDUCTIVE : On suppose que $\Sigma_{j=1}^{n} j^2 = n(n+1)(2n+1)/6$. Alors, $\Sigma_{j=1}^{n+1} j^2 = (\Sigma_{j=1}^{n} j^2) + (n+1)^2 = n(n+1)(2n+1)/6 + (n+1)^2 = (n+1)[2n^2 + n + 6n + 6]/6 = (n+1)(n+2) \cdot (2n+3)/6 = (n+1)((n+1)+1)(2(n+1)+1)/6$.

9. Soit $P(n)$ « $1^2 + 3^2 + \cdots + (2n+1)^2 = (n+1)(2n+1)(2n+3)/3$ ». ÉTAPE DE BASE : $P(0)$ est vraie puisque $1^2 = 1 = (0+1)(2 \cdot 0 + 1)(2 \cdot 0 + 3)/3$. ÉTAPE INDUCTIVE : On suppose que $P(n)$ est vraie. Alors, $1^2 + 3^2 + \cdots + (2n+1)^2 + (2(n+1)+1)^2 = (n+1)(2n+1)(2n+3)/3 + (2n+3)^2 = (2n+3)[(n+1)(2n+1)/3 + (2n+3)] = (2n+3)(2n^2 + 9n + 10)/3 = (2n+3)(2n+5)(n+2)/3 = ((n+1)+1)(2(n+1)+1) \cdot (2(n+1)+3)/3$.

11. Soit $P(n)$ « $1 + nh \leq (1 + h)^n$, $h > -1$ ». ÉTAPE DE BASE : $P(0)$ est vraie puisque $1 + 0 \cdot h = 1 \leq 1 = (1 + h)^0$. ÉTAPE INDUCTIVE : On suppose que $1 + nh \leq (1 + h)^n$. Donc, puisque $(1 + h) > 0$, $(1 + h)^{n+1} = (1 + h)(1 + h)^n \geq (1 + h)(1 + nh) = 1 + (n+1)h + nh^2 \geq 1 + (n+1)h$.

13. Soit $P(n)$ « $2^n > n^2$ ». ÉTAPE DE BASE : $P(5)$ est vraie puisque $2^5 = 32 > 25 = 5^2$. ÉTAPE INDUC-

TIVE : On suppose que $P(n)$ est vraie ; autrement dit, $2^n > n^2$. Alors, $2^{n+1} = 2 \cdot 2^n > n^2 + n^2 > n^2 + 4n \geq n^2 + 2n + 1 = (n+1)^2$ puisque $n > 4$.

15. Soit $P(n)$ « $1 \cdot 2 + 2 \cdot 3 + \cdots + n(n+1) = n(n+1)(n+2)/3$ ». ÉTAPE DE BASE : $P(1)$ est vraie puisque $1 \cdot 2 = 2 = 1(1+1)(1+2)/3$. ÉTAPE INDUCTIVE : On suppose que $P(n)$ est vraie. Alors, $1 \cdot 2 + 2 \cdot 3 + \cdots + n(n+1) + (n+1)(n+2) = [n(n+1)(n+2)/3] + (n+1)(n+2) = (n+1)(n+2)[(n/3) + 1] = (n+1)(n+2)(n+3)/3$.

17. Soit $P(n)$ « $1^2 - 2^2 + 3^2 - \cdots + (-1)^{n-1} n^2 = (-1)^{n-1} n(n+1)/2$ ». ÉTAPE DE BASE : $P(1)$ est vraie puisque $1^2 = 1 = (-1)^0 1^2$. ÉTAPE INDUCTIVE : On suppose que $P(n)$ est vraie. Alors, $1^2 - 2^2 + 3^2 - \cdots + (-1)^{n-1} n^2 + (-1)^n (n+1)^2 = (-1)^{n-1} n(n+1)/2 + (-1)^n (n+1)^2 = (-1)^n (n+1)[-n/2 + (n+1)] = (-1)^n (n+1)[(n/2) + 1] = (-1)^n (n+1)(n+2)/2$.

19. Soit $P(n)$ « On peut former un affranchissement de n cents en utilisant des timbres de 3 et de 5 cents. » ÉTAPE DE BASE : $P(8)$ est vraie puisqu'on peut former des affranchissements de 8 cents avec des timbres de 3 et de 5 cents. ÉTAPE INDUCTIVE : On suppose que $P(n)$ est vraie ; autrement dit, on peut former des affranchissements de n cents. On démontre comment former des affranchissements de $n + 1$ cents. Selon l'hypothèse de l'induction, on peut former des affranchissements de n cents. Si cela comprenait un timbre de 5 cents, on le remplace par deux timbres de 3 cents pour obtenir des affranchissements de $n + 1$ cents. Sinon, on n'a utilisé que des timbres de 3 cents et $n \geq 9$. On supprime trois des timbres de 3 cents et on les remplace par deux timbres de 5 cents pour obtenir un affranchissement de $n + 1$ cents.

21. Soit $P(n)$ « $n^5 - n$ est divisible par 5. » ÉTAPE DE BASE : $P(0)$ est vraie puisque $0^5 - 0 = 0$ est divisible par 5. ÉTAPE INDUCTIVE : On suppose que $P(n)$ est vraie ; autrement dit, $n^5 - 5$ est divisible par 5. Ensuite, $(n+1)^5 - (n+1) = (n^5 + 5n^4 + 10n^3 + 10n^2 + 5n + 1) - (n+1) = (n^5 - n) + 5(n^4 + 2n^3 + 2n^2 + n)$

est également divisible par 5, puisque les deux éléments dans cette somme sont divisibles par 5.

23. Soit $P(n)$ la proposition $(2n - 1)^2 - 1$ est divisible par 8. $P(1)$, le cas de base, est vraie puisque $8 \mid 0$. À présent, on suppose que $P(n)$ est vraie. Puisque $((2(n + 1) - 1)^2 - 1) = ((2n - 1)^2 - 1) + 8n$, $P(n + 1)$ est vraie puisque les deux éléments du côté droit sont divisibles par 8. Cela démontre que $P(n)$ est vraie pour tous les entiers positifs, de manière telle que $m^2 - 1$ est divisible par 8 lorsque m est un entier positif impair.

25. Soit $P(n)$ la proposition qu'un ensemble à n éléments a $n(n - 1)/2$ sous-ensembles à deux éléments. $P(2)$, le cas de base, est vraie, puisqu'un ensemble à deux éléments a un sous-ensemble à deux éléments — notamment lui-même — et $2(2 - 1)/2 = 1$. À présent, on suppose que $P(n)$ est vraie. Soit S un ensemble à $n + 1$ éléments. On choisit un élément a dans S, et soit $T = S - \{a\}$. Un sous-ensemble à deux éléments de S contient a ou non. Ces sous-ensembles ne contenant pas a sont les sous-ensembles à 2 éléments de T; d'après l'hypothèse de l'induction, il y a $n(n - 1)/2$ de ceux-ci. Il y a n sous-ensembles à deux éléments de S qui contiennent a, car un tel sous-ensemble contient a et l'un des n éléments de T. Ainsi, il y a $n(n - 1)/2 + n = (n + 1)n/2$ sous-ensembles à deux éléments de S. Cela complète la démonstration par l'induction.

27. Soit $P(n)$ la proposition que $1^4 + 2^4 + 3^4 + \cdots + n^4 = n(n + 1)(2n + 1)(3n^2 + 3n - 1)/30$. $P(1)$ est vraie puisque $1 \cdot 2 \cdot 3 \cdot 5/30 = 1$. On suppose que $P(n)$ est vraie. Alors, $(1^4 + 2^4 + 3^4 + \cdots + n^4) + (n + 1)^4 = n(n + 1)(2n + 1)(3n^2 + 3n - 1)/30 + (n + 1)^4 = ((n + 1)/30)(n(2n + 1)(3n^2 + 3n - 1) + 30(n + 1)^3) = ((n + 1)/30)(6n^4 + 39n^3 + 91n^2 + 89n + 30) = ((n + 1)/30)(n + 2)(2n + 3)(3(n + 1)^2 + 3(n + 1) -1)$. Cela démontre que $P(n + 1)$ est vraie.

29. On peut vérifier que l'inégalité $2n + 3 \leq 2^n$ n'est pas valide pour $n = 0, 1, 2, 3$. Soit $P(n)$ la proposition selon laquelle l'inégalité est valide pour un entier positif n. $P(4)$, le cas de base, est vraie puisque $2 \cdot 4 + 3 = 11 \leq 16 = 2^4$. Pour l'étape inductive, on suppose que $P(n)$ est vraie. Donc, selon l'hypothèse de l'induction, $2(n + 1) + 3 = (2n + 3) + 2 < 2^n + 2$. Cependant, puisque $n \geq 1$, $2^n + 2 \leq 2^n + 2^n = 2^{n + 1}$, alors $P(n + 1)$ est vraie.

31. a) Les affranchissements qu'on peut former en utilisant des timbres de 5 et de 6 cents sont 5, 6, 10, 11, 12, 15, 16, 17, 18 cents et tous les affranchissements de 20 cents ou plus.

b) On démontre qu'on peut former tous les affranchissements de 20 cents ou plus en utilisant des timbres de 5 et de 6 cents. Soit $P(n)$ l'énoncé qu'on peut former des affranchissements de n cents. $P(20)$ est vraie puisqu'on peut former des affranchissements de 20 cents en utilisant quatre timbres de 5 cents. À présent, on suppose que $P(n)$ est vraie. Si on utilise un timbre de 5 cents pour former un affranchissement de n cents, alors on le remplace par un timbre de 6 cents pour former un affranchissement de $n + 1$ cents. Sinon, si on n'utilise que des timbres de 6 cents, puisque $n \geq 20$, on a utilisé au moins quatre timbres de 6 cents. On remplace quatre timbres de 6 cents par cinq timbres de 5 cents pour obtenir un affranchissement de $n + 1$ cents. Donc, $P(n + 1)$ est vraie. Cela complète la preuve par l'induction.

c) Soit $P(n)$ comme en b). Les cas de base sont $P(20)$, $P(21)$, $P(22)$, $P(23)$ et $P(24)$. Ces propositions sont vraies, car on peut former des affranchissements de 20, 21, 22, 23 et 24 cents en utilisant respectivement quatre timbres de 5 cents, trois timbres de 5 cents et un timbre de 6 cents, deux timbres de 5 cents et deux timbres de 6 cents, un timbre de 5 cent et trois timbres de 6 cents, et quatre timbres de 6 cents, respectivement. À présent, on suppose que $P(k)$ est vraie pour $20 \leq k \leq n$, où $n \geq 24$. Puisque $n + 1 \geq 25$, il s'ensuit que $n - 4 \geq 20$, de manière telle que selon l'hypothèse inductive, on peut former des affranchissements de $n - 4$. On ajoute un timbre de 5 cents pour obtenir un affranchissement de $n + 1$ cents, ce qui démontre que $P(n + 1)$ est vraie. Cela complète la preuve par le deuxième principe d'induction.

33. On peut former tous les multiples de 10 \$ plus grands que ou égaux à 40 \$ et à 20 \$. Soit $P(n)$ la proposition qu'on peut former $10n$ dollars. $P(4)$ est vraie puisqu'on peut former 40 \$ en utilisant deux 20 \$. À présent, on suppose que $P(n)$ est vraie avec $n \geq 4$. Si on utilise un billet de 50 \$ pour former $10n$ dollars, on le remplace par trois billets de 20 \$ pour obtenir $10(n + 1)$ dollars. Sinon, on a utilisé au moins deux billets de 20 \$ puisque $10n$ est d'au moins 40 \$. On remplace deux billets de 20 \$ par un billet de 50 \$ pour obtenir $10(n + 1)$ \$. Cela démontre que $P(n + 1)$ est vraie.

35. Soit $P(n)$ la proposition que $\mathbf{AB}^n = \mathbf{B}^n\mathbf{A}$. $P(1)$ est vraie puisque $\mathbf{AB} = \mathbf{BA}$. À présent, on suppose que $P(n)$ est vraie. Alors, $\mathbf{AB}^{n + 1} = \mathbf{AB}^n\mathbf{B} = \mathbf{B}^n\mathbf{AB} = \mathbf{B}^n\mathbf{BA} = \mathbf{B}^{n + 1}\mathbf{A}$. Il s'ensuit que $P(n + 1)$ est vraie.

37. Soit $P(n)$ « $(A_1 \cup A_2 \cup \cdots \cup A_n) \cap B = (A_1 \cap B) \cup (A_2 \cap B) \cup \cdots \cup (A_n \cap B)$ ». ÉTAPE DE BASE:

$P(1)$ est trivialement vraie. ÉTAPE INDUCTIVE : On suppose que $P(n)$ est vraie. Alors, $(A_1 \cup A_2 \cup \cdots \cup A_n \cup A_{n+1}) \cap B = [(A_1 \cup A_2 \cup \cdots \cup A_n) \cup A_{n+1}] \cap B = [(A_1 \cup A_2 \cup \cdots \cup A_n) \cap B] \cup (A_{n+1} \cap B) = [(A_1 \cap B) \cup (A_2 \cap B) \cup \cdots \cup (A_n \cap B)] \cup (A_{n+1} \cap B) = (A_1 \cap B) \cup (A_2 \cap B) \cup \cdots \cup (A_n \cap B) \cup (A_{n+1} \cap B)$.

39. Soit $P(n)$

$$\ll \overline{\bigcup_{k=1}^{n} A_k} = \bigcap_{k=1}^{n} \overline{A_k}. \gg$$

ÉTAPE DE BASE : $P(1)$ est trivialement vraie. ÉTAPE INDUCTIVE : On suppose que $P(n)$ est vraie. Alors,

$$\overline{\bigcup_{k=1}^{n+1} A_k} = \overline{\left(\bigcup_{k=1}^{n} A_k\right) \cup A_{n+1}} = \overline{\left(\bigcup_{k=1}^{n} A_k\right)} \cap \overline{A_{n+1}}$$

$$= \left(\bigcap_{k=1}^{n} \overline{A_k}\right) \cap \overline{A_{n+1}} = \bigcap_{k=1}^{n+1} \overline{A_k}.$$

41. Soit $P(n)$ $\ll [(p_1 \to p_2) \wedge (p_2 \to p_3) \wedge \cdots \wedge (p_{n-1} \to p_n)] \to [(p_1 \wedge \cdots \wedge p_{n-1}) \to p_n]$. ÉTAPE DE BASE : $P(2)$ est vraie puisque $(p_1 \to p_2) \to (p_1 \to p_2)$ est une tautologie. ÉTAPE INDUCTIVE : On suppose que $P(n)$ est vraie. Pour démontrer que $[(p_1 \to p_2) \wedge \cdots \wedge (p_{n-1} \to p_n) \wedge (p_n \to p_{n+1})] \to [(p_1 \wedge \cdots \wedge p_{n-1} \wedge p_n) \to p_{n+1}]$ est une tautologie, on suppose que l'hypothèse de cette implication est vraie. Puisque l'hypothèse et $P(n)$ sont toutes les deux vraies, il s'ensuit que $(p_1 \wedge \cdots \wedge p_{n-1}) \to p_n$ est vraie. Puisque cela est vrai et que $p_n \to p_{n+1}$ est vraie (elle fait partie de la supposition), il s'ensuit, selon le syllogisme par hypothèse, que $(p_1 \wedge \cdots \wedge p_{n-1}) \to p_{n+1}$ est vraie. L'énoncé plus faible $(p_1 \wedge \cdots \wedge p_{n-1} \wedge p_n) \to p_{n+1}$ en découle.

43. Les deux ensembles ne se chevauchent pas si $n + 1 = 2$. En fait, l'implication $P(1) \to P(2)$ est fausse.

45. On suppose que le principe du bon ordre s'applique. On suppose que $P(1)$ est vraie et que l'implication $(P(1) \wedge P(2) \wedge \cdots \wedge P(n)) \to P(n + 1)$ est vraie pour chaque entier positif $n \geq 1$. Soit S l'ensemble des entiers n pour lequel $P(n)$ est fausse. On démontre que $S = \varnothing$. On suppose que $S \neq \varnothing$. Donc, selon le principe du bon ordre, il y a au moins un entier m dans S. On sait que m ne peut être 1, car $P(1)$ est vraie. Puisque $n = m$ est l'entier le plus petit, tel que $P(n)$ est fausse, $P(1)$, $P(2)$, ..., $P(m - 1)$ sont vraies et $m - 1 \geq 1$. Puisque $(P(1) \wedge P(2) \wedge \cdots \wedge P(m - 1)) \to P(m)$ est vraie, il s'ensuit que $P(m)$ doit également être vraie, ce qui est une contradiction. Ainsi, $S = \varnothing$.

47. Soit $P(n)$ $\ll H_{2^n} \leq 1 + n \gg$. ÉTAPE DE BASE : $P(0)$ est vraie, puisque $H_{2^0} = H_1 = 1 \leq 1 + 0$. ÉTAPE INDUCTIVE : On suppose que $H_{2^n} \leq 1 + n$. Alors,

$$H_{2^{n+1}} = H_{2^n} + \sum_{j = 2^n + 1}^{2^{n+1}} 1/j \leq 1 + n + 2^n(1/2^{n+1})$$

$$< 1 + n + 1 = 1 + (n + 1).$$

49. Soit $P(n)$ $\ll 1/\sqrt{1} + 1/\sqrt{2} + 1/\sqrt{3} + \cdots + 1/\sqrt{n} > 2(\sqrt{n+1} - 1) \gg$. ÉTAPE DE BASE : $P(1)$ est vraie puisque $1 > 2(\sqrt{2} - 1)$. ÉTAPE INDUCTIVE : On suppose que $P(n)$ est vraie. Alors, $1 + 1/\sqrt{2} + \cdots + 1/\sqrt{n} + 1/\sqrt{n+1} > 2(\sqrt{n+1} - 1) + 1/\sqrt{n+1}$. Si on démontre que $2(\sqrt{n+1} - 1) + 1/\sqrt{n+1} > 2(\sqrt{n+2} - 1)$, il s'ensuit que $P(n + 1)$ est vraie. Cette inégalité est équivalente à $2(\sqrt{n+2} - \sqrt{n+1}) < 1/\sqrt{n+1}$, qui est équivalente à $2(\sqrt{n+2} - \sqrt{n+1})(\sqrt{n+2} + \sqrt{n+1}) < \sqrt{n+1}/\sqrt{n+1} + \sqrt{n+2}/\sqrt{n+1}$. Cela équivaut à $2 < 1 + \sqrt{n+2}/\sqrt{n+1}$, laquelle est clairement vraie.

51. On démontre d'abord le résultat lorsque n est une puissance de 2 ; autrement dit, si $n = 2^k$, $k = 1, 2, \cdots$. Soit $P(k)$ l'énoncé $A \geq G$, où A et G sont les moyennes arithmétique et géométrique d'un ensemble de $n = 2^k$ nombres réels positifs. ÉTAPE DE BASE : $k = 1$ et $n = 2^1 = 2$. On note que $(\sqrt{a_1} - \sqrt{a_2})^2 \geq 0$. En développant, on démontre que $a_1 - 2\sqrt{a_1 a_2} + a_2 \geq 0$; autrement dit, $(a_1 + a_2)/2 \geq (a_1 a_2)^{1/2}$. ÉTAPE INDUCTIVE : On suppose que $P(k)$ est vraie, avec $n = 2^k$. On démontre que $P(k + 1)$ est vraie. On a $2^{k+1} = 2n$. À présent, $(a_1 + a_2 + \cdots + a_{2n})/(2n) = ((a_1 + a_2 + \cdots + a_n)/n + (a_{n+1} + a_{n+2} + \cdots + a_{2n})/n)/2$ et, de même, $(a_1 a_2 \cdots a_{2n})^{1/(2n)} = [(a_1 \cdots a_n)^{1/n}(a_{n+1} \cdots a_{2n})^{1/n}]^{1/2}$. Pour simplifier la notation, soit $A(x, y, \ldots)$ et $G(x, y, \ldots)$ la moyenne arithmétique et la moyenne géométrique de $x, y, \ldots$, respectivement. De plus, si $x \leq x'$, $y \leq y'$, et ainsi de suite, alors $A(x, y, \ldots) \leq A(x', y', \ldots)$ et $G(x, y, \ldots) \leq G(x', y', \ldots)$. Donc, $A(a_1, \ldots, a_{2n}) = (A(A(a_1, \ldots, a_n), A(a_{n+1}, \ldots, a_{2n})) \geq A(G(a_1, \ldots, a_n), G(a_{n+1}, \ldots, a_{2n})) \geq G(G(a_1, \ldots, a_n), G(a_{n+1}, \ldots, a_{2n})) = G(a_1, \ldots, a_{2n})$. Cela complète la preuve des puissances de 2. À présent, si n n'est pas une puissance de 2, soit m la prochaine puissance plus grande de 2 et soit $a_{n+1}, \ldots, a_m$ qui sont tous égaux à $A(a_1, \ldots, a_n) = \overline{a}$. Alors, on a $((a_1 a_2 \cdots a_n)\overline{a}^{m-n})^{1/m} \leq A(a_1, \ldots, a_m)$, puisque m est une puissance de 2. Puisque $A(a_1, \ldots, a_m) = \overline{a}$, il s'ensuit que $(a_1 \cdots a_n)^{1/m}\overline{a}^{1 - n/m} \leq \overline{a}^{n/m}$. En mettant les deux côtés à la (m/n)-ième puissance, on obtient $G(a_1, \ldots, a_n) \leq A(a_1, \ldots, a_n)$.

53. Il n'y a rien à prouver pour le cas de base lorsque $n = 1$. À présent, on admet l'hypothèse de l'induction. On suppose que $p \mid a_1 a_2 \cdots a_n a_{n+1}$. On note que $\operatorname{pgcd}(p, a_1, a_2, \ldots, a_n) = 1$ ou p. S'il vaut 1, selon le lemme 1 de la section 2.5, $p \mid a_{n+1}$. S'il vaut p, alors $p \mid a_1 a_2 \cdots a_n$, d'où, selon l'hypothèse de l'induction, $p \mid a_i$ pour un $i \le n$. Cela complète la démonstration.

55. Soit $P(n)$ la proposition que si $x_1, x_2, \ldots, x_n$ sont n nombres réels distincts, alors $n - 1$ multiplications sont utilisées pour trouver le produit de ces nombres, peu importe comment les parenthèses sont insérées dans le produit. On démontre que $P(n)$ est vraie en utilisant le deuxième principe d'induction. $P(1)$, le cas de base, est vraie puisque $1 - 1 = 0$ multiplication est nécessaire pour trouver le produit de x_1, un produit n'ayant qu'un seul facteur. On suppose que $P(k)$ est vraie pour $1 \le k \le n$. La dernière multiplication utilisée pour trouver le produit des $n + 1$ nombres réels distincts $x_1, x_2, \ldots, x_n, x_{n+1}$ est une multiplication du produit du premier k de ces nombres pour un k et le produit du dernier $n + 1 - k$ de ceux-ci. Selon l'hypothèse de l'induction, $k - 1$ multiplications sont utilisées pour trouver le produit de k de ces nombres, peu importe comment les parenthèses ont été insérées dans le produit de ces nombres ; et $n - k$ multiplications sont nécessaires pour trouver le produit de l'autre $n + 1 - k$ de ceux-ci, peu importe comment les parenthèses ont été insérées dans le produit de ces nombres. Puisqu'une multiplication de plus est nécessaire pour trouver le produit de tous les $n + 1$ nombres, le nombre total de multiplications utilisées est égal à $(k-1) + (n-k) + 1 = n$. Ainsi, $P(n+1)$ est vraie. La preuve est terminée.

57.

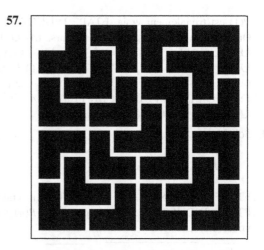

59. Soit $P(n)$ la proposition que tout échiquier de $2^n \times 2^n \times 2^n$ auquel on a retiré un cube de $1 \times 1 \times 1$ peut être recouvert par des cases qui sont des cubes de $2 \times 2 \times 2$ chacun si un cube de $1 \times 1 \times 1$ est retiré. L'étape de base, $P(1)$, s'applique, car une case coïncide avec la case qu'il faut recouvrir. À présent, on suppose que $P(n)$ s'applique. On considère un cube de $2^{n+1} \times 2^{n+1} \times 2^{n+1}$ si un cube de $1 \times 1 \times 1$ est retiré. On divise cet objet en huit pièces en utilisant des plans qui sont parallèles à ces faces et en parcourant son centre. La pièce de $1 \times 1 \times 1$ manquante se trouve dans l'une de ces huit pièces. Maintenant, on place une de ces cases en mettant son centre au centre du grand objet de sorte que le cube de $1 \times 1 \times 1$ manquant se trouve dans l'octant dans lequel le grand objet a un cube de $1 \times 1 \times 1$ en moins. Cela crée huit cubes de $2^n \times 2^n \times 2^n$, pour chacun desquels un cube de $1 \times 1 \times 1$ est absent. Selon l'hypothèse de l'induction, on peut remplir chacun de ces huit objets par des cases. En assemblant ces cases, on obtient l'échiquier souhaité.

61. On suppose que $a = dq + r = dq' + r'$, tel que $0 \le r < d$ et $0 \le r' < d$. Alors, $d(q - q') = r' - r$. Il s'ensuit que d divise $r' - r$. Puisque $-d < r' - r < d$, on obtient $r' - r = 0$. Ainsi, $r' = r$. Il s'ensuit que $q = q'$.

Section 3.3

1. a) $f(1) = 3$, $f(2) = 5$, $f(3) = 7$, $f(4) = 9$
  b) $f(1) = 3$, $f(2) = 9$, $f(3) = 27$, $f(4) = 81$
  c) $f(1) = 2$, $f(2) = 4$, $f(3) = 16$, $f(4) = 65\ 536$
  d) $f(1) = 3$, $f(2) = 13$, $f(3) = 183$, $f(4) = 33\ 673$

3. a) $f(2) = -1$, $f(3) = 5$, $f(4) = 2$, $f(5) = 17$
  b) $f(2) = -4$, $f(3) = 32$, $f(4) = -4096$, $f(5) = 536\ 870\ 912$

c) $f(2) = 8$, $f(3) = 176$, $f(4) = 92\ 672$, $f(5) = 25\ 764\ 174\ 848$

d) $f(2) = -1/2$, $f(3) = -4$, $f(4) = 1/8$, $f(5) = -32$

5. Il existe plusieurs réponses valides. On fournit ici des réponses relativement simples.

  a) $a_{n+1} = a_n + 6$ pour $n \ge 1$ et $a_1 = 6$

  b) $a_{n+1} = a_n + 2$ pour $n \ge 1$ et $a_1 = 3$

c) $a_{n+1} = 10a_n$ pour $n \geq 1$ et $a_1 = 10$

d) $a_{n+1} = a_n$ pour $n \geq 1$ et $a_1 = 5$

7. $F(0) = 0$, $F(n) = F(n-1) + n$ pour $n \geq 1$

9. $P_m(0) = 0$, $P_m(n+1) = P_m(n) + m$

11. Soit $P(n)$ « $f_1 + f_3 + \cdots + f_{2n-1} = f_{2n}$ ». ÉTAPE DE BASE : $P(1)$ est vraie puisque $f_1 = 1 = f_2$. ÉTAPE INDUCTIVE : On suppose que $P(n)$ est vraie. Alors, $f_1 + f_3 + \cdots + f_{2n-1} + f_{2n+1} = f_{2n} + f_{2n+1} = f_{2n+2} = f_{2(n+1)}$.

13. ÉTAPE DE BASE : $f_0 f_1 + f_1 f_2 = 0 \cdot 1 + 1 \cdot 1 = 1^2 = f_2^2$. ÉTAPE INDUCTIVE : On suppose que $f_0 f_1 + f_1 f_2 + \cdots + f_{2n-1}f_{2n} = f_{2n}^2$. Alors, $f_0 f_1 + f_1 f_2 + \cdots + f_{2n-1}f_{2n} + f_{2n}f_{2n+1} + f_{2n+1}f_{2n+2} = f_{2n}^2 + f_{2n}f_{2n+1} + f_{2n+1}f_{2n+2} = f_{2n}(f_{2n} + f_{2n+1}) + f_{2n+1}f_{2n+2} = f_{2n}f_{2n+2} + f_{2n+1}f_{2n+2} = (f_{2n} + f_{2n+1})f_{2n+2} = f_{2n+2}^2$.

15. Le nombre de divisions utilisées par l'algorithme d'Euclide pour trouver pgcd(f_{n+1}, f_n) est 0 pour $n = 0$, 1 pour $n = 1$ et $n - 1$ pour $n \geq 2$. Afin de prouver ce résultat pour $n \geq 2$, on utilise le principe de l'induction. Pour $n = 2$, une division montre que pgcd(f_3, f_2) = pgcd(2, 1) = pgcd(1, 0) = 1. À présent, on suppose que $n - 1$ divisions sont utilisées pour trouver pgcd(f_{n+1}, f_n). Pour trouver pgcd(f_{n+2}, f_{n+1}), on divise d'abord f_{n+2} par f_{n+1} pour obtenir $f_{n+2} = 1 \cdot f_{n+1} + f_n$. Après une division, on obtient pgcd(f_{n+2}, f_{n+1}) = pgcd(f_{n+1}, f_n). Selon l'hypothèse de l'induction, il s'ensuit qu'exactement $n - 1$ divisions de plus sont nécessaires. Cela montre que n divisions sont requises pour trouver le pgcd (f_{n+2}, f_{n+1}), ce qui complète la démonstration inductive.

17. $|A| = -1$. Ainsi, $|A^n| = (-1)^n$. Il s'ensuit que $f_{n+1}f_{n-1} - f_n^2 = (-1)^n$.

19. a) Démonstration par induction. ÉTAPE DE BASE : Pour $n = 1$, $\max(-a_1) = -a_1 = -\min(a_1)$. Pour $n = 2$, on a deux cas. Si $a_2 \geq a_1$, alors $-a_1 \geq -a_2$. Donc, $\max(-a_1, -a_2) = -a_1 = -\min(a_1, a_2)$. Si $a_2 < a_1$, alors $-a_1 < -a_2$. Donc, $\max(-a_1, -a_2) = -a_2 = -\min(a_1, a_2)$. ÉTAPE INDUCTIVE : On suppose que c'est vrai pour n avec $n \geq 2$. Alors, $\max(-a_1, -a_2, \ldots, -a_n, -a_{n+1}) = \max(\max(-a_1, \ldots, -a_n), -a_{n+1}) = \max(-\min(a_1, \ldots, a_n), -a_{n+1}) = -\min(\min(a_1, \ldots, a_n), a_{n+1}) = -\min(a_1, \ldots, a_{n+1})$.

b) Démonstration par induction. Pour $n = 1$, le résultat est l'identité $a_1 + b_1 = a_1 + b_1$. Pour $n = 2$, on considère d'abord le cas dans lequel $a_1 + b_1 \geq a_2 + b_2$, puis $\max(a_1 + b_1, a_2 + b_2) = a_1 + b_1$. De plus, on note que $a_1 \leq \max(a_1, a_2)$ et $b_1 \leq \max(b_1, b_2)$, de sorte que $a_1 + b_1 \leq \max(a_1, a_2) + \max(b_1, b_2)$. Donc, $\max(a_1 + b_1, a_2 + b_2) = a_1$

$+ b_1 \leq \max(a_1, a_2) + \max(b_1, b_2)$. Le cas avec $a_1 + b_1 < a_2 + b_2$ est similaire. Pour l'étape inductive, on suppose que le résultat est vrai pour n. Alors, $\max(a_1 + b_1, a_2 + b_2, \ldots, a_n + b_n, a_{n+1} + b_{n+1}) = \max(\max(a_1 + b_1, a_2 + b_2, \ldots, a_n + b_n), a_{n+1} + b_{n+1}) \leq \max(\max(a_1, a_2, \ldots, a_n) + \max(b_1, b_2, \ldots, b_n), a_{n+1} + b_{n+1}) \leq \max(\max(a_1, a_2, \ldots, a_n), a_{n+1}) + \max(\max(b_1, b_2, \ldots, b_n), b_{n+1}) = \max(a_1, a_2, \ldots, a_n, a_{n+1}) + \max(b_1, b_2, \ldots, b_n, b_{n+1})$.

c) La démonstration est la même que pour b), sauf qu'il faut remplacer chaque occurrence de « max » par « min » et inverser chaque inégalité.

21. $5 \in S$ et $x + y \in S$ si $x, y \in S$

23. a) $0 \in S$ et si $x \in S$, alors $x + 2 \in S$ et $x - 2 \in S$

b) $2 \in S$ et si $x \in S$, alors $x + 3 \in S$

c) $1 \in S$, $2 \in S$, $3 \in S$, $4 \in S$ et si $x \in S$, alors $x + 5 \in S$

25. Si x est un ensemble ou une variable représentant un ensemble, alors x est une formule bien formée. Si x et y sont des formules bien formées, alors il en est de même pour $\overline{x}$, $(x \cup y)$, $(x \cap y)$ et $(x - y)$.

27. $\lambda^R = \lambda$ et $(ux)^R = xu^R$ pour $x \in \Sigma$, $u \in \Sigma^*$

29. $w^0 = \lambda$ et $w^{n+1} = ww^n$

31. C'est le cas lorsque la chaîne est constituée de n 0 suivis de n 1 pour un entier non négatif n.

33. Soit $P(l)$ « $l(w^i) = i \cdot l(w)$ ». $P(0)$ est vraie puisque $l(w^0) = 0 = 0 \cdot l(w)$. On suppose que $P(i)$ est vraie. Alors, $l(w^{i+1}) = l(ww^i) = l(w) + l(w^i) = l(w) + i \cdot l(w) = (i + 1) \cdot l(w)$.

35. a) $P_{m,m} = P_m$ puisqu'un nombre supérieur à m ne peut être utilisé dans une partition de m.

b) Puisqu'il n'y a qu'une manière de diviser 1, notamment $1 = 1$, il s'ensuit que $P_{1,n} = 1$. Puisqu'il n'y a qu'une manière de diviser m en 1, $P_{m,1} = 1$. Lorsque $n > m$, il s'ensuit que $P_{m,n} = P_{m,m}$ puisqu'un nombre supérieur à m ne peut être utilisé. $P_{m,m} = 1 + P_{m,m-1}$ puisqu'une partition supplémentaire, notamment $m = m$, survient lorsque m est autorisé dans la partition. $P_{m,n} = P_{m,n-1} + P_{m-n,n}$ si $m > n$ puisqu'une partition de m en entiers ne dépassant pas n n'utilise aucun n et est ainsi dénombrée dans $P_{m,n-1}$, donc utilise un n et une partition de $m - n$ et, ainsi, est dénombrée dans la partition $P_{m-n,n}$.

c) $P_5 = 7$, $P_6 = 11$

37. Soit $P(n)$ « $A(n, 2) = 4$ ». ÉTAPE DE BASE : $P(1)$ est vraie puisque $A(1, 2) = A(0, A(1, 1)) = A(0, 2) = 2 \cdot 2 = 4$. ÉTAPE INDUCTIVE : On suppose que $P(n)$ est vraie, autrement dit, $A(n, 2) = 4$. Alors, $A(n + 1, 2) = A(n, A(n + 1, 1)) = A(n, 2) = 4$.

39. a) 16

b) 65 536

41. On utilise un argument d'induction double pour prouver la proposition la plus forte : $A(m, k) > A(m, l)$ lorsque $k > l$. ÉTAPE DE BASE : Lorsque $m = 0$ la proposition est vraie puisque $k > l$ implique que $A(0, k) = 2k > 2l = A(0, l)$. ÉTAPE INDUCTIVE : On suppose que $A(m, x) > A(m, y)$ pour tous les entiers non négatifs x et y avec $x > y$. On montre que cela implique que $A(m + 1, k) > A(m + 1, l)$ si $k > l$. ÉTAPE DE BASE : Lorsque $l = 0$ et $k > 0$, $A(m + 1, l) = 0$ et soit $A(m + 1, k) = 2$ ou $A(m + 1, k) = A(m, A(m + 1, k - 1))$. Si $m = 0$, on a $2A(1, k - 1) = 2^k$. Si $m > 0$, le résultat est plus grand que 0 selon l'hypothèse de l'induction. Dans tous les cas, $A(m + 1, k) > 0$ et, en fait, $A(m + 1, k) \geq 2$. Si $l = 1$ et $k > 1$, alors $A(m + 1, l) = 2$ et $A(m + 1, k) = A(m,$ $A(m + 1, k - 1))$ avec $A(m + 1, k - 1) \geq 2$. Ainsi, selon l'hypothèse de l'induction, $A(m, A(m + 1, k - 1))$ $\geq A(m, 2) > A(m, 1) = 2$. ÉTAPE INDUCTIVE : On suppose que $A(m + 1, r) > A(m + 1, s)$ pour tout $r > s, s = 0, 1, ..., l$. Alors, si $k + 1 > l + 1$, il s'ensuit que $A(m + 1, k + 1) = A(m, A(m + 1, k)) > A(m,$ $A(m + 1, k)) = A(m + 1, l + 1)$.

43. D'après l'exercice 42, il s'ensuit que $A(i, j) \geq A(i - 1,$ $j) \geq \cdots \geq A(0, j) = 2j \geq j$.

45. Soit $P(n)$ « $F(n)$ est bien définie. » Alors, $P(0)$ est vraie puisque $F(0)$ est donnée. On suppose que $P(k)$ est vraie pour tout $k < n$. Alors, $F(n)$ est bien définie à n puisque $F(n)$ est donnée en fonction de $F(0)$, $F(1)$, ..., $F(n - 1)$. Donc, $P(n)$ est vraie pour tout entier n.

Section 3.4

1. **procédure** *mult* (n : entier positif, x : entier)
   si $n = 1$ **alors** $mult(n, x) := x$
   sinon $mult(n, x) := x + mult(n - 1, x)$

3. **procédure** *somme des impairs* (n : entier positif)
   si $n = 1$ **alors** *somme des impairs* $(n) := 1$
   sinon *somme des impairs* $(n) := $ *somme des impairs*
      $(n - 1) + 2n - 1$

5. **procédure** *plus petits* ($a_1, ..., a_n$: entiers)
   si $n = 1$ **alors** *plus petits* $(a_1, ..., a_n) = a_1$
   sinon *plus petits* $(a_1, ..., a_n) := $
      $\min($ *plus petits* $(a_1, ..., a_{n-1}), a_n)$

7. **procédure** *mode factoriel* (n, m : entiers positifs)
   si $n = 1$ **alors** *mode factoriel* $(n, m) := 1$
   sinon *mode factoriel* $(n, m) := $
      $(n * mode\ factoriel (n - 1, m))$**mod** m

9. **procédure** *pgcd* (a, b : entiers non négatifs)
   {$a < b$ supposée vraie}
   si $a = 0$ **alors** pgcd$(a, b) := b$
   sinon si $a = b - a$ **alors** pgcd$(a, b) := a$
   sinon si $a < b - a$ **alors** pgcd$(a, b) := $ pgcd$(a, b - a)$
   sinon pgcd$(a, b) := $ pgcd$(b - a, a)$

11. n multiplications par opposition à 2^n

13. $O(\log n)$ par opposition à n

15. **procédure** a (n : entier non négatif)
   si $n = 0$ **alors** $a(n) := 1$
   sinon si $n = 1$ **alors** $a(n) := 2$
   sinon $a(n) := a(n - 1) * a(n - 2)$

17. Itératif

19. **procédure** *itératif* (n : entier non négatif)
   si $n = 0$ **alors** $z := 1$
   sinon si $n = 1$ **alors** $z := 2$
   sinon

début
   $x := 1$
   $y := 2$
   $z := 3$
   pour $i := 1$ **à** $n - 2$
   début
      $w := x + y + z$
      $x := y$
      $y := z$
      $z := w$
   fin
fin
{z est le n-ième élément de la suite}

21. On donne d'abord une procédure récursive et ensuite une procédure itérative.
   procédure r (n : entier non négatif)
   si $n < 3$ **alors** $r(n) := 2n + 1$
   sinon $r(n) = r(n - 1) \cdot (r(n - 2))^2 \cdot (r(n - 3))^3$
   procédure i (n : entier non négatif)
   si $n = 0$ **alors** $z := 1$
   sinon si $n = 1$ **alors** $z := 3$
   sinon
   début
      $x := 1$
      $y := 3$
      $z := 5$
      pour $i := 1$ **à** $n - 2$
      début
         $w := z * y^2 * x^3$
         $x := y$
         $y := z$
         $z := w$

fin

fin

{z est le n-ième élément de la suite}

La version itérative est plus efficace.

23. **procédure** *inverser* (w : chaîne binaire)

$n := $ longueur(w)

si $n \leq 1$ **alors** *inverser*(w) := w

sinon *inverser*(w) :=

$soustr(w, n, n)inverser(soustr(w, 1, n - 1))$

{$soustr(w, a, b)$ est la sous-chaîne de w constituée des symboles des positions a-ième à b-ième}

25. **procédure** $A(m, n$: entiers non négatifs)

si $m = 0$ **alors** $A(m, n) := 2n$

sinon si $n = 0$ **alors** $A(m, n) := 0$

sinon si $n = 1$ **alors** $A(m, n) := 2$

sinon $A(m, n) := A(m - 1, A(m, n - 1))$

Section 3.5

1. On suppose que $x = 0$. Le segment de programme attribue d'abord la valeur 1 à y et la valeur $x + y = 0 + 1$ à z.

3. On suppose que $y = 3$. Le segment de programme attribue la valeur 2 à x et attribue ensuite la valeur $x + y = 2 + 3 = 5$ à z. Puisque $y = 3 > 0$, il attribue alors la valeur $z + 1 = 5 + 1 = 6$ à z.

5. $(p \land condition\ 1)\{S_1\}q$

$(p \land \neg condition\ 1 \land condition\ 2)\{S_2\}q$

.

.

.

$(p \land \neg condition\ 1 \land \neg condition\ 2$

$\cdots \land \neg condition(n - 1)\{S_n\}q$

$\therefore\ p\{$**si** $condition\ 1$ **alors** S_1 ;

sinon si $condition\ 2$ **alors** S_2 ; ...; **sinon** $S_n\}q$

7. On démontre que p : « $puissance = x^{i-1}$ et $i \leq n + 1$ » est un invariant de boucle. On note que p est vraie au départ, puisque avant d'entrer dans la boucle, $i = 1$ et $puissance = 1 = x^0 = x^{1-1}$. Ensuite, on doit démontrer que si p est vraie et $i \leq n$ après l'exécution de la boucle, alors p demeure vraie après une exécution de plus. La boucle augmente i de 1. Ainsi, puisque $i \leq n$ avant ce passage, $i \leq n + 1$ après ce passage. De plus, la boucle attribue une $puissance \cdot x$ à la *puissance*. Selon l'hypothèse de l'induction, on constate qu'on attribue à la *puissance* la valeur $x^{i-1} \cdot x = x^i$. Donc, p demeure vraie. De plus, la boucle se termine après n parcours de la boucle avec $i = n + 1$ puisqu'on attribue à i la valeur 1 avant d'entrer dans la boucle, qu'on l'augmente de 1 à chaque parcours et que la boucle se termine lorsque $i > n$. Par conséquent, à la fin, la $puissance = x^n$, comme on le souhaitait.

9. On suppose que p est « m et n sont des entiers. » Donc, si la condition $n > 0$ est vraie, $a = -n = |n|$ après que S_1 est exécuté. Si la condition $n < 0$ est fausse, alors $a = n = |n|$ après que S_1 est exécuté. Donc, $p\{S_1\}q$ est vraie où q est $p \land (a = |n|)$. Puisque S_2 attribue la valeur 0 à k et à x, il est clair que $q\{S_2\}r$

est vraie, où r est $q \land (k = 0) \land (x = 0)$. On suppose que r est vraie. Soit $P(k)$ « $x = mk$ et $k \leq a$ ». On peut montrer que $P(k)$ est un invariant de boucle pour la boucle dans S_3. $P(0)$ est vraie, puisque avant d'entrer dans la boucle, $x = 0 = m \cdot 0$ et $0 \leq a$. À présent, on suppose que $P(k)$ est vraie et $k < a$. Alors, $P(k + 1)$ est vraie puisqu'on attribue à x la valeur $x + m = mk + m = m(k + 1)$. La boucle se termine lorsque $k = a$ et à ce point $x = ma$. Donc, $r\{S_3\}s$ est vraie où s est « $a = |n|$ » et $x = ma$ ». À présent, on suppose que s est vraie. Alors, si $n < 0$, il s'ensuit que $a = -n$, tel que $x = -mn$. Dans ce cas, S_4 attribue $-x = mn$ au *produit*. Si $n > 0$, alors $x = ma = mn$, tel que S_4 attribue mn au *produit*. Donc, $s\{S_4\}t$ est vraie.

11. On suppose que l'affirmation initiale p est vraie. Alors, puisque $p\{S\}q_0$ est vraie, q_0 est vraie après que le segment S a été exécuté. Puisque $q_0 \rightarrow q_1$ est vraie, il s'ensuit également que q_1 est vraie après que S a été exécuté. Donc, $p\{S\}q_1$ est vraie.

13. On utilise la proposition p, « pgcd(a, b) = pgcd(x, y) et $y \geq 0$ », comme invariant de boucle. À noter que p est vraie avant d'entrer dans la boucle puisque, à ce point, $x = a$, $y = b$ et y est un entier positif, selon l'assertion initiale. À présent, on suppose que p est vraie et $y > 0$; alors, la boucle sera exécutée de nouveau. À l'intérieur de la boucle, x et y sont remplacés par y et x **mod** y, respectivement. D'après le lemme 1 de la section 2.4, pgcd(x, y) = pgcd(y, x, **mod** y). Donc, après l'exécution de la boucle, la valeur de pgcd(x, y) est la même qu'auparavant. De plus, puisque y est le reste, il est d'au moins 0. Donc, p demeure vraie. Par conséquent, elle est un invariant de boucle. De plus, si la boucle se termine, alors $y = 0$. Dans ce cas, on a pgcd(x, y) = x, l'affirmation finale. Donc, le programme, qui donne x comme sortie, a correctement calculé pgcd(a, b). Finalement, on peut prouver que la boucle doit se terminer, puisque chaque itération provoque la diminution de la valeur de y d'au moins 1. Donc, m entre dans la boucle au plus b fois.

Exercices supplémentaires

1. Soit $a = 2n + 1$ et $b = 2m + 1$. Alors, $ab = (2n+1)(2m+1) = 2(2nm + m + n) + 1$, qui est impair.

3. Faux. $\sqrt{2} + (-\sqrt{2}) = 0$ constitue un contre-exemple.

5. Il s'agit d'un exemple de contre-vérité d'affirmer la conclusion.

7. Preuve par cas. *Cas 1 :* $x \geq 0$ et $y \geq 0$. Alors, $|xy| = xy = |x||y|$. *Cas 2 :* $x \geq 0$ et $y < 0$. Alors, $|xy| = -xy = x(-y) = x(-y) = |x||y|$. *Cas 3 :* $x < 0$ et $y \geq 0$. Alors, $|xy| = -xy = (-x)y = |x||y|$. *Cas 4 :* $x < 0$ et $y < 0$. Alors, $|xy| = xy = (-x)(-y) = |x||y|$.

9. On suppose que les x_j sont distincts. Soit $P(x)$ tel qu'il est suggéré. Alors, $P(x)$ est un polynôme (de degré $n - 1$, en fait) ; et si $x = x_m$, alors $\Pi_{i \neq j}(x - x_j)/(x_i - x_j) = 0$ à moins que $i = m$. Ainsi, $P(x_m) = \Pi_{j \neq m} y_m(x_m - x_j)/(x_m - x_j) = 1 \cdot y_m = y_m$.

11. Soit $P(n)$ « $1 \cdot 1 + 2 \cdot 2 + \cdots + n \cdot 2^{n-1} = (n-1)2^n + 1$. ÉTAPE DE BASE : $P(1)$ est vraie puisque $1 \cdot 1 = 1 = (1-1)2^1 + 1$. ÉTAPE INDUCTIVE : On suppose que $P(n)$ est vraie. Alors, $1 \cdot 1 + 2 \cdot 2 + \cdots + n \cdot 2^{n-1} + (n+1) \cdot 2^n = (n-1)2^n + 1 + (n+1)2^n = 2n \cdot 2^n + 1 = ((n+1) - 1)2^{n+1} + 1$.

13. Soit $P(n)$ « $1/1 \cdot 4 + \cdots + 1/[(3n-2)(3n+1)] = n/(3n+1)$. » ÉTAPE DE BASE : $P(1)$ est vraie puisque $1/1 \cdot 4 = 1/4$. ÉTAPE INDUCTIVE : On suppose que $P(n)$ est vraie. Alors, $1/1 \cdot 4 + \cdots + 1/[(3n-2)(3n+1)] + 1/[(3n+1)(3n+4)] = n/(3n+1) + 1/[(3n+1)(3n+4)] = [n(3n+4) + 1]/[(3n+1)(3n+4)] = [(3n+1)(n+1)]/[(3n+1)(3n+4)] = (n+1)/(3n+4)$.

15. Soit $P(n)$ « $2^n > n^3$ ». ÉTAPE DE BASE : $P(10)$ est vraie puisque $1024 > 1000$. ÉTAPE INDUCTIVE : On suppose que $P(n)$ est vraie. Alors, $(n+1)^3 = n^3 + 3n^2 + 3n + 1 \leq n^3 + 9n^2 \leq n^3 + n^3 = 2n^3 < 2 \cdot 2^n = 2^{n+1}$.

17. Soit $P(n)$ « $a - b$ est un facteur de $a^n - b^n$ ». ÉTAPE DE BASE : $P(1)$ est trivialement vraie. On suppose que $P(n)$ est vraie. Alors $a^{n+1} - b^{n+1} = a^{n+1} - ab^n + ab^n - b^{n+1} = a(a^n - b^n) + b^n(a - b)$. Donc, puisque $a - b$ est un facteur de $a^n - b^n$ et $a - b$ est un facteur de $a - b$, il s'ensuit que $a - b$ est un facteur de $a^{n+1} - b^{n+1}$.

19. Soit $P(n)$ « $a + (a + d) + \cdots + (a + nd) = (n+1)(2a + nd)/2$ ». ÉTAPE DE BASE : $P(1)$ est vraie puisque $a + (a + d) = 2a + d = 2(2a + d)/2$. ÉTAPE INDUCTIVE : On suppose que $P(n)$ est vraie. Alors, $a + (a + d) + \cdots + (a + nd) + (a + (n+1)d) = (n+1)(2a + nd)/2 + a + (n+1)d = \frac{1}{2}[2an + 2a + n^2 d + nd + 2a + 2nd + 2d] = \frac{1}{2}[2an + 4a + n^2 d + 3nd + 2d] = \frac{1}{2}(n+2)(2a + (n+1)d)$.

21. On utilise le principe fort de l'induction pour démontrer que f_n est paire si $n \equiv 0 \pmod 3$ et est impaire autrement. L'étape de base s'ensuit puisque $f_0 = 0$ est paire et $f_1 = 1$ est impaire. À présent, on suppose que si $k \leq n$, alors f_k est paire si $k \equiv 0 \pmod 3$ et est impaire autrement. À présent, on suppose que $n + 1 \equiv 0 \pmod 3$. Alors, $f_{n+1} = f_n + f_{n-1}$ est paire puisque f_n et f_{n-1} sont toutes les deux impaires. Si $n + 1 \equiv 1 \pmod 3$, alors $f_{n+1} = f_n + f_{n-1}$ est impaire puisque f_n est paire et f_{n-1} est impaire. Finalement, si $n + 1 \equiv 2 \pmod 3$, alors $f_{n+1} = f_n + f_{n-1}$ est impaire, puisque f_n est impaire et f_{n-1} est paire. Cela complète l'étape inductive.

23. Soit $P(n)$ la proposition que $f_k f_n + f_{k+1} f_{n+1} = f_{n+k+1}$ pour tout entier non négatif k. Les étapes de base consistent à montrer que $P(0)$ et $P(1)$ s'appliquent toutes les deux. $P(0)$ est vraie puisque $f_k f_0 + f_{k+1} f_1 = f_{k+1} \cdot 0 + f_{k+1} \cdot 1 = f_1$. Puisque $f_k f_1 + f_{k+1} f_2 = f_k + f_{k+1} = f_{k+2}$, il s'ensuit que $P(1)$ est vraie. À présent, on suppose que $P(n)$ s'applique. Donc, selon l'hypothèse de l'induction et la définition récursive des nombres de Fibonacci, il s'ensuit que $f_{k+1} f_{n+1} + f_{k+2} f_{n+2} = f_k(f_{n-1} + f_n) + f_{k+1}(f_n + f_{n+1}) = (f_k f_{n-1} + f_{k+1} f_n) + (f_k f_n + f_{k+1} f_{n+1}) = f_{n-1+k+1} + f_{n+k+1} = f_{n+k+2}$. Cela démontre que $P(n+1)$ est vraie et complète la démonstration.

25. Soit $P(n)$ la proposition $l_0^2 + l_1^2 + \cdots + l_n^2 = l_n l_{n+1} + 2$. Les cas de base $P(0)$ et $P(1)$ s'appliquent tous les deux puisque $l_0^2 = 2^2 = 2 \cdot 1 + 2 = l_0 l_1 + 2$ et $l_0^2 + l_1^2 = 2^2 + 1^2 = 1 \cdot 3 + 2 = l_1 l_3 + 2$. À présent, on suppose que $P(n)$ s'applique. Alors, selon l'hypothèse de l'induction, $l_0^2 + l_1^2 + \cdots + l_n^2 + l_{n+1}^2 = l_n l_{n+1} + 2 + l_{n+1}^2 = l_{n+1}(l_n + l_{n+1}) + 2 = l_{n+1} l_{n+2} + 2$. Cela démontre que $P(n+1)$ s'applique et complète la démonstration.

27. Soit $P(n)$ la proposition selon laquelle l'identité est valide pour un entier n. $P(1)$, le cas de base, est évidemment vraie. On suppose que $P(n)$ est vraie. Alors, $\cos(n+1)x + i \sin(n+1)x = \cos(nx + x) + i \sin(nx + x) = \cos nx \cos x - \sin nx \sin x + i(\sin nx \cos x + \cos nx \sin x) = \cos x(\cos nx + i \sin nx)(\cos x + i \sin x) = (\cos x + i \sin x)^n(\cos x + i \sin x) = (\cos x + i \sin x)^{n+1}$. Il s'ensuit que $P(n+1)$ est vraie, ce qui complète la démonstration.

29. **a)** 92   **b)** 91   **c)** 91
    d) 91   **e)** 91   **f)** 91

31. L'étape de base est incorrecte puisque $n \neq 1$ pour la somme spécifiée.

33. Soit $P(n)$ « Le plan est divisé en $n^2 - n + 2$ régions par n cercles si les deux cercles ont deux points communs mais aucun des trois n'a de points communs. » ÉTAPE DE BASE : $P(1)$ est vraie puisqu'un cercle divise le plan en $2 = 1^2 - 1 + 2$ régions. On suppose que $P(n)$ est vraie ; autrement dit, n cercles ayant les propriétés données divisent le plan en $n^2 - n + 2$ régions. On suppose que un $(n + 1)$-ième cercle est ajouté. Le cercle croise chacun des n autres cercles en deux points, de manière telle que ces points de l'intersection forment $2n$ nouveaux arcs, chacun desquels divisant une ancienne région. Ainsi, il y a $2n$ divisions de région, ce qui démontre qu'il y a $2n$ régions de plus qu'auparavant. Ainsi $n + 1$ cercles satisfaisant les propriétés données divisent le plan en $n^2 - n + 2 + 2n = (n^2 + 2n + 1) - (n + 1) + 2 = (n + 1)^2 - (n + 1) + 2$ régions.

35. On suppose que $\sqrt{2}$ est rationnel. Alors, $\sqrt{2} = a/b$, où a et b sont des entiers positifs. Il s'ensuit que l'ensemble $S = \{n\sqrt{2} \mid n \in \mathbf{N}\} \cap \mathbf{N}$ est un ensemble non vide d'entiers positifs, puisque $b\sqrt{2} = a$ appartient à S. Soit t le plus petit élément de S, qui existe selon le principe du bon ordre. Donc, $t = s\sqrt{2}$ pour un entier s. On a $t - s = s\sqrt{2} - s = s(\sqrt{2} - 1)$, tel que $t - s$ est un entier positif puisque $\sqrt{2} > 1$. Donc, $t - s$ appartient à S. Il s'agit d'une contradiction puisque $t - s = s\sqrt{2} - s < s$. Donc, $\sqrt{2}$ est irrationnel.

37. On suppose que le principe du bon ordre est faux. Soit S un ensemble non vide d'entiers non négatifs qui n'a pas de plus petits éléments. Soit $P(n)$ l'énoncé « $i \notin S$, $i = 0, 1, ..., n$ ». $P(0)$ est vraie, car si $0 \in S$, alors S a un élément le plus petit, notamment 0. À présent, on suppose que $P(n)$ est vraie. Ainsi, $0 \notin S$, $1 \notin S$, ..., $n \notin S$. De toute évidence, $n + 1$ ne peut être dans S, car s'il l'était, il serait son plus petit élément. Donc, $P(n + 1)$ est vraie. Par conséquent, selon le principe de l'induction, $n \notin S$ pour tout entier non négatif n. Donc $S = \varnothing$ d'où la contradiction.

39. a) Soit $d = \text{pgcd}(a_1, a_2, ..., a_n)$. Alors, d est un diviseur de chaque a_i et doit être un diviseur de $\text{pgcd}(a_{n-1}, a_n)$. Par conséquent, d est un diviseur commun de $a_1, a_2, ..., a_{n-2}$ et $\text{pgcd}(a_{n-1}, a_n)$. Pour démontrer qu'il est le plus grand commun diviseur de ces nombres, on suppose que c est un diviseur commun de ceux-ci. Alors, c est un divi-

seur de a_i pour $i = 1, 2, ..., n - 2$ et un diviseur de $\text{pgcd}(a_{n-1}, a_n)$, de sorte qu'il est un diviseur de a_{n-1} et de a_n. Ainsi, c est un diviseur commun de $a_1, a_2, ..., a_{n-1}, a_n$. Donc, il est un diviseur de d, le plus grand commun diviseur de $a_1, a_2, ..., a_n$. Il s'ensuit que d est le plus grand commun diviseur, comme on le soutient.

b) Si $n = 2$, on applique l'algorithme d'Euclide. Sinon, on applique l'algorithme d'Euclide à a_{n-1} et à a_n, obtenant ainsi $d = \text{pgcd}(a_{n-1}, a_n)$; on applique ensuite l'algorithme de manière récursive à $a_1, a_2, ..., a_{n-2}, d$.

41. $f(n) = n^2$. Soit $P(n)$ « $f(n) = n^2$ ». ÉTAPE DE BASE : $P(1)$ est vraie puisque $f(1) = 1 = 1^2$, ce qui découle de la définition de f. ÉTAPE INDUCTIVE : On suppose que $f(n) = n^2$. Donc, $f(n + 1) = f((n + 1) - 1) + 2(n + 1) - 1 = f(n) + 2n + 1 = n^2 + 2n + 1 = (n + 1)^2$.

43. a) λ, 0, 1, 00, 01, 11, 000, 001, 011, 111, 0000, 0001, 0011, 0111, 1111, 00000, 00001, 00011, 00111, 01111, 11111

b) $S = \{\alpha\beta \mid \alpha$ est une chaîne de m 0, et β est une chaîne de n 1, $m \geq 0, n \geq 0\}$

45. λ, ( ), (( )), ( )( )

47. a) 0 **b)** -2 **c)** 2 **d)** 0

49. **procédure** *créer* (n : entier non négatif)
si n est impair **alors**
début
  $S := S(n - 1)$; $T := T(n - 1)$
fin
sinon si $n = 0$ **alors**
début
  $S := \varnothing$; $T := \{\lambda\}$
fin
sinon
début
  $T_1 := T(n - 2)$; $S_1 := S(n - 2)$
  $T := T_1 \cup \{(x) \mid x \in T_1 \cup S_1$ et $l(x) = n - 2\}$
  $S := S_1 \cup \{xy \mid x \in T_1$ et $y \in T_1 \cup S_1$
    et $l(xy) = n\}$
fin $\{T \cup S$ est l'ensemble des chaînes équilibrées de longueur ne dépassant pas $n\}$

51. Si $x \leq y$ au départ, $x := y$ n'est pas exécuté. Donc, $x \leq y$ est une post-condition vérifiée. Si $x > y$ au départ, alors $x := y$ est exécuté. Donc, $x \leq y$ est de nouveau une post-condition vérifiée.

CHAPITRE 4

Section 4.1

1. **a)** 5850   **b)** 343
3. **a)** 4^{10} **b)** 5^{10}
5. 42
7. 26^3
9. 676
11. 2^8
13. n + 1 (dénombrement des chaînes vides)
15. 475 255 (dénombrement des chaînes vides)
17. **a)** 128   **b)** 450   **c)** 9   **d)** 675
    e) 450   **f)** 450   **g)** 225   **h)** 75
19. **a)** 990   **b)** 500   **c)** 27
21. 3^{50}
23. 52 457 600
25. 20 077 200
27. **a)** 0   **b)** 120   **c)** 720   **d)** 2520
29. **a)** 2 si $n = 1$, 2 si $n = 2$, 0 si $n \geq 3$
    b) 2^{n-2} pour $n > 1$; 1 si $n = 1$
    c) $2(n-1)$
31. $(n+1)^m$
33. Si n est pair $2^{n/2}$; si n est impair $2^{(n+1)/2}$.
35. **a)** 240   **b)** 480   **c)** 360
37. 352
39. 147
41. 33
43. 7 104 000 000 000
45. 18
47. 17
49. Soit $P(m)$ le principe de la somme pour m tâches. En ce qui concerne le cas de base, on prend $m = 2$. Il ne s'agit que du principe de la somme pour deux tâches. À présent, on suppose que $P(m)$ est vraie. On considère $m + 1$ tâches, $T_1, T_2, \ldots, T_m, T_{m+1}$, ce qui peut se faire respectivement de $n_1, n_2, \ldots, n_m, n_{m+1}$ façons, de telle sorte qu'aucune de ces deux tâches ne puisse se faire simultanément. Pour exécuter l'une de ces tâches, on peut effectuer une des premières m tâches ou faire la tâche T_{m+1}. Selon le principe de la somme pour deux tâches, le nombre de façons de procéder équivaut au nombre de façons de faire une des premières m tâches, plus n_{m+1}. Selon l'hypothèse inductive, il s'agit de $n_1 + n_2 + \cdots + n_m + n_{m+1}$, comme on le souhaite.
51. $n(n-3)/2$

Section 4.2

1. Puisqu'il y a six classes mais cinq jours seulement, le principe des nids de pigeon implique qu'il doit y avoir au moins deux classes le même jour.
3. 3
5. Soit $a, a+1, \ldots, a+n-1$ les entiers de la suite. Les entiers $(a+i) \bmod n$, $i = 0, 1, 2, \ldots, n-1$, sont distincts, puisque $0 < (a+j) - (a+k) < n$ lorsque $0 \leq k < j \leq n-1$. Puisqu'il y a n valeurs possibles pour $(a+i) \bmod n$ et qu'il y a n entiers différents dans l'ensemble, chacune de ces valeurs est utilisée exactement une fois. Il s'ensuit qu'il y a exactement un entier de la suite qui est divisible par n.
7. 4951
9. Le point central du segment reliant les points (a, b, c) et (d, e, f) est $((a+d)/2, (b+e)/2, (c+f)/2)$. Il a des coefficients entiers si et seulement si a et d ont la même parité, si b et e ont la même parité et si c et f ont la même parité. Puisqu'il y a 8 triplets de parité possibles, tel (*pair*, *impair*, *pair*), selon le principe des nids de pigeon, au moins deux des neufs points ont le même triplet de parité. Le point central du segment reliant deux de ces points a des coefficients entiers.
11. **a)** On regroupe les huit premiers entiers positifs dans quatre sous-ensembles de deux entiers chacun pour que les entiers dans chaque sous-ensemble totalisent 9: {1, 8}, {2, 7}, {3, 6} et {4, 5}. Si on sélectionne cinq entiers parmi les huit premiers entiers positifs, selon le principe des nids de pigeon, au moins deux de ces entiers proviennent du même sous-ensemble. Deux de ces entiers ont la somme de 9, comme on le souhaitait.
    b) Non. On prend par exemple {1, 2, 3, 4}.
13. 21 251
15. Soit d_j est $jx - N(jx)$, où $N(jx)$ est l'entier le plus près de jx pour $1 \leq j \leq n$. Chaque d_j est un nombre irrationnel compris entre $-1/2$ et $1/2$. On suppose que n est pair; le cas où n est impair est plus complexe. On considère les n intervalles $\{x \mid j/n < x < (j+1)/n\}$, $\{x \mid -(j+1)/n < x < -j/n\}$ pour $j = 0, 1, \ldots, (n/2) - 1$. Si d_j appartient à l'intervalle $\{x \mid 0 < x < 1/n\}$ ou à l'intervalle $\{x \mid -1/n < x < 0\}$ pour un j, on a terminé. Sinon, puisqu'il y a $n - 2$ intervalles et n nombres d_j, le principe des nids de pigeon indique qu'il y a un intervalle $\{x \mid (k-1)/n < x < k/n\}$ contenant d_r et d_s avec $r < s$. On termine

la démonstration en montrant que $(s - r)x$ se trouve à l'intérieur de $1/n$ de son entier le plus proche.

17. 4, 3, 2, 1, 8, 7, 6, 5, 12, 11, 10, 9, 16, 15, 14, 13

19. **procédure** *long* $(a_1, ..., a_n$: entiers positifs)
{trouver d'abord la sous-suite croissante la plus longue}
$max := 0$; *ensemble* $:= 00...00\{n$ bits$\}$
pour $i := 1$ à 2^n
début
   dernier $:= 0$; *dénombrement* $:= 0$, *D'ACCORD* $:=$ *vrai*
   pour $j := 1$ à n
   début
     si *ensemble* $(j) = 1$ **alors**
     début
       si $a_j >$ *dernier* **alors** *dernier* $:= a_j$
       dénombrement $:=$ *dénombrement* $+ 1$
     fin
     sinon *D'ACCCORD* $:=$ *faux*
   fin
   si *dénombrement* $>$ *max* **alors**
   début
     max $:=$ *dénombrement*
     meilleur $:=$ *ensemble*
   fin
   ensemble $:=$ *ensemble* $+ 1$ (addition binaire)
fin {*max* est la longueur et *meilleur* indique la suite}
{répéter pour la sous-suite décroissante dont les seuls changements sont $a_j <$ *dernier* plutôt que $a_j >$ *dernier* et *dernier* $:= \infty$ plutôt que *dernier* $:= 0$}

21. Par symétrie, il est seulement nécessaire de prouver le dernier énoncé. Soit A l'une des personnes. Soit A ayant au moins quatre amis ou A ayant au moins six ennemis parmi les neuf autres personnes (puisque $3 + 5 < 9$). On suppose que, dans le premier cas, B, C, D et E sont tous des amis de A. Si deux de ces personnes sont des amis communs, alors on a trouvé trois amis communs. Sinon, $\{B, C, D, E\}$ est un ensemble de quatre ennemis communs. Dans le deuxième cas, soit $\{B, C, D, E, F, G\}$ un ensemble d'ennemis de A. Selon l'exemple 11, parmi B, C, D, E, F et G, il y a soit trois amis communs, soit trois ennemis communs qui forment, avec A, un ensemble de quatre ennemis communs.

23. Il y a 6 432 816 possibilités pour les trois initiales et un anniversaire. Ainsi, selon le principe des nids de pigeon généralisé, il y a au moins $\lceil 25\,000\,000 / 6\,432\,816 \rceil = 4$ personnes qui partagent les mêmes initiales et la même date d'anniversaire.

25. 18

27. Puisqu'il y a six ordinateurs, le nombre d'autres ordinateurs auquel un ordinateur est raccordé est un entier compris entre 0 et 5, inclusivement. Cependant, 0 et 5 ne peuvent pas tous les deux se produire. Pour le démontrer il faut convenir que si un ordinateur n'est pas raccordé à un autre ordinateur, alors aucun ordinateur n'est raccordé aux cinq autres ordinateurs ; donc, aucun ordinateur n'est raccordé à un autre ordinateur. Ainsi, selon le principe des nids de pigeon, puisqu'il y a au plus cinq possibilités pour le nombre d'ordinateurs auxquels un ordinateur est raccordé, il y a au moins deux ordinateurs dans l'ensemble des six ordinateurs qui sont raccordés au même nombre d'autres ordinateurs.

29. Soit a_i le nombre de matchs terminés à l'heure i. Alors, $1 \leq a_1 < a_2 < \cdots < a_{75} \leq 125$. De plus, $25 \leq a_1 + 24 < a_2 + 24 < \cdots < a_{75} + 24 \leq 149$. Il y a 150 nombres $a_1, ..., a_{75}, a_1 + 24, ..., a_{75} + 24$. Selon le principe des nids de pigeon, au moins deux de ces nombres sont égaux. Puisque tous les nombres a_is sont distincts et que tous les $(a_i + 24)$ le sont aussi, il s'ensuit que $a_i = a_j + 24$ pour $i > j$. Ainsi, dans la période de $(j + 1)$-ième à la i-ième heure, il y a exactement 24 matchs.

31. On utilise le principe des nids de pigeon généralisé et on place les $|S|$ objets $f(s)$ pour $s \in S$ dans $|T|$ boîtes, un pour chaque élément de T.

33. a) S'il y avait moins de 9 étudiants de première année, moins de 9 étudiants de deuxième année et moins de 9 étudiants de troisième année dans la classe, il n'y aurait pas plus de 8 étudiants de chacun de ces trois niveaux, pour un total d'au plus 24 étudiants, ce qui contredit le fait qu'il y a 25 étudiants dans la classe.

b) S'il y avait moins de 3 étudiants de première, moins de 19 étudiants de deuxième et moins de 5 étudiants de troisième année, alors il y aurait au plus 2 étudiants de première, au plus 18 étudiants de deuxième et au plus 4 étudiants de troisième pour un total d'au plus 24 étudiants. Cela contredit le fait qu'il y a 25 étudiants dans la classe.

35. a) On suppose que $i_k \leq n$ pour tout k. Alors, selon le principe des nids de pigeon généralisé, au moins $\lceil (n^2 + 1)/n \rceil = n + 1$ parmi les nombres $i_1, i_2, ..., i_{n^2 + 1}$ sont égaux.

b) Si $a_{k_j} < a_{k_{j+1}}$, alors la sous-suite constituée de a_{k_j}, suivie de la sous-suite croissante de longueur $i_{k_{j+1}}$ commençant à $a_{k_{j+1}}$, contredit le fait que $i_{k_j} = i_{k_{j+1}}$. Ainsi, $a_{k_j} > a_{k_{j+1}}$.

c) Il n'y a pas de sous-suite de longueur plus grande que n, alors les parties a) et b) s'appliquent. Donc, on a $a_{k_{n+1}} > a_{k_n} > \cdots > a_{k_2} > a_{k_1}$, une suite décroissante de longueur $n + 1$.

Section 4.3

1. $abc, acb, bac, bca, cab, cba$
3. 720
5. **a)** 120   **b)** 720   **c)** 8
   d) 6720   **e)** 40 320   **f)** 3 628 800
7. 15 120
9. 1320
11. $2(n!)^2$
13. 65 780
15. $2^{100} - 5051$
17. **a)** 94 109 400   **b)** 941 094
    c) 3 764 376   **d)** 90 345 024
    e) 114 072   **f)** 2328
    g) 24   **h)** 79 727 040
    i) 3 764 376   **j)** 109 440
19. **a)** 12 650   **b)** 303 600
21. 18 915
23. **a)** 122 523 030   **b)** 72 930 375
    c) 223 149 655   **d)** 100 626 625
25. 54 600
27. 45
29. 912
31. 11 232 000
33. $C(n + 1, k) = \dfrac{(n + 1)!}{k!(n + 1 - k)!}$

$$= \frac{(n + 1)}{k} \frac{n!}{(k - 1)!(n - (k - 1))!}$$

$$= (n + 1)C(n, k - 1)/k$$

Cette identité, combinée avec $C(n, 0) = 1$, donne une définition récursive.
35. $x^5 + 5x^4y + 10x^3y^2 + 10x^2y^3 + 5xy^4 + y^5$
37. 101
39. $-2^{10}C(19, 9) = -94\ 595\ 072$
41. $-2^{101}3^{99}C(200, 99)$
43. $(-1)^{(200 - k)/3}C(100, (200 - k)/3)$ si $k \equiv 2 \pmod 3$ et $-100 \le k \le 200$; sinon, 0
45. 1   9   36   84   126   126   84   36   9   1
47. $C(n, k - 1) + C(n, k)$

$$= \frac{n!}{(k - 1)!(n - k + 1)!} + \frac{n!}{k!(n - k)!}$$

$$= \frac{n!}{k!(n - k + 1)!} \cdot [k + (n - k + 1)]$$

$$= \frac{(n + 1)!}{k!(n + 1 - k)!} = C(n + 1, k)$$

49. **a)** $C(n + r + 1, r)$ permet d'obtenir le nombre de façons de choisir une suite de r zéros et de $n + 1$ uns en choisissant la position des zéros. Autrement, on suppose que le $(j + 1)$-ième élément est le dernier élément égal à un, tel que $n \le j \le n + r$. Lorsqu'on a déterminé où se trouve le dernier un, on doit décider où placer les zéros dans les j espaces avant le dernier un. Il y a n uns et $j - n$ zéros dans cette gamme. Selon le principe de la somme, il s'ensuit qu'il y a $\sum_{j = n}^{n + r} C(j, j - n) = \sum_{k = 0}^{r} C(n + k, k)$ façons de le faire.

b) Soit $P(r)$ l'énoncé à prouver. L'étape de base consiste à résoudre l'équation $C(n, 0) = C(n + 1, 0)$, qui est seulement $1 = 1$. On suppose que $P(r)$ est vraie. Alors, $\sum_{k = 0}^{r + 1} C(n + k, k) = \sum_{k = 0}^{r} C(n + k, k) + C(n + r + 1, r + 1) = C(n + r + 1, r) + C(n + r + 1, r + 1) = C(n + r + 2, r + 1)$ en utilisant l'hypothèse inductive et l'identité de Pascal.

51. On peut d'abord choisir le directeur de n façons différentes. On peut ensuite choisir le reste du comité de $2^{n - 1}$ façons. Donc, il y a $n2^{n - 1}$ façons de choisir le comité et le directeur. Entre-temps, le nombre de façons de sélectionner un comité de k personnes est $C(n, k)$. Une fois choisi le comité de k personnes, il y a k façons de choisir le directeur. Ainsi, il y a $\sum_{k = 1}^{n} kC(n, k)$ façons de choisir le comité et le directeur. Ainsi, $\sum_{k = 1}^{n} kC(n, k) = n2^{n - 1}$.

53. Soit un ensemble à n éléments. Selon le théorème 7, on a $C(n, 0) - C(n, 1) + C(n, 2) - \cdots + (-1)^n C(n, n) = 0$. Il s'ensuit que $C(n, 0) + C(n, 2) + C(n, 4) + \cdots = C(n, 1) + C(n, 3) + C(n, 5) + \cdots$. Le côté gauche donne le nombre de sous-ensembles ayant un nombre pair d'éléments et le côté droit, le nombre de sous-ensembles ayant un nombre impair d'éléments.

55. **a)** Un chemin du type souhaité est constitué de m déplacements vers la droite et de n déplacements vers le haut. On peut représenter ces chemins par une chaîne binaire de longueur $m + n$ avec m zéros et n uns, où 1 zéro représente un déplacement vers la droite et 1 un, un déplacement vers le haut.

b) Le nombre de chaînes binaires de longueur $m + n$ contenant exactement n uns est égal à $C(m + n, n) = C(m + n, m)$, puisqu'une telle chaîne est déterminée en précisant les positions des n uns ou en précisant les positions des m zéros.

57. Selon l'exercice 55, le nombre de chemins de longueur n de ce type est égal à 2^n, soit le nombre de chaînes binaires de longueur n. Par ailleurs, un chemin de longueur n de ce type doit se terminer à un point ayant n comme somme de ses coordonnées, soit $(n - k, k)$ pour un k compris entre 0 et n, inclusivement. Selon l'exercice 55, le nombre de tels chemins se terminant à $(n - k, k)$ est égal à $C(n - k + k, k) = C(n, k)$. Ainsi, $\sum_{k = 0}^{n} C(n, k) = 2^n$.

59. Selon l'exercice 55, le nombre de chemins de $(0, 0)$ à $(n + 1, r)$ du type décrit est égal à $C(n + r + 1, r)$.

Toutefois, ce type de chemin commence par j pas verticaux pour un j avec $0 \leq j \leq r$. Le nombre de ces chemins commençant par j pas verticaux est égal au nombre de chemins de ce type qui vont de $(1, j)$ à $(n + 1, r)$. Il s'agit du même nombre que le nombre de chemins qui vont de $(0, 0)$ à $(n, r - j)$ qui, selon l'exercice 55, est égal à $C(n + r - j, r - j)$. Puisque $\sum_{j=0}^{r} C(n + r - j, r - j) = \sum_{k=0}^{r} C(n + k, k)$, il s'ensuit que $\sum_{k=1}^{r} C(n + k, k) = C(n + r + 1, r)$.

Section 4.4

1. $1/13$
3. $1/2$
5. $1/2$
7. $1/64$
9. $47/52$
11. $1/C(52, 5)$
13. $1 - (C(48, 5)/C(52, 5))$
15. $C(13, 2)C(4, 2)C(4, 2)C(44, 1)/C(52, 5)$
17. $10\ 240/C(52, 5)$
19. $1\ 302\ 540/C(52, 5)$
21. $1/64$
23. $8/25$

25. **a)** $1/C(50, 6) = 1/15\ 890\ 700$
    b) $1/C(52, 6) = 1/20\ 358\ 520$
    c) $1/C(56, 6) = 1/32\ 468\ 436$
    d) $1/C(60, 6) = 1/50\ 063\ 860$
27. **a)** $139128/319865$
    b) $212667/511313$
    c) $151340/386529$
    d) $163647/446276$
29. $1/C(100, 8)$
31. **a)** $9/19$ **b)** $81/361$ **c)** $1/19$
    d) $1\ 889\ 568/2\ 476\ 099$ **e)** $48/361$
33. Trois dés

Section 4.5

1. $p(T) = 1/4, p(H) = 3/4$
3. $p(1) = p(3) = p(5) = p(6) = 1/16$; $p(2) = p(4) = 3/8$
5. $9/49$
7. Puisque $p(E \cup F) = p(E) + p(F) - p(E \cap F)$ et $p(E \cup F) \leq 1$, il s'ensuit que $1 \geq p(E) + p(F) - p(E \cap F)$. À partir de cette inégalité, on peut conclure que $p(E) + p(F) \leq 1 + p(E \cap F)$.
9. On utilise le principe de l'induction pour prouver que cette inégalité s'applique pour $n \geq 2$. Soit $p(n)$ l'énoncé $p(\bigcup_{j=1}^{n} E_j) \leq \sum_{j=1}^{n} p(E_j)$. $P(2)$ est vraie puisque $p(E_1 \cup E_2) = p(E_1) + p(E_2) - p(E_1 \cap E_2) \leq p(E_1) + p(E_2)$. À présent, on suppose que $P(n)$ est vraie. En utilisant le cas de base et l'hypothèse inductive, il s'ensuit que $p(\bigcup_{j=1}^{n+1} E_j) \leq p(\bigcup_{j=1}^{n} E_j) + p(E_{n+1}) \leq \sum_{j=1}^{n+1} p(E_j)$. Cela démontre que $P(n + 1)$ est vraie, ce qui complète la démonstration à l'aide du principe de l'induction.
11. **a)** $1 - 365/366 \cdot 364/366 \cdots (367 - n)/366$
    b) 23
13. $1/4$

15. $3/8$
17. **a)** Ne sont pas indépendants.
    b) Ne sont pas indépendants.
    c) Ne sont pas indépendants.
19. $3/16$
21. **a)** $1/32 = 0{,}031\ 25$
    b) $0{,}49^5 \approx 0{,}028\ 25$
    c) $0{,}037\ 950\ 12$
23. **a)** $5/8$ **b)** $0{,}627\ 649$ **c)** $0{,}6431$
25. **a)** p^n
    b) $1 - p^n$
    c) $p^n + n \cdot p^{n-1} \cdot (1 - p)$
    d) $1 - [p^n + n \cdot p^{n-1} \cdot (1 - p)]$
27. $5/3$
29. $336/49$
31. 170
33. $(4n + 6)/3$
35. $p \cdot q^{n-1}$
37. $1 - (1 - p)^n$

Section 4.6

1. 243
3. 26^6
5. 125

7. 35
9. **a)** 1716 **b)** $50\ 388$ **c)** $2\ 629\ 575$
    d) 330 **e)** $9\ 724$

11. 9

13. 4 504 501

15. **a)** 10 626   **b)** 1 365
   c) 11 649   **d)** 106

17. 2 520

19. 302 702 400

21. 30 492

23. $C(59, 50)$

25. 35

27. 83 160

29. 63

31. 19 635

33. 210

35. 27 720

37. $52!/(7!^5 17!)$

39. $24 \cdot 13^4/(52 \cdot 51 \cdot 50 \cdot 49)$

41. **a)** $C(k + n - 1, n)$ **b)** $(k + n - 1)!/(k - 1)!$

43. Il y a $C(n, n_1)$ façons de choisir n_1 objets pour la première boîte. Une fois ces objets choisis, il y a $C(n - n_1, n_2)$ façons de choisir les objets pour la deuxième boîte. De même, il y a $C(n - n_1 - n_2, n_3)$ façons de choisir les objets pour la troisième boîte. On continue ainsi jusqu'à ce qu'il y ait $C(n - n_1 - n_2 - \cdots - n_{k-1}, n_k) = C(n_k, ln_k) = 1$ façon de choisir les objets pour la dernière boîte (puisque $n_1 + n_2 + \cdots + n_k = n$). Selon le principe du produit, le nombre de façons de réaliser la tâche est $C(n, n_1)C(n - n_1, n_2)C(n - n_1 - n_2, n_3) \cdots C(n - n_1 - n_2 - \cdots - n_{k-1},$

n_k), ce qui est égal à $n!/(n_1!n_2! \cdots n_k!)$, comme le montre la simplification directe.

45. **a)** Puisque $x_1 \leq x_2 \leq \cdots \leq x_r$, il s'ensuit que $x_1 + 0 < x_2 + 1 < \cdots < x_r + r - 1$. Ces inégalités sont strictes puisque $x_j + j - 1 < x_{j+1} + j$ tant que $x_j \leq x_{j+1}$. Puisque $1 \leq x_j \leq n + r - 1$, cette suite est composée de r éléments distincts de T.

b) On suppose que $1 \leq x_1 < x_2 < \cdots < x_r \leq n + r - 1$. Soit $y_k = x_k - (k - 1)$. Alors, il n'est pas difficile de voir que $y_k \leq y_{k+1}$ pour $k = 1, 2, ..., r - 1$ et que $1 \leq y_k \leq n$ pour $k = 1, 2, ... r$. Il s'ensuit que $\{y_1, y_2, ..., y_r\}$ est une r-combinaison avec répétition de S.

c) À partir de a) et de b), il s'ensuit qu'il y a une injection de r-combinaisons avec répétition de S et r-combinaisons de T, un ensemble de $n + r - 1$ éléments. On peut conclure qu'il y a $C(n + r - 1, r)$ r-combinaisons avec répétition de S.

47. 5

49. Les éléments dans la représentation sont de la forme $x_1^{n_1} x_1^{n_2} \cdots x_m^{n_m}$, où $n_1 + n_2 + \cdots + n_m = n$. Cet élément est obtenu en choisissant x_1 dans n_1 facteurs, x_2 dans n_2 facteurs, ... et x_m dans n_m facteurs. Cela peut se faire de $C(n; n_1, n_2, ..., n_m)$ façons, puisqu'un choix est une permutation de n_1 étiquettes « 1 », n_2 étiquettes « 2 », ... et n_m étiquettes « m ».

51. 2520

Section 4.7

1. **a)** 2134   **b)** 54132
   c) 12534   **d)** 45312
   e) 6714253   **f)** 31542678

3. 1234, 1243, 1324, 1342, 1423, 1432, 2134, 2143, 2314, 2341, 2413, 2431, 3124, 3142, 3214, 3241, 3412, 3421, 4123, 4132, 4213, 4231, 4312, 4321

5. $\{1, 2, 3\}$, $\{1, 2, 4\}$, $\{1, 2, 5\}$, $\{1, 3, 4\}$, $\{1, 3, 5\}$, $\{1, 4, 5\}$, $\{2, 3, 4\}$, $\{2, 3, 5\}$, $\{2, 4, 5\}$, $\{3, 4, 5\}$

7. La chaîne binaire représentant la r-combinaison suivante doit différer de la chaîne binaire représentant la chaîne originale dans la position i, puisque les positions $i + 1, ..., r$ sont occupées par les plus grands nombres possibles. De plus, $a_i + 1$ est le plus petit nombre possible qu'on peut placer dans la position i si on veut obtenir une combinaison plus grande que la combinaison originale. Alors, $a_i + 2, ..., a_i + r - i + 1$ sont les plus petits nombres permis pour les positions $i + 1$ à r. Ainsi, on produit la r-combinaison suivante.

9. 123, 132, 213, 231, 312, 321, 124, 142, 214, 241, 412, 421, 125, 152, 215, 251, 512, 521, 134, 143, 314, 341, 413, 431, 135, 153, 315, 351, 513, 531, 145, 154, 415, 451, 514, 541, 234, 243, 324, 342, 423, 432, 235, 253, 325, 352, 523, 532, 245, 254, 425, 452, 524, 542, 345, 354, 435, 453, 534, 543

11. On démontrera qu'il s'agit d'une bijection en montrant qu'elle a un inverse. Étant donné un entier positif inférieur à $n!$, soit $a_1, a_2, ..., a_{n-1}$ les chiffres de Cantor. On place n dans la position $n - a_{n-1}$, donc, a_{n-1} est clairement le nombre d'entiers inférieurs à n qui suit n dans la permutation. Ensuite, on place $n - 1$ dans la position libre $(n - 1) - a_{n-2}$, où on a numéroté les positions libres 1, 2, ..., $n - 1$ (en excluant la position dans laquelle se trouve déjà n). On continue jusqu'à ce que 1 soit placé dans la seule position libre qui reste. Puisqu'on a construit un inverse, la correspondance est une bijection.

13. procédure *permutation de Cantor* (n, i : entiers avec
$n \geq 1$ et $0 \leq i < n!$)
$x := n$
pour $j := 1$ à n
$p_j := 0$
pour $k := 1$ à $n - 1$
début
$c := \lfloor x/(n-k)! \rfloor$; $x := x - c(n-k)!$; $h := n$
tant que $p_h \neq 0$
$h := h - 1$
pour $j := 1$ à c
début

$h := h - 1$
tant que $p_h \neq 0$
$h := h - 1$
fin
$p_h := n - k + 1$
fin
$h := 1$
tant que $p_h \neq 0$
$h := h + 1$
$p_h := 1$
$\{ p_1 p_2 \cdots p_n$ est la permutation correspondant à $i \}$

Exercices supplémentaires

1. a) 151 200 **b)** 1 000 000
c) 210 **d)** 5005
3. 3^{100}
5. 24 600
7. a) 4060 **b)** 2688 **c)** 25 009 600
9. a) 192 **b)** 301 **c)** 300 **d)** 300
11. 639
13. La somme maximale possible est de 240 et la somme minimale possible est de 15. Donc, le nombre de sommes possibles est de 226. Puisqu'il y a 252 sous-ensembles à 5 éléments d'un ensemble à 10 éléments, selon le principe des nids de pigeon, il s'ensuit qu'au moins deux sous-ensembles ont la même somme.
15. a) 50 **b)** 50 **c)** 14 **d)** 5
17. Soit a_1, a_2, ..., a_m les entiers et soit $d_i = \sum_{j=1}^{i} a_j$. Si $d_i \equiv 0 \pmod{m}$ pour un i, on a terminé. Sinon, $d_1 \bmod m$, $d_2 \bmod m$, ... $d_m \bmod m$ sont m entiers avec des valeurs dans $\{1, 2, ..., m-1\}$. Selon le principe des nids de pigeon, $d_k = d_l$ pour un $1 \leq k < l \leq m$. Alors, $\sum_{j=k+1}^{l} a_j = d_l - d_k \equiv 0 \pmod{m}$.
19. La représentation en base 10 du nombre rationnel a/b peut être obtenue en divisant b par a, où a est écrit avec une virgule décimale et une chaîne arbitrairement longue de 0 qui la suit. L'étape de base consiste à trouver le chiffre suivant du quotient, notamment $\lfloor r/b \rfloor$, où r est le reste avec le chiffre suivant du dividende réduit. Le reste actuel s'obtient à partir du reste précédent en soustrayant b multiplié par le chiffre précédent du quotient. Finalement, il ne reste plus que des 0 à réduire dans le dividende. De plus, il n'y a que b restes possibles. Ainsi, à un point donné, selon le principe des nids de pigeon, la même situation se reproduira. À partir de ce point, le calcul doit suivre le même modèle. Notamment, le quotient se répétera.

21. a) 125 970 **b)** 20
c) 141 120 525 **d)** 141 120 505
e) 177 100 **f)** 141 078 021
23. $4^{13}/C(52, 13)$
25. a) 10 **b)** 8 **c)** 7
27. Il y a le même nombre de manières de décider quels r éléments d'un ensemble à n éléments on peut choisir qu'il y a de façons de décider quels $n - r$ éléments on peut ne pas choisir.
29. $C(n+2, r+1) = C(n+1, r+1) + C(n+1, r)$
$= 2C(n+1, r+1) - C(n+1, r+1) + C(n+1, r)$
$= 2C(n+1, r+1) - (C(n, r+1) + C(n, r)) + (C(n, r) + C(n, r-1)) = 2C(n+1, r+1) - C(n, r+1) + C(n, r-1)$
31. Selon le théorème, $3^n = (2+1)^n = \sum_{k=0}^{n} C(n, k) 1^{n-k} 2^k = \sum_{k=0}^{n} C(n, k) 2^k$.
33. $C(n+1, 5)$
35. a) $1/C(52, 13)$
b) $4/C(52, 13)$
c) $2\,944\,656/C(52, 13)$
d) $35\,335\,872/C(52, 13)$
e) $1\,244\,117\,160/C(52, 13)$
f) $29\,858\,811\,840/C(52, 13)$
37. $\dfrac{(m-1)(n-1) + \text{pgcd}(m, n) - 1}{mn - 1}$
39. a) $p(E_1 \cap E_2) = p(E_1)p(E_2)$, $p(E_1 \cap E_3) = p(E_1)p(E_3)$, $p(E_2 \cap E_3) = p(E_2)p(E_3)$, $p(E_1 \cap E_2 \cap E_3) = p(E_1)p(E_2)p(E_3)$
b) Oui
c) Oui
d) $2^n - n - 1$
41. Les événements $E \cap F_i$, $i = 1, 2, ..., n$, sont mutuellement exclusifs et couvrent toutes les conditions dans lesquelles E survient. Donc, $p(E) = \sum_{i=1}^{n} p(E \cap F_i)$. Selon la définition de la probabilité

conditionnelle, on sait que $p(E \cap F_i) = p(E \mid F_i)p(F_i)$ et $p(F_i \mid E) = p(E \cap F_i) \mid p(E)$. Ainsi,

$$p(F_j \mid E) = \frac{p(E \cap F_j)}{p(E)} = \frac{p(E \mid F_j)p(F_j)}{\sum_{i=1}^{n} p(E \cap F_i)}$$

$$= \frac{p(E \mid F_j)p(F_j)}{\sum_{i=1}^{n} p(E \mid F_i)p(F_i)}.$$

43. 3 491 888 400

45. 5^{24}

47. a) 45   **b)** 57   **c)** 12

49. a) 386   **b)** 56   **c)** 512

51. 0 si $n < m$; $C(n-1, n-m)$ si $n \geq m$

53. procédure *permutation suivante* (n : entier positif, $a_1, a_2, \ldots, a_r$: entiers positifs ne dépassant pas n avec $a_1 a_2 \cdots a_r \neq nn\cdots n$)
$i := r$
tant que $a_i = n$
début
  $a_i := 1$
  $i := i - 1$
fin
$a_i := a_i + 1$
{$a_1 a_2 \cdots a_r$ est la permutation suivante en ordre lexicographique}

CHAPITRE 5

Section 5.1

1. a) 2, 12, 72, 432, 2592
   b) 2, 4, 16, 256, 65, 536
   c) 1, 2, 5, 11, 26
   d) 1, 1, 6, 27, 204
   e) 1, 2, 0, 1, 3

3. a) Oui   **b)** Non   **c)** Non   **d)** Oui
   e) Oui   **f)** Oui   **g)** Non   **h)** Non

5. a) $a_n = 2 \cdot 3^n$ **b)** $a_n = 2n + 3$
   c) $a_n = 1 + n(n+1)/2$ **d)** $a_n = n^2 + 4n + 4$
   e) $a_n = 1$ **f)** $a_n = (3^{n+1} - 1)/2$
   g) $a_n = 5n!$ **h)** $a_n = 2^n n!$

7. a) $a_n = 3a_{n-1}$ **b)** 5 904 900

9. a) $a_n = n + a_{n-1}$, $a_0 = 0$
   b) $a_{12} = 78$
   c) $a_n = n(n+1)/2$

11. Soit $P(n)$ « $H_n = 2^n - 1$ ». ÉTAPE DE BASE : $P(1)$ est vraie puisque $H_1 = 1$. ÉTAPE INDUCTIVE : On suppose que $H_n = 2^n - 1$. Alors, puisque $H_{n+1} = 2H_n + 1$, il s'ensuit que $H_{n+1} \, 2(2^n - 1) + 1 = 2^{n+1} - 1$.

13. a) $a_n = 2a_{n-1} + a_{n-5}$ pour $n \geq 5$
   b) $a_0 = 1, a_1 = 2, a_3 = 8, a_4 = 16$
   c) 1217

15. 9494

17. a) $a_n = a_{n-1} + a_{n-2} + 2^{n-2}$ pour $n \geq 2$
   b) $a_0 = 0, a_1 = 0$
   c) 94

19. a) $a_n = a_{n-1} + a_{n-2} + a_{n-3}$ pour $n \geq 3$
   b) $a_0 = 1, a_1 = 2, a_2 = 4$
   c) 81

21. a) $a_n = a_{n-1} + a_{n-2}$ pour $n \geq 2$
   b) $a_0 = 1, a_1 = 1$
   c) 34

23. a) $a_n = 2a_{n-1} + 2a_{n-2}$ pour $n \geq 2$
   b) $a_0 = 1, a_1 = 3$
   c) 448

25. a) $a_n = 2a_{n-1} + a_{n-2}$ pour $n \geq 2$
   b) $a_0 = 1, a_1 = 3$
   c) 239

27. a) $a_n = 2a_{n-1}$ pour $n \geq 2$
   b) $a_1 = 3$
   c) 96

29. a) $a_n = a_{n-1} + a_{n-2}$ pour $n \geq 2$
   b) $a_0 = 1, a_1 = 1$
   c) 89

31. a) $R_n = n + R_{n-1}, R_0 = 1$
   b) $R_n = n(n+1)/2 + 1$

33. a) $S_n = S_{n-1} + (n^2 - n + 2)/2, S_0 = 1$
   b) $S_n = (n^3 + 5n + 6)/6$

35. 64

37. a) $a_n = 2a_{n-1} + 2a_{n-2}$
   b) $a_0 = 1, a_1 = 3$
   c) 1224

39. Clairement, $S(m, 1) = 1$ pour $m \geq 1$. Si $m \geq n$, alors une fonction qui n'est pas surjective de l'ensemble à m éléments dans un ensemble à n éléments peut être spécifiée en mesurant son image, qui est un entier entre 1 et $n - 1$ inclusivement, en prenant les éléments de l'image, ce qui peut être obtenu de $C(n, k)$ façons et en prenant une fonction surjective sur cette image, ce qui peut être obtenu de $S(m, k)$ façons. Donc, il y a $\sum_{k=1}^{n-1} C(n, k)S(m, k)$ fonctions qui ne sont pas surjectives. Cependant, il y a n^m fonctions, au total, qui satisfont $S(m, n) = n^m - \sum_{k=1}^{n-1} C(n, k)S(m, k)$.

41. a) 0   **b)** 0   **c)** 2   **d)** $2^{n-1} - 2^{n-2}$

43. $a_n - 2\nabla a_n + \nabla^2 a_n$

$= a_n - 2(a_n - a_{n-1}) + (\nabla a_n - \nabla a_{n-1})$

$= -a_n + 2a_{n-1} + ((a_n - a_{n-1}) - (a_{n-1} - a_{n-2}))$

$= -a_n + 2a_{n-1} + (a_n - 2a_{n-1} + a_{n-2})$

$= a_{n-2}$

45. $a_n = a_{n-1} + a_{n-2}$

$= (a_n - \nabla a_n) + (a_n - 2\nabla a_n + \nabla^2 a_n)$

$= 2a_n - 3\nabla a_n + \nabla^2 a_n,$

ou $a_n = 3\nabla a_n + \nabla^2 a_n$

Section 5.2

1. a) degré 3   **b)** non   **c)** degré 4

d) non   **e)** non   **f)** degré 2

3. a) $a_n = 3 \cdot 2^n$ **b)** $a_n = 2$

c) $a_n = 3 \cdot 2^n - 2 \cdot 3^n$ **d)** $a_n = 6 \cdot 2^n - 2 \cdot n2^n$

e) $a_n = n(-2)^{n-1}$ **f)** $a_n = 2^n - (-2)^n$

g) $a_n = (1/2)^{n+1} - (-1/2)^{n+1}$

5. $a_n = \dfrac{1}{\sqrt{5}}\left(\dfrac{1+\sqrt{5}}{2}\right)^{n+1} - \dfrac{1}{\sqrt{5}}\left(\dfrac{1-\sqrt{5}}{2}\right)^{n+1}$

7. $(2^{n+1} + (-1)^n)/3$

9. a) $P_n = 1{,}2P_{n-1} + 0{,}45P_{n-2}$, $P_0 = 100\ 000$, $P_1 = 120\ 000$

b) $P_n = (250\ 000/3)(3/2)^n + (50\ 000/3)(-3/10)^n$

11. a) ÉTAPE DE BASE : Pour $n = 1$, on a $1 = 0 + 1$ et pour $n = 2$, on a $3 = 2 + 1$. ÉTAPE INDUCTIVE : On suppose que c'est vrai pour $k \le n$. Alors, $L_{n+1} = L_n + L_{n-1} = f_{n-1} + f_{n+1} + f_{n-2} + f_n = (f_{n-1} + f_{n-2}) + (f_{n+1} + f_n) = f_n + f_{n+2}.$

b) $L_n = \left(\dfrac{1+\sqrt{5}}{2}\right)^n + \left(\dfrac{1-\sqrt{5}}{2}\right)^n$

13. $a_n = 8(-1)^n - 3(-2)^n + 4 \cdot 3^n$

15. $a_n = 5 + 3(-2)^n - 3^n$

17. Soit $a_n = C(n, 0) + C(n-1, 1) + \cdots + C(n-k, k)$, où $k = \lfloor n/2 \rfloor$. D'abord, on suppose que n est pair, de telle sorte que $k = n/2$ et que le dernier élément est $C(k, k)$. Selon le principe d'identité de Pascal, on a $a_n = 1 + C(n-2, 0) + C(n-2, 1) + C(n-3, 1) + C(n-3, 2) + \cdots + C(n-k, k-2) + C(n-k, k-1) + 1 = 1 + C(n-2, 1) + C(n-3, 2) + \cdots + C(n-k,$ $k-1) + C(n-2, 0) + C(n-3, 1) + \cdots + C(n-k,$ $k-2) + 1 = a_{n-1} + a_{n-2}$, puisque $\lfloor (n-1)/2 \rfloor = k-1$ $= \lfloor (n-2)/2 \rfloor$. Un calcul similaire est valable quand n est impair. Donc, $\{a_n\}$ satisfait la relation de récurrence $a_n = a_{n-1} + a_{n-2}$ pour tous les entiers positifs n, $n \ge 2$. Également, $a_1 = C(1, 0) = 1$ et $a_2 = C(2, 0) + C(1, 1) = 2$, qui sont f_2 et f_3. Il s'ensuit que $a_n = f_{n+1}$ pour tous les entiers positifs n.

19. a) $3a_{n-1} + 2^n = 3(-2)^n + 2^n = 2^n(-3 + 1) = -2^{n+1}$

$= a_n$

b) $a_n = \alpha 3^n - 2^{n+1}$

c) $a_n = 3^{n+1} - 2^{n+1}$

21. a) $A = -1$, $B = -7$

b) $a_n = \alpha 2^n - n - 7$

c) $a_n = 11 \cdot 2^n - n - 7$

23. a) $1, -1, i, -i$

b) $a_n = \frac{1}{4} - \frac{1}{4}(-1)^n + \frac{2+i}{4}i^n + \frac{2-i}{4}(-i)^n$

25. a) En utilisant la formule pour f_n, on se rend compte que $\left|f_n - \dfrac{1}{\sqrt{5}}\left(\dfrac{1+\sqrt{5}}{2}\right)^n\right| = \left|\dfrac{1}{\sqrt{5}}\left(\dfrac{1-\sqrt{5}}{2}\right)^n\right| < \dfrac{1}{\sqrt{5}}$ $< 1/2.$

Cela signifie que f_n est le nombre entier le plus proche de $\dfrac{1}{\sqrt{5}}\left(\dfrac{1+\sqrt{5}}{2}\right)^n$.

b) Moindre quand n est pair et plus grand quand n est impair.

27. $a_n = f_{n-1} + 2f_n - 1$

29. a) $a_n = 3a_{n-1} + 4a_{n-2}$, $a_0 = 2$, $a_1 = 6$

b) $a_n = (4^{n+1} + (-1)^n)/5$

Section 5.3

1. 14

3. La première étape est $(1110)_2(1010)_2 = (2^4 + 2^2)$ $(11)_2(10)_2 + 2^2 ((11)_2 - (10)_2)((10)_2 - (10)_2) + (2^2 + 1)(10)_2 \cdot (10)_2$. Le produit est $(10001100)_2$.

5. $C = 50{,}665C + 729 = 33\ 979$

7. a) 2   **b)** 4   **c)** 7

9. a) 79   **b)** 48 829   **c)** 30 517 579

11. $O(\log n)$

13. $O(n^{\log_3 2})$

15. 5

17. Avec $k = \log_b n$, il s'ensuit que $f(n) = a^k f(1) + \sum_{j=0}^{k-1} a^j c(n/b^j)^d = a^k f(1) + \sum_{j=0}^{k-1} cn^d = a^k f(1)$

$+ kcn^d = a^{\log_b n} f(1) + c(\log_b n)n^d = n^{\log_b a} f(1) + cn^d$
$\log_b n = n^d f(1) + cn^d \log_b n.$

19. Soit $k = \log_b n$, où n est une puissance de b. ÉTAPE DE BASE : Si $n = 1$ et $k = 0$, alors $c_1 n^d + c_2 n^{\log_b a} = c_1 + c_2 = b^d c/(b^d - a) + f(1) + b^d c/(a - b^d) = f(1)$. ÉTAPE INDUCTIVE : On suppose que l'expression est vraie pour k, où $n = b^k$. Alors, pour $n = b^{k+1}$, $f(n) = af(n/b) + cn^d = a\{[b^d c/(b^d - a)](n/b)^d + [f(1) + b^d c/(a - b^d)] \cdot (n/b)^{\log_b a}\} + cn^d = b^d c/(b^d - a)$

$n^d a/b^d + [f(1) + b^d c/(a - b^d)] \, n^{\log_b a} + cn^d = n^d [ac/b^d - a) + c(b^d - a)/(b^d - a)] + [f(1) + b^d c/(a - b^d c)]n^{\log_b a} = [(b^d c)/(b^d - a)]n^d + [f(1) + b^d c/(a - b^d)]n^{\log_b a}.$

21. Si $a > b^d$, alors $\log_b a > d$. Ainsi, le deuxième terme domine, ce qui donne $O(n^{\log_b a})$.

23. $O(n^{\log_4 5})$

25. $O(n^3)$

Section 5.4

1. a) 30   **b)** 29   **c)** 24   **d)** 18

3. 1 %

5. a) 300   **b)** 150   **c)** 175   **d)** 100

7. 492

9. 974

11. 55

13. 248

15. 50 138

17. 234

19. $|A_1 \cup A_2 \cup A_3 \cup A_4 \cup A_5| = |A_1| + |A_2| + |A_3| + |A_4| + |A_5| - |A_1 \cap A_2| - |A_1 \cap A_3| - |A_1 \cap A_4| - |A_1 \cap A_5| - |A_2 \cap A_3| - |A_2 \cap A_4| - |A_2 \cap A_5| - |A_3 \cap A_4| - |A_3 \cap A_5| - |A_4 \cap A_5| + |A_1 \cap A_2 \cap A_3| + |A_1 \cap A_2 \cap A_4| + |A_1 \cap A_2 \cap A_5| + |A_1 \cap A_2 \cap A_5| + |A_1 \cap A_3 \cap A_5| + |A_1 \cap A_4 \cap A_5| + |A_2 \cap A_3 \cap A_4| + |A_2 \cap A_3 \cap A_5| + |A_2 \cap A_4 \cap A_5| + |A_3 \cap A_4 \cap A_5| - |A_1 \cap A_2 \cap A_3 \cap A_4| - |A_1 \cap A_2 \cap A_3 \cap A_5| - |A_1 \cap A_2 \cap A_4 \cap A_5| - |A_1 \cap A_3 \cap A_4 \cap A_5| - |A_2 \cap A_3 \cap A_4 \cap A_5| + |A_1 \cap A_2 \cap A_3 \cap A_4 \cap A_5|$

21. $|A_1 \cup A_2 \cup A_3 \cup A_4 \cup A_5 \cup A_6| = |A_1| + |A_2| + |A_3| + |A_4| + |A_5| + |A_6| - |A_1 \cap A_2| - |A_1 \cap A_3| - |A_1 \cap A_4| - |A_1 \cap A_5| - |A_1 \cap A_6| - |A_2 \cap A_3| - |A_2 \cap A_4| - |A_2 \cap A_5| - |A_2 \cap A_6| - |A_3 \cap A_4|$

$- |A_3 \cap A_5| - |A_3 \cap A_6| - |A_4 \cap A_5| - |A_4 \cap A_6| - |A_5 \cap A_6|$

23. $p(E_1 \cup E_2 \cup E_3) = p(E_1) + p(E_2) + p(E_3) - p(E_1 \cap E_2) - p(E_1 \cap E_3) - p(E_2 \cap E_3) + p(E_1 \cap E_2 \cap E_3)$

25. 4972/71 295

27. $p(E_1 \cup E_2 \cup E_3 \cup E_4 \cup E_5) = p(E_1) + p(E_2) + p(E_3) + p(E_4) + p(E_5) - p(E_1 \cap E_2) - p(E_1 \cap E_3) - p(E_1 \cap E_4) - p(E_1 \cap E_5) - p(E_2 \cap E_3) - p(E_2 \cap E_4) - p(E_2 \cap E_5) - p(E_3 \cap E_4) - p(E_3 \cap E_5) - p(E_4 \cap E_5) + p(E_1 \cap E_2 \cap E_3) + p(E_1 \cap E_2 \cap E_4) + p(E_1 \cap E_2 \cap E_5) + p(E_1 \cap E_3 \cap E_4) + p(E_1 \cap E_3 \cap E_5) + p(E_1 \cap E_4 \cap E_5) + p(E_2 \cap E_3 \cap E_4) + p(E_2 \cap E_3 \cap E_5) + p(E_2 \cap E_4 \cap E_5) + p(E_3 \cap E_4 \cap E_5)$

29. $p\left(\bigcup_{i=1}^{n} E_i\right) = \sum_{1 \le i \le n} p(E_i) - \sum_{1 \le i < j \le n} p(E_i \cap E_j) + \sum_{1 \le i < j < k \le n} p(E_i \cap E_j \cap E_k) - \cdots + (-1)^{n+1} p\left(\bigcap_{i=1}^{n} E_i\right)$

Section 5.5

1. 75

3. 6

5. 46

7. 9875

9. 540

11. 2100

13. 1854

15. a) $D_{100}/100!$ **b)** $100 D_{99}/100!$
    c) $C(100, 2)/100!$ **d)** 0

e) $1/100!$

17. 2 170 680

19. Selon les résultats de l'exercice 18, on a $D_n - nD_{n-1} = -(D_{n-1} - (n-1)D_{n-2})$. Par itération, on trouve $D_n - nD_{n-1} = -(D_{n-1} - (n-1)D_{n-2}) = -(-(D_{n-2} - (n-2)D_{n-3})) = D_{n-2} - (n-2)D_{n-3} = \cdots = (-1)^n (D_2 - 2D_1) = (-1)^n$, puisque $D_2 = 1$ et $D_1 = 0$.

21. Quand n est impair.

23. $\phi(n) = n - \sum_{i=1}^{m} \frac{n}{p_i} + \sum_{1 \le i < j \le m} \frac{n}{p_i p_j} - \cdots$

$\pm \frac{n}{p_1 p_2 \cdots p_m} = n \prod_{i=1}^{m} \left(a - \frac{1}{p_i}\right)$

25. 4

27. Il existe n^m fonctions à partir d'un ensemble à m éléments dans un ensemble à n éléments, $C(n, 1)$ $(n-1)^m$ fonctions à partir d'un ensemble à m éléments dans un ensemble à n éléments auquel il manque exactement 1 élément, $C(n,2)(n-2)^m$ fonctions à partir d'un ensemble à m éléments dans un ensemble à n éléments auquel il manque exactement 2 éléments, etc., jusqu'à $C(n, n-1)1^m$ fonctions à partir d'un ensemble à m éléments dans un ensemble à n éléments auquel il manque exactement $n-1$ éléments. En conséquence, selon le principe d'inclusion-exclusion, il y a $n^m - C(n, 1)$ $(n-1)^m + C(n, 2)$ $(n-2)^m - \cdots + (-1)^{n-1}$ $C(n, n-1)1^m$ fonctions surjectives.

Exercices supplémentaires

1. a) $A_n = 4A_{n-1}$
  b) $A_1 = 40$
  c) $A_n = 10 \cdot 4^n$

3. a) $M_n = M_{n-1} + 160\,000$
  b) $M_1 = 186\,000$
  c) $M_n = 160\,000n + 26\,000$
  d) $T_n = T_{n-1} + 160\,000n + 26\,000$
  e) $T_n = 80\,000n^2 + 106\,000n$

5. a) $a_n = a_{n-2} + a_{n-3}$
  b) $a_1 = 0, a_2 = 1, a_3 = 1$
  c) $a_{12} = 12$

7. a) 2   **b)** 5   **c)** 8   **d)** 16

9. $a_n = 2^n$

11. On suppose que les racines caractéristiques sont respectivement $r_1, r_2, \ldots, r_t$ avec les multiplicités respectives $m_1, m_2, \ldots, m_t$. Alors, toutes les solutions sont de la forme suivante : $a_n = \sum_{k=1}^{t} \sum_{j=1}^{m_t} \alpha_{kj} n^{j-1} r_k^n$ où les termes α_{kj} sont des constantes.

13. $a_n = a_{n-2} + a_{n-3}$

15. $O(n^4)$

17. $O(n)$

19. a) $18n + 18$ **b)** 18   **c)** 0

21. $\Delta(a_n b_n) = a_{n+1}b_{n+1} - a_n b_n = a_{n+1}(b_{n+1} - b_n) + b_n(a_{n+1} - a_n) = a_{n+1}\Delta b_n + b_n \Delta a_n$

23. 7

25. 110

27. 0

29. a) 19   **b)** 65   **c)** 122
  d) 167   **e)** 168

31. $D_{n-1}/(n-1)!$

33. 11/32

CHAPITRE 6

Section 6.1

1. a) $\{(0,0), (1,1), (2,2), (3,3)\}$
  b) $\{(1,3), (2,2), (3,1), (4,0)\}$
  c) $\{(1,0), (2,0), (2,1), (3,0), (3,1), (3,2), (4,0), (4,1), (4,2), (4,3)\}$
  d) $\{(1,0), (1,1), (1,2), (1,3), (2,0), (2,2), (3,0), (3,3), (4,0)\}$ (en supposant que 0 ne divise pas 0)
  e) $\{(0,1), (1,0), (1,1), (1,2), (1,3), (2,1), (2,3), (3,1), (3,2), (4,1), (4,3)\}$
  f) $\{(1,2), (2,1), (2,2)\}$

3. a) Transitive
  b) Réflexive, symétrique, transitive
  c) Symétrique
  d) Antisymétrique
  e) Réflexive, symétrique, antisymétrique, transitive
  f) Aucune de ces propriétés

5. a) Symétrique
  b) Symétrique, transitive
  c) Symétrique
  d) Réflexive, symétrique, transitive
  e) Réflexive, transitive
  f) Réflexive, symétrique, transitive
  g) Antisymétrique
  h) Antisymétrique, transitive

7. c), d) et f)

9. Oui, par exemple $\{(1, 1)\}$ dans $\{1, 2\}$

11. a)

13. 2^{mn}

15. a) $\{(a, b) \mid b$ divise $a\}$
  b) $\{(a, b) \mid a$ ne divise pas $b\}$

17. Le graphe de f^{-1}

19. a) $\{(a, b) \mid a$ doit lire ou a lu $b\}$

b) $\{(a, b) \mid a$ doit lire et a lu $b\}$

c) $\{(a, b) \mid$ soit a doit lire b mais ne l'a pas lu, soit a a lu b mais ne devait pas le faire$\}$

d) $\{(a, b) \mid a$ doit lire b mais ne l'a pas lu$\}$

e) $\{(a, b) \mid a$ a lu b mais ne devait pas le faire$\}$

21. $S \circ R = \{(a, b) \mid a$ est un parent de b et b a un frère ou une sœur$\}$, $R \circ S = \{(a, b) \mid a$ est un oncle ou une tante de $b\}$

23. 8

25. a) $2^{n(n+1)/2}$ **b)** $2^n 3^{n(n-1)/2}$

c) $3^{n(n-1)/2}$ **d)** $2^{n(n-1)}$

e) $2^{n(n-1)/2}$ **f)** $2^{n^2} - 2 \cdot 2^{n(n-1)}$

27. Il se peut qu'un tel b n'existe pas.

29. Si R est symétrique et $(a, b) \in R$, alors $(b, a) \in R$ de sorte que $(a, b) \in R^{-1}$. Ainsi, $R \subseteq R^{-1}$. De même, $R^{-1} \subseteq R$. Donc, $R = R^{-1}$. Inversement, si $R = R^{-1}$ et $(a, b) \in R$, alors $(a, b) \in R^{-1}$, de sorte que $(b, a) \in R$. Ainsi, R est symétrique.

31. R est réflexive si et seulement si $(a, a) \in R$ pour tout $a \in A$ si et seulement si $(a, a) \in R^{-1}$ (puisque $(a, a) \in R$ si et seulement si $(a, a) \in R^{-1}$) si et seulement si R^{-1} est réflexive.

33. On utilise le principe de l'induction. Le résultat est évident pour $n = 1$. On suppose que R^n est réflexive et transitive. Selon le théorème 1, $R^{n+1} \subseteq R$. Pour vérifier si $R \subseteq R^{n+1} = R^n \circ R$, on prend $(a, b) \in R$. Selon l'hypothèse inductive, $R^n = R$ et est donc réflexive. Ainsi, $(b, b) \in R^n$. Donc, $(a, b) \in R^{n+1}$.

35. On utilise le principe de l'induction. Le résultat est évident pour $n = 1$. On suppose que R^n est réflexive. Donc, $(a, a) \in R^n$ pour tout $a \in A$ et $(a, a) \in R$. Ainsi, $(a, a) \in R^n \circ R = R^{n+1}$ pour tout $a \in A$.

37. Non. Par exemple, on prend $R = \{(1, 2), (2, 1)\}$.

Section 6.2

1. $\{(1, 2, 3), (1, 2, 4), (1, 3, 4), (2, 3, 4)\}$

3. (Nadir, 122, 34, Détroit, 8 h 10), (Acme, 221, 22, Denver, 8 h 17), (Acme, 122, 33, Anchorage, 8 h 22), (Acme, 323, 34, Honolulu, 8 h 30), (Nadir, 199, 13, Détroit, 8 h 47), (Acme, 222, 22, Denver, 9 h 10), (Nadir, 322, 34, Détroit, 9 h 44)

5. Ligne aérienne et numéro de vol, ligne aérienne et heure de départ

7. $P_{3, 5, 6}$

9.

Ligne aérienne	Destination
Nadir	Détroit
Acme	Denver
Acme	Anchorage
Acme	Honolulu

11.

Fournisseur	Numéro de pièce	Projet	Quantité	Code couleur
23	1092	1	2	2
23	1101	3	1	1
23	9048	4	12	2
31	4875	3	6	2
31	3477	2	25	2
32	6984	4	10	1
32	9191	2	80	4
33	1001	1	14	8

Section 6.3

1. a) $\begin{bmatrix} 1 & 1 & 1 \\ 0 & 0 & 0 \\ 0 & 0 & 0 \end{bmatrix}$ **b)** $\begin{bmatrix} 0 & 1 & 0 \\ 1 & 1 & 0 \\ 0 & 0 & 1 \end{bmatrix}$

c) $\begin{bmatrix} 1 & 1 & 1 \\ 0 & 1 & 1 \\ 0 & 0 & 1 \end{bmatrix}$ **d)** $\begin{bmatrix} 0 & 0 & 1 \\ 0 & 0 & 0 \\ 1 & 0 & 0 \end{bmatrix}$

3. R est irréflexive si et seulement si chaque élément diagonal est 0.

5. On remplace chaque 0 par un 1 et chaque 1 par un 0.

7. a) $\begin{bmatrix} 0 & 1 & 1 \\ 1 & 1 & 0 \\ 1 & 0 & 1 \end{bmatrix}$ **b)** $\begin{bmatrix} 1 & 0 & 0 \\ 0 & 0 & 1 \\ 0 & 1 & 0 \end{bmatrix}$

c) $\begin{bmatrix} 1 & 1 & 1 \\ 1 & 1 & 1 \\ 1 & 1 & 1 \end{bmatrix}$

9. a) $\begin{bmatrix} 0 & 0 & 1 \\ 1 & 1 & 0 \\ 0 & 1 & 1 \end{bmatrix}$ **b)** $\begin{bmatrix} 1 & 1 & 0 \\ 0 & 1 & 1 \\ 1 & 1 & 1 \end{bmatrix}$

c) $\begin{bmatrix} 0 & 1 & 1 \\ 1 & 1 & 1 \\ 1 & 1 & 1 \end{bmatrix}$

11. a)

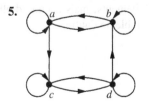

b)

c)

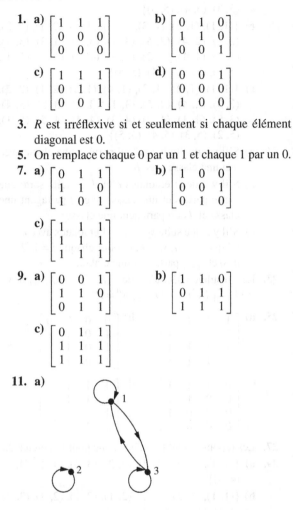

13. $\{(a, b), (a, c), (b, c), (c, b)\}$

15. $\{(a, a), (a, b), (a, c), (b, a), (b, b), (b, c), (c, a), (c, b), (d, d)\}$

17. a) Irréflexive seulement
   b) Réflexive seulement
   c) Symétrique seulement

19. Démonstration par l'induction. C'est évident pour $n = 1$. On suppose qu'elle est vraie pour n. Puisque $R^{n+1} = R^n \circ R$, sa matrice est $\mathbf{M}_R \odot \mathbf{M}_{R^n}$. Selon l'hypothèse inductive, il s'agit de $\mathbf{M}_R \odot \mathbf{M}_R^{[n]} = \mathbf{M}_R^{[n+1]}$.

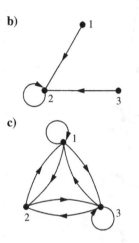

Section 6.4

1. a) $\{(0, 0), (0, 1), (1, 1), (1, 2), (2, 0), (2, 2), (3, 0), (3, 3)\}$

b) $\{(0, 1), (0, 2), (0, 3), (1, 0), (1, 1), (1, 2), (2, 0), (2, 1), (2, 2), (3, 0)\}$

3. $\{(a, b) \mid a \text{ divise } b \text{ ou } b \text{ divise } a\}$

5.

7.

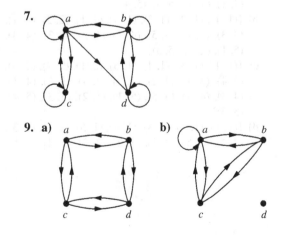

9. a) **b)**

c)

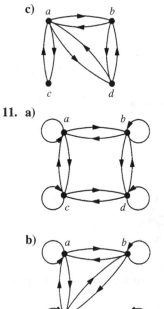

11. a)

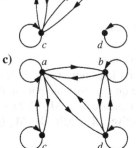

b)

c)

13. La fermeture symétrique de R est $R \cup R^{-1}$. La matrice $\mathbf{M}_{R \cup R^{-1}} = \mathbf{M}_R \vee \mathbf{M}_{R^{-1}} = \mathbf{M}_R \vee \mathbf{M}_R^t$.

15. Seulement lorsque R est irréflexive ; le cas échéant, elle est sa propre fermeture.

17. a, a, a, a ; b, c, c, b ; c, b, c, c ; c, c, b, c ; c, c, c, c ; d, e, e, d ; e, d, e, e ; e, e, d, e ; e, e, e, e

19. a) $\{(1, 1), (1, 5), (2, 3), (3, 1), (3, 2), (3, 3), (3, 4),$
   $(4, 1), (4, 5), (5, 3), (5, 4)\}$

  b) $\{(1, 1), (1, 2), (1, 3), (1, 4), (2, 1), (2, 5), (3, 1),$
   $(3, 3), (3, 4), (3, 5), (4, 1), (4, 2), (4, 3), (4, 4),$
   $(5, 1), (5, 3), (5, 5)\}$

  c) $\{(1, 1), (1, 3), (1, 4), (1, 5), (2, 1), (2, 2), (2, 3),$
   $(2, 4), (3, 1), (3, 2), (3, 3), (3, 4), (3, 5), (4, 1),$
   $(4, 3), (4, 4), (4, 5), (5, 1), (5, 2), (5, 3), (5, 4),$
   $(5, 5)\}$

  d) $\{(1, 1), (1, 2), (1, 3), (1, 4), (1, 5), (2, 1), (2, 3),$
   $(2, 4), (2, 5), (3, 1), (3, 2), (3, 3), (3, 4), (3, 5),$
   $(4, 1), (4, 2), (4, 3), (4, 4), (4, 5), (5, 1), (5, 2),$
   $(5, 3), (5, 4), (5, 5)\}$

  e) $\{(1, 1), (1, 2), (1, 3), (1, 4), (1, 5), (2, 1), (2, 2),$
   $(2, 3), (2, 4), (2, 5), (3, 1), (3, 2), (3, 3), (3, 4),$
   $(3, 5), (4, 1), (4, 2), (4, 3), (4, 4), (4, 5), (5, 1),$
   $(5, 2), (5, 3), (5, 4), (5, 5)\}$

  f) $\{(1, 1), (1, 2), (1, 3), (1, 4), (1, 5), (2, 1), (2, 2),$
   $(2, 3), (2, 4), (2, 5), (3, 1), (3, 2), (3, 3), (3, 4),$
   $(3, 5), (4, 1), (4, 2), (4, 3), (4, 4), (4, 5), (5, 1),$
   $(5, 2), (5, 3), (5, 4), (5, 5)\}$

21. a) S'il y a un étudiant c qui partage une classe avec a et une classe avec b.

  b) S'il y a deux étudiants c et d, de telle sorte que a et c partagent une classe, c et d partagent une classe et d et b partagent une classe.

  c) S'il y a une suite $s_0, \ldots, s_n$ d'étudiants avec $n \geq 1$ tel que $s_0 = a$, $s_n = b$, et pour chaque $i = 1, 2, \ldots, n$, s_i et s_{i-1} partagent une classe.

23. Le résultat découle de $(R^*)^{-1} = (\bigcup_{n=1}^{\infty} R^n)^{-1}$ $= \bigcup_{n=1}^{\infty} (R^n)^{-1} = \bigcup_{n=1}^{\infty} R^n = R^*$.

25. a) $\begin{bmatrix} 1 & 1 & 1 & 1 \\ 1 & 1 & 1 & 1 \\ 1 & 1 & 1 & 1 \\ 1 & 1 & 1 & 1 \end{bmatrix}$ **b)** $\begin{bmatrix} 0 & 0 & 0 & 0 \\ 1 & 0 & 1 & 1 \\ 1 & 0 & 1 & 1 \\ 1 & 0 & 1 & 1 \end{bmatrix}$

  c) $\begin{bmatrix} 0 & 1 & 1 & 1 \\ 0 & 0 & 1 & 1 \\ 0 & 0 & 0 & 1 \\ 0 & 0 & 0 & 0 \end{bmatrix}$ **d)** $\begin{bmatrix} 1 & 1 & 1 & 1 \\ 1 & 1 & 1 & 1 \\ 1 & 1 & 1 & 1 \\ 1 & 1 & 1 & 1 \end{bmatrix}$

27. Les réponses sont les mêmes que pour l'exercice 25.

29. a) $\{(1, 1), (1, 2), (1, 4), (2, 2), (3, 3), (4, 1), (4, 2),$
   $(4, 4)\}$

  b) $\{(1, 1), (1, 2), (1, 4), (2, 1), (2, 2), (2, 4), (3, 3),$
   $(4, 1), (4, 2), (4, 4)\}$

  c) $\{(1, 1), (1, 2), (1, 4), (2, 1), (2, 2), (2, 4), (3, 3),$
   $(4, 1), (4, 2), (4, 4)\}$

31. Algorithme 1 : $O(n^{3,8})$; algorithme 2 : $O(n^3)$

33. On initialise avec $\mathbf{A} := \mathbf{M}_R \vee \mathbf{I}_n$ et on forme une boucle seulement pour $i := 2$ à $n-1$.

35. a) Puisque R est réflexive, toutes les relations la contenant doivent également être réflexives.

  b) $\{(0, 0), (0, 1), (0, 2), (1, 1), (2, 2)\}$ et $\{(0, 0), (0, 1), (1, 0), (1, 1), (2, 2)\}$ contiennent R et ont un nombre impair d'éléments, mais aucune d'elles n'est un sous-ensemble de l'autre.

Section 6.5

1. a) Relation d'équivalence
    b) Pas réflexive, pas transitive
    c) Relation d'équivalence
    d) Pas transitive
    e) Pas symétrique, pas transitive
3. a) Relation d'équivalence
    b) Pas transitive
    c) Pas réflexive, symétrique ou transitive
    d) Relation d'équivalence
    e) Pas réflexive ou transitive
5. a) $(x, x) \in R$ puisque $f(x) = f(x)$. Ainsi, R est réflexive. $(x, y) \in R$ si et seulement si $f(x) = f(y)$, qui s'applique si et seulement si $f(y) = f(x)$, si et seulement si $(y, x) \in R$. Donc, R est symétrique. Si $(x, y) \in R$ et $(y, z) \in R$, alors $f(x) = f(y)$ et $f(y) = f(z)$. Donc, $f(x) = f(z)$. Ainsi, $(x, z) \in R$. Il s'ensuit que R est transitive.
    b) Les ensembles $f^{-1}(b)$, où b est dans l'image de f.
7. Soit x une chaîne de longueur 3 ou plus. Puisque x concorde avec elle-même dans les trois premiers bits, $(x, x) \in R$. Donc, R est réflexive. On suppose que $(x, y) \in R$. Alors, x et y concordent dans les trois premiers bits. Donc, y et x concordent dans les trois premiers bits. Ainsi, $(y, x) \in R$. Si (x, y) et (y, z) sont dans R, alors x et y concordent dans les trois premiers bits, comme y et z. Donc, x et z concordent dans les trois premiers bits. Ainsi, $(x, z) \in R$. Il s'ensuit que R est transitive.
9. L'énoncé «p est équivalent à q» signifie que p et q ont les mêmes éléments dans leurs tables de vérité. R est réflexive, puisque p a la même table de vérité que p. R est symétrique, car si p et q ont la même table de vérité, alors q et p ont la même table de vérité. Si p et q ont les mêmes éléments dans leurs tables de vérité et que q et r ont les mêmes éléments dans leurs tables de vérité, alors p et r également. Donc, R est transitive.
11. Non
13. Non
15. R est réflexive puisqu'une chaîne binaire s a le même nombre de 1 qu'elle-même. R est symétrique, car si s et t ont le même nombre de 1, cela implique que t et s ont également le même nombre de 1. R est transitive, car si s et t ont le même nombre de 1 et que t et u ont le même nombre de 1, cela implique que s et u ont le même nombre de 1.
17. a) Les ensembles des personnes du même âge
    b) Les ensembles des personnes ayant les deux mêmes parents
19. L'ensemble de toutes les chaînes binaires ayant exactement deux 1

21. a) $\{s \mid s$ est une chaîne binaire de longueur 3$\}$
    b) $\{s1 \mid s$ est une chaîne binaire de longueur 3$\}$
    c) $\{s11 \mid s$ est une chaîne binaire de longueur 3$\}$
    d) $\{s10101 \mid s$ est une chaîne binaire de longueur 3$\}$
23. $\{6n + k \mid n \in \mathbf{Z}\}$ pour $k \in \{0, 1, 2, 3, 4, 5\}$
25. a) Non   b) Oui
    c) Oui   d) Non
27. $[0]_6 \subseteq [0]_3$, $[1]_6 \subseteq [1]_3$, $[2]_6 \subseteq [2]_3$, $[3]_6 \subseteq [0]_3$, $[4]_6 \subseteq [1]_3$, $[5]_6 \subseteq [2]_3$
29. $\{(a, a), (a, b), (a, c), (b, a), (b, b), (b, c), (c, a), (c, b), (c, c), (d, d), (d, e), (e, d), (e, e)\}$
31. a) $\mathbf{Z}$ b) $\{n + \frac{1}{2} \mid n \in \mathbf{Z}\}$
33. a) R est réflexive puisque toute couleur peut s'obtenir à partir d'elle-même au moyen d'une rotation de 360 degrés. Pour constater que R est symétrique et transitive, on considère le fait que chaque rotation est la composition de deux réflexions et, inversement, la composition de deux réflexions est une rotation. Ainsi, (C_1, C_2) appartient à R si et seulement si C_2 peut s'obtenir à partir de C_1 par une composition de réflexions. Donc, si (C_1, C_2) appartient à R, (C_2, C_1) lui appartient également puisque l'inverse de la composition des réflexions est également une composition de réflexions (dans l'ordre inverse). Donc, R est symétrique. Pour voir que R est transitive, on suppose que (C_1, C_2) et (C_2, C_3) appartiennent à R. En prenant la composition des réflexions pour chaque cas, on obtient une composition de réflexions démontrant que (C_1, C_3) appartient à R.
    b) On exprime les couleurs à l'aide de suites de longueur quatre, où r et b correspondent au rouge et au bleu, respectivement. On énumère les lettres correspondant aux couleurs de la case supérieure gauche, de la case supérieure droite, de la case inférieure gauche et de la case inférieure droite, dans cet ordre. Les classes d'équivalence sont $\{rrrr\}$, $\{bbbb\}$, $\{rrrb, rrbr, rbrr, brrr\}$, $\{bbbr, bbrb, brbb, rbbb\}$, $\{rbbr, brrb\}$, $\{rrbb, brbr, bbrr, rbrb\}$.
35. 5
37. Oui
39. R
41. D'abord, on forme la fermeture réflexive de R, puis on forme la fermeture symétrique de la fermeture réflexive et, finalement, on forme la fermeture transitive de la fermeture symétrique de la fermeture réflexive.
43. $p(0) = 1$, $p(1) = 1$, $p(2) = 2$, $p(3) = 5$, $p(4) = 15$, $p(5) = 52$, $p(6) = 203$, $p(7) = 877$, $p(8) = 4140$, $p(9) = 21\ 147$, $p(10) = 115\ 975$

Section 6.6

1. **a)** Oui   **b)** Non
   c) Oui   **d)** Non
3. Non
5. Oui
7. **a)** $\{(0, 0), (1, 0), (1, 1), (2, 0), (2, 1), (2, 2)\}$
   b) $(\mathbf{Z}, \leq)$
   c) $(P(\mathbf{Z}), \subseteq)$
   d) $(\mathbf{Z}^+$, « est un multiple de »$)$
9. **a)** $\{0\}$ et $\{1\}$, par exemple
   b) 4 et 6, par exemple
11. **a)** $(1, 1, 2) < (1, 2, 1)$
   b) $(0, 1, 2, 3) < (0, 1, 3, 2)$
   c) $(0, 1, 1, 1, 0) < (1, 0, 1, 0, 1)$
13. $0 < 0001 < 001 < 01 < 010 < 0101 < 011 < 11$
15. **a)**

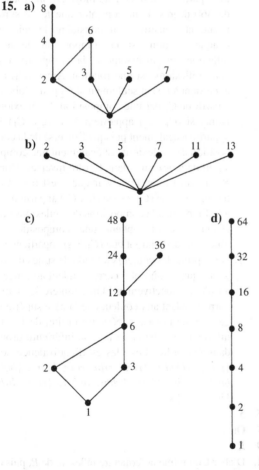

b)

c)   **d)**

17. $(a, b), (a, c), (a, d), (b, c), (b, d), (a, a), (b, b), (c, c),$
   (d, d)
19. $(a, a), (a, g), (a, d), (a, e), (a, f), (b, b), (b, g), (b, d),$
   $(b, e), (b, f), (c, c), (c, g), (c, d), (c, e), (c, f), (g, d),$
   $(g, e), (g, f), (g, g), (d, d), (e, e), (f, f)$
21. **a)** 24, 45   **b)** 3, 5   **c)** Non

d) Non   **e)** 15, 45   **f)** 15
g) 15, 5, 3   **h)** 15
23. **a)** $\{1, 2\}, \{1, 3, 4\}, \{2, 3, 4\}$
   b) $\{1\}, \{2\}, \{4\}$
   c) Non   **d)** Non
   e) $\{2, 4\}, \{2, 3, 4\}$ **f)** $\{2, 4\}$
   g) $\{3, 4\}, \{4\}$ **h)** $\{3, 4\}$
25. Puisque $(a, b) \preccurlyeq (a, b)$, $\preccurlyeq$ est réflexive. Si (a_1, a_2) $\preccurlyeq (b_1, b_2)$ et $(a_1, a_2) \neq (b_1, b_2)$, soit $a_1 < b_1$ ou $a_1 = b_1$ et $a_2 < b_2$. Dans l'un ou l'autre cas, (b_1, b_2) n'est pas plus petite que ou égale à (a_1, a_2). Ainsi, $\preccurlyeq$ est antisymétrique. On suppose que $(a_1, a_2) \prec (b_1, b_2) \prec (c_1, c_2)$. Alors, si $a_1 < b_1$ ou $b_1 < c_1$, on obtient $a_1 < c_1$. Donc, $(a_1, a_2) \prec (c_1, c_2)$, mais si $a_1 = b_1 = c_1$, alors $a_2 < b_2 < c_2$, ce qui implique que $(a_1, a_2) \prec (c_1, c_2)$. Donc, $\preccurlyeq$ est transitive.
27. Puisque $(s, t) \preccurlyeq (s, t)$, $\preccurlyeq$ est réflexive. Si $(s, t) \preccurlyeq (u, v)$ et $(u, v) \preccurlyeq (s, t)$, alors $s \preccurlyeq u \preccurlyeq s$ et $t \preccurlyeq v \preccurlyeq t$. Donc, $s = u$ et $t = v$. Par conséquent, $\preccurlyeq$ est antisymétrique. On suppose que $(s, t) \preccurlyeq (u, v) \preccurlyeq (w, x)$. Alors, $s \preccurlyeq u, t \preccurlyeq v, u \preccurlyeq w$ et $v \preccurlyeq x$. Il s'ensuit que $s \preccurlyeq w$ et $t \preccurlyeq x$. Donc, $(s, t) \preccurlyeq (w, x)$. Ainsi, $\preccurlyeq$ est transitive.
29. **a)** On suppose que x est maximal et que y est l'élément le plus grand. Alors, $x \preccurlyeq y$. Puisque x n'est pas plus petit que y, il s'ensuit que $x = y$. Selon l'exercice 28 a), y est unique. Donc, x est unique.
   b) On suppose que x est minimal et que y est le plus petit élément. Alors $x \succcurlyeq y$. Puisque x n'est pas plus grand que y, il s'ensuit que $x = y$. Selon l'exercice 28 b), y est unique. Donc, x est unique.
31. **a)** Oui   **b)** Non   **c)** Oui
33. On utilise le principe de l'induction. Soit $P(n)$ « Tout sous-ensemble à n éléments d'un treillis a au moins un supremum et un infimum. ». ÉTAPE DE BASE : $P(1)$ est vraie puisque le supremum et l'infimum de $\{x\}$ est x. ÉTAPE INDUCTIVE : On suppose que $P(n)$ est vraie. Soit S un ensemble à $n + 1$ éléments. Soit $x \in S$ et $S' = S - \{x\}$. Puisque S' a n éléments, selon l'hypothèse inductive, il a un supremum y et un infimum a. À présent, puisqu'il s'agit d'un treillis, on a les éléments $z = \sup(x, y)$ et $b = \inf(x, a)$. On a terminé si on peut démontrer que z est le supremum de S et b, l'infimum de S. Pour démontrer que z est le supremum de S, on note d'abord que si $w \in S$, alors $w = x$ ou $w \in S'$. Si $w = x$, alors $w \preccurlyeq z$ puisque z est le supremum de x et y. Si $w \in S'$, alors $w \preccurlyeq z$, car $w \preccurlyeq y$ puisque y est le supremum de S' et $y \preccurlyeq z$ puisque $z = \sup(x, y)$. Pour constater que z est le supremum de S, on suppose que u est un majorant de S. On note que cet élément u doit être un majorant de

x et y, mais puisque $z = \sup(x, y)$, il s'ensuit que $z \preccurlyeq u$. On omet l'argument similaire que b est l'infimum de S.

35. **a)** Non

b) Oui

c) (*marque déposée*, {*guépard, puma*})
(*confidentiel*, {*guépard, puma*})
(*enregistré*, {*guépard, puma*})
(*marque déposée*, {*guépard, puma, impala*})
(*confidentiel*, {*guépard, puma, impala*})
(*enregistré*, {*guépard, puma, impala*})

d) (*marque non déposée*, {*impala, puma*})
(*marque déposée*, {*impala, puma*})
(*confidentiel*, {*impala, puma*})
(*marque non déposée*, {*impala*})
(*marque déposée*, {*impala*})
(*confidentiel*, {*impala*}),
(*marque non déposée*, {*puma*})
(*marque déposée*, {*puma*})
(*confidentiel*, {*puma*}), (*marque non déposée*, $\varnothing$)
(*marque déposée*, $\varnothing$), (*confidentiel*, $\varnothing$)

37. Soit Π l'ensemble de toutes les partitions d'un ensemble S avec $P_1 \preccurlyeq P_2$ si P_1 est un raffinement de P_2, autrement dit si chaque ensemble de P_1 est un sous-ensemble d'un ensemble de P_2. D'abord, on montre que $(\Pi, \preccurlyeq)$ est un ensemble partiellement ordonné. Puisque $P \preccurlyeq P$ pour toute partition P, $\preccurlyeq$ est réflexive. À présent, on suppose que $P_1 \preccurlyeq P_2$ et $P_2 \preccurlyeq P_1$. Soit $T \in P_1$. Puisque $P_1 \preccurlyeq P_2$, il y a un ensemble $T' \in P_2$, tel que $T \subseteq T'$. Puisque $P_2 \preccurlyeq P_1$, il y a un ensemble $T'' \in P_1$ tel que $T' \subseteq T''$. Il s'ensuit que $T \subseteq T''$. Cependant, puisque P_1 est une partition, $T = T''$, ce qui implique que $T = T'$ puisque

$T \subseteq T' \subseteq T''$. Ainsi, $T \in P_2$. En inversant les rôles de P_1 et de P_2, il s'ensuit que chaque ensemble de P_2 est également dans P_1. Ainsi, $P_1 = P_2$ et $\preccurlyeq$ est antisymétrique. Ensuite, on suppose que $P_1 \preccurlyeq P_2$ et $P_2 \preccurlyeq P_3$. Soit $T \in P_1$. Alors, il y a un ensemble $T' \in P_2$ tel que $T \subseteq T'$. Puisque $P_2 \preccurlyeq P_3$, il y a un ensemble $T'' \in P_3$ tel que $T' \subseteq T''$. Cela signifie que $T \subseteq T''$. Ainsi, $P_1 \preccurlyeq P_3$. Il s'ensuit que $\preccurlyeq$ est transitive. L'infimum des partitions P_1 et P_2 est la partition de P dont les sous-ensembles sont les ensembles non vides de la forme $T_1 \cap T_2$ où $T_1 \in P_1$ et $T_2 \in P_2$. On ne donne pas ici la justification de cet énoncé. Le supremum des partitions P_1 et P_2 est la partition qui correspond à la relation d'équivalence dans laquelle $x \in S$ est en relation avec $y \in S$ s'il y a une suite $x = x_0, x_1, x_2, \ldots, x_n = y$ pour un entier non négatif n, tel que pour chaque i de 1 à n, x_{i-1} et x_i sont dans le même élément que P_1 ou P_2. On ne donnera pas les détails concernant le fait qu'il s'agit d'une relation d'équivalence et la démonstration du fait qu'il s'agit du supremum des deux partitions.

39. Selon l'exercice 33, il y a un supremum et un infimum dans tout le treillis fini. Par définition, ces éléments sont les plus grands et les plus petits, respectivement.

41. Le plus petit élément d'un sous-ensemble de $\mathbf{Z}^+ \times \mathbf{Z}^+$ est la paire qui a le premier coordonné le plus petit possible et, s'il a plus d'une de ces paires, cet élément est la paire parmi celles qui a le deuxième coordonné le plus petit.

43. $a < b < c < d < e < f < g < h < i < j < k < l < m$

45. $C < A < B < D < E < F < G$

Exercices supplémentaires

1. **a)** Irréflexive (on n'inclut pas la chaîne vide), symétrique

b) Irréflexive, symétrique

c) Irréflexive, antisymétrique, transitive

3. $((a, b), (a, b)) \in R$ puisque $a + b = a + b$. Ainsi, R est réflexive. Si $((a, b), (c, d)) \in R$, alors $a + d = b + c$ tel que $c + b = d + a$. Il s'ensuit que $((c, d), (a, b)) \in R$. Ainsi, R est symétrique. On suppose que $((a, b), (c, d))$ et $((c, d), (e, f))$ appartiennent à R. Alors, $a + d = b + c$ et $c + f = d + e$. En additionnant ces deux équations et en soustrayant $c + d$ des deux côtés, on obtient $a + f = b + e$. Ainsi, $((a, b), (e, f))$ appartient à R. Donc, R est transitive.

5. On suppose que $(a, b) \in R$. Puisque $(b, b) \in R$, il s'ensuit que $(a, b) \in R^2$.

7. Oui, oui

9. Oui, oui

11. Deux enregistrements avec des clés identiques dans la projection auraient des clés identiques dans l'original.

13. $(\Delta \cup R)^{-1} = \Delta^{-1} \cup R^{-1} = \Delta \cup R^{-1}$

15. **a)** $R = \{(a, b), (a, c)\}$. La fermeture transitive de la fermeture symétrique de R est $\{(a, a), (a, b), (a, c), (b, a), (b, b), (b, c), (c, a), (c, b), (c, c)\}$, et elle est différente de la fermeture symétrique de la fermeture transitive de R, qui est $\{(a, b), (a, c), (b, a), (c, a)\}$.

b) On suppose que (a, b) se trouve dans la fermeture symétrique de la fermeture transitive de R. On doit démontrer que (a, b) se trouve dans la fermeture transitive de la fermeture symétrique de R. On sait qu'au moins (a, b) ou (b, a) se trouve dans la fermeture transitive de R. Donc, il y a soit un chemin de a à b dans R, soit un chemin de b à a dans R (ou les deux). Dans le cas précédent, il y a un chemin de a à b dans la fermeture symétrique de R. Dans ce cas, on peut former un chemin de a à b dans la fermeture symétrique de R en inversant les directions de tous les arcs dans un chemin de b à a, faisant chemin arrière. Donc, (a, b) se trouve dans la fermeture transitive de la fermeture symétrique de R.

17. La fermeture de S par rapport à la propriété **P** est une relation avec la propriété **P** qui contient R puisque $R \subseteq S$. Ainsi, la fermeture de S par rapport à la propriété **P** contient la fermeture de R par rapport à la propriété **P**.

19. On se réfère à la notion de base de l'algorithme de Warshall, sauf que $w_{ij}^{[k]}$ est égal à la longueur du chemin le plus long de v_i à v_j en utilisant les sommets intérieurs avec des indices ne dépassant pas k et est égal à -1 s'il n'y a pas un tel chemin. Pour trouver $w_{ij}^{[k]}$ à partir des éléments de W_{k-1}, on détermine pour chaque paire (i, j) s'il y a des chemins de v_i à v_k et de v_k à v_j, en n'utilisant aucun sommet étiqueté plus grand que k. Si soit $w_{ik}^{[k-1]}$, soit $w_{kj}^{[k-1]}$ est -1, alors cette paire de chemins n'existe pas. Donc, on pose $w_{ij}^{[k]} = w_{ij}^{[k-1]}$. Si cette paire de chemins existe, alors il y a deux possibilités. Si $w_{kk}^{[k-1]} > 0$, il y a des chemins de tailles arbitrairement importantes de v_i à v_j. Donc, on pose $w_{ij}^{[k]} = \infty$. Si $w_{kk}^{[k-1]} = 0$, on pose $w_{ij}^{[k-1]} = \max(w_{ij}^{[k-1]}, w_{ik}^{[k-1]} + w_{kj}^{[k-1]})$. (On prend d'abord $\mathbf{W}_0 = \mathbf{M}_R$.)

21. 25

23. Puisque $A_i \cap B_j$ est un sous-ensemble de A_i et B_j, l'ensemble des sous-ensembles est un raffinement de chacune des partitions données. On doit démontrer qu'il s'agit d'une partition. Selon la construction, chacun de ces ensembles est non vide. Pour vérifier si leur union est S, on suppose que $s \in S$. Puisque P_1 et P_2 sont des partitions de S, on a les ensembles A_i et B_j tels que $s \in A_i$ et $s \in B_j$. Ainsi, $s \in A_i \cap B_j$. Donc, l'union de ces ensembles est S. Pour vérifier s'il s'agit de paires mutuellement exclusives, on note que, à moins que $i = i'$ et $j = j'$, $(A_i \cap B_j) \cap (A_{i'} \cap B_{j'}) = (A_i \cap A_{i'}) \cap (B_j \cap B_{j'}) = \varnothing$.

25. La relation de sous-ensembles est une relation de préordre dans tout ensemble d'ensembles, puisqu'elle est réflexive, antisymétrique et transitive. Ici, l'ensemble des ensembles est $\mathbf{R}(S)$.

27. Déterminer les besoins des utilisateurs $<$ rédiger les exigences fonctionnelles $<$ établir les sites d'essai $<$ établir les exigences du système $<$ rédiger la documentation $<$ mettre au point le module A $<$ mettre au point le module B $<$ intégrer les modules $<$ essai en laboratoire $<$ essai pilote $<$ achèvement

29. a) Le seul ensemble d'éléments non comparables ayant plus d'un élément est $\{c, d\}$.

b) Les seuls ensembles d'éléments non comparables ayant plus d'un élément sont $\{b, c\}$, $\{c, e\}$ et $\{d, e\}$.

c) Les seuls ensembles d'éléments non comparables ayant plus d'un élément sont $\{a, b\}$, $\{a, c\}$, $\{b, c\}$, $\{a, b, c\}$, $\{d, e\}$, $\{d, f\}$, $\{e, f\}$, $\{d, e, f\}$.

31. Soit $(S, \preccurlyeq)$ un ensemble partiellement ordonné et soit A un ensemble totalement ordonné maximal. Puisque $(A, \preccurlyeq)$ est également un ensemble partiellement ordonné, il doit avoir un élément minimal m. On suppose que m n'est pas minimal dans S. Alors, il y aurait un élément a de S avec $a \prec m$. Toutefois, on obtiendrait l'ensemble $A \cup \{a\}$, un ensemble totalement ordonné plus grand que A. Pour le démontrer, on doit montrer que a est comparable à tout élément de A. Puisque m est comparable à tout élément de A et que m est minimal, il s'ensuit que $m \prec x$ lorsque x se trouve dans A et $x \neq m$. Puisque $a \prec m$ et $m \prec x$, la transitivité montre que $a \prec x$ pour tout élément de A.

33. On suppose que aRb signifie que a est un descendant de b. Selon l'exercice 32, s'il n'existe aucun ensemble de $n + 1$ personnes dont aucune n'est un descendant d'une autre (un ensemble d'éléments non comparables), alors $k \leq n$, et on peut partitionner l'ensemble en $k \leq n$ ensembles totalement ordonnés. Selon le principe des nids de pigeon, au moins l'un de ces ensembles totalement ordonnés contient au moins $m + 1$ personnes.

35. ÉTAPE DE BASE : $a_{0,0} = [0(0 + 1)/2] + 0 = 0$.
ÉTAPE INDUCTIVE : On suppose qu'elle est vraie pour toutes les paires inférieures à (m, n). Si $n = 0$, alors $a_{m,n} = a_{m-1, n} + 1 = [n(n + 1)/2] + m - 1 + 1 = [n(n + 1)/2] + m$ comme on le souhaite, puisque $(m - 1, n) \prec (m, n)$. Si $n \neq 0$, alors $a_{m,n} = a_{m, n-1} + n = [n(n - 1)/2] + m + n = [n(n + 1)/2] + m$ puisque $(m, n - 1) \prec (m, n)$.

37. On suppose que R est une relation de quasi-ordre. Puisque R est réflexive, si $a \in A$, alors $(a, a) \in R$. Cela implique que $(a, a) \in R^{-1}$. Ainsi, $a \in R \cap R^{-1}$. Il s'ensuit que $R \cap R^{-1}$ est réflexive. $R \cap R^{-1}$ est symétrique pour toute relation R puisque, pour toute relation R, si $(a, b) \in R$ alors $(b, a) \in R^{-1}$ et inversement. Pour montrer que $R \cap R^{-1}$ est transitive, on suppose que $(a, b) \in R \cap R^{-1}$ et $(b, c) \in R \cap R^{-1}$. Puisque $(a, b) \in R$ et $(b, c) \in R$, $(a, c) \in R$, puisque R est transitive. De même, puisque $(a, b) \in R^{-1}$ et $(b, c) \in R^{-1}$, $(b, a) \in R$ et $(c, b) \in R$, de telle sorte que $(c, a) \in R$ et $(a, c) \in R^{-1}$. Ainsi, $(a, c) \in R \cap R^{-1}$. Il s'ensuit que $R \cap R^{-1}$ est une relation d'équivalence.

39. a) Puisque $\inf(x, y) = \inf(y, x)$ et $\sup(x, y) = \sup(y, x)$, il s'ensuit que $x \wedge y = y \wedge x$ et $x \vee y = y \vee x$.

b) À l'aide de la définition, $(x \wedge y) \wedge z$ est un minorant de x, y et z qui est plus grand que tout minorant. Puisque x, y et z jouent des rôles interchangeables, $x \wedge (y \wedge z)$ est le même élément. De même, $(x \vee y) \vee z$ est un majorant de x, y et z qui est inférieur à tout autre majorant. Puisque x, y et z jouent des rôles interchangeables, $x \vee (y \vee z)$ est le même élément.

c) Pour montrer que $x \wedge (x \vee y) = x$, il suffit de montrer que x est l'infimum de x et $x \vee y$. À noter que x est un minorant de x et, puisque $x \vee y$ est par définition plus grand que x, x est un minorant pour celui-ci également. Donc, x est un minorant. Néanmoins, tout minorant de x doit être plus petit que x, tel que x est l'infimum. Le deuxième

énoncé est le dual du premier (on ne donne pas cette démonstration dans le présent ouvrage).

d) x est un minorant et un majorant de lui-même ainsi que son propre infimum et supremum.

41. a) Puisque 1 est le seul élément plus grand que ou égal à 1, il est le seul supremum de 1 et donc la seule valeur possible de l'infimum de x et de 1.

b) Puisque $x \preccurlyeq 1$, x est un minorant de x et de 1, et aucun autre minorant ne peut être plus grand que x. Donc, $x \wedge 1 = x$.

c) Puisque $0 \preccurlyeq x$, x est un majorant de x et de 0, et aucun autre majorant ne peut être inférieur à x. Donc, $x \vee 0 = x$.

d) Puisque 0 est le seul élément plus petit que ou égal à 0, il est le seul minorant de 0, donc la seule valeur possible de l'infimum de x et de 0.

43. $L = (S, \subseteq)$, où $S = \{\varnothing, \{1\}, \{2\}, \{3\}, \{1, 2\}, \{2, 3\}, \{1, 2, 3\}\}$

45. Oui

47. Le complément d'un sous-ensemble $X \subseteq S$ est son complément $S - X$. Pour le démontrer, on note que $X \vee (S - X) = 1$ et $X \wedge (S - X) = 0$ puisque $X \cup (S - X) = S$ et $X \cap (S - X) = \varnothing$.

CHAPITRE 7

Section 7.1

1. a)

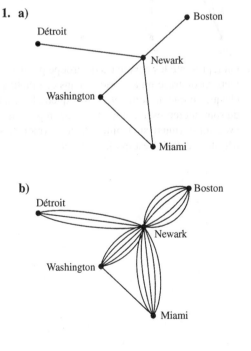

b)

c)

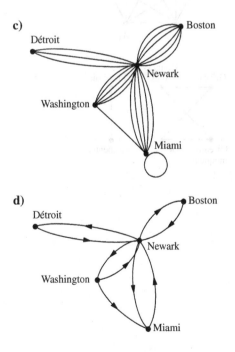

d)

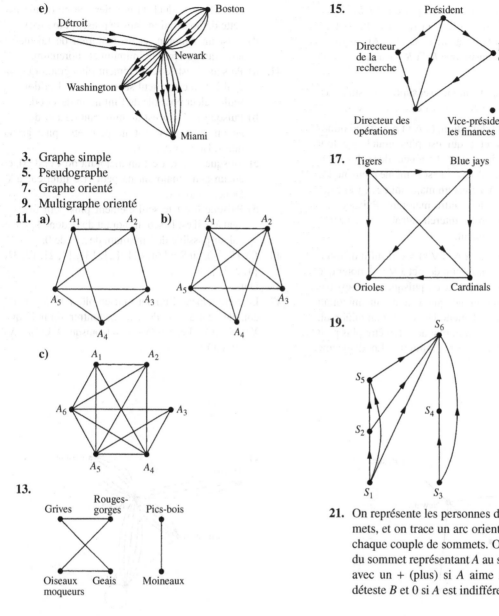

e)

3. Graphe simple
5. Pseudographe
7. Graphe orienté
9. Multigraphe orienté
11. a) **b)**
c)
13.
15.
17.
19.

21. On représente les personnes du groupe par des sommets, et on trace un arc orienté dans ce graphe pour chaque couple de sommets. On étiquette l'arc allant du sommet représentant A au sommet représentant B avec un + (plus) si A aime B, un − (moins) si A déteste B et 0 si A est indifférent à B.

Section 7.2

1. $v = 6$; $e = 6$; $\deg(a) = 2$, $\deg(b) = 4$, $\deg(c) = 1$, $\deg(d) = 0$, $\deg(e) = 2$, $\deg(f) = 3$; c est pendant; d est isolé.

3. $v = 9$; $e = 12$; $\deg(a) = 3$, $\deg(b) = 2$, $\deg(c) = 4$, $\deg(d) = 0$, $\deg(e) = 6$, $\deg(f) = 0$, $\deg(g) = 4$, $\deg(h) = 2$, $\deg(i) = 3$; d et f sont isolés.

5. Non, puisque la somme des degrés des sommets ne peut être impaire.

7. $v = 4$; $e = 7$; $\deg^-(a) = 3$, $\deg^-(b) = 1$, $\deg^-(c) = 2$, $\deg^-(d) = 1$, $\deg^+(a) = 1$, $\deg^+(b) = 2$, $\deg^+(c) = 1$, $\deg^+(d) = 3$

9. 5 sommets, 13 arcs; $\deg^-(a) = 6$, $\deg^+(a) = 1$, $\deg^-(b) = 1$, $\deg^+(b) = 5$, $\deg^-(c) = 2$, $\deg^+(c) = 5$, $\deg^-(d) = 4$, $\deg^+(d) = 2$, $\deg^-(e) = 0$, $\deg^+(e) = 0$

11.

13. Biparti

15. Non biparti

17. Non biparti

19. **a)** n sommets, $n(n-1)/2$ arcs

b) n sommets, n arcs

c) $n + 1$ sommets, $2n$ arcs

d) $m + n$ sommets, mn arcs

e) 2^n sommets, $n2^{n-1}$ arcs

21. **a)** Oui

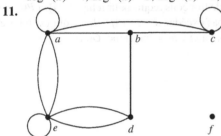

b) Non, la somme des degrés est impaire.

c) Non

d) Non, la somme des degrés est impaire.

e) Oui

f) Non, la somme des degrés est impaire.

23. 17

25.
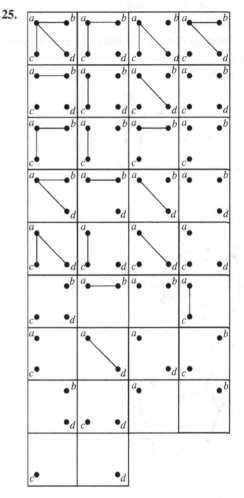

27. **a)** Pour toutes les valeurs de $n \geq 1$

b) Pour toutes les valeurs de $n \geq 3$

c) Pour $n = 3$

d) Pour toutes les valeurs de $n \geq 0$

29. 5

31.
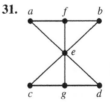

33. **a)** Le graphe avec n sommets et aucun arc

b) L'union disjointe de K_m et de K_n

c) Le graphe avec les sommets $\{v_1, \ldots, v_n\}$ avec un arc entre v_i et v_j, à moins que $i \equiv j \pm 1$ (modulo n)

d) Le graphe dont les sommets sont représentés par les chaînes binaires de longueur n avec un arc

entre les deux sommets si la chaîne binaire associée diffère de plus d'un bit.

35. $v(v-1)/2 - e$

37. L'union de G et de $\overline{G}$ contient un arc entre chaque
paire de n sommets. Donc, cette union est K_n.

39. Exercice 7 :

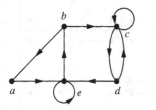

Exercice 8 :

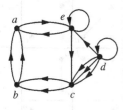

Exercice 9 :

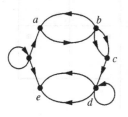

41. Un graphe orienté $G = (V, E)$ est sa propre réciproque si et seulement s'il satisfait à la condition
$(u, v) \in E$ si et seulement si $(v, u) \in E$, ce qui est
précisément la condition pour qu'une relation associée soit symétrique.

43.

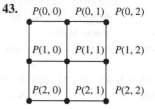

45. On peut relier $P(i, j)$ et $P(k, l)$ en utilisant $|i - k|$ tron-
çons afin de joindre $P(i, j)$ et $P(k, j)$, et $|j - l|$ tron-
çons pour joindre $P(k, j)$ et $P(k, l)$. Alors, le nombre
total de tronçons requis pour relier $P(i, j)$ et $P(k, l)$ ne
doit pas excéder $|i - k| + |j - l|$, ce qui est inférieur
ou égal à $m + m = 2m$. Donc, $O(m)$.

Section 7.3

1.

Sommet	Sommets adjacents
a	b, c, d
b	a, d
c	a, d
d	a, b, c

3.

Sommet	Sommets terminaux
a	a, b, c, d
b	d
c	a, b
d	b, c, d

5. $\begin{bmatrix} 0 & 1 & 1 & 1 \\ 1 & 0 & 0 & 1 \\ 1 & 0 & 0 & 1 \\ 1 & 1 & 1 & 0 \end{bmatrix}$

où les sommets sont ordonnés par ordre alphabétique.

7. $\begin{bmatrix} 1 & 1 & 1 & 1 \\ 0 & 0 & 0 & 1 \\ 1 & 1 & 0 & 0 \\ 0 & 1 & 1 & 1 \end{bmatrix}$

9. a) $\begin{bmatrix} 0 & 1 & 1 & 1 \\ 1 & 0 & 1 & 1 \\ 1 & 1 & 0 & 1 \\ 1 & 1 & 1 & 0 \end{bmatrix}$

b) $\begin{bmatrix} 0 & 1 & 1 & 1 & 1 \\ 1 & 0 & 0 & 0 & 0 \\ 1 & 0 & 0 & 0 & 0 \\ 1 & 0 & 0 & 0 & 0 \\ 1 & 0 & 0 & 0 & 0 \end{bmatrix}$

c) $\begin{bmatrix} 0 & 0 & 1 & 1 & 1 \\ 0 & 0 & 1 & 1 & 1 \\ 1 & 1 & 0 & 0 & 0 \\ 1 & 1 & 0 & 0 & 0 \\ 1 & 1 & 0 & 0 & 0 \end{bmatrix}$

d) $\begin{bmatrix} 0 & 1 & 0 & 1 \\ 1 & 0 & 1 & 0 \\ 0 & 1 & 0 & 1 \\ 1 & 0 & 1 & 0 \end{bmatrix}$ **e)** $\begin{bmatrix} 0 & 1 & 0 & 1 & 1 \\ 1 & 0 & 1 & 0 & 1 \\ 0 & 1 & 0 & 1 & 1 \\ 1 & 0 & 1 & 0 & 1 \\ 1 & 1 & 1 & 1 & 0 \end{bmatrix}$

f) $\begin{bmatrix} 0 & 1 & 1 & 0 & 1 & 0 & 0 & 0 \\ 1 & 0 & 0 & 1 & 0 & 1 & 0 & 0 \\ 1 & 0 & 0 & 1 & 0 & 0 & 1 & 0 \\ 0 & 1 & 1 & 0 & 0 & 0 & 0 & 1 \\ 1 & 0 & 0 & 0 & 0 & 1 & 1 & 0 \\ 0 & 1 & 0 & 0 & 1 & 0 & 0 & 1 \\ 0 & 0 & 1 & 0 & 1 & 0 & 0 & 1 \\ 0 & 0 & 0 & 1 & 0 & 1 & 1 & 0 \end{bmatrix}$

11.

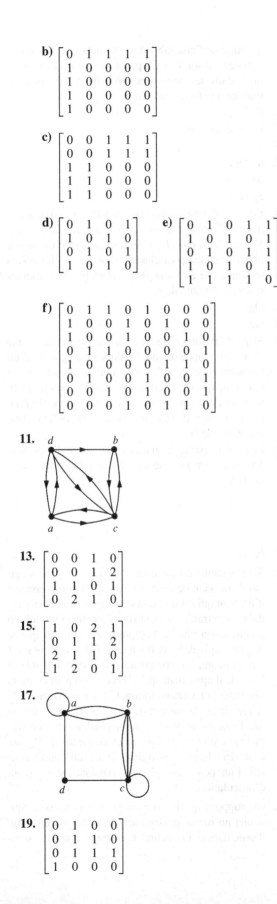

13. $\begin{bmatrix} 0 & 0 & 1 & 0 \\ 0 & 0 & 1 & 2 \\ 1 & 1 & 0 & 1 \\ 0 & 2 & 1 & 0 \end{bmatrix}$

15. $\begin{bmatrix} 1 & 0 & 2 & 1 \\ 0 & 1 & 1 & 2 \\ 2 & 1 & 1 & 0 \\ 1 & 2 & 0 & 1 \end{bmatrix}$

17.

19. $\begin{bmatrix} 0 & 1 & 0 & 0 \\ 0 & 1 & 1 & 0 \\ 0 & 1 & 1 & 1 \\ 1 & 0 & 0 & 0 \end{bmatrix}$

21. $\begin{bmatrix} 1 & 1 & 2 & 1 \\ 1 & 0 & 0 & 2 \\ 1 & 0 & 1 & 1 \\ 0 & 2 & 1 & 0 \end{bmatrix}$

23.

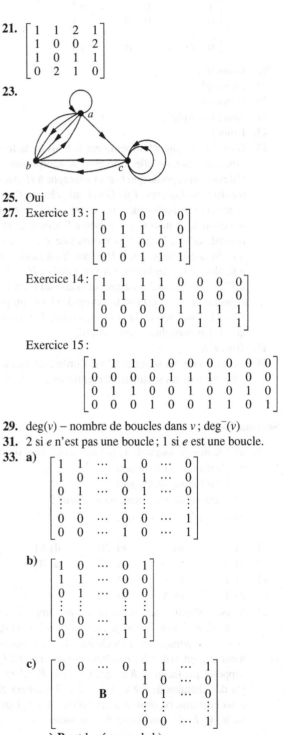

25. Oui

27. Exercice 13 : $\begin{bmatrix} 1 & 0 & 0 & 0 & 0 \\ 0 & 1 & 1 & 1 & 0 \\ 1 & 1 & 0 & 0 & 1 \\ 0 & 0 & 1 & 1 & 1 \end{bmatrix}$

Exercice 14 : $\begin{bmatrix} 1 & 1 & 1 & 1 & 0 & 0 & 0 & 0 \\ 1 & 1 & 1 & 0 & 1 & 0 & 0 & 0 \\ 0 & 0 & 0 & 0 & 1 & 1 & 1 & 1 \\ 0 & 0 & 0 & 1 & 0 & 1 & 1 & 1 \end{bmatrix}$

Exercice 15 :

$\begin{bmatrix} 1 & 1 & 1 & 1 & 0 & 0 & 0 & 0 & 0 & 0 \\ 0 & 0 & 0 & 0 & 1 & 1 & 1 & 1 & 0 & 0 \\ 0 & 1 & 1 & 0 & 0 & 1 & 0 & 0 & 1 & 0 \\ 0 & 0 & 0 & 1 & 0 & 0 & 1 & 1 & 0 & 1 \end{bmatrix}$

29. $\deg(v)$ – nombre de boucles dans v ; $\deg^{-}(v)$

31. 2 si e n'est pas une boucle ; 1 si e est une boucle.

33. a) $\begin{bmatrix} 1 & 1 & \cdots & 1 & 0 & \cdots & 0 \\ 1 & 0 & \cdots & 0 & 1 & \cdots & 0 \\ 0 & 1 & \cdots & 0 & 1 & \cdots & 0 \\ \vdots & \vdots & & \vdots & \vdots & & \vdots \\ 0 & 0 & \cdots & 0 & 0 & \cdots & 1 \\ 0 & 0 & \cdots & 1 & 0 & \cdots & 1 \end{bmatrix}$

b) $\begin{bmatrix} 1 & 0 & \cdots & 0 & 1 \\ 1 & 1 & \cdots & 0 & 0 \\ 0 & 1 & \cdots & 0 & 0 \\ \vdots & \vdots & & \vdots & \vdots \\ 0 & 0 & \cdots & 1 & 0 \\ 0 & 0 & \cdots & 1 & 1 \end{bmatrix}$

c) $\begin{bmatrix} 0 & 0 & \cdots & 0 & 1 & 1 & \cdots & 1 \\ & & & & 1 & 0 & \cdots & 0 \\ & \mathbf{B} & & & 0 & 1 & \cdots & 0 \\ & & & & \vdots & \vdots & & \vdots \\ & & & & 0 & 0 & \cdots & 1 \end{bmatrix}$

où **B** est la réponse de b).

d)
$$\begin{bmatrix} 1 & 1 & \cdots & 1 & 0 & \cdots & 0 \\ 0 & 0 & \cdots & 0 & 1 & \cdots & 0 \\ \vdots & \vdots & & \vdots & \vdots & & \vdots \\ 0 & 0 & \cdots & 0 & 0 & \cdots & 1 \\ 1 & 0 & & 0 & 1 & \cdots & 0 \\ 0 & 1 & & 0 & 0 & & \\ \vdots & \vdots & & \vdots & \vdots & & \\ 0 & 0 & \cdots & 1 & 0 & \cdots & 1 \end{bmatrix}$$

35. Isomorphe

37. Isomorphe

39. Isomorphe

41. Non isomorphe

43. Isomorphe

45. G est isomorphe à lui-même par le biais de la fonction d'identité, de telle sorte que l'isomorphisme est réflexif. On suppose que G est isomorphe à H. Alors, il existe une bijection f de G à H qui préserve l'adjacence et la non-adjacence. Il s'ensuit que f^{-1} est une bijection de H dans G qui préserve l'adjacence et la non-adjacence. Donc, l'isomorphisme est symétrique. Si G est isomorphe à H et que H est isomorphe à K, alors il y a des bijections f et g de G à H et de H à K qui préservent l'adjacence et la non-adjacence. Il s'ensuit que $g \circ f$ est une bijection de G à K qui préserve l'adjacence et la non-adjacence. Par conséquent, l'isomorphisme est transitif.

47. Tous zéro

49. On étiquette les sommets dans l'ordre, de manière telle que tous les sommets du premier ensemble de la partition de l'ensemble des sommets soient listés en premier. Puisqu'il n'y a pas d'arc qui relie les sommets dans le même ensemble de la partition, la matrice a la forme désirée.

51. C_5

53. $n = 5$ seulement

55. 4

57. a) Oui

b) Non

c) Non

59. $G = (V_1, E_1)$ est isomorphe à $H = (V_2, E_2)$ si et seulement s'il existe des fonctions f à partir de V_1 dans V_2, et g de E_1 dans E_2 telles que chaque fonction soit bijective et que pour chaque arc e dans E_1 les points terminaux de $g(e)$ sont $f(v)$ et $f(w)$, où v et w sont les points terminaux de e.

61. Oui

63. Oui

65. Si f est un isomorphisme à partir d'un graphe orienté G vers un graphe orienté H, alors f est également un isomorphisme de G^c à H^c. Pour le constater, on remarque que (u, v) est un arc de G^c si et seulement si (v, u) est un arc de G, et si et seulement si $(f(v), f(u))$ est un arc de H, et si et seulement si $(f(v), f(u))$ est un arc de H^c.

67. Le produit est $[a_{ij}]$, où a_{ij} est le nombre d'arcs de v_i à v_j quand $i \neq j$ et que a_{ii} est le nombre d'arcs incidents à v_i.

Section 7.4

1. a) Chemin de longueur 4 ; pas un circuit ; non simple

b) Ce n'est pas un chemin.

c) Ce n'est pas un chemin.

d) C'est un simple circuit de longueur 5.

3. Non

5. Non

7. a) 2   **b)** 7   **c)** 20   **d)** 61

9. a) 3   **b)** 0   **c)** 27   **d)** 0

11. a) 1   **b)** 0   **c)** 2

d) 1   **e)** 5   **f)** 3

13. R est réflexive par définition. On suppose que $(u, v) \in R$. Alors, il y a un chemin de u à v. Donc, $(v, u) \in R$ puisqu'il y a un chemin de v à u, notamment le chemin de u à v parcouru en sens inverse. On suppose que $(u, v) \in R$ et que $(v, w) \in R$. Alors, il y a des chemins de u à v et de v à w. En reliant ces deux chemins, on obtient un chemin de u à w. Donc, $(u, w) \in R$. Il s'ensuit que R est transitive.

15. c

17. b, c, e, i

19. Si un sommet est pendant, il est clair qu'il ne s'agit pas d'un point de coupure. Ainsi, un point terminal d'un pont qui est un point de coupure n'est pas pendant. Le retrait d'un pont (un séparateur) produit un graphe qui a plus de composantes connexes que le graphe original. Si un point terminal d'un pont n'est pas pendant, la composante connexe intégrée à laquelle il appartient après le retrait du pont contient plus que cet unique sommet. En conséquence, le retrait de ce sommet et de tous les arcs qui lui sont incidents, y compris le pont original, produit un graphe avec plus de composantes connexes qu'il y en avait dans le graphe original. Donc, un point terminal d'un pont qui n'est pas pendant est un point d'articulation.

21. On suppose qu'il existe un graphe connexe G qui admet au moins un sommet qui n'est pas un point d'articulation. On définit la distance entre les sommets u et v, représentée par $d(u, v)$, comme la longueur du chemin minimal entre u et v dans G. Soit s et t les sommets dans G de telle sorte que $d(s, t)$ est un maximum. Alors, soit s, soit t (ou les deux) est un point d'articulation de telle sorte que, sans nuire à la généralité du propos, on suppose que s est un point d'articulation. On suppose aussi que w appartient à la composante connexe qui ne contient pas t du graphe obtenu en supprimant s et tous les arcs incidents à s à partir de G. Puisque tous les chemins de w à t contiennent s, $d(w, t) > d(s, t)$, ce qui est une contradiction.

23. a) Denver-Chicago, Boston – New York
    b) Seattle-Portland, Portland – San Francisco, Salt Lake City – Denver, New York – Boston, Boston –Burlington, Boston-Bangor

25. Un ensemble de personnes qui, collectivement, s'influencent les unes les autres (directement ou indirectement) ; {Déborah, Yvonne}

27. Un arc ne peut relier deux sommets de composantes connexes différentes. Puisqu'il y a au moins $C(n_i, 2)$ arcs dans les composantes connexes avec n_i sommets, il s'ensuit qu'il y a au moins $\sum_{i=1}^{k} C(n_i, 2)$ arcs dans ce graphe.

29. On suppose que G n'est pas connexe. Alors, il a une composante de k sommets pour une certaine valeur k, $1 \le k \le n - 1$. Le maximum d'arcs G qu'on peut

avoir est $C(k, 2) + C(n - k, 2) = (k(k - 1) + (n - k)(n - k - 1))/2 = k^2 - nk + (n^2 - n)/2$. Cette fonction quadratique de f est minimale pour $k = n/2$ et maximale pour $k = 1$ ou $k = n - 1$. Par conséquent, si G n'est pas connexe, le nombre d'arcs n'excède pas la valeur de cette fonction en 1 et en $n - 1$, notamment $(n - 1)(n - 2)/2$.

31. a) 1   b) 2   c) 6   d) 21
33. 2
35. On suppose que les chemins P_1 et P_2 sont respectivement $u = x_0, x_1, \ldots, x_n = v$. Puisque P_1 et P_2 ne contiennent pas le même nombre d'arcs, ils doivent éventuellement diverger. Si cela se produit seulement après que l'un d'eux se termine, le reste du chemin est un circuit simple de v à v. Autrement, on peut supposer que $x_0 = y_0$, $x_1 = y_1, \ldots x_t = y_t$, mais que $x_{i+1} \neq y_{i+1}$. En suivant le chemin y_1, y_{t+1}, y_{t+2}, etc. jusqu'à ce qu'on rencontre de nouveau un sommet sur P_1. Quand on revient à P_1, on continue, en sens direct ou en sens inverse selon le cas, de façon à retourner à x_t. Puisque $x_i = y_i$, on a un circuit simple puisqu'il n'y a pas d'arc parmi les x_k qui peut être répété et il n'y a pas d'arc parmi les x_k qui peut être égal à l'un des Y_i qu'on a utilisés.

37. Le graphe G est connexe si et seulement si toutes les diagonales de $\mathbf{A} + \mathbf{A}^2 + \mathbf{A}^3 + \cdots + \mathbf{A}^{n-1}$ sont positives quand $\mathbf{A}$ est la matrice adjacente de G.

Section 7.5

1. Non
3. Non
5. $a, b, c, d, c, e, d, b, e, a, e, a$
7. $a, i, h, g, d, e, f, g, c, e, h, d, c, a, b, i, c, b, h, a$
9. Une chaîne eulérienne existe. Par exemple, $f, a, b, c, d, e, f, b, d$ est l'un de ces chemins.
11. Une chaîne eulérienne existe. Par exemple, $b, c, d, e, f, d, g, i, d, a, h, i, a, b, i, c$ est l'un de ces chemins.
13. Une chaîne eulérienne existe. Par exemple, $b, c, d, e, f, d, g, i, d, a, h, i, a, b, i, c$ est l'un de ces chemins.
15. Non, A a encore un degré impair.
17. C'est le cas quand le graphe dans lequel le sommet représente les intersections et les arcs représentent les rues possède une chaîne eulérienne.
19. Oui
21. Non
23. S'il existe une chaîne eulérienne, en suivant cette dernière, on doit passer par des sommets qui (à l'exception du sommet initial et du sommet final) doivent avoir un degré intérieur égal à leur degré extérieur, puisque chaque fois qu'on arrive à un som-

met le long d'un arc, on quitte ce sommet le long d'un autre arc. Le sommet initial doit avoir un degré extérieur plus grand de 1 que son degré intérieur, puisqu'on utilise un arc qui conduit à ce sommet et, toutes les fois qu'on repasse par ce sommet, on utilise un autre arc qui y conduit et un arc qui en repart. De la même façon, le sommet terminal doit avoir un degré intérieur plus grand de 1 que son degré extérieur. Puisque la chaîne eulérienne, qui ne tient pas compte des orientations, produit un chemin entre n'importe quelles paires de sommets dans le graphe non orienté sous-jacent, le graphe est faiblement connexe. Réciproquement, on suppose que le graphe satisfait aux conditions des degrés établis. Si on additionne un arc de plus à partir du sommet auquel il manque un degré extérieur vers le sommet auquel il manque un degré intérieur, alors le graphe comprendra tous ces sommets avec un degré intérieur égal à leur degré extérieur. Puisque ce graphe est encore faiblement connexe, on en déduit, selon le résultat de l'exercice 22, que ce nouveau graphe contient un cycle eulérien. Maintenant, on supprime l'arc qu'on vient d'ajouter pour obtenir le chemin eulérien.

25. Non

27. Non

29. $a, b, d, b, c, d, c, a, d$

31. $a, d, b, d, e, b, e, c, b, a$

33. $a, b, c, e, b, d, c, b, f, d, e, f, e, a, f, a$

35. On suit la même procédure que dans l'algorithme 1 en prenant soin de respecter l'orientation des arcs.

37. a) $n = 2$ **b)** Aucun
   c) Aucun   **d)** $n = 1$

39. Exercice 1 : 1 fois
   Exercices 2 à 7 : 0 fois

41. a, b, c, d, e, a est un cycle hamiltonien.

43. Il n'existe pas de cycle hamiltonien parce qu'une fois qu'un circuit proposé a atteint le sommet e, il n'y a aucune destination où aller.

45. Il n'y a pas de cycle hamiltonien parce que chaque arc du graphe est incident à un sommet de degré 2 et, par conséquent, il doit être compris dans le cycle.

47. a, b, c, f, d, e est une chaîne hamiltonienne.

49. f, e, d, a, b, c est une chaîne hamiltonienne.

51. Il n'existe pas de chaîne hamiltonienne. Il y a huit sommets de degré 2 et seulement deux de ceux-ci peuvent être des points terminaux de la chaîne. Pour chacun des six autres sommets, leurs deux arcs incidents doivent faire partie de la chaîne. Il n'est pas difficile de voir que s'il existait une chaîne hamiltonienne, exactement un sommet de l'angle intérieur devrait être le point terminal. Or, c'est impossible.

53. $a, b, c, f, i, h, g, d, e$ est une chaîne hamiltonienne.

55. $m = n \geq 2$

57. Le résultat est évident pour $n = 1$, car le code est 0, 1. On suppose qu'on a un code Gray d'ordre n. Soit $c_1, \ldots, c_k$, $k = 2^n$ un tel code. Alors, $0c_1, \ldots, 0c_k$. Donc, $1c_k, \ldots, 1c_l$ est un code Gray d'ordre $n + 1$.

59. procédure *Fleury* $(G = (V, E)$: multigraphe connexe avec tous ses sommets de degré pair, $V = \{v_l, \ldots, v_n\})$
   $v := v_1$
   $circuit := v$
   $H := G$
   tant que H contient des arcs
   début
      $e :=$ premier arc avec point terminal V dans H (respectivement à la liste de V) de telle sorte que e n'est pas un séparateur de H, s'il existe, et simplement le premier arc de H avec point terminal v, sinon
      $w :=$ autre point terminal de e
      $circuit := circuit$ avec arc e, en ajoutant w

   $v := w$
   $H := H - e$
   fin {*circuit* est un cycle eulérien}

61. Si G possède un cycle eulérien, il existe aussi une chaîne eulérienne. Dans le cas contraire, on ajoute un arc entre les deux sommets de degré impair et on applique l'algorithme pour obtenir un cycle eulérien, puis on supprime ce nouvel arc.

63. On suppose que $G = (V, E)$ et qu'on a un graphe biparti avec $V = V_1 \cup V_2$, où aucun arc ne relie un sommet dans V_1 et un sommet dans V_2. On suppose que V a un cycle hamiltonien. Un tel cycle sera de la forme $a_1, b_1, a_2, b_2, \ldots, a_k, b_k, a_1$, où $a_i \in V_1$ et $b_i \in V_2$ pour $i = 1, 2, \ldots, k$. Puisque le cycle hamiltonien passe par chaque sommet exactement une fois, sauf dans le cas de v_1 où il commence et se termine, le nombre de sommets dans le graphe est égal à $2k$, soit un nombre pair. Par conséquent, un graphe biparti avec un nombre impair de sommets ne peut avoir un cycle hamiltonien.

65.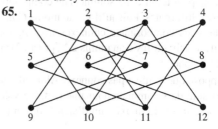

67. On représente les cases de l'échiquier de 3×4 comme suit :

1	2	3	4
5	6	7	8
9	10	11	12

La marche du cavalier peut être exécutée en suivant les mouvements suivants : 8, 10, 1, 7, 9, 2, 11, 5, 3, 12, 6, 4.

69. On représente les cases de l'échiquier 4×4 comme suit :

1	2	3	4
5	6	7	8
9	10	11	12
13	14	15	16

Il n'y a que deux déplacements à partir des cases aux coins de l'échiquier. Si on inclut tous les arcs 1-10, 1-7, 16-10 et 16-7, le circuit se termine trop tôt, de telle sorte qu'au moins l'un de ces arcs est manquant. Sans nuire à la généralité du propos, on suppose que le chemin débute à 1-10, 10-16 et 16-7. Dans ce cas, les seuls déplacements à partir de la case 3 sont les cases 5, 10 et 12. Or, la case 10 a déjà deux arcs incidents. Par conséquent, 3-5 et 3-12 doivent composer le cycle hamiltonien. De la même façon, les arcs 8-2 et 8-15 appartiennent à ce cycle. Dans ce cas, les seuls déplacements à partir de la case 9 sont les cases 2, 7 et 15. S'il existait déjà des arcs depuis la case 9 vers à la fois les cases 2 et 15, le circuit se terminerait trop tôt. Donc, l'arc 9-7 doit être dans le cycle, ce qui donne la case 7 comme der-

nier arc. À ce point, toutefois, la case 14 doit forcément être jointe aux cases 5 et 12, ce qui terminera le circuit trop tôt (5-14-12-3-5). Cette contradiction permet de conclure qu'il n'y a pas de marche possible du cavalier sur un échiquier de 4×4.

71. Puisqu'il y a mn cases sur un échiquier de $m \times n$, si à la fois m et n sont impairs, on a un nombre impair de cases. Selon les résultats de l'exercice 70, le graphe correspondant est biparti, et selon les résultats de l'exercice 63, il n'existe pas de cycle hamiltonien. Par conséquent, il n'existe pas de tour circulaire du cavalier.

Section 7.6

1. a) Les sommets sont les stations de métro, et les arcs relient les stations adjacentes. Les valeurs sont les temps nécessaires pour aller d'une station à l'autre station adjacente.

   b) Même réponse que pour a), sauf que les valeurs sont maintenant les distances entre les stations adjacentes.

   c) Même réponse que pour a), sauf que les valeurs sont maintenant les tarifs entre deux stations.

3. 16

5. Exercice 2 : a, b, e, d, z
   Exercice 3 : a, c, d, e, g, z
   Exercice 4 : $a, b, e, h, l, m, p, s, z$

7. a) a, c, d **b)** a, c, d, f
   c) c, d, f **d)** b, d, e, g, z

9. a) Direct
   b) Par New York
   c) Par Atlanta et Chicago
   d) Par New York

11. a) Par Chicago   **b)** Par Chicago
   c) Par Los Angeles   **d)** Par Chicago

13. a) Par Chicago   **b)** Par Chicago
   c) Par Los Angeles   **d)** Par Chicago

15. L'algorithme ne s'arrête pas quand z est ajouté à l'ensemble S.

17. a) Par Woodbridge, Woodbridge et Camden
   b) Par Woodbridge, Woodbridge et Camden

19. Par exemple, un tour de ville ou le nettoyage des rues

21.

	a	b	c	d	e	z
a	4	3	2	8	10	13
b	3	2	1	5	7	10
c	2	1	2	6	8	11
d	8	5	6	4	2	5
e	10	7	8	2	4	3
z	13	10	11	5	3	6

23. $O(n^3)$

Section 7.7

1. Oui

3.

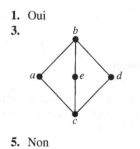

5. Non

7. Oui

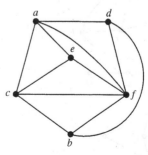

9. Un triangle est formé par la représentation planaire du sous-graphe de K_5 composé des arcs reliant v_1, v_2 et v_3. Par conséquent, le sommet v_4 doit être placé soit à l'intérieur du triangle, soit à l'extérieur. On ne considérera que le cas où v_4 est à l'intérieur du triangle, puique l'autre cas est similaire. Si on trace les trois arcs à partir de v_1, de v_2 et de v_3 jusqu'à v_4, on crée quatre régions. Peu importe dans quelle région est v_5, il n'est possible de joindre ce sommet qu'à seulement trois autres sommets, et non pas aux quatre autres sommets.

11. 8

13. Puisqu'il n'y a pas de boucles ou d'arcs multiples et pas de cycles simples de longueur 3 et que le degré de la région ouverte est d'au moins 4, chaque région a un degré qui est au moins 4. Par conséquent, $2e \geq 4r$ ou $r \leq e/2$. Toutefois, $r = e - v + 2$ de telle sorte qu'on a $e - v + 2 \leq e/2$, ce qui implique que $e \leq 2v - 4$.

15. Comme dans le corollaire 2, on a $2e \geq 5r$ et $r = e - v + 2$. Par conséquent, $e - v + 2 \leq 2e/5$, ce qui implique que $e \leq (5/3)v - (10/3)$.

17. Seulement a) et c)

19. Non homéomorphe à $K_{3,3}$

21. Planaire

23. Non planaire

25. **a)** 1 **b)** 3 **c)** 9
    d) 2 **e)** 4 **f)** 16

27. On trace $K_{m,n}$ comme il est conseillé. Le nombre d'intersections est égal à quatre fois le nombre dans le premier quadrant. Les sommets sur l'axe des x à droite de l'origine sont $(1, 0)$, $(2, 0)$, ..., $(m/2, 0)$, et les sommets sur l'axe des y au-dessus de l'origine sont $(0,1)$, $(0, 2)$, ..., $(0, n/2)$. On obtient toutes les intersections en choisissant deux nombres distincts a et b avec $1 \leq a < b \leq m/2$ et deux nombres distincts r et s avec $1 \leq r < s \leq n/2$. On obtient exactement une intersection dans le graphe entre l'arc reliant $(a, 0)$ et $(0, s)$ et l'arc reliant $(b, 0)$ et $(0, r)$. Par conséquent, le nombre d'intersections dans le premier quadrant est

$$C\left(\frac{m}{2}, 2\right) \cdot C\left(\frac{n}{2}, 2\right) = \frac{(m/2)(m/2 - 1)}{2} \cdot \frac{(n/2)(n/2 - 1)}{2}$$

Donc, le nombre total d'intersections est $4 \cdot mn$ $(m - 2)(n - 2)/64 = mn(m - 2)(n - 2)/16$.

29. **a)** 2 **b)** 2 **c)** 2
    d) 2 **e)** 2 **f)** 2

31. La formule est valide pour $n \leq 4$. Si $n > 4$, selon les résultats de l'exercice 30, l'épaisseur de K_n est d'au moins $C(n, 2)/(3n - 6) = (n + 1 + \frac{2}{n-2})6$ en arrondissant. Puisque cette quantité n'est jamais un nombre entier, elle est égale à l'entier immédiatement supérieur par un arrondissement inférieur égal à $\lfloor(n + 7)/6\rfloor$.

33. Il découle de l'exercice 32 que puisque le graphe $K_{m,n}$ a mn arcs et $m + n$ sommets et qu'il n'a pas de triangle, il est donc biparti.

35.

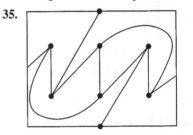

Section 7.8

1. **a)**

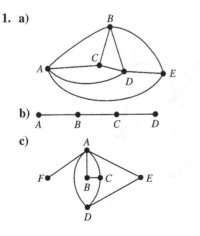

b)

A   B   C   D

c)

3. 3
5. 3
7. 2
9. 3
11. Les graphes n'ont aucun arc.
13. 3 si n est pair ; 4 si n est impair.
15. Période 1 : Math 115, Math 185 ; période 2 : Math 116, CS 473 ; période 3 : Math 195, CS 101 ; période 4 : CS 102 ; période 5 : CS 273
17. 5
19. Exercice 3 : 3
    Exercice 4 : 6
    Exercice 5 : 3

Exercice 6 : 4

Exercice 7 : 3

Exercice 8 : 6

Exercice 9 : 4

21. 5

23. L'ensemble des sommets avec l'une des couleurs est l'une des parties, et l'ensemble des sommets avec l'autre couleur est l'autre partie. Puisqu'il ne peut y avoir d'arc entre les sommets de la même couleur, il n'y a pas d'arc non plus entre les sommets de la même partie.

Exercices supplémentaires

1. 2500

3. Oui

5. Oui

7. $\sum_{i=1}^{m} n_i$ sommets, $\sum_{t<j} n_i n_j$ arcs

9. a)

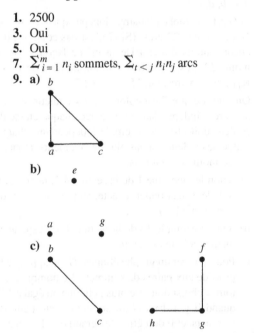

b)

c)

11. Complétez les sous-graphes contenant les ensembles de sommets suivants : $\{b, c, e, f\}$, $\{a, b, g\}$, $\{a, d, g\}$, $\{d, e, g\}$, $\{b, e, g\}$

13. Complétez les sous-graphes contenant les ensembles de sommets suivants : $\{b, c, d, j, k\}$, $\{a, b, j, k\}$, $\{e, f, g, i\}$, $\{a, b, i\}$, $\{a, i, j\}$, $\{b, d, e\}$, $\{b, e, i\}$, $\{b, i, j\}$, $\{g, h, i\}$, $\{h, i, j\}$

15. $\{c, d\}$ est un ensemble dominant minimal.

17. a)

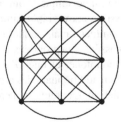

25. Couleur 1 : e, f, d ; couleur 2 : c, a, i, g ; couleur 3 : h, b, j

27. Couleur C_6

29. a) 6   **b)** 7   **c)** 9   **d)** 11

31. On représente les fréquences par des couleurs et les zones par des sommets. On relie deux sommets par un arc si les zones représentées par ces sommets interfèrent. Alors, le coloriage k est précisément une attribution des fréquences qui empêche les interférences.

b)

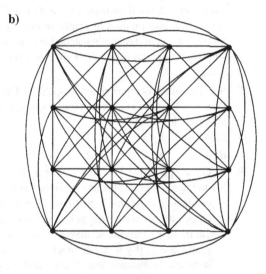

19. a) 1   **b)** 2   **c)** 3

21. a) Une chaîne de u à v dans le graphe G induit une chaîne de $f(u)$ à $f(v)$ dans le graphe isomorphe H.

b) On suppose que f est un isomorphisme de G à H. Si $v_0, v_1, \ldots, v_n, v_0$ est un cycle hamiltonien dans G, alors $f(v_0), f(v_1) \ldots, f(v_n), f(v_0)$ doit être un cycle hamiltonien dans H, puisqu'il est aussi un cycle et que $f(v_i) \neq f(v_j)$ pour $0 \leq i < j \leq n$.

c) On suppose que f est un isomorphisme de G à H. Alors, si $v_0, v_1, \ldots, v_n, v_0$ est un cycle eulérien dans G, alors $f(v_0), f(v_1) \ldots, f(v_n), f(v_0)$ doit être un cycle eulérien dans H, puisqu'il est un cycle qui contient chaque arc exactement une fois.

d) Deux graphes isomorphes doivent avoir le même nombre minimal d'intersections, puisqu'ils peuvent être tracés exactement de la même façon dans le plan.

e) On suppose que f est un isomorphisme de G à H. Alors, v est un sommet isolé dans G si et seulement si $f(v)$ est un sommet isolé dans H. Donc, les graphes doivent avoir le même nombre de sommets isolés.

f) On suppose que f est un isomorphisme de G à H. Si G est biparti, alors l'ensemble des sommets de G peut être partitionné en V_1 et en V_2 sans aucun arc reliant un sommet de V_1 à un sommet de V_2. Dans ce cas, l'ensemble de sommets de H peut être partitionné en $f(V_1)$ et en $f(V_2)$ sans aucun arc reliant un sommet de V_1 à un sommet de V_2.

23. 3

25. a) Oui   **b)** Non

27. Non

29. Oui

31. Si e est un séparateur (un pont) avec les points terminaux u et v, alors si on trace l'arc e de u à v, il n'y aura aucun chemin dans le graphe orienté de v à u. Sinon, e ne serait pas un séparateur. Un raisonnement similaire s'applique si on trace l'arc e de v vers u.

33. $n - 1$

35. Soit les sommets représentant les poulets. On inclut l'arc (u, v) dans le graphe si et seulement si le poulet u domine le poulet v.

37. a) 4   **b)** 2   **c)** 3
d) 4   **e)** 4   **f)** 2

39. a) On suppose que $G = (V, E)$. Soit $a, b \in V$. On doit démontrer que la distance entre a et b dans $\overline{G}$ est égale à au moins 2. Si $\{a, b\} \notin E$, cette distance est 1, de telle sorte qu'on doit supposer que $\{a, b\} \in E$. Puisque le diamètre de G est plus grand que 3, il y a des sommets u et v de telle sorte que la distance dans G entre u et v est plus grande que 3. Alors, le sommet u ou v (ou les deux) n'appartient pas à l'ensemble $\{a, b\}$. On suppose que u est différent de a et de b. Alors, $\{a, u\}$ ou $\{b, u\}$ appartient à E; autrement, a, u, b serait un chemin dans $\overline{G}$ de longueur 2. Ainsi, sans nuire à la généralité du propos, on présume que $\{a, u\} \in E$. Donc, v ne peut être a ou b et, selon le même raisonnement, soit $\{a, v\} \in E$ ou $\{b, v\} \in E$. Dans les deux cas, on obtient un chemin de longueur plus petite que ou égale à 3 de u à v dans G, ce qui est une contradiction.

b) On suppose que $G = (V, E)$. Soit $a, b \in V$. On doit démontrer que la distance entre a et b dans $\overline{G}$ est inférieure ou égale à 3. Si $\{a, b\} \notin E$, le résultat s'ensuit. On suppose alors que $\{a, b\} \in E$. Puisque le diamètre de G est plus grand que ou égal à 3, il existe des sommets u et v de telle sorte que la distance dans G entre u et v est plus grande que ou égale à 3. Dans ce cas, les sommets u ou v (ou les deux) n'appartiennent pas

à l'ensemble $\{a, b\}$. On suppose que u est différent à la fois de a et de b. Soit $\{a, u\} \in E$ ou $\{b, u\} \in E$. Dans le cas contraire, a, u, b est un chemin de longueur 2 dans $\overline{G}$. Ainsi, sans nuire à la généralité du propos, on suppose que $\{a, u\} \in E$. Donc, v est différent de a et de b. Si $\{a, v\} \in E$, alors u, a, v est un chemin de longueur 2 dans G de telle sorte que $\{a, v\} \notin E$ et, par conséquent, $\{b, v\} \in E$ (sinon, il y aurait un chemin a, v, b de longueur 2 dans $\overline{G}$). Donc, $\{u, b\} \notin E$; autrement u, b, v serait un circuit de longueur 2 dans G. En conclusion, a, v, u, b est un chemin de longueur 3 dans $\overline{G}$ tel qu'on le voulait.

41. a, b, e, z

43. a, c, b, d, e, z

45. Si G est un graphe planaire, alors puisque $e \leq 3v - 6$, G a au moins 27 arcs. (Si G n'est pas connexe, il a encore moins d'arcs.) De la même façon, $\overline{G}$ a au moins 27 arcs. Toutefois, l'union de G et de $\overline{G}$ est K_{11} qui a 55 arcs. Or, $55 > 25 + 27$.

47. On suppose que G est colorié avec k couleurs et a un nombre d'indépendance i. Puisque chaque classe de couleur doit être un ensemble indépendant, chaque classe de couleur n'a pas plus de i éléments. Donc, il y a au moins ki sommets.

49. a) Selon le théorème 1 de la section 4.5, la probabilité de sélectionner exactement m arcs est de $C(n, m)p^m(1 - p)^{n - m}$.

b) Selon l'exemple 14 de la section 4.5, l'espérance mathématique est de np.

c) Pour générer un graphe étiqueté G, on applique le procédé aux paires de sommets. Le nombre aléatoire x choisi doit être plus petit que ou égal à $1/2$ quand il y a dans G un arc entre cette paire de sommets, et il doit être plus grand que $1/2$ quand il n'y a pas d'arc dans G entre cette même paire de sommets. Donc, la probabilité de faire le choix correct est de $1/2$ pour chaque arc et de $1/2^{C(n, 2)}$ globalement. Par conséquent, tous les graphes étiquetés ont la même probabilité.

51. On suppose que P est une croissance monotone. Si la propriété de ne pas avoir P n'est pas retenue, quels que soient les arcs qu'on enlève à partir d'un graphe simple, il existe un graphe simple G qui ne satisfait pas P. Il existe aussi un autre graphe simple G' qui aurait les mêmes sommets, mais auquel il manquerait des arcs de G possédant la propriété P. Puisque P a une croissance monotone, et que G' possède P, ainsi en est-il de G en additionnant des arcs à G', ce qui est une contradiction. La preuve de la réciproque est similaire.

CHAPITRE 8

Section 8.1

1. a), c), e)

3. Non

5. a)

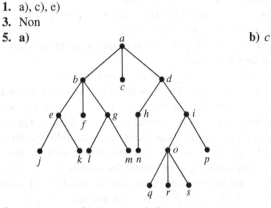

b) *c*   **c)**

7. a) 2   **b)** 4   **c)** 9

9. La partie « si » du théorème 2 et la définition d'un arbre. On suppose que G est un graphe simple connexe à n sommets et à $n-1$ arêtes. Si G n'est pas un arbre, il contient, selon l'exercice 8, une arête dont le retrait produit un graphe G', qui est tout de même connexe. Si G' n'est pas un arbre, on retire une arête pour obtenir un graphe connexe G''. On répète cette procédure jusqu'à ce qu'on obtienne un arbre. Cela exige au plus $n-1$ étapes puisqu'il n'y a que $n-1$ arêtes. Selon le théorème 2, le graphe final comporte $n-1$ arêtes puisqu'il a n sommets. Il s'ensuit qu'aucun sommet n'a été supprimé. Donc, G était un arbre.

11. 9999

13. 2000

15. 999

17. Un million de dollars

19. Cet arbre n'existe pas selon le théorème 4, car il est impossible d'avoir $m=2$ ou $m=84$.

21. Arbre binaire complet de hauteur 4 :

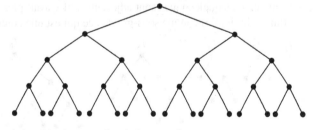

Arbre binaire complet de hauteur 3 :

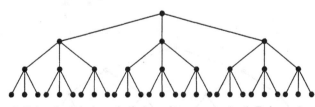

23. a) Selon le théorème 3, il s'ensuit que $n=mi+1$. Puisque $i+l=n$, on obtient $l=n-i$ tel que $l=(mi+1)-i=(m-1)i+1$.

b) On a $n=mi+1$ et $i+l=n$. Ainsi, $i=n-l$. Il s'ensuit que $n=m(n-l)+1$. En isolant n, on obtient $n=(ml-1)/(m-1)$. Comme $i=n-l$, on a $i=[(ml-1)/(m-1)]-l=(l-1)/(m-1)$.

25. $n - t$

27. **a)** 1   **b)** 3   **c)** 5

29. **a)** Le répertoire père

b) Un sous-répertoire ou un fichier contenu

c) Un sous-répertoire ou un fichier dans le même répertoire père

d) Tous les répertoires dans le même chemin

e) Tous les sous-répertoires et les fichiers qui se trouvent dans le répertoire ou un sous-répertoire de ce répertoire, etc.

f) La longueur du chemin vers ce répertoire ou ce fichier

g) La profondeur du système, autrement dit la longueur du chemin le plus long

31. Soit $n = 2^k$, où k est un entier positif. Si $k = 1$, il n'y a rien à prouver puisqu'on peut ajouter deux nombres avec $n - 1 = 1$ processeur en $\log 2 = 1$ étape. On suppose qu'on peut ajouter $n = 2^k$ nombres en $\log n$ étapes en utilisant un réseau relié par un arbre de $n - 1$ processeurs. Soit $x_1, x_2, \ldots, x_{2n}$ qui est $2n = 2^{k+1}$ nombres qu'on souhaite ajouter. Le réseau relié par un arbre de $2n - 1$ processeurs est constitué du réseau relié par un arbre de $n - 1$ processeurs combiné à deux nouveaux processeurs en tant que fils de chaque feuille. Dans une étape, on peut utiliser les feuilles du plus grand réseau pour trouver $x_1 + x_2, x_3 + x_4, \ldots, x_{2n-1} + x_{2n}$, ce qui donne n nombres. Selon l'hypothèse inductive, on peut ajouter ces nombres dans $\log n$ étapes en utilisant le reste du réseau. Puisqu'on a utilisé $\log n + 1$ étapes et $\log(2n) = \log 2 + \log n = 1 + \log n$, cela complète la démonstration.

33. c seulement

35. c et h

37. On suppose qu'un arbre T a deux centres. Soit u et v des centres distincts, tous les deux ayant une excentricité e, avec u et v qui ne sont pas adjacents. Puisque T est connexe, il existe un chemin simple P de u à v. Soit c, qui est tout autre sommet sur ce chemin. Puisque l'excentricité de c est d'au moins e, il existe un sommet w tel que le chemin simple et unique de c à w soit de longueur supérieure ou égale à e. De toute évidence, ce chemin ne peut contenir u et v car, sinon, on aurait un cycle simple. En fait, ce chemin de c à w quitte P et ne retourne pas à P une fois qu'il suit, sans doute, une partie de P vers soit u, soit v. Sans nuire à la généralité du propos, on suppose que ce chemin ne suit pas P vers u. Alors, le chemin de u à c à w est simple et de longueur supérieure à e, ce qui est une contradiction. Ainsi, u et v sont adjacents. À présent, puisque deux centres quelconques sont adjacents, s'il y avait plus de deux centres, T contiendrait K_3 (un cycle simple) comme sous-graphe, ce qui est une contradiction.

39.

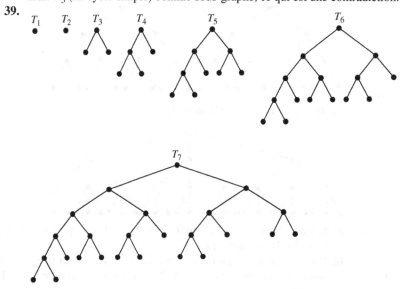

Section 8.2

1.

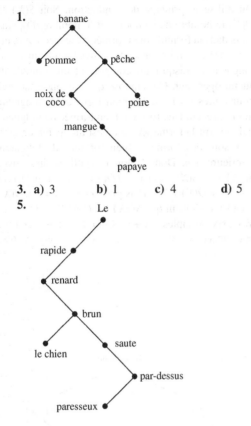

3. a) 3   **b)** 1   **c)** 4   **d)** 5

5.

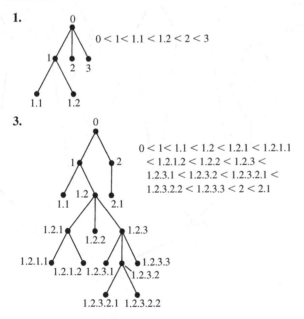

7. Au moins $\lceil \log_3 4 \rceil = 2$ pesées sont nécessaires, puisqu'il n'y a que quatre résultats (car il n'est pas nécessaire de déterminer si la pièce de monnaie est plus légère ou plus lourde). En fait, deux pesées suffisent. On commence par peser la pièce 1 et la pièce 2. Si elles ont le même poids, on pèse la pièce 1 et la pièce 3. Si la pièce 1 et la pièce 3 ont le même poids, la pièce 4 est la fausse pièce et si elles n'ont pas le même poids, la pièce 3 est la fausse pièce. Si la pièce 1 et la pièce 2 n'ont pas le même poids, on pèse de nouveau la pièce 1 et la pièce 3. Si elles ont le même poids, la pièce 2 est la fausse pièce ; sinon, la pièce 1 est la fausse pièce.

9. Au moins $\lceil \log_3 13 \rceil = 3$ pesées sont nécessaires. En fait, trois pesées suffisent. On commence par mettre les pièces 1, 2 et 3 sur le côté gauche de la balance et les pièces 4, 5 et 6 sur le côté droit. Si elles ont le même poids, on applique l'exemple 2 aux pièces 1, 2, 7, 8, 9, 10, 11 et 12. Si elles n'ont pas le même poids, on applique l'exemple 2 à 1, 2, 3, 4, 5, 6, 7 et 8.

11. a) Oui
   b) Non
   c) Oui
   d) Oui

13. a : 000, e : 001, i : 01, k : 1100, o : 1101, p : 11110, u : 11111

Section 8.3

1.

3.

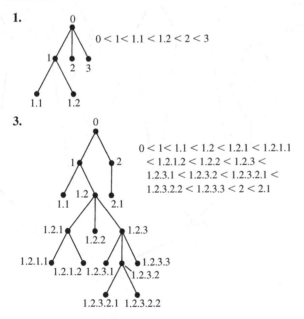

5. Non

7. a, b, d, e, f, g, c

9. a, $b, e, k, l, m, f, g, n, r, s, c, d, h, o, i, j, p, q$

11. $d, b, i, e, m, j, n, o, a, f, c, g, k, h, p, l$

13. d, f, g, e, b, c, a

15. $k, l, m, e, f, r, s, n, g, b, c, o, h, i, p, q, j, d, a$

17. a) $- * \uparrow + x\,2\,3 - y + 3x5$
   b) $x2 + 3 \uparrow y3x + - * 5 -$
   c) $((((x+2) \uparrow 3) * (y - (3+x))) - 5)$

19. a) $+ + x * x\,y \,/\, x\,y, + x \,/\, + * x\,y\,x\,y$
   b) $x\,x\,y * + x\,y \,/\, +, x\,x\,y * x + y \,/\, +$
   c) $((x + (x * y)) + (x/y)), (x + (((x * y) + x)/y))$

21. a) $\leftrightarrow \neg \wedge p\,q \vee \neg p \neg q, \vee \wedge \neg p \leftrightarrow q \neg p \neg q$
   b) $p\,q \wedge \neg p \neg q \neg \wedge \leftrightarrow, p \neg q\,p \neg \leftrightarrow \wedge q \neg \vee$
   c) $(((p \wedge q) \neg) \leftrightarrow ((p \neg) \vee (q \neg))), (((p \neg) \wedge (q \leftrightarrow (p \neg))) \vee (q \neg))$ (où les opérateurs unaires suivent leurs opérandes)

23. a) $- \cap A\,B \cup A - B\,A$ **b)** $A\,B \cap A\,B\,A - \cup -$
   c) $((A \cap B) - (A \cup (B - A)))$

25. 14

27. **a)** 1   **b)** 1   **c)** 4   **d)** 2205

29.

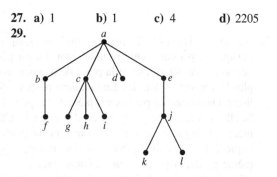

31. On utilise le principe de l'induction. Le résultat est évident pour une liste à un élément. On suppose que le résultat est vrai pour une liste à n éléments. Pour l'étape inductive, on commence à la fin. On trouve la suite de sommets à la fin de la liste en commençant par la dernière feuille et en terminant par la racine, chaque sommet étant le dernier fils de celui qui le suit. On retire cette feuille et on pose l'hypothèse inductive.

33. c, d, b, f, g, h, e, a dans chaque cas

35. On utilise le principe de l'induction. Soit $S(X)$ et $O(X)$ le nombre de symboles et le nombre d'opérateurs dans la formule bien formée X, respectivement. L'énoncé est vrai pour les formules bien formées de longueur 1 puisqu'elles comportent un symbole et aucun opérateur. On suppose que l'énoncé est vrai pour toutes les formules bien formées de longueur inférieure à n. Une formule bien formée de longueur n doit avoir la forme $*XY$ où $*$ est un opérateur, et X et Y sont des formules bien formées de longueur inférieure à n. Donc, selon l'hypothèse inductive, $S(*XY) = S(X) + S(Y) = (O(X) + 1) + (O(Y) + 1) = O(X) + O(Y) + 2$. Puisque $O(*XY) = 1 + O(X) + O(Y)$, il s'ensuit que $S(*XY) = O(*XY) + 1$.

37. Voici six exemples : $xy + zx \circ + x \circ$; $xyz + + yx + +$; $xyxy \circ\circ xy \circ\circ z \circ +$; $xz \times zz + \circ$; $yyyy \circ \circ\circ$; $zx + yz + \circ$.

Section 8.4

1. À la fin du premier passage : 1, 3, 5, 4, 7 ; à la fin du deuxième passage : 1, 3, 4, 5, 7 ; à la fin du troisième passage : 1, 3, 4, 5, 7 ; à la fin du quatrième passage : 1, 3, 4, 5, 7

3. **procédure** *meilleur tri par permutation* (a_1, ..., a_n : entiers)
$i := 1$; *fait* := **faux**
tant que ($i < n$ et *fait* = **faux**)
début
   fait := **vrai**
   pour $j := 1$ **à** $n - i$
    si $a_j > a_{j+1}$ **alors**
    début
     faire changer a_j de place avec a_{j+1}
     fait := **faux**
    fin
   $i := i + 1$
fin {a_1, ..., a_n est en ordre croissant}

5.

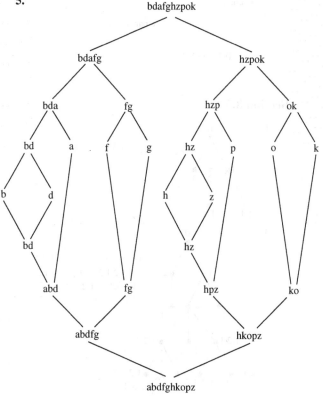

7. Soit deux listes 1, 2, …, $m - 1$, $m + n - 1$ et m, $m + 1$, …, $m + n - 2$, $m + n$, respectivement.

9. a) 1, 5, 4, 3, 2 ; 1, 2, 4, 3, 5 ; 1, 2, 3, 4, 5 ; 1, 2, 3, 4, 5

   b) 1, 4, 3, 2, 5 ; 1, 2, 3, 4, 5 ; 1, 2, 3, 4, 5 ; 1, 2, 3, 4, 5

   c) 1, 2, 3, 4, 5 ; 1, 2, 3, 4, 5 ; 1, 2, 3, 4, 5 ; 1, 2, 3, 4, 5

11. $O(n^2)$

13. $n - 1$

15. 6

17. $O(n^2)$ est la complexité du pire cas.

19. procédure *tri par fusion* $(a_1, …, a_n :$ entiers$)$

$m := \lceil n/2 \rceil$

si $n > 1$ **alors**

début

    $L_1 := (a_1, …, a_m)$

    $L_2 := (a_{m+1}, …, a_n)$

    $L_1 :=$ *tri par fusion* (L_1) ; $L_2 =$ *tri par fusion* (L_2)

    $L := fusion (L_1, L_2)$

fin

sinon $L := (a_1)$ {la liste à un élément est déjà triée}

{L est triée}

Section 8.5

1. $m - n + 1$

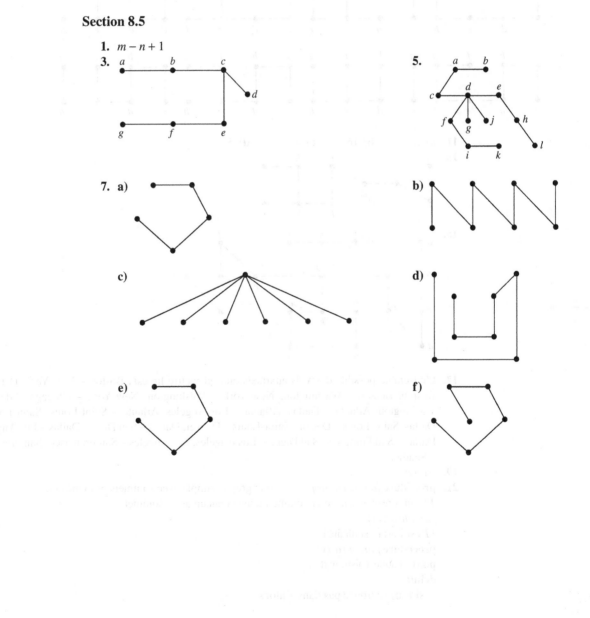

3.

5.

7. a)

   b)

   c)

   d)

   e)

   f)

9.

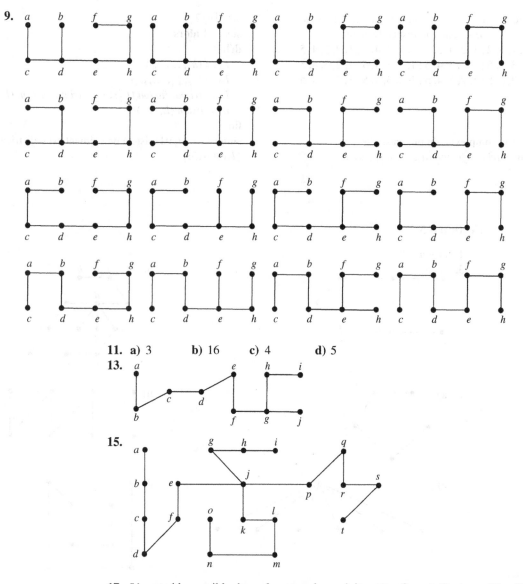

11. a) 3   **b)** 16   **c)** 4   **d)** 5

13.

15.

17. L'ensemble possible des vols auxquels on doit mettre fin est: Boston – New York, Détroit – Boston, Boston – Washington, New York – Washington, New York – Chicago, Atlanta – Washington, Atlanta – Dallas, Atlanta – Los Angeles, Atlanta – Saint-Louis, Saint-Louis – Dallas, Saint-Louis – Détroit, Saint-Louis – Denver, Dallas – San Diego, Dallas – Los Angeles, Dallas – San Francisco, San Diego – Los Angeles, Los Angeles – San Francisco, San Francisco – Seattle.

19. Arbres

21. procédure *fouille en profondeur* (G : graphe simple avec sommets ordonnés $v_1, ..., v_n$)
T := arborescence avec v_1 comme racine et aucun autre sommet
parcourir (v_1)
{T est l'arbre souhaité}
procédure *parcourir* (v)
pour chaque voisin w de v
début
    si w ne se trouve pas dans T **alors**

début
    mettre le sommet w et l'arête $\{v, w\}$ dans T
    parcourir (w)
fin

fin

23. On démontre la longueur du chemin par induction. Si le chemin a une longueur 0, alors le résultat est évident. Si la longueur est 1, alors u est adjacent à v, donc u est au niveau 1 dans l'arbre de recouvrement en largeur. On suppose que le résultat est vrai pour les chemins de longueur l. Si la longueur d'un chemin $l + 1$, soit u' l'avant-dernier sommet dans un chemin plus court de v à u. Selon l'hypothèse inductive, u' est au niveau l dans l'arbre de recouvrement en largeur. Si u était à un niveau ne dépassant pas l, alors la longueur du chemin le plus court de v à u n'excéderait pas l non plus. Donc, u n'a pas encore été ajouté à l'arbre de recouvrement en largeur après que les sommets de niveau l ont été ajoutés. Puisque u est adjacent à u, il sera ajouté au niveau $l + 1$ (bien que l'arête reliant u' et u n'est pas nécessairement ajoutée).

25. a) Aucune solution

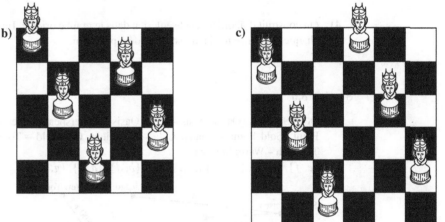

b)

c)

27. On commence à un sommet et on suit un chemin sans répéter de sommets aussi longtemps que c'est possible, ce qui permet de revenir au départ après avoir parcouru tous les sommets. Lorsqu'il est impossible de continuer sur un chemin, on effectue un retour arrière et on essaie une autre prolongation du chemin en cours.

29. On prend l'union des arborescences des composantes connexes de G. Elles sont disjointes, donc le résultat est une forêt.

31. $m - n + c$

33. On utilise une fouille en profondeur pour chaque élément.

35. Soit T l'arbre de recouvrement construit à la figure 3 et T_1, T_2, T_3 et T_4 les arbres de recouvrement de la figure 4. On note $d(T', T'')$ la distance entre T' et T''. Alors, $d(T, T_1) = 6$, $d(T, T_2) = 4$, $d(T, T_3) = 4$, $d(T, T_4) = 2$, $d(T_1, T_2) = 4$, $d(T_1, T_3) = 4$, $d(T_1, T_4) = 6$, $d(T_2, T_3) = 4$, $d(T_2, T_4) = 2$ et $d(T_3, T_4) = 4$.

37. On suppose que $e_1 = \{u, v\}$ comme il a été précisé. Alors, $T_2 \cup \{e_1\}$ contient un cycle simple C contenant e_1. Le graphe $T_1 - \{e_1\}$ a deux composantes connexes ; les extrémités de e_1 se trouvent dans différents éléments. On parcourt C à partir de u dans la direction opposée de e_1 jusqu'à ce qu'on rencontre le premier sommet dans le même élément que v. Le sommet qu'on vient de parcourir est e_2. De toute évidence, $T_2 \cup \{e_1\} - \{e_2\}$ est un arbre, puisque e_2 se trouvait sur C. De plus, $T_1 - \{e_1\} \cup \{e_2\}$ est un arbre, puisque e_2 a réuni les deux éléments.

39.

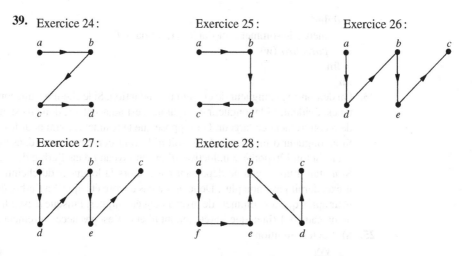

Exercice 24 :   Exercice 25 :   Exercice 26 :

Exercice 27 :   Exercice 28 :

41. On construit d'abord un cycle eulérien dans le graphe orienté. Ensuite, on supprime de ce cycle chaque arc qui se rend à un sommet déjà parcouru.

Section 8.6

1. Deep Springs – Oasis, Oasis – Dyer, Oasis – Silverspeak, Silverspeak – Goldfield, Lida – Gold Point, Gold Point – Beatty, Lida – Goldfield, Goldfield – Tonopah, Tonopah – Manhattan, Tonopah – Warm Springs

3. $\{e, f\}$, $\{c, f\}$, $\{e, h\}$, $\{h, i\}$, $\{b, c\}$, $\{b, d\}$, $\{a, d\}$, $\{g, h\}$

5.

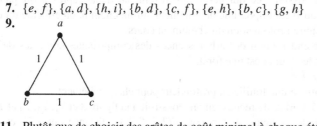

7. $\{e, f\}$, $\{a, d\}$, $\{h, i\}$, $\{b, d\}$, $\{c, f\}$, $\{e, h\}$, $\{b, c\}$, $\{g, h\}$

9.

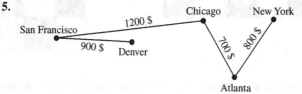

11. Plutôt que de choisir des arêtes de coût minimal à chaque étape, on choisit des arêtes à chaque étape ayant les mêmes propriétés.

13.

15.

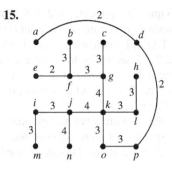

17. On trouve d'abord un arbre générateur de coût minimal T du graphe G à n arêtes. Ensuite, pour $i = 1$ à $n - 1$, on ne supprime que la i-ième arête de T du graphe G et on trouve un arbre générateur de coût minimal dans le graphe restant. On choisit l'arbre parmi ces $n - 1$ arbres ayant la longueur la plus courte.

19. Si toutes les arêtes ont un coût différent, une contradiction survient dans la démonstration de l'efficacité de l'algorithme de Prim. Elle se produit lorsqu'une arête e_{k+1} est ajoutée à T et qu'une arête e est supprimée, plutôt que de produire sans doute un autre arbre de recouvrement.

21.

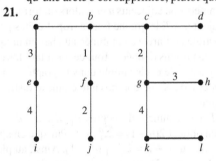

23. On procède de la même manière que pour l'algorithme de Kruskal, mais on commence plutôt par $T :=$ cet ensemble d'arêtes et on recommence à partir de $i = 1$ à $n - 1 - s$, où s est le nombre d'arêtes avec lequel on commence.

25. a)

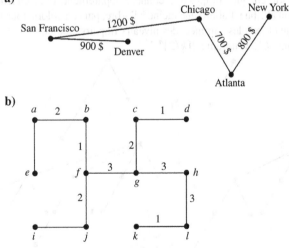

b)

27. Selon l'exercice 24, à chaque étape de l'algorithme de Sollin, on obtient une forêt. Ainsi, après avoir choisi $n - 1$ arêtes, on obtient un arbre. Il reste à démontrer que cet arbre est un arbre générateur de coût minimal. Soit T un arbre générateur de coût minimal ayant autant d'arêtes en commun avec l'arbre de Sollin S que c'est possible. Si $T \neq S$, alors il y a une arête $e \in S - T$ qui sera ajoutée à une étape donnée de l'algorithme, où avant cette étape toutes les arêtes de S se trouvent également dans T. $T \cup \{e\}$ contient un cycle simple unique. On trouve une arête $e' \in S - T$ et une arête $e'' \in T - S$ sur ce cycle et qui est « adjacente » lorsque l'on considère les arbres à cette étape comme des « supersommets ». Ensuite, selon l'algorithme, on a $w(e') \leq w(e'')$. Donc, on remplace T par $T - \{e''\} \cup \{e'\}$ pour produire un arbre générateur de coût minimal plus près de S que T ne l'était.

29. Chacun des r arbres est relié à au moins un autre arbre par une nouvelle arête. Ainsi, il y a au plus $r/2$ arbres dans le résultat (chaque nouvel arbre contient deux anciens arbres ou plus). Pour ce faire, on doit ajouter $r - (r/2) = r/2$ arêtes. Puisque le nombre d'arêtes ajoutées est intégral, il est d'au moins $\lceil r/2 \rceil$.

31. Si $k \geq \log n$, alors $n/2^k \leq 1$. Donc, $\lceil n/2^k \rceil = 1$. Par conséquent, selon l'exercice 30, l'algorithme se termine après $\log n$ itérations au plus.

Exercices supplémentaires

1. On suppose que T est un arbre. Donc, de toute évidence, T n'a aucun cycle simple. Si on ajoute une arête e reliant deux sommets non adjacents u et v, alors on forme évidemment un cycle simple, puisque lorsque e est ajoutée à T, le graphe final a trop d'arêtes pour être un arbre. Le seul cycle simple formé est constitué de l'arête e combinée au chemin unique P dans T de v à u. On suppose que T satisfait aux conditions données. Tout ce qu'il faut faire, c'est de démontrer que T est connexe, puisqu'il n'y a pas de cycle simple dans le graphe. On suppose que T n'est pas connexe. Alors, on laisse u et v dans une composante connexe distincte. L'ajout de $e = \{u, v\}$ ne satisfait pas aux conditions.

3. On suppose qu'un arbre T a n sommets de degrés $d_1, d_2, \ldots, d_n$, respectivement. Puisque $2e = \sum_{i=1}^{n} d_i$ et $e = n - 1$, on obtient $2(n-1) = \sum_{i=1}^{n} d_i$. Puisque chaque $d_i \geq 1$, il s'ensuit que $2(n-1) = n + \sum_{i=1}^{n} (d_i - 1)$ ou que $n - 2 = \sum_{i=1}^{n} (d_i - 1)$. Ainsi, au plus $n - 2$ des éléments de cette somme peuvent être 1 ou plus. Donc, au moins deux de ceux-ci sont 0. Il s'ensuit que $d_i = 1$ pour au moins deux valeurs de i.

5. $2n - 2$

7. T n'admet aucun circuit. Donc, il ne peut avoir de sous-graphes homéomorphes à $K_{3,3}$ ou à K_5.

9. On colorie chaque composante connexe séparément. Pour chacune de ces composantes connexes, on attribue d'abord une racine à l'arbre, puis on colorie tous les sommets des niveaux pairs en rouge et tous les sommets des niveaux impairs en bleu.

11. Majorant : k^h ; minorant : $2\lceil k/2 \rceil^{h-1}$

13.

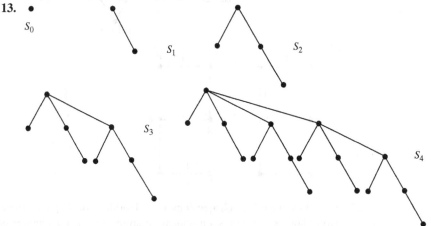

15. On utilise le principe de l'induction. Le résultat est évident pour $k = 0$. On suppose qu'il est vrai pour $k - 1$. T_{k-1} est l'arbre père de T. Selon le principe de l'induction, l'arbre fils de T peut être obtenu à partir de $T_0, \ldots, T_{k-2}$ de la manière énoncée. La connexion finale de r_{k-2} à r_{k-1} est comme l'énonce la définition de l'arbre de type S_k.

17. **procédure** *niveau* (T : arborescence ordonnée avec la racine r)
    file d'attente := suite constituée de la racine r seulement
    tant que la *file d'attente* contient au moins un élément
    début
        v := premier sommet dans la file d'attente
        énumérer v
        retirer v de la file d'attente et placer le fils de v à la
            fin de la file d'attente
    fin

19. On construit l'arbre en insérant une racine pour l'adresse 0 et en insérant un sous-arbre pour chaque sommet étiqueté i. Pour i un entier positif, on construit à partir des sous-arbres pour chaque sommet étiqueté i, j pour j un entier positif, et ainsi de suite.

21. **procédure** *insertion* ($a_1, \ldots, a_n$: nombres réels)
    pour $j := 2$ à n
    début
        $i := 1$
        tant que $a_j > a_i$
          $i : i + 1$
        $m := a_j$
        pour $k := 0$ à $j - i - 1$
          $a_{j-k} := a_{j-k-1}$
        $a_i := m$
    fin$\{a_1, \ldots, a_n$ sont triés$\}$

23. Si u est pendant et $e = \{u, v\}$ est une arête du graphe incidente à u, alors il n'y aucune autre arête du graphe qui est incidente à u. Par conséquent, e doit faire partie de tout arbre de recouvrement. Sinon, l'arbre de recouvrement ne contiendrait pas une arête incidente à u.

25. a) Oui   **b)** Non   **c)** Oui

27. Le graphe final n'a aucune arête qui se trouve dans plus d'un cycle simple du type décrit. Ainsi, il s'agit d'un cactus.

29.

31.

33. a)   **b)**

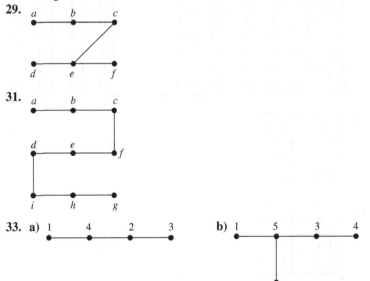

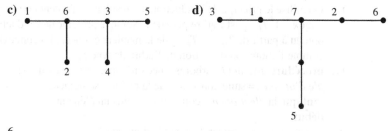

35. 6

37. a) Oui   **b)** Non   **c)** Oui

39. Soit G' le graphe obtenu en supprimant de G le sommet v et toutes les arêtes incidentes à v. Un arbre générateur de coût minimal de G peut être obtenu en prenant une arête de coût minimal incidente à v ainsi qu'un arbre générateur de coût minimal de G'.

41. a)   **b)**

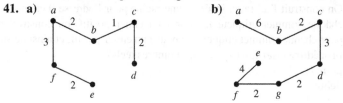

CHAPITRE 9

Section 9.1

1. a) 1   **b)** 1   **c)** 0   **d)** 0

3. $(0, 0)$ et $(1, 1)$

5. $x + xy = x \cdot 1 + xy = x + (1 + y) = x(y + 1) = x \cdot 1 = x$

7.

x	y	z	$x\overline{y}$	$y\overline{z}$	$\overline{x}z$	$x\overline{y} + \overline{y}z + \overline{x}z$	$\overline{x}y$	$\overline{y}z$	$x\overline{z}$	$\overline{x}y + \overline{y}z + x\overline{z}$
1	1	1	0	0	0	0	0	0	0	0
1	1	0	0	1	0	1	0	0	1	1
1	0	1	1	0	0	1	0	1	0	1
1	0	0	1	0	0	1	0	0	1	1
0	1	1	0	0	1	1	1	0	0	1
0	1	0	0	1	0	1	1	0	0	1
0	0	1	0	0	1	1	0	1	0	1
0	0	0	0	0	0	0	0	0	0	0

9.

x	$x + x$	$x \cdot x$
0	0	0
1	1	1

11.

x	$x + 1$	$x \cdot 0$
0	1	0
1	1	0

13.

x	y	z	$y+z$	$x+(y+z)$	$x+y$	$(x+y)+z$	yz	$x(yz)$	xy	$(xy)z$
1	1	1	1	1	1	1	1	1	1	1
1	1	0	1	1	1	1	0	0	1	0
1	0	1	1	1	1	1	0	0	0	0
1	0	0	0	1	1	1	0	0	0	0
0	1	1	1	1	1	1	1	0	0	0
0	1	0	1	1	1	1	0	0	0	0
0	0	1	1	1	0	1	0	0	0	0
0	0	0	0	0	0	0	0	0	0	0

15.

x	y	xy	$\overline{(xy)}$	$\overline{x}$	$\overline{y}$	$\overline{x}+\overline{y}$	$x+y$	$\overline{(x+y)}$	$\overline{x}\,\overline{y}$
1	1	1	0	0	0	0	1	0	0
1	0	0	1	0	1	1	1	0	0
0	1	0	1	1	0	1	1	0	0
0	0	0	1	1	1	1	0	1	1

17.

x	y	$x \oplus y$	$x+y$	xy	$\overline{(xy)}$	$(x+y)\overline{(xy)}$	$x\overline{y}$	$\overline{x}y$	$x\overline{y}+\overline{x}y$
1	1	0	1	1	0	0	0	0	0
1	0	1	1	0	1	1	1	0	1
0	1	1	1	0	1	1	0	1	1
0	0	0	0	0	1	0	0	0	0

19. **a)** Vrai, comme le montre le tableau des valeurs.

   b) Faux. Prenez par exemple $x =1$, $y = 1$ et $z = 1$.

   c) Faux. Prenez par exemple $x =1$, $y = 1$ et $z = 0$.

21. Selon les lois de De Morgan, le complément d'une expression est comme le dual, sauf si on prend les compléments de chaque variable.

23. 16

25. Selon les lois de domination, de distribution et d'identité, $x \vee x = (x \vee x) \wedge 1 = (x \vee x) \wedge (x \vee \overline{x}) = x \vee (x \wedge \overline{x}) = x \vee 0 = x$. De la même manière, $x \wedge x = (x \wedge x) \vee 0 = (x \wedge x) \vee (x \wedge \overline{x}) = x \wedge (x \vee \overline{x}) = x \wedge 1 = x$.

27. Puisque $0 \vee 1 = 1$ et que $0 \wedge 1 = 0$, selon les lois de l'identité et de la commutativité, il s'ensuit que $\overline{0} = 1$. De la même manière, puisque $1 \vee 0 = 1$ et que $1 \wedge 0 = 1$, il s'ensuit que $\overline{1} = 0$.

29. On note d'abord que $x \wedge 0 = 0$ et que $x \vee 1 = 1$ pour toutes les valeurs de x, comme on peut facilement le démontrer. Pour démontrer la première identité, il suffit de montrer que $(x \vee y) \vee (\overline{x} \wedge \overline{y}) = 1$ et que $(x \vee y) \wedge (\overline{x} \wedge \overline{y}) = 0$. En appliquant les lois d'associativité, de commutativité, de distributivité, de domination et d'identité, on obtient $(x \vee y) \vee (\overline{x} \wedge \overline{y}) = y \vee (x \vee (\overline{x} \wedge \overline{y})) = y \vee ((x \vee \overline{x}) \wedge (x \vee \overline{y})) = y \vee (1 \wedge (x \vee \overline{y})) = y \vee (x \vee \overline{y}) = (y \vee \overline{y}) \vee x = 1 \vee x = 1$ et $(x \vee y) \wedge (\overline{x} \wedge \overline{y}) = \overline{y} \wedge (\overline{x} \wedge (x \vee y)) = \overline{y} \wedge ((\overline{x} \wedge x) \vee (\overline{x} \wedge y)) = \overline{y} \wedge (0 \vee (\overline{x} \wedge y)) = \overline{y} \wedge (\overline{x} \wedge y) = \overline{x} \wedge (y \wedge \overline{y}) = \overline{x} \wedge 0 = 0$. On démontre la deuxième identité de la même manière.

31. En se servant des hypothèses, des résultats de l'exercice 25 et de la loi de distributivité, il s'ensuit que $x = x \vee 0 = x \vee (x \vee y) = (x \vee x) \vee y = x \vee y = 0$. De la même façon, $y = 0$. Pour prouver le deuxième énoncé, on note que $x = x \wedge 1 = x \wedge (x \wedge y) = (x \wedge x) \wedge y = x \wedge y = 1$. De la même façon, $y = 1$.

33. On utilise les exercices 39 et 41 des exercices supplémentaires du chapitre 6 ainsi que la définition du complément d'un treillis distribué, ce qui permet d'établir les cinq paires de lois de la définition.

Section 9.2

1. **a)** $\overline{x}\,\overline{y}z$ **b)** $\overline{x}y\overline{z}$
   c) $\overline{x}yz$ **d)** $\overline{x}\,\overline{y}\,\overline{z}$

3. **a)** $xyz + xy\overline{z} + x\overline{y}z + x\overline{y}\,\overline{z} + \overline{x}yz + \overline{x}y\overline{z} + \overline{x}\,\overline{y}z$
   b) $xyz + xy\overline{z} + \overline{x}yz$
   c) $xyz + xy\overline{z} + x\overline{y}z + x\overline{y}\,\overline{z}$
   d) $x\overline{y}z + x\overline{y}\,\overline{z}$

5. $wxy\overline{z} + wx\overline{y}z + w\overline{x}yz + \overline{w}xyz + \overline{w}x\overline{y}\,\overline{z} + \overline{w}\,\overline{x}\,\overline{y}z + \overline{w}\,\overline{x}y\overline{z} + w\overline{x}\,\overline{y}\,\overline{z}$

7. **a)** $\overline{x} + \overline{y} + z$
   b) $x + y + z$
   c) $x + \overline{y} + z$

9. $y_1 + y_2 + \cdots + y_n = 0$ si et seulement si $y_i = 0$ pour $i = 1, 2, \ldots, n$. Cela se vérifie si et seulement si $x_i = 0$ quand $y_i = x_i$ et $x_i = 1$ quand $y_i = \overline{x}_i$.

11. **a)** $x + y + z$
    b) $(x + y + z)(x + y + \overline{z})(x + \overline{y} + z)(\overline{x} + y + z)(\overline{x} + y + \overline{z})$
    c) $(x + y + z)(x + y + \overline{z})(x + \overline{y} + z)(x + \overline{y} + \overline{z})$
    d) $(x + y + z)(x + y + \overline{z})(x + \overline{y} + z)(x + \overline{y} + \overline{z})(\overline{x} + \overline{y} + z)(\overline{x} + \overline{y} + \overline{z})$

13. **a)** $x + y + z$
    b) $x + \overline{\left(y + (\overline{\overline{x} + z})\right)}$
    c) $\overline{(x + \overline{y})}$
    d) $\overline{\left(x + \overline{(x + \overline{y} + \overline{z})}\right)}$

15. **a)**

x	$\overline{x}$	$x \downarrow x$
1	0	0
0	1	1

b)

x	y	xy	$x \downarrow x$	$y \downarrow y$	$(x \downarrow x) \downarrow (y \downarrow y)$
1	1	1	0	0	1
1	0	0	0	1	0
0	1	0	1	0	0
0	0	0	1	1	0

c)

x	y	$x + y$	$x \downarrow y$	$(x \downarrow y) \downarrow (x \downarrow y)$
1	1	1	0	1
1	0	1	0	1
0	1	1	0	1
0	0	0	1	0

17. **a)** $(((x \mid x) \mid (y \mid y)) \mid ((x \mid x) \mid (y \mid y))) \mid (z \mid z)$
    b) $(((x \mid x) \mid (z \mid z)) \mid y) \mid (((x \mid x) \mid (z \mid z)) \mid y)$
    c) x
    d) $(x \mid (y \mid y)) \mid (x \mid (y \mid y))$

19. Il est impossible de représenter $\overline{x}$ au moyen de + et de · puisqu'il n'existe pas de manière d'obtenir la valeur 0 quand l'entrée est 1.

Section 9.3

1. $(x + y)\overline{y}$
3. $\overline{(xy)} + (\overline{z} + x)$
5. $(x + y + z) + (\overline{x} + y + z) + (\overline{x} + \overline{y} + \overline{z})$
7.

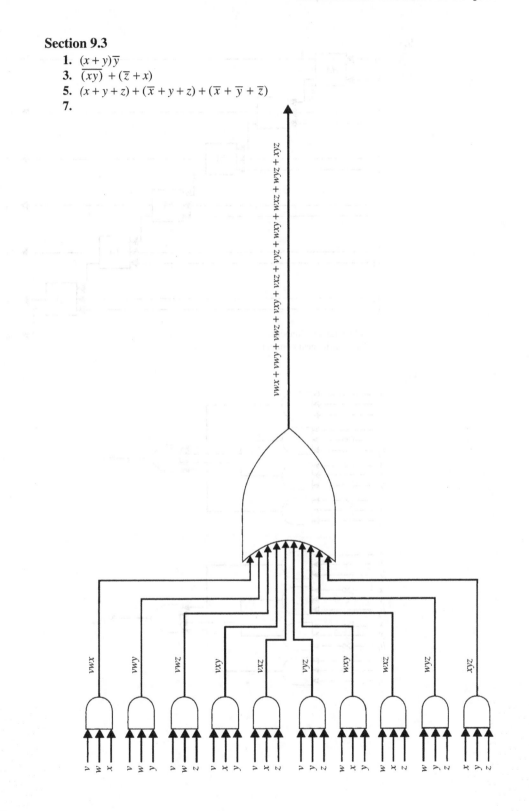

9.

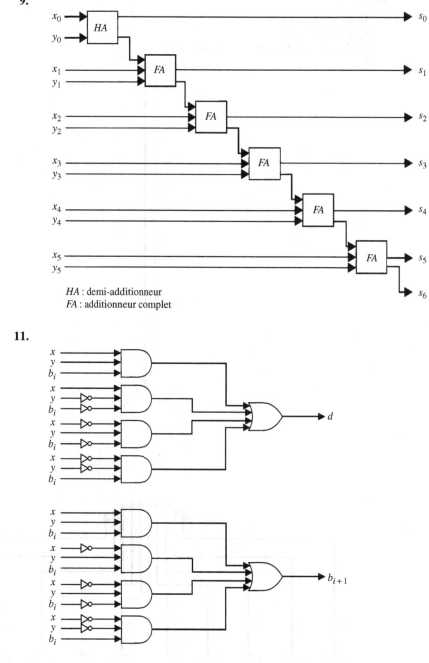

HA : demi-additionneur
FA : additionneur complet

11.

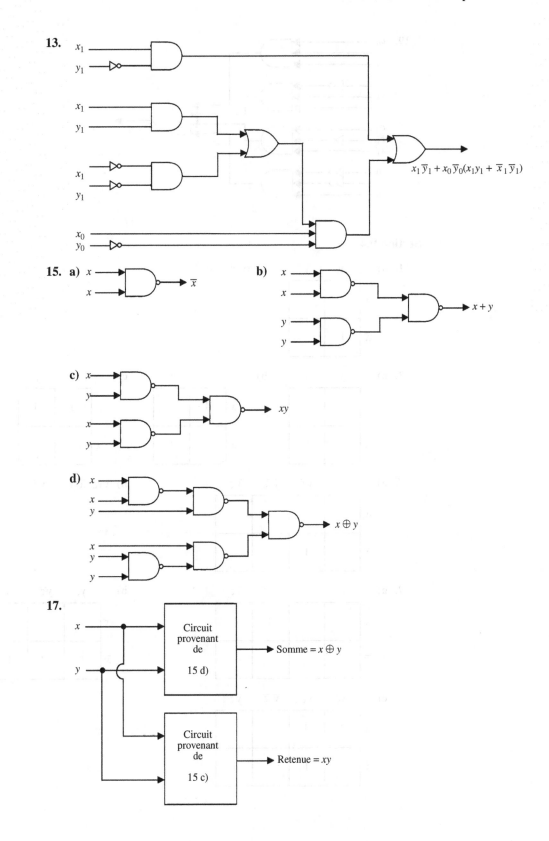

13.

$x_1 \overline{y}_1 + x_0 \overline{y}_0 (x_1 y_1 + \overline{x}_1 \overline{y}_1)$

15. a) $x \rightarrow \overline{x}$

b) $x + y$

c) xy

d) $x \oplus y$

17.

Circuit provenant de 15 d)

Somme $= x \oplus y$

Circuit provenant de 15 c)

Retenue $= xy$

19.

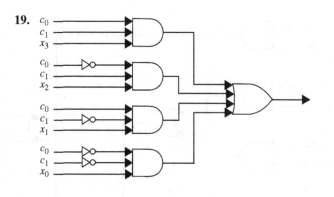

Section 9.4

1. a)

	y	$\overline{y}$
x		
$\overline{x}$	1	

b) xy et $\overline{x}\,\overline{y}$

3. a)

	y	$\overline{y}$
x		1
$\overline{x}$		

b)

	y	$\overline{y}$
x	1	
$\overline{x}$		1

c)

	y	$\overline{y}$
x	1	1
$\overline{x}$	1	1

5. a)

	yz	$y\overline{z}$	$\overline{y}\,\overline{z}$	$\overline{y}z$
x				
$\overline{x}$		1		

b) $\overline{x}yz,\ \overline{x}\,\overline{y}\,\overline{z},\ xy\overline{z}$

7. a)

	yz	$y\overline{z}$	$\overline{y}\,\overline{z}$	$\overline{y}z$
x			1	
$\overline{x}$				

b)

	yz	$y\overline{z}$	$\overline{y}\,\overline{z}$	$\overline{y}z$
x				
$\overline{x}$	1		1	

c)

	yz	$y\overline{z}$	$\overline{y}\,\overline{z}$	$\overline{y}z$
x	1	1		
$\overline{x}$		1		1

9. **a)**

	yz	$y\overline{z}$	$\overline{y}\,\overline{z}$	$\overline{y}z$
wx				
$w\overline{x}$				
$\overline{w}\,\overline{x}$				
$\overline{w}x$		1		

b) $wxy\overline{z}$, $\overline{w}xyz$, $\overline{w}x\overline{y}\,\overline{z}$, $\overline{w}\,\overline{x}y\overline{z}$

11. **a)** 32

b) 5

13.

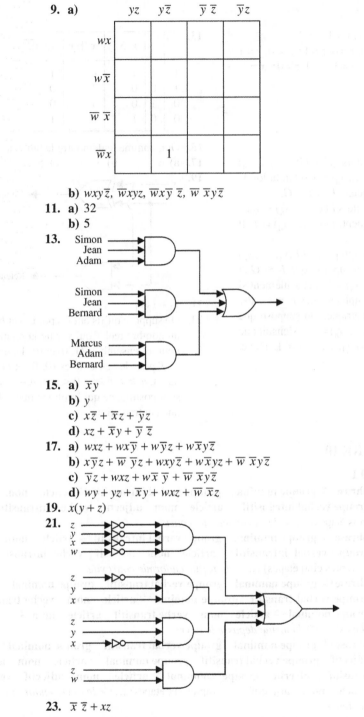

15. **a)** $\overline{x}y$

b) y

c) $x\overline{z} + \overline{x}z + \overline{y}z$

d) $xz + \overline{x}y + \overline{y}\,\overline{z}$

17. **a)** $wxz + wx\overline{y} + w\overline{y}z + w\overline{x}y\overline{z}$

b) $x\overline{y}z + \overline{w}\,\overline{y}z + wxy\overline{z} + w\overline{x}yz + \overline{w}\,\overline{x}y\overline{z}$

c) $\overline{y}z + wxz + w\overline{x}\,\overline{y} + \overline{w}\,\overline{x}y\overline{z}$

d) $wy + yz + \overline{x}y + wxz + \overline{w}\,\overline{x}z$

19. $x(y + z)$

21.

23. $\overline{x}\,\overline{z} + xz$

Exercices supplémentaires

1. a) $x = 0, y = 0, z = 0$; $x = 1, y = 1, z = 1$

b) $x = 0, y = 0, z = 0$; $x = 0, y = 0, z = 1$; $x = 0, y = 1$ $z = 0$; $x = 1, y = 0, z = 1$; $x = 1, y = 1, z = 0$; $x = 1,$ $y = 1, z = 1$

c) Aucune valeur

3. a) Oui   **b)** Non

c) Non   **d)** Oui

5. $2^{2^{n-1}}$

7. a) Si $F(x_1, \ldots, x_n) = 1$, alors $(F + G)(x_1, \ldots, x_n)$ $= F(x_1, \ldots, x_n) + G(x_1, \ldots, x_n) = 1$ selon la loi de domination. Par conséquent, $F \leq F + G$.

b) Si $(FG)(x_1, \ldots, x_n) = 1$, alors $F(x_1, \ldots, x_n) \cdot G(x_1, \ldots, x_n) = 1$. Par conséquent, $F(x_1, \ldots, x_n) = 1$. Il s'ensuit que $FG \leq F$.

9. Puisque $F(x_1, \ldots, x_n) = 1$ implique que $F(x_1, \ldots, x_n) = 1$, alors $\leq$ est réflexif. On suppose que $F \leq G$ et que $G \leq F$, alors $F(x_1, \ldots, x_n) = 1$ si et seulement si $G(x_1, \ldots, x_n) = 1$. Cela implique que $F = G$. Par conséquent, $\leq$ est antisymétrique. On suppose que $F \leq G \leq H$. Alors, si $F(x_1, \ldots, x_n) = 1$, il s'ensuit que $G(x_1, \ldots, x_n) = 1$ et que $H(x_1, \ldots, x_n) = 1$. Donc, $F \leq H$ et $\leq$ est transitif.

11. a) $x = 1, y = 1, z = 0$

b) $x = 1, y = 0, z = 0$

c) $x = 1, y = 0, z = 0$

13.

x	y	$x \odot y$	$x \oplus y$	$\overline{(x \oplus y)}$
1	1	1	0	1
1	0	0	1	0
0	1	0	1	0
0	0	1	0	1

15. Oui, comme le démontre la table de vérité.

17. a) 6   **b)** 5   **c)** 5   **d)** 6

19.

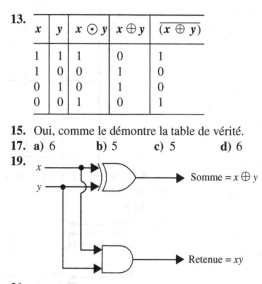

21. $x_3 + x_2 \overline{x}_1$

23. On suppose qu'ils ont les poids a et b. Alors, il existe un nombre réel T qui vérifie la relation $xa + yb \geq T$ pour les ensembles $(1, 0)$ et $(0, 1)$, mais avec $xa + yb < T$ pour les ensembles $(0, 0)$ et $(1, 1)$. Par conséquent, $a \geq T$, $b \geq T$, $0 < T$ et $a + b < T$. Donc, a et b sont positifs, ce qui implique que $a + b > a \geq T$ est une contradiction.

CHAPITRE 10

Section 10.1

1. a) **phrase** $\Rightarrow$ **groupe nominal   groupe verbal intransitif** $\Rightarrow$ **article   nom   adjectif   groupe verbal intransitif** $\Rightarrow$ **article   nom   adjectif   verbe   intransitif** $\Rightarrow$ … (après trois étapes) … $\Rightarrow$ *le lièvre heureux court*

b) **phrase** $\Rightarrow$ **groupe nominal   groupe verbal intransitif** $\Rightarrow$ **article   nom   adjectif   groupe verbal intransitif** $\Rightarrow$ **article   nom   adjectif   verbe   intransitif   adverbe** $\Rightarrow$ … (après cinq étapes) … $\Rightarrow$ *la tortue endormie court vite*

c) **phrase** $\Rightarrow$ **groupe nominal   groupe verbal transitif   groupe nominal** $\Rightarrow$ **article   nom   groupe verbal transitif   groupe nominal** $\Rightarrow$ **article   nom   verbe transitif   adverbe   groupe nominal** $\Rightarrow$ **article   nom   verbe transitif   article   nom** $\Rightarrow$ … (après cinq étapes) … $\Rightarrow$ *la tortue dépasse le lièvre*

d) **phrase** $\Rightarrow$ **groupe nominal   groupe verbal transitif   groupe nominal** $\Rightarrow$ **article   nom   adjectif   groupe verbal transitif   groupe nominal** $\Rightarrow$ **article   nom   adjectif   verbe   transitif   adverbe   groupe nominal** $\Rightarrow$ **article   nom   adjectif   verbe   transitif   article   nom   adjectif** $\Rightarrow$ … (après six étapes) … $\Rightarrow$ *le lièvre endormi dépasse la tortue heureuse*

3. La seule manière d'obtenir un nom (comme tortue) à la fin consiste à insérer un groupe nominal à la fin, ce qu'on peut accomplir uniquement à l'aide de la production : phrase $\rightarrow$ groupe nominal   groupe verbal transitif   groupe nominal. Cependant, groupe verbal transitif $\rightarrow$ verbe transitif $\rightarrow$ *dépasse*, et cette phrase ne contient pas *dépasse*.

5. $S \Rightarrow 0S1 \Rightarrow 00S11 \Rightarrow 000S111 \Rightarrow 000111$

7. a) $S \Rightarrow 0S \Rightarrow 00S \Rightarrow 00S1 \Rightarrow 00S11 \Rightarrow 00S111 \Rightarrow 00S1111 \Rightarrow 001111$

 b) $S \Rightarrow 0S \Rightarrow 00S \Rightarrow 001A \Rightarrow 0011A \Rightarrow 00111A \Rightarrow 001111$

9. $S \Rightarrow 0SAB \Rightarrow 00SABAB \Rightarrow 00ABAB \Rightarrow 00AABB \Rightarrow 001ABB \Rightarrow 0011BB \Rightarrow 00112B$
 $\Rightarrow 001122$

11. a) $S \to 00S, S \to \lambda$

 b) $S \to 10A, A \to 00A, A \to \lambda$

 c) $S \to AAS, S \to BBS, AB \to BA, BA \to AB, S \to \lambda, A \to 0, B \to 1$

 d) $S \to 0000000000A, A \to 0A, A \to \lambda$

 e) $S \to AS, S \to ABS, S \to A, AB \to BA, BA \to AB, A \to 0, B \to 1$

 f) $S \to ABS, S \to \lambda, AB \to BA, BA \to AB, A \to 0, B \to 1$

 g) $S \to ABS, S \to T, S \to U, T \to AT, T \to A, U \to BU, U \to B, AB \to BA, BA \to AB, A \to 0,$
 $B \to 1$

13. a) De type 2, pas de type 3 **b)** De type 3, pas de type 2

 c) De type 0, pas de type 1 **d)** De type 2, pas de type 3

 e) De type 2 **f)** De type 0, pas de type 1

 g) De type 3 **h)** De type 0, pas de type 1

 i) De type 2, pas de type 3 **j)** De type 2, pas de type 3

15. Soit S_1 et S_3 les symboles de départ de G_1 et G_2, respectivement. Soit S un nouveau symbole de départ.

 a) On ajoute S et les productions $S \to S_1$ et $S \to S_2$.

 b) On ajoute S et les productions $S \to S_1S_2$.

 c) On ajoute S et les productions $S \to \lambda$ et $S \to S_1S$.

17. a)

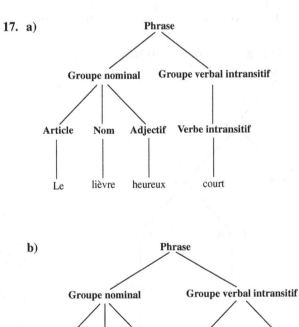

 b)

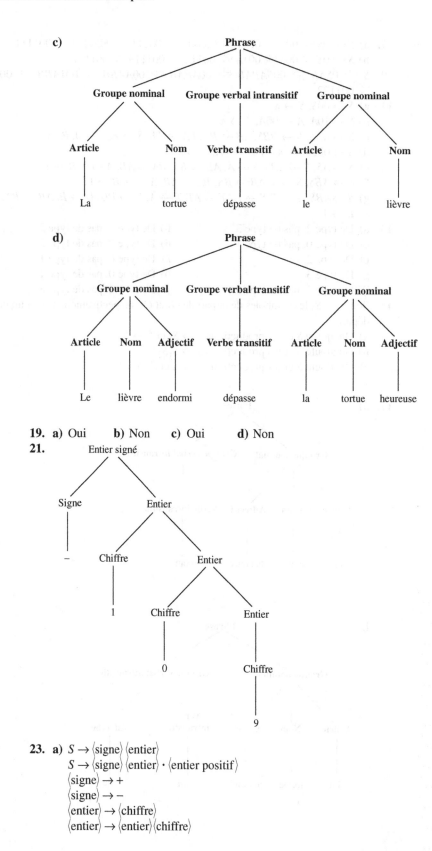

c)

Phrase
- Groupe nominal
  - Article — La
  - Nom — tortue
- Groupe verbal intransitif
  - Verbe transitif — dépasse
- Groupe nominal
  - Article — le
  - Nom — lièvre

d)

Phrase
- Groupe nominal
  - Article — Le
  - Nom — lièvre
  - Adjectif — endormi
- Groupe verbal transitif
  - Verbe transitif — dépasse
- Groupe nominal
  - Article — la
  - Nom — tortue
  - Adjectif — heureuse

19. a) Oui   **b)** Non   **c)** Oui   **d)** Non

21.

Entier signé
- Signe
  - −
- Entier
  - Chiffre
    - 1
  - Entier
    - Chiffre
      - 0
    - Entier
      - Chiffre
        - 9

23. a) $S \rightarrow \langle \text{signe} \rangle \langle \text{entier} \rangle$
$S \rightarrow \langle \text{signe} \rangle \langle \text{entier} \rangle \cdot \langle \text{entier positif} \rangle$
$\langle \text{signe} \rangle \rightarrow +$
$\langle \text{signe} \rangle \rightarrow -$
$\langle \text{entier} \rangle \rightarrow \langle \text{chiffre} \rangle$
$\langle \text{entier} \rangle \rightarrow \langle \text{entier} \rangle \langle \text{chiffre} \rangle$

$\langle$chiffre$\rangle \rightarrow i$, $i = 1, 2, 3, 4, 5, 6, 7, 8, 9, 0$
$\langle$entier positif$\rangle \rightarrow \langle$entier$\rangle\langle$chiffre non nul$\rangle$
$\langle$entier positif$\rangle \rightarrow \langle$chiffre non nul$\rangle\langle$entier$\rangle$
$\langle$entier positif$\rangle \rightarrow \langle$entier$\rangle\langle$chiffre non nul$\rangle\langle$entier$\rangle$
$\langle$entier positif$\rangle \rightarrow \langle$chiffre non nul$\rangle$
$\langle$chiffre non nul$\rangle \rightarrow i$, $i = 1, 2, 3, 4, 5, 6, 7, 8, 9$

b) $\langle$nombre décimal signé$\rangle ::= \langle$signe$\rangle\langle$entier$\rangle \mid \langle$signe$\rangle\langle$entier$\rangle \cdot \langle$entier positif$\rangle$
$\langle$signe$\rangle ::= + \mid -$
$\langle$entier$\rangle ::= \langle$chiffre$\rangle \mid \langle$entier$\rangle\langle$chiffre$\rangle$
$\langle$chiffre$\rangle ::= 0 \mid 1 \mid 2 \mid 3 \mid 4 \mid 5 \mid 6 \mid 7 \mid 8 \mid 9$
$\langle$chiffre non nul$\rangle ::= 1 \mid 2 \mid 3 \mid 4 \mid 5 \mid 6 \mid 7 \mid 8 \mid 9$
$\langle$entier positif$\rangle ::= \langle$entier$\rangle\langle$chiffre non nul$\rangle \mid \langle$chiffre non nul$\rangle\langle$entier$\rangle$
$\mid \langle$entier$\rangle\langle$entier non nul$\rangle\langle$entier$\rangle \mid \langle$chiffre non nul$\rangle$

c)

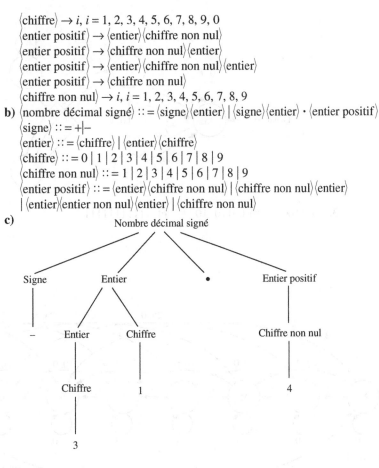

25. $\{(u, v) \mid v$ est dérivable à partir de $u\}$

Section 10.2

1. a)

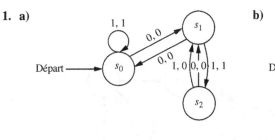

b)

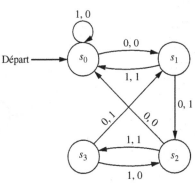

c)

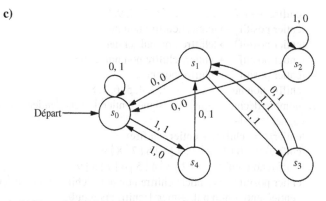

3. a) 1100   **b)** 00110110   **c)** 11111111111

5.

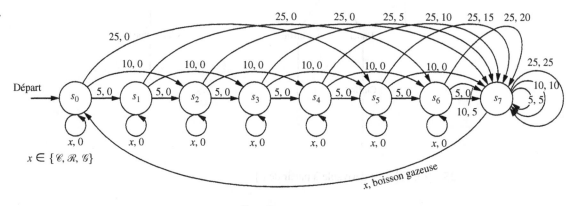

$\mathscr{C}$ = cola
$\mathscr{R}$ = racinette
$\mathscr{G}$ = soda au gingembre

7.

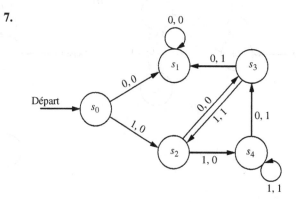

9.

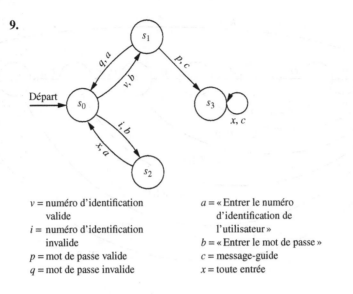

v = numéro d'identification
valide
i = numéro d'identification
invalide
p = mot de passe valide
q = mot de passe invalide

a = « Entrer le numéro
d'identification de
l'utilisateur »
b = « Entrer le mot de passe »
c = message-guide
x = toute entrée

11.

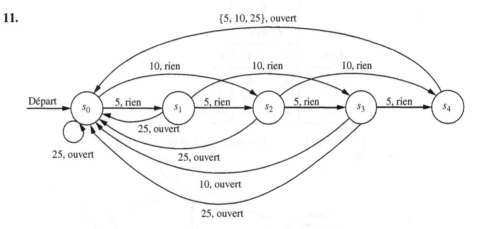

13.

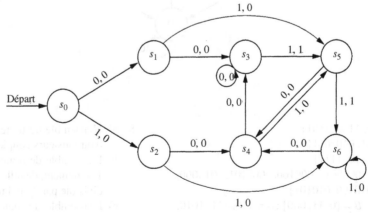

15.

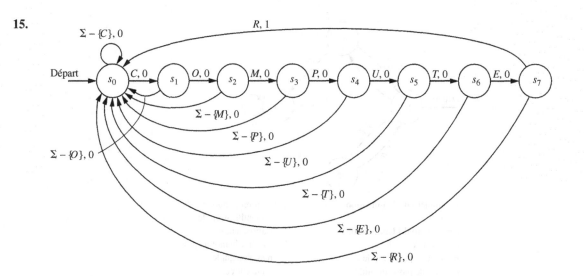

17.

	f		
	Entrée		
État	*0*	*1*	*g*
s_0	s_1	s_2	1
s_1	s_1	s_0	1
s_2	s_1	s_2	0

19. a) 11111 **b)** 1000000 **c)** 100011001100

21.

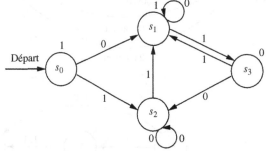

Section 10.3

1. a) {000, 001, 1100, 1101}
   b) {000, 0011, 010, 0111}
   c) {00, 011, 110, 1111}
   d) {000000, 000001, 000100, 000101, 010000, 010001, 010100, 010101}

3. $A = \{0, 101\}$, $B = \{0, 11, 000\}$; $A = \{10, 111, 1010, 1000, 10111, 101000\}$, $B = \{\lambda\}$; $A = \{\lambda, 10\}$, $B = \{10, 111, 1000\}$ ou $A = \{\lambda\}$, $B = \{10, 111, 1010, 1000, 10111, 101000\}$

5. a) L'ensemble de toutes les chaînes constituées de 0 ou plusieurs couples binaires consécutifs de 10
   b) L'ensemble de toutes les chaînes constituées de 1 seulement, de telle sorte que le nombre de 1 est divisible par 3, incluant la chaîne vide
   c) L'ensemble de toutes les chaînes qui commencent et se terminent par un 1 et comportent au moins deux 1 entre chaque paire de 0

d) L'ensemble de toutes les chaînes qui commencent et se terminent par un 1 et comportent au moins deux 1 entre chaque paire de 0

7. Une chaîne se trouve dans $A*$ si et seulement si elle est la concaténation d'un nombre arbitraire de chaînes de A. Puisque chaque chaîne de A se trouve également dans B, il s'ensuit qu'une chaîne dans $A*$ est également une concaténation de chaînes de B. Ainsi, $A* \subseteq B*$.

9. a) Oui   **b)** Oui   **c)** Oui
    d) Non   **e)** Oui   **f)** Oui

11. a) Oui   **b)** Oui   **c)** Non
    d) Non   **e)** Non   **f)** Non

13. $\{0, 10, 11\}\ \{0, 1\}*$

15. $\{0^m 1^n \mid m \geq 0 \text{ et } n \geq 1\}$

17. $\{0, 01, 11\}$

19. $\{\lambda, 0\} \cup \{0^m 1^n \mid m \geq 1, n \geq 1\}$

21. $\{10^n \mid n \geq 0\} \cup \{10^n 10^m \mid n, m \geq 0\}$

23.

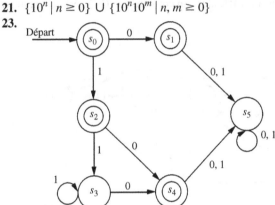

25. Ajoutez un état non final s_3 ayant des transitions de s_3 à s_0 à l'entrée de 0, de s_1 à l'entrée de 1 et de s_3 à l'entrée de 0 ou de 1.

27. a)

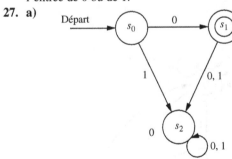

b)

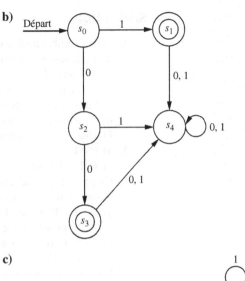

c)

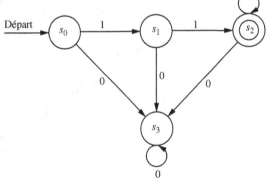

29. On suppose que M est un automate fini qui accepte l'ensemble des chaînes binaires contenant un nombre égal de 0 et de 1. On suppose que M admet n états. On considère la chaîne $0^{n+1} 1^{n+1}$. Selon le principe des nids de pigeon, lorsque M traite cette chaîne, il doit rencontrer le même état à plus d'une reprise alors qu'il lit les premiers $n+1$ 0. Donc, s est l'état qu'il rencontre au moins deux fois. Alors, k 0 à l'entrée font passer M de l'état s vers lui-même, où k est un entier positif. Toutefois, M se retrouve exactement au même endroit après avoir lu $0^{n+1+k} 1^{n+1}$ tout comme il le fera après avoir lu $0^{n+1} 1^{n+1}$. Donc, puisque M accepte $0^{n+1} 1^{n+1}$, il accepte également $0^{n+k+1} 1^{n+1}$, ce qui constitue une contradiction.

Section 10.4

1. **a)** Un nombre quelconque de 1 suivis d'un 0
   b) Un nombre quelconque de 1 suivis de un ou de plusieurs 0
   c) 111 ou 001
   d) Une chaîne formée d'un nombre quelconque de 1 ou d'un nombre quelconque de 00 ou certains de chaque type en file
   e) λ ou une chaîne qui se termine par un 1 et qui comporte un ou plusieurs 0 avant chaque 1
   f) Une chaîne de longueur supérieure ou égale à 3 qui se termine par 00

3. **a)** **00*1**   **b)** **$(0 \cup 1)(0 \cup 1)0 \cup 1)*0000*$**
   c) **0*1* $\cup$ 1*0***   **d)** **11(111)*(00)***

5. On procède par induction. Si l'expression régulière pour A est $\varnothing$, λ ou x, le résultat est direct. Sinon, on suppose que l'expression régulière pour A est **BC**. Alors, $A = BC$, où B est l'ensemble généré par **B** et C est l'ensemble généré par **C**. Selon l'hypothèse de l'induction, on peut trouver les expressions régulières **B′** et **C′** générant B^R et C^R, respectivement. Puisque $A^R = (BC)^R = C^R B^R$, **C′B′** est une expression régulière pour A^R. Si l'expression régulière pour A est **B** $\cup$ **C**, alors l'expression régulière pour **A** est **B′** $\cup$ **C′** puisque $(B \cup C)^R = (B^R) \cup (C^R)$. Finalement, si l'expression régulière pour A est **B***, alors on constate que **(B′)*** est une expression régulière pour A^R.

7. **a)**

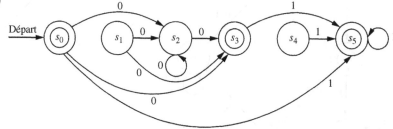

   b)

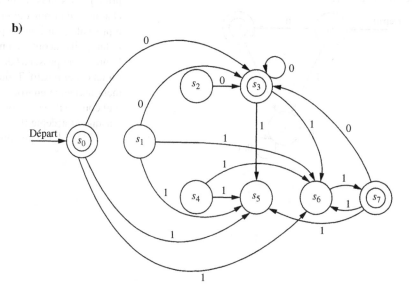

c)

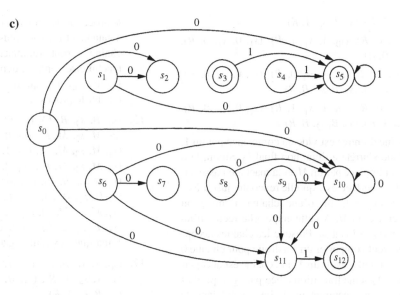

9. $S \to 0A, S \to 1B, S \to 0, A \to 0B, A \to 1B, B \to 0B, B \to 1B$

11. $S \to 0C, S \to 1A, S \to 1, A \to 1A, A \to 0C, A \to 1, B \to 0B, B \to 1B, B \to 0, B \to 1, C \to 0C,$
    $C \to 1B, C \to 1$.

13. L'entrée qui amène à un état final dans l'automate correspond uniquement à une dérivation dans la grammaire.

15. La partie *seulement si* est directe puisque I est fini. Pour la partie *si*, on considère les états s_{i_0}, $s_{i_1}, s_{i_2}, \ldots, s_{i_n}$, où $n = l(x)$. Puisque $n \geq |S|$, un état se répète selon le principe des nids de pigeon. Soit y la partie de x qui génère la boucle, de telle sorte que $x = uyv$ et qu'il existe un indice j tel que y envoie s_j vers s_j. Alors, $uy^k v \in L(M)$ pour tout k. Ainsi, $L(M)$ est infini.

17. On suppose que $L = \{0^{2n}1^n\}$ est régulier. Soit S l'ensemble des états d'une machine à états finis reconnaissant cet ensemble. Soit $z = 0^{2n}1^n$, où $3n \geq |S|$. Donc, selon le lemme de pompage, $z = 0^{2n}1^n = uvw$, $l(v) \geq 1$ et $uv^i w \in \{0^{2n}1^n \mid n \geq 0\}$. De toute évidence, v ne peut contenir 0 et 1, puisque v^2 contiendrait alors 10. Donc, v est composé seulement de 0 ou de 1. De plus, $uv^2 w$ contient un trop grand nombre de 0 ou trop de 1 ; il ne se trouve donc pas dans L. Cette contradiction permet de conclure que L n'est pas régulier.

19. On suppose que l'ensemble des palindromes dans $\{0, 1\}$ est régulier. Soit S l'ensemble des états d'une machine à états finis qui reconnaît cet ensemble. Soit $z = 0^n 10^n$, où $n > |S|$. On applique le lemme de pompage pour obtenir $uv^i w \in L$ pour tout entier non négatif i où $l(v) \geq 1$, $l(uv) \leq |S|$ et $z = 0^n 10^n = uvw$. Donc, v doit être une chaîne composée uniquement de 0 (puisque $|n| > |S|$). Par conséquent, $uv^2 w$ n'est pas un palindrome. Ainsi, l'ensemble des palindromes n'est pas régulier.

Section 10.5

1. **a)** La portion non vide du ruban contient la chaîne 1111 lorsque la machine s'arrête.
   b) La portion non vide du ruban contient la chaîne 011 lorsque la machine s'arrête.
   c) La portion non vide du ruban contient la chaîne 00001 lorsque la machine s'arrête.
   d) La portion non vide du ruban contient la chaîne 00 lorsque la machine s'arrête.

3. Si le ruban contient au moins un 1, la machine remplace arbitrairement les 1 par un 0, en commençant par le premier 1, et elle s'arrête lorsque le premier symbole vide est atteint. Si, au départ, le ruban est vide, la machine s'arrête sans modifier le ruban. Si la portion non vide du ruban contient uniquement des 0, la machine se déplace successivement d'un 0 à un autre et s'arrête.

5. $(s_0, 0, s_1, 1, R), (s_0, 1, s_0, 1, R)$

7. $(s_0, 0, s_0, 0, R), (s_0, 1, s_1, 1, R), (s_1, 0, s_1, 0, R),$
$(s_1, 1, s_1, 0, R)$

9. $(s_0, 0, s_1, 0, R), (s_0, 1, s_0, 0, R), (s_1, 0, s_1, 0, R),$
$(s_1, 1, s_0, 0, R), (s_1, B, s_2, B, R)$

11. $(s_0, 0, s_0, 0, R), (s_0, 1, s_1, 1, R), (s_1, 0, s_1, 0, R),$
$(s_1, 1, s_0, 1, R), (s_0, B, s_2, B, R)$

13. Si la chaîne d'entrée est vide ou commence par un 1, la machine s'arrête à l'état non final s_0. Sinon, le 0 initial est remplacé par un M, et la machine passe au-delà de tous les 0 et les 1 qu'elle rencontre jusqu'à ce qu'elle atteigne la fin d'une chaîne d'entrée ou qu'elle croise un M. À cette étape, elle recule d'un carré et passe à l'état s_2. Puisque les chaînes acceptables doivent comporter un 1 à droite pour chaque 0 à gauche, il doit y avoir un 1 si la chaîne est acceptable. Donc, la seule transition créée par s_2 se produit lorsque ce carré contient un 1. Le cas échéant, la machine le remplace par un M et retourne vers la gauche ; sinon, la machine s'arrête à un état non final s_2. Sur le chemin du retour, elle demeure en s_3 tant et aussi longtemps qu'elle croise des 1, puis elle reste en s_4 tant qu'elle croise des 0. À un moment donné, elle rencontrera un 1 lorsqu'elle est en s_4, auquel cas elle s'arrête sans l'accepter ; sinon, elle atteint le M le plus à droite qui avait été écrit par-dessus le 0 au début de la chaîne. Si elle se trouve en s_3 lorsque cela se produit, alors il n'y a plus de 0 dans la chaîne. Donc, il aurait été préférable qu'il ne reste également plus de 1, ce qui est accompli par les transitions (s_3, M, s_5, M, R) et (s_5, M, s_6, M, R) et s_6 est un état final. Sinon, la machine s'arrête à un état non final s_5. Si elle se trouve en s_4 lorsqu'elle rencontre ce M,

le processus redémarre à zéro, sauf que les 0 les plus à gauche et les 1 les plus à droite qui restent dans la chaîne seront remplacés par des M. Donc, la machine se déplace, demeurant à l'état s_4, vers le 0 le plus à gauche qui reste et retourne à l'état s_0 pour répéter le processus.

15. $(s_0, B, s_9, B, L), (s_0, 0, s_1, 0, L), (s_1, B, s_2, E, R),$
$(s_2, M, s_2, M, R), (s_2, 0, s_3, M, R), (s_3, 0, s_3, 0, R),$
$(s_3, M, s_3, M, R), (s_3, 1, s_4, M, R), (s_4, 1, s_4, 1, R),$
$(s_4, M, s_4, M, R), (s_4, 2, s_5, M, R), (s_5, 2, s_5, 2, R),$
$(s_5, B, s_6, B, L), (s_6, M, s_8, M, L), (s_6, 2, s_7, 2, L),$
$(s_7, 0, s_7, 0, L), (s_7, 1, s_7, 1, L), (s_7, 2, s_7, 2, L),$
$(s_7, M, s_7, M, L), (s_7, E, s_2, E, R), (s_8, M, s_8, M, L),$
(s_8, E, s_9, E, L), où M et E sont des marqueurs et E marque l'extrémité gauche de l'entrée.

17. $(s_0, 1, s_1, B, R), (s_1, 1, s_2, B, R), (s_2, 1, s_3, B, R),$
$(s_3, 1, s_4, 1, R), (s_1, B, s_4, 1, R), (s_2, B, s_4, 1, R),$
$(s_3, B, s_4, 1, R)$

19. $(s_0, 1, s_1, B, R), (s_1, 1, s_2, B, R), (s_1, B, s_6, B, R),$
$(s_2, 1, s_3, B, R), (s_2, B, s_6, B, R), (s_3, 1, s_4, B, R),$
$(s_3, B, s_6, B, R), (s_4, 1, s_5, B, R), (s_4, B, s_6, B, R),$
$(s_6, B, s_{10}, 1, R), (s_5, 1, s_5, B, R), (s_5, B, s_7, 1, R),$
$(s_7, B, s_8, 1, R), (s_8, B, s_9, 1, R), (s_9, B, s_{10}, 1, R)$

21. $(s_0, 0, s_0, 0, R), (s_0, *, s_5, B, R), (s_3, *, s_3, *, L),$
$(s_3, 0, s_3, 0, L), (s_3, 1, s_3, 1, L), (s_3, B, s_0, B, R),$
$(s_5, 1, s_5, B, R), (s_5, 0, s_5, B, R), (s_5, B, s_6, B, L),$
$(s_6, B, s_6, B, L), (s_6, 0, s_7, 1, L), (s_7, 0, s_7, 1, L),$
$(s_0, 1, s_1, 0, R), (s_1, 1, s_1, 1, R), (s_1, *, s_2, *, R),$
$(s_2, 0, s_2, 0, R), (s_2, 1, s_3, 0, L), (s_2, B, s_4, B, L),$
$(s_4, 0, s_4, 1, L), (s_4, *, s_8, B, L), (s_8, 0, s_8, B, L),$
$(s_8, 1, s_8, B, L)$

23. $(s_0, B, s_1, 1, L), (s_0, 1, s_1, 1, R), (s_1, B, s_0, 1, R)$

Exercices supplémentaires

1. **a)** $S \to 00S111, S \to \lambda$

b) $S \to AABS, AB \to BA, BA \to AB, A \to 0, B \to 1, S \to \lambda$

c) $S \to ET, T \to 0TA, T \to 1TB, T \to \lambda, 0A \to A0, 1A \to A1, 0B \to B0, 1B \to B1, EA \to E0,$
$EB \to E1, E \to \lambda$

3.

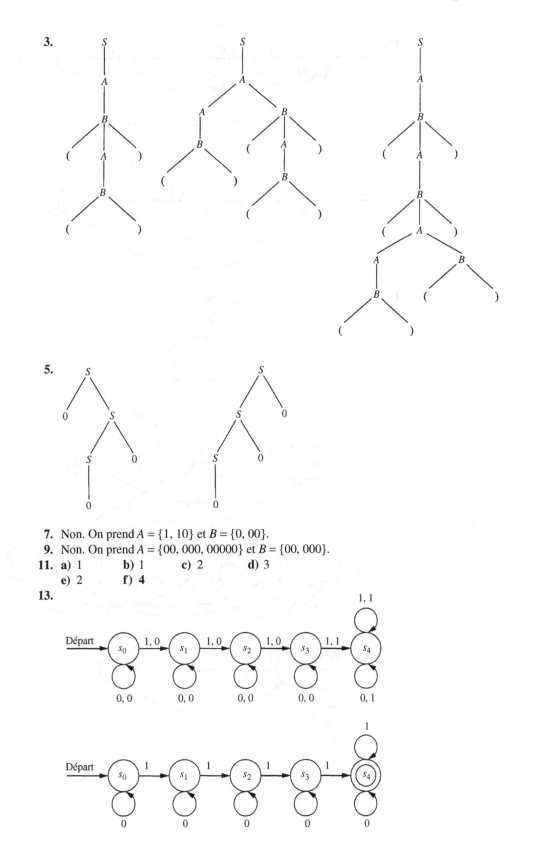

5.

7. Non. On prend $A = \{1, 10\}$ et $B = \{0, 00\}$.

9. Non. On prend $A = \{00, 000, 00000\}$ et $B = \{00, 000\}$.

11. **a)** 1   **b)** 1   **c)** 2   **d)** 3
     e) 2   **f)** 4

13.

15.

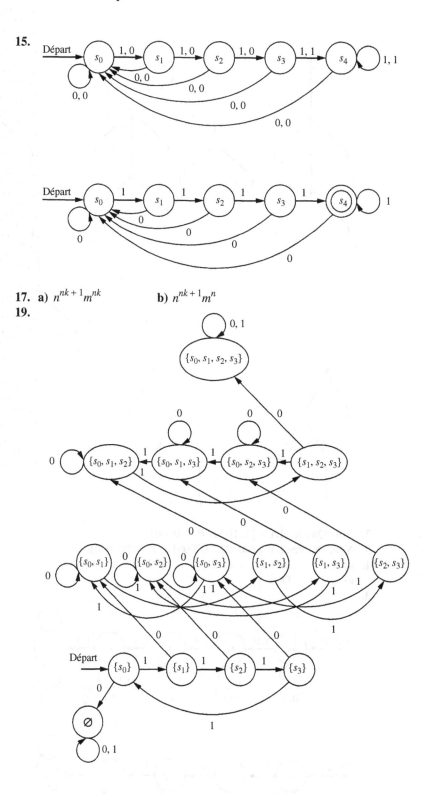

17. a) $n^{nk+1}m^{nk}$ **b)** $n^{nk+1}m^n$

19.

21. a)

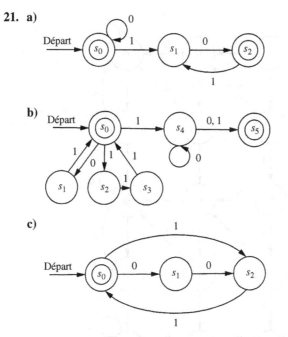

b)

c)

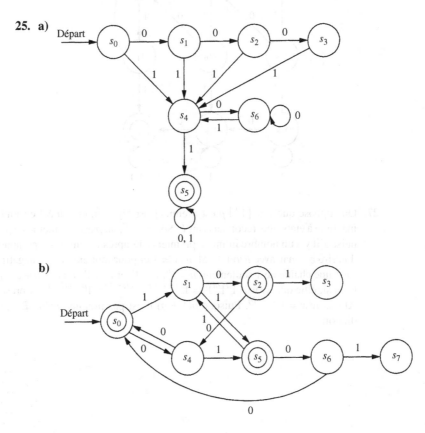

23. On construit l'automate fini pour A avec les états S et les états finaux F. Pour A, on utilise le même automate mais avec les états finaux $S - F$.

25. a)

b)

c)

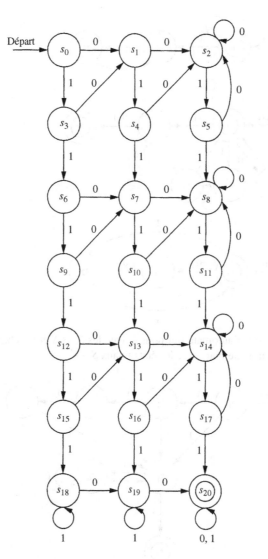

27. On suppose que $L = \{1^p \mid p \text{ est premier}\}$ est régulier, et soit S l'ensemble des états dans une machine à états finis reconnaissant L. Soit $z = 1^p$, où p est premier avec $p > |S|$ (cet entier existe puisqu'il y a un nombre infini de premiers). D'après le lemme de pompage, il doit être possible d'écrire $z = uvw$ avec $l(uv) \leq |S|$, $l(v) \geq 1$ et pour tout entier non négatif i, $uv^iw \in L$. Puisque z est une chaîne de 1 seulement, $u = 1^a$, $v = 1^b$ et $w = 1^c$, où $a + b + c = p$, $a + b \leq n$ et $b \geq 1$. Cela signifie que $uv^iw = 1^a1^{bi}1^c = 1^{(a+b+c)+b(i-1)} = 1^{p+b(i-1)}$. À présent, on prend $i = p + 1$. Alors, $uv^iw = 1^{p(1+b)}$. Puisque $p(1+b)$ n'est pas premier, $uv^iw \notin L$, ce qui est une contradiction.

ANNEXES

Annexe 1

1. a) 2^3 **b)** 2^6 **c)** 2^4
3. a) $2y$ **b)** $2y/3$ **c)** $y/2$
5.

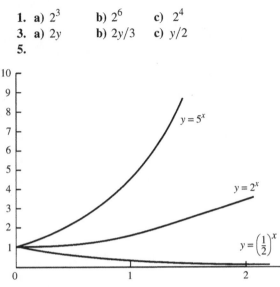

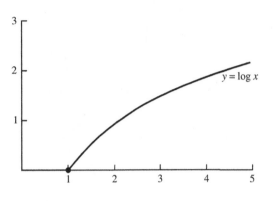

Annexe 2

1. Après l'exécution de ce bloc, on a attribué à a la valeur initiale de b et on a attribué à b la valeur initiale de c, tandis que suivant l'exécution du deuxième bloc, la valeur initiale de c a été attribuée à b et à a la valeur initiale de c également.

3. La construction de **pendant que** suivante donne les mêmes résultats.

$i := $ *valeur initiale*
pendant que $i \le$ *valeur finale*
début
  énoncé
  $i := i + 1$
fin

Annexe 3

1. $f(x) = 2(x^6 - 1)/(x - 1)$
3. 10
5. $f(x) = (1 + x + x^2 + x^3 + \cdots)(1 + x^2 + x^4 + x^6 + \cdots)$
    $(1 + x^5 + x^{10} + x^{15} + \cdots)(1 + x^{10} + x^{20} + x^{30} + \cdots)$
7. $f(x) = (x^2 + x^3 + \cdots)(1 + x + x^2 + x^3)(x^2 + x^3 + x^4 + x^5)$
9. a) $f(x) = 3/(1 - x)$
   b) $f(x) = 1/(1 - 5x)$
   c) $f(x) = 1/(1 - x)^2$
11. $a_k = 5 \cdot 7^k$
13. $a_k = 4^k$
15. Soit $G(x) = \sum_{k=0}^{\infty} f_k x^k$. Après avoir décalé les indices de sommation et après avoir ajouté des suites, nous voyons que $G(x) - xG(x) - x^2 G(x) = f_0 + (f_1 - f_0)x + \sum_{k=2}^{\infty}(f_k - f_{k-1} - f_{k-2})x^k = 0 + x + \sum_{k=2}^{\infty} 0 x^k$. Ainsi, $G(x) - xG(x) - x^2 G(x) = x$. En résolvant pour $G(x)$, on obtient $G(x) = x/(1 - x - x^2)$. Par la méthode de fractions partielles, on peut démontrer que $x/(1 - x - x^2) = (1/\sqrt{5})[1/(1 - \alpha x) - 1/(1 - \beta x)]$ où $\alpha = (1 + \sqrt{5})/2$ et $\beta = (1 - \sqrt{5})/2$. En se basant sur le fait que $1/(1 - \alpha x) = \sum_{k=0}^{\infty} a^k x^k$, il s'ensuit que $G(x) = (1/\sqrt{5}) \cdot \sum_{k=0}^{\infty} (\alpha^k - \beta^k)x^k$. Ainsi, $f_k = (1/\sqrt{5}) \cdot (\alpha^k - \beta^k)$.

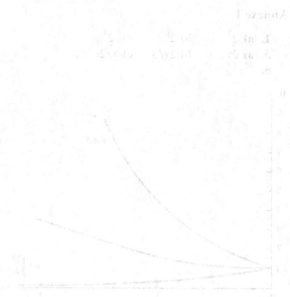

INDEX

LISTE DES SYMBOLES

SUJET	SYMBOLE	SIGNIFICATION	PAGE
LOGIQUE	$\neg p$	négation de p	3
	$p \vee q$	disjonction de p et de q	4
	$p \wedge q$	conjonction de p et de q	3
	$p \oplus q$	ou exclusif de p et de q	5
	$p \rightarrow q$	p implique q	5
	$p \leftrightarrow q$	biconditionnelle de p et de q	7
	$p \Leftrightarrow q$	équivalence de p et de q	13
	F	contradiction	13
	T	tautologie	13
	$P(x_1, ..., x_n)$	fonction propositionnelle	19
	$\forall x \, P(x)$	quantification universelle de $P(x)$	20
	$\exists x \, P(x)$	quantification existentielle de $P(x)$	22
	$\exists ! x \, P(x)$	quantification d'existence d'unicité de $P(x)$	32
	$\therefore$	par conséquent	159
	$p\{S\}q$	correction partielle de S	206
ENSEMBLES	$\{a_1, ..., a_n\}$	liste des éléments d'un ensemble	34
	$\{x \mid P(x)\}$	construction d'un ensemble en compréhension	35
	Z	ensemble des entiers	34
	N	ensemble des nombres naturels	34
	R	ensemble des nombres réels	34
	$\mathbf{Z}^+$	ensemble des entiers positifs	34
	$S = T$	égalité de deux ensembles	35
	$\varnothing$	ensemble vide	36
	$x \in S$	x est un élément de S	35
	$x \notin S$	x n'est pas un élément de S	35
	$S \subseteq T$	S est un sous-ensemble de T	36
	$S \subset T$	S est un sous-ensemble propre de T	36
	$\lvert S \rvert$	cardinalité de S	37
	$P(S)$	ensemble des parties de S	38
	(a, b)	couple	39
	$(a_1, ..., a_n)$	n-tuple	39
	$A \times B$	produit cartésien de A et de B	39
	$A \cup B$	union de A et de B	41
	$A \cap B$	intersection de A et de B	42
	$A - B$	différence de A et de B	43
	$\overline{A}$	complément de A	44
	$\displaystyle\bigcup_{i=1}^{n} A_i$	union de A_i, $i = 1, 2, ..., n$	48
	$\displaystyle\bigcap_{i=1}^{n} A_i$	intersection de A_i, $i = 1, 2, ..., n$	48
	$A \oplus B$	différence symétrique de A et de B	51

SUJET	SYMBOLE	SIGNIFICATION	PAGE
DÉNOMBREMENT	$P(n, r)$	nombre de r-permutations d'un ensemble à n éléments	237
	$C(n, r)$	nombre de r-combinaisons d'un ensemble à n éléments	238
	$\binom{n}{r}$	coefficient binomial de r dans n	239
	$p(E)$	probabilité de E	248
	$p(E \mid F)$	probabilité conditionnelle de E étant donné F	258
	$E(X)$	espérance mathématique de la variable aléatoire X	263
	$C(n\,;\,n_1, n_2, ..., n_m)$	coefficient multinomial	279
	$N(P_{i_1} ... P_{i_n})$	nombre d'éléments ayant la propriété $P_{i_j}, j = 1, ..., n$	324
	$N(P'_{i_1} ... P'_{i_n})$	nombre d'éléments n'ayant pas la propriété $P_{i_j}, j = 1, ..., n$	324
	D_n	nombre de dérangements de n objets	328
RELATIONS	$S \circ R$	composition des relations R et S	345
	R^n	n-ième puissance de la relation R	346
	R^{-1}	relation inverse	347
	$P_{i_1, i_2, ..., i_m}$	projection	351
	$J_p(R, S)$	disjonction	353
	Δ	relation diagonale	363
	R^*	relation de connexité de R	366
	$[a]_R$	classe d'équivalence de a sous la relation de R	377
	$[a]_m$	classe de congruence modulo m	378
	(S, R)	ensemble partiellement ordonné composé de l'ensemble S muni de l'ordre partiel R	384
	$a < b$	a est plus petit que b	384
	$a \leqslant b$	a est plus petit que ou égal à b	384
	$a > b$	a est plus grand que b	384
	$a \geqslant b$	a est plus grand que ou égal à b	384
GRAPHES ET ARBORESCENCES	(u, v)	arc orienté	359
	$\{u, v\}$	arc non orienté	409
	$G = (V, E)$	graphe avec l'ensemble des sommets V et l'ensemble des arcs E	409
	$\deg(v)$	degré du sommet v	416
	$\deg^-(v)$	degré intérieur du sommet v	418
	$\deg^+(v)$	degré extérieur du sommet v	418
	K_n	graphe complet avec n sommets	419
	C_n	cycle de dimension n	419
	W_n	roue de dimension n	419
	Q_n	n-cube	419
	$K_{m, n}$	graphe biparti complet de dimension m, n	421